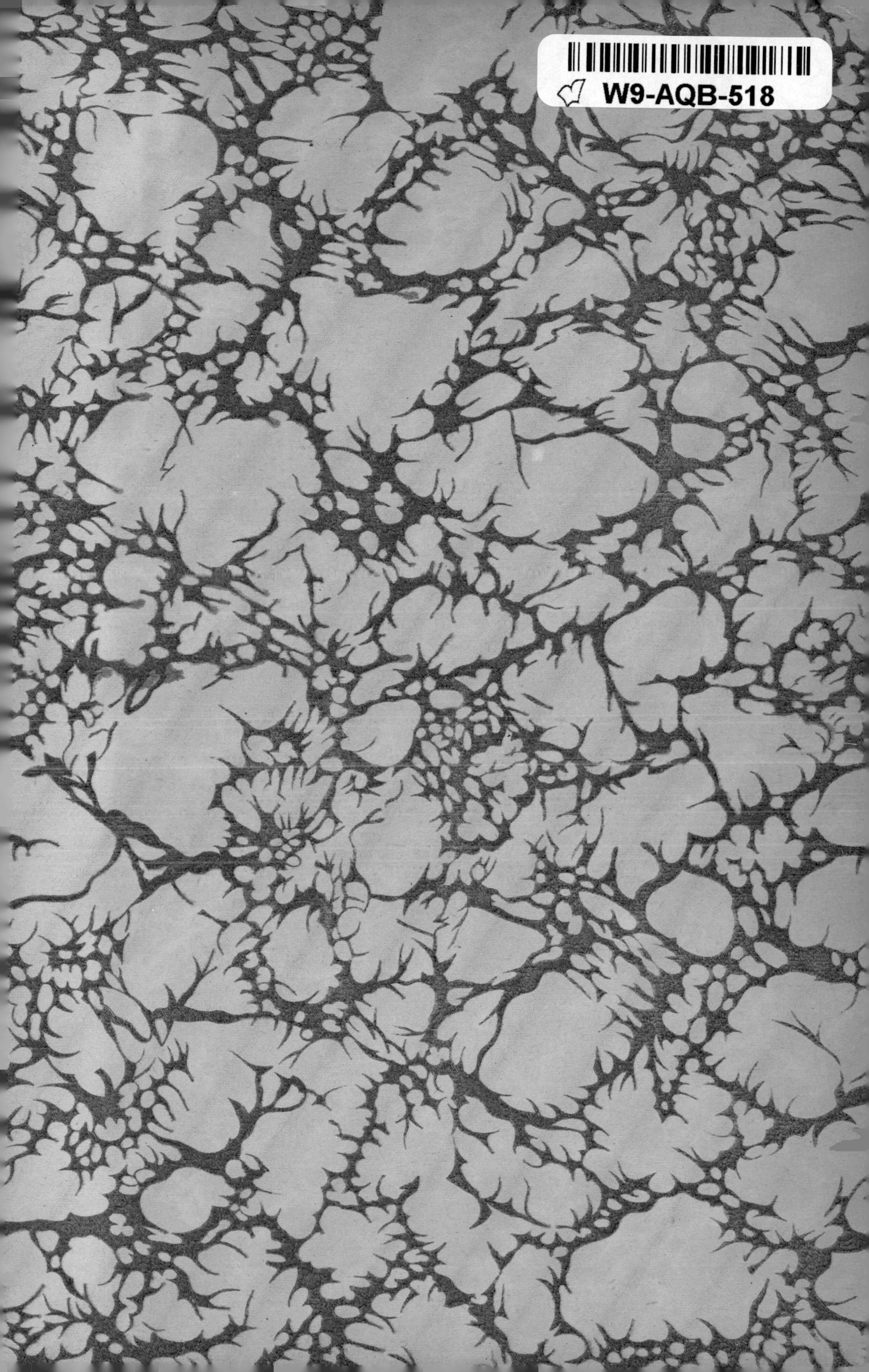

ÉVANGILE

SELON

SAINT JEAN

CUM PERMISSU SUPERIORUM

IMPRIMATUR

Parisiis, die 20 februarii 1925.

V. Dupin,

v. g.

ÉTUDES BIBLIQUES

ÉVANGILE

SELON

SAINT JEAN

PAR

LE P. M.-J. LAGRANGE

DES FRÈRES PRÊCHEURS

TROISIÈME ÉDITION

PARIS
LIBRAIRIE VICTOR LECOFFRE
J. GABALDA, Éditeur
RUE BONAPARTE, 90
—
1927

AVANT-PROPOS

DE LA PREMIÈRE ÉDITION

Cette collection d'*Études Bibliques* contient déjà : *L'évangile selon saint Jean, traduction critique, introduction et commentaire*, de la plume érudite et élégante du R. P. Th. Calmes (1). Le succès de cet excellent ouvrage fut tel que la première édition se trouva épuisée en quelques mois.

Trop sévère pour son œuvre, le R. P. Calmes refusa d'accorder aux instances de la maison Lecoffre-Gabalda et aux miennes une réimpression telle quelle. D'autre part, un ministère très fécond et très absorbant dans l'Amérique du Sud ne lui permit pas de mener à bonne fin la refonte qu'il avait en vue. Avec l'obligeance la plus cordiale, il voulut bien m'autoriser à répondre aux demandes sans cesse renouvelées qui s'adressaient à lui.

N'ayant pas qualité pour retoucher un ouvrage qui garde sa valeur, j'étais dans l'obligation d'écrire un commentaire entièrement nouveau, selon la disposition déjà adoptée spécialement pour saint Luc et saint Matthieu. Tâche encore plus redoutable, moins peut-être à cause des difficultés critiques, que par l'appréhension d'être de ceux qui n'ont pas compris la Lumière. Il sied d'être timide à la suite d'Origène (2) : « Osons le dire : les évangiles sont la part choisie de toutes les Écritures, et l'évangile de Jean est la part choisie parmi les autres : nul ne peut en acquérir l'esprit s'il n'a reposé sur la poitrine de Jésus, et s'il n'a reçu de Jésus Marie pour sa mère. »

Le nom de Marie, cependant, ranime la confiance. C'est par Elle que nous implorons la lumière surnaturelle nécessaire à l'intelli-

(1) Paris, V. Lecoffre, 1904.
(2) *Commentaire*, éd. Preuschen, p. 8.

gence, quelle qu'elle soit, d'un livre si chargé de sens divins.

En parcourant l'introduction et le commentaire, on constatera que nous considérons comme solidement assises les thèses traditionnelles de la Commission biblique (29 mai 1907) quant à l'origine apostolique du quatrième évangile et quant au caractère historique des faits et des discours attribués à Jésus.

Je prie mes collaborateurs de l'École biblique d'agréer l'hommage cordial et fraternel de cet ouvrage, en souvenir d'une vie dominicaine commune qui nous fut toujours douce. J'avais pensé à rappeler à ce propos l'idéal des Pythagoriciens (1) : οὐκοῦν εἰς θεοκρασίαν τινὰ καὶ τὴν πρὸς τὸν θεὸν ἕνωσιν καὶ τὴν τοῦ νοῦ κοινωνίαν καὶ τὴν τῆς θείας ψυχῆς ἀπέβλεπεν αὐτοῖς ἡ πᾶσα τῆς φιλίας σπουδὴ δι' ἔργων τε καὶ λόγων. Mais sait-on bien de quel Dieu ils parlaient? Demandons tout simplement à Notre-Seigneur la grâce de mettre en pratique son commandement promulgué par saint Jean : Aimons-nous les uns les autres.

Jérusalem,
en la fête du Sacré-Cœur de Jésus, 27 juin 1924.

NOTE POUR LA TROISIÈME ÉDITION.

La deuxième édition de ce commentaire était en tout semblable à la première : une table d'*errata* indiquait les principales fautes d'impression. Cette troisième édition a été corrigée plus à fond par le R. P. Raphaël Tonneau, auquel j'exprime ici ma reconnaissance. Quelques références inexactes ont été rectifiées, le texte grec a été ramené dans quelques cas à celui de la *Synopsis evangelica* (2). Il était impossible de faire des changements plus considérables. On trouvera quelques indications à la fin du volume sur les ouvrages nouveaux.

Saint-Maximin, fin de février 1927.

L'AUTEUR.

(1) Jamblique, *De Pyth. vita*, 240.
(2) Il est maintenu dans trois cas : Jo. iv, 48; viii, 44; ix, 17.

BIBLIOGRAPHIE [1]

Allo, *L'Apocalypse*, Paris, 1921.

Aug[ustinus], *In Joannis evangelium* Tractatus CXXIV, Migne, *P. L.* XXXV.

Bacon, *The fourth Gospel in Research and Debate*, New Haven, 1918.

Bauer, *Johannes* (Handbuch zum Neuen Testament), Tübingen, 1912.

Belser, *Das Evangelium des heiligen Johannes, übersetzt und erklärt,...* Freiburg im Breisgau, 1905.

Bert, *Das Evangelium des Johannes*, Gütersloh, 1922 [2].

Burney, *The aramaic origin of the fourth Gospel*, Oxford, 1922.

Calmes, *L'Évangile selon saint Jean*, Paris, 1904.

Cramer, *Catenae graecorum patrum...*, t. II, in evangelia s. Lucae et s. Joannis, Oxonii, 1844.

Chrys[ostome], *Homiliae LXXXVIII in Joannem*, Migne, *P. G.* LIX.

Cyr[ille] d'Alexandrie, *In Johannis evangelium Lib. XII*, Migne, *P. G.* LXXIII s.

Deb(runner), *Fr. Blass' Grammatik des neutestamentlichen Griechisch*, Göttingen, 1913.

Field, *Notes on the Translation of the new Testament*, Cambridge, 1899.

Grill, *Untersuchungen über die Entstehung des vierten Evangeliums*, t. I, Tübingen, 1902, t. II, 1923.

Harnack, *Die Chronologie der altchristlichen Litteratur bis Eusebius*, Leipzig, 1897.

Heitmueler, *Das Evangelium des Johannes* (Die Schriften des Neuen Testaments) Göttingen, 1908.

Holtz[mann] (H. J.), *Johanneisches Evangelium* (Hand-Commentar zum N. T.) Freiburg i. B., 1893.

Huby (S. J.), *Saint Jean* (Action populaire), Paris, 1922.

(1) Seulement pour les auteurs le plus souvent cités ou récents, avec l'indication des abréviations.

(2) Je ne connais cet ouvrage que par un compte rendu. Il est cité ici comme le plus récent commentaire. L'auteur de l'évangile est Jean, fils de Zébédée. Il aurait esquissé l'histoire de la vie éternelle dans l'allégorie de la vie humaine : mariage, naissance, nourriture, etc. Ce serait donc un retour aux systèmes allégoriques.

IRÉNÉE, éd. Stieren, Leipzig, 1853.
— *Nouum Testamentum*... par Sanday et d'autres, Oxford, 1923.
ISHO'DAD, texte syriaque et traduction anglaise (*Horae Semiticae*, n° V). Cambridge, 1911.
JACKSON (H. Latimer), *The problem of the fourth Gospel*, Cambridge, 1918.
JACQUIER, *Hist. des livres du N. T.*, t. IV, *Les écrits johanniques*, Paris, 1908.
KN[ABENBAUER] (S. I.), *Evangelium secundum Joannem*, Paris, 1898.
K.-G., *Ausführliche Grammatik der griechischen Sprache*, von Dr Raphael Kühner. Zeiter Teil : Satzlehre. Dritte Auflage in zwei Bänden in neuer Bearbeitung besorgt von Dr Bernhard Gerth, Hannover, 1893 et 1904.
LEPIN (S. S.), *L'origine du quatrième évangile*, Paris, 1907.
— *La valeur historique du quatrième évangile*, t. I et II, Paris, 1910.
LÉVESQUE (S. S.), *Nos quatre évangiles, leur composition et leur position respective*, Paris, 1917.
LOISY, *Le quatrième évangile*, Paris, 1903.
— *Le quatrième évangile, deuxième édition refondue*, Paris, 1921 (1).
— *Les livres du Nouveau Testament*, Paris, 1922.
M'CLYMONT, *St. John* (The Century Bible). Edinburgh, sans date.
MALD[ONAT], *Commentaire*.
MOULTON, *A grammar of new Testament Greek*, vol. I Prolegomena, Edinburgh, 3e éd. réimprimée en 1919.
NONNUS PANOPOLITANUS, *Paraphrase versifiée*, *P. G.* XLIII, c. 749-920.
ORIGÈNE, *Commentaire*, éd. Preuschen, Leipzig, 1903.
PHILON, avec les paragraphes de l'édition Cohn, Wendland et Reiter, les tomes et les pages de Mangey.
RENAN, *Vie de Jésus*, dix-neuvième édition, Paris, 1888 (d'après la treizième).
RÉVILLE (Jean), *Le quatrième évangile, son origine et sa valeur historique*, Paris, 1901.
RB. *Revue biblique*.
SANDAY, *The criticism of the fourth Gospel*, Oxford, 1905.
SCHANZ, *Commentar über das Evangelium des heiligen Johannes*, Tübingen, 1884.
SCHLATTER, *Die Sprache und Heimat des vierten Evangelisten*, Gütersloh, 1902.
SPITTA, *Das Johannes-Evangelium*, Göttingen, 1910.

(1) C'est cette édition qui est citée ordinairement.

STANTON, *The Gospels as historical Documents, Part III, the fourth Gospel,* Cambridge, 1920.

THÉODORE DE MOPSUESTE, *Commentarius in evangelium D. Johannis in libros VII partitus,* texte syriaque édité par J.-B. Chabot, Paris, 1897 (1).

THOM[AS], *S. Thomae Aquinatis expositio in evangelium Johannis,* éd. Vivès, Paris, 1876.

TILL[MANN], *Das Johannesevangelium übersetzt und erklärt...* (Die heilige Schrift des neuen Testaments), Berlin, 1914.

WELLH[AUSEN], *Das Evangelium Johannis,* Berlin, 1908.

WENDT, *Das Johannesevangelium,* Göttingen, 1900.

WEST[COTT], *The Gospel according to St. John,* New impression, London, 1919.

WETTER, « *Der Sohn Gottes* », eine Untersuchung über den Charakter und die Tendenz des Johannes = Evangeliums, Göttingen, 1916.

WÜNSCHE, *Neue Beiträge zur Erlaüterung der Evangelien aus Talmud und Midrasch,* Göttingen, 1878.

ZAHN, *Das Evangelium des Johannes ausgelegt...,* Leipzig, 1912.

ZNW, *Zeitschrift für die neutestamentliche Wissenschaft.*

(1) Le R. P. Vosté nous promet une seconde édition et une première traduction de cet important Commentaire.

INTRODUCTION

PRÉLIMINAIRES : LA QUESTION JOHANNIQUE.

L'Église catholique a rangé parmi les livres canoniques les évangiles selon Matthieu, Marc, Luc et Jean (1). Le quatrième évangile a donc été écrit sous l'inspiration de l'Esprit-Saint. Pour nous c'est un dogme, ce n'est pas une question.

Ce n'est pas non plus une question de savoir s'il a eu pour auteur le disciple bien-aimé, Jean, fils de Zébédée. Ce point est fixé par la tradition ecclésiastique.

Mais nous ne pouvons faire qu'il n'ait été contesté, qu'il ne soit nié par l'immense majorité des critiques non catholiques, et nous ne saurions demeurer indifférents à cette situation. Nous devons donc, nous aussi, nous occuper de la question johannique.

Peut-être quelques catholiques le jugent-ils superflu. Très certainement ceux qui revendiquent le privilège d'exercer la critique nous en contestent le droit : nous sommes des apologistes, liés à une thèse que nous ne pouvons que défendre, excluant ainsi l'unique souci d'arriver à la vérité. Mais si nous respectons la bonne foi de nos adversaires, nous leur demandons de ne pas méconnaître la nôtre : il serait si facile, à défaut d'une conviction raisonnée, d'écrire sur d'autres matières, ou de ne pas écrire du tout!

Si l'on entre dans ce parti des suspicions, on pourra tout aussi bien nommer apologistes tous ceux qui soutiennent des thèses fortement documentées contre les assauts de la fantaisie individuelle. On nous nomme apologistes, ce qui n'exclut pas la défense de la vérité; nous pourrions désigner ceux du camp négateur comme fantaisistes, et l'épithète serait justifiée, soit par les transformations incessantes de la critique négative, soit par la variété presque infinie des systèmes positifs proposés, variété qui provient sans doute des caprices inconscients du sens individuel.

Ce qu'on peut dire, à tout le moins, c'est que ceux qui se sont résolus

(1) *Conc. Trid. Sessio* IV.

à défendre d'antiques traditions historiques contre les chicanes ingénieuses de la critique moderne ne sont point dans une position fâcheuse au moment où tant de documents anciens, récemment découverts, rendent justice à ces traditions trop légèrement traitées.

Il faudrait ici esquisser le récit des attaques dirigées contre le quatrième évangile. Nous n'indiquerons que les grandes lignes : l'espace nous fait défaut, et il n'y aurait qu'un intérêt rétrospectif à reproduire des opinions déjà périmées, tandis que les plus nouvelles sont trop contradictoires pour former un corps vraiment redoutable.

On sait — et nous l'indiquerons mieux plus loin (1) — que, durant des siècles, ceux qu'on a appelés les Aloges ont été les seuls à nier que l'auteur du quatrième évangile fut un apôtre, Jean, fils de Zébédée. Il semble que ce sont bien leurs objections qui ont servi de point de départ au livre qui le premier a vraiment ému l'opinion des exégètes : *Probabilia de evangelii et epistolarum Johannis apostoli indole et origine eruditorum judiciis modeste subjecit Carolus Theophilus Bretschneider*, à Leipzig, en 1820.

Le titre était modeste : l'auteur se montra fidèle à cette réserve par un exemple bien rare dans l'histoire des lettres, en se déclarant convaincu par les réfutations qui surgirent contre lui en Allemagne. Il n'en avait pas moins indiqué les difficultés qui ont été constamment reproduites depuis, tirées des différences du quatrième évangile avec les trois évangiles plus anciens, dont l'autorité paraissait alors inébranlable.

Lorsque Strauss eut tenté de les réduire au rang des mythes (2), le quatrième évangile eut naturellement le même sort. Peu après une attaque non moins violente était dirigée par Baur et l'école de Tubingue, spécialement hostile au quatrième évangile, où elle voyait des traces non équivoques de gnosticisme, et dont elle reculait la composition jusqu'en l'an 170. Les défenseurs ne manquèrent pas. Mais insensiblement dans l'Allemagne protestante l'exégèse libérale s'accoutuma à sacrifier le quatrième évangile. On ne voulait plus ni adorer Jésus, ni renoncer à se prévaloir de son nom. Il était demeuré le grand Maître du culte envers Dieu : on retrouvait ses enseignements dans les synoptiques, dont on éliminait par l'exégèse ou des coupures ce qui supposait sa divinité. Cette divinité était si nettement affirmée dans Jean qu'il fallait infirmer son témoignage, et c'est à quoi servirent de nouveau les arguments de Bretschneider. La manœuvre a paru à Renan partiale et influencée par le préjugé confessionnel. L'autorité des synoptiques une fois ébranlée, — car les blessures faites par Strauss n'étaient

(1) Voir ch. Ier.

(2) *Das Leben Jesu*, Tübingen, 1835-1836; traduction française de Littré, Paris, 1840.

qu'imparfaitement pansées par le baume libéral —, il n'y avait plus de raisons décisives de ne pas leur préférer Jean dans bien des circonstances. C'est ce que fit Renan, au nom de l'histoire pure, distinguant entre les discours dont il faisait peu de cas, et les récits qu'il prit pour base de sa *Vie de Jésus*.

Cela non plus n'était pas logique. Puisque l'on admettait que d'autres se soient dits Fils de Dieu, Dieu, Vertu divine, comme Celse l'affirme (1), pourquoi Jésus n'aurait-il pas eu cette prétention?

Une critique dégagée de tout préjugé traditionnel ne pouvait se refuser à examiner cette position. On ne le fit cependant que très rarement (2), précisément parce que le nom de Jésus a conservé une immense autorité religieuse, et qu'on ne voulait pas aller jusqu'au blasphème en le traitant de trompeur ou d'halluciné : Renan oscille sans cesse entre l'un et l'autre.

Il parut plus prudent d'appliquer au quatrième évangile une critique qui ménageât non seulement Jésus, mais le grand mystique chrétien dont la pensée était une part vivante du christianisme : de là les tentatives émollientes de MM. Réville et Loisy, qui firent du quatrième évangile une œuvre symbolique pure : son auteur, incapable de distinguer entre les réalités concrètes et le sens profond qu'il donnait aux choses, échappait ainsi aux classifications ordinaires, puissant génie duquel on pouvait tout attendre, sauf de l'histoire.

Cependant il suffisait de le lire pour constater avec quelle énergie l'auteur affirmait les faits, insistait sur la valeur du témoignage. Aussi la psychologie de l'inconscient n'eut-elle point assez de crédit sur les critiques pour leur imposer ce personnage du rêve, si conscient de n'avoir pas rêvé! Alors on s'avisa d'attribuer un premier écrit à un contemplatif développant dans ses méditations le christianisme déjà devenu un mystère, c'est-à-dire une religion à l'instar des mystères et en opposition avec les mystères païens, à un intuitif plus ou moins paulinien, qui n'aurait retenu de l'histoire que la base nécessaire à ses spéculations. Dans son œuvre, trop différente du type reçu pour être admise sans difficulté dans l'Église, on aurait intercalé des récits empruntés à la tradition représentée par les synoptiques, et le tout, avec quelques additions rédactionnelles, serait devenu le quatrième évangile, arrangé de manière à suggérer le nom d'un apôtre, par exemple Jean, fils de Zébédée. Ainsi le quatrième évangile serait un ouvrage composite, né d'un père inconnu, adapté aux besoins du temps par les dirigeants de l'église d'Éphèse, l'œuvre du génie, complétée par une adroite supercherie. Tel est à peu près le système de ceux qu'on peut bien nommer

(1) Voir plus loin, ch. IV.
(2) Les blasphèmes du Dr Binet-Sanglé sont à peine arrivés à la notoriété.

des extrémistes, MM. Wellhausen, Schwartz, Loisy, etc. Ils sont seuls logiques, en ce sens qu'ils avouent qu'on devrait conclure à l'authenticité, si l'on prend les textes tels qu'ils sont; mais ils se mettent en dehors de toute discussion en niant l'unité de l'ouvrage alors que cette unité a toujours été reconnue d'après les signes les plus évidents. Ils n'ont d'ailleurs réussi à fixer aucun critère objectif qui permît de discerner plusieurs auteurs.

Ajoutons que, pour ruiner plus sûrement la valeur historique du quatrième évangile, admise en bien des cas par des sceptiques non confessionnels qui ne voulaient être qu'historiens, comme Renan, les extrémistes ont nié l'existence dans le quatrième évangile de toute tradition qui ne serait pas contenue dans la tradition synoptique. Ces critiques, si acharnés à la découverte de détails peu concordants, se butent ainsi à une vérité évidente. Aucun découpage, aucune combinaison de bouts de papier, aucun reproche de gaucherie ou d'incohérence ne peut dissimuler ce fait que Jean contient ses éléments à lui, et toute la question johannique gît pour les catholiques dans la difficulté de les accorder avec ceux des synoptiques.

C'est sans doute pour cela que de nombreux critiques refusent de se laisser conduire dans ce cul-de-sac. Un certain respect des documents, dont il a donné tant de preuves, a maintenu M. Harnack dans une position beaucoup plus rapprochée du camp des conservateurs, toujours solidement établi. Harnack admet donc que le quatrième évangile contient des traditions précieuses, et qui remontent à Jean, fils de Zébédée. Mais pour n'être pas obligé de dire encore que c'est lui l'auteur, il efface quelques mots de l'évangile (1), radiation qui est de mauvais augure.

Et tout de même l'auteur était un Jean, Jean le presbytre ou l'ancien, qui a écrit d'après Jean l'Apôtre. Sauf cette précision sur le presbytre, un grand nombre de critiques libéraux s'en tiennent à cette tradition indirecte de Jean, fils de Zébédée, transmise par un inconnu. Si cet inconnu n'était qu'un secrétaire, écrivant sous la dictée, quoique peut-être investi d'une certaine initiative dans la rédaction, sauf à la soumettre à l'auteur, cette opinion se rattacherait aisément à l'opinion traditionnelle. C'est ce que soutient Zahn avec une grande énergie.

On voit que l'accord n'est point fait, et que la « question » évolue toujours.

Les catholiques trop timides qui s'imaginent volontiers un fantôme de critique unifiée, se dressant contre les positions traditionnelles, seront déjà rassurés par ces lignes de M. Loisy : « Si les questions de

(1) XXI, 24 : καὶ ὁ γράψας ταῦτα.

critique étaient à trancher par le suffrage universel, l'origine des écrits johanniques serait à considérer comme un problème insoluble (1). » Ce savant ajoute, il est vrai : « Mais, à prendre les choses au point de vue du bon sens et sans parti pris, le travail de l'exégèse a donné certains résultats que l'on peut considérer comme certains. » Pourtant le savant exégète ne saurait vraiment pas revendiquer le bon sens pour lui seul ou pour les rares savants qui pensent comme lui.

D'autres catholiques estimeront peut-être qu'il n'y a pas lieu de se préoccuper d'attaques qui changent constamment. Il serait en effet impossible de procéder, dans un domaine si vaste, par voie d'exposition des différentes objections et de réfutation (2). Le plus simple est donc de s'en tenir à l'examen direct des questions et des documents; mais l'attaque est si générale, si opiniâtre, que nous ne saurions perdre de vue les opinions de la critique récente. Ses observations ne sont pas toutes à dédaigner Nous sommes désireux de profiter d'études approfondies qui ne peuvent être demeurées sans aucun résultat utile. Il pourra même nous arriver de nous appuyer sur une critique littéraire plus attentive, pour assurer plus sûrement telle thèse théologique traditionnelle.

Engagé dans une tâche si ardue, l'auteur de ce commentaire doit confesser qu'il se sent impuissant, plus encore que précédemment, à poursuivre l'édification des lecteurs par le *sermo scientiae et sapientiae*. Qui se hasarderait à refaire les *Tractatus* de saint Augustin, débordants d'une onction persuasive, ou les développements théologiques conduits d'une main si sûre par saint Cyrille d'Alexandrie? Saint Chrysostome n'est pas inférieur à lui-même dans ses homélies, et le sens littéral lui doit beaucoup. Saint Thomas d'Aquin dans son exposition, Bossuet dans ses Élévations et ses Méditations, résument la tradition avec précision : a-t-elle jamais été revêtue d'une langue plus belle que celle de l'aigle de Meaux, s'essayant à suivre le vol de l'Aigle?

Saint Jean a été vraiment bien traité par les plus beaux génies. Ce que notre temps exige, c'est un supplément d'informations philologiques et historiques, car la théologie elle-même est obligée de se faire historique, pour fixer la place de Jean le théologien dans le développement du christianisme à ses premières origines.

Il faut donc se résoudre à appliquer à des textes augustes les méthodes modernes, et ne pas s'étonner qu'ils appartiennent par quelque endroit à la critique philologique, littéraire et historique. Notre admiration

(1) *Le quatrième évangile*, éd. de 1921, p. 38.

(2) On trouvera des renseignements très précis dans les excellentes analyses de M. Lepin, dans ses deux ouvrages : *L'origine du quatrième évangile* et *La valeur historique du quatrième évangile*, surtout en ce qui concerne la première édition du Commentaire de M. Loisy.

n'y perdra rien. Loin de nous la pensée de leur infliger la chicane hargneuse de Méphistophélès, incapable de saisir dans l'œuvre de Dieu autre chose que des imperfections. Ce n'est point ainsi qu'on a commencé à s'écarter de la tradition : en refusant à l'évangile une valeur proprement historique, on rendait cependant hommage à son inspiration religieuse. On dirait que la critique négative est acculée à un paroxysme de malveillance : ayant épuisé ses munitions, elle ne compte plus que sur un surcroît d'audace. Mais déjà une réaction est commencée, parmi les plus indépendants. La connaissance plus approfondie de l'Orient, en particulier de la Palestine, du milieu palestinien : opinions, institutions, tournure d'esprit, langue, a fait réfléchir bien des critiques, de ceux qui ne consentent pas à incliner les réalités devant les combinaisons les plus subtiles. On se souvient que Renan, si sceptique, n'a jamais consenti à rejeter l'autorité historique du quatrième évangile, simplement parce qu'il avait pris la peine de venir le lire au pays de Jésus.

Le plan de cette introduction est déterminé par la nature des choses, et aussi par cette nécessité de tenir compte des discussions de notre temps.

Quoiqu'on affecte de la placer au second rang, la question de l'auteur a une extrême gravité. Sans doute la doctrine de Jésus importe plus que le nom de celui qui nous l'a fait connaître. Mais, dans ce cas particulier, le nom de l'auteur est garant de la croyance qui lui est due. Quand il serait démontré que le second évangile a été écrit par Silas et non point par Marc, il ne perdrait guère de son autorité. Le quatrième évangile perdrait la sienne s'il n'était l'œuvre d'un témoin oculaire. Si l'auteur ou l'éditeur nous a trompé sur ce point, comment croire à son témoignage? Théoriquement, on pourrait supposer un témoin oculaire, un disciple de Jésus qui ne serait pas Jean, fils de Zébédée, mais on s'écarterait à la fois de ce qu'insinue le livre et de ce qu'a affirmé la tradition. Nous aurons donc à repasser une fois de plus, dans un premier chapitre, le témoignage de l'évangile et celui de la tradition ancienne.

Les attaques contre l'unité, trop variées pour être examinées une à une (1), trop subjectives pour être redoutables, perdront, croyons-nous, toute influence nocive si l'on se pénètre du plan, du but, de la manière de composer de l'évangéliste, de ses habitudes de langage : tout cela relève de la critique littéraire et philologique, et formera le second chapitre.

L'autorité historique de l'évangéliste a été contestée à cause de ses divergences avec les synoptiques : il faudra donc établir ses titres à être tenu pour un historien sérieux : c'est la critique historique ou des faits, au chapitre III.

(1) Un examen rapide des principaux systèmes a été donné dans la *Revue biblique*, juillet, 1924 : « Où en est la dissection du quatrième évangile? »

Tel d'entre ceux-là mêmes qui tiennent Jean comme rapporteur de faits arrivés n'a pu admettre qu'un galiléen se soit élevé à une telle doctrine, ni surtout que Jésus ait tenu des discours si différents de ceux des synoptiques. Il eût donc fallu étudier la théologie de Jean, ses rapports avec Philon, avec les religions de mystères, et comparer en détail sa doctrine à celle des synoptiques. Un livre entier y eût à peine suffi. Nous avons dû nous borner à quelques thèmes essentiels au chapitre IV.

Il ne restera plus qu'à jeter un regard sur l'état du texte dans un cinquième et dernier chapitre, spécialement en ce qui concerne les rapports de la Vulgate avec le texte grec.

CHAPITRE PREMIER

L'AUTEUR DU QUATRIÈME ÉVANGILE.

Dans l'examen de la tradition on a coutume de placer d'abord les passages d'où l'on peut conclure à l'existence de l'évangile, puis ceux des écrivains qui croient connaître le nom de l'auteur (1). Mais le lecteur peut être tenté de conclure qu'à un ouvrage anonyme on a fini par donner un nom. Ce ne peut être en aucune façon le cas pour le quatrième évangile, qui n'est pas anonyme de la même façon que les trois premiers, puisqu'il se donne comme l'œuvre d'un témoin oculaire. C'est ce point qu'il faut établir tout d'abord. Le nom propre se déduira assez naturellement, et il sera constant que l'évangile n'a jamais été ni produit, ni reçu, sinon sous le couvert d'une autorité que nous ne pouvons appeler qu'apostolique, quoique l'évangile ne prononce pas ce nom. Là est le point décisif de toute cette enquête.

§ 1er. — *Le témoignage du livre.*

Les évangiles de Marc et de Matthieu sont complètement anonymes; Luc, sans se nommer, manifeste cependant son activité littéraire par une préface. Le quatrième évangile indique qu'il est l'œuvre d'un disciple de Jésus, et du disciple que Jésus aimait. On dirait que l'auteur, parfaitement résolu à donner toute l'énergie possible à son témoignage, a voulu lui assurer ce point d'appui solide sans cependant mettre en avant sa personnalité. C'est peu à peu que le voile se lève ou du moins devient plus transparent.

Jamais il ne dit « je » ou « moi » (2), comme pour laisser à Jésus seul cette formule si claire d'auto-manifestation. Cependant, dès le début, il se range parmi ceux qui ont été les témoins du Verbe incarné (I, 14), soudant ainsi ce témoignage à celui de Jean-Baptiste.

Si on lisait la vocation des premiers disciples sans avoir déjà lu et médité tout l'ouvrage, on ne ferait pas grande attention au fait de

(1) Par exemple dans l'excellente dissertation de M. Camerlynck, *De quarti evangelii auctore dissertatio*, Louvain, 1899.

(2) Pas même par la première personne d'un verbe au singulier; sur οἶμαι (XXI, 25) voir le Commentaire.

l'anonymat du disciple qui accompagna André auprès de Jésus (I, 35 ss.) (1). Mais lorsqu'on s'est pénétré du parti pris de silence sur la famille de Zébédée, qui est un indice négatif très clair, on n'hésite plus à reconnaître l'auteur dans le disciple qui a si bien su voir les choses. S'il était ce disciple de Jean-Baptiste, cela nous expliquerait à merveille comment son évangile est allé si à fond dans les sentiments intimes de cette grande âme, et tout aussi bien son intimité avec Pierre, laquelle se dévoilera peu à peu.

Puis le récit continue, impersonnel comme une histoire biblique, jusqu'au moment où commencent les entretiens confidentiels de Jésus avec ses disciples. L'évangéliste a parfaitement la notion d'un groupe choisi : il ne prononce pas le nom d'apôtres, ce qui le dispensera de le donner au témoin qu'il met en scène, et explique pourquoi, dans la tradition, il est demeuré « le disciple »; mais il connaît la prééminence des Douze (VI, 67. 70-71; XX, 24). Ce sont donc incontestablement les Douze auxquels le Maître a lavé les pieds et dit ses secrets comme à des amis. Et qui sait si Jo. n'a pas évité de le dire expressément pour ne pas limiter trop nettement le champ des conjectures? Ceux qui prennent la parole font bien partie des Douze d'après les catalogues synoptiques : Pierre, Thomas, Philippe, Jude, Judas. A ce moment (XIII, 23) apparaît pour la première fois le disciple que Jésus aimait (2), couché à table tout près de sa poitrine, auquel Pierre même a recours, à cause de cette situation favorable, pour obtenir une confidence. Mais il n'est fait aucune allusion à sa qualité éventuelle d'évangéliste.

La révélation de l'anonymat paraît même reculer lorsque Pierre entre chez le grand prêtre avec un autre disciple (XVIII, 15). Saint Augustin a renoncé à discerner son identité; Zahn le prend pour Jacques, frère de Jean. Cependant, quand plus tard on retrouvera avec Pierre le disciple que Jésus aimait (3), on a l'impression très claire que c'est toujours le même. Peut-être est-ce par délicatesse qu'il n'a pas rappelé son privilège, en compagnie de Pierre qui allait renier son Maître. Le disciple que Jésus aimait se retrouve auprès de la Croix, et Jésus lui confie le soin de sa Mère (XIX, 26). Il y était encore quand un soldat ouvrit le flanc de Jésus. A ce moment où tout est consommé, il rend enfin témoignage à la réalité des faits et se donne ouvertement pour témoin oculaire, afin que d'autres croient. Son affirmation est rendue sacrée par un appel à Celui qui sait qu'il dit vrai (4). « Dire » en pareil

(1) Il semble que Zahn exagère en concluant, de ce qu'André avait son frère à lui (I, 41), que le disciple innomé avait aussi le sien, Jacques.

(2) ὃν ἠγάπα ὁ Ἰησοῦς.

(3) XX, 2 ὃν ἐφίλει, et XXI, 7 ὃν ἠγάπα.

(4) XIX, 35, voir le Commentaire.

cas est synonyme d'écrire; cependant le mot n'est pas encore prononcé.

Nous retrouvons le disciple que Jésus aimait en compagnie de Pierre à la recherche du Christ ressuscité (xx, 2). Enfin, il adresse la parole à Pierre, lors de l'apparition au lac de Tibériade (xxi, 7), ayant le premier reconnu le Seigneur. Jésus ressuscité ne s'occupe en particulier que de ces deux disciples, et de leurs destinées futures. Il est suggéré assez clairement que Pierre a déjà été martyr au moment où le livre est écrit, tandis que le disciple que Jésus aimait vécut encore longtemps après. C est alors que d'autres personnes, ses frères dans la foi, et probablement ses fils selon l'esprit, prennent la parole pour affirmer que c'est bien ce disciple qui rend témoignage de ces faits et qui les a écrits : en même temps ils sont garants eux-mêmes que son témoignage est vrai.

Il n'y a donc en somme aucun doute sur ce fait que le quatrième évangile est proposé par un groupe de chrétiens comme l'œuvre d'un apôtre, et, si l'apôtre lui-même n'a pas rédigé ces derniers mots, c'est bien lui qui s'est fait connaître comme témoin en écrivant le récit de la mort de Jésus (xix, 35).

Nous disons un apôtre : il faut même dire un apôtre du premier rang. Ses prérogatives sont si hautes qu'on a prétendu qu'il voulait se hisser au rang de Pierre, et même plus haut. Il est aisé de constater qu'il laisse à Pierre son rang et le plein pouvoir que Jésus lui a donné sur toutes ses brebis (xxi, 16 ss.). S'il revendique une préférence, c'est celle d'un amour particulier du Seigneur, dont Pierre ne prenait aucun ombrage, et qui ne nuisait aucunement à une affection réciproque entre les deux disciples eux-mêmes.

Quel était donc cet autre disciple? A raisonner d'après les synoptiques, ce ne peut être qu'un des deux fils de Zébédée, toujours unis à Pierre pour former le groupe des trois intimes (1). Cette raison est décisive pour les catholiques; elle est grave pour tout le monde, car il n'y a aucune raison de contester ce point de la tradition. Si l'on se reporte ensuite aux Actes des Apôtres, on constate (xii, 2) que Jacques, mort en l'an 44, ne peut avoir écrit un évangile que ni la tradition ni la critique ne font remonter si haut. L'auteur est donc Jean.

On a tenté de réserver une autre possibilité. Il arrive plus d'une fois que Jo. envisage les choses autrement que les synoptiques, ce qui nous oblige à ne pas précipiter les jugements que l'on croirait pouvoir tirer de leur texte. Si le disciple avait été le maître de la maison où Jésus a mangé la Cène, on pouvait très bien lui faire une place à côté des Douze : en somme il était chez lui. Et il était assez naturel qu'il occupât la place d'honneur. Il n'y aurait aucune difficulté à le reconnaître dans

(1) Mc. v, 37; ix, 2; xiv, 33.

l'autre disciple de xviii, 15, car ses relations avec le grand prêtre seraient très naturelles. Habitant Jérusalem, il aurait été mieux au courant du ministère de Jésus dans cette ville, ministère qui occupe tant de place dans Jean.

Ces raisons ont entraîné MM. Delff, Bousset, von Soden, cités par M. Lepin (1), et naguère encore M. Swete, critique si modéré, peu de temps avant sa mort (1917) (2).

En fait, cependant, les Actes des Apôtres tranchent la question en faveur de Jean, fils de Zébédée, car les Actes ont noté l'intimité de Pierre et de Jean (3), correspondant exactement, quoique sans la moindre affectation, à leur situation dans Jo., l'initiative étant toujours le fait de Pierre, ainsi que le premier rang. Cette intimité se manifeste à la Cène et se poursuit dans les récits de la Passion et de la Résurrection; mais elle semble, nous l'avons vu, être née déjà dans la compagnie du Baptiste.

Nous retenons cependant ce fait que l'auteur de l'évangile avait des relations à Jérusalem. Qu'un pêcheur du lac de Tibériade ait eu des accointances avec le grand prêtre, cela n'a rien d'étonnant pour qui s'est rendu compte du sincère esprit démocratique des Orientaux et de leur extrême facilité à se déplacer et à contracter des alliances au loin. Les docteurs de la Loi aimaient à exercer un métier manuel. Zébédée avait des mercenaires (Mc. i, 20) ce qui n'est pas dit de Pierre. Jean pouvait être de meilleure famille, et si Pierre était le chef par la volonté de Jésus, sans parler du très probable prestige de l'âge (xx, 8), peut-être lui arrivait-il de faire un cas spécial des relations et des intuitions de son jeune ami. Dans la Cène il semble s'en rapporter à son tact, et pour entrer chez le grand prêtre il a recours à lui.

Ce sont des indices légers, mais précieux pour nous révéler dans Jean une nature plus délicate, un esprit plus cultivé, avec un tempérament non moins ardent, un zèle non moins passionné (Mc. ix, 38; Lc. ix, 49.54).

Nous concluons donc que le témoignage du quatrième évangile suffit à lui seul à indiquer que l'auteur est bien Jean, fils de Zébédée. C'est ce qu'il a voulu dire, et c'est à ce titre que son œuvre a été produite et reçue dans les Églises. Jusqu'à présent les critiques semblent avoir compris qu'il serait trop osé de lui reprocher d'avoir pris un masque dans le dessein de tromper. On préfère, d'un accord unanime parmi les plus radicaux, supposer que les passages relatifs au disciple bien-aimé ont été ajoutés par ceux qui voulaient donner du crédit à l'évangile.

(1) *L'origine...*, p. 388.
(2) *The Journ. of. th. St.* 1916, p. 371 ss.
(3) Act. iii, 1. 3. 11; iv, 13. 19; viii, 14.

Il y a bien une fraude, mais on ne l'impute pas à un génie religieux de première grandeur.

Nous répondons que cette négation ne s'appuie sur rien, si ce n'est qu'on la croit nécessaire à une négation plus générale, et nous attendons des preuves.

Celui qui aurait ajouté cet indice positif de reconnaissance devait naturellement être enclin à mettre un nom. Il ne l'a pas fait. Mais il a suggéré Jean, fils de Zébédée. Pourquoi? Et comment se fait-il que cet indice positif coïncide avec l'indice négatif du silence sur tout ce qui regarde la famille de Zébédée? Il faudrait donc que l'arrangeur ait enlevé les noms de Jean et de Jacques, et que, pour suggérer Jean, il ait commencé par le rayer de l'évangile!

Enfin, la conjecture « critique » est parfaitement contradictoire avec le système de ces radicaux qui ne nient pas tout à fait l'unité. Ils soutiennent volontiers que le quatrième évangile se donne comme spirituel, comme supérieur aux autres; l'auteur se mettait sans hésiter au-dessus de la tradition des synoptiques : il ne voulait pas les compléter, mais les supplanter. Il lui fallait, pour y réussir, placer son autorité au-dessus de celle de Pierre. Comment pouvait-il se mettre au-dessus de Pierre sans rien insinuer sur sa propre personne? Et comment essayer de supplanter les évangiles synoptiques sans s'autoriser d'aucun apôtre pour une entreprise aussi hasardeuse?

Les adversaires de l'unité admettent volontiers qu'une seconde rédaction a concilié le quatrième évangile avec les synoptiques, et c'est à ce moment qu'on aurait ajouté le disciple bien-aimé. Mais il était alors beaucoup moins indispensable. Si l'on suppose que c'est le dernier rédacteur qui a eu cette initiative hardie, comment se fait-il que dans le ch. XXI qu'on lui attribue il ait donné si nettement la supériorité à Pierre dans le gouvernement et par le privilège du martyre?

Il est vrai que M. Heitmüller (1) a cru tout arranger en distinguant trois stades : pas de disciple bien-aimé; un disciple bien-aimé supérieur à Pierre et qu'on donne comme témoin; un disciple bien-aimé égal à Pierre et qu'on donne comme écrivain. Mais les critiques habitués à traiter les textes avec quelque méthode ne peuvent reconnaître dans ce système qu'une manière d'échapper au témoignage que se rend l'auteur. Encore une fois, c'est dès le début qu'il a dû se mettre en scène, et il eût été contradictoire de défier la tradition synoptique en se plaçant au-dessus de Pierre au moment où l'on voulait se concilier ses partisans.

Nous argumentons, il est vrai, *ad hominem*. Mais, en mettant les

(1) *Die Johannes-Tradition* dans *ZnW* 1914, p. 105. Nous ferons plus d'une fois allusion à cette critique récente de la tradition johannique.

choses au point, si Jo. a voulu non pas supplanter les synoptiques, mais présenter hardiment aux fidèles un aspect de la mission du Christ insuffisamment connu, il était vraiment bien opportun qu'il s'autorisât d'une autorité qui ne fût rien moins qu'apostolique.

Si bien que les passages formels sur le disciple bien-aimé, en parfaite harmonie dans leur lueur discrète avec le silence sur la famille, ne peuvent être regardés comme des additions postérieures. Ils sont, dans l'hypothèse des critiques, d'autant plus nécessaires à la première rédaction qu'elle était plus éloignée des synoptiques, dont on l'aurait rapprochée peu à peu.

En somme la question est double : pourquoi l'auteur s'est-il désigné? Ou : pourquoi ne pas s'être désigné plus clairement?

D'après M. Loisy, première manière, le disciple bien-aimé n'est pas une personnalité historique : c'est le type du disciple selon l'esprit, le chrétien parfait selon l'idéal du quatrième évangile, un témoin spirituel. Cette thèse était imaginée pour rejeter l'autorité historique de Jean sans trop le disqualifier : « Pour qui sait lire, le témoin ne se distingue pas réellement de l'auteur, mais il est clair que le témoin est anonyme, et que l'auteur veut rester inconnu (1). »

M. Lepin a bien montré l'inconsistance de ce théorème (2). S'autoriser d'un témoin oculaire, imaginé pour lui faire affirmer ce qu'on veut faire accroire, c'est un mensonge si l'on veut imposer la croyance des faits; c'est une équivoque superflue si l'on présente des vérités sous le voile de l'allégorie. Aujourd'hui, M. Loisy ne fait plus difficulté de conclure à une fraude littéraire. A la suite d'une longue élaboration, les rédacteurs des écrits johanniques ont inventé le disciple que Jésus aimait pour donner le change sans trop se compromettre en prononçant un nom : nous venons de voir l'inanité de cette nouvelle hypothèse.

Bauer regarde comme une prétention indigne d'un disciple de Jésus de se donner pour le plus aimé de tous; et en même temps il ne voit pas pourquoi un écrivain apostolique se serait mis en avant d'une manière aussi obscure (3). On en conclura que Jean a pris le juste milieu.

En somme tout se résout à ceci : dans ce procédé, il y a du mystère. Les adversaires de l'authenticité y voient un mystère de mauvais aloi, un masque qui ne leur dit rien de bon. Nous y voyons un mystère très relatif, parfaitement justifié par les circonstances, et la marque d'une âme très délicate, aussi portée à s'effacer que généreuse, une manière un peu subtile, mais exquise, de résoudre le problème du témoignage sans la désagréable insistance du « moi ».

(1) 1re éd. p. 129.
(2) *L'origine...* p. 341-387.
(3) *Comm.* p. 131.

Il faudrait que des deux côtés ce ne soit pas une appréciation purement personnelle. Essayons de le montrer pour notre part.

L'importance de la tradition pour les œuvres d'art n'est bien connue que depuis quelques années. Les critiques modernes se sentent parfaitement libres. Ils accordent volontiers cette liberté aux anciens. Pourquoi un apôtre n'aurait-il pas mis carrément son nom en tête de son livre?

Un Grec l'aurait fait, ou du moins eût été libre de le faire.

Hérodote d'Halicarnasse, Thucydide d'Athènes ont signé en tête de leurs histoires. Cependant Xénophon et César ont préféré parler de leur action à la troisième personne. Au temps de Jésus-Christ, l'usage des préfaces avait prévalu en Orient, et quand Josèphe voulut présenter en grec sa Guerre Juive, il ne manqua pas de décliner sa situation sociale. C'était agir à la grecque. Il est bien à noter que le latin de Tobie, traduit de l'araméen, ne laisse pas entrevoir l'auteur, tandis que les textes grecs disent « moi, Tobie ».

Chez les Hébreux, aucun écrivain ne s'était nommé comme l'auteur d'un livre d'histoire. Ce n'était pas le cas, même pour Moïse, que la tradition désignait comme l'auteur du Pentateuque, et elle n'avait suppléé à ce silence par aucun titre. Un livre d'histoire était toujours une œuvre impersonnelle qui était à elle-même sa propre garantie, étant anciennement émanée de la chancellerie royale; il ne sortait de là que ce que le roi voulait faire savoir. Le pli une fois pris, il semble bien que personne ne s'en départit. L'individualisme grec ne changea rien d'abord à cette manière d'écrire sans mêler aucunement la personnalité de l'écrivain à l'histoire qu'il racontait.

Aussi lorsqu'on commença d'écrire les Actes de Jésus, les premiers récits furent-ils absolument anonymes. En rédigeant une petite préface élégante, Luc s'accommodait au goût des Grecs. N'écrivant que pour des hellénisés, et désireux de s'imposer, le pseudo-évangile de Pierre dira : « moi, Simon-Pierre » (x). Croit-on que Jean, dont nous aurons à constater la formation sémitique, eût été libre d'écrire de cette façon, tranchant à la fois sur les habitudes sémitiques et sur les traditions déjà acquises de la littérature évangélique? On objectera que Jean a bien dit dans l'Apocalypse : « moi, Jean » (I, 9). Mais c'est en vertu d'un autre canon littéraire. Régulièrement tout prophète doit se nommer dès le début de sa prédication. Les apocalypses apocryphes n'ont pas manqué de suivre cette règle : « Moi, Esdras », « moi, Baruch », « Parole d'Hénoch », etc.

Écrivant un livre d'histoire, non point dans le goût hellénistique, mais selon la tradition de l'Ancien Testament, Jean ne devait pas se nommer. L'étonnant c'est au contraire qu'il se soit désigné.

Il y a été décidé, semble-t-il, par le sentiment qui le poussait à rendre témoignage. C'est un point caractéristique de sa manière, ou plutôt de son âme. « Rendre témoignage » se dit déjà du cantique de Moïse (Dt. XXXI, 19. 21), mais parce qu'il témoignera contre les Israélites. Maintenant il faut rendre témoignage à Jésus. C'est ce qu'a fait Jean-Baptiste, c'est ce que vient de faire Jean lui-même (Apoc. I, 2). Pierre, après Étienne, après Jacques, a rendu témoignage par son sang. Le vieux disciple, demeuré presque seul de l'ancienne génération, brûle de témoigner par ses écrits (I Jo. I, 1 ss.). Il faudra donc que sa personne entre en scène : cela est indispensable, et, pour ne pas encourir le reproche de se rendre témoignage à lui-même, il fera appel au Christ (XIX, 35). Mais il n'ira pas plus loin. Il est le témoin, un autre Jean-Baptiste, mais il préfère ne pas se nommer. Un nom n'ajoute aucune garantie : — il est si facile de prendre un nom supposé! — et il demeurera auprès de son Maître dans une ombre discrète, étant suffisamment accrédité auprès des églises par ceux qui l'ont connu (XXI, 24). Une pareille œuvre mérite bien qu'on l'étudie avec une sympathie respectueuse. Qu'on essaie de voir dans ce procédé l'attention d'une âme aimante et humble, aussi désireuse de s'effacer que de projeter la lumière toute entière sur le Verbe incarné! L'affirmation est énergique : il le fallait; elle s'appuie sur une garantie: il le fallait. Mais elle ne perdait pas de sa force en se faisant modeste, et elle l'est avec résolution et parti pris. Jacques, le frère associé avec Pierre à des mystères réservés ne sera pas même nommé, ni Jean naturellement, ni Zébédée leur père, si ce n'est peut-être au dernier moment (1), ni leur mère, quoique très probablement présente au pied de la Croix (2).

Ces omissions, évidemment calculées, sont un indice décisif que nous avons bien affaire à l'un des deux frères, en fait à Jean. La seule chose que cette âme tendre consente à rappeler, c'est qu'elle a été aimée. Lui reprocher (*Bauer*) une prétention arrogante (*Anmasslichkeit*), c'est quelque peu pharisaïque. Quel monde interlope suppose M. Loisy quand il écrit : le disciple « paraît craindre de se nommer, ou l'on a peur de le nommer (3) »!

Il n'a pas craint de se nommer dans l'Apocalypse, après sa confession publique du nom de Jésus. Maintenant il n'est plus un prophète investi d'une mission propre; il est évangéliste, il s'efface, et les autres, sachant combien il est grand, disent bien haut qu'il mérite d'être cru.

*
* *

Jusqu'à présent nous n'avons parlé que de l'évangile. Il se rend témoignage à lui-même ou à son auteur comme étant un de ceux qui

(1) XXI, 2.
(2) XIX, 25.
(3) 2e éd. p. 6.

ont connu le Verbe incarné, qui ont « vu sa gloire » (I, 14). Ce texte est encore plus positif quand on le compare au début de la Ire épître de Jean, que tout le monde reconnaît être du même auteur : « Ce qui était dès le commencement, ce que nous avons entendu, ce que nous avons vu de nos yeux, ce que nous avons contemplé et ce que nos mains ont touché du Verbe de vie, — car la vie a été manifestée, et nous l'avons vue, et nous lui rendons témoignage, et nous vous annonçons la vie éternelle, qui était auprès de Dieu et qui nous a été manifestée, — ce que nous avons vu et entendu, nous vous l'annonçons, afin que vous aussi vous soyez en communion avec nous, et que notre communion soit avec le Père et avec son Fils Jésus-Christ. Et nous vous écrivons ces choses, afin que votre joie soit complète (1). »

Il est vraiment difficile d'être plus formel pour attester qu'on a vu, entendu, touché une personne qui a paru sur la terre, encore que son origine soit divine. Ces termes énergiques viennent donc renforcer ce que l'évangile (I, 14) avait dit plus simplement.

Cependant nous devons insister parce que tout récemment M. v. Harnack (2) a tenté de réduire à rien la valeur de ces textes en discutant le sens propre du « nous » dans les écrits johanniques, c'est-à-dire l'évangile et les épîtres, car l'Apocalypse n'offre rien de semblable. D'après Harnack, Jean emploie « nous » de deux façons : soit pour relever son autorité, soit pour se ranger parmi les fidèles auxquels il s'adresse, jamais pour désigner un groupe de personnes. — Le second point, le « nous » qui comprend à la fois l'auteur des épîtres et les croyants, n'offre aucune difficulté dans un grand nombre de cas (II Jo. 1-3; I Jo. *passim*). Il n'est pas douteux non plus que l'auteur emploie « nous » comme on dirait « je », pour donner plus d'autorité à sa parole. Ce qui est tout à fait contestable, et simplement erroné, c'est la source de cette autorité assignée par Harnack. Imbu de l'éternel préjugé protestant qui fait de la « communauté » le principe créateur et directif, Harnack imagine que le « nous » de I Jo. I, 1-4 comme de Jo. I, 14 c'est la communauté parmi laquelle l'auteur prend sa place, au nom de laquelle il parle, non sans laisser planer un certain doute entre le « moi » de sa personne et le « nous » de la communauté. — Mais, comme l'a fait remarquer M. J. Behm (3), rien de plus opposé à l'autorité personnelle revendiquée si hautement par l'auteur des Épîtres, rien de plus opposé aussi au caractère historique de la manifestation dont il a été le témoin, à un moment du temps passé. La communauté à laquelle il s'adresse n'a qu'à faire son profit de son enseignement, quoiqu'il veuille bien, comme

(1) I Jo. I, 1-4.
(2) *Das « Wir » in den Johanneischen Schriften*, Berlin, 1923.
(3) *Theologische Literaturzeitung*, 1924 c. 252 ss.

croyant, se mêler à elle. S'il y a quelquefois une transition assez rapide du « nous » personnel au « nous » qui comprend tous ceux qui adhèrent à la lumière (I, 14. 16 et I Jo. IV, 11 ss.), il n'y a cependant pas à s'y tromper. Voir, entendre, toucher surtout doit s'entendre ici comme dans Jo. XX, 27; Lc. XXIV, 39; Act. X, 41; Ign. Smyrn. III, 2, qui mettent en relief la constatation réelle, et non d'après Act. XVII, 27, où le contact avec le divin est d'une nature philosophique.

Le seul point qu'on puisse controverser est celui de savoir si Jean a eu l'intention d'associer un groupe de témoins oculaires à son témoignage, ou s'il ne parle que pour son compte comme écrivain. L'opinion la plus commune est que Jean parle au nom d'un groupe. Il se peut que Harnack ait raison (1) de ne point reconnaître ce groupement, mais ce n'est pas une raison pour remplacer le groupe des anciens témoins par la communauté présente.

Mais si le « nous » au lieu d'être collectif est simplement un « nous » d'écrivain, le témoignage n'en est pas moins affirmatif. Nous savons par ailleurs que les apôtres ont rendu témoignage. L'auteur y joint le sien, c'est de ce témoignage qu'il s'agit. Il importe peu que l'auteur se mêle plus ou moins aux autres apôtres pour le rendre, puisqu'aussi bien il est seul à parler; en leur nom ou au sien propre, le fait est toujours le même : il a vu ce dont il va parler.

§ 2. — *La tradition.*

Le quatrième évangile se donne donc comme l'œuvre d'un disciple, de ceux qu'on appelait désormais les Douze ou les Apôtres par excellence, et même d'un privilégié parmi eux : par conséquent quiconque recevait l'évangile admettait en même temps son autorité apostolique. L'auteur anonyme, dira-t-on, se faisait la partie belle. Sans doute, mais s'il n'était pas ce qu'il prétendait être, il risquait davantage, car, une fois démasqué, ses affirmations historiques et doctrinales auraient partagé le discrédit de sa prétention. Il y eût eu là, en effet, une allégation d'un caractère plus grave et plus nettement frauduleux que d'autres qu'on s'est cru permises. Composer un ouvrage sur la sagesse en suggérant, sans le dire expressément, qu'il était écrit en la personne de Salomon, le plus sage des rois, c'était à peine user d'un pseudonyme. Il était plus hardi de décrire des événements récents en forme de visions accordées à

(1) Ce qui rend peut-être cette solution plus probable, c'est que dans I Jo., l'auteur passe de γράφομεν (I, 4) à γράφω (II, 1) et à ἔγραψα (II, 21).

Mais il faut maintenir le sens collectif dans XXI, 24, parce que là ceux qui disent οἴδαμεν sont distincts de celui qui a écrit, καὶ ὁ γράψας ταῦτα, mots qu'Harnack est obligé d'éliminer du texte.

Hénoch ou à Élie, ou à Noé, ou de dépeindre la ruine de Jérusalem sous Titus comme si c'était l'impression d'un Baruch, ou d'encourager les dispersés par des paroles d'Esdras. Mais enfin ces apocalypses comportaient une certaine manière de dire, et la pseudonymie y était, pour ainsi parler, de style. Lorsque le temps était très reculé, ce lointain paraissait autoriser une fiction qu'on donnait presque pour telle.

Il n'en était pas de même d'un livre qui s'adressait à des chrétiens pour leur parler de la vie et de la doctrine de Jésus-Christ, qu'ils connaissaient déjà par des récits reçus dans les Églises. Les prédicateurs de l'évangile avaient eu soin de mettre les fidèles en garde contre des doctrines nouvelles (Gal. I, 8); il ne suffisait pas, pour être reçu, de se présenter au nom d'un apôtre. De fait ni l'Évangile de Pierre, en dépit de son : « moi Simon-Pierre » (XII), ni l'évangile des Douze apôtres n'eurent un véritable crédit. Ils seraient presque inconnus sans des citations érudites qui commencent à Origène. Si donc le quatrième évangile fut reçu universellement, ce ne fut pas parce qu'il se donnait, mais parce qu'on le reconnut pour être d'origine apostolique. Or cette adhésion, nous le verrons, fut en effet universelle, sauf la protestation de Caïus ou des « Aloges » vers la fin du IIe siècle.

Tel est le fait capital. Et l'on peut dire que Jo. se présente dans des conditions plus favorables à son authenticité que les autres évangélistes. Il est cité plus tard, mais il a en effet été composé plus tard. On ne dit pas tout d'abord qu'il est l'œuvre de Jean, fils de Zébédée, mais on le reconnaît, par le fait même qu'on le reçoit, pour l'œuvre d'un apôtre.

Cette sorte d'authenticité qui est l'authenticité canonique, celle qui repose sur l'assentiment des chefs des églises, est celle sur laquelle nous devons surtout insister. Rien de plus solide que le témoignage des églises sur un écrit qui s'imposerait à leur foi, du moment qu'elles l'auraient reçu.

Cette manière de poser la question ne satisfait pas la curiosité des modernes. Pour eux, examiner l'authenticité, c'est s'enquérir des circonstances dans lesquelles un ouvrage a été composé, de la situation personnelle de l'auteur, des raisons qu'il a données à son entourage quand il s'est décidé à écrire, etc. Nous ne recueillons aucun renseignement de cette sorte chez les plus anciens témoins de l'évangile. Saint Irénée est le premier qui soit entré dans cette voie. Les adversaires de l'authenticité affectent de n'attacher de prix qu'à ces points de détail, et de réduire toute la tradition à un seul témoignage, qu'ils s'efforcent de rendre suspect.

Les défenseurs de l'authenticité ont pris la défense de saint Irénée, mais sans arriver à le faire absoudre de certaines confusions. Ce serait donc faire le jeu de l'opinion négative que d'exagérer l'importance des données qu'il nous fournit, par exemple sur l'évangile écrit à Éphèse.

Nous tenons comme eux le séjour de Jean en Asie. Mais ce n'est pas le point décisif. Nous ne disons pas : le quatrième évangile est l'œuvre de Jean, fils de Zébédée, parce qu'il a été écrit à Éphèse et que l'apôtre a séjourné à Éphèse (1), mais simplement : toutes les églises ont accepté le témoignage que l'auteur s'est rendu à lui-même, et qui lui a été rendu par ceux qui le connaissaient. C'est ce témoignage qu'a recueilli Irénée à son tour, ce n'est point une opinion qui soit venue d'Irénée. Secondairement nous apprenons d'Irénée, du Canon de Muratori, etc. des détails intéressants sur la composition de l'Évangile, détails qui n'ont pas tous la même valeur, mais dont l'affirmation traditionnelle ne dépend pas.

On ne saurait cependant séparer complètement ces deux thèmes sans tomber dans des redites. Nous suivrons donc simplement la tradition dans un ordre chronologique approximatif, sauf à rapprocher certains groupes qui ont été en contact ou en opposition.

Saint Clément Romain.

On a proposé de ranger l'épître de saint Clément aux Corinthiens, vers l'an 95, parmi les documents qui auraient subi l'influence de Jo. (2). Le fait serait d'une grande portée pour dater l'évangile. Mais d'abord les rapprochements ne sont pas concluants. Dans Clém. XLVIII, 4 ce n'est pas le Christ qui est la porte, comme dans Jo. X, 9; il est dit que, parmi plusieurs portes (avec renvoi antérieur à l'A. T.; cf. Ps. CXVIII, 19), la porte de la justice est bien celle qu'on possède dans le Christ : πολλῶν οὖν πυλῶν ἀνεῳγυιῶν, ἡ ἐν δικαιοσύνῃ αὕτη ἐστὶν ἡ ἐν χριστῷ : l'expression ne contient pas ce que Jo. a de caractéristique. Clém. XLIII, 6 εἰς τὸ δοξασθῆναι τὸ ὄνομα τοῦ ἀληθινοῦ καὶ μόνου [κυρίου] ressemble à Jo. XII, 28 et XVII, 3, mais outre que ces deux passages sont fort éloignés, alors que la ressemblance n'est à noter que par le groupement des deux idées, dans Clém. il s'agit de Moïse et dans Jo. de Jésus-Christ. Dans Clém. LIX, 4, il y a une ressemblance avec Jo. XVII, 3, mais l'expression παῖς σου pour Jésus-Christ n'est pas johannique. S'il y avait dépendance, on devrait conclure critiquement que c'est Jo. qui dépend, car sa formule a quelque chose de liturgique, et tout le passage de Clém. est une liturgie. Clém. LX, 2 ἀλλὰ καθάρισον ἡμᾶς τὸν καθαρισμὸν τῆς σῆς ἀληθείας a de commun avec Jo. XVII, 17 (ἁγίασον αὐτοὺς ἐν τῇ ἀληθείᾳ) l'action de la vérité pour purifier et sanctifier : mais les deux concepts ne sont pas identiques; la situation dans Clém. est commune : c'est celle de tous ceux qui se sentent pécheurs;

(1) Dom Chapman (*John*... p. 67) semble croire qu'il conduira ses lecteurs de Jean d'Éphèse à Jean l'Apôtre : *Now the fourth Gospel, wether by John the Apostle or not, was certainly written in Asia*... Je dirais plutôt qu'il est certainement d'un apôtre, lequel ne peut être que Jean, qu'il ait été ou non écrit en Asie proconsulaire.

(2) *Calmes*, p. 50 ss.

celle de Jo. est très spéciale. Clém. XLIX, 1 : ὁ ἔχων ἀγάπην ἐν χριστῷ ποιησάτω τὰ τοῦ χριστοῦ παραγγέλματα répond très bien à Jo. XIV, 15 ἐὰν ἀγαπᾶτέ με, τὰς ἐντολὰς τὰς ἐμὰς τηρήσατε, mais la meilleure leçon est τηρήσετε, nuance différente. Dans tout ce passage Clém. dépend plutôt de Paul (I Cor. XIII, 4. 7).

Nous concluons donc que la dépendance de l'un des deux n'est pas très probable, et, si elle l'était, ce serait plutôt une dépendance de la part de Jo., ce qui est peu vraisemblable.

Saint Ignace d'Antioche.

Les lettres d'Ignace étant reconnues authentiques, soit qu'elles datent de l'an 107 ou de l'an 115, il est du plus haut intérêt de savoir si elles font allusion au quatrième évangile. Elles ne le nomment pas, cela est certain, mais il est certain qu'elles sont imbues de sa doctrine. La foi en Jésus-Christ et plus encore l'amour de Jésus-Christ sont le foyer de la religion d'Ignace. On ne peut contester sa dépendance de Jo. que si l'on imagine une théologie d'Asie Mineure dont il aurait été l'un des représentants. Alors ses affinités avec Jo. s'expliqueraient par une ambiance dans laquelle Jean lui-même aurait vécu, à laquelle on rattache encore l'épître aux Éphésiens et les Pastorales. Telle est l'opinion de von der Goltz (1), et elle a exercé une influence considérable. Mais si l'on tient avec von Harnack (2) qu'il n'y a pas lieu de rattacher Ignace à une théologie de l'Asie Mineure, que von der Goltz a construite artificiellement, il ne reste pour expliquer l'accord entre Jo. et Ignace que la dépendance de ce dernier. Préférer le recours à une « école johannique » sans Jo. ce serait substituer une donnée d'imagination au fait très tangible du quatrième évangile (3).

Les textes nous paraissent décisifs. Ce ne sont pas des citations, mais il en résulte qu'Ignace avait reçu une impression profonde de la doctrine johannique (4), telle qu'elle est exprimée par Jo.

(1) *Ignatius von Antiochien als Christ und Theologe*, eine dogmengeschichtliche Untersuchung (dans les *Texte und Unters.* XII, 3, 1894).

(2) *Die Chronologie*... p. 397 note de la page précédente.

(3) Soltau, *Die Reden des vierten Evangeliums*, dans *Zn W* 1916, p. 49 ss. admet la dépendance d'Ignace, mais seulement pour les discours! Mgr Ladeuze (*RB.* 1907, p. 574 s.) n'a guère exagéré le fait que « les disciples de l'Apôtre, qui reçoivent tous le quatrième évangile, s'en servent à peine » (avant Irénée). Ce fait, en particulier le défaut d'allusion dans Polycarpe, serait inexplicable si l'évangile était sorti d'un milieu saturé de certaines doctrines; on comprend beaucoup mieux que l'influence personnelle de Jean par son évangile ne s'est établie que peu à peu dans un milieu où les évangiles synoptiques faisaient loi. Polycarpe emploie huit passages de Mt., etc. Nous verrons les anciens de Papias fort occupés de Jo., mais comme des disciples.

(4) Sanday, *The criticism of the fourth Gospel*, p. 242 : But I do not think there

Jo.	*Ignace.*
III, 8 τὸ πνεῦμα ὅπου θέλει πνεῖ, ... ἀλλ' οὐκ οἶδας πόθεν ἔρχεται καὶ ποῦ ὑπάγει.	Philad. VII, 1 τὸ πνεῦμα οὐ πλανᾶται, ἀπὸ θεοῦ ὄν· οἶδεν γὰρ πόθεν ἔρχεται καὶ ποῦ ὑπάγει, καὶ τὰ κρυπτὰ ἐλέγχει. Ignace ne cite pas Jo., mais ne le contredit pas non plus. Tandis que l'homme ordinaire ne sait pas où va l'esprit (ou le vent), l'Esprit, lui, sait où il va. Von der Goltz objecte que l'idée d'ἐλέγχειν n'est pas dans le texte de Jo. Mais c'est bien le propre de l'Esprit dans Jo. XVI, 8.
V, 19 Οὐ δύναται ὁ υἱός ποιεῖν ἀφ' ἑαυτοῦ οὐδέν, ἐὰν μή τι βλέπῃ τὸν πατέρα ποιοῦντα... XIV, 10 ὁ δὲ πατὴρ ἐν ἐμοὶ μένων ποιεῖ τὰ ἔργα αὐτοῦ. XV, 5 χωρὶς ἐμοῦ οὐ δύνασθε ποιεῖν οὐδέν.	Magn. VII, 1 ὥσπερ οὖν ὁ κύριος ἄνευ τοῦ πατρὸς οὐδὲν ἐποίησεν, ἡνωμένος ὤν, οὔτε δι' ἑαυτοῦ, οὔτε διὰ τῶν ἀποστόλων...
VI, 27 ἐργάζεσθε μὴ τὴν βρῶσιν τὴν ἀπολλυμένην... 33 ὁ γὰρ ἄρτος τοῦ θεοῦ ἐστιν ὁ καταβαίνων ἐκ τοῦ οὐρανοῦ... 54 ὁ τρώγων μου τὴν σάρκα καὶ πίνων μου τὸ αἷμα...	Rom. VII, 3 οὐχ ἥδομαι τροφῇ φθορᾶς, οὐδὲ ἡδοναῖς τοῦ βίου τούτου. ἄρτον θεοῦ θέλω, ὅ ἐστιν σὰρξ Ἰησοῦ Χριστοῦ, τοῦ ἐκ σπέρματος Δαβίδ, καὶ πόμα θέλω τὸ αἷμα αὐτοῦ, ὅ ἐστιν ἀγάπη ἄφθαρτος.
XVII, 6 ἐφανέρωσά σου τὸ ὄνομα... I, 1 ὁ λόγος... I, 18 μονογενὴς θεὸς... ἐκεῖνος ἐξηγήσατο... VIII, 29 καὶ ὁ πέμψας με μετ' ἐμοῦ ἐστιν.. ἐγὼ τὰ ἀρεστὰ αὐτῷ ποιῶ πάντοτε.	Magn. VIII, 2 εἷς θεός ἐστιν, ὁ φανερώσας ἑαυτὸν διὰ Ἰησοῦ Χριστοῦ, τοῦ υἱοῦ αὐτοῦ, ὅς ἐστιν αὐτοῦ λόγος, ἀπὸ σιγῆς προελθών, ὃς κατὰ πάντα εὐηρέστησεν τῷ πέμψαντι αὐτόν.
XVII, 23 ἵνα ὦσιν ἓν καθὼς ἡμεῖς ἕν, ἐγὼ ἐν αὐτοῖς καὶ σὺ ἐν ἐμοί, ἵνα ὦσιν τετελειωμένοι εἰς ἕν.	Eph. V, 1 πόσῳ μᾶλλον ὑμᾶς μακαρίζω, τοὺς ἐνκεκραμένους αὐτῷ (l'évêque) ὡς ἡ ἐκκλησία Ἰησοῦ Χριστῷ, καὶ ὡς Ἰησοῦς Χριστὸς τῷ πατρί, ἵνα πάντα ἐν ἑνότητι σύμφωνα ᾖ.
VI, 51 καὶ ὁ ἄρτος δὲ ὃν ἐγὼ δώσω ἡ σάρξ μου ἐστὶν ὑπὲρ τῆς τοῦ κόσμου	Smyr. VII, 1 Εὐχαριστίας καὶ προσευχῆς ἀπέχονται διὰ τὸ μὴ ὁμολογεῖν,

can be any doubt that Ignatius has digested and assimilated to an extraordinary degree the teaching that we associate with the name of St. John. Dans la première édition (p. 6 s.) Loisy n'est guère moins formel : « mais il a dû le connaître assez longtemps avant d'écrire ses Épîtres, pour s'être pénétré de sa doctrine et de son esprit au degré que nous voyons. » Dans la 2e édition (p. 8) : « on ne sait pas sûrement s'il a connu cet évangile même... La chose est possible, probable même ».

ζωῆς... 53 ἐὰν μὴ φάγητε τὴν σάρκα τοῦ υἱοῦ... οὐκ ἔχετε ζωὴν ἐν ἑαυτοῖς 54 ὁ τρώγων... κἀγὼ ἀναστήσω αὐτόν.	τὴν εὐχαριστίαν σάρκα εἶναι τοῦ σωτῆρος ἡμῶν I.X., τὴν ὑπὲρ τῶν ἁμαρτιῶν ἡμῶν παθοῦσαν... οἱ οὖν ἀντιλέγοντες... ἀποθνήσκουσιν. συνέφερε δὲ αὐτοῖς ἀγαπᾶν, ἵνα καὶ ἀναστῶσιν (1).

Si l'on admet la leçon (I, 13) οὐκ ἐξ αἱμάτων οὐδὲ ἐκ θελήματος σαρκὸς οὐδὲ ἐκ θελήματος ἀνδρὸς ἀλλ' ἐκ θεοῦ ἐγεννήθη, on la trouvera confirmée dans Smyrn. I, 1 υἱὸν θεοῦ κατὰ θέλημα καὶ δύναμιν θεοῦ γεγενημένον ἀληθῶς ἐκ παρθένου...

On a objecté que si Ignace avait connu Jo., il eût dû le citer pour quelque point d'histoire, comme il a fait pour Mt. Mais cela se réduit pour Mt. au baptême du Christ (III,15 et Smyrn. I, 1), qui ne se trouve pas dans Jo. Qu'il ait employé plus souvent Mt. pour des paroles du Sauveur, cela s'explique par la place hors pair que prit de bonne heure le premier évangile.

On a fait remarquer aussi que si Ignace avait connu le séjour de l'apôtre Jean à Éphèse, il eût dû parler de lui aux Éphésiens comme il leur a parlé de Paul (Éphés. XII, 2). Mais outre que Paul fut le fondateur de l'église d'Éphèse, et qu'Ignace connaît ses rapports avec cette église par l'Écriture, comme il le dit expressément, il cite Paul parce que pour lui aussi Éphèse est en quelque manière sur le chemin du martyre : πάροδός ἐστε τῶν εἰς θεὸν ἀναιρουμένων, Παύλου συμμύσται... οὗ γένοιτό μοι ὑπὸ τὰ ἴχνη εὑρεθῆναι... ὃς ἐν πάσῃ ἐπιστολῇ μνημονεύει ὑμῶν... Rien de tout cela n'était applicable à l'apôtre Jean.

Les Odes de Salomon (2).

Les critiques sont d'accord — à quelques exceptions près — pour dater les Odes de Salomon du début du second siècle, sinon des dernières années du premier. MM. Rendel Harris et Mingana estiment aujourd'hui qu'elles ont été écrites en syriaque, parce qu'elles semblent faire usage de la version syriaque de l'A. T. et du Targum (3). L'argument n'est pas

(1) Von der Goltz n'a cité que les derniers mots, alors que tout l'ensemble est très frappant. Ceux qui mangent la chair du Christ ont la vie et ressusciteront, les autres n'ont pas la vie; la chair donnée pour le monde est expliquée après l'événement : la chair qui a souffert pour nos péchés : ἀγαπή, ἀγαπᾶν dans Ignace paraît donc synonyme de vie spirituelle.

(2) Traduction et Commentaire par M. Labourt et Mgr Batiffol, 1911, par M. Tondelli, 1914, mais surtout nouvelle édition du texte, traduction, avec notes et une introduction par MM. Rendel Harris et A. Mingana en 1916 et 1920 : *The Odes and Psalms of Solomon*, etc. Manchester, at the University Press.

(3) *Op. cit.* II, p. 162 ss.

décisif, parce que l'auteur grec a pu s'inspirer de l'esprit du Targum, et le traducteur de réminiscences d'une traduction, d'autant qu'il est reconnu que les Odes ne contiennent pas de citations proprement dites. Les mêmes savants, appuyés par M. Burney (1), ont avancé des raisons de croire que ces Odes étaient connues de saint Ignace d'Antioche. Les rapprochements paraissent concluants, mais la dépendance serait plutôt du côté des Odes (2). En effet, dans Ignace les images employées ont toute leur valeur dans un contexte suivi, tandis que dans les Odes ce ne sont que des réminiscences qui ne vont à rien et ne sont même pas sans bizarrerie.

La dépendance des Odes par rapport à Jean, évangile, première épître et apocalypse n'est pas douteuse :

Od. III, 3 : « je n'aurais pas su aimer le Seigneur, si lui-même ne m'avait aimé » ; cf. I Jo. IV, 19.

Od. X, 5 : « Ils ont été rassemblés en un seul groupe, les peuples qui étaient dispersés » ; cf. Jo. XI, 52.

Od. XVIII, 6 : « Que la lumière ne soit pas vaincue par les ténèbres, et que la vérité ne fuie pas devant le mensonge » ; cf. Jo. I, 5.

Od. XXX, 1-2 : « Remplissez-vous des eaux de la source vivante du Seigneur, car elle est ouverte pour vous. Venez, vous tous les altérés, prenez la boisson et reposez-vous auprès de la source du Seigneur » ; cf. Jo. VII, 38 s. ; IV, 10.

Od. XLI, 11-15 : « Son Verbe est avec nous pour toute notre route ; le Sauveur qui donne la vie et ne rejette pas nos âmes, l'homme qui a été humilié et a été exalté par sa propre justice ; le Fils du Très-Haut est apparu dans la perfection de son Père ; une lumière a lui du Verbe, qui était en lui dès le principe » ; cf. Jo. I, 1 ss., VI, 33.37 ; I, 4.5 (3).

De ces rapprochements nous ne concluons pas ferme comme M. Burney que le quatrième évangile a été écrit à Antioche. Si les Odes y ont été composées, ce qui nous paraît le plus probable, à cause de leur esprit targumique ou sémitisant, il suffit que l'évangile ait été connu à Antioche au début du second siècle, ce que nous savions déjà par saint Ignace.

(1) *The aramaic origin of the fourth Gospel*... 1922, p. 159 ss.

(2) Les rapprochements les plus séduisants sont Odes XXXVIII, 7-8 ; Ignace, *Trall.* VIII, θανάσιμον φάρμακον et les poisons de l'erreur, peut-être présentés sous une forme agréable ; Od. XI, 6 et Rom. VII, les eaux parlantes qui viennent du Christ ; Od. XVII, 10 ss. et Phil. VIII, le Christ est la porte ; Od. XLI, 1 ss. et Rom. II, « chanter dans l'amour du Christ », ou Eph. IV, « être reconnus de Dieu par le chant ».

(3) Pour l'Apocalypse, cf. Od. IX, 11 et Apoc. III, 5 ; Od. XXII, 6 et Apoc. XII, 3.

Papias et les anciens (1). *a. Papias.*

Papias, évêque d'Hiérapolis en Phrygie, est né vraisemblablement vers l'an 70, et c'est vers l'an 125 qu'il écrivit ses cinq livres d'exégèse sur les paroles du Seigneur : Λογίων κυριακῶν ἐξηγήσεως (2).

Tout porte à croire qu'il s'est servi pour cela du quatrième évangile. Cela n'est attesté à vrai dire que par un prologue latin, conservé dans un manuscrit du IXe siècle : *Evangelium Iohannis manifestatum et datum est ecclesiis ab Iohanne adhuc in corpore constituto, sicut Papias nomine, Hieropolitanus, discipulus Iohannis carus, in exotericis, id est in extremis quinque libris retulit; descripsit vero evangelium dictante Iohanne recte* (3). On ne sait trop que penser de ce texte étrange. L'auteur n'aurait-il pas dit de Papias ce qu'il savait par le Canon de Muratori? Il est plus sûr de rappeler que, d'après Eusèbe, Papias a fait usage, et plusieurs fois, de la première épître de Jean (4). Aurait-il pu la connaître, lui qui s'informait de tout, sans avoir connu l'évangile? Si Eusèbe n'a pas parlé de son témoignage sur ce point, c'est sans doute parce que la canonicité de l'évangile n'était douteuse pour personne, sûrement aussi parce que son usage allait de soi dans un ouvrage exégétique sur les paroles du Seigneur. Le point de fait sera tranché par ce que nous allons dire.

Une question depuis longtemps et encore débattue est celle de savoir si Papias a été, comme l'a prétendu Irénée, auditeur immédiat de Jean l'Apôtre (5), celui qui pour lui est toujours simplement Jean. Eusèbe, qui lisait l'ouvrage de Papias, a distingué deux Jean, et a affirmé que Papias n'avait été le disciple d'aucun apôtre, mais bien d'un Jean l'ancien, distinct de Jean, fils de Zébédée. Nous avons toujours entendu ainsi le texte de Papias, reproduit par Eusèbe, et nous aurions souhaité ne pas revenir sur ce point, mais il le faut, puisque l'on continue à faire cas du second Jean pour l'évangile (6), à la différence d'Eusèbe qui attribuait comme tout le monde l'évangile à l'apôtre, tout en proposant d'attribuer l'Apocalypse à Jean l'ancien.

Papias, qui s'est informé de la façon dont Marc et Matthieu ont été composés, prenait évidemment pour base de ses exégèses les évangiles écrits. Mais il attachait aussi un grand prix à ce que pouvait lui apprendre

(1) Nous nous sommes décidé pour le mot « anciens » traduction de πρεσβύτεροι qui nous a paru plus exact que la transcription *presbytres,* laquelle suggère un groupe plus déterminé, une sorte d'entité particulière, qui ne résulte pas du mot grec.

(2) Eus. *H. E.* III, 39, source presque unique sur Papias. Pour la date cf. *Comm.* Mt. p. XVI.

(3) Dans WORDSWORTH, *N. T. latine,* I, p. 491.

(4) κέχρηται δ' ὁ αὐτὸς μαρτυρίαις ἀπὸ τῆς Ἰωάννου προτέρας ἐπιστολῆς.

(5) Ἰωάννου μὲν ἀκουστής, Πολυκάρπου δὲ ἑταῖρος γεγονώς (*H. E.*, III, 39, 1).

(6) Harnack et ses partisans.

la tradition circulant de bouche en bouche, lorsqu'elle lui paraissait assez sûre pour reproduire les paroles prononcées par la vérité même. Il s'informait donc auprès des anciens (1) :

οὐκ ὀκνήσω δέ σοι καὶ ὅσα ποτὲ παρὰ τῶν πρεσβυτέρων καλῶς ἔμαθον καὶ καλῶς ἐμνημόνευσα, συνκατατάξαι ταῖς ἑρμηνείαις διαβεβαιούμενος ὑπὲρ αὐτῶν ἀλήθειαν... εἰ δέ που καὶ παρηκολουθηκώς τις τοῖς πρεσβυτέροις ἔλθοι, τοὺς τῶν πρεσβυτέρων ἀνέκρινον λόγους, τί Ἀνδρέας ἢ τί Πέτρος εἶπεν ἢ τί Φίλιππος ἢ τί Θωμᾶς ἢ Ἰάκωβος ἢ τί Ἰωάννης ἢ Ματθαῖος ἤ τις ἕτερος τῶν τοῦ κυρίου μαθητῶν ἅ τε Ἀριστίων καὶ ὁ πρεσβύτερος Ἰωάννης, τοῦ κυρίου μαθηταί, λέγουσιν.

C'est-à-dire : « Je n'hésiterai pas à faire figurer parmi les interprétations les choses que j'ai quelque jour très bien apprises des anciens, et très bien conservées dans ma mémoire, m'étant assuré de leur vérité... [il justifie ensuite cette pratique par son goût pour les paroles du Seigneur]... si même il arrivait quelqu'un qui ait été à la suite des anciens, je m'informais des dires des anciens : ce qu'avait dit André, ou Pierre, ou Philippe, ou Thomas, ou Jacques, ou Jean, ou Matthieu, ou quelque autre des disciples du Seigneur, ou ce que disent Aristion et Jean l'ancien (disciples du Seigneur) (2). »

Eusèbe nous a expliqué comment il a compris ces mots. Il a d'abord constaté que Jean est nommé deux fois, une fois parmi les Apôtres de façon à signifier clairement l'évangéliste ; une fois dans un rang à part, après Aristion, et avec le nom d'ancien (πρεσβύτερος). Il y avait donc deux Jean. Cette différence, dit encore Eusèbe, est accentuée par ce fait que Papias avoue n'avoir connu les dires des Apôtres que par ceux qui les ont suivis, tandis qu'il a entendu lui-même Aristion et Jean l'ancien : Ἀριστίωνος δὲ καὶ τοῦ πρεσβυτέρου Ἰωάννου αὐτήκοον ἑαυτόν φησι γενέσθαι. — Vraiment nous n'aurions pas conclu du texte ce dernier point. Aussi Eusèbe fortifie son induction : ὀνομαστὶ γοῦν πολλάκις αὐτῶν μνημονεύσας ἐν τοῖς αὐτοῦ συγγράμμασιν τίθησιν αὐτῶν παραδόσεις : « *du moins* il fait souvent mention d'eux par leur nom en plaçant leurs traditions dans ses écrits ». Ce γοῦν, même s'il signifie « en effet », nous prouve qu'Eusèbe n'est pas bien certain de son affaire. Si Papias s'est contenté ordinairement de dire : les anciens, tandis qu'il désignait spécialement Aristion ou (Jean) l'ancien, cela prouve bien que ses renseignements à leur égard étaient moins vagues et même assez circonstanciés : cela ne prouve pas qu'il ait été en contact direct avec eux. Ce qu'il est beaucoup plus important de constater, c'est que, d'après Eusèbe, Aristion et Jean l'ancien n'étaient pas proprement des disciples du Seigneur, qui l'eussent vu et entendu. Autrement il aurait cherché à Irénée une mauvaise querelle et l'aurait mal appuyée. Qu'im-

(1) Nous revenons donc sur l'exégèse du célèbre passage de Papias qui nous a été conservé par Eusèbe : *H. E.* III, 39, 3-4.

(2) Ces mots manquent à la version syriaque.

portait en effet qu'il eût prouvé que Papias n'affirmait pas avoir entendu parler les Apôtres (ce qui excluait Jean l'évangéliste), s'il avait entendu de ses oreilles des disciples de Jésus au sens propre? On eût pu répondre au nom d'Irénée : si Papias était contemporain de véritables disciples, qui vous assure qu'il n'a pas rencontré l'un des hommes de cette génération qui ont vécu le plus longtemps? Loin de s'exposer à une réplique semblable, Eusèbe se croit plus sûr de son fait en concédant de Jean l'ancien et d'Aristion ce qu'il nie des Apôtres, parce que les deux premiers appartiennent ainsi à une autre catégorie qui ne peut être qu'une autre génération. Cela ressortait aussi de la nature des renseignements que Papias a recueillis de ces deux personnages : καὶ ἄλλας δὲ τῇ ἰδίᾳ γραφῇ παραδίδωσιν Ἀριστίωνος τοῦ πρόσθεν δεδηλωμένου τῶν τοῦ κυρίου λόγων διηγήσεις καὶ τοῦ πρεσβυτέρου Ἰωάννου παραδόσεις. Les διηγήσεις d'Aristion sur les paroles du Seigneur ont bien l'air d'avoir été des commentaires, peut-être par manière de glose narrative ajoutant des détails. De nouveau Jean l'ancien passe après Aristion; il était cité pour ses traditions. Une tradition est une parole qui passe de bouche en bouche : en style rabbinique, Jean était un Tannaïte, un anneau, non le point de départ des récits relatifs au Seigneur. D'ailleurs la seule tradition relatée par Eusèbe est relative à la composition des évangiles de Mc. et de Mt., et même aux destinées de l'évangile de Mt. désormais traduit. C'est bien un propos de tannaïte, non de disciple immédiat du Seigneur. Si donc Eusèbe avait peut-être tort de ne pas mettre d'intermédiaires entre Papias et Aristion avec Jean l'ancien, il avait raison de les tenir comme représentants de traditions d'anciens, non de dires apostoliques ou immédiats sur Jésus.

L'exégèse d'Eusèbe sur la distinction de deux Jean a été reprise avec beaucoup de force, spécialement par M. Harnack; elle est admise par la très grande majorité des critiques.

Une autre explication a été proposée, et soutenue doctement et longuement par Zahn (1). Elle consiste à voir les Apôtres dans les anciens. Tout paraît couler de source : Papias a interrogé les Apôtres, et aussi les disciples des Apôtres sur ce que disaient les Apôtres, Pierre, etc., il a interrogé aussi ces disciples sur ce que disaient Aristion et Jean l'ancien, c'est-à-dire l'Apôtre. Si ces deux derniers sont mis à part, c'est parce qu'ils vivaient encore au moment de l'enquête de Papias : l'équation se fait sur : « Disciples du Seigneur ». Si Aristion et Jean portent ce titre, ils ne sont donc pas des anciens au sens d'Irénée. Papias qui vivait plus tôt a pu qualifier ainsi les Apôtres.

Dom Chapman (2) a eu le mérite de comprendre que cette confusion des Apôtres et des anciens était intolérable. Mais il refuse de distinguer

(1) *Bardenhewer, Lepin, Camerlynck*, etc.
(2) *John the Presbyter and the fourth Gospel*, Oxford, 1911.

Jean l'Apôtre et Jean l'ancien. S'il est impossible de désigner les Apôtres sous le nom d'anciens, il n'était pas impossible qu'un Apôtre prît de lui-même ce nom d'ancien : c'est même le cas de Jean l'Apôtre qui l'a adopté dans ses deux dernières épîtres. Papias le lui a conservé comme un titre presque honorifique et connu de tous.

Cela est assurément un progrès notable de l'exégèse catholique ; mais on ne voit toujours pas pourquoi Papias aurait nommé Jean deux fois. Dire que la première fois porte sur d'anciennes enquêtes, la seconde fois sur une enquête plus récente, ce n'est pas expliquer ces deux catégories qui font la base solide de l'argumentation d'Eusèbe.

Voici ce qu'on peut ajouter pour le détail.

Papias fait clairement allusion à deux séries de renseignements. Les premiers sont ceux qu'il a recueillis personnellement auprès des anciens, et qu'il n'a pas hésité à faire figurer parmi ses interprétations. C'était avouer, en dépit de ses préférences pour les traditions orales sur des gloses écrites, que son principal but était de bien entendre les textes. Parmi les textes évangéliques figurait le quatrième évangile, et sous le nom de Jean, sans quoi Eusèbe l'aurait noté, au lieu de dire simplement, comme une chose concédée par Papias, que le premier Jean était l'évangéliste (1). De ces premiers renseignements, Papias était tout à fait sûr (διαβεβαιούμενος), et quoique ποτε ne signifie pas en soi un temps lointain, il semble, d'après le contexte, que cette première enquête a été faite dans le temps où il lui était donné de voir des anciens dans une grande cité, Éphèse ou Smyrne. Plus tard, devenu évêque de Hiérapolis, il était moins bien placé. Mais il se résolut à une entreprise plus chanceuse : si quelqu'un venait, c'est-à-dire dans sa ville de Hiérapolis, assez loin en Phrygie dans l'intérieur des terres, ne fût-il que disciple des anciens, il espérait quand même en tirer quelque chose (2), non pas sur ce que les Apôtres avaient pu dire à cet homme mais sur ce qu'avaient dit d'eux les anciens. L'ellipse s'impose, étant donnée la situation des personnes (3) : je m'informais des dires des anciens [relatifs] à ce qu'avaient dit tel ou tel des disciples du Seigneur. Papias n'en nomme que sept, mais en ajoutant « ou quelqu'autre des disciples du Seigneur », il marque clairement une barrière entre les disciples qui furent les Douze et les autres disciples. A côté de ces disciples du premier rang, il eût pu en mettre d'autres, d'un second rang, des disciples qui auraient connu le Seigneur sans être parmi les Douze. C'est ce

(1) Au § 5.

(2) C'est ce que n'a pas compris Heitmüller (*ZnW*, 1914, p. 194), qui prétend expliquer ce que dit Papias si fermement de ses rapports avec les anciens par ce qu'il ajoute de ses rapports avec des intermédiaires. Or il n'a pas voulu s'expliquer, mais se compléter εἰ δέ που καί... C'est une autre situation.

(3) Aussi Dom Chapman.

qu'entend Harnack d'Aristion et de Jean l'ancien. Mais c'est ce que nous ne pouvons admettre. Si ces disciples appartenaient à la génération des Apôtres, pourquoi cette nuance entre ce que les Apôtres ont dit (εἶπεν) et ce que ceux-ci disent (λέγουσι)? Papias aurait-il simplement fait allusion à la vie plus longue de ces deux personnes? Il semble bien plutôt que l'étranger arrivant à Hiérapolis est interrogé sur deux catégories de personnes : des Apôtres il ne peut rien dire que par l'intermédiaire des anciens, mais ces anciens avaient pu donner des explications de leur crû, qui n'étaient pas sans intérêt. Dans la forme du style direct Papias demandait : que disent les anciens qu'ont dit Pierre ou Jean, etc.? Que disent actuellement ces anciens qui sont Aristion et Jean l'ancien? A cette double question répond la double série des renseignements constatés par Eusèbe : voilà ce qu'ont dit les anciens en général de la tradition apostolique; voici ce qu'ont dit Aristion et Jean, non plus comme souvenir du Seigneur, mais comme exposition de ses paroles ou comme tradition, transmise de bouche en bouche. En somme Aristion et Jean étaient des anciens et si Jean seul est l'ancien, c'est parce qu'il y avait lieu de le distinguer de Jean l'Apôtre. Ce n'étaient pas des disciples du Seigneur au sens propre. Le mieux est donc de regarder comme interpolés ces mots qui manquent à la version syriaque, qu'Eusèbe ne doit pas avoir lus, et qui sont en contradiction avec tout l'esprit du morceau (1). Papias ne composa son ouvrage qu'au plus tôt vers l'an 125. Il peut se référer à une enquête déjà ancienne quand il recueillait lui-même des dires des anciens; mais à Hiérapolis sa curiosité ne fut pas satisfaite tant qu'il lui arriva un voyageur : cette enquête toujours ouverte durait encore au moment où il écrivait. Le présent ne peut s'entendre d'un disciple de Jésus à une date aussi avancée.

Que si l'on refuse cette radiation comme trop arbitraire, il restera d'opter entre ces deux partis : ou prendre les anciens pour des apôtres, ou prendre ces deux disciples pour des disciples de la seconde génération. Si les anciens sont les Apôtres, c'est parmi eux qu'il faut ranger Aristion et Jean l'ancien; sinon il faut les mettre à la suite avec les autres anciens, ce que nous avons fait.

Nous admettons donc l'existence d'un Jean, distinct de l'Apôtre. Dom Chapman a montré très clairement que jamais plus il n'a été question de lui — avant Denys d'Alexandrie. Il en conclut qu'il n'a pas existé. D'autres en ont conclu qu'il a été transformé, transfiguré en apôtre. Ce sont deux exagérations. Combien de personnages sont cités avec un certain éclat par un écrivain. et dont on a depuis complètement

(1) Th. MOMMSEN, *Papianisches*, dans *ZnW*, 1902, p. 156 ss. Un érudit classique s'expliquerait difficilement pourquoi dans un cas pareil on n'aurait pas recours à une correction critique.

perdu la trace! Nous sommes convaincu qu'on a exagéré l'importance du texte de Papias (1), mais il est certain qu'il pèse lourdement sur la solution de la question johannique. Les conservateurs se rendent suspects en s'acharnant contre le sens naturel du texte. D'autres critiques mettent sur leur chemin un grand fantôme qu'ils ont créé presque de rien. La voie moyenne est de reconnaître l'existence de Jean l'ancien, mais telle qu'elle fut, c'est-à-dire dans un rôle modeste de rapporteur de traditions d'ordre secondaire.

b. Les anciens (πρεσβύτεροι).

La façon dont Papias entendait les anciens ou presbytres et dont il traitait du quatrième évangile lui-même dépend entièrement de l'interprétation des textes de saint Irénée. Nous croyons qu'elle a été bien fixée par Harnack (2), dont l'opinion, si on l'admet avec ses conséquences, est beaucoup plus conservatrice que celle de Zahn. Ce dernier semble plus favorable à l'autorité d'Irénée en le mettant en communication directe avec plusieurs anciens, disciples des apôtres, mais les dires de ces anciens ne lui feraient pas toujours grand honneur! S'il ne les a connus que par Papias, ils lui étaient donc antérieurs et témoignent à une haute époque de l'existence de l'évangile, et attribué à un personnage qui ne peut être que Jean l'apôtre.

Il faut distinguer avec Harnack deux catégories de textes : ceux qui parlent des Anciens au pluriel et ceux qui sont contenus dans Haer. IV, 27-32.

a) Parmi les premiers, V, 33,3 et 4. A propos du millénarisme, c'est-à-dire du bonheur de certains élus sur la terre, devenue extraordinairement plantureuse, un des traits saillants, sinon le principal du système de Papias, Irénée écrit : *Quemadmodum presbyteri meminerunt, qui Ioannem discipulum Domini viderunt, audisse se ab eo, quemadmodum de temporibus illis docebat Dominus et dicebat* — suit une description fabuleuse de la fécondité de la terre. Puis au n° 4 : Ταῦτα δὲ καὶ Παπίας Ἰωάννου μὲν ἀκουστής, Πολυκάρπου δὲ ἑταῖρος γεγονώς, ἀρχαῖος ἀνήρ, ἐγγράφως ἐπιμαρτυρεῖ ἐν τῇ τετάρτῃ τῶν αὐτοῦ βίβλων, ἔστι γὰρ αὐτῷ πέντε βιβλία συντεταγμένα (EUS. *H. E.* III, 39, 1). Zahn et d'autres voient ici deux sources : les dires des presbytres connus d'Irénée, puis le texte de Papias. Leur raison c'est le καί

(1) *Mommsen, l. l.* p. 156 : Der Sitz der Johannes-Controverse ist Eusebius Bericht über den Papias.

(2) Le P. Calmes et M. Lepin n'ont pas hésité à le suivre, et depuis MM. Corssen et Heitmüller, M. Rei'lly (*RB* 1919, p. 217-219), d'autres sans doute. En sens contraire, M. Labourt dans *RB.*, 1898, p. 68 ss. qui donne une excellente analyse de Harnack, *Chronologie*... p. 33[illegible].

du début, qu'ils traduisent « aussi », Papias aussi, donc une autorité différente de celle des anciens. Mais nous pensons avec Harnack que le sens de καί est conservé si l'on entend : ce que les anciens disaient se trouve « aussi », c'est-à-dire « d'ailleurs » dans Papias, καί portant sur ἐγγράφως plutôt que sur Παπίας, ou, si l'on veut, sur Papias comme écrivain. Il est incontestable d'après le prologue de Papias que son but principal était d'enrichir l'exégèse au moyen des dires des anciens qui avaient retenu des apôtres, en particulier de Jean, quelques paroles du Seigneur. C'est exactement le cas et sur le thème qu'Eusèbe reproche surtout à Papias. Aussi Irénée continue : *et adiecit,* c'est-à-dire Papias ajoute à ce qui était déjà raconté et dont les anciens avaient fait mention, *meminerunt*. Le soin de dire que Papias était lui-même un homme du vieux temps semble projeter dans le passé le dire des anciens. L'ajoute de Papias, un dialogue entre Judas le traître et le Seigneur, est censé une tradition apostolique.

v, 5, 1. A propos du Paradis, demeure d'attente avant de pénétrer au ciel : Διὸ καὶ λέγουσιν οἱ πρεσβύτεροι, τῶν ἀποστόλων μαθηταί, τοὺς μετατεθέντας ἐκεῖσε μετατεθῆναι, et en latin : *Quapropter dicunt presbyteri, qui sunt apostolorum discipuli, eos qui translati sunt, illic translatos esse*. Cette fois le verbe est au présent; mais Irénée fut-il en contact avec un groupe d'anciens, disciples des apôtres? Les anciens parlent encore parce que leur dire est contenu dans un livre, sur un sujet qui relève de Papias.

v, 36, 1. Même sujet : ὡς οἱ πρεσβύτεροι λέγουσι... οἱ μέν... οἱ δέ... οἱ δέ... en latin : *Et quemadmodum presbyteri dicunt... alii.. alii tute paradisi deliciis utentur... alii,* etc. Il y aura donc, d'après les anciens, plusieurs catégories d'élus; καὶ διὰ τοῦτο εἰρηκέναι τὸν Κύριον, ἐν τοῖς τοῦ πατρός μου μονὰς εἶναι πολλάς. — ἐν τοῖς est d'un grec très connu (cf. sur Lc. II, 49) pour dire « dans la maison »; c'est donc une allusion à Jo. XIV, 2, dans la bouche des anciens. Si ces anciens sont bien ceux de Papias, c'est donc que Papias commentait l'évangile de Jo. au moyen de leurs dires, comme le meilleur écho des paroles du Seigneur.

v. 30, 1. A propos du chiffre de la Bête (Apoc. XIII, 18) : *et testimonium perhibentibus his, qui facie ad faciem Ioannem viderunt,* καὶ μαρτυρούντων αὐτῶν ἐκείνων τῶν κατ' ὄψιν τὸν 'Ιωάννην ἑωρακότων... Encore un groupe, dans les mêmes conditions; si Jean est nommé, c'est qu'il s'agit de l'Apocalypse, mais il l'était aussi dans v, 33, 3, avec la référence à Papias.

Tous ces passages se trouvent dans le livre V, à propos de questions eschatologiques, qu'on sait être rattachées aux écrits johanniques, Apocalypse ou évangile; il est donc très vraisemblable que la source est la même, Papias.

Reste le passage le plus célèbre, II, 22,5, qui a aussi une importance spéciale pour l'exégèse de Jo. VIII, 57. Irénée soutient que le ministère du Sauveur a duré longtemps, et donc qu'il est mort longtemps après son baptême. Sa conviction lui vient, soit du texte de Jo. VIII, 57, soit du témoignage des anciens, affirmant qu'il est mort vieux. Il y ajoute une raison de convenance : il ne convient pas à un jeune homme d'enseigner : *Quia autem triginta annorum aetas prima indolis est iuvenis, et extenditur usque ad quadragesimum annum, omnis quilibet confitebitur; a quadragesimo autem et quinquagesimo anno declinat iam in aetatem seniorem, quam habens Dominus noster docebat,* καὶ πάντες οἱ πρεσβύτεροι μαρτυροῦσιν, οἱ κατὰ τὴν Ἀσίαν Ἰωάννῃ τῷ τοῦ Κυρίου μαθητῇ συμβεβληκότες, παραδεδωκέναι τοῦτο τὸν Ἰωάννην. Παρέμεινε γὰρ αὐτοῖς μέχρι τῶν Τραϊανοῦ χρόνων (*H. E.* III, 23). *Quidam autem eorum non solum Ioannem, sed et alios apostolos viderunt, et haec eadem ab ipsis audierunt et testantur de huiusmodi relatione.*

Irénée a tout de même trouvé que les anciens exagéraient en parlant de la vieillesse de Jésus. Il les ramène à ce qu'il regarde comme une donnée évangélique en faisant commencer le déclin vers la vieillesse à 50, voire à 40 ans. Mais quels sont les anciens, qui ont connu Jean comme ceux de v, 33,3 lesquels tenaient des discours consignés par écrit dans Papias? Ce sont bien ceux dont Papias recherchait les dires, comme témoins de Jean ou des autres apôtres.

Est-ce à dire que nous devions accepter leur témoignage? On oublie trop souvent ce que Papias a dû avouer, — tout en glissant sur cet aveu, — qu'il ne connaissait certains témoignages des anciens que par les racontars de ceux qui venaient à Hiérapolis. Interrogés anxieusement par l'évêque, ces étrangers prétendaient tout savoir, et il est probable qu'ils ont fort exagéré les affirmations des anciens, si vraiment ils les avaient consultés. Autrement ces anciens nous apparaîtraient comme des personnages assez hâbleurs. On les interroge sur l'âge du Seigneur d'après l'évangile : cinquante ans ne les étonnent pas : Jean et les autres apôtres en disaient bien davantage! De même pour le millénarisme de l'Apocalypse. Si l'on avait entendu Jean! Il donnait bien d'autres détails merveilleux! L'esprit critique d'Eusèbe a pénétré le peu de solidité de ces bavardages : l'Église ne s'y est pas arrêtée. Le tort d'Irénée, — que lui reproche Eusèbe, — est d'avoir fait trop de crédit à ces histoires. Ce tort est bien moindre, on l'avouera, s'il a cru pouvoir tabler sur l'ouvrage d'un évêque, plus rapproché des faits, que s'il avait lui-même enregistré ces sornettes. Sa crédulité envers un ouvrage écrit ne nous autorisera pas à suspecter ses propres affirmations. Ce qu'il nous fournit plutôt, et cela est d'une très haute valeur, c'est une série de renvois au livre de Papias d'où il appert que l'auteur s'occupait très spécialement des écrits johanniques, de l'évangile en particulier, comme source authentique des paroles du Seigneur. Et quoique les anciens aimassent à se dire informés de ce qu'avaient dit d'autres apôtres, c'est toujours à Jean qu'ils en reviennent : ils sont expressément les témoins de Jean, ceux qui l'ont vu face à face, et en Asie, et jusqu'au temps de Trajan.

C'est parce qu'il était sûr de ce fait que Papias a enregistré si docilement leurs paroles qui ne lui parvenaient souvent pas dans leur teneur primitive et qui peut-être étaient inventées.

b) Quant aux renvois qui se trouvent entre IV, 27 et 32, on lira volontiers avec Harnack (mais déjà Érasme!) *ostendebat presbyter* au lieu de *ostendebant presbyteri* dans IV, 28,1. Il reste six autres endroits au singulier : IV, 27,1 : *quemadmodum audivi a quodam presbytero, qui audierat ab his qui Apostolos viderant, et ab his qui didicerant;* IV,27,1 (*in fine*) : *sicut dixit presbyter;* 27,2 : *inquit ille senior;* 30,1 : *sicut et presbyter dicebat;* 31,1 : *Talia quidem enarrans de antiquis* (sur l'A. T.) *presbyter, reficiebat me et dicebat;* 32,1 : *Huiusmodi quoque de duobus Testamentis senior apostolorum discipulus disputabat.*

Il s'agit donc toujours d'un même personnage qui réfutait Marcion. Cette fois c'est bien lui qui s'entretenait avec Irénée et lui faisait du bien, l'instruisait et le fortifiait (*reficiebat*) : si ses discours ont l'air de citations, c'est qu'Irénée les a arrangés (contre Harnack). Mais cet ancien était-il vraiment disciple des Apôtres? Irénée semble le dire dans IV, 32,1, mais il dit au début qu'il était disciple de ceux qui avaient vu les apôtres. Il est vrai qu'il ajoute *et ab his qui didicerant,* mais ce n'est pas là indiquer les disciples immédiats du Seigneur. L'ancien avait été à l'école, soit de ceux qui avaient vu les apôtres, soit de ceux qui transmettaient authentiquement leur doctrine, sans les avoir vus (1). Il appartenait à la troisième génération, tandis qu'Irénée n'était que de la quatrième. On pouvait donc au sens large le qualifier de disciple des apôtres (2). Sûrement Irénée n'aurait pas parlé aussi obscurément de Polycarpe, disciple de l'apôtre Jean. C'est donc une autre personnalité, mais qui n'apporte aucun renseignement sur la question johannique. Ce n'est point un témoin des traditions; c'est un exégète anti-marcionite.

c. Les anciens et Papias.

Nous pouvons maintenant revenir sur le bloc que forment les anciens et Papias. Si Papias n'a admis qu'un Jean, l'Apôtre, comme le soutiennent Zahn et de nombreux auteurs surtout catholiques, il n'y a pas lieu de douter de la présence en Asie de Jean l'Apôtre, regardé comme l'auteur de l'évangile. Par l'Asie on entendra la province d'Asie, selon l'usage du temps, et, comme Irénée et Polycrate ont dit spécialement Éphèse, sa capitale, il n'y a aucune difficulté à admettre le séjour de Jean à Éphèse. Papias a parlé de l'Asie, non de sa capitale, mais c'est peut-être

(1) Il n'est donc pas nécessaire de corriger en *et qui ab his didicerat.*

(2) On peut interpréter dans ce sens Eusèbe, *H. E.* V, 8, 8 : καὶ ἀπομνημονευμάτων δὲ ἀποστολικοῦ τινος πρεσβυτέρου, οὗ τοὔνομα σιωπῇ παρέδωκε, μνημονεύει.

parce que les anciens, étant de divers lieux, ont pu aussi voir Jean en différents endroits. C'est eux qui sont directement sur la scène et qui ont interrogé Jean.

Mais nous pensons que Papias a distingué deux Jean. Seulement, si l'on admet cette distinction, il faut en tenir compte. Harnack a écrit : « Autant il est certain que Papias a employé les écrits johanniques et attribué l'Apocalypse à un Jean, aussi peu est-il possible de décider quel Jean il a eu en vue » (1). Rien de plus facile, au contraire. Pour nous en tenir à l'évangile, si Papias l'a reçu, c'est tel qu'il est, et tel qu'il se donne, comme l'œuvre d'un Apôtre. Et il a poursuivi très logiquement la distinction de Jean, apôtre et de Jean, l'ancien. Quand les anciens entrent en scène, comme ayant vu Jean face à face, ou sous d'autres formules, c'est pour donner des explications soit sur le millénarisme (Apocalypse), soit sur l'évangile (Jo. VIII, 57; XIV, 2), et par eux l'on fait appel au témoignage oral du Seigneur. Par eux, c'est Jean qui se commentait lui-même. Jean l'ancien était nommé comme Aristion; d'après Eusèbe (III, 39, 7) ils étaient désignés clairement (ὀνομαστί), par leur nom, ce qui, pour le second Jean, dans le seul cas où Eusèbe cite Papias à son sujet, se trouve sous la forme « l'ancien » (III, 39, 15), non point pour produire des paroles du Seigneur, mais pour dire ce qu'il savait de la production des évangiles de Marc et de Matthieu et des destinées de ce dernier.

On ne pouvait donc être tenté de grandir ce personnage au point de l'égaler à Jean l'Apôtre, précisément parce que la place était prise. Nous admettons très volontiers que s'il n'y avait eu à Éphèse qu'un seul Jean, ancien et non point apôtre, on aurait pu être tenté d'en faire un apôtre. Encore est-il que la confusion de Philippe le diacre et de l'apôtre Philippe (2) n'est point du même ordre, puisqu'ils appartenaient à la même génération. Mais enfin, concédons que ce Jean ait pu être grandi par le patriotisme local. Or nous ne savons pas même s'il appartenait à l'Asie. Dans sa concurrence avec Jean l'Apôtre, on le désigna d'abord comme un ancien, ce qui le mettait à son rang. Puis il fut oublié, jusqu'au jour où Denys d'Alexandrie, alléguant des raisons littéraires pour refuser l'Apocalypse à l'Apôtre *parce qu'elle ne pouvait être du même auteur que l'évangile,* chercha un autre Jean en Asie. Alors on trouva, ou l'on crut trouver deux tombeaux au nom de Jean, et Eusèbe pensa que le second tombeau devait être celui de l'ancien, qu'il tenait comme auteur de l'Apocalypse. Mais les anciens, qu'ils aient été connus d'Irénée directement, ou seulement par Papias ce qui nous paraît de beaucoup le plus vraisemblable, usaient et peut-être abusaient du prestige que

(1) *Chronologie...*, p. 668.
(2) Voir plus loin Polycrate.

leur avait donné l'entretien *face à face,* non pas avec un de leurs collègues, mais avec Jean, auteur de l'évangile, et apôtre, seul capable d'éclairer son texte par d'autres paroles du Seigneur, ou par un éclaircissement sur son âge.

Ceux qui reconnaissent avec Harnack, Corssen, Heitmüller, d'autres sans doute, que les anciens d'Irénée sont ceux dont il a trouvé les dires dans Papias doivent donc conclure que Papias a connu et commenté le quatrième évangile. Le lisant il y a vu que l'auteur était un des disciples les plus intimes du Sauveur, et par conséquent un apôtre. Précisément parce qu'il distinguait Jean l'Apôtre et Jean l'ancien, s'il rattachait l'évangile à un Jean, ce ne pouvait être qu'à l'Apôtre. La conclusion est inéluctable et il est piquant de voir par exemple Heitmüller s'y diriger par plusieurs voies : il y aboutirait certainement s'il ne se heurtait toujours à ce nouveau dogme de la critique : Jean, fils de Zébédée, est mort martyr en Palestine avant que Marc ait écrit son évangile : il ne peut donc être le Jean auquel on attribue le quatrième évangile.

Et pourquoi, pourrions-nous demander, ne l'aurait-il pas écrit avant son martyre? Il n'y a qu'une réponse décisive, c'est que l'évangile lui-même suggère clairement que son auteur, qui ne peut être que Jean, l'a écrit à un âge avancé, longtemps après le martyre de Pierre (Jo. XXI, 15 ss.). — C'est donc, faut-il conclure, que son martyre n'était pas connu de ceux qui ont publié l'évangile, ni de Papias qui reconnaissait son autorité.

Nous pourrions nous en tenir là, mais puisque le nombre augmente toujours de ceux qui croient au martyre prématuré de Jean, fils de Zébédée, il faut revenir une fois de plus à cette mauvaise chicane de la critique, qui pourrait bien être sa dernière cartouche pour combattre et mettre en désordre la tradition sur l'authenticité.

Le premier argument est regardé par ces critiques comme le plus solide (1); c'est le texte de Mc. x, 39 : τὸ ποτήριον ὃ ἐγὼ πίνω πίεσθε, καὶ τὸ βάπτισμα ὃ ἐγὼ βαπτίζομαι βαπτισθήσεσθε, prophétie adressée par Jésus aux deux fils de Zébédée (cf. Mt. xx, 23).

Le sens le plus strictement littéral, c'est que Jacques et Jean seraient associés à la destinée du Sauveur de façon à boire la même coupe, à être baptisés du même baptême, c'est-à-dire, si on l'entend de sa mort, à mourir avec lui. Mais ce ne pouvait être le sens de Mc. On pouvait assurément en tirer un autre sens moins littéral, que les deux frères,

(1) « Il paraît assez inutile de contester que l'apôtre Jean ait été, selon Papias, martyrisé par les Juifs, comme son frère Jacques, quand il est évident que l'auteur du second Évangile, en écrivant Marc, x, 39, savait fort bien que Jacques et Jean avaient déjà subi le martyre » (*Loisy*, cité par Lepin, *Origine...* p. 87. De même Heitmüller, etc.).

ensemble ou séparément, mourraient d'une mort semblable, dans les mêmes circonstances ; mais on pouvait aussi entendre le calice et le baptême d'une destinée semblable, sans préciser la mort violente. Quand Jésus invitait ses disciples à porter leur croix et à le suivre (Mc. VIII, 34, etc.), il ne les invitait pas à prendre une croix de bois sur leurs épaules et à marcher à sa suite sous ce fardeau.

D'ailleurs, à raisonner en toute rigueur et *ad hominem,* on ne voit pas pourquoi Mc. n'aurait pas écrit une prophétie non encore réalisée : sinon, aurait-il annoncé les symptômes de la fin du monde? Les critiques en seraient quittes pour dire que Jésus s'est trompé, ce qui ne leur coûte guère, mais il n'est donc pas évident que Mc. ne pouvait écrire ces mots que le fait du martyre accompli.

Où Marc aurait-il pris ce renseignement?

1) Luc n'a pas reproduit l'épisode de Mc. (et de Mt.) et n'a parlé que du martyre de Jacques (Act. XII, 2) sans y voir l'accomplissement d'une prophétie.

Si Jean était mort avec Jacques, pourquoi ne pas le dire, et pourquoi ne pas mentionner une prophétie aussi frappante? Le silence sur Jean et l'omission de la prophétie, surtout si on les regarde comme combinés, prouveraient bien que Luc ne savait rien du martyre de Jean.

2) L'auteur du quatrième évangile a vécu longtemps après le martyre de Pierre. Dans l'hypothèse des critiques qui regardent le ch. XXI comme un appendice, on savait très bien qu'il n'était pas mort martyr et on entendait montrer que ce n'était pas une infériorité par rapport à Pierre, puisque chacun d'eux avait suivi l'ordre du Seigneur : or cet auteur ne pouvait être que Jean, fils de Zébédée.

3) L'opinion générale que Jean n'est pas mort martyr est d'autant plus recommandable qu'elle paraît au premier abord en opposition avec deux évangélistes. Ou le texte avait clairement le sens que disent ces critiques, et cette opinion n'aurait pu naître ; ou le texte a paru vague dès l'abord, et c'est sans doute qu'il l'était.

Le deuxième argument des critiques est la persistance de la prétendue tradition de Mc. (et de Mt.), en dépit de la tradition opposée, absolument dominante.

Le principal témoin serait Papias. Deux textes :

a) Παπίας ἐν τῷ δευτέρῳ λόγῳ, λέγει ὅτι Ἰωάννης ὁ θεολόγος καὶ Ἰάκωβος ὁ ἀδελφὸς αὐτοῦ ὑπὸ Ἰουδαίων ἀνῃρέθησαν.

M. de Boor qui a publié ce fragment (1) le regarde comme un extrait de Philippe de Side (vers 430). Quel que soit l'auteur, il n'a pu lire dans Papias Jean « le théologien ». Le sens naturel est que les deux frères

(1) *Texte und Untersuchungen,* V, 2, p. 170.

seraient morts en même temps. Papias aurait-il osé le dire contre l'autorité des Actes? En tout cas ce serait faux, puisque Jean vivait encore au moment où Paul est venu à Jérusalem vers l'an 50 (Gal. II, 9).

b) Georgios Hamartolos (IXe siècle) avait noté parmi les matériaux qu'il ne jugea pas à propos de faire figurer dans l'édition définitive de sa chronique (1) : Παπίας γὰρ ὁ Ἱεραπόλεως ἐπίσκοπος, αὐτόπτης τούτου γενόμενος, ἐν τῷ δευτέρῳ λόγῳ τῶν κυριακῶν λογίων φάσκει, ὅτι ὑπὸ Ἰουδαίων ἀνῃρέθη· πληρώσας δηλαδὴ μετὰ τοῦ ἀδελφοῦ τὴν τοῦ χριστοῦ περὶ αὐτῶν πρόρρησιν...

Il n'y a pas à tenir compte du contexte qui est en parfaite contradiction avec ce passage : ce qui importe n'est pas la pensée du moine du IXe siècle, mais un extrait possible de Papias. Or, dans ce cas, le sort de Jean est marqué par le verbe au singulier, quoique l'intention soit d'associer Jean au martyre de son frère : c'était donc le texte primitif plutôt que le pluriel de Philippe de Side, qui avait de plus ajouté le terme de théologien.

Que Papias ait écrit Ἰωάννης ὑπὸ Ἰουδαίων ἀνῃρέθη, on l'admet sans difficulté, mais était-ce bien Jean, fils de Zébédée? Cette identification n'est pas possible : Irénée ne la lisait sûrement pas dans Papias, qu'il regardait (à tort) comme un disciple de Jean. Nous n'argumentons pas du silence d'Irénée, mais de son affirmation inconciliable avec le prétendu dire de Papias. De même Eusèbe. Non seulement il n'a pas relevé cette énormité dans Papias : en supposant que Papias distingue deux Jean, l'un l'évangéliste, l'autre qui est l'Ancien, il indique clairement que Papias admettait l'existence de l'évangéliste en Asie, où des Anciens l'avaient vu. Dans l'hypothèse des critiques, Eusèbe n'avait qu'une chose à dire à Irénée : Vous faites Papias disciple d'un apôtre que Papias dit avoir été mis à mort en Palestine par les Juifs!

On pourrait soutenir que Papias a cru à un martyre de Jean en Asie très tard. Mais ce serait renoncer au prétendu fait accompli dans Marc, et l'affirmation de Papias, isolée, n'aurait plus d'autre valeur que celle d'une conjecture exégétique pour justifier Mc. entendu servilement, conjecture plus exigeante que celle de Tertullien (*de praescr.* 36) qui s'est contenté de l'huile bouillante pour le titre de martyr.

Alors quel était le Jean de Papias? Très probablement Jean-Baptiste, comme l'a très bien vu Zahn qui a cité le Ps. Cyprien, *adv. Judaeos* 2 : *Ioannem interimebant* (les Juifs!) *Christum demonstrantem*.

Le dernier argument pour le martyre de Jean — à ne pas tenir compte de broutilles insignifiantes — est tiré des martyrologes. Le mart. syrien place au 27 déc. : « Jean et Jacques les apôtres à Jérusalem. » Le martyr. arménien, au 28 déc. : « Fête des fils du tonnerre Jacques et Jean. » Le martyr. de Carthage : *VI Kal. Jan. sancti Johannis*

(1) Éd. de Boor (*Teubner,* II, p. 447).

Baptistae et Jacobi Apostoli, quem Herodes occidit. Heitmüller (1) met après Jean-Baptiste un *sic!* indigné. C'est cependant la leçon primitive (2). Il ne pouvait venir à l'esprit de personne de séparer les deux frères; tout portait à les réunir en remplaçant Jean le Baptiste par Jean, fils de Zébédée. L'idée ancienne était de mettre ensemble deux personnages décapités chacun par un Hérode avant les innocents *quos Herodes occidit.* Nous avons déjà noté (3) que la tradition syrienne n'admettait pas le martyre de Jean, si bien que pour couper court à toute objection, le *syrsin.* a changé le texte de Mc. et le *syrcur.* celui de Mt. Aphraate a opposé Simon et Paul, martyrs parfaits, à Jacques et à Jean qui ont marché sur les traces du Christ leur Maître, comme pour donner à Mc. une interprétation spirituelle.

De sorte que l'argument tiré des martyrologes se retourne contre les critiques, en montrant comment dans Papias aussi le Baptiste a pu devenir le fils de Zébédée. Rien n'empêche donc de tirer de Papias les conclusions qui découlent de ce que nous savons et des anciens et de lui-même.

Saint Polycarpe.

Le saint évêque de Smyrne écrivit aux Philippiens peu après le martyre de son ami, Ignace, l'évêque d'Antioche, donc vers l'an 120. Il ne fait aucune allusion au quatrième évangile, mais on lit (VII, 1) : πᾶς γάρ, ὃς ἂν μὴ ὁμολογῇ Ἰησοῦν Χριστὸν ἐν σαρκὶ ἐληλυθέναι, ἀντιχριστός ἐστιν, ce qui est une allusion à I Jo. IV, 2.3, ou à II Jo. 7, mais plutôt à la première épître à cause du singulier. Aurait-il reçu les épîtres sans l'évangile? Ce serait bien étonnant d'autant que cette phrase est le thème de l'évangile. On sait d'ailleurs par Irénée quels étaient ses rapports personnels avec Jean, qui, dans la pensée de l'évêque de Lyon, ne peut être que Jean l'Apôtre.

Seulement on refuse de recevoir le témoignage d'Irénée : s'il s'est trompé en faisant de Papias un disciple de l'apôtre, il a pu se tromper de même pour Polycarpe : qui sait si Polycarpe n'était pas simplement un disciple de Jean l'Ancien? Nous sommes donc contraints de lire dès maintenant les textes d'Irénée sur ce point.

Entre Papias et Polycarpe il y a cette différence qu'Irénée ne dit

(1) *ZnW.* 1914, p. 190.

(2) Le mart. syrien, dont le ms. est de 411 est plus ancien que celui de Carthage dans son état actuel (postérieur à 505), mais il porte beaucoup plus de traces de remaniements et des noms de personnages non martyrs, sans parler de l'hérésiarque Arius (6 juillet).

(3) *Comm. Mc.* p. 262.

jamais avoir connu Papias, tandis qu'il rapporte sur Polycarpe des souvenirs personnels.

Il y a plus : on semble admettre comme une chose évidente que l'erreur d'Irénée sur Papias vient de ce qu'il a pris Jean l'ancien pour Jean l'Apôtre. Mais ce n'est pas ce qu'Eusèbe lui reproche : il note simplement que Papias ne s'est jamais donné comme disciple d'un Apôtre. Par ailleurs, Papias, étant contemporain de Polycarpe, qui avait connu l'Apôtre, aurait pu le connaître aussi. Irénée a pu le conjecturer ou le déduire de certains renseignements autres que le livre de Papias (1). A vrai dire il semble qu'alors Papias s'en serait vanté, et nous préférons concéder qu'Irénée a parlé dans ce cas un peu à la légère. Tout autre est son témoignage sur Polycarpe.

Pour mettre les choses au point, nous sommes obligé de prendre parti d'avance sur la question chronologique, quoiqu'elle dépende des textes qui seront cités.

Polycarpe est mort martyr le 23 févr. 155, fort âgé. Lui-même déclare au juge : « Je sers le Christ depuis quatre-vingt-six ans (2). » Sans voir là un indice qu'il n'est pas né chrétien et compte ses années à partir de sa conversion (3), son service du Christ n'a pas dû commencer avant l'âge de raison, vers sept ans. Polycarpe serait donc né soit en 69, soit plutôt en 62. Il a pu être mis à la tête de l'Église de Smyrne par l'autorité de l'apôtre Jean qui vécut jusqu'à Trajan (98-117) d'après Irénée, qui suivait peut-être Papias.

Quant à Irénée, il était enfant et dans la première fleur de l'âge quand il a vu Polycarpe. C'est dire qu'il avait de quinze à vingt ans; mettons dix-huit. A quel moment de sa vie était Polycarpe? Nous ne saurions le dire. Nous ne pensons pas qu'Irénée ait été proprement son disciple, et il a peut-être quitté l'Asie pour la Gaule plusieurs années avant 155. S'il a connu Polycarpe en 150, il sera donc né vers 132 (4). Florinus, auquel il écrivait vers 190 (sous le Pape Victor), n'avait pas alors complètement rompu avec l'Église. Quand Irénée le connut fréquentant chez Polycarpe, Florinus occupait une situation brillante à la cour royale : cela ne veut pas dire que l'empereur ait été alors en Asie (5), ni même que Florinus ait occupé un emploi important : ces mots pourraient même s'appliquer au fils d'un haut fonctionnaire : un homme en place

(1) Harnack (*Chronologie*... p. 664) cite pour la même opinion Apollinaire, André, Anastase du Sinaï, Maxime le Confesseur, Georges Hamartolos.

(2) *Martyr. Polyc.* IX, ὀγδοήκοντα καὶ ἓξ ἔτη δουλεύω αὐτῷ (au Christ). C'est la leçon de Schwartz dans Eus. *H. E.* IV, 15, 20. Harnack (*Chron.* p. 342) lit ἔχω δουλεύων, construction embarrassée.

(3) Zahn.

(4) Zahn en 115.

(5) Zahn, qui doit alors s'arrêter au voyage d'Hadrien en 129.

eût été moins porté à rechercher les bonnes grâces d'un vieil évêque. Mais il semble bien que Florinus était l'aîné, peut-être seulement de quelques années. Si nous le supposons né en 125, il aurait eu soixante-cinq ans en 190 : ce n'était pas trop tard pour dogmatiser : on a vu des défections à cet âge. De cette façon tous les textes concordent assez bien. Nous allons maintenant les citer.

1) Lettre à Florinus (1)... ταῦτα τὰ δόγματα οἱ πρὸ ἡμῶν (2) πρεσβύτεροι, οἱ καὶ τοῖς ἀποστόλοις συμφοιτήσαντες, οὐ παρέδωκάν σοι. εἶδον γάρ σε, παῖς ἔτι ὢν ἐν τῇ κάτω Ἀσίᾳ παρὰ Πολυκάρπῳ, λαμπρῶς πράσσοντα ἐν τῇ βασιλικῇ αὐλῇ καὶ πειρώμενον εὐδοκιμεῖν παρ' αὐτῷ (3)· μᾶλλον γὰρ τὰ τότε διαμνημονεύω τῶν ἔναγχος γινομένων (αἱ γὰρ ἐκ παίδων μαθήσεις (4) συναύξουσαι τῇ ψυχῇ, ἑνοῦνται αὐτῇ) ὥστε με δύνασθαι εἰπεῖν καὶ τὸν τόπον ἐν ᾧ καθεζόμενος διελέγετο ὁ μακάριος Πολύκαρπος, καὶ τὰς προόδους αὐτοῦ καὶ τὰς εἰσόδους καὶ τὸν χαρακτῆρα τοῦ βίου καὶ τὴν τοῦ σώματος ἰδέαν καὶ τὰς διαλέξεις ἃς ἐποιεῖτο πρὸς τὸ πλῆθος, καὶ τὴν μετὰ Ἰωάννου συναναστροφὴν ὡς ἀπήγγελλεν καὶ τὴν μετὰ τῶν λοιπῶν τῶν ἑορακότων τὸν κύριον, καὶ ὡς ἀπεμνημόνευεν τοὺς λόγους αὐτῶν, καὶ περὶ τοῦ κυρίου τίνα ἦν ἃ παρ' ἐκείνων ἀκηκόει, καὶ περὶ τῶν δυνάμεων αὐτοῦ καὶ περὶ τῆς διδασκαλίας, ὡς παρὰ τῶν αὐτοπτῶν τῆς ζωῆς τοῦ λόγου παρειληφὼς ὁ Πολύκαρπος ἀπήγγελλεν πάντα σύμφωνα ταῖς γραφαῖς.

Manifestement Irénée, jeune chrétien d'une vive intelligence, a été admis dans l'intimité du vieillard. Se serait-il posté devant sa maison pour le voir entrer et sortir? Florinus recherchait cette intimité : si Irénée le lui rappelle, c'est qu'ils avaient échangé dès lors leurs impressions. Elles étaient surtout vives lorsque l'évêque enseignait son peuple. Il aimait à rappeler son commerce avec Jean, et avec ceux qui avaient vu le Seigneur. Comprendrait-on qu'il ait mis dans un relief singulier ses relations avec Jean l'ancien, disciple du Seigneur au sens large? L'aurait-il nommé spécialement parmi ceux qui avaient vu le Seigneur? Ce qu'il voulait savoir de ces témoins sur les miracles et les enseignements du Seigneur aboutissait à reconstituer la vie du Verbe, c'est-à-dire que c'était comme un commentaire du quatrième évangile, par celui surtout qui avait rendu témoignage au Verbe, tous ces dires étant d'ailleurs en harmonie avec les Écritures.

On aura noté que dans cet endroit Irénée ne parle pas d'apôtres, mais

(1) Eus. *H. E.* V, 20, 4-8.

(2) Avant Irénée et aussi avant Florinus : ils avaient donc à peu près le même âge. Le σοι qui suit n'indique pas que Florinus ait entendu les anciens, mais seulement qu'il ne suivait pas leurs dogmes.

(3) Ce trait n'est pas d'un enfant, mais pas davantage d'un homme mûr.

(4) Irénée atteste donc la fidélité de ses souvenirs sur ce qu'il a appris : ce ne sont pas si l'on veut des instructions suivies sur un thème donné, mais c'est la première formation doctrinale indélébile. N'est-il pas très fréquent qu'un jeune homme ait acquis à dix-huit ans les convictions auxquelles il demeurera fidèle?

de « ceux qui ont vu le Seigneur ». Dans une langue où l'on en vint à dire οἱ περὶ Πλάτωνα pour désigner Platon, le pluriel n'a pas toujours sa pleine portée. On peut songer à Philippe le diacre, à d'autres, inconnus de nous. Mais il n'est pas permis de récuser un souvenir aussi précis, une affirmation aussi solennelle sur le point décisif. Polycarpe a donc connu Jean l'Apôtre quelque part en Asie.

2) En écrivant à Florinus, Irénée avait surtout rappelé l'horreur de Polycarpe pour les hérétiques : de tels souvenirs étaient de nature à faire réfléchir son ancien ami. Dans son ouvrage contre les hérésies, il insiste sur la situation de Polycarpe comme témoin de la tradition des Apôtres.

Dans Eus. *H. E.* IV, 14, 3 : καὶ Πολύκαρπος δὲ οὐ μόνον ὑπὸ ἀποστόλων μαθητευθεὶς καὶ συναναστραφεὶς πολλοῖς τοῖς τὸν κύριον ἑορακόσιν, ἀλλὰ καὶ ὑπὸ ἀποστόλων κατασταθεὶς εἰς τὴν Ἀσίαν ἐν τῇ ἐν Σμύρνῃ ἐκκλησίᾳ ἐπίσκοπος, ὃν καὶ ἡμεῖς ἑοράκαμεν ἐν τῇ πρώτῃ ἡμῶν ἡλικίᾳ (ἐπὶ πολὺ γὰρ παρέμεινεν καὶ πάνυ γηραλέος ἐνδόξως καὶ ἐπιφανέστατα μαρτυρήσας, ἐξῆλθεν τοῦ βίου), ταῦτα διδάξας ἀεὶ ἃ καὶ παρὰ τῶν ἀποστόλων ἔμαθεν... καὶ εἰσὶν οἱ ἀκηκοότες αὐτοῦ ὅτι Ἰωάννης ὁ τοῦ κυρίου μαθητὴς ἐν τῇ Ἐφέσῳ... suit la rencontre de Jean avec Cérinthe dans un bain public.

Il faut reconnaître qu'ici Irénée parle d'une manière moins personnelle, et qu'il adopte les termes qui paraissaient commandés par son sujet. Puisque Polycarpe représente la tradition des Apôtres, il a donc été instruit par les Apôtres, comme l'église romaine a conservé la tradition des Apôtres. Ou peut-être Irénée s'est-il cru autorisé à ce pluriel parce que le diacre Philippe passait couramment pour un Apôtre, ou parce qu'on croyait à la présence d'André auprès de Jean (1)? On sait d'ailleurs que le N. T. ne réserve pas aux Douze le nom d'apôtre (Rom. XVI, 7), et peut-être Irénée se sert-il ici de ce terme dans le même sens large.

On expliquerait de cette façon que Polycarpe ait été installé évêque par les Apôtres, c'est-à-dire de l'aveu et du consentement de ceux qui avaient vu le Seigneur et prêchaient sa doctrine en Asie. Mais cette fois encore Irénée ne fait nommer à Polycarpe que Jean, le disciple du Seigneur. Comment Jean l'ancien, personnage qui n'a d'autre état civil que par Papias, ainsi qu'Aristion d'ailleurs, comment cet inconnu aurait-il toujours été pour Polycarpe une autorité indiscutable? Irénée ne peut s'être toujours trompé : il ne se trompait pas en mettant hors rang une personnalité qui ne peut être que l'Apôtre.

3) C'est comme un corollaire de ce qu'il a dit de Polycarpe qu'Irénée ajoute (Eus. *H. E.* III, 23, 4) : Ἀλλὰ καὶ ἡ ἐν Ἐφέσῳ ἐκκλησία ὑπὸ Παύλου μὲν τεθεμελιωμένη, Ἰωάννου δὲ παραμείναντος αὐτοῖς μέχρι τῶν Τραϊανοῦ χρόνων, μάρτυς ἀληθής ἐστιν τῆς τῶν ἀποστόλων παραδόσεως. On savait donc que Jean,

(1) Voir plus bas le Canon de Muratori.

l'Apôtre, placé dans la même perspective que Paul, mais ayant vécu beaucoup plus longtemps, avait gardé la tradition apostolique à Éphèse. Comment Irénée l'aurait-il confondu avec un modeste ancien de la génération suivante?

Dans sa lettre au pape Victor (1), Irénée n'hésite pas à dire comme une chose qui ne pouvait être niée des Romains, que Polycarpe avait appuyé sa coutume relativement au jeûne pascal sur Jean le disciple du Seigneur et les autres apôtres : Οὔτε γὰρ ὁ Ἀνίκητος τὸν Πολύκαρπον πεῖσαι ἐδύνατο μὴ τηρεῖν, ἅτε μετὰ Ἰωάννου τοῦ μαθητοῦ τοῦ κυρίου ἡμῶν καὶ τῶν λοιπῶν ἀποστόλων οἷς συνδιέτριψεν, ἀεὶ τετηρηκότα.

Il est donc certain, par le témoignage d'Irénée, que saint Polycarpe a connu l'Apôtre Jean, et cela concorde parfaitement avec l'usage qu'il a fait d'une de ses épîtres.

Les Valentiniens.

Ptolémée et Héracléon, disciples de Valentin, écrivaient de l'an 145 à l'an 185 (2).

Or Héracléon attribuait Jo. I, 18 non pas au Baptiste, mais au disciple (3), c'est-à-dire qu'il distinguait deux Jean : le Baptiste et l'auteur de l'évangile.

Ptolémée dans la lettre à Flora, conservée par saint Épiphane, disait tout uniment « l'apôtre » pour désigner l'auteur du prologue (4), et « Jean le disciple du Seigneur » dans le fragment sur le prologue cité par Irénée (5).

Basilide.

Basilide dogmatisa à Alexandrie de 120 à 140. Dans sa réfutation de toutes les hérésies, Hippolyte lui fait dire : καὶ τοῦτο, φησίν, ἔστι τὸ λεγόμενον ἐν τοῖς εὐαγγελίοις « ἦν τὸ φῶς τὸ ἀληθινόν, ὃ φωτίζει πάντα ἄνθρωπον ἐρχόμενον εἰς τὸν κόσμον », puis : ἱκανὸς ὁ σωτὴρ λέγων· « οὔπω ἥκει ἡ ὥρα μου » (6). Il est assez douteux qu'Hippolyte ait cité un document authentique de Basilide (7), d'autant que ce gnostique avait lui-même composé un évangile. Les paroles citées par Hippolyte sont néanmoins un indice de l'opinion générale avant lui.

(1) Eus. *H. E.* V, 24, 16.
(2) Harnack, *Chronologie...* p. 721.
(3) Origène, Comm. éd. Preuschen, p. 109 : εἰρῆσθαι οὐκ ἀπὸ τοῦ βαπτιστοῦ ἀλλ' ἀπὸ τοῦ μαθητοῦ.
(4) Épiph. *Haer.* XXXIII, 3, 6.
(5) *Haer.* I, 8, 5, d'après le grec conservé par Épiphane.
(6) *Ref.* VII, 22. 27.
(7) *Bardenhewer,* I, p. 321. Sur les citations de Clément d'Al., cf. Zahn, *Gk.* I, p. 766 s.

Marcion.

Marcion a écrit ses Antithèses et publié son Nouveau Testament probablement de l'an 139 à l'an 144 (1). D'après Harnack qui a étudié la question à fond, il n'y a plus lieu aujourd'hui de démontrer qu'il a connu les quatre évangiles; ce point est acquis à la critique. D'ailleurs ce savant récuse les indices précis fournis par Zahn, et qui cependant établissent avec assez de probabilité que Marcion, tout en rejetant Jo., n'a pas dédaigné de l'employer. Il a écrit dans le *Pater* : τὸν ἄρτον σου (Lc. XI, 3 ἡμῶν), donc le pain de Dieu, ce qui est bien johannique (Jo. VI, 33). Cette correction si importante pour le sens, et si minime en fait, a certes son cachet. Dans le dialogue d'Adamantius (vers 300), le marcionite Marcos se laisse citer comme appartenant à son évangile (II, 16) : ἐντολήν, φησί, καινὴν δίδωμι ὑμῖν, ἵνα ἀγαπᾶτε ἀλλήλοις, καθὼς ὁ πατὴρ ἠγάπησεν ὑμᾶς, ce qui rappelle Jo. XIII, 34, en remplaçant le Christ par son Père... Marcos cite lui-même (*Ad.* II, 20) : εἰ ἦτε ἐκ τούτου τοῦ κόσμου, ὁ κόσμος ἂν τὸ ἴδιον ἐφίλει, cf. Jo. XV, 19. Harnack suggère que ces deux passages ont été insérés depuis Marcion dans la Bible du parti. Rien ne le prouve, et même rien ne le fait conjecturer. Mais peu importe pour notre examen que Marcion ait démarqué ou non quelques passages de Jo. L'essentiel est qu'il l'a connu, puisqu'il l'a rejeté, et rejeté malgré le nom de l'apôtre Jean qui lui servait de garantie. Non qu'il regardât ce nom comme une falsification (2); il eût rejeté plus volontiers l'œuvre d'un ancien apôtre que celle d'un anonyme qu'on pouvait dire paulinien, et peut-être même s'est-il élevé contre les Apôtres précisément pour démolir l'autorité déjà établie des évangélistes-apôtres. Cela ressort assez nettement de ce que dit Tertullien. La question qui se pose est celle des évangiles écrits (*adv. Marc.* IV, 2) : *Constituimus imprimis evangelicum instrumentum apostolos auctores habere.* Et ces noms sont connus, inscrits en tête des évangiles, ce sont ceux de Matthieu et de Jean. On eût pu avancer qu'ils étaient faux. Ce n'est pas ce que fit Marcion, n'osant attaquer de front avec sa seule autorité une tradition indiscutée. Il prend donc son point d'appui sur saint Paul (Gal. II, 1-11) pour s'en prendre aux apôtres,

(1) HARNACK, *Marcion*, p. 24.

(2) C'est cependant ce que soutient Harnack (p. 38 n. 1). Il reconnaît que Marcion eût rejeté le quatrième évangile quand bien même il l'eût cru émané d'un apôtre, mais avance qu'en fait Marcion a accusé Mt. et Jo. d'être des falsifications, parce qu'on lit dans Adamantios (II, 12) cette affirmation de Marcos que les Apôtres n'avaient rien écrit. Mais ce serait le cas de distinguer les époques du Marcionisme. Marcos, auquel on objecte les éloges des Apôtres contenus dans l'évangile marcionite ne se sent plus le courage de rejeter des évangiles qui auraient été écrits par des Apôtres et en vient à cette échappatoire qu'ils n'ont rien écrit. Marcion n'en était pas là, comme le prouve Tertullien.

parmi lesquels Jean! Tertullien (IV, 3) : *Conititur ad destruendum statum eorum evangeliorum quae propria et sub apostolorum nomine eduntur vel etiam apostolicorum, ut scilicet fidem, quam illis adimit, suo conferat. porro etsi reprehensus est Petrus et Iohannes et Iacobus... si apostolos praevaricationis et simulationis suspectos Marcion haberi queritur usque ad evangelii depravationem...*

Il est donc bien clair que parmi les évangiles reçus par les Églises se trouvait alors un évangile qui portait le nom de Jean, l'Apôtre. Pour le rejeter avec les autres, Marcion a dû s'en prendre aux apôtres eux-mêmes : il n'a pas songé à en discuter l'authenticité.

Saint Justin.

Saint Justin a situé à Éphèse sa discussion avec le Juif Tryphon; elle eut lieu vers l'an 135. Le dialogue a été écrit plus tard, mais c'est dès cette date que le saint martyr a pu être informé sur les écrits de Jean et sur sa personne. A Rome, il était au courant des traditions de l'Église romaine avant son martyre (165). Or il est assurément très remarquable que de tous les apôtres de Jésus-Christ il n'ait nommé outre Pierre que Jean. A la vérité, c'est comme auteur de l'Apocalypse (*Dial.* LXXXI, 4) : καὶ ἔπειτα καὶ παρ' ἡμῖν ἀνήρ τις, ᾧ ὄνομα Ἰωάννης, εἷς τῶν ἀποστόλων τοῦ Χριστοῦ, ἐν ἀποκαλύψει γενομένῃ αὐτῷ κ. τ. λ. Le Jean de l'Apocalypse ne se donne pas comme Apôtre. Comment Justin a-t-il su qu'il l'était? Ce ne peut être qu'en l'identifiant avec l'auteur de l'évangile qui se donne, lui, comme un disciple intime. On sait que Justin n'a nommé aucun des évangélistes : les « mémoires (1) » sont l'œuvre des apôtres (I *Apol.* LXV, LXVII; *Dial.* C, 4; CI, 3; CII, 5; CIV, 1, etc.). Quand il va citer à Tryphon un passage de Luc, pour être tout à fait exact il note qu'il en est aussi d'écrits par les disciples des Apôtres (*Dial.* CIII, 8). Justin entend donc « apôtre » de l'un des Douze, et s'il y a des mémoires des Apôtres, il faut donc qu'à côté de saint Matthieu, qu'il a souvent employé, il y ait eu un autre apôtre. Il est vrai qu'il nomme des *Mémoires de Pierre* (*Dial.* CVI, 3), mais l'évangile de Pierre n'a pas eu grande vogue, et en fait il se réfère à Marc, disciple de Pierre, où l'on trouve en effet (Mc. III, 16. 17) ce qu'il dit du changement du nom de Pierre aussi bien que ce qu'il ajoute aussitôt du changement de nom des fils de Zébédée. D'ailleurs si Justin avait cru l'évangile de Pierre authentique, cela prouverait seulement qu'il n'avait pas de conviction arrêtée sur le chiffre de quatre évangiles, car il a sûrement connu Jo. et développé sa doctrine du Logos. On se réfugie volontiers contre cette évidence dans l'hypothèse d'une école ayant adopté les façons de parler qu'on

(1) Sur le sens de ce mot, cf. *Comm. Mt.* p. x.

trouve dans Jo. Nous avons déjà dit, à propos de saint Ignace, que cette hypothèse est une pure fantaisie. D'ailleurs Justin dépend de Jo. lui-même. Nous nous bornerons à deux allusions très claires, tirées de la même page de l'évangile : I *Apol.* LXI καὶ γὰρ ὁ χριστὸς εἶπεν· Ἂν μὴ ἀναγεννηθῆτε, οὐ μὴ εἰσέλθητε εἰς τὴν βασιλείαν τῶν οὐρανῶν. ὅτι δὲ καὶ ἀδύνατον εἰς τὰς μήτρας τῶν τεκουσῶν τοὺς ἅπαξ γεννωμένοις ἐμβῆναι, φανερὸν πᾶσίν ἐστι. Le début est une allusion évidente, quoique non textuelle à Jo. III, 3, et la renaissance est amenée à propos du baptême, avec une mention de l'objection de Nicodème. Puis dans le Dialogue (XCI, 4), c'est une allusion au serpent d'airain, symbole de la croix : καὶ διὰ τοῦ τύπου δὲ καὶ σημείου τοῦ κατὰ τῶν δακόντων τὸν Ἰσραὴλ ὄφεων ἡ ἀνάθεσις φαίνεται γεγενημένη ἐπὶ σωτηρίᾳ τῶν πιστευόντων ὅτι διὰ τοῦ σταυροῦσθαι μέλλοντος θάνατος γενήσεσθαι ἔκτοτε προεκηρύσσετο τῷ ὄφει, σωτηρία δὲ τοῖς καταδακνομένοις ὑπ' αὐτοῦ καὶ προσφεύγουσι τῷ τὸν ἐσταυρωμένον υἱὸν αὐτοῦ πέμψαντι εἰς τὸν κόσμον. Justin aurait été capable de trouver ce symbolisme, mais en fait il se trouve dans Jo. III, 15 ss. avec ὁ πιστεύων ἐν αὐτῷ (15), et ἀπέστειλεν ὁ θεὸς τὸν υἱὸν εἰς τὸν κόσμον... ἵνα σωθῇ ὁ κόσμος δι' αὐτοῦ (17).

D'ailleurs il semble bien que Justin a employé encore la doctrine de la première épître, si l'on compare *Dial.* CXXIII, 9 et I Jo. III, 1-3; *Dial.* XLV, 4 et I Jo. III, 8.

Tatien.

C'est vers 170 que Tatien, disciple de saint Justin, vint dans l'Osrohène et donna à l'église d'Édesse le Diatessaron qui fut durant longtemps le seul texte évangélique en syriaque. Depuis celle-là, combien de synopses ont été composées! La principale difficulté pour tous est de faire entrer Jo. dans le cadre des synoptiques. C'est cependant ce qu'a entrepris Tatien. L'aurait-il osé si le quatrième évangile n'avait été considéré déjà comme partie intégrante de l'Évangile, aussi bien à Rome où il a pris ses matériaux et peut-être composé son texte, qu'en pays syrien où l'esprit conservateur des Sémites eût certainement répugné à une si grave innovation (1)?

Saint Méliton de Sardes.

Une des grandes lumières de l'Asie, d'après Polycrate. On tient pour authentique un fragment contre Marcion, qu'on ne peut dater avec précision (160 à 170). Il se sert de la doctrine du quatrième évangile, dont l'autorité s'imposait donc, sauf à l'audacieuse négation de Marcion qui n'admettait d'autre évangile que le sien. Le passage est intéressant aussi pour la chronologie johannique, admise sans contestation :

(1) Dans l'*Oratio ad Graecos* (13), Tatien fait allusion à Jo. I, 5 τὸ εἰρημένον.

Parlant de Jésus-Christ (1) : τὴν μὲν θεότητα αὐτοῦ διὰ τῶν σημείων ἐν τῇ τριετίᾳ τῇ μετὰ τὸ βάπτισμα, τὴν δὲ ἀνθρωπότητα αὐτοῦ, ἐν τοῖς τριάκοντα χρόνοις τοῖς πρὸ τοῦ βαπτίσματος. Méliton admettait donc avec Lc. que Jésus avait trente ans avant le baptême et que son ministère s'est prolongé dans un laps de trois ans : les deux évangélistes ont donc la même autorité; il n'est que de les concilier.

Epistola Apostolorum.

Il faudrait placer ici la missive des Apôtres, récemment publiée par Schmidt (2), s'il était établi que ce singulier ouvrage est antérieur à l'an 170 (3), comme le pense le traducteur-éditeur. Dans ce cas, comme Schmidt l'a noté (p. 224), aucun document du second siècle n'indiquerait un emploi aussi caractérisé du quatrième évangile. La doctrine du Logos Christ est comme le fondement de la doctrine chrétienne, le miracle de Cana est le premier, etc. Et c'est Jean qui est nommé le premier dans le catalogue des Apôtres (4). Les évangiles synoptiques étant employés, il y a là comme une esquisse d'une vie de Jésus d'après les quatre évangiles, et dans l'esprit de Jean.

Athénagore.

Athénagore composait son apologie vers 177. Sans exposer une doctrine complète du Logos comme Fils de Dieu, il en a esquissé les traits d'après le quatrième évangile. On lit au ch. x (5) : ἀλλ' ἐστὶν ὁ υἱὸς τοῦ θεοῦ λόγος τοῦ πατρὸς ἐν ἰδέᾳ καὶ ἐνεργείᾳ (6)· πρὸς αὐτοῦ γὰρ καὶ δι' αὐτοῦ πάντα ἐγένετο· ἑνὸς ὄντος τοῦ πατρὸς καὶ τοῦ υἱοῦ. ὄντος δὲ τοῦ υἱοῦ ἐν πατρὶ καὶ πατρὸς ἐν υἱῷ ἑνότητι καὶ δυνάμει πνεύματος, νοῦς καὶ λόγος τοῦ πατρὸς ὁ υἱὸς τοῦ θεοῦ.

Le philosophe athénien cherche à donner à sa doctrine un cachet de philosophie, mais il est clair qu'elle lui est dictée par le dogme johannique dont il garde même les expressions; cf. Jo. I, 1-3; X, 30; XIV, 11.

(1) ROUTH, *Rel. sac.* I, p. 121.

(2) *Gespräche Jesu mit seinem Jüngern nach der Auferstehung*, etc... herausgegeben... von Carl Schmidt, Leipzig, 1919.

(3) Harnack (*Theol. Lit.-Zeit.* 1919 c 245 s.) admet le début du dernier tiers du IIe siècle. Je n'y vois pour ma part aucune difficulté; voir cependant Bardy, *RB.* 1921, p. 131.

(4) C'est le seul cas, avec la *Apostolische Kirchenordnung*, que Schmidt croit dépendante.

(5) Éd. Geffcken.

(6) Geffcken voit dans ces deux mots une influence de l'Académie.

Théophile d'Antioche.

Théophile écrivait son Apologie à Autolycos vers 181 (1). Il nomme Jean parmi les écrivains inspirés et cite le début de l'évangile (2).

Les Montanistes.

On n'a pas pu s'entendre sur la date où Montan commença à révéler le don nouveau de l'Esprit-Saint. Ce fut d'après Épiphane en 157, d'après Eusèbe en 172. Il eut plus de succès qu'il n'en méritait auprès des confesseurs, conscients de la gravité de l'heure et pleins de confiance dans le secours de l'Esprit que Jésus leur avait promis. A Rome, à Lyon, à Carthage, ce fut comme une attente de temps nouveaux. Or si les trois premiers évangiles avaient promis le secours de l'Esprit-Saint devant les tribunaux, le quatrième évangile contenait des paroles du Sauveur plus étendues sur l'assistance du Paraclet (Jo. XIV, 16 s. 26; XV, 26; XVI, 7-15). L'Apocalypse devait être aussi bien chère aux chrétiens plus ou moins imbus des espérances des Phrygiens. En admettant l'autorité des écrits johanniques ils ne faisaient que se conformer à la pratique des églises. Mais sans doute ils s'y appuyèrent de préférence et avec excès. Leur patronage parut compromettant et, pour la première et la dernière fois, on vit naître des doutes sur la personnalité de l'auteur. Nous verrons d'ailleurs combien cette réaction fut restreinte.

Saint Irénée.

Nous avons parlé de saint Irénée à propos de Papias et de ses anciens, et aussi à propos de saint Polycarpe. Son témoignage propre a son importance, parce qu'il a été élevé en Asie, a écrit à Lyon, a toujours témoigné le plus grand respect à l'église romaine. On sait qu'il a fait un grand usage du quatrième évangile, et qu'il l'attribuait à Jean l'Apôtre avec une pleine certitude. Pour lui les quatre évangiles n'en faisaient qu'un. Il est d'ailleurs très discret sur les circonstances de leur origine. Il dit de Jean (Eus. *H. E.* V, 8, 4) : ἔπειτα Ἰωάννης, ὁ μαθητὴς τοῦ κυρίου, ὁ καὶ ἐπὶ τὸ στῆθος αὐτοῦ ἀναπεσών, καὶ αὐτὸς ἐξέδωκεν τὸ εὐαγγέλιον, ἐν Ἐφέσῳ τῆς Ἀσίας διατρίβων.

Ce témoignage a sa valeur, mais vers 185 l'évangile était reçu depuis longtemps, et l'autorité d'Irénée n'y avait été pour rien. Nous lui sommes reconnaissants de ses renseignements sur saint Polycarpe et

(1) Le troisième livre, car les deux premiers ont pu être écrits plus tôt (*Bardenhewer*).
(2) *Ad Autol.* II, 22.

sur les anciens de Papias; nous les avons examinés aussi sévèrement que des critiques très sévères. Mais ces particularités qui provoquent la curiosité et les discussions des modernes ne sont pas sur le même plan que l'acceptation de l'évangile par les églises, fait antérieur à l'activité littéraire d'Irénée (1).

Les Quartodécimans.

Il y a quelques années, M. Lepin (2) a dû réfuter des critiques soutenant que le fait des quartodécimans était opposé à l'authenticité du quatrième évangile. M. Loisy avait promulgué le verdict de la critique : « Les critiques ont remarqué depuis longtemps que l'usage pascal des quartodécimans ne s'accorde nullement avec le quatrième évangile (3). » C'était l'Asie, le principal témoin de Jean, s'insurgeant contre Jean! L'erreur était un peu lourde. Aujourd'hui M. Loisy écrit : « Quoi qu'il en soit du Jean d'Éphèse et de sa légende, il est, en effet, assez évident que le quatrième évangile est quartodéciman (4). »

La rétractation est très honorable; mais la réaction est exagérée, car on prétend maintenant que Jo. a canonisé la pratique des Asiates! Ce n'est pas ce que disaient ceux-ci, qui s'appuyaient au contraire sur l'autorité de Jean. Outre ce qu'on voit ici de Polycarpe, d'Apollinaire et de Polycrate, Théodoret (*haer. fab.* III) fait dire aux quartodécimans que « l'évangéliste Jean, prêchant en Asie, leur a appris à célébrer la fête de Pâque le 14e jour du mois ». La coutume des quartodécimans se soudait au comput juif de la lune : leur usage a donc paru judaïsant. Pourquoi les chrétiens d'Asie, gentils en grande majorité, auraient-ils adopté cette coutume si elle ne leur avait été comme imposée par une grande autorité palestinienne, telle que pouvait être celle de Jean? Mais de l'enseignement oral de l'apôtre nous ne savons rien, et la question des quartodécimans n'est pas encore élucidée. Qu'ils aient célébré le souvenir de la Passion plutôt que celui de la Résurrection, comme le veulent des savants distingués (5), ou les deux à la fois, comme nous le pensons avec M. Brightman (6), il est certain que l'essentiel de la dispute portait sur le jour : devait-on célébrer la fête de Pâque le 14 nisan ou le

(1) L'ouvrage principal est comme on sait le *Contra haereses.* Bardenhewer (p. 502) place la composition des trois premiers livres vers 185; les deux derniers n'auraient pu être écrits que sous le pontificat de Victor (189-198).

(2) *L'origine...* p. 181.

(3) *Commentaire*, 1re éd., p. 30.

(4) *Commentaire*, 2e éd., p. 15.

(5) Mgr Batiffol, *L'Église naissante*, p. 267; Mgr Duchesne, *Hist. anc. de l'Église*, p. 287; Carl. Schmidt, *Epistola Apostolorum*, p. 577-725.

(6) *The Quartodeciman question*, dans *The journal of Theological Studies*, april, 1924, p. 254-269.

dimanche qui suit la pleine lune? L'évangile est muet sur ce point. Mais il semble qu'on n'aurait pas fixé le 14 nisan si Jean n'avait placé ce jour-là la mort du Sauveur. A s'en tenir aux synoptiques, on eût dû opter pour le 15. Jean est donc plutôt pré-quartodéciman, en ce sens qu'il offre à ce système une base nécessaire, et la coutume elle-même prouve l'autorité éminente de son évangile. Ce sont les synoptiques que l'on a expliqués pour éviter qu'ils fussent en contradiction avec le texte qui faisait loi pour les Asiates. Le choix du dimanche dans l'Église universelle faisait abstraction de ce point.

Apollinaire de Hiérapolis. — Apollonios.

Apollinaire écrivit contre les Phrygiens, c'est-à-dire contre les Montanistes, étant lui-même évêque en Phrygie. Cependant il ne songea pas à discuter l'autorité du quatrième évangile : ce n'est pas lui qu'on pourrait de ce chef compter parmi les mystérieux Aloges. Il tenait pour la pratique des quartodécimans (1), et s'appuyait sur le quatrième évangile, qu'il jugeait aussi autorisé que celui de saint Matthieu. Il était d'ailleurs résolu à n'admettre aucune antinomie entre les évangélistes, mais nous ne savons comment il procédait, et en fait il suivait le comput de Jo : Certains ignorants : λέγουσιν ὅτι τῇ ιδʹ τὸ πρόβατον μετὰ τῶν μαθητῶν ἔφαγεν ὁ Κύριος· τῇ δὲ μεγάλῃ ἡμέρᾳ τῶν ἀζύμων αὐτὸς ἔπαθεν· καὶ διηγοῦνται Ματθαῖον οὕτω λέγειν ὡς νενοήκασιν... καὶ στασιάζειν δοκεῖ κατ' αὐτοὺς τὰ εὐαγγέλια (2). — Aurait-il préféré la date de Jo. s'il ne l'avait cru d'origine apostolique, et n'est-ce pas à cause de la présence de Jo. en Asie qu'il lui donne la préférence?

Apollinaire écrivait cela vers 170, peut-être plus tôt.

Un autre adversaire des Montanistes, Apollonios, qui était sûrement aussi un asiate et qui écrivait avant l'an 200 ne s'est pas non plus cru obligé de renoncer à l'Apocalypse, et il connaissait le séjour de Jean à Éphèse : κέχρηται δὲ καὶ μαρτυρίαις ἀπὸ τῆς Ἰωάννου Ἀποκαλύψεως, καὶ νεκρὸν δὲ δυνάμει θείᾳ πρὸς αὐτοῦ Ἰωάννου ἐν τῇ Ἐφέσῳ ἐγηγέρθαι ἱστορεῖ (3).

Polycrate d'Éphèse.

Vers 190 ou 195, Polycrate, évêque d'Éphèse, le huitième de sa famille élevé à l'épiscopat, écrivait au pape Victor au nom des évêques d'Asie pour revendiquer leur droit de conserver leur pratique sur le jour de la célébration de la Pâque. Avec des protestations d'humilité personnelle qui n'excluaient pas une certaine fierté, surtout quant aux droits de ces

(1) Avec Mgr Duchesne, *Histoire*, p. 279, contre Harnack, Bardenhewer.
(2) ROUTH, *Rel. sac.* I, p. 160.
(3) EUS. *H. E.* V, 18, 14.

églises, il disait (1) : καὶ γὰρ κατὰ τὴν Ἀσίαν μεγάλα στοιχεῖα κεκοίμηται... Φίλιππον τῶν δώδεκα ἀποστόλων, ὃς κεκοίμηται ἐν Ἱεραπόλει... ἔτι δὲ καὶ Ἰωάννης ὁ ἐπὶ τὸ στῆθος τοῦ κυρίου ἀναπεσών, ὃς ἐγενήθη ἱερεὺς τὸ πέταλον πεφορεκὼς καὶ μάρτυς καὶ διδάσκαλος· οὗτος ἐν Ἐφέσῳ κεκοίμηται... viennent ensuite Polycarpe, Thraseas, Sagaris, tous évêques et martyrs, enfin Méliton de Sardes.

Rien de plus solennel que ce témoignage, auquel s'unissent les autres évêques du pays ; il est garanti par la présence à Éphèse du tombeau de Jean, qui a reposé sur la poitrine du Seigneur.

On n'a pas manqué cependant de reprocher à Polycrate d'avoir confondu Jean l'Apôtre et Jean l'ancien : en réalité c'est Jean l'ancien qu'il aurait eu en vue, sans quoi aurait-il omis de nommer cette lumière de l'Asie ? D'autant qu'il n'ose même pas nommer son Jean apôtre, titre qu'il donne indûment au Philippe de Hiérapolis qui n'était que l'évangéliste Philippe (2).

Et il est impossible en effet de l'excuser de cette dernière confusion. Elle s'était sans doute produite avant lui, il n'a eu garde d'omettre un pareil titre de gloire ; tout au plus son intention a-t-elle été de grandir autant que possible ceux dont il s'autorise. Parmi ceux-ci, Jean tient évidemment le premier rang par l'emphase du ton. S'il n'est pas nommé le premier, c'est sans doute parce qu'il est descendu après la mort de Philippe dans le tombeau qui conserve sa mémoire. Pourquoi n'est-il pas nommé apôtre ? Peut-être Polycrate, jouant serré avec le pape Victor, s'est-il abstenu de lui donner un titre qu'il ne porte pas dans l'Évangile. Mais son dessein est, si l'on peut dire, d'en faire un sur-apôtre. Il a reposé sur le sein du Seigneur, et l'on se rappelle aussitôt que Pierre lui-même a dû recourir à lui pour être éclairé sur la personne du traître (Jo. XIII, 24). De plus il faisait la figure d'un grand prêtre juif portant la lame d'or (Ex. XXIX, 32) avec l'inscription : « consécration au Seigneur (3) ». On a

(1) Eus. *H. E.* V, 24, 2 ss.

(2) Dom Chapman (*John the Presbyter*, p. 64 ss.) a soutenu de nouveau, avec Lightfoot contre Harnack et Zahn, que c'était bien l'apôtre Philippe qui était venu à Hiérapolis. Il rejette le témoignage de Caius comme romain éloigné, sans se douter que, d'après Eusèbe (III, 31), c'est Proclus son adversaire qui parle. Dans le texte de Polycrate, il ne voit que deux filles de Philippe, car ἡ ἑτέρα ne peut signifier que la seconde. — En grec classique soit, mais cf. Lc. XIX, 20. Il ne serait pas impossible que deux Philippe aient eu des filles ; mais que l'un ait eu des filles prophétesses et l'autre des filles célèbres parmi les chrétiens, l'une d'elles ayant vécu en communication avec l'Esprit Saint, cela suggère que le même personnage a été doublé ; ou plutôt le titre honorable d'Apôtre a été donné au père de telles filles, évangéliste de la première heure, le diacre Philippe.

(3) Épiphane (*Haer.* XXIX, IV, 4) dit la même chose de Jacques « le frère » du Seigneur, en citant Eusèbe, Clément et d'autres. Zahn (*Forsch.* V, p. 209 s.) attache de l'importance à ce point, mais il est probable qu'Épiphane a confondu.

quelque peine à croire que Jean ait en effet porté cet ornement; mais l'intention de Polycrate est bien de le désigner comme spécialement voué à Dieu, avec une sorte de surintendance sur les églises d'Asie, ce qui ressortait assez naturellement de l'Apocalypse. La nuance juive s'explique par l'origine et les manières de Jean parmi les chrétiens hellénisés d'Asie. Polycrate ajoute qu'il fut μάρτυς, ce qui s'explique par l'Apocalypse (I, 9), ou par le caractère de témoin qui est si particulièrement celui de l'évangile (XIX, 35; XXI, 24) et des épîtres (I Jo. I, 2; IV, 14; III Jo. 12). Enfin le titre de διδάσκαλος rappelle l'enseignement de vive voix recueilli par les anciens (1).

Polycrate a bien pu nommer Apôtre un diacre évangéliste très célèbre en Asie, où l'on ne savait rien de Philippe, l'un des Douze. Aurait-il grandi à ce point un simple ancien? Admettons que d'autres avant lui en eussent été capables et lui-même : quelqu'un barrait le chemin à l'ancien, et c'était précisément l'Apôtre, qu'on avait vu en Asie face à face. Jean le disciple bien-aimé suffisait, et l'ancien n'avait jamais été ni une grande lumière ni un martyr. Pourquoi M. Harnack ne reproche-t-il pas à Polycrate son silence sur Aristion? Aristion et Jean l'ancien se valaient.

Au temps de Polycrate, placé entre Papias et Denys d'Alexandrie, les Jean les plus connus étaient sans doute toujours deux, le grand et le petit. Si l'on s'appuie sur Denys pour rehausser le prestige de l'ancien, qu'il propose pour auteur de l'Apocalypse, et dont Éphèse connaissait le tombeau (?), on ne doit pas scinder ce témoignage ni oublier l'autre tombeau du grand Jean. Polycrate a choisi.

Les Aloges et le romain Caïus (2).

C'est un fait que le quatrième évangile, en même temps que l'Apocalypse ou plutôt après, a été rejeté à la fin du second siècle. En conséquence on ne pouvait plus l'attribuer à Jean l'Apôtre, et l'on est allé jusqu'à en faire hommage à l'hérétique Cérinthe. D'après l'opinion universellement admise jusqu'à ces derniers temps, le mouvement a com-

(1) Irénée, d'après Papias.

(2) *Bibliographie.* — Les textes d'Eusèbe, *H. E.* II, 25,6; III, 28,1 s.; 31,4; VI, 20,3 sur Caïus. C'est d'après lui que Jérôme a rédigé sa notice (*De vir. ill.* LIX); cf. Philastrius (*P. L.* XII, c. 1174). Photius n'a pas lu les ouvrages de Caïus (Bibl. 48; *PG.* CIII, c. 85). Récemment la publication du commentaire de l'Apocalypse de Denys bar Ṣalibi a jeté un nouveau jour sur la question (voir plus loin).

On peut consulter ZAHN, *Geschichte d. neut. Kanons,* I, 220 ss.; II, 967 ss.; *Forschungen...* V, 35 ss.; HARNACK, *Chronologie,* 320-381; les notes de Holl dans son édition d'Épiphane (*haer.* LI). Une note de Bardy dans *RB.* 1921, p. 358 s. oriente bien sur les travaux récents.

mencé en Asie et s'est étendu jusqu'à Rome, où il a eu pour adepte le romain Caïus. On sait très bien que le nom d'Aloges, donné par saint Épiphane à sa cinquante et unième hérésie est un nom de fantaisie, probablement un jeu de mots de ce Père sur les adversaires du Logos, dépourvus de raison (1).

Néanmoins le fait des « Aloges » a été largement exploité contre l'authenticité johannique. Cette opposition ne s'expliquerait pas, affirme-t-on, si les écrits contestés avaient été acceptés dès l'origine en toute confiance. C'est plutôt la manifestation d'un sentiment conservateur. Sûrement c'était là l'aboutissement d'une répugnance qui ne nous est pas autrement connue. Le feu couvait sous la cendre.

— On oublie que s'il faut des années pour la croissance d'un chêne, une nuit suffit à faire éclore un champignon. Les « Aloges » ressemblent beaucoup à un champignon, et c'est un des symptômes consolants de la critique la plus récente qu'elle ait su réduire leur rôle et leur personnel à très peu de chose.

En effet on voit très bien la cause de cette négation soudaine, violente, mais courte, et qui fut seulement une contestation de controversistes dans l'embarras. En fait elle ne laissa de traces sérieuses que par rapport à l'auteur de l'Apocalypse. Et cette négation fut précisément tenue en échec et réduite au silence par l'appui que prêta à celle-ci le quatrième évangile dont on ne pouvait douter. Mais c'est là un point dont nous n'avons pas à nous occuper ici (2)

Le texte le plus ancien et le principal touchant l'évangile est celui d'Irénée (III, 11,9) : Marcion avait rejeté les évangiles, sauf le sien : *Alii vero ut donum spiritus frustrentur, quod in novissimis temporibus secundum placitum Patris effusum est in humanum genus, illam speciem non admittunt, quae est secundum Iohannis evangelium, in qua Paracletum se missurum Dominus promisit; sed simul et evangelium et propheticum repellunt spiritum. Infelices vere, qui pseudoprophetas* (3) *quidem esse volunt; propheticam vero gratiam repellunt ab ecclesia : similia patientes his, qui propter eos qui in hypocrisi veniunt, etiam a fratrum communicatione se abstinent. Datur autem intelligi, quod huiusmodi neque apostolum Paulum recipiant... Per haec igitur omnia peccantes in spiritum Dei, in irremissibile incidunt peccatum.*

Irénée ne nomme pas ces personnes; comme il ne paraît pas disposé à les ménager, c'est sans doute qu'alors (vers 185) personne n'avait écrit pour soutenir une thèse aussi hasardée. Rien n'indique leur patrie,

(1) En grec moderne, les bêtes de somme se nomment *áloga*.

(2) Voir ALLO, *Comm. Apoc.*, p. CLXXIV s.

(3) Conjecture nécessaire au lieu de *prophetae*. Irénée semble dire que l'on regarde Montan, etc. comme des faux prophètes; soit, mais il doit y en avoir de véritables!

et l'on sait que le montanisme fut vivement débattu à Rome, à Carthage et à Lyon. Les innomés sont des exagérés qui ont peur de leur ombre; pour éviter une erreur, ils tombent dans une autre. Ayant horreur des Montanistes — car Irénée ne peut avoir qu'eux en vue — ils rejettent aussi le quatrième évangile sur lequel s'appuyaient les spirituels nouveaux : pourquoi ne rejettent-ils pas aussi saint Paul (1)? Ce serait logique. A Lyon, parmi les confesseurs, plusieurs peut-être étaient sympathiques au mouvement phrygien, tous tenaient aux charismes de l'Esprit. C'est surtout l'hostilité contre l'Esprit qui frappe Irénée. Il ne parle pas des autres écrits de Jean, parce qu'il n'a en vue dans cet endroit que les évangiles. On attaque le quatrième évangile en haine des spirituels; il répond en maintenant sa doctrine sur l'Esprit. L'attaque n'avait pas pris encore une forme bien nette, du moins Irénée ne dit pas qu'elle ait été appuyée sur des raisons exégétiques.

Elle fut très probablement soutenue dans le dialogue de Caïus contre le montaniste Proclus, écrit à Rome au temps du Pape Zéphyrin (2) (198-217).

Zahn admettait encore dans son histoire du Canon (3) que Caïus n'avait attribué à Cérinthe que l'Apocalypse. Eusèbe n'en dit pas plus, mais toute son attitude vis-à-vis de l'Apocalypse est assez sournoise. Il tient Caïus pour un esprit très judicieux (*H. E.* VI, 20, 3, λογιώτατος), et soude à son nom celui de Denys d'Alexandrie, qui devait plus tard, lui aussi, refuser l'Apocalypse à Jean l'Apôtre. Il ne voulait donc pas compromettre Caïus par une énormité comme l'attribution du quatrième évangile à Cérinthe. Hippolyte aussi a attaché plus d'importance à la question quelque peu disputée de l'origine de l'Apocalypse, et il a écrit des « *Chapitres contre Caïus* » sur ce sujet (4). Mais il a écrit aussi un livre « sur l'évangile de Jean et l'Apocalypse (5) » qui devait sûrement prendre à parti le même adversaire.

Du moins nous savons pas Denys bar Ṣalibi ce qu'Hippolyte disait de

(1) C'est ainsi que j'entends Irénée; il argumente par une *reductio ad absurdum;* cela ne prouve pas qu'il les accuse d'avoir en fait rejeté Paul (contre *Bardy, RB.*, 1921, p. 359, note).

(2) Eusèbe, *H. E.* II, 25, 6.

(3) Gk. I, 233. Je ne sache pas qu'il ait changé d'avis. Harnack estime aussi que Caïus admettait le quatrième évangile, puisqu'Hippolyte s'en sert pour argumenter contre lui dans le cinquième des fragments dont nous allons parler (*Texte und Unt.* VI, 3, p. 123). Et de fait Hippolyte fait allusion à Jo. XIV, 30. Mais à supposer qu'il n'y ait pas là une négligence de polémiste, Caïus a peut-être attaqué d'abord l'Apocalypse et seulement plus tard le quatrième évangile.

(4) Ouvrage perdu; fragments dans Denys bar Ṣalibi (notes sur l'Apocalypse), groupés en allemand dans l'édition berlinoise d'Hippolyte, I, p. 241 ss.

(5) Le titre est sur sa statue au Latran : ὑπὲρ τοῦ κατὰ Ἰωάννην εὐαγγελίου καὶ ἀποκαλύψεως.

Caïus (1) : *Apparuit vir, nomine Caius, qui asserebat Evangelium non esse Iohannis, nec Apocalypsim, sed Cerinthi haeretici ea esse. Et contra hunc Caium surrexit beatus Hippolytus et demonstravit aliam esse doctrinam Iohannis, in Evangelio et in Apocalypsi, et aliam Cerinthi.* Dans son Commentaire sur le quatrième évangile, Denys dit avec plus de précision (2) : « l'hérétique Caïus blâme Jean, parce qu'il ne coïncide pas avec ses frères les évangélistes qui disent (*sic*) que le Christ est allé tout droit en Galilée après le baptême, et a fait à Cana le miracle du changement de l'eau en vin ».

Ce dernier passage montre clairement quel fut le procédé de Caïus pour ruiner l'autorité du quatrième évangile : celle des trois premiers synoptiques n'était pas en cause dans la querelle montaniste; ils continuaient à être reconnus de tous. Le quatrième, s'il était d'un apôtre, ne pouvait les contredire. Pour le rejeter, il fallait donc y relever des contradictions avec les autres. Pourquoi l'attribuer à Cérinthe? On n'en peut donner aucune raison si ce n'est parce que la tradition plaçait Cérinthe à Éphèse comme Jean, et de son temps (3). Caïus espérait peut-être faire passer ainsi une opinion aussi peu éloignée que possible de la tradition sur le lieu et le temps de l'origine du quatrième évangile!

Puis le silence se fit sur cette opposition, jusqu'au jour où saint Épiphane reprit la question en faisant des Aloges sa cinquante et unième hérésie (4) : attaquer l'origine apostolique du quatrième évangile, c'est attaquer la doctrine du Logos, c'est être aloge. D'ailleurs rien ne permet d'affirmer qu'Épiphane ait connu des Aloges en ce sens qu'ils aient composé une communauté. Ils se sont mis en campagne, il est vrai, mais comme écrivains (5).

(1) *Corpus script. Christ. orient. Scriptores syri,* CI, p. 1, Trad. *Sedlacek.*

(2) Dans de Labriolle (*La crise montaniste,* p. 285) et dans les notes de Holl, *Epiphane,* II, p. 251. Le texte est troublé sur le point de l'opposition entre Jo. et les synoptiques, mais il suffit de les lire pour voir sur quoi Caïus insistait.

(3) Voir ch. II, p. LXXII s.

(4) Éd. *Holl*, Leipzig 1922.

(5) C'est ainsi que je comprends LI, 33, 3 : οἵ τε ἀρνούμενοι τὴν Ἀποκάλυψιν κατὰ τοῦ λογοῦ τούτου εἰς ἀνατροπὴν κατ' ἐκεῖνο καιροῦ ἐστρατεύοντο. Épiphane sait que l'église de Thyatire a cessé d'exister vers 170, en ce sens qu'elle a été envahie par les montanistes demeurés seuls maîtres : les catholiques sont revenus en 263; mais rien n'indique que les Aloges aient eu la moindre part à ces luttes, κατὰ τοῦ λογοῦ τούτου n'est pas le montanisme (*Holl*), mais la prophétie de l'Apocalypse (II, 18) comme a bien vu Zahn; Épiphane ne s'intéresse pas à la polémique des Aloges contre les montanistes, mais contre les écrits johanniques.

Donc le sens est : « Ceux qui niaient l'Apocalypse faisaient (de) ce moment campagne d'après ce passage (du livre), en vue de la réfutation » (de ce même livre); l'intervention des Aloges sur ce point, la seule dont parle Épiphane, ne pouvait se produire qu'après le désastre et de loin. Il est vrai qu'Épiphane semble loger des Aloges à Thyatire, quand il écrit : ἐνοικησάντων γὰρ τούτων ἐκεῖσε καὶ τῶν κατὰ Φρύγας

Ils se sont prononcés, comme les innomés d'Irénée, contre les charismes de l'Esprit-Saint. Les termes sont les mêmes (LI, 35, 1 ss.) : ἀλλὰ οὗτοι μὴ δεξάμενοι πνεῦμα ἅγιον, ...φθάνει δὲ καὶ ἐπ' αὐτοὺς τὸ εἰρημένον ὅτι τῷ βλασφημοῦντι εἰς τὸ πνεῦμα τὸ ἅγιον, οὐκ ἀφεθήσεται αὐτῷ κ. τ. λ. Le mobile des Aloges étant le même que celui des innomés, leur tactique relativement au quatrième évangile est exactement celle de Caïus : ils cherchent des antinomies entre cet évangile et les trois autres, afin de montrer qu'il n'est pas d'origine apostolique (1). Comme l'Apocalypse, il a été composé par Cérinthe. Épiphane disserte longuement sur les objections, ce qui lui permet d'étaler son érudition quant aux dates de la vie du Sauveur. A propos de l'Apocalypse, une objection des Aloges est précisément celle de Caïus dans Denys bar Ṣalibi, et réfutée comme avait fait Hippolyte (LI, 34, 1 ss.). Aussi est-il certain qu'Épiphane s'est appuyé sur son devancier, très douteux qu'il ait eu une autre source pour parler de ses Aloges. Il faudrait avoir le courage d'en tirer cette conséquence que rien n'autorise à parler comme on le fait si volontiers (2) des Aloges d'Asie. Cette hérésie, d'après Épiphane, est un faible reptile (ἑρπετὸν ἀσθενές, LI, 1, 1) qui n'a pu soutenir le contact de l'aurone (*artemisia abrotonos*). Déjà cette plante aromatique, symbole de Jean, avait ruiné en Asie l'empire des anciens serpents, Ébion et Cérinthe. Elle empêchait donc le nouveau reptile d'y demeurer ou d'y avoir son repaire. Si cette comparaison maladroitement poursuivie a un sens, c'est qu'au pays même de Jean il était impossible de soutenir une hérésie en contradiction avec sa doctrine du Logos. Si elle y était née, — ce qu'Épiphane ne dit pas, — elle aurait bien vite disparu. C'est donc ailleurs qu'elle a eu une existence assez misérable. Les Aloges dont les phrases sont citées sont sûrement représentés par Caïus. Y eut-il un autre écrivain de la même sorte? Schwartz a estimé que Caïus n'a fait que reproduire les arguments d'un auteur plus ancien. Ce n'est là qu'une conjecture sans portée, mais nous nous gardons bien de prétendre que Caïus ait été le premier aloge. D'ailleurs Schwartz n'affirme pas que son aloge, « l'aloge par excellence », ait été un asiatique. Mgr Ladeuze a pu écrire

κ. τ. λ., et c'est ce que maintient M. de Labriolle (*l. l.* p. 201 et p. 285), cependant il écrit (p. 201) : « Μετήνεγκαν a donc pour sujet οἱ κατὰ Φρύγας qu'il faut tirer du génitif absolu qui précède, à l'exclusion du τούτων ». C'est l'évidence même. Mais alors il faut remplacer ce τούτων ainsi exclu par τότε (*Schwartz*).

(1) Les principales objections touchant l'évangile sont relatives à l'ordre des faits au début du ministère de Jésus et à la chronologie : une Pâque d'après les synoptiques, trois Pâques d'après Jean. Ces divergences sont encore l'objet de contestations : elles ont dû toujours être remarquées et si l'évangile a été reçu néanmoins, c'est donc pour des raisons décisives. Qu'une objection doctrinale ou de discipline domine un esprit passionné, il n'hésitera pas à revenir à des difficultés critiques qui n'avaient pas paru insolubles.

(2) Bardenhewer, Loisy, Zahn, etc.

un article sous ce titre : *Caïus de Rome, le seul Aloge connu* (1), et dom Chapman a dit avec humour des Aloges : there is no proof whatever that they were a sect in Asia Minor. I am inclined to think that the best name for them is Gaius and Co (2). Heitmüller conjecture que les Aloges sont un nom pour Gaius (3). Schwartz pense qu'Épiphane a tissé la secte des Aloges de l'ancien auteur qu'aurait suivi Caïus (4).

Le seul indice qu'il y ait eu des Aloges en Asie Mineure, c'est la connaissance qu'avaient leurs polémistes du fait de Thyatire (5). Mais on pouvait en être informé à Rome. Quoi qu'il en soit, s'il y a eu un ou plusieurs Aloges en Asie, ils ont dû disparaître rapidement. C'était le terrain le moins disposé à les recevoir, exposés qu'ils étaient à avoir contre eux les Montanistes et les Quartodécimans, sans parler de la masse catholique habituée à lire le nom de Jean en tête du quatrième évangile. De cela les « Aloges » eux-mêmes convenaient, car Épiphane les cite en ces termes : τὸ δὲ εὐαγγέλιον τὸ εἰς ὄνομα Ἰωάννου, φασί, ψεύδεται : « l'évangile inscrit au nom de Jean est mensonger, disent-ils » (6), et ils disaient encore « l'évangile selon Jean n'est pas canonique » : λέγουσι δὲ τὸ κατὰ Ἰωάννην εὐαγγέλιον ἀδιαθέτον εἶναι (7). Une fois d'ailleurs le nom de Jean l'Apôtre rejeté, ils n'ont pas songé à se rabattre sur un autre Jean. Néanmoins la témérité était forte, et dès la fin du quatrième siècle elle est taxée d'hérésie. On s'étonne qu'Eusèbe ait nommé Caïus ἐκκλησιαστικὸς ἀνήρ (8), ce qui ne veut pas dire « prêtre », mais est favorable à son orthodoxie. Il semble donc qu'il ne fut pas condamné. Peut-être tint-on plus de compte des services rendus contre le montanisme que du détestable argument qu'il y employa. Peut-être aussi son Dialogue contre Proclus ne contenait-il pas d'attaques contre le quatrième évangile. Il a pu commencer par attaquer l'Apocalypse; Hippolyte aura répondu. Caïus aurait répliqué en s'attaquant aussi au quatrième évangile : d'où le second ouvrage d'Hippolyte. Mais ces conjectures importent peu : ce qui est sûr c'est que l'Église romaine ne se laissa pas ébranler (9),

(1) Dans les *Mélanges Godefroid Kurth*, Liége, 1908.

(2) *John the Presb.*, p. 53, n. 1.

(3) *Vermutlich nur ein Name Gaius*, dans *ZnW*, 1914, p. 191.

(4) *ZnW*, 1914, p. 213.

(5) Épiph. LI, 33, voir plus haut, p. LVIII, n. 5.

(6) *Haer.* LI, 18, 1, mensonger parce que non conforme aux synoptiques.

(7) LI, 18, 6 ἀδιαθέτον d'après Zahn « mal ordonné ». Plutôt « non canonique ». L'évangile était reconnu comme canonique, mais s'il était avéré qu'il était l'œuvre d'un faussaire, on ne pouvait plus le regarder comme tel.

(8) *H. E.* II, 25, 6.

(9) Le nom de Caïus est surtout connu des historiens par son attestation sur les trophées (tombeaux) romains de saint Pierre et de saint Paul. Dom Chapman a très bien vu qu'il y avait là une réponse à la prétention de l'église d'Éphèse qui montrait le tombeau de saint Jean. La lutte contre les Quartodécimans a pu faire naître à Rome

et quant aux églises d'Asie elles n'entendirent probablement que le bruit lointain de cette querelle. Née d'une circonstance ou plutôt de la conjonction de deux circonstances, le montanisme et la résistance des quartodécimans à l'Église romaine, la négation de l'authenticité ne dura même pas autant que les erreurs contre lesquelles elle prétendait réagir maladroitement. Irénée avait vu juste : c'était se jeter à l'eau pour éviter la pluie. Une négation peut être hérétique, mais la seule réprobation d'un ou plusieurs livres saints ne peut constituer une secte vivante. Les Aloges n'auraient rien été d'autre d'après Philastre : « une hérésie qui rejette l'évangile de Jean et son Apocalypse (1). »

Le Canon de Muratori.

M. Harnack a exagéré la valeur de ce document, quand il en a fait une déclaration de l'Église romaine, ou du moins l'œuvre d'un clerc parlant au nom du pape Victor ou du pape Zéphyrin (2). Mais c'est encore l'opinion la plus générale qu'il a été écrit à Rome et vers l'an 200. A cette date il ne serait qu'un témoin d'un fait déjà bien constaté, la canonicité du quatrième évangile, écrit par Jean l'Apôtre. Mais son intérêt spécial vient des détails qu'il est le premier à donner sur la composition de l'évangile. Voici le texte qui regarde le quatrième évangile (3) :

9 Quarti evangeliorum : Iohannis ex decīpolis.
10 Cohortantibus condescipulis et eps suis
dixit conieiunate mihi odie triduo et quid
cuique fuerit revelatum alterutrum
nobis ennarremus eadem nocte reve
latum Andreae ex apostolis ut recognis
15 centibus cuntis iohannis suo nomine
cuncta describeret et ideo licit varia sin
culis evangeliorum libris principia
doceantur nihil tamen differt creden
tium fidei cum uno ac principali spū de
20 clarata sint in omnibus omnia de nativi

une certaine hostilité contre le quatrième évangile. En le rejetant, Caïus faisait coup double, atteignant les montanistes et les quartodécimans. Mais l'Église romaine n'a pas cédé à la tentation à laquelle il a succombé, et il a été combattu sur place par Hippolyte, et, comme nous croyons, par le Canon de Muratori.

(1) *P. L.* t. XII, c. 1174; édition de Vienne, p. 31 : *alii post hos sunt heretici qui evangelium cata Iohannem et Apocalypsin ipsius non accipiunt.*

(2) *Die Entstehung des Neuen Testaments...*, 1914, p. 56 ss.; p. 71, n. 2.

(3) Éd. Preuschen, *Analecta,* l. 9-34. Le lecteur corrigera aisément les erreurs du scribe du VIIIe siècle. Nous ne proposons aucune émendation véritable.

tate de passione de resurrectione
de conversatione cum decipulis suis
ac de gemino eius adventu
primo in humilitate dispectus quod fo
[25] it secundum potestate regali pre
clarum quod foturum est. quid ergo
mirum si iohannes tam constanter
sincula etiā in epistulis suis proferam
dicens in semeipsu quae vidimus oculis
[30] nostris et auribus audivimus et manus
nostrae palpaverunt haec scripsimus <vo> bis
sic enim non so[l]um visurem sed et auditorem
sed et scriptorem omnium mirabilium dñi per ordi
[34] nēm profetetur.

On remarquera la longueur de cette notice. L'évangile de Luc et les Actes n'ont chacun que six lignes. Le quatrième évangile a autant de lignes que les épîtres de saint Paul : encore au cours de cette notice revient-on à Jean deux fois :

[48] Apostolus paulus sequens prodecessuris sui
iohannis ordinem non nisi nomenatim septem
ecclesiis scribat,
[57] et iohannis enim in a
pocalebsy licet septem eccleseis scribat
tamen omnibus dicit.

On voit donc d'un premier coup d'œil que l'auteur est surtout préoccupé de Jean, et, — nous l'avouons volontiers, — afin de le défendre. Mais quoi de plus naturel, puisque ses écrits venaient de subir à Rome un assaut audacieux? Maintenant que nous connaissons les arguments de Caïus, nous pouvons le dire : c'est en partie contre lui et même surtout contre lui que le Canon de Muratori est écrit. Il proteste contre l'erreur de Caïus et la réfute. Ce qu'on regarde, parmi les notes consacrées à Jean, comme une parenthèse sur l'accord des évangiles, est précisément une réponse au principal argument de l'écrivain romain. Rien n'oblige donc à chercher d'autres opposants.

Sans faire allusion à une attaque directe, on y répond (lignes 16 à 34) : L'autorité du quatrième évangile lui vient de sa qualité de témoin oculaire, si fortement attestée même dans les épîtres du même auteur qui est Jean. Et qu'on ne dise pas que ce témoin a vu et entendu, mais a laissé à d'autres le soin d'écrire : non, c'est bien lui qui a écrit (Jo. xxi, 24).

On dirait même que le Canon répond précisément à la principale objection de Caïus. Pour montrer la contradiction entre Jo. et les autres évangélistes, il a insisté sur l'ordre différent des faits après le baptême.

Et c'est bien aussi ce que semble indiquer le Canon par les *varia principia*. Qu'un évangile commence par une dédicace comme Lc., ou par un prologue comme Jo., ou par une généalogie comme Mt. ou avec un seul titre comme Mc., ce n'est pas *DOCERE principia varia*. On peut en dire autant des thèmes du début : que l'on commence par la prédication de Jean-Baptiste comme Mc., ou par la nativité de Jésus, ou par celle du Baptiste, ou par l'incarnation du Verbe, ce n'est pas encore *DOCERE principia varia* (1).

La différence dans l'*enseignement* n'est notable et angoissante que si les faits sont racontés dans un ordre différent : ainsi la vocation des premiers disciples en Galilée ou sur les bords du Jourdain. Or, d'après l'auteur du Canon, Jean seul, comme témoin oculaire, a la prétention d'affirmer : il est l'écrivain des choses admirables (σημεῖα) du Seigneur selon l'ordre, *per ordinem profitetur;* si les autres n'ont pas la même intention, il est clair qu'il n'y a pas de désaccord formel entre eux et lui et aussi que c'est à lui qu'il faut donner la préférence. Non seulement l'attaque contre Jean n'est pas justifiée : elle aboutit à le faire préférer pour l'ordre des faits, c'est-à-dire comme historien.

Et de même, lorsque le Canon affirme l'accord entre les évangiles, il insiste beaucoup sur les deux avènements. Y a-t-il donc sur ce point des différences entre les trois synoptiques? Elles ne sont pas d'une grande conséquence. Tandis que la critique moderne se complaît à soutenir que Jo. a remplacé la parousie par un avènement intérieur du Christ et de l'Esprit-Saint. Cette difficulté a sans doute été notée de bonne heure, et c'est donc encore Jo. seul de son côté qu'il fallait déclarer d'accord avec les trois autres.

Tout cela (l. 16-34), le Canon pouvait le déduire d'une simple étude exégétique. Il en est autrement du début (l. 9-15). Si l'exégèse est encore à la base, on y ajoute une petite histoire, une tradition orale destinée à expliquer une particularité du quatrième évangile, cette sorte d'attestation qui lui est donnée à la fin par un groupe de personnes (XXI, 24). On pouvait se demander si l'évangile n'était pas en réalité l'œuvre d'un groupe? Et si le texte proteste trop fortement contre cette hypothèse, comment expliquer ce pluriel? Le Canon répond : ce pluriel s'explique parce que ce sont en effet plusieurs personnes qui ont sollicité Jean à écrire, et elles ont en quelque sorte garanti une œuvre qui était bien la sienne, *recognoscentibus cunctis*. *Suo nomine* à propos de l'auteur ne doit pas être serré de trop près, puisque Jean n'est pas nommé dans l'évangile. C'est une manière de dire que l'auteur prenait toute la responsabilité, les autres ne faisant que rendre hommage à la qualité de ses informations et à sa véracité. Sûrement aussi le Canon jugeait

(1) Contre ZAHN, *Gk.* II, p. 42 s.

que l'individualité de Jean était facile à découvrir sous le voile du disciple bien-aimé. Ce qui a étonné, c'est la présence d'André, l'un des apôtres. On en a conclu que le Canon a pratiqué une apologie « aussi maladroite et enfantine que possible, puisque le quatrième évangile se trouverait le plus ancien de tous et composé en Palestine avant la dispersion des apôtres (1). »

Le Canon dit : le quatrième évangile : ce n'est donc pas d'après lui le plus ancien. L'on n'est pas en Palestine, mais bien en Asie, puisque Jean est entouré non seulement d'autres disciples (*condiscipulis*) mais encore de ses évêques (*episcopis suis*). Or les évêques de Jean ne peuvent être que ceux d'Asie, car ce sont ses lettres de Patmos aux sept églises qui ont fait naître l'opinion de sa surintendance sur des évêques, ses évêques. Il est vrai que plus loin (l. 4 ss.) le Canon regarde l'Apocalypse comme antérieure aux sept épîtres de Paul à des églises déterminées. Mais cela prouve seulement qu'il tenait l'Apocalypse pour très ancienne (2), tandis que Jean ne s'était pas pressé d'écrire son évangile.

Les *condiscipuli* ne sont pas nécessairement des membres du collège des Douze. André seul est nommé Apôtre, ce qui d'ailleurs ne veut pas dire que Jean ne l'était pas : il était, d'après son évangile, quelque chose de plus, le disciple bien-aimé. Qu'André se soit trouvé en Asie à point nommé, nous ne voudrions pas le soutenir sur ce seul témoignage, mais, si ce n'est vrai, c'est bien trouvé, avec un sentiment très juste des relations spéciales entre André et un disciple anonyme, dans lequel on aura reconnu Jean avec raison (Jo. I, 40 ss.).

La circonstance du jeûne et de la révélation accordée à André vaut ce que vaut l'historiette, et cette valeur dépend de l'écrivain. Nous ne voyons absolument aucune raison de l'accorder à Leucius Charinus, l'auteur prétendu des Actes de Jean (3). Ces Actes dans leur meilleur état (4) ne disent rien de semblable, et une hypothèse fondée sur leurs lacunes serait tout à fait en l'air.

S'il fallait hasarder une autre conjecture quelque peu motivée, nous désignerions Papias. Un texte évangélique (Jo. XXI, 24) glosé par une tradition, c'est précisément sa manière. De plus, des deux fragments que nous possédons de lui sur Mc. et sur Mt., ce qui regarde Mc. se souderait très aisément à la seule ligne subsistante du Canon sur le second évangile (5). On remarque dans le Canon et dans Papias le même

(1) *Loisy*, 2e éd., p. 16.

(2) Sous Claude, avec l'opinion mentionnée par Épiphane, *haer.* LI, 33.

(3) Avec Harnack, *Chronol.* p. 542, n. 2, contre Zahn en plusieurs endroits.

(4) Éd. Bonnet. L'éditeur, quoique s'exprimant en termes obscurs, ne paraît pas favorable à une haute antiquité des *Acta* au moins sous leur forme actuelle. Nous avons absolument renoncé à en tenir compte quant à la tradition johannique.

(5) On sait qu'il n'a plus rien sur Mt.

souci : expliquer les différences sur l'ordre des faits. Jean, dit le Canon, affirme avoir écrit par ordre. On n'en peut dire autant de Mc. (1), dit Papias : il se contentait de suivre la catéchèse de Pierre et écrivait certaines choses selon qu'il se les rappelait. Il n'a donc pas *tout* dit, ni *suivant l'ordre* [sed iuxta quod audierat a Petro in concionibus] (2)

quibus tamen interfuit, et ita posuit.

Au surplus, quand la glose évangélique remonterait à l'un des anciens de Papias, elle n'en serait pas pour cela au-dessus de toute critique. Ce qui a dû frapper l'auteur du Canon, c'est qu'elle lui permettait de répondre à Caïus.

Quoi qu'il en soit de la source du Canon (3), il ne représente nullement une tradition opposée à celle de l'Asie. C'est plutôt la tradition asiatique qu'il veut faire triompher à Rome, étant partisan de Jean jusqu'à ce point d'en faire un modèle pour Paul. C'est ainsi qu'une opinion aussi osée que celle de Caïus aboutissait à une contradiction exagérée. Mais désormais la tradition s'imposait avec une telle certitude qu'elle ne devait plus être contestée jusqu'à la fin du XVIIIe siècle.

Clément d'Alexandrie. Tout le monde.

Il serait superflu de citer les textes des Pères qui sont unanimes. Rappelons cependant deux textes intéressants de Clément d'Alexandrie, comme se référant à une tradition reçue des Anciens (4) : τὸν μέντοι Ἰωάννην ἔσχατον, συνιδόντα ὅτι τὰ σωματικὰ ἐν τοῖς εὐαγγελίοις δεδήλωται, προτραπέντα ὑπὸ τῶν γνωρίμων, πνεύματι θεοφορηθέντα πνευματικὸν ποιῆσαι εὐαγγέλιον. Que l'évangile de Jean ait été le dernier, c'est aussi la tradition d'Irénée; qu'il ait été composé à la requête de personnes amies, c'est la tradition du Canon de Muratori. Mais le trait de l'évangile spirituel est d'une pénétration qui fait honneur à ces anciens. Ne seraient-ce pas encore les anciens de Papias? C'est l'opinion de Heitmüller, qui n'est pas sans vraisemblance. Seulement il eût dû en conclure que Clément, comme Irénée et comme Eusèbe, lisait lui aussi dans Papias que le quatrième évangile était l'œuvre du fils de Zébédée.

Érudit comme il l'était, Clément s'était informé sur la situation de Jean en Asie. Voici comment il l'expose en tête de l'histoire du jeune bri-

(1) Cf. *Comm.* Mc. p. XX, Lc. p. LXXXI.

(2) On nous pardonnera cette tentative de restauration qui souderait Muratori à Papias; *tamen* signifierait : *du moins* à celles auxquelles il assistait.

(3) Si Papias parlait de la présence d'André en Asie, on s'expliquerait au mieux ce que nous avons lu dans Irénée sur Jean et les apôtres.

(4) Extrait par Eusèbe (*H. E.* VI, 14, 7), des *Hypotyposes*.

gand que Jean convertit (1) : ἄκουσον μῦθον οὐ μῦθον, ἀλλὰ ὄντα λόγον περὶ Ἰωάννου τοῦ ἀποστόλου παραδεδομένον καὶ μνήμῃ πεφυλαγμένον. ἐπειδὴ γὰρ τοῦ τυράννου τελευτήσαντος ἀπὸ τῆς Πάτμου τῆς νήσου μετῆλθεν ἐπὶ τὴν Ἔφεσον, ἀπῄει παρακαλούμενος καὶ ἐπὶ τὰ πλησιόχωρα τῶν ἐθνῶν, ὅπου μὲν ἐπισκόπους καταστήσων, ὅπου δὲ ὅλας ἐκκλησίας ἁρμόσων κ. τ. λ.

En Égypte on admettait donc, peu après Irénée, que Jean avait établi des évêques en Asie. Cela est en parfait accord, de coïncidence, non de dépendance, avec ce qu'Irénée avait dit de saint Polycarpe. C'est une confirmation du séjour de Jean l'Apôtre à Éphèse. Toutefois nous tenons à répéter qu'il n'est pas aussi certain qu'il y ait écrit l'évangile. Nous ne doutons pas qu'en effet Jean soit venu dans la province d'Asie, à Éphèse, où il est mort. Mais y a-t-il vraiment écrit l'évangile? Irénée le dit (*Haer.* III, I, 1), mais il a pu le conclure du séjour de Jean dans cette ville, et il ne dit même pas que Polycarpe l'y ait connu.

D'autre part un texte de saint Éphrem à la suite de son commentaire du Diatessaron s'exprime ainsi : *Iohannes scripsit illud* (l'évangile) *graece Antiochiae, nam permansit in terra usque ad tempus Traiani* (2).

Ce texte est isolé, mais les Actes du martyre de saint Ignace (du IVe ou du Ve siècle), font d'Ignace un condisciple de Polycarpe auprès de Jean : ἐγεγόνεισαν γὰρ πάλαι μαθηταὶ τοῦ ἁγίου ἀποστόλου Ἰωάννου (3), et Jérôme a enregistré la même tradition dans sa chronique (4) : *post quem* (Jean) *auditores eius insignes fuerunt papias hierapolitanus episcopus et polycarpus zmurnaeus et ignatius antiochenus.*

Et cela encore n'a pas un grand poids. Cependant si Jean avait écrit son évangile à Antioche, on s'expliquerait très bien et qu'Ignace s'en soit si largement inspiré, et qu'il n'ait pas parlé à ceux de l'église d'Éphèse de Jean qui dès lors ne leur appartenait plus en propre. On comprendrait aussi, comme l'a suggéré M. Burney (5), l'influence de Jean sur les odes de Salomon, dont la langue originale fut probablement le syriaque, et qui, par conséquent seraient originaires d'Antioche ou des environs.

Cela soit dit, non pas pour soutenir l'origine antiochienne, mais pour distinguer, dans une question de cette importance, ce qui est tout à fait certain et ce qui est seulement très probable ou plus probable (6).

(1) *Quis dives salvabitur,* XLII, 1 s.

(2) Traduction de M. Conybeare (*Zn W,* 1902, p. 193), plus littérale que celle de Moesinger, p. 286.

(3) *P. G.* t. V, c. 984.

(4) Éd. Helm, 1913, p. 193 s.

(5) *The aramaic origin...* p. 129 ss., 171.

(6) L'origine antiochienne ne donnerait pas un milligramme de probabilité à la thèse fantastique de M. Kreyenbühl qui attribue le quatrième évangile au gnostique Ménandre; cf. *RB.*, 1901, p. 453, et 1906. p. 495.

CHAPITRE II

CRITIQUE LITTÉRAIRE.

§ 1er. — *Le genre littéraire de l'évangile.* — *But et plan.*

On convient que les évangiles synoptiques ne sont pas proprement des livres d'histoire, c'est-à-dire de véritables biographies. Mais des critiques très pointilleux leur reconnaissent cependant une valeur historique et l'intention arrêtée de raconter les principaux faits de la vie de Jésus. Les mêmes sont beaucoup plus sévères pour le quatrième évangile. Ce ne serait plus du tout un livre d'histoire, ni même un évangile, mais simplement un ouvrage didactique, et le préjugé est si fort que tel catholique a consenti à adopter la formule : « un livre didactique en forme d'évangile (1) ». M. Loisy a déclaré, dès sa première édition : « L'auteur s'est proposé un tout autre but que d'écrire l'histoire de Jésus »; il a une « suprême indifférence à l'égard de l'histoire (2) ». Aujourd'hui le même savant prononce que le quatrième évangile, « sans les trois premiers » c'est-à-dire sans la trame historique qui leur a été empruntée : « paraîtrait dépourvu de tout fondement historique et comme la simple expression d'un mythe théologique et rituel (3) ».

Nous sommes loin de contredire au caractère doctrinal du livre, mais enfin cette doctrine y est proposée par Jésus. Elle n'est pas, il est vrai, uniquement déduite des faits; mais les faits attestent le droit de Jésus à l'enseigner, et ses enseignements eux-mêmes sont des faits de sa vie. L'évangile est doctrinal d'intention, mais c'est encore un évangile, l'intention historique de l'auteur étant incontestable. Nous disons l'intention, qui seule ressortit à ce chapitre, car l'exécution du programme ou le rapport avec les faits appartient à la critique historique.

Il ne sera peut-être pas inutile de marquer comment l'intention doctrinale peut se concilier avec une très sincère poursuite de la réalité des faits.

On nous dit (4) que la conception moderne de l'histoire s'en tient à la préoccupation exclusive des faits. Nous voulons savoir ce qui est arrivé :

(1) *Tillmann*, p. 2 : *Lehrschrift in der Form des Evangeliums.*
(2) P. 76 et p. 80.
(3) Éd. de 1921, p. 65.
(4) *Heitmüller*, etc.

si l'historien le détermine avec certitude, il a rempli sa tâche. Toute visée d'un intérêt pratique serait donc exclue. C'est bien en effet ce que proclame Taine au début de ses études sur les *Origines de la France contemporaine*. Pas d'arrière-pensée quand on écrit l'histoire, pas de parti pris. Il suffit de décrire avec exactitude : « J'ose déclarer ici que je n'ai point d'autre but; on permettra à un historien d'agir en naturaliste », d'étudier les actes des hommes comme les métamorphoses d'un insecte. Telle est sa prétention, et cependant il a commencé ces études parce qu'il était électeur et ne savait que faire de son bulletin de vote : « Plus nous saurons précisément ce que nous sommes, plus nous démêlerons sûrement ce qui nous convient (1). »

Voilà donc l'histoire évoquée comme règle de vie politique. Elle peut avoir la même portée pour la vie religieuse.

Et en effet la réalité historique par elle-même, ce qui est arrivé, n'est pas d'un grand intérêt pour l'homme s'il n'en tire une leçon. L'histoire perfectionnée à la moderne reviendrait donc aux infirmités de son berceau : une chronique où les faits sont enregistrés chaque jour sans que l'on se rende compte de leurs rapports entre eux et avec les sociétés où ils se produisent, ni de leur retentissement dans l'avenir. Nous préférons l'idéal hardi de Thucydide qui entreprenait son histoire comme une œuvre utile à jamais (2).

La véritable histoire comprend deux éléments : les faits et leur signification. De ce double chef, Jean réalise les conditions de l'histoire.

Il est vrai, certains esprits n'attachent pas grande importance aux faits. Il peut leur arriver de s'en servir sans avoir cure de leur réalité, comme de simples signes pour faire pénétrer une vérité dans l'esprit. Dans ce cas on devra dire mythe, fable, allégorie, mais non pas histoire; alors l'apparence des faits n'aura d'autre objet que de fournir des images au raisonnement, de l'assister par des comparaisons plus ou moins implicites ou exprimées. La réalité du fait est indifférente; mais aussi ne s'y appuie-t-on pas.

Tout autre est le raisonnement qui a pour base une réalité. Pourtant, avouons-le, autre chose est de conclure à l'existence de Dieu d'après la réalité des créatures, autre chose de comprendre leur beauté ou simplement leur agrément. Il y a sûrement des écrivains qui ne goûtent pas le charme de certains faits, qui ne savent même pas les voir. Ils ne sont pas pour cela indifférents à leur existence, dont ils s'assurent consciencieusement; ils sont indifférents à leur physionomie. Nous avons cru pouvoir le noter à propos de saint Matthieu : les faits ne sont souvent pour lui que la base ou même le point de départ d'une argumentation.

(1) P. VIII et p. IV.
(2) κτῆμα εἰς ἀεί.

Ou il n'a pas eu l'œil ouvert à ce qui donne à un fait son caractère propre, ou il a pensé que cela ne méritait pas d'être noté. Il ne contient donc pas les détails pittoresques qui rendent les récits de Marc plus semblables à la nature. Mais ce ne serait plus de l'indifférence, ce serait une manipulation dépourvue de sincérité que d'altérer la physionomie d'un fait pour le transformer en image d'une vérité religieuse ou morale, sans cesser de faire état de sa réalité pour prouver cette vérité elle-même.

C'est cependant ce que l'on reproche à Jean qui a tant insisté sur le pouvoir miraculeux du Christ. Il faut des miracles pour prouver ce pouvoir. Si l'on veut montrer en même temps, et d'une façon spéciale, qu'il est la vie et la résurrection, un miracle de résurrection sera à la fois une preuve et un symbole. Mais il ne peut être un symbole efficace s'il est dépourvu de réalité. Il serait assurément moins grave, en racontant le miracle des Noces de Cana, de choisir arbitrairement le nombre des urnes pour aboutir à une signification; mais on ne supposera pas aisément que le narrateur d'un fait réel se soit amusé à cet enjolivement qui n'en augmente pas la portée et n'en change pas le sens principal.

Réalité ou physionomie des faits sont deux choses bien distinctes. L'histoire aura une base solide tant que l'auteur tiendra à la réalité. C'est un minimum. Un sens historique plus agissant s'intéressera davantage aux modalités et aux circonstances, surtout au temps et au lieu; il sera plus soucieux d'indiquer l'ordre des événements afin d'en déduire à l'occasion un certain rapport de causalité. Ce sens historique peut céder la place à un goût dominant pour la doctrine : alors les pauvres faits ne seront pas aimés pour eux-mêmes, et seront enchaînés dans une composition logique, au risque de léser leur organisme et d'arrêter leur développement. Mais la réalité est encore bien plus maltraitée par des écrivains qui, eux, savent voir et faire vivre même ce qui n'a jamais existé. Ce n'est donc ni au détail vivant, ni au contraire au mépris apparent des modalités concrètes qu'on peut déterminer si les faits sont historiques.

On verra plus loin que nous sommes excusé par l'état de la controverse d'être revenu sur ces principes élémentaires. Si nous les appliquons à l'examen du quatrième évangile, nous y reconnaîtrons une intention historique très ferme, et cependant unie, beaucoup plus qu'il n'est coutume dans un ouvrage d'histoire pure, à une intention doctrinale qui anime tout : c'est un évangile doctrinal.

On peut s'en rendre compte : I) d'après le but de l'auteur; II) d'après son plan.

I. — *Le but de l'auteur.*

Nous n'avons pas à le conjecturer : il est écrit à la fin du livre (xx, 30. 31) (1). Jésus a fait beaucoup de miracles ou de signes, soit en présence de ses disciples, soit en présence des Juifs (xii, 37). L'auteur en a choisi quelques-uns qu'il a racontés afin que l'on croie que Jésus est le Christ, le Fils de Dieu (2), et que par cette foi on ait la vie. Il était impossible de mieux marquer le caractère doctrinal et très pratique de cette histoire. Mais c'est bien une histoire dans la pensée de l'auteur témoin, puisque sa foi à lui est née à la vue des miracles, et qu'il propose son témoignage aux autres qui devront croire sans avoir vu. S'il ne parle ici que des miracles, alors que les discours tiennent une si grande place, c'est précisément parce que ces miracles sont à la base de tout et autorisent le Christ à parler au nom de son Père (xiv, 10 s.).

Les paroles du Christ s'imposent à la foi des chrétiens. En les rapportant l'auteur s'engage à ne pas les altérer. Miracles et discours sont des faits, attestés par un témoignage, c'est-à-dire constituent une histoire, celle du Verbe Incarné.

Il est vrai que, même parmi les catholiques, on n'est pas d'accord pour déterminer le véritable thème de Jean, quoiqu'il ait pris soin de s'en ouvrir au lecteur. Il a, disions-nous, voulu prouver (xx, 31) que « Jésus est le Christ, le Fils de Dieu ». On n'ose lui donner un démenti. Mais les uns mettent tout l'accent sur le messianisme (3), les autres sur la divinité du Fils de Dieu (4). Si Jean n'avait eu en vue que la divinité, il serait plus aisé de l'accuser d'avoir altéré le thème traditionnel. Mais s'il n'avait insisté que sur le messianisme, il n'aurait rien fait de nouveau. La vérité est qu'il tient absolument à prouver que Jésus est bien le Messie, et c'était le thème juif du temps, mais, en même temps, qu'il n'y avait dans les desseins de Dieu d'autre Messie que son Fils envoyé à l'humanité (5). Il n'est pas dit expressément que les Juifs auraient offert de l'accepter comme Messie, s'il avait renoncé à être reconnu comme le Fils de Dieu, mais ce qui ressort de toutes les discussions et des faits, comme on le verra plus loin (6), c'est qu'ils l'ont condamné pour sa prétention.

(1) Nous pensons que la vraie place de ces deux versets était après xxi, 23; voir aux deux endroits.

(2) Ou, d'après une variante peu sûre : « que Jésus (Christ) est le Fils de Dieu ».

(3) A. Wurm, *Die Irrlehrer im ersten Johannesbrief*, dans les *Biblische Studien*, 1903, p. 34 : Das erste Ziel, das Johannes in seinem Evangelium verfolgt, ist der Erweis der Messianität Jesu gegen die Leugner derselben.

(4) *Kaulen*, *Schäfer*, etc.

(5) *Schanz*, etc.

(6) Chap. iv, p. clii et *Comm.*

Le but de l'auteur est donc indiqué clairement. Il entend donner une base solide à la foi; il s'adresse à des chrétiens, sans exclure ceux qui ne croient pas encore. Or ce but positif d'édification n'exclut pas en soi une intention de polémique. Jean avait-il pour but secondaire de combattre une erreur envahissante? Rien dans l'évangile ne permet de l'affirmer. Ou, s'il fallait absolument lui supposer des adversaires, on ne pourrait désigner que les Juifs, tant il est vrai que la controverse est absolument dans la note du temps, du lieu et des circonstances. Car c'est contre les Juifs qu'elle établit que Jésus est le Messie, Fils de Dieu. La preuve de la divinité, si elle était isolée, pourrait être dirigée contre ceux qu'on a nommés ébionites, des Juifs qui tenaient Jésus pour le Messie, mais sans croire à sa divinité ni à sa conception miraculeuse. Mais nous avons vu que Jean se préoccupe en même temps d'établir la créance due à Jésus comme Messie ou envoyé de Dieu, et comme Fils de Dieu.

On a pourtant pensé que Jean avait voulu répondre, non à de purs judéo-chrétiens, mais à un nouvel assaut du judaïsme, tenté dans des circonstances à déterminer. L'évangile étant muet sur ces circonstances, on a cherché dans la première épître de Jean. Il y est parlé de certaines erreurs, contre lesquelles l'auteur prémunit les fidèles, et dans des termes qui rappellent certaines expressions de l'évangile. Il est donc très légitime de penser que l'évangile devait, du moins en partie, contribuer à les combattre. Et ainsi la connaissance de ces erreurs serait d'un grand intérêt pour saisir plus complètement la pensée de l'évangéliste lui-même.

Seulement on n'est pas d'accord sur la nature des erreurs dénoncées par l'épître, et, au premier abord, elles ne semblent pas former un système cohérent.

Est menteur celui qui nie que Jésus est le Christ (I Jo. II, 22) ὁ ἀρνούμενος ὅτι Ἰησοῦς οὐκ ἔστιν ὁ Χριστός, et cela semble indiquer un Juif. Inversement il est de Dieu celui qui confesse que Jésus-Christ est venu dans la chair (I Jo. IV, 2): πᾶν πνεῦμα ὃ ὁμολογεῖ Ἰησοῦν Χριστὸν ἐν σαρκὶ ἐληλυθότα ἐκ τοῦ θεοῦ ἐστιν (1), et cela semble dirigé contre ceux qui n'admettaient pas la réalité de la chair du Christ, ceux qu'a réfutés saint Ignace.

On juge invraisemblable que Jean ait eu en vue deux systèmes erronés distincts. Il est des savants qui ont ramené la seconde formule à la première, comme si elle équivalait à nier absolument que le Fils de Dieu ait apparu (dans la chair) (2).

De cette façon, l'épître est ramenée dans le cadre de l'évangile, censé

(1) Cf. II Jo. 7 : πλάνοι... οἱ μὴ ὁμολογοῦντες Ἰησοῦν Χριστὸν ἐρχόμενον ἐν σαρκί, qui probablement est moins une allusion à la parousie (malgré ἐρχόμενον pour ἐληλυθότα) qu'à l'incarnation.

(2) A. Wurm, *Die Irrlehrer im ersten Johannesbrief*, p. 84.

écrit contre des Juifs qui refusaient d'admettre le messianisme de Jésus, le reconnaissant tout au plus pour un prophète.

Mais c'est méconnaître le sens propre de l'expression « venu dans la chair », et la netteté de la réponse faite par Jean : le Verbe s'est fait chair. De sorte que l'évangile paraît bien dirigé contre une double erreur. L'une niait que Jésus fût le Christ : il le prouve ; l'autre niait que Jésus-Christ fût venu dans la chair : il l'affirme dès les premiers mots car pour lui Jésus-Christ est le Verbe fait chair.

Est-il impossible de trouver au début de l'Église cette double erreur dans un seul système? C'est celui de Cérinthe, tel qu'il a été exposé par Irénée (1).

Et Cerinthus autem quidam in Asia non a primo Deo factum esse mundum docuit, sed a virtute quadam valde separata et distante ab ea principalitate, quae est super universa, et ignorante eum, qui est super omnia, Deum. Iesum autem subiecit, non ex virgine natum; (impossibile enim hoc ei visum est) fuisse autem eum Joseph et Mariae filium similiter ut reliqui omnes homines, et plus potuisse iustitia et prudentia et sapientia ab hominibus. Et post baptismum descendisse in eum ab ea principalitate, quae est super omnia, Christum figura columbae; et tunc annuntiasse incognitum Patrem et virtutes perfecisse : in fine autem revolasse iterum Christum de Iesu et Iesum passum esse et resurrexisse, Christum autem impassibilem perseverasse, exsistentem spiritalem. Ce passage a été reproduit textuellement par Hippolyte qui nous fait connaître ainsi le grec d'Irénée (2).

Si ce ne sont pas là deux garants, du moins Hippolyte confirme Irénée et n'a rien qui conduise à l'opinion très différente d'Épiphane, lequel a fait de Cérinthe un judéo-chrétien (3). Irénée, dit-on, a vu du gnosticisme partout. Mais quel fond peut-on faire sur les combinaisons d'Épiphane? Il y a dans Irénée (et dans Hippolyte) une note bien intéressante, c'est celle du Christ spirituel.

Ce Christ spirituel ne pouvait s'unir à la chair qu'en passant, il ne s'était donc pas fait chair, et Jésus, qui était chair, n'était pas le vrai Christ. Ce sont bien les deux erreurs signalées par l'épître, mais en termes voilés : il y a coïncidence, non pas dépendance, car l'épître n'aurait pas permis à Irénée de charpenter une hérésie aussi liée.

Lorsque de plus Irénée nous affirme expressément que Jean a écrit

(1) *Haer.* I, XXVI, 1.

(2) *Elenchos*, VII, 33; au lieu *in Asia* on lit Αἰγυπτίων παιδείᾳ ἀσκηθείς, ce qui n'est pas une contradiction. Hippolyte voulait sans doute rattacher Valentin à la culture égyptienne même par Cérinthe.

(3) Contre Bardy (*RB.* 1921, p. 366), car Denys bar Ṣalibi peut parler pour son compte en faisant de Cérinthe un partisan de la circoncision. Schmidt (*Gespräche...* p. 729 ss.), pense qu'Épiphane suivait Hippolyte; mais ce dernier se serait-il contredit ou rétracté?

l'évangile contre Cérinthe (1) qu'il fuyait comme un ennemi de la vérité ainsi que le racontait saint Polycarpe (2), tous ces renseignements concordent, et l'on ne voit pas ce qu'on y pourrait opposer.

Il faut seulement distinguer soigneusement l'erreur de Cérinthe du docétisme. Il admettait la réalité de l'humanité de Jésus de la manière la plus formelle. Jean n'a donc pas écrit contre ceux qu'on appela ensuite (*Théodoret*) les docètes. Mais aussi aucun trait de l'évangile ne le suggère clairement (3).

A distance, et l'hérésie de Cérinthe ayant disparu assez vite, on se demande si elle a eu assez de séduction pour décider Jean à écrire son évangile. Le danger n'était cependant pas chimérique. Saint Paul, tout en glorifiant le Christ-Esprit, n'oublia jamais le mystère de la Croix et sa réalité : il y ramenait tout son évangile. Mais si l'on ne songeait plus qu'au Christ spirituel, si l'on affectait de le détacher du Jésus de l'histoire, pour que ce Christ soit plus digne d'admiration, l'œuvre du salut était entièrement compromise. L'évangile ne regardait plus qu'un homme, et ce qu'on disait du Christ ne s'appuyait plus sur rien. Cependant de nombreux esprits pouvaient préférer ce système qui ménageait quelque peu l'histoire, au scepticisme absolu du docétisme, ou aux tendances judéo-chrétiennes pures, qui n'autorisaient pas sans contresens le culte de Jésus. Contre cette combinaison subtile, Jean maintint énergiquement l'union du Christ et de Jésus : Jésus est bien le Christ attendu par les Juifs et qui a vécu comme on sait. Mais c'est aussi à lui qu'est rendu le culte dû au Fils de Dieu. C'est bien le Fils de Dieu qui est mort et ressuscité.

Au surplus, la première épître n'affirme pas que l'évangile ait été écrit contre personne. L'erreur qu'elle signale ne fut peut-être qu'une occasion, et, il faut le répéter, l'évangile est si étroitement en contact avec les faits que, si Jean a été induit à l'écrire pour combattre les erreurs de son temps, il n'a introduit dans les paroles de Jésus aucune allusion à des systèmes plus récents. C'est tout le fait de l'Incarnation qu'il a éclairé d'un jour nouveau, afin de fortifier la foi des fidèles contre des dangers connus ou entrevus, d'où qu'ils vinssent.

(1) III, x, 1 *hanc fidem annuntians Ioannes Domini discipulus, volens per evangelii annuntiationem auferre eum, qui a Cerintho inseminatus erat hominibus, errorem, et multo prius ab his qui dicuntur Nicolaitae...* les Nicolaïtes ne viennent ici que comme de vieux ennemis de Jean dans l'Apocalypse (ii, 6. 15).

(2) *Haer.* III, iii, 4, l'histoire du bain : *Et sunt qui audierunt eum* (Polycarpe) *dicentem, quoniam Ioannes Domini discipulus, in Epheso iens lavari, quum vidisset intus Cerinthum, exsilierit de balneo non lotus; dicens, quod timeat ne balneum concidat quum intus esset Cerinthus inimicus veritatis.*

(3) Contre Tillmann, etc. On cite i, 14 et xix, 34 ss. ; mais, s'il y a là une allusion à un système, ce peut être aussi bien celui de Cérinthe que le docétisme

II. — *Le plan.*

Il a été analysé de bien des manières. Loisy ne s'en étonne pas : « Il va sans dire que la différence des conjectures est en rapport avec la façon dont on comprend l'Évangile (1) », c'est-à-dire soit comme une méditation théologique, soit comme un ouvrage historique.

La méthode exige que l'on étudie le plan en lui-même, sauf à en tirer des déductions sur le caractère de l'œuvre.

Le Prologue mis à part, on paraît d'accord pour noter deux (2) grandes parties : La vie publique (I, 19-XII), et la Passion suivie de la Résurrection (XIII-XXI). Il est clair que la fin du ch. XII termine la prédication du Christ, et, dès le début du ch. XIII, nous sommes sous l'impression de la Passion. En termes très généraux, la partition distingue deux époques comme dans une histoire. Mais le caractère doctrinal s'y montre aussi. Car d'après ce plan les enseignements de Jésus à ses disciples sont réservés à la seconde partie. Or il n'est pas vraisemblable qu'il ait commencé seulement alors à les instruire en particulier, et la tradition synoptique — Mc. surtout, — montre nettement que leur formation fut prolongée. Il y a donc dans Jo. une apparence qui pourrait faire illusion si l'on insistait sur l'ordre chronologique des faits. On est tenté de dire que, selon la grande distinction théorique du prologue (I, 11 s.), Jo. a parlé d'abord de ceux qui ont rejeté la lumière, puis de ceux qui l'ont reçue. Mais ce serait exagérer l'aspect doctrinal de la partition, car la Passion est l'œuvre de l'opposition montée à son comble, tandis que la première partie constate déjà l'adhésion des disciples au Christ. La grande partition est donc plutôt historique, avec quelque chose de systématique par l'exclusion dans la première partie d'entretiens réservés aux disciples (3) : et cela nous autorisera à chercher si le dernier entretien ne contient pas des paroles prononcées auparavant.

Le caractère à la fois historique et doctrinal de cette coupure en deux sections se retrouve dans les subdivisions, qui sont moins claires, mais qui semblent cependant établies comme les étapes d'une carrière doctrinale vraisemblable et conforme à l'ordre général des synoptiques.

De la part de Jésus il n'y a aucun progrès dans la connaissance de soi, cela va sans dire, mais il y a un certain progrès dans la révélation. Les formules, vers la fin, et surtout avec ses disciples, sont plus claires et jettent plus de lumière sur sa nature divine (4). Avec la lumière croissent les bonnes dispositions de ceux qui la reçoivent. En sens contraire, la

(1) 1re éd., p. 139.
(2) M. Tillmann en voit trois, I, 19-XII; XIII-XVII; XVIII-XX, 29.
(3) Sauf IV, 31-37.
(4) Voir au chap. IV, p. CLXVI.

résistance, après qu'elle s'est prononcée, se fait plus acharnée. On peut distinguer plusieurs périodes.

De I, 19-IV, le témoignage du Baptiste, adhésions plus ou moins parfaites, mais enfin il y a tendance à croire : I, 51, foi de Nathanaël; II, 11.22, foi des disciples; II, 23, ébranlement d'un grand nombre de personnes; III, Nicodème, type de la foi hésitante; IV, foi de la Samaritaine et des Samaritains; IV, 50. 53, foi du fonctionnaire royal de sa maison. Tout cela se passe en Galilée, à Jérusalem, en Samarie, de nouveau en Galilée. Il y a donc une certaine préoccupation historique de la géographie, et du temps par l'indication d'une Pâque (II, 13).

De V-VI, — quel que soit l'ordre primitif des deux chapitres —, se produit la crise de la foi. A Jérusalem, c'est le miracle de la piscine de Bezatha, lors d'une fête (V, 1), et un jour de sabbat, qui fait naître l'hostilité contre Jésus. En Galilée, vers le temps de Pâque (VI, 4), la foule, au moment d'acclamer le Messie, se détourne de lui, et de même beaucoup de disciples, après le discours sur le pain de vie à Capharnaüm. Au contraire les Douze, dont Pierre se fait l'organe, s'attachent à Jésus. D'un côté un groupe de fidèles, de l'autre côté la hiérarchie de Jérusalem, les foules de Galilée étant devenues indifférentes.

De VII-X, c'est la lutte avec la hiérarchie dont le théâtre est naturellement Jérusalem et le Temple. Le refrain de cette section est la mauvaise volonté impuissante des uns (VII, 30. 44; VIII, 20. 59; X, 31. 39), l'hésitation des autres (VII, 13. 31. 40. 42. 50; X, 20 s., 24). Les temps sont marqués par la fête des Tabernacles (VII, 2) et la Dédicace (X, 22).

De XI-XII les dernières positions sont prises. Après la résurrection de Lazare, peu avant la dernière Pâque, les chefs des Juifs se décident à faire mourir Jésus (XI, 53) et ont l'œil sur lui (XI, 57). Au contraire la foule, dans son enthousiasme, le proclame Messie. Les événements sont au premier plan, et Jo. en tire la conclusion providentielle : l'incrédulité des chefs de la nation est arrivée à son comble, elle rentre dans les desseins de Dieu.

De XIII-XVII, ce sont les entretiens de Jésus avec ses disciples et sa prière. Le caractère doctrinal l'emporte, et nous pensons que dans ce cadre Jo. a fait figurer des enseignements différés jusque-là.

De XVIII-XIX, la Passion, avec un aspect très voulu de détails historiques et la précision sur le jour (XVIII, 28).

De XX-XXI, les apparitions du ressuscité, à Jérusalem et en Galilée.

Telles sont les grandes lignes du plan, très suffisamment indiquées par la nature des choses : elles accusent certainement l'intention de suivre la marche des événements. Mais ces événements sont avant tout une base pour la foi, ce qui accuse aussi la préoccupation doctrinale de l'auteur. Le soin qu'il a eu d'indiquer des repères chronologiques marque l'intention de garder le contact avec les faits. Ces notations ne suffisent pas à réaliser le concept chronologique de l'histoire. Dans un récit comme celui de Thucydide, l'hiver et l'été, les semailles et la moisson fixent les phases d'événements suivis, tandis qu'ici les fêtes ne sont guère que les occasions où ont été prononcés des discours. Mais c'est un élément de durée qui fait défaut aux synoptiques.

En tout cas le cadre de Jo. est bien celui d'un évangile, tel qu'il était déjà tracé par la tradition la plus ancienne : le ministère de Jésus fait suite à sa rencontre avec le Baptiste; il se déroule en Galilée et à Jérusalem; il se termine par la Passion et la Résurrection. Ce cadre n'a pas été étendu comme dans Mt. et dans Lc. jusqu'aux circonstances de la nativité de Jésus et de son enfance : le Prologue remplace ces récits en montrant au sein de Dieu le Verbe qui va s'unir à la chair : la pensée doctrinale l'emporte donc au début sur l'instinct historique. Mais Jean ne pouvait-il pas s'en reposer sur Mt. et sur Lc. pour satisfaire la curiosité des fidèles relativement à l'enfance de Jésus?

Dès le début ses rapports avec les synoptiques sont l'énigme dont le secret pénétré peut seul résoudre cette autre énigme de sa façon d'envisager l'évangile.

§ 2. — *Caractère littéraire de l'évangile de Jean comparé aux évangiles synoptiques.*

Si l'on compare le quatrième évangile aux trois premiers pour le choix des éléments, la première impression, fâcheuse pour un livre d'histoire, est celle du vide, qu'on dirait ensuite comblé par l'ampleur et la portée des faits et des discours. Cela peut se traduire : moins d'histoires et plus de doctrine. Nous venons de noter qu'il n'y a même pas de cadre pour les récits de l'enfance : le dogme de l'Incarnation remplace le récit de la Nativité. Nous ne savons pas d'abord où Jésus est né, ni où il a grandi; le nom de Nazareth, son lieu d'origine, est prononcé par hasard (I, 45. 46) ou du moins sans affectation. Marie, sa mère, n'est pas nommée; Joseph passe pour son père (I, 46; VI, 42), et Jo. ne prend pas la peine de rectifier l'opinion générale. Ce seraient là de graves lacunes si l'auteur avait eu la prétention d'écrire une biographie. L'entrée de Jean dans son ministère public est datée dans Lc. par un synchronisme : Jo. ne dit même pas comment Jésus fut baptisé.

Il a pris soin pourtant d'allonger expressément le temps du ministère au delà de ce qu'on eût pu déduire des synoptiques; mais ce n'est certes pas pour y loger plus de faits. A-t-il réservé les détails pour le thaumaturge? Il raconte très peu de miracles — sept en tout — sans aucune expulsion de démons, sans aucun tableau (1) de guérisons nombreuses.

(1) Il y a cependant des allusions dans II, 23; IV, 45; VI, 2; VII, 3. Jo. table sur des faits qu'il ne juge pas à propos de répéter.

Lc. ne dit pas qu'il ait écrit tout ce qu'il savait, mais on serait disposé à le croire. Jean note au contraire (xx, 30 s.) qu'il a fait un choix, et ce choix est évidemment très restreint, même dans l'ordre doctrinal, car il passe sous silence l'institution de l'Eucharistie, qui tient tant de place dans sa pensée (vi), la Transfiguration qui paraissait si conforme à son dessein, ne fût-ce que par le témoignage du Père.

Nous sommes donc toujours en présence de la même alternative : Jean veut être et ne veut pas être historien. Il choisit des faits peu nombreux, mais il insiste sur la solidité de son témoignage, ce qui est d'un historien consciencieux.

Et cependant, il en laisse de côté en si grand nombre, qu'on le dirait très peu soucieux de faire connaître la vie de son héros. Cela est même poussé à un tel point qu'on ne peut lui prêter le dessein d'avoir dit le nécessaire pour en tracer le cours; et comme certains faits, tus délibérément, avaient éminemment le caractère doctrinal et en même temps lui tenaient à cœur, nous devons conclure qu'il supposait à son public la connaissance des faits telle qu'elle résultait des évangiles synoptiques. Cette induction, très nette et conforme à la tradition, est confirmée par ceci, que bien des points demeureraient obscurs (1), que certains personnages seraient mal présentés, si les lecteurs n'étaient censés au courant. Ils pouvaient l'être par la tradition générale : quel chrétien ignorait le nom de Marie, mère de Jésus? Mais un ouvrage, écrit dans un certain genre, doit inévitablement tenir compte des ouvrages antérieurs appartenant au même genre. Le choix des éléments dans Jo. s'explique par son but propre; mais qu'il en ait retenu si peu, cela s'explique au mieux parce qu'il était dispensé d'une partie de sa tâche, déjà remplie par ses prédécesseurs.

Ce qui n'est pas une conjecture, c'est que Jean prétend traiter la tradition avec la même fidélité que les synoptiques, et cela se reconnaît précisément dans les passages où il se rencontre avec eux. Nous n'insistons pas sur une dépendance littéraire dont la preuve n'est guère possible (2). Si nous admettons que Lc. a suivi Mc., c'est parce qu'il suit le même ordre et n'ajoute aucun trait aux passages dont il retient tout l'essentiel. On ne peut en dire autant de Jean, comme nous l'allons voir, encore que ses rapports avec Lc. paraissent plus faciles à établir. Nous renonçons donc à prouver qu'en écrivant il ait eu les synoptiques sous les yeux : ce n'était point sa manière. Mais quand il se rencontre avec eux il a quelque chose de leur procédé didactique. La meilleure preuve qu'il les a connus, c'est qu'il se rencontre avec eux sur quelques-unes de leurs péricopes, connues à cette époque de toutes les communautés chrétiennes. Il les a

(1) Voir sur i, 43; iv, 44; v, 16; vi, 15, etc.
(2) Voir cependant sur xii, 3 et xviii, 40.

cependant écrites à nouveau. Le choix qu'il en a fait, les détails qu'il a ajoutés peuvent nous éclairer sur ses intentions comme historien ou comme symboliste. Les critiques ont là une occasion de contrôle qui fait défaut lorsqu'il est seul. L'addition de détails symboliques donnerait à penser qu'il en a créé de semblables dans ses propres récits : une préoccupation plus attentive des circonstances réelles indique au contraire un historien avisé et un observateur en éveil. En ce moment, nous ne demandons pas encore qui s'est le plus approché de la réalité, mais simplement quel est le genre littéraire choisi par l'auteur : manifeste-t-il le dessein de se servir de l'histoire comme d'un symbole ou de la serrer de plus près?

Quoique Jo. commence ainsi que les synoptiques par la prédication de Jean-Baptiste, il n'y a pas sur ce sujet de péricope commune. On notera cependant le caractère officiel de l'enquête menée par la hiérarchie (I, 19-28).

I. *Vendeurs chassés* (II, 13-16; cf. Mc. XI, 15-17; Mt. XXI, 12-13; Lc. XIX, 45-46). L'épisode n'est pas placé au même moment. Lc. est le plus sec; Mc. a le détail d'à côté sur les charges portées dans le Temple. Le tableau de Jo. est le plus animé, avec le fouet de cordes, les bœufs et les brebis; aucun détail n'accuse plus de symbolisme, c'est au récit terminé que se rattache le symbolisme de la destruction du temple que Mc. (XIV, 58) et Mt. (XXVI. 61) connaissent aussi.

II. *Multiplication des pains* (VI, 1-13; cf. Mc. VI, 32-44; Mt. XIV, 13-21; Lc. IX, 10b-17). Jo. n'a pas le début pittoresque de Mc., mais il a la note du temps par la Pâque prochaine, et du lieu, par la montagne : Philippe et André sont nommés; certains détails pittoresques manquent, mais il y a un corollaire historique important, le mouvement messianique (VI, 14-15).

III. *La marche sur les eaux* (VI, 16-21; cf. Mc. VI, 45-52; Mt. XIV, 22-33). Jo. qui n'a pas parlé de l'heure avancée du repas distingue ici l'heure tardive et les ténèbres. La direction de Capharnaüm ne crée pas les difficultés du Bethsaïda de Mc. L'endroit de l'apparition est précisé à 25 ou 30 stades. Jésus fait le miracle parce qu'il avait dû se dérober à l'enthousiasme de la foule et rester seul.

IV. *Onction de Béthanie* (XII, 1-8; cf. Mc. XIV, 3-9; Mt. XXVI, 6-13). Jo. donne une date précise, ne parle pas de Simon le Lépreux, mais nomme Lazare, Marthe et l'héroïne, Marie leur sœur. Judas est nommé et qualifié; le parfum qui se répand dans toute la maison est un détail pittoresque; on le jugerait ainsi dans Mc.; il n'y a pas lieu d'y voir du symbolisme dans Jo.

V. *L'entrée à Jérusalem* (XII, 12-19; cf. Mc. XI, 1-11; Mt. XXI, 1-11; Lc. XIX, 28-44). Ce n'est guère qu'un résumé, qui s'en tient à la substance du fait. Mais ce fait est rattaché à l'une de ses causes, selon la manière d'un historien véritable, c'est-à-dire à l'émotion produite par la résurrection de Lazare, et cela donne en même temps raison de l'insertion de l'onction, quoique déjà dite par les synoptiques, et de la date indiquée pour le repas. Tout cet ensemble est très étroitement lié, comme la multiplication et la marche sur les eaux. Dans les deux cas apparaît le dessein d'insister davantage sur deux points importants pour les destinées du messianisme : l'échec en Galilée et les dessous du triomphe trompeur à Jérusalem. La pénétration dans les dessous et les ressorts secrets est plus profonde; la méthode n'en est que plus digne de l'histoire.

Dans le récit de la Passion, on ne trouve aucune péricope synoptique transportée dans Jo., quoique les faits soient les mêmes. L'intention de préciser est incontestable, par exemple lors de la dénonciation de Judas (XIII, 21-30), avec l'intervention du disciple bien-aimé, où l'on doit voir l'indication d'une garantie. Dans Jo. la prédiction du reniement de Pierre et celle de la dispersion (dans cet ordre) sont mises séparément dans les discours, ce qui est moins naturel que le bloc et l'ordre de Mc. et de Mt., mais n'a rien de symbolique. La note précise de Gethsémani est remplacée par un jardin au-delà du Cédron. Lors de l'arrestation, les soldats romains figurent, Pierre et Malchus sont nommés. Le passage chez Anne, beau-père de Caïphe, est une note d'histoire ; on comprend ainsi comment Pierre est entré et comment il a renié près de la porte. Dans l'interrogatoire de Pilate, Jo. touche à la grande histoire en disant nettement que les Juifs n'avaient plus le droit de vie et de mort ; il est dans les vraisemblances en fixant le jour du supplice au 14 nisan, sans que l'intention symbolique soit le moins du monde accusée, non plus que dans l'hyssope (XIX, 29), faute de copiste, au lieu du mot technique pour le javelot romain (ὑσσός). Le symbolisme apparaîtrait plutôt dans la robe sans couture, le flanc percé d'où il sort du sang et de l'eau : mais c'est précisément à propos de ce dernier trait que le témoin oculaire exprime fortement la réalité du fait.

Après la résurrection, Jo. XX, 19-23 est parallèle à Lc. XXIV, 36-49, mais avec un enchaînement différent. Cette fois, Jo. ne s'est pas rencontré sur une péricope comme dans l'un des cinq cas que nous avons notés.

De ces rapprochements, il résulte une double conclusion : Jo. a connu les synoptiques, et cependant il n'a pas écrit dans le dessein de les compléter. Si l'on entend « compléter » à la manière des hagiographes qui composaient un recueil de ce qu'avait omis le premier biographe, il eût été inutile de reprendre ces cinq récits. Si au contraire on entend « compléter » à la manière de Lc., il eût fallu en prendre bien davantage. Jo. poursuivait donc son but particulier, mais il devait nécessairement coïncider avec les synoptiques. Dans les débuts et à la fin, il suit une voie parallèle. Dans quelques cas il a admis une certaine compénétration, disons un emprunt. Était-ce pour enrichir de symbolisme des récits déjà populaires? Il nous a semblé bien plutôt que c'était : dans le premier cas pour mettre un épisode à sa vraie place; dans les quatre autres cas pour faire ressortir l'enchaînement historique des faits. Il n'avait pas à reproduire tous les détails et son silence ne saurait être une réprobation, mais ce qu'il ajoute a bien pour but de donner aux faits une nuance plus précise, spécialement dans l'ordre chronologique et quant à la personnalité des acteurs : c'était bien ce qu'on pouvait attendre d'un témoin oculaire, et soucieux de bâtir sur une base solide.

Nous ne pouvons donc adhérer à cette assertion de M. Windisch que l'œuvre de Jean : « est un chef-d'œuvre littéraire *sui generis,* qui tient à peu près le milieu entre un évangile à la manière des synoptiques, et un drame, une tragédie ». Cette proposition hardie est cependant quelque peu atténuée : « On serait mal avisé d'y rechercher une partition en actes à la manière de la composition du drame grec. Il est encore trop biographie, c'est-à-dire description des voyages, des actes et des prédications de Jésus (1). »

Disons que l'évangile est beaucoup plus biographie que drame : l'admiration de Windisch pour le génie dramatique de Jean ferait perdre de vue son intention de réaliste. Mais il est juste de noter avec le même critique que Jean domine son sujet avec plus d'autorité que les synoptiques. Ce qui a permis de donner ce nom aux trois premiers évangiles, c'est qu'ils représentent souvent les faits de la même manière, comme de petits tableaux qui peuvent se faire vis-à-vis. Ils écrivent une série de péricopes. Chaque fait est isolé, et destiné à mettre en relief une seule leçon, qui assez souvent est dégagée par le Maître. Sans doute, ces cadres ne sont pas rigides. Nous avons essayé de montrer (2) qu'ils contiennent des éléments divers : maximes, apophtegmes, controverses, paraboles, discours. Quelquefois, surtout dans Mc., le récit se prolonge et s'anime de détails pittoresques : mais il a toujours une pointe ou un accent qui lui donne sa physionomie : le lecteur est invité à la saisir et à s'en laisser pénétrer comme par une pensée unique.

Dans Jo. il est ordinaire que les faits soient plus liés, que l'enseignement donné dans une même circonstance soit en revanche plus varié : il ne s'est point proposé, comme a fait Lc. par exemple, de reproduire une tradition déjà comme stéréotypée. On dira donc qu'il est plus affranchi de la tradition. Cependant il faut s'entendre. S'affranchir d'une manière stéréotypée adoptée par la tradition, ce n'est pas se rendre indépendant de la réalité des faits. On doit convenir que le procédé qui consiste à distribuer les actions d'une vie en fragments isolés a quelque chose d'artificiel. Les faits n'en sont pas altérés pour cela, mais l'artifice

(1) *Der Johannis Erzählungsstil,* dans ευχαριστηριον, II, p. 210; cf. *RB.* 1924, p. 282 s.
(2) Comm. *Mt.* CXXIV ss.

consiste à les isoler, soit d'autres faits, soit de circonstances qui ne vont pas au but, c'est-à-dire à la leçon qui doit ressortir du fait. Le fait devient ainsi presque un thème, ce qui est surtout le cas dans l'évangile de Mt., plus indifférent que Mc. aux modalités de la vie. Le procédé des synoptiques, tel qu'il est commun aux trois, est cependant légitime, et son caractère particulier s'explique par leur origine commune, la catéchèse, qui se servait des faits pour l'enseignement, avant qu'on ait conçu la pensée de les grouper pour en faire une biographie.

Cela posé, si un penseur abandonnait cette méthode pour transformer les réalités et leur donner une nature plus appropriée aux idées qu'il veut mettre en lumière, il s'affranchirait à la fois de la tradition et du respect dû aux faits. Mais si ce penseur est en même temps un témoin, il peut reprendre le récit des faits sans se croire obligé à ce sectionnement qui en somme est factice, et leur rendre ce lien qui les attache l'un à l'autre comme c'est le cas dans la vie. S'éloigner de la manière des synoptiques, ce pourrait être s'éloigner des réalités, mais ce peut être aussi la façon de les mieux rendre.

L'imitation de Mc. par Lc. nous a montré avec quelle sincérité ce dernier employait ses sources. On ne peut affirmer que Jo. ait traité les synoptiques comme des sources : mais nous avons constaté que s'il n'a pas la même dépendance des textes, il a le même respect pour les faits dont il prétend même serrer de plus près la réalité concrète, en eux-mêmes et dans leurs causes et leurs conséquences.

§ 3. — *Le caractère littéraire des morceaux propres à Jean.*

Nous devons maintenant en venir à la manière dont Jo. traite ses thèmes lorsqu'il se tient moins près des synoptiques ou lorsqu'il est seul à traiter un sujet. Pour donner une base précise à cet examen, nous distinguons quatre catégories :

a) ce qui ressemble le plus aux péricopes des synoptiques (1), même lorsque les récits sont plus liés dans l'histoire générale ou fondus avec des discours;

b) les récits plus longs;

c) les dialogues;

d) les entretiens ou discours.

Demeurent en dehors : le Prologue I, 1-18; les deux conclusions, XX, 30 s.; XXI, 24 s.

a) Le témoignage du Baptiste, formant une suite très liée : il est vague, I, 19-28; positif, I, 29-31; appuyé sur l'Esprit, I, 32-34; renouvelé dans une circonstance donnée, III, 22-30, plus 31-36; les vocations en série, I,

(1) En y comprenant celles qui coïncident pour que l'énumération soit complète.

35-51; Cana, II, 1-12 (lié); les vendeurs chassés du Temple, II, 13-25 (très lié); le fonctionnaire de Capharnaüm, IV, 46-54; l'infirme de Bezatha, V, 1-16; la multiplication des pains, VI, 1-15; la marche sur les eaux, VI, 16-21 (liée au précédent comme dans Mc. Mt.); la femme adultère, VII, 53-VIII, 11 (bloc erratique); le repas de Béthanie, XII, 1-8 (lié); le triomphe des Rameaux, XII, 11-15 (lié); le lavement des pieds, XIII, 1-17 (lié à la cène); l'annonce de la trahison, XIII, 18-30 (lié au précédent); l'annonce du reniement, XIII, 36-38 (lié à un discours, moins naturellement que dans les syn.); l'arrestation, XVIII, 1-12; Anne et Caïphe avec les trois reniements plus circonstanciés que dans les syn., XVIII, 13-27; crucifixion et mort, XIX, 16b-30; après la mort, XIX, 31-37; ensevelissement, XIX, 38-42 (avec rappel sur Nicodème); Magdeleine au tombeau, XX, 1-2; la course au tombeau, XX, 3-10 (lié au précédent); l'apparition à Magdeleine, XX, 11-18; deux apparitions aux disciples très liées, XX, 19-29.

Naturellement les péricopes de la Passion ne sont pas moins liées dans les synoptiques; cela est dans la nature des choses.

b) Récits plus longs : l'aveugle né, IX, 1-41; la résurrection de Lazare, XI, 1-44; le procès devant Pilate, XVIII, 28-XIX, 16a (1); la pêche miraculeuse XXI, 1-23.

c) Dialogues : Nicodème, III, 1-15 avec une conclusion de Jo. 16-21; la Samaritaine, IV, 1-42.

d) Paroles de Jésus, discours avec interrogations ou dénégations, discours ininterrompus : à propos du miracle de Bezatha, V, 17-18, puis 19-47; sur le pain de vie, avec introduction et résultat, VI, 22-71; à la fête des Tabernacles, avec introduction, VII, 1-53; puis VIII, 12-59; le pasteur et la porte, X, 1-18; à la Dédicace, X, 22-42; avant la dernière Pâque, avec introduction, XII, 20-36; discours type XII, 44-50; discours après la cène, XIII, 31-35; puis XIV-XVI; Prière XVII.

Ce simple catalogue suggère quelques remarques générales sur le caractère littéraire de l'évangile.

1) Il ne contient pas de paraboles semblables à celles des synoptiques. Ce qui s'en rapproche le plus est la parabole allégorie du berger (X, 1-18), de la vigne (2) (XV, 1-6), les comparaisons de XI, 9, de XII, 24 et de XVI, 21. Cette absence des paraboles populaires s'explique d'ailleurs très aisément : dans Jo. on ne voit pas Jésus s'émouvoir de compassion pour l'ignorance et l'abandon où est le peuple, il ne lui adresse spécialement aucun discours (3), pas même avant la multiplication des pains (Mc.

(1) La scène a ses parallèles dans les synoptiques, mais Jo. a traité le sujet en pleine autonomie.

(2) Toutes deux sans lien direct avec le contexte.

(3) Dans XI, 42, il prie cependant afin d'être entendu de la foule.

VI, 34; Lc. IX, 11). Et ce trait négatif est tellement extraordinaire que, cette fois encore, il faut supposer que Jo. a estimé le sujet suffisamment traité par les synoptiques, d'autant qu'il met en jeu la foule, et qu'elle prend goût aux paroles de Jésus plus que la hiérarchie (VII, 31; 40.49; XII, 12. 17). Seulement la prédication populaire en plein champ étant exclue, à Jérusalem la foule est nécessairement au second plan.

Il en résulte pour le quatrième évangile l'absence d'un élément exquis, les comparaisons familières, les allusions à la vie des champs, aux lis des champs, aux oiseaux du ciel, tout ce qui fait le charme de la prédication au bord du lac, où Jésus se faisait simple avec les simples.

2) Le quatrième évangile n'est pas un drame, mais il a incontestablement le caractère dramatique (1). Ou plutôt, si le drame n'est pas dans la forme, il est dans le fond des choses, dans la lutte entre la lumière et les ténèbres, dont la suprême péripétie est la mort de Jésus, aboutissant à la défaite de celui qui s'est cru vainqueur (XVI, 11). Tout l'évangile est construit sur ce thème, annoncé dans le prologue (I, 11.12), et c'est pour cela que Jo. constate si souvent le résultat des paroles et des actes de Jésus pour ceux qui en sont témoins, comme une sorte de chœur antique. Incontestablement cette pensée dominante donne à toute l'œuvre un aspect doctrinal. Le triomphe de Jésus est assuré par sa nature divine, le prince du monde n'ayant prise sur lui que pour un temps (XIV, 30), de sorte que le vrai drame est celui qui se joue dans le cœur des hommes. Il en est qui croient, et d'autres qui ne croient pas. C'est à cela que Jo. s'intéresse. Que la vue du miracle excite d'abord l'étonnement (Mt. VIII, 27; IX, 33, etc.), presque la crainte (Lc. VIII, 25), ou encore la joie (Lc. XIII, 17) : ce sont là des sentiments naturels, constatés par les synoptiques, auxquels lui ne s'arrête pas. L'étonnement est suscité par les paroles (2), ce qui souligne leur profondeur, mais il allait de soi pour les miracles (3).

Croit-on ou ne croit-on pas, voilà l'essentiel; dans les synoptiques, Jésus tient beaucoup à susciter la foi, mais les alternatives sont rarement indiquées (4). Rien de plus fréquent dans Jo., et cela donne assurément un aspect particulier à son évangile. On verra les différentes attitudes dans II, 11; 23-25; IV, 39-42; 53; V, 16.18; VI, 14. 41. 52. 60. 66; VII, 1-13. 31. 40-53; VIII, 30. 59; IX, 18. 38. 40 s.; X, 19-21; XI, 45-54; 55-56; XII, 9-11; XII, 16-19, avec le résultat définitif pour l'ensemble des

(1) Ce trait relevé par le R. P. Allo lui a permis de rapprocher l'évangile et l'Apocalypse (*Comm.*, p. CXCIII).
(2) III, 7; V, 28; VII, 15.
(3) V, 20; VII, 21, mais non pas comme notation actuelle d'un miracle accompli.
(4) La foi dans Mc. XI, 24 a un aspect particulier.

Juifs XII, 37-43. Nicodème est le type de ceux qui d'abord ne prennent pas parti.

Ayant si nettement cet objet en vue, l'auteur ne s'est pas contenté de notations sèches. Déjà dans les passages cités on voit les impressions différentes se traduire par des dialogues animés dans la foule (VII, 40-44) ou même parmi les Pharisiens (VII, 45-52). C'est en effet par le dialogue que se manifeste extérieurement le don particulier de Jo. Assurément il y a des dialogues dans les synoptiques, et des plus propres à révéler le fond d'une âme, comme celui de Jésus avec Simon à propos de la pécheresse (Lc. VII, 41 ss.), ou avec le père du jeune épileptique (Mc. IX, 17. 22. 24), mais ils font corps avec l'épisode, et sont réduits à ce qui est nécessaire pour qu'une question soit posée et résolue. Dans Jo. ils tiennent une place beaucoup plus considérable dans les récits et ils interrompent souvent les discours. A ce premier indice de drame, M. Windisch en joint un autre par la tentative de diviser les longs récits en scènes. Il est certain que cela réussit assez bien pour l'aveugle né, la Samaritaine, la résurrection de Lazare, où l'on peut distinguer des dialogues correspondant à des situations différentes. Mais Windisch est obligé de supposer aussi des scènes muettes. Ne pourrait-on pas répartir en scènes semblables la parabole de l'enfant prodigue de Lc. ou la guérison de l'enfant épileptique dans Mc? Poussons l'analyse plus loin. Ce qui caractérise le drame, c'est l'exposition d'une situation grosse d'un événement pressenti, la péripétie qui amène la solution, et le dénouement lui-même. On trouve la péripétie dans l'enfant épileptique, et c'est la crise qui survient, mais elle n'a aucun effet sur la décision de Jésus, ni sur les sentiments du père. Dans l'enfant prodigue il y a trois péripéties : la conversion, l'accueil du père, la bouderie de l'aîné. Dans Jo. les drames sont beaucoup mieux conduits, à la condition qu'on les trouve à leur vraie place, dans le cœur des acteurs. C'est ainsi que pour l'aveugle né la question n'est pas : Jésus fera-t-il le miracle ? Il le fait sans se faire prier, comme une chose naturelle : mais les Pharisiens comprendront-ils, au moins sous le coup d'éperon que leur donne le miraculé? Le dénouement est lamentable. Dans la Samaritaine, la péripétie, c'est la révélation des plaies du cœur; elle aboutit à la foi. Dans la résurrection de Lazare, le miracle est tellement inouï qu'on se demande si Jésus consentira à le faire. Il pleure, et la mort est vaincue, mais les Juifs n'en sont que plus haineux. Le drame par excellence, celui de tout l'évangile, c'est l'infidélité des Juifs obligeant Pilate à condamner leur Messie : s'obstineront-ils quand il le leur montrera flagellé et couronné d'épines? Voilà l'homme ! Ils crient plus fort et le dénouement se précipite. Après la résurrection, quand Jésus se fait connaître de Magdeleine, l'intensité de son amour la met hors d'elle-même, incapable de rien voir. Deux mots, comme deux éclairs : Marie, — bon Maître, et la lumière se fait. Même évolution soudaine quand Pierre a reconnu son Maître au bord du lac. Le lecteur reçoit le coup au cœur en même temps que Pierre, ou que Magdeleine.

L'intérêt qui saisit le lecteur dès les premiers mots, son attention suspendue, l'émotion qui le gagne et qui se prolonge quand tout est fini, ce sont bien les sentiments qui naissent dans l'âme quand un drame est bien fait : ceux de Jean sont certes admirables, mais la variété même que nous venons de rencontrer dans les plus caractérisés montre bien qu'il n'y a point là un art poursuivant son but propre en y pliant les réalités. Nous retrouvons toujours au fond le thème fondamental, la seule question qui étreigne vraiment l'âme de l'auteur, celle de l'attitude que prend l'homme en face de la lumière. Son émotion s'est communiquée à ce qu'il mettait en œuvre avant d'arriver jusqu'à nous et lui a donné cet aspect d'actions représentatives à la façon du drame antique. Mais si l'on était disposé à mettre Jean en contact de dépendance vis-à-vis de l'art grec, il faudrait rappeler les admirables péripéties des récits bibliques : l'ange arrêtant le bras d'Abraham prêt à frapper (Gen. XXII, 11), Joseph se révélant à ses frères (Gen. XLV, 1 ss.), le *tu es ille vir* du prophète Nathan (II Sam. XII, 7) et tant d'autres. L'esprit de la tragédie grecque n'est pas celui de Jo., si énergiquement qu'il insiste sur la réalisation du plan divin, car, tandis que la divinité mène tout sur la scène athénienne par une force qui n'est pas souvent morale, Jean ramène tout à la volonté très aimante de Dieu, réalisée par la volonté libre de ceux qui soupiraient après la lumière, tandis que le décret d'aveuglement s'explique par les mauvaises dispositions de ceux qui préféraient les ténèbres (III, 16-21).

3) L'emploi du dialogue a cependant donné lieu à deux difficultés :

a) L'emploi de deux dialogues prolongés, Nicodème (III) et la Samaritaine (IV), n'est-il pas un procédé littéraire purement artificiel pour traiter une question religieuse? A propos du premier, on fait remarquer que l'entretien se termine en monologue, puis par une addition de l'évangéliste lui-même (III, 16-21). N'est-ce pas indiquer son intention de représenter simplement le type du Pharisien hésitant? — Sûrement non, puisque Jo. a soin plus tard de mettre en scène très réellement le personnage de Nicodème (XIX, 39), en rappelant *l'interview*. Et n'est-ce pas le propre des interviews de s'étendre sur les préliminaires, l'admiration pour le Maître qu'on vient faire parler, etc., sans rien noter du départ qui s'effectue... en sortant?

On verra en son lieu que l'addition de l'évangéliste se distingue très bien des paroles de Jésus.

Quant à la Samaritaine, elle est beaucoup plus rivée à son puits que le Phèdre de Platon au platane des bords de l'Ilissos : tous les thèmes successivement abordés dans la conversation naissent spontanément de ce site : l'eau vive, et à la source de Jacob, le lieu de culte au mont Garizim, la venue du Messie, attendu des Samaritains; dans cette plaine, l'une des plus riches en blé de la Palestine, l'apostolat est comparé à une moisson; quand les Apôtres apportent les aliments achetés à la ville voisine, nommée par son nom, Jésus leur enseigne quelle est sa nourriture.

Cette richesse des sujets abordés dans une seule conversation, qu'on dirait à bâtons rompus si elle n'était dirigée par le Maître, est en somme plus conforme à la nature que le sectionnement des péricopes synoptiques en sujets distincts, les deux méthodes étant d'ailleurs compatibles avec la réalité des faits. On n'exigera pas sans doute que Jean ait toujours nommé son témoin. La fiction n'est jamais embarrassée de le faire (1). Le disciple bien-aimé avait sans doute le privilège de certaines confidences : son intimité avec Jésus est une garantie.

b) Le jeu du dialogue serait moins justifié s'il aboutissait, comme on le prétend, à une série de quiproquos que le Maître ne se soucierait pas d'éclaircir. Les interlocuteurs se méprennent lourdement sur sa pensée, et Lui, au lieu de les en avertir, continue à enseigner ce qu'on n'a pas compris : une nouvelle affirmation serait toute sa réponse. On rencontre cette querelle assez souvent dans Loisy et dans Bauer. Nous devons renvoyer au commentaire, mais il n'est pas inutile de montrer par une vue d'ensemble à quoi se réduit ce singulier phénomène.

Il y a des malentendus auxquels Jésus ne répond pas parce qu'ils ne sont pas exprimés devant lui : II, 22; VII, 35; VIII, 22; XXI, 23; cf. XII, 29.

Il y en auxquels il répond, non pas en signalant la confusion, mais en donnant l'éclaircissement nécessaire : III, 4; IV, 11; IV, 33; VIII, 19. 33. 39. 52.57; XI, 11.

Dans deux cas seulement Jésus ne donne pas de réponse directe : XI, 24, parce qu'il veut laisser Marthe dans l'incertitude; XII, 34 parce que l'événement va répondre.

On ne peut ranger parmi les malentendus les demandes d'éclaircissement auxquelles d'ailleurs Jésus répond : elles viennent des Capharnaïtes (VI, 34-41. 52) et sont encore souvent répétées, même par des chrétiens; elles viennent aussi de Pierre (XIII, 36), de Thomas (XIV, 5), de Philippe (XIV, 8), de Jude (XIV, 22), des disciples (XVI, 17).

On notera encore si l'on veut les cas où Jo. note l'inintelligence, à propos d'une parabole-allégorie (X, 6), du triomphe (XII, 16), d'un mot énigmatique (XIII, 28).

Sur quoi l'on peut remarquer que l'inintelligence des disciples, et spécialement à propos des paraboles, est un thème des synoptiques, surtout de Mc. Quant aux adversaires de Jésus, leurs confusions ne sont

(1) Ainsi Vigny pour le dialogue de Napoléon Ier et de Pie VII.

pas tellement grossières. Il y a toujours pour les auditeurs de la difficulté à entendre au sens spirituel une parole qui semble dite dans son sens naturel (III, 4; IV, 11, 33); mais de la part des adversaires de Jésus il y a aussi assez souvent une affectation de ne pas comprendre ou de prendre en mauvaise part ce qu'ils entendent fort bien. Rien de plus naturel dans la situation de la lumière qui n'est pas comprise parce qu'on lui oppose de la mauvaise volonté.

De toute façon ce procédé est lié intimement au mode dialogué, qui se retrouve dans tout l'évangile, et on serait bien peu avisé de retrancher ces passages comme des surcharges de rédacteur (1). On ne songe pas à nier qu'il y ait là un procédé littéraire personnel, mais qui rend bien la situation; c'est aussi celle des synoptiques, surtout pour l'inintelligence des Apôtres (2).

4) Nous devons insister sur le caractère littéraire des discours, d'où dépend en grande partie le jugement qu'on porte sur leur valeur historique. Nul, peut-être, ne les a plus maltraités que Renan. Tandis qu'il défend pied à pied le caractère sérieux des récits, les discours n'ont pour lui aucune réalité. La raison c'est qu'ils n'ont aucune analogie avec les discours de Jésus dans les évangiles synoptiques. Leur présence dans une biographie est expliquée par une réminiscence classique : « Les discours insérés par Salluste et Tite-Live dans leurs histoires sont sûrement des fictions; en conclura-t-on que le fond de ces histoires est également fictif (3)? » Il eût été plus indiqué de nommer Thucydide, si ponctuel et si affirmatif quant aux faits, mais qui ne garantit pas de la même façon ses discours. Encore est-il qu'il ne les donne pas comme des fictions, mais comme aussi approchés que possible de la vérité, si bien que dans certains cas du moins on pourrait soutenir que ce sont vraiment et proprement les discours de celui qui est nommé comme les ayant prononcés (4). La fidélité littérale a ses limites dans la faiblesse humaine, même pour un témoin averti tel que Thucydide. Mais il est clair que les discours de Jean ne veulent pas être de ces « reconstructions idéales dans lesquelles l'historien, s'appuyant sur quelques données

(1) Nous ne voulons pas laisser sans réponse ce qui supposerait, étant donnée la fidélité de Jean, une imperfection du Sauveur. Mais on s'étonne que des critiques radicaux en soient gênés.

(2) *Comm.* Mc. p. CXLVIII s.

(3) *Vie de Jésus,* p. 520.

(4) « Quant aux discours qui furent prononcés.... il m'était difficile d'en reproduire le texte avec une exactitude littérale, soit que je les eusse moi-même entendus, soit que j'en fusse informé par d'autres; j'ai fait dire à chaque orateur en chaque circonstance ce qui me semblait le plus en situation (τὰ δέοντα μάλιστα), en me tenant le plus près possible de la pensée générale qui avait réellement inspiré ces discours » (ὅτι ἐγγύτατα τῆς ξυμπάσης γνώμης τῶν ἀληθῶς λεχθέντων), dans I, 22, 1; la traduction est de M. Alfred Croiset, *Hist. de la litt. grecque*, IV, p. 140.

positives, mais fragmentaires, les complète en vertu d'une sorte de logique intime que sa connaissance des personnes et des choses lui permet de ressaisir et de suivre » (1).

On ne peut même pas les comparer à ces discours soignés, censés prononcés dans des circonstances solennelles, où un personnage justifie son attitude morale ou politique, comme l'apologie de Socrate. Il suffit d'avoir une notion même élémentaire de la rhétorique athénienne pour sentir combien les discours de Jean en sont éloignés. Ils n'ont d'analogie que dans la prédication des prophètes d'Israël, surtout dans celle de Jérémie, si souvent contredit, menacé, frappé, mis en prison, et enfin victime de son zèle pour les intérêts religieux et temporels de son peuple. Tout à fait comme Jésus dans le quatrième évangile, Jérémie rencontre une opposition haineuse qui lui donne aussitôt le démenti. D'autres au contraire lui sont plus favorables. Les uns disent : « Tu mourras. » Les autres : « Cet homme ne mérite pas la mort. » Tout ce que nous savons de la vie de Jérémie n'est guère que l'accueil qu'ont reçu ses paroles, prononcées de la part de Dieu : sa biographie se déduit de son ministère prophétique. Si la part de la biographie est plus grande dans Jo., on dira à plus forte raison que les discours y ont un caractère biographique. Ils intéressent même plus la personne du héros, car, si l'on a discuté la mission de Jérémie, on discute la personnalité même de Jésus. Et, plus encore que dans Jérémie, les discours de Jésus sont des allocutions de circonstances, qui tournent bien davantage au dialogue par suite de l'intervention des auditeurs. A juger de leur caractère réel d'après leur éloignement de tout artifice littéraire, leur véracité est portée au plus haut point, puisque nous n'y trouvons aucun indice d'une composition méditée, d'une partition conforme aux règles de l'art, d'un développement régulier. Renan n'a rien vu d'artistique dans les discours; il les juge « souvent fades », ce sont « des tirades prétentieuses, lourdes, mal écrites (2) ». Ce jugement est parfaitement injuste : il montre du moins combien nous sommes loin d'une œuvre combinée à loisir.

La métaphysique n'y fait pas défaut, si l'on entend par là une vue sur le mystère de la vie divine, mais elle ne s'y développe pas méthodiquement, pas même selon la manière hachée menu de la dialectique socratique; elle découle tout entière de la personnalité de Jésus, disposé certes à instruire ses auditeurs, mais obligé le plus souvent à se défendre contre leurs attaques. Si bien qu'on ne peut guère proprement parler de « discours » publics de Jésus dans le quatrième évangile, beaucoup moins que dans le premier, où le Sermon sur la montagne a bien

(1) A. Croiset, *l. l.* p. 141.
(2) *Vie de Jésus*, p. 559.

l'aspect d'un programme religieux, développé selon un certain rythme.

Laissons de côté les deux dialogues (III et IV) que l'on peut presque aussi bien ranger parmi les récits.

Le premier discours (V, 18-47) fut prononcé à propos du miracle à la piscine de Bezatha. Qu'on veuille bien ne pas en conclure que le miracle a été inventé en vue du discours, car c'est encore le cas du discours sur le pain de vie (VI), après le miracle de la multiplication des pains, lequel est dans les synoptiques. D'ailleurs c'est aussi à propos de miracles que le Sauveur, dans les synoptiques, se défend contre les attaques, et spécialement par une petite harangue à propos de l'expulsion d'un démon (Mt. XII, 25-32. 43-45). La même combinaison, d'ailleurs très naturelle, se retrouve dans les Actes des Apôtres; tantôt le miracle fournit au début le thème de la prédication, comme à la Pentecôte (Act. II, 14-21), tantôt il n'est qu'une occasion, comme pour le boiteux (Act. III, 12-26). Ce dernier cas est celui de la prédication à la piscine; il y a même comme deux discours assez brefs, qui ne sont pas cependant interrompus, les adversaires n'étant point encore entraînés à la controverse.

Le discours sur le pain de vie (VI, 26-59), comme plus tard celui du dimanche des Rameaux court mais très important (XII, 23-36), ont cela de commun qu'ils tendent à modérer un enthousiasme sincère, mais ignorant des vrais moyens de l'action divine : ils tiennent de très près aux circonstances : tous deux aboutissent à créer une situation critique pour Jésus, sans éclairer beaucoup d'âmes. Les discours centraux sont datés par la fête des tabernacles (VII et VIII) et celle de la Dédicace (X, 22 42). C'est à peine si Jésus prononce cinq à six versets sans être interrompu. Peut-on donner le nom de discours à ces altercations provoquées par les ennemis d'un prophète, celui-ci plus bafoué que ne le fut aucun autre? Peu importe d'ailleurs que l'attaque se prononce dès le début (II, 18) à la manière des synoptiques, ou qu'elle attende une occasion favorable : la lutte est dans l'air.

La parabole-allégorie du berger (X, 1-18) n'est pas, croyons-nous, rattachée à ce qui précède : mais elle se rapproche de la manière des synoptiques.

Quant aux discours après la Cène, ils se déroulent avec tranquillité; nous n'y voyons pas toujours une allusion aux faits actuels, du moins pour le ch. XV, mais tout le reste est vraiment inspiré par la tristesse des adieux, par les espérances de l'avenir.

Les « discours » de Jésus ne sont donc point des compositions qui aient dans l'évangile une situation distincte, selon un rythme spécial. Ce sont, comme ses autres actes, des manifestations de sa lumière, et il importait de savoir comment celles-ci aussi avaient été reçues. Dans ce sens les discours font partie de sa biographie. Mais il faut toujours entendre la biographie johannique de la même façon; solide, elle est restreinte.

Jean ne prétend pas dire quelle fut la doctrine de Jésus sur les principaux points qui préoccupaient les Juifs de ce temps, ni même comment il prêcha, ni tout ce qu'il prêcha, pas plus qu'il ne s'est préoccupé de dire comment est né et comment a vécu le Fils de Dieu : il a seulement exprimé fortement quel accueil a reçu sa mission, les paroles comme les actes, actes et paroles étant ordonnés à la révélation du Fils de Dieu, en vertu de leur nature propre et par le fait incontestable de leur réalité (1).

§ 4. — *Le symbolisme du quatrième évangile.*

L'intention de Jo. étant d'écrire une biographie, quoique d'une nature très spéciale, il s'ensuit que son ouvrage n'a rien de commun avec les allégories des apocalyptiques comme Hénoch, Esdras, Baruch, repassant l'histoire du passé sous le voile de visions qui en dégagent les leçons (2). Le visionnaire, se réservant de dérouler la suite des temps, mais non point cependant sous des formes historiques, était contraint de la figurer par des symboles : animaux, plantes, etc. Pour donner de l'unité à son œuvre et ne pas découvrir le point de suture entre le passé et son temps portant le masque de l'avenir, il usait des mêmes figures dès l'époque qu'il avait choisie pour être la sienne en prenant le nom d'Hénoch, Esdras, etc. Ce procédé est donc parfaitement volontaire : il consiste à créer des allégories toutes pures.

Personne, je pense, n'oserait attribuer la même méthode à Jean. Apocalypse et évangile sont deux genres parfaitement différents. Dans son Apocalypse Jean prend le rôle d'un prophète; dans l'évangile il se déclare témoin. Dans un cas il reproduit des visions, dans l'autre il raconte des faits. Tout est simple et il n'y a d'obscur ici qu'une psychologie enchevêtrée imaginée par les critiques : la confusion n'est pas où l'on prétend la reconnaître.

M. Lepin a pris la peine d'examiner toutes les preuves d'un symbolisme inconscient, accumulées avec la diligence la plus ingénieuse par M. Loisy : on a constamment l'impression qu'un pareil symbolisme eût été calculé avec une subtilité d'ailleurs malavisée, puisqu'elle eût caché trop bien son jeu. Renan : « Qu'on écrive un récit historique étendu avec l'arrière-pensée d'y cacher des finesses symboliques, qui n'ont pu être découvertes que dix-sept cents ans plus tard, voilà ce qui ne s'est guère vu (3). » Assurément les Pères ont vu dans Jo. beaucoup de

(1) Nous ne pouvons serrer la question de plus près sans parler de la doctrine des discours; voir au ch. IV, p. CXLVII.

(2) *Le Messianisme...* p. 42.

(3) *Vie de Jésus*, p. 509.

symbolisme, beaucoup trop de symbolisme. Mais précisément parce qu'il y en a, et que l'auteur le laisse entrevoir, il n'est pas un inconscient incapable de distinguer les faits et le symbolisme. D'une pareille inconscience il ne pouvait rien sortir de suivi. Les apocalyptiques, eux, racontaient les faits en forme de symboles. Ils les voilaient. Jean les a racontés comme on raconte tous les faits, sauf à se servir de quelques-uns pour suggérer une leçon doctrinale, car il savait parfaitement s'en servir comme de symboles. Si donc il eût évoqué du non-être certains faits appelés à figurer dans l'évangile comme représentant par analogie une action spirituelle de Jésus, il l'eût fait très délibérément. C'est ce qu'il n'a pas voulu ; et prévoyant sans doute le reproche d'illusion ou de mauvaise foi, il a insisté sur son caractère de témoin oculaire.

On reconnaît que Jean n'est pas un pur allégoriste volontaire : lui-même proteste qu'il n'est pas un allégoriste inconscient. Son genre littéraire — c'est tout ce que nous cherchons en ce moment — n'est pas celui des allégoristes; il refuse l'honneur compromettant d'un genre à part qui relèverait de la pathologie plus que du génie qu'on veut bien lui accorder.

Est-ce à dire que les faits, parfaitement réels d'après son intention, n'ont point en même temps une portée symbolique qu'il a laissée cependant dans une certaine ombre?

M. Lepin semble rejeter impitoyablement non seulement l'hypothèse de symboles fictifs, ce qui est très juste, mais aussi le caractère symbolique de faits comme le miracle des noces de Cana, la résurrection de Lazare, etc., alors que les Pères n'ont pas hésité à relever le symbolisme de tous les faits principaux.

Ce n'est pas que cet excellent critique ait méconnu la manière très heureuse dont Jo. se sert des symboles. Il en a donné des exemples très clairs (1); et montré qu'ils se rencontrent aussi dans les synoptiques, comme la moisson et les moissonneurs (2), les brebis et le berger (3), la lumière (4), etc.

Mais on peut se demander si le quatrième évangile ne va pas plus loin que les autres dans cette voie.

Qu'est-ce en effet qu'un symbole? Littré le définit : « Figure ou image employée comme signe d'une chose ». Il semble que ce serait tout aussi bien : « chose ou fait employé comme signe d'une idée ». On dit en effet que la colombe est le symbole de l'innocence, la morsure du serpent réchauffé le symbole de l'ingratitude. C'est sur ce sens que

(1) *La valeur...* I, p. 122 ss.
(2) Jo. IV, 35 et Mt., IX, 37 s.; Lc. X. 2.
(3) Jo. X, 1 ss.; XXI, 15 ss. et Mt. XV, 24; X, 6.
(4) Jo. passim, et Mt. V, 14.

nous raisonnons et il paraît bien que c'est celui des symboles de Jean : la moisson déjà blanche est le symbole des âmes prêtes pour la conversion, les brebis sont le symbole des fidèles, etc. Nous répétons que M. Lepin a bien montré tout cela et comment, le symbole étant un des éléments principaux de l'enseignement synoptique et même biblique, Jo. n'a rien innové. De plus, rien n'indique qu'il ait ajouté des symboles de son cru pour les placer sur les lèvres du Sauveur. Nous voudrions seulement nous demander si, en faisant choix de certains faits pour en composer sa biographie spéciale, c'est-à-dire son récit de la mission du Fils de Dieu, il n'a pas eu l'intention de s'arrêter à des faits plus significatifs, non seulement de la Toute-Puissance de Jésus, comme le sont tous les miracles, mais encore de ce que le Fils de Dieu était devenu pour l'humanité. Il faut procéder ici avec prudence. Voir partout du symbolisme serait méconnaître ce que Renan a nommé « ces circonstances indifférentes, désintéressées en quelque sorte, qui abondent dans notre récit (1) ». Mais il ne faut pas non plus attendre que l'auteur s'explique clairement, sous prétexte que : « L'exégète allégoriste ne parle jamais à demi-mot; il étale son argument, y insiste avec complaisance (2). » Rien ne serait plus éloigné de la manière discrète de Jean.

Car enfin son évangile a un caractère spécial. Il envisage dès le début l'œuvre de Jésus comme une œuvre de lumière et de vie. La lumière est la vérité, la vie que donne le Sauveur est une vie spirituelle, déjà commencée. Serait-il étonnant que cette lumière, que cette vie surtout, soient symbolisées expressément par les miracles? Encore une réserve cependant : qu'on se garde de trop spécialiser! Jésus ne s'est point manifesté comme un dieu guérisseur, un Esculape, ou comme un dieu de l'intelligence, un Apollon : Jean s'est abstenu de lui conférer des attributs qui auraient en quelque sorte exclu les autres, à la manière de ces personnes qui ne songeraient pas à implorer saint Antoine de Padoue si ce n'est pour retrouver des objets perdus. Si Jésus guérit un aveugle, ce n'est point la preuve décisive qu'il est la lumière, ni surtout qu'il n'est que cela. Mais si le symbole est le signe d'une idée, puisque Jean a choisi des miracles qui fussent des signes, puisque les choses terrestres, comme la lumière, ou le vent, ou l'eau, ou le pain sont à l'occasion les symboles de réalités spirituelles, il nous sera permis de chercher dans certains cas quel peut être le sens symbolique d'un fait très réel.

(1) Renan, *l. l.* p. 489.
(2) *L. l.* p. 483.

§ 5. — *Les aspects personnels du style.*

Ce que nous avons dit du genre littéraire du quatrième évangile touchait déjà au style, mais d'après son contenu. Nous voudrions ici parler du style au sens où l'on peut dire : le style c'est l'homme. Ce sont toujours les faits qu'il convient d'interroger. Mais, d'autre part, leur interprétation dépend dans une large mesure du tempérament de l'écrivain. Est-ce un homme simple qui raconte et reproduit ce qu'il a vu et entendu? Est-ce un artiste qui s'est servi des thèmes plus ou moins traditionnels ou de thèmes inventés pour produire de la beauté? Sa façon de dire peut nous éclairer là-dessus. L'embarras est grand, car, nous l'avons dit déjà, l'auteur a su produire des effets admirables, égaux à ceux des écrivains de génie, et cependant il est d'une simplicité qui touche à la négligence.

M. Abbott, un des savants qui ont le plus étudié le vocabulaire et la grammaire de l'évangile a bien posé cette antithèse (1) : « Un style qui souvent paraît sans soin, avec des parenthèses, irrégulier, abrupt, sans art... mettant les mots comme ils viennent... mais pour l'effet général un artiste inspiré doué de l'art le plus varié, sans métrique, ni rhétorique, jamais orné, mais cependant conforme aux règles d'ordre, de répétition, de variation qui suggèrent, tantôt le refrain d'un poème, tantôt l'arrangement d'un drame, tantôt les décisions ambiguës d'un oracle et le symbolisme d'une initiation à des mystères religieux. »

Entre ces deux apparences, M. Abbott a choisi, et assez malencontreusement, car il a fait de Jean le plus subtil des rabbins : s'il répète un mot ou une phrase, ce dualisme élève l'esprit aux choses divines et humaines; si c'est trois fois... si c'est sept fois.....

Nous ne saurions accorder la moindre vraisemblance à un système qui fait de l'évangile un livre chiffré et de Jean un homme de calcul. Les deux affirmations sont vraies : c'est un puissant artiste, et il écrit sans art, du moins sans un art prémédité et voulu. Toute la difficulté est de montrer comment ces deux aspects conviennent à sa personne : elle se complique étrangement du fait que la langue de l'ouvrage est le grec, tandis que la pensée de l'auteur était sémitique. L'ouvrage ne serait-il même pas une traduction? Nous aurons donc à traiter d'abord de ce qui regarde le tempérament de l'écrivain, puis, dans une section ultérieure, de ce qui touche à la composition de la phrase, ou à la langue.

Qu'il soit entendu une fois pour toutes que lorsque nous parlons du tempérament de l'écrivain, il faut toujours sous-entendre qu'il est aussi l'écho d'un aspect spécial de la Personne de Jésus, surtout en ce qui

(1) *Johannine Vocabular*, p. VII.

concerne les discours : son tempérament est celui d'un disciple qui a beaucoup aimé.

I. *Simplicité : aucune prétention littéraire et même une certaine candeur.* C'est le point le plus important, et cette proposition ne saurait être qu'une conclusion de tout le commentaire. Nous voulons seulement relever ici certains traits qui montrent combien peu Jean se soucie de raconter avec art. Il était sûrement incapable d'ordonner un récit à la manière de Lysias, si limpide en apparence qu'on croit avoir assisté aux faits, si bien calculé que l'argumentation est presque inutile, tant le rôle des acteurs, leur culpabilité ou leur innocence, ressort des choses telles qu'elles ont été dites. Mais, sans viser à un art si parfait, Jean, s'il avait attaché de l'importance à la composition, aurait préparé ses récits en indiquant tout d'abord le lieu et les acteurs. C'est ce qu'il fait quelquefois, par exemple pour le miracle de l'infirme à la piscine de Bezatha (v, 1 ss.); mais très souvent nous n'apprenons qu'après coup ce qu'un narrateur plus soigneux aurait mis en tête.

Exemples, dont il suffira ici de dresser une liste qui ne vise pas à être complète, comme d'ailleurs aucune des catégories suivantes :

I, 28, cela se passait à Béthanie.

I, 44, André et Pierre étaient donc de Bethsaïda?

IV, 8, les disciples étaient donc absents? Le *syrsin.* a restitué un ordre plus normal.

VI, 17, incise renvoyée.

VI, 59, cela se passait en synagogue, à Capharnaüm.

XI, 1 ss., arrangement bizarre : cette fois l'onction est dite d'avance!

XI, 5, phrase renvoyée.

XI, 17, ce qui est dit de Lazare est prématuré, et reviendra XI, 39.

XVIII, 12, le Chiliarque est enfin nommé!

XIX, 14, date précise, supposée dans XVIII, 28.

XIX, 23, les soldats, dont l'action commence sûrement à XIX, 16[b].

XIX, 26, le disciple n'avait pas été nommé avec les femmes.

XXI, 8, « car ils n'étaient pas loin de la terre », serait bien mieux placé au moment où Pierre se jette à l'eau : restitution opérée par *syrsin.*

Ce qui marque le mieux et la préoccupation de Jean d'être exact et son peu de souci de le paraître tout d'abord, ce sont les cas où il atténue ou corrige lui-même ce qu'il avait dit précédemment.

III, 22, il est dit que Jésus baptisait; IV, 1 explique que c'étaient ses disciples.

III, 32 s., une proposition trop générale est aussitôt tempérée.

VIII, 15 s. de même.

XII, 37 et 42 de même.

Quelquefois Jean ne prend pas la peine de mettre les choses au point, de sorte qu'on serait tenté de croire qu'il se contredit :

VII, 8-10 : Jésus ne va pas et il va.

XI, 54 οὐκέτι παρρησίᾳ περιεπάτει : mais on en était déjà là à VII, 1.

XIV, 16 « je prierai » et XVI, 26 « je ne dis pas que je prierai... »

XV, 15 πάντα... ἐγνώρισα ὑμῖν et XVI, 12 οὐ δύνασθε βαστάζειν.

XV, 20 déjà XIII, 16 le serviteur n'est pas plus grand que son maître, et cependant XV, 15.

XIX, 8 Pilate craignit davantage : il n'avait pas craint encore.

XIX, 23 « et la tunique ». On dirait qu'elle a été partagée.

Ou bien des Grecs paraissent, sont présentés avec précision (XII, 20), et on ne sait pas ce qu'ils deviennent. — Marie-Magdeleine qui a quitté le tombeau s'y retrouve (XX, 11).

On pourrait aligner ici toutes les inégalités et prétendues incohérences sur lesquelles certains critiques s'appuient aujourd'hui pour prouver que l'évangile est l'œuvre de plusieurs auteurs. On y reconnaîtrait seulement le peu de soin que l'auteur unique a d'éviter les critiques et les objections. Westcott (p. LI) a dit excellemment des discours : « la suite du raisonnement n'est pas mise au net (*is not wrought out*), mais abandonnée à une interprétation sympathique. » Ce canon doit s'appliquer à toute l'œuvre de Jean : il écrit en toute simplicité, et il compte aussi sur la simplicité du lecteur, même sur son intelligence sympathique. Qu'on le lise avec attention, et, répétons-le, sans malice, avec sympathie, on ne sera pas arrêté par des difficultés qui ne sont qu'à la surface. C'est une réflexion qui reviendra souvent dans le commentaire.

Jean ne fait donc rien pour se mettre en garde contre ceux qui chercheraient à le prendre en défaut : ce n'est pas à eux qu'il s'adresse. Un pareil écrivain a-t-il poursuivi délibérément des effets littéraires? Évidemment non. Il les a atteints cependant, comme nous l'avons dit à propos des péripéties qui donnent aux événements un cours inattendu ou tragique. Toutes les générations chrétiennes se sont inclinées devant le génie qui a conduit avec tant de simplicité des récits si expressifs. Mais c'est bien la simplicité qui domine, puisque, dans ces récits mêmes, on a trouvé matière à critiquer l'inhabileté de certains accessoires. Nous en conclurons que loin de créer sa matière, Jean en a été profondément ému, et qu'il a communiqué son émotion avec un instinct sûr, mais sans artifice.

II. *Vue des choses.* On a remarqué depuis longtemps combien les récits de Jean sont propres à mettre les faits sous les yeux du lecteur, avec cette impression de vie qu'on éprouve à la lecture de Marc. Assez souvent le procédé est le même et répond en dernière analyse à la vue d'une réalité qui a saisi le témoin. C'est ainsi que le lavement des pieds, par exemple, est tout à fait dans la manière de Marc. Mais on trouve dans Jean certaines touches qui ne s'arrêtent pas à la physionomie extérieure des faits.

Nous n'avons pas rangé parmi les négligences du style plusieurs traits qui ressemblent à des parenthèses, et qui sont destinés à compléter un tableau. Jean semble les écrire au moment où ils lui reviennent en mémoire; revenant au jour, ils donnent aussi du jour. Mais tandis que Marc semble prendre plaisir aux choses pour elles-mêmes, ou du moins comme à des réalités de l'histoire de Jésus, Jean a le secret d'insinuer par une vue sur les choses sensibles l'impression morale religieuse qu'il a ressentie et qu'il transmet.

Ainsi lorsque Jésus va se présenter à la Samaritaine comme la source où les hommes apaiseront leur soif spirituelle, une fontaine était bien le lieu choisi pour l'entretien : mais il n'était pas indifférent que ce fût le puits du grand ancêtre Jacob (IV, 6), où il avait bu, lui ses fils et ses troupeaux. L'herbe abondante (VI, 10) où s'assied la foule est un trait charmant pour qui a vu la Galilée en fleurs au printemps. Au contraire, « c'était l'hiver » (X, 22), et les Juifs, groupés sous le portique de Salomon pour se mettre à l'abri, se serrent autour de Jésus pour le presser de questions. « C'était la nuit » (XIII, 30) lorsque Judas sortit, machinant sa trahison. Barabbas, que les Juifs viennent de préférer à Jésus « était un brigand » (XVIII, 40).

Ces circonstances sont très solidement établies dans la réalité, mais la manière de les dire, et à cette place, est d'un artiste attentif à l'accord des impressions extérieures et des réactions morales. Cependant cela non plus ne paraît pas calculé, car nous venons de citer d'autres parenthèses assez gauches. Il faut donc que Jean ait eu son don à lui de rendre sensible non pas seulement l'aspect extérieur des choses, mais ce qu'elles suggèrent au cœur.

III. *Procédé intuitif* (1). — Le dialogue est assurément un excellent moyen d'affronter les idées, de les forcer à se définir en les mettant aux prises et en demeure de se défendre. Mais le manier de la sorte et en faire l'instrument de la dialectique est le comble de l'art; c'est à peine si dans le seul Platon on n'a pas à y blâmer un artifice mal déguisé. Rien de plus éloigné du style de Jean. Il y a longtemps qu'on l'a opposé à celui de Paul, comme l'intuition à la dialectique. Jean n'est pas dialecticien, et en cela il est plus éloigné de la manière grecque. Dans son beau commentaire de l'Apocalypse, le R. P. Allo a très bien rendu son pro-

(1) Un de ceux qui connaissent le mieux la manière des Anciens, Éd. Meyer, a protesté contre la vivisection arbitraire de Wellhausen et de Schwartz qui n'ont pas su comprendre le caractère propre de Jo. « Le développement de sa pensée repose entièrement sur une intuition mystique; c'est un essai de comprendre l'incompréhensible et de le revêtir de mots. Aussitôt qu'on s'est placé au point adopté par l'auteur et qu'on s'efforce d'entrer dans sa psychologie, ses idées et leurs contextes deviennent parfaitement compréhensibles et intelligibles malgré la gaucherie de style qui s'y attache toujours » (*Ursprung und Anfänge des Christentums*, I, p. 317).

cédé (1) : « Jean intègre lentement son idée. Il la donne d'abord en bloc, puis il *l'analyse,* en variant à peine, ou pas du tout, ses expressions. On dirait que l'Évangéliste n'a jamais épuisé ses concepts, tant ils sont vastes, et tant ses moyens d'expression sont restreints. »

Cependant le mot d'*analyser* que nous avons souligné nous paraît trop fort. Il semblerait indiquer une méthode déductive, tandis que le P. Allo a vu très bien que le « renforcement progressif de l'idée » est « une loi qui est la formule même de *l'Art johannique* (2) ». Jean n'analyse pas : il contemple la vérité sous plusieurs faces, et ces rayons de lumière finissent par former un faisceau, à se produire en une formule définitive, comme : « et le Verbe s'est fait chair » (I, 14), ou ἐγὼ καὶ ὁ πατὴρ ἕν ἐσμεν (x, 30) ou encore : ἵνα ὦσιν ἓν καθὼς ἡμεῖς (XVII, 11 et 22), ou enfin la formule sur le Saint-Esprit (XVI, 14 s.). Mais il n'en arrive pas là de déduction en déduction : c'est une vue qui devient plus nette, la formule la plus simple et la plus expressive étant la dernière. Aussi verrons-nous Jean employer très peu la particule γάρ (3) qui regarde en arrière pour enchaîner une pensée à la précédente, et très souvent οὖν (4) qui complète la vérité par une marche en avant. Essayons de donner un exemple de ce procédé inductif ou intuitif. La formule d'unité du Fils avec le Père tient dans une phrase parfaitement une : ἐγὼ καὶ ὁ πατὴρ ἕν ἐσμεν (x, 30). Une certaine raison de cette unité est donnée par une phrase à deux aspects :

ἐν ἐμοὶ ὁ πατὴρ κἀγὼ ἐν τῷ πατρί (x, 38), dont la réciprocité peut être indiquée dans l'ordre inverse :

ἐγὼ ἐν τῷ πατρὶ καὶ ὁ πατὴρ ἐν ἐμοί (XIV, 10).

Les disciples sont d'abord associés au Fils par la même réciprocité :

ὑμεῖς ἐν ἐμοὶ κἀγὼ ἐν ὑμῖν (XIV, 20).

Il en résulte leur union avec le Père et le Fils :

καθὼς σύ, πατήρ, ἐν ἐμοὶ κἀγὼ ἐν σοί (cf. x, 38), ἵνα καὶ αὐτοὶ ἐν ἡμῖν ὦσιν (XVII, 21), et, en partant de l'union des disciples avec le Fils, leur consommation dans l'unité :

ἐγὼ ἐν αὐτοῖς καὶ σὺ ἐν ἐμοί, ἵνα ὦσιν τετελειωμένοι εἰς ἕν (XVII, 23).

IV. *Style sémitique.* — Nous en venons maintenant à certains aspects du style de Jean qui ne paraissent guère explicables que par son origine sémitique. Assurément ce serait une erreur assez lourde que de mettre seulement en présence la manière d'écrire des attiques et les procédés de Jean, comme si ces derniers ne se retrouvaient pas un peu partout dans tous pays. Ce qui est exceptionnel dans les littératures, c'est la période

(1) P. CXCIX.
(2) *L. l.* p. CCI.
(3) 61 fois.
(4) 200 fois.

de l'art parfait, et même le soin d'éviter les répétitions, de répartir les pensées, d'ordonner les faits. Il faudrait borner étrangement son horizon pour ne voir en dehors de cela que du sémitisme. Mais Jean a écrit en grec : s'il s'éloigne des procédés que l'hellénisme avait hérités d'Athènes, il y a lieu de penser que c'est par suite de la formation première de son esprit, qui se révèlera sémitique par certains traits plus spéciaux.

Le premier aspect, qui a frappé tout le monde, c'est la préférence absolue donnée au style direct. Plutôt que de résumer quelques paroles dans une phrase indirecte, comme faisaient si souvent les Grecs dans la *koinè*, Jean préfère donner la parole aux gens. C'est à ce point que Westcott n'a relevé qu'une tournure indirecte (1). C'est le genre populaire; c'est celui des écrivains du N. T., mais il est poussé à l'extrême dans Jo., par exemple dans x, 36 : ὃν ὁ πατὴρ ἡγίασεν... λέγετε ὅτι βλασφημεῖς, ὅτι εἶπον· υἱὸς τοῦ θεοῦ εἰμι; c'est sans doute à la fois une résultante du sémitisme et du don de voir les choses en action et par conséquent d'entendre parler les acteurs.

Il faut même reconnaître qu'assez souvent le discours avance moins par la liaison des idées que par l'appel des mots : cette sorte d'accrochement est bien dans la manière du discours sur la montagne (2). C'est aussi le fait de Jean. On pourra noter :

I, 4, τὸ φῶς rattaché à τὸ φῶς v. 3, repris au v. 8.

I, 10, à cause de κόσμος, une nouvelle affirmation de la création, cf. v. 3.

III, 1, ἄνθρωπος, après τῷ ἀνθρώπῳ II, 25.

III, 17 κρίνῃ, 18 κρίνεται, κέκριται, 19 κρίσις.

III, 31 ἄνωθεν... ἐκ τῆς γῆς et ἐκ τοῦ οὐρανοῦ...

III, 32 λαμβάνει et 33 ὁ λαβών... ὁ θεός... 34 ὁ θεός... 35 τὸν υἱόν... 36 τὸν υἱὸν τῷ υἱῷ.

VIII, 15[b] et 16.

XIII, 12.

XV, 3 à 14 transition sur le mot « amis », etc., etc.

Ce procédé peut passer pour populaire : cependant il s'applique à des thèmes qui sont très relevés et il a des répondants très expressifs dans la littérature biblique (3) : il convient donc d'y voir un indice du tempérament intellectuel des Sémites.

Plus sûrement encore il faut ranger ici le parallélisme, surtout antithétique, qu'on retrouve si souvent qu'il serait oiseux de le signaler en détail. Au contraire nous voudrions insister sur un phénomène qui ne

(1) IV, 51; encore sa leçon n'est-elle pas certaine. Dans XIII, 24 la leçon critique est en style direct. Cf. VIII, 54; XX, 18.

(2) Cf. *Comm. Mt.*, p. 95 et *passim*.

(3) Ne serait-ce que par le cas des psaumes *graduels*.

paraît pas avoir reçu l'attention qu'il mérite : c'est celui de *l'inclusio*, ou du cadre qui renferme certains récits ou certains discours. Un ou plusieurs mots qui ont ouvert la péricope se retrouvent à la fin. Sur ce point Jean ressemble à Matthieu (1), ce qui indique les mêmes habitudes sémitiques :

I, 1 πρὸς τὸν θεόν, καὶ θεός... et I, 18 θεὸς ὁ εἰς τὸν κόλπον.

I, 19 αὕτη ἐστὶν ἡ μαρτυρία... et 34 μεμαρτύρηκα : péricope du témoignage.

I, 35 καὶ ἐκ τῶν μαθητῶν αὐτοῦ (du Baptiste...) et II, 11 οἱ μαθηταὶ αὐτοῦ de Jésus).

V, 19 οὐ δύναται... et 30 οὐ δύναται.

VI, 3 ἀνῆλθεν δὲ εἰς τὸ ὄρος et VI, 15 ἀνεχώρησεν πάλιν εἰς τὸ ὄρος.

VII, 16 ἀλλὰ τοῦ πέμψαντός με et 29 κἀκεῖνος με ἀπέστειλεν.

VI, 27 τὴν βρῶσιν τὴν μένουσαν εἰς ζωὴν αἰώνιον et VI, 58 ὁ τρώγων τοῦτον τὸν ἄρτον ζήσει εἰς τὸν αἰῶνα.

VI, 60 πολλοὶ οὖν... ἐκ τῶν μαθητῶν et 66 πολλοὶ τῶν μαθητῶν.

VI, 67 τοῖς δώδεκα et 71 εἷς ἐκ τῶν δώδεκα.

VI, 16 τὸ πλοῖον et 21 τὸ πλοῖον.

VIII, 12 et 20 ἐλάλησεν.

VIII, 33 et 58, Abraham.

IX, 2 τίς ἥμαρτεν... ἵνα τυφλὸς γεννηθῇ et IX, 41 εἰ τυφλοὶ ἦτε οὐκ ἂν εἴχετε ἁμαρτίαν.

XIV, 1 μὴ ταρασσέσθω ὑμῶν ἡ καρδία... πιστεύετε et 27 μὴ ταρασσέσθω ὑμῶν ἡ καρδία... 29 ἵνα πιστεύσητε.

XV, 2 μὴ φέρον καρπόν et 16 καὶ ὁ καρπὸς ὑμῶν μένῃ.

XV, 12 ἵνα ἀγαπᾶτε ἀλλήλους et 17, mêmes mots.

A propos de Mt. nous avons indiqué aussi le schématisme des formules (2). Les répétitions de Jean ont quelque chose de moins stéréotypé.

On notera cependant comme une sorte de refrain : καὶ ἀναστήσω αὐτὸν ἐγὼ ἐν τῇ ἐσχάτῃ ἡμέρᾳ (VI, 40), après VI, 39, et répété dans les vv. 44 et 54 (κἀγώ). Ou encore : XVIII, 18 et XVIII, 25 sur l'attitude de Pierre.

Dans certains cas la répétition semble indiquer une seconde strophe sur le même sujet : ἐγώ εἰμι ἡ ἄμπελος, XV, 1 et XV, 5; ἐγώ εἰμι ὁ ποιμὴν ὁ καλός X, 11 et X, 14.

ταῦτα λελάληκα ὑμῖν XIV, 25; XV, 11; XVI, 1. 25. 33 (3).

Ailleurs la répétition a pour but de souligner une vérité importante, I, 29 et 36, etc.

Le plus souvent c'est le résultat d'un style un peu redondant (I, 20),

(1) *Comm.*, p. LXXXI.

(2) *Comm.*, p. LXXXII.

(3) Dans XVI, 4. 6 ces mots sont liés à ce qui précède. Dans XVI, 25, il y a la note spéciale : ἐν παροιμίαις.

soit qu'il n'ait pas été assez surveillé (I, 32 et 33; II, 24. 25; IX, 23. 35; XIII, 11, etc.) pour aboutir à une rédaction moins chargée, soit que la répétition ait pour but de graver une vérité dans l'esprit (III, 3 et 5; I, 7 et 8, etc.).

Rythme. — L'influence du parallélisme dans le quatrième évangile est telle qu'on est tenté parfois de marquer des stiques, c'est-à-dire des lignes qui se répondent parallèlement, selon la manière qui distingue la poésie hébraïque de la prose. Certains morceaux, comme le Prologue (I, 1-18) ou la Prière solennelle du Christ (XVII) ont presque l'apparence de strophes. Mais ces strophes ne seraient pas régulières. Si le style de Jean se rapproche de la poésie par son élévation, il n'en est pas moins constamment de la prose.

Dans sa traduction des *Livres du Nouveau Testament,* M. Loisy a pris le parti de souligner très fortement le parallélisme : « partout où le discours a paru rythmé en membres parallèles, cette disposition a été marquée dans la traduction (1). » Ce découpage va *crescendo* de l'édition de 1903 à celle de 1921; il est encore plus fréquent dans l'édition de 1922, si bien que même les passages du prologue que l'auteur regarde comme interpolés (6-8, etc.) sont écrits en petites lignes. Le caractère plus ou moins parallélique du style ne serait donc pas un critérium pour distinguer les différentes mains que prétend reconnaître la critique extrémiste, et il n'est pas non plus réservé aux paroles du Seigneur.

Il faut reconnaître que cette manière de scander les phrases en les coupant en petites lignes donne beaucoup de relief au parallélisme quand il existe et le rend plus saisissant, par exemple (2) :

« Quiconque boit de cette eau aura soif encore,
Mais qui boira de l'eau que je lui donnerai n'aura plus soif jamais. »

Mais à quoi sert de couper presque aussitôt après :

« Avec raison tu as dit : « Je n'ai pas de mari »;
Car cinq maris tu as eus,
Et maintenant celui que tu as n'est pas ton mari.
En cela tu as dit vrai. »

Ou encore (3) :

« Je vous ai dit que c'est moi.
Si donc c'est moi que vous cherchez,
Laissez ceux-ci s'en aller.

(1) *Op. laud.*, p. 19.
(2) IV, 13b-18.
(3) XVIII, 8.

Ou enfin, dans le lavement des pieds, pourquoi faire parler Pierre en prose, tandis que les réponses de Jésus sont coupées comme des vers? Pourquoi XIX, 35 est-il coupé en vers plutôt que XX, 30. 31?

Le texte prend ainsi cette apparence d'emphase que certains écrivains affectionnaient naguère, estimant donner plus de poids à leur pensée en la morcelant et en la hérissant de majuscules. Sans doute n'est-on pas fâché d'infliger à Jean cette enflure. Mais le ridicule auquel on expose l'évangéliste pourrait bien retomber sur le traducteur qu'on croirait dupe de son propre artifice.

Nous laissons donc au bon goût du lecteur le soin de discerner le parallélisme. L'incontestable gravité des discours de Jésus n'empêche pas ses paroles d'être souvent simples et familières.

V. *Gravité surnaturelle.* — Ce mélange de simplicité et de gravité, disons, si l'on veut, de solennité, est précisément ce qui caractérise la manière de Jean. Aucune prétention littéraire, nous l'avons vu, et par conséquent nulle emphase, aucune recherche dans l'ordre des mots, pas même de suite dans les images. Mais, indifférent au succès littéraire, il est pénétré au plus haut degré de l'importance de son sujet, désireux, on peut dire avec passion, de produire dans les esprits la conviction qui conduit à la foi, qui est déjà la foi. Luc a certes conscience de l'intérêt souverain de la mission de Jésus-Christ et des origines d'une religion qu'il voyait marcher à la conquête du monde, mais il n'attache pas la même portée à chacun des traits qu'il rapporte. Jean, venu le dernier, a fait un choix : il entend ne mettre sous les yeux de ses lecteurs que la révélation de Jésus-Christ, par la parole et par les faits, et l'essence pour ainsi dire de son enseignement, les plus parlants de ses miracles. Jamais il ne perd de vue le but qu'il poursuit, où il reconnaît un but et un plan divin. Chaque trait manifeste le don de Dieu; le rejeter serait le malheur suprême.

§ 6. — *La langue.*

Il ne saurait être question de dresser ici un catalogue des formes johanniques, encore moins de refaire la grammaire de M. Abbott (1). La comparaison de la langue du quatrième évangile et de l'Apocalypse a été faite dans ce recueil d'*Études bibliques* par le R. P. Allo (2). Nous n'avons donc qu'à noter les points les plus caractéristiques, ce qui revient à examiner dans quelle mesure la langue de Jean est pénétrée de sémitismes, et si même l'évangile ne serait pas traduit de l'araméen. C'est ce qu'a soutenu M. Burney dans une thèse dont la virtuosité est incon-

(1) *Johannine Grammar,* by Edwin A. Abbott, in-8° de XXVII-687 pp. London 1906.
(2) *Saint Jean. L'Apocalypse,* p. CXXXV-CLIV; CLXXXII-CLXXXIX.

testable (1). M. Torrey (2) conclut non moins nettement que l'évangile de Jean a été écrit en araméen, probablement en Palestine. Wellhausen a incliné bien davantage vers l'opinion des hellénistes (3), qui sont, comme on sait, fort peu portés à reconnaître des tournures sémitiques, par suite de l'expérience qu'ils ont de la variété prestigieuse et presque déconcertante de la langue grecque.

Peut-on poursuivre cette enquête avec des chances de succès? Il se peut qu'un ouvrage traduit soit désormais tout à fait dans le courant de sa langue empruntée. Qui reconnaîtrait, à lire la Guerre juive de Josèphe, qu'il l'a d'abord publiée dans sa langue maternelle (4)? Dans plus d'un cas on ne saurait affirmer le fait de la traduction sans un témoignage autre que les indices de la critique interne. A propos de Matthieu, si nous avons admis que son évangile était traduit, c'est surtout à cause de l'affirmation traditionnelle, confirmée par des sémitismes, et en particulier par les cas, peu nombreux, mais significatifs, où il est plus sémitique que Marc, ce qui serait anormal dans l'hypothèse contraire d'un texte grec original (5). Ces deux critères font défaut pour Jean. Personne n'a parlé d'un texte sémitique original, et, s'il s'est inspiré des synoptiques dans les passages que nous avons notés, ce ne fut point pour leur donner une couleur plus sémitique.

Un autre argument, que nous n'avons pas employé pour Matthieu, allègue les cas où le texte actuel, inexplicable en lui-même, devient limpide dans l'hypothèse d'un malentendu de traducteur. M. Burney n'a pas manqué d'alléguer des faits notables, mais le texte grec, quoique difficile, peut s'entendre sans ce recours, et il se révèle ainsi plus original, plus expressif qu'il ne le serait en le corrigeant d'après un prétendu prototype araméen. Comment le traducteur aurait-il alors choisi par mégarde de remplacer un sens clair et un peu banal par un sens plus profond et plus recherché? Nous ne reviendrons donc pas ici sur ces cas, qui sont relevés dans le commentaire (6).

(1) *The Aramaic origin of the fourth Gospel,* by the Rev. C. F. Burney, 8° de 176 pp. Oxford, 1922.

(2) *The aramaic origin of the Gospel of John,* par Charles C. TORREY, dans *The Harvard theological Review,* oct. 1923, p. 305-344; c'est une discussion de la thèse de Burney, que Torrey soutiendra plus tard par des moyens nouveaux. Je dois la connaissance de cet article à l'obligeance de M. Albright, directeur de l'école archéologique américaine à Jérusalem; lui-même a l'impression que les idiotismes araméens sont dus à ce que l'ouvrage a été composé en araméen, mais mis en grec plus tard par l'auteur (Même revue, avril 1924).

(3) *Das evangelium Johannis,* p. 133-146.

(4) *Bell.* I, prologue : Ἑλλάδι γλώσσῃ μεταβαλὼν ἃ τοῖς ἄνω βαρβάροις τῇ πατρίῳ συντάξας ἀνέπεμψα κ. τ. λ.

(5) *Comm. Mt.*, p. XCI.

(6) Ce sont I, 5 et XII, 35; I, 9; I, 15; I, 29; II, 22; VI, 63; VII, 37 s.; VIII, 56; IX, 25;

Mais le travail de M. Burney étant fait de main d'ouvrier, il y aura un grand intérêt à le suivre de près. Nous conclurons, pour le dire dès à présent, qu'il a fait avancer la question du sémitisme araméen de l'évangéliste (1), sans arriver à prouver que son œuvre soit la traduction d'un original araméen.

A. — LA GRAMMAIRE.

I. *La phrase simple.*

Jo. emploie la phrase nominale pure : μακάριοι οἱ μὴ ἰδόντες καὶ πιστεύσαντες (xx, 29), etc. Cette tournure est parfaitement grecque ; elle est aussi sémitique, et on peut la reconnaître comme telle dans un cas donné d'après l'expression spéciale : εἰρήνη ὑμῖν (xx, 19.26). Il emploie aussi le verbe être pour signifier l'existence, et dans toute la force du terme : ἐγὼ εἰμί (viii, 58). Pour signifier l'existence, l'araméen dispose de deux verbes, אִתַי et הֲוָא. Mais lorsque ἐστί en grec n'a d'autre valeur que de joindre le sujet à l'attribut, servant simplement de copule affirmative, l'araméen se contente de juxtaposer le nom et l'attribut, le sujet étant parfois rappelé par un pronom. La présence de ἐστί dans ce sens peut naturellement être le fait d'un traducteur. Néanmoins, puisque ce traducteur hypothétique emploie à l'occasion la phrase nominale toute pure, il semble que cette manière se trouverait plus souvent dans Jo., si c'était une traduction, tandis qu'au contraire, il emploie très volontiers ἐστί, même en le doublant (vi, 63) : τὰ ῥήματα ἃ ἐγὼ λελάληκα ὑμῖν πνεῦμά ἐστιν καὶ ζωή ἐστιν (2).

La phrase verbale est très fréquente, le verbe étant placé en tête de la phrase, à la façon des Sémites : εὑρίσκει Φίλιππος (i, 45), ἀπεκρίθη Ἰησοῦς (i, 48), ἔρχεται γυνή (iv, 7), etc.

A la phrase nominale se rattache la tournure périphrastique, c'est-à-dire l'emploi du participe avec la copule exprimée. Cette tournure est parfaitement grecque, et même habituelle avec le participe parfait. S'il s'agit du participe présent, on ne la trouve normalement en grec que pour accentuer la nuance de durée. En araméen c'est un mode naturel

xx, 2; xx, 18. M. Torrey rejette tous ces cas, et s'il admet que Burney a touché juste pour i, 13; x, 29; xvii, 11 s., il estime que cela ne conclut pas, car le texte grec peut être interprété par lui-même. Torrey lui-même propose des malentendus sur xii, 33. 38; vii, 37 s.; viii, 56; xiv, 2; xiv, 31; xx, 17.

(1) C'est aussi l'hommage que lui rend Torrey : He has shown, conclusively, that the idioms of the book are characteristically aramaic throughout (*l. c.*, p. 327). L'examen assez superficiel de Wellhausen ne saurait prévaloir contre le verdict d'un aramaïsant aussi compétent.

(2) Très nombreux exemples dans Paul Regard : *La phrase nominale dans la langue du Nouveau Testament*, p. 87 ss.

pour exprimer l'imparfait : la formule ἦν διδάσκων est donc parfaitement grecque en elle-même, mais elle est facilement suspecte d'influence araméenne : on la rencontre dans Mc. quinze fois (1).

Je ne crois pas qu'on la rencontre dans Jo. sans qu'elle indique une nuance. Par exemple ἦν... βαπτίζων (I, 28) ne signifie pas seulement que Jean baptisait, mais qu'il se trouvait dans tel endroit et y baptisait. Dans ἦν οὗτος κακὸν ποιῶν (XVIII, 30), le participe et son régime équivalent à un adjectif, κακοποιός (variante) (2).

II. *Liaison des phrases.*

Quelquefois, les phrases ne sont pas liées entre elles. C'est assez souvent le cas en latin, comme on peut le constater par la grande inscription d'Ancyre. Le grec y a naturellement suivi le latin, mais ordinairement il aimait à lier les phrases, sauf dans le style familier et pour donner l'impression de la rapidité, comme dans la comédie. Au contraire l'araméen met volontiers les phrases bout à bout. C'est, ce me semble, l'argument le plus fort de M. Burney (3) qui a bien montré combien en cela l'araméen de Daniel diffère de l'hébreu, et à quel point Jean néglige de lier ses phrases. Il faut, en toute hypothèse, reconnaître là l'indice d'une habitude empruntée à la pratique de l'araméen, favorisée par ce laisser aller qui nous a paru un des caractères de l'évangéliste : les choses se présentent à son souvenir comme s'il les voyait se produire sous ses yeux : il note leur succession sans noter toujours leur enchaînement.

Mais l'empreinte sémitique est surtout marquée par l'usage de ἀπεκρίθη employé ἀσυνδέτως 65 fois (au singulier ou au pluriel), tandis qu'il ne se trouve ainsi qu'une fois dans le N. T. (Mc. XII, 29). Les synoptiques ont coutume de mettre ce verbe au participe (ἀποκριθείς) le plus souvent avec δέ, de façon à lier à ce qui précède et à ce qui suit. Dans Jo., sur les 65 cas où la liaison fait défaut avec ce qui précède, il y en a 38 où elle manque encore après. Le reste du temps (26 fois, plus ἀπεκρίθη λέγων, I, 26), ἀπεκρίθη est suivi de καὶ εἶπεν. Ce dernier emploi surtout rappelle très exactement Théodotion, qui a traduit ἀπεκρίθη... καὶ εἶπεν la tournure araméenne עְנָה... וְאָמַר.

On ne sait comment échapper à cet argument, si ce n'est peut-être en faisant remarquer qu'il prouve trop. Si la tournure araméenne était à la base, le traducteur, ainsi que Théodotion (sauf une fois), aurait dû toujours ajouter καὶ εἶπεν, tandis qu'on ne le trouve dans Jo. que dans le moindre nombre des cas. Le traducteur eût donc été plus *asyndète* que

(1) Cf. *Comm. Mt.* p. XCI.
(2) Pour I, 9. cf. *Comm.*
(3) *L. l.* p. 49.

l'original lui-même? Alors on incline à reconnaître plutôt dans ce fait le phénomène le plus saillant de la tendance à ne pas lier dans le détail, qui ferait décidément partie du tempérament de l'auteur.

On expliquerait de la même manière les 70 fois (1) où λέγει (ou le pluriel) se présente sans liaison, contre 31 cas avec des particules (2). Mais il faut conclure à tout le moins sans hésiter que ce tempérament a reçu l'impression de l'araméen parlé sinon écrit.

Lorsque Jean lie, il s'en faut que ce soit pour aboutir à la période classique. Cette période, construite sur l'opposition de μέν et de δέ, est un procédé d'art qui n'est pas sans artifice. C'est le fait de l'atticisme, qui s'est imposé dans une mesure plus ou moins large, mais qui n'a pu s'étendre à des façons de parler ou même d'écrire plus familières, où l'on remplace la coordination des particules par une simple soudure au moyen de *et*.

Jean a essayé très rarement des périodes un peu longues : il a réussi dans XIII, 1-5 (3), mais moins bien dans VI, 22-25.

Aussi bien n'a-t-il employé μέν que 8 fois, deux fois de plus que Mc. (Lc. 10 fois, Mt. 20 fois), et δέ 176 fois (contre Mc. 156, Mt. 496; Lc. 508), moins que Mc., proportion gardée.

Il n'a employé γάρ que 66 fois (Mc, 67; Mt. 125; Lc. 101). M. Burney suppose que beaucoup de ces γάρ représentent des copules araméennes ou suppléent à l'absence de liaison : mais c'est une pure conjecture. Jean n'est pas du tout dialecticien : les dogmes sont affirmés, non déduits; les propositions dérivées découlent plutôt d'un rapprochement que d'un raisonnement formel ; nous en avons donné plus haut (4) un exemple.

C'est parce qu'il est très peu porté à coordonner que Jo. emploie peu de participes pour exprimer l'action antérieure au verbe : nous avons dit qu'il n'écrit pas ἀποκριθεὶς εἶπεν, mais ἀπεκρίθη καὶ εἶπεν. M. Burney a calculé que la proportion pour cette tournure est : Jo. 1, Lc. 4 1/2, Mt. 5 et Mc. 5 1/2. Sur ce point Jo. s'éloigne le plus de Mc. qui est cependant très sémitisant.

Les génitifs absolus sont une autre manière de lier en évitant la simple juxtaposition au moyen de la copule. On en trouve seulement 16 dans Jo. (5), contre 36 dans Mc., 48 dans Mt., 59 dans Lc. Burney a conjecturé

(1) *Burney*, p. 54.

(2) Cf. *Comm. Mt.* p. XCII.

(3) Wellhausen (p. 134) ne manque pas d'attribuer cette période à la rédaction; elle est cependant dans le style du reste par l'emploi de ἵνα, κόσμος, etc.

(4) P. XCVII.

(5) M. Burney donne le chiffre de 17, peut-être en tenant compte de VII, 32, où nous ne voyons qu'un génitif régime. Nous n'avons su en relever que 15 (ou 16 si l'on admet celui de II, 3) répandus partout sauf dans les discours de Jésus : IV, 51 ; V, 13; VI, 18.23; VII, 14; VIII, 30; XII, 37; XIII, 2 (*bis*); XX, 1.19 (*bis*). 26; XXI, 4.11. Wellhausen (p. 140)

que l'on eût pu mettre le génitif absolu où le texte présente ὅτε qui représenterait כד.

Mais Jo. n'a jamais placé le génitif absolu dans la bouche du Christ, ce qui restreint le nombre des cas possibles. Et il l'emploie d'une façon plus classique. Le nom auquel se rapporte le participe ne revient pas dans la même phrase comme sujet, et ne revient comme régime que dans trois cas (1) : VIII, 30 (εἰς αὐτόν), XII, 37 (*idem*); dans le troisième cas (IV, 51) le triple emploi de αὐτός donne bien à la phrase une apparence sémitique, mais si le texte original portait כד, c'était bien le cas de le transcrire par ὅτε!

L'usage de l'asyndeton est cause que Jo. n'a pas employé καί très souvent : moins de 100 fois tandis que Mt. 250, Lc. 380, Mc. 400.

Et cependant dans certains cas il le multiplie (*parataxe*). Mais on sait que tout style populaire en est là et les papyrus en offrent de nombreux exemples.

Milligan qui en cite (v° καί) ajoute cependant : « Nonobstant cet usage de καί dans le grec de basse époque, il est impossible de nier que l'usage de καί dans les LXX pour rendre l'hébreu *waw* a influencé l'usage johannique. » Comme l'influence des LXX sur Jo. est très peu sensible, on conclurait plutôt à une influence araméenne.

M. Burney a recours à une argumentation plus précise, et cite les cas où, après une affirmation, une question est introduite par καί. Par exemple (III, 10) : Σὺ εἶ ὁ διδάσκαλος τοῦ Ἰσραὴλ καὶ ταῦτα οὐ γινώσκεις; et tout à fait de même dans II, 20; VIII, 57; IX, 34; XI, 8.

Or il est incontestable que cette tournure est hébraïque et tout aussi bien araméenne. Mais Burney a omis de citer XII, 34 : ἡμεῖς ἠκούσαμεν ἐκ τοῦ νόμου.... καὶ πῶς λέγεις συ...; Dans ce cas la tournure est parfaitement grecque, et ce passage nous donne la clef des autres. Le grec admettait très bien la phrase interrogative commençant par καί, cf. EUR. *Médée*, 1398 : κἄπειτ' ἔκανες; Dans ce cas le καί est souvent ironique, mais il a en somme le sens de « et cependant » qui est souvent le sien.

Burney (p. 66) a dressé une liste de καί qu'on doit traduire en anglais « *and yet*, ou « *but* », à rapprocher du *waw* adversatif. Mais presque tous ces cas exigent seulement « et cependant, *and yet* », ce qui n'a besoin d'aucune apologie. Le sens vraiment adversatif de « mais, *but*, » ne s'impose que pour I, 5, καὶ ἡ σκοτία αὐτὸ οὐ κατέλαβεν et XVII, 11 (non cité par Burney). Mais en grec on trouve aussi le sens pleinement adversatif, ordinairement avec οὐ (K.-G., II, p. 248), mais aussi sans οὐ : ὁρᾶτέ

propose de regarder les génitifs absolus comme étrangers à l'écrit fondamental. Mais il n'en compte que 11.

(1) On sait d'ailleurs que la règle n'était pas observée en toute rigueur : ἀποθνήσκοντος αὐτοῦ (*sc.* Κύρου) πάντες οἱ περὶ αὐτὸν φίλοι ἀπέθανον μαχόμενοι ὑπὲρ Κύρου (XÉN. *An.* I, 9, 31).

μ', ὅσπερ ἦν περίλεπτος βροτοῖς... καὶ μ' ἀφεῖλεθ' ἡ τύχη (Eur. *Her. f.* 509). Dans Jo. iv, 20, l'opposition est accentuée par ἡμῶν... ὑμεῖς.

Si au contraire le καί semble exprimer une conséquence « en suite de quoi », Σάββατόν ἐστιν, καὶ οὐκ ἔξεστίν σοι... (v, 10), cf. vi, 57, cet usage n'est pas non plus étranger au grec : « si deux angles d'un triangle sont égaux entre eux, il s'ensuit que (καί) les côtés opposés » etc. (*Eucl.* IV, 6, cité par *Bailly*). Le sens de « et alors » καὶ ἐλεύσονται οἱ Ῥωμαῖοι (xi, 48, cf. xiv, 16) est déjà dans Platon (*Phaed.* 59 *e*) : καὶ ἥκομεν καὶ ἡμῖν ἐξελθὼν ὁ θυρωρὸς εἶπε.

Ce dernier usage de καί n'est pas très éloigné de celui qui marque une relation ou un état. A propos de Mt. nous y avons vu un indice assez sérieux de traduction d'après l'araméen (1). Mais nous ne l'avons rencontré dans Jo. avec cette netteté que dans xv, 22. Il est vrai que Burney (p. 95) a cité comme exemples du καί de conséquence i, 39 ἔρχεσθε καὶ ὄψεσθε, xvi, 24 αἰτεῖτε καὶ λήμψεσθε, « venez afin de voir, demandez afin de recevoir », mais ces tournures signifient « venez et alors vous verrez », etc.

Ce qui serait plus significatif, c'est le καί qui indique la circonstance après un participe, le verbe fini remplaçant un second participe : τεθέαμαι τὸ πνεῦμα καταβαῖνον... καὶ ἔμεινεν ἐπ' αὐτόν (i, 32); cf. v, 44, tournure fréquente dans l'Apocalypse. Mais outre qu'elle est plutôt hébraïque qu'araméenne, elle se trouve aussi en grec (Thuc. i, 57) : ἔπρασσεν ἐς τε τὴν Λακεδαίμονα πέμπων... καὶ τοὺς Κορινθίους προσεποιεῖτο (K.-G. ii, p. 100).

Jusqu'à présent nous avons vu Jo. incliner très sensiblement vers l'asyndeton ou la parataxe. Un phénomène en apparence contraire est l'usage très fréquent de οὖν, 200 fois contre Mc. 6, Lc. 31, Mt. 57.

La différence est surtout énorme avec Mc., et, en effet, Lc. et Mt. ont ajouté des οὖν dans onze cas parallèles où il ne se trouve pas dans Mc. (2); Lc. supplée onze fois, Mt. ne le fait que dans quatre cas. Burney en déduit que οὖν a été introduit par le traducteur du Jo. araméen à la place de l'asyndeton ou d'un « et » araméen.

C'est une pure conjecture, et le syriaque étant souvent revenu au « et » comme suffisant, on ne voit pas pourquoi le traducteur s'en serait écarté. D'autant que Jo. emploie οὖν d'une façon très grecque pour revenir au thème principal après une parenthèse (3), par exemple : μετὰ δὲ τὰς δύο ἡμέρας.... ὅτε οὖν ἦλθεν (iv, 43-45); cf. vi, 24. On peut comparer Xén. *An.* I, 5, 14 ὁ δὲ Πρόξενος (ἔτυχε γὰρ ὕστερος...) εὐθὺς οὖν...

Dans ce cas, le sujet principal rentre en scène; le plus souvent il y

(1) *Comm. Mt.* xc, s.

(2) Abbott, *Jo. Gr.* p. 165 : les cas de Mc. sont : iv, 24.30; ix, 50; xii, 9; xii, 10. 20. 23. 37; xiii, 4; xiv, 61; xv, 9.

(3) *K.-G.* II, 2, 327.

entre. — οὖν, d'abord adverbe affirmatif, est devenu une conjonction syllogistique, semblable à *itaque*.

A la différence de ἄρα (*igitur*), c'est une conséquence qui vient des choses elles-mêmes. On comprend donc très bien que οὖν ait pu marquer l'évolution et l'enchaînement des faits.

L'usage exceptionnel qu'en fait Jo. vient probablement de sa manière de voir les choses surgir dans sa mémoire comme si elles sortaient l'une après l'autre (1). Il est tellement caractéristique qu'on n'en trouverait sans doute pas d'autre exemple. Mais il ne faut pas exagérer comme Abbott (2) la rareté de cet emploi dans les narrations. Seulement dans le *Martyrium Polycarpi,* aussi d'Asie, je citerai VII, 1.2; IX, 2; XIII, 1.3; XVI, 1; XVIII, 1.

M. Abbott a vu dans le οὖν johannique l'intention de ranger les actes et les paroles du Christ sous l'impulsion de la cause première. C'est plutôt un effet de son génie inductif et de sa manière populaire.

La particule qui indiquerait plutôt la cause, mais la cause finale, c'est ἵνα.

Cette particule est employée par Jo. 127 fois, Mt. 33; Lc. 40; Mc. 60. De plus Jo. a ἵνα μή 18 fois, Mc. 5; Mt 8; Lc. 8, — mais jamais μήποτε (3), qui est connu des Septante. Bien plus, dans la traduction d'Isaïe citée, il demeure dans Mt. XIII, 15 et dans Mc. IV, 12, tandis que Jo. XII, 40 le remplace par ἵνα μή.

Ce fait très caractéristique nous invite à considérer l'absence de μήποτε comme très réfléchie. Ce terme en effet suggère une sorte de possibilité, sinon de probabilité pour le cas contraire, comme si la cause finale ne dominait pas complètement : « de peur que » (par hasard, ou par hypothèse) est beaucoup moins fort que « afin que non ». En choisissant ἵνα μή et en évitant systématiquement μήποτε, Jo. a donc insisté sur la finalité, ce qui met dans un certain jour son emploi de ἵνα même seul.

D'autre part les cas où ἵνα n'indique pas la finalité sont particulièrement nombreux dans Jo. Nous croyons qu'on peut trouver cet emploi (métabatique), plus ou moins prononcé, dans I, 27; II, 25; IV, 34. 47; V, 7. 20. 36; VI, 7. 29. 30. 40; IX, 2. 22. 36; XI, 50. 53. 57; XII, 7. 10. 23; XIII, 1. 2. 29. 34; XIV, 16; XV, 12. 13. 16. 17; XVI, 2. 7. 30. 32; XVII, 3. 4. 15. 24; XVIII, 39; XIX, 31. 38., soit 41 cas, ce qui laisserait néanmoins subsister un grand nombre de cas où la finalité est acquise.

Si elle est très affaiblie ou remplacée par la notion de conséquence, c'est que ἵνα avec le subjonctif a souvent dans la *koinè* remplacé l'infinitif : on trouve ces cas dans Jo. beaucoup plus souvent que dans les

(1) Dans les Épîtres de Jo. seulement III Jo. 8; dans l'Apoc. 5 ou 6 fois.
(2) *Joh.-Gr.* p. 479.
(3) Ni dans l'Apocalypse.

synoptiques, par exemple Jo. I, 27 a mis ἵνα λύσω où Lc. III, 16 et même Mc. I, 7 ont λῦσαι. Dans Jo. XI, 50 on lit ἵνα ἀποθάνῃ quand Caïphe donne son avis, et ἀποθανεῖν dans XVIII, 14 en style indirect.

Cela posé, M. Burney argumente de deux façons : 1) l'usage si fréquent de ἵνα dans Mc. et surtout dans Jo. est un indice qu'ils pensaient en araméen. — Nous ne le nions pas, quoique cet indice soit assez faible. 2) l'usage de ἵνα représente dans certains cas un araméen דְּ relatif, au sens de « qui », « que », où l'on aurait un indice positif que le grec traduit un original araméen. — Les cas cités comme probants sont I, 8 (avec une ellipse); V, 7; VI, 30; VI, 50; IX, 36; XIV, 16. — Mais sans doute peut-on trouver dans I, 8 et VI, 50 un sens final. Il est assez remarquable que M. Gwilliam dans sa traduction de la *peschitta* en latin ait rendu par *ut* sauf pour V, 7. Que le syriaque ait ordinairement traduit דְּ, c'est qu'il n'avait guère d'autre ressource, et ce relatif peut aussi valoir pour *ut*. Et en effet le cas de V, 7 est assez saisissant : ἄνθρωπον οὐκ ἔχω, ἵνα ὅταν ταραχθῇ τὸ ὕδωρ βάλῃ με se traduirait très bien : « je n'ai pas d'homme qui me jette ». Mais rien n'empêche de traduire : « pour me jeter », et alors nous retombons dans l'usage ordinaire. Que ἵνα puisse être équivalent à un sens relatif, c'est ce qui ressort d'un cas de l'inscription d'Ancyre (1) où ἵνα ἐξ αὐτοῦ... δίδωνται rend le latin *ex quo... darentur*. Une traduction araméenne aurait mis *de*. A Ancyre aussi ἵνα représente *ut*, comme dans Jo. (2).

D'autres cas allégués par M. Burney ne sont pas plus décisifs. C'est lorsque ἵνα suit la venue de l'heure :

XII, 23 ἐλήλυθεν ἡ ὥρα ἵνα δοξασθῇ ὁ υἱὸς τ. α.; cf. XIII, 1; XVI, 2; XVI, 32.

A côté de ces cas on trouve ἔρχεται ὥρα ὅτε IV, 21. 23; V, 25; XVI, 25 et ἔρχεται ὥρα ἐν ᾗ, V, 28.

Tous ces cas répondraient au même araméen דְּ, mieux rendu par ὅτε que par ἵνα.

Il serait étonnant cependant que le traducteur prétendu n'ait pas eu son intention de marquer une nuance, d'autant que cette nuance a été sentie par la *peschitta*. Le cas de ὥρα ἐν ᾗ (V, 28) indique une prédiction formelle, et de même les cas avec ὅτε, tandis que ἵνα marque seulement l'orientation vers l'avenir de ce qui est à prévoir (3).

En somme la tournure ἔρχεται ὥρα se rattache à συμφέρει et autres locutions impersonnelles. Le seul cas difficile est celui de IX, 2, ἵνα τυφλὸς γεννηθῇ, parce que le verbe est au passé; on trouvera au *Comm.* un texte tout semblable d'Épictète (4).

(1) Chap. 17.
(2) Ch. 10, 14 (*bis*); dans 5 le latin manque.
(3) *Deb.* § 393, 3.
(4) C'est un contresens critique d'opiner avec Deb. § 390, 4 que le texte primitif

La tendance de Jean à exprimer fortement sa pensée se retrouve dans ce que M. Abbott a nommé une répétition par négation (1), et qui est plutôt une manifestation plus éclatante de la vérité par voie d'opposition. Tout l'évangile roule sur le contraste entre les ténèbres et la lumière : elle n'en ressort que mieux si elle a d'abord été qualifiée sous une forme négative.

Cette tournure est incontestablement dans l'esprit sémitique, et se retrouve dans les synoptiques (Mc. I, 44. 45; II, 17 (*bis*), etc.; Mt. V, 15. 17, etc.) mais beaucoup plus dans Jo., qui emploie οὐ presque aussi souvent que Mc. et Lc. ensemble, et ἀλλά 102 fois, tandis que Mt. 37; Mc. 45; Lc. 40 environ.

Elle se rattache naturellement au parallélisme antithétique et caractérise le début du psautier : μακάριος ἀνὴρ ὃς οὐκ... οὐκ... οὐκ... ἀλλά. Il est dans la nature des choses que la vérité mise en lumière suive la formule négative, et c'est de beaucoup le cas le plus fréquent dans Jo. I, 13; III, 16. 17; IV, 14; V, 24; V, 30; VI, 32. 38. 39; VII, 16. 28; VIII, 12. 16. 28. 42. 49. 55 (2); IX, 3. 31; X, 18; XI, 4. 52. Mais on rencontre aussi l'ordre descendant I, 8; III, 36; VI, 27; X, 1. 5. 33.

On trouve la même manière en grec; mais, avec leur goût pour la nuance, les Grecs atténuaient souvent l'opposition en l'exprimant soit par μέν et ἀλλά, soit même par μέν et δέ. Cette dernière opposition très mitigée ne se trouve dans Jo. que six ou sept fois (VII, 12 [douteux]; X, 41; XVI, 9. 22; XIX, 24. 32; XX, 30).

III. *Casus pendens.*

Wellhausen en reconnaît à peine deux ou trois dans Jo., Burney donne une liste de 27 cas. C'est que la définition n'est sans doute pas la même.

Burney entend par là un sujet (au nominatif) ou un objet (à un cas oblique), renforcé ensuite par un pronom, spécialement par un pronom démonstratif. A s'en tenir là, la tournure est parfaitement grecque, non sans une certaine insistance sur ce sujet et cet objet. Exemples des deux types (*K.-G.* II, 2, 660) : ὁ δέ μοι μάγος, τὸν Καμβύσης ἐπίτροπον τῶν οἰκίων ἀπέδεξε, οὗτος ταῦτα ἐνετείλατο (*Hér.* III, 63); avec l'objet en avant : πατρίους

portait l'infinitif remplacé ensuite par ἵνα. Ce sont plutôt les correcteurs ou les traducteurs qui auraient mis l'infinitif dans V, 36; XI, 31. 55; XII, 20. Dans la lettre des martyrs de Lyon (EUS. *H. E.* V, 1, 15) le texte de XVI, 2 a été adapté : ἐλεύσεται καιρὸς ἐν ᾧ πᾶς ὁ ἀποκτείνας ὑμᾶς δόξει λατρείαν προσφέρειν τῷ θεῷ, où la prévision par ἵνα devient une prédiction formelle, dans le style de V, 28.

(1) *Joh.-Gr.* p. 445.

(2) οὐκ ἐγνώκατε αὐτόν, ἐγὼ δὲ οἶδα αὐτόν (à la grecque) puis, pour insister : ἀλλὰ οἶδα κ. τ. λ.

παραδοχὰς ἅς θ' ὁμήλικας χρόνῳ κεκτήμεθ', οὐδεὶς αὐτὰ καταβαλεῖ λόγος (EUR. *Bacch.* 202). Dans Mc. VI, 16 et XIII, 11.

Or dans les cas de Jo. l'importance de la personne ou de la chose n'est pas moins mise en vedette : I, 18 (1) du logos; I, 33 de Dieu; III, 26 οὗτος de Jésus; V, 11 id.; V, 36 αὐτά, les œuvres; V, 37 de Dieu; VI, 46 οὗτος de Jésus; VII, 18 οὗτος de Jésus dans une proposition générale; X, 1 en mauvaise part, mais avec accent; X, 25 ταῦτα les œuvres; XII, 48 la parole de Jésus; XII, 49 αὐτός du Père; XIV, 21 de celui qui aime; XIV, 26 du Paraclet; XV, 5 οὗτος de celui qui demeure en Jésus.

Dans les cas qui débutent par un relatif repris à un cas oblique, l'emphase n'est guère moins signalée : I, 12; III, 32; V, 19. 38; VIII, 26; XIV, 13; XVIII, 11.

Il n'y a donc pas là d'indice d'une traduction, ni même emploi d'une tournure sémitique, mais bien ce que nous avons déjà constaté, emploi fréquent d'une tournure qui convient mieux aux Sémites à cause de leur manière plus énergique que variée.

Mais nous reconnaissons une tournure sémitique (2) dans les cas où le suffixe revient après le verbe, la phrase commençant par πᾶς. VI, 39 : ἵνα πᾶν ὃ δέδωκέν μοι μὴ ἀπολέσω ἐξ αὐτοῦ, XV, 2 : πᾶν κλῆμα... αἴρει αὐτό, καὶ πᾶν τὸ καρπὸν φέρον καθαίρει αὐτό; XVII, 2 : πᾶν ὃ δέδωκας αὐτῷ δώσῃ αὐτοῖς ζωὴν αἰώνιον, cf. VII, 38 : ὁ πιστεύων εἰς ἐμέ, ποταμοὶ ἐκ τῆς κοιλίας αὐτοῦ ῥεύσουσιν.

De même pour le cas où le relatif est repris à la fin de la phrase par un pronom démonstratif. Wellhausen (§ 3) n'en trouve aucune trace dans Jo., mais Torrey cite I, 27 οὗ... αὐτοῦ... XIII, 26, ᾧ... αὐτῷ; I, 33 ἐφ' ὅν... ἐπ' αὐτόν. Le dernier exemple est le meilleur. Encore faut-il noter que le grec s'en accommode très bien : ἣν γὰρ κατ' οἴκους ἔλιφ', ὅτ' ἐς Τροίαν ἔπλει παρθένον... ταύτῃ γέγηθε (EUR. *Or.* 64).

Prolepse. — C'est encore pour accentuer davantage le sujet d'une phrase secondaire qu'on le fait figurer dans la phrase principale comme accusatif. Les Grecs ont connu cette prolepse : XÉN. *Comm.*, IV, 2, 33 τὸν Δαίδαλον οὐκ ἀκήκοας ὅτι... ἠναγκάζετο ἐκείνῳ δουλεύειν. Il n'y a donc pas lieu d'évoquer avec Wellhausen le paradigme : *vidit lucem quod bona erat.* Cependant, tandis que dans le grec la phrase dépendante commence de bien des façons : ὅτι, ὡς, ὅστις, ὅσος, etc. la tournure johannique, comme celle des synoptiques, a quelque chose de stéréotypé : IV, 35 : θεάσασθε τὰς χώρας ὅτι λευκαί εἰσιν, cf. V, 42; IX, 8; XI, 31.

IV. *Parties du discours.*

1. *Le verbe.* — Jo. n'emploie qu'une fois le passif avec ὑπό et le génitif pour désigner le sujet (XIV, 21). Mais il emploie volontiers le passif pour

(1) ἐκεῖνος, toutes les fois qu'un autre pronom n'est pas désigné.
(2) Cf. *Comm. Mt.* XCVII ss.

certains verbes qui impliquent l'action de Dieu, comme δοξάζω, 10 fois, et à l'actif 11 fois; πληρόω 14 fois pour 1 actif; τελειόω 3 fois, act. 2; φανερόω passif 4, act. 5.

Comme ailleurs il n'est pas toujours aisé de distinguer le sens proprement passif du sens réfléchi, même aux formes purement passives. Le sens réfléchi nous paraît certain dans xxi, 14, plus probable dans viii, 59, xii, 36, où l'on pourrait croire pour ἐκρύβη à une action mystérieuse de Dieu, comme dans ce que nous avons appelé les passifs apocalyptiques (1). Parmi ces derniers il faut compter ἐβλήθη (xv, 6).

L'araméen emploie volontiers la troisième personne du pluriel impersonnel au lieu du passif (2). Cette tournure ne se trouve guère dans Jo. que xv, 6 καὶ συνάγουσιν αὐτὰ καὶ εἰς τὸ πῦρ βάλλουσιν, d'agents mystérieux comme dans Lc. xii, 20 et Daniel iv, 22.

La distinction des temps est ordinairement très bien observée.

L'aoriste pour le futur (xv, 8) s'explique par la théologie, plutôt que par la grammaire. Le parfait est suivi de l'aoriste dans Jo. iii, 32, cf. *Comm.* Les parfaits avec πώποτε (i, 18; v, 37; viii, 33) n'équivalent pas à des aoristes (3). Au contraire ἔσχες (iv, 18) peut s'entendre dans son sens initial d'aoriste. S'il y a quelque doute sur la distinction, c'est surtout à propos de δέδωκα et de ἔδωκα, et la leçon est parfois difficile à choisir, par exemple xvii, 8. 24.

Jo. emploie les imparfaits (167 fois) plus que Mt. (94), mais moins que Lc. (259) et que Mc. (228). Il n'y a rien à en conclure.

Mais M. Burney (p. 87) a vu un indice d'aramaïsme dans l'emploi fréquent du présent historique (164 fois; Lc. 5 à 6; Mt. 78 + 15 fois dans les paraboles, Mc. 151 fois), plus fréquent même que dans Mc. C'est bien un indice du décousu araméen, car le présent historique n'est nullement dans Jo. un effort pour rendre la narration plus vivante. En effet sur 164 cas, il y en a 120 pour λέγει ou λέγουσιν (pour 72 dans Mc.), et 13 pour ἔρχεται (ou le pluriel). Mais ce n'est point la preuve que Jo. ait été traduit de l'araméen pas plus que Mc. Sur 99 cas cités par M. Burney et où, d'après lui, l'araméen devait conduire à un présent historique, Théodotion n'a pris ce parti que 6 fois (4)!

On ne peut même pas regarder comme un sémitisme sous-jacent le présent pour le futur (*futurum instans*), particulièrement fréquent avec ἔρχομαι, car en grec il n'est pas rare que le présent des verbes au sens d' « aller », comme ἔρχομαι, πορεύομαι soit employé dans le sens du futur (5).

(1) *Le messianisme...*, p. 43.
(2) Dan. iv, 22, où les LXX ont suppléé comme sujet Dieu et ses anges (iv, 21).
(3) Moulton, *Prol.*, p. 144.
(4) Cf. *Comm. Mc.*, LXXXV.
(5) *K.-G.* II, 1, 139.

2. *Le pronom.* — La langue hellénistique a eu peu de penchant à préférer l'adjectif possessif au génitif du pronom. Cependant M. Thumb a remarqué cet usage dans certains dialectes grecs modernes de la Cappadoce et du Pont (1). De ce point de vue, il est intéressant de constater que Jo. emploie ἐμός 41 fois. Si l'on ajoute un cas dans l'Apoc. et un cas dans III Jo., il n'y en a plus que 34 dans le reste du N. T. Il a paru à M. Paul Regard que cette coïncidence était confirmée par le texte grec d'Ancyre qui emploie 44 fois ἐμός et ἡμέτερος (2) et μου et ἡμῶν seulement 11 fois. Mais en présence du latin qui emploie normalement l'adjectif possessif, ces 11 cas sont encore à noter.

Il est d'ailleurs bien difficile de trouver une raison spéciale dans Jo. pour l'emploi de ὁ ἐμός. Abbott (3) y voit une emphase spéciale; mais où est la distinction entre xv, 9 et 10, à moins que μου dans le second cas ne prépare la rentrée de ἐγώ? Ce serait donc plutôt que ὁ ἐμός attire l'attention sur l'objet plus que sur l'appartenance, et μου davantage sur la personne du propriétaire?

Au surplus Jo. n'emploie pas ἡμέτερος. S'il a σός 6 fois, il est 4 fois dans Lc., 2 dans Mc., 8 dans Mt. — ὑμέτερος 3 fois dans Jo. et une fois ou deux dans Lc., ni dans Mc. ni dans Mt.

Comme dans la *koinè* ἴδιος remplace ἑαυτοῦ, mais le plus souvent avec une nuance au sens de « propre » qui peut être assez accentuée comme dans I, 11; I, 41; v, 18, etc.

On ne trouve pas εἷς pour τίς, ce que les autres synoptiques même Lc. ne se refusent pas.

Wellhausen ajoute qu'on ne trouve pas non plus ἄνθρωπος pour τις. Burney cite III, 1. 4. 27; v, 7; VII, 23. 46. 51, ce qui représente pour lui אנש araméen au sens indéfini. Le cas le plus frappant est v, 7. D'ailleurs ἄνθρωπος pour dire « quelqu'un, un tel » se trouve en grec : οὐδὲν γὰρ διαφέρει τὸ ἄνθρωπος ὑγιαίνων ἐστὶν ἢ τὸ ἄνθρωπος ὑγιαίνει (ARISTOTE, *Mét.* IV, 7).

Une autre manière bien sémitique de remplacer le pronom pour indiquer un sujet indéterminé (ou un objet) est l'emploi du génitif partitif avec ἐξ. Exemples du sujet : VII, 40 ἐκ τοῦ ὄχλου οὖν ἀκούσαντες... ἔλεγον, XVI, 17 εἶπον ἐκ τῶν μαθητῶν.

Exemple de l'objet : III, 25 ἐγένετο ζήτησις ἐκ τῶν μαθητῶν Ἰωάννου, où il faut suppléer τισίν ἐκ τῶν ou ἑνί (*Deb.* § 164). Cette tournure se trouve en hébreu (II Sam. XI, 17) et n'a pas été évitée par les LXX : καὶ ἔπεσαν ἐκ τοῦ λαοῦ ἐκ τῶν δούλων Δαυείδ, pour le régime II Chron. XXI, 4, en grec ἀπέκτεινεν... ἀπὸ (et non ἐκ) τῶν ἀρχόντων, cf. Gen. XXX, 14. Pour l'araméen Dan. II, 41, en grec μέρος μέν τι... μέρος δέ τι rend מנהון.

(1) Dans MOULTON, *Prol.* p. 40 s.
(2) *Revue des études anciennes*, 1924, p. 150.
(3) *Joh.-Gr.* p. 65 ss.

Debrunner admet un usage sporadique de cette tournure en grec : les deux seuls exemples qu'il cite (1) sont loin de l'établir.

Même couleur sémitique pour πᾶς... οὐ (μή), dans Jo. VI, 39 ἵνα πᾶν ὃ δέδωκέν μοι μὴ ἀπολέσω ἐξ αὐτοῦ, et XII, 46 ἵνα πᾶς ὁ πιστεύων εἰς ἐμὲ ἐν τῇ σκοτίᾳ μὴ μείνῃ. On peut citer encore III, 16 ἵνα πᾶς ὁ πιστεύων εἰς αὐτὸν μὴ ἀπόληται, que Deb. (§ 302,1) juge plus excusable parce que πᾶς porte sur l'opposition qui suit ἀλλ' ἔχῃ ζωὴν αἰώνιον.

Le premier exemple est plus incontestablement sémitique à cause du retour du pronom; il est, comme le suivant, tiré d'un discours de Jésus.

L'emploi des adjectifs possessifs ne signifie pas que Jo. évitait les pronoms. Au contraire il a multiplié ἐγώ, ἡμεῖς, σύ, ὑμεῖς. D'après Burney (p. 79) ces quatre formes se trouvent dans Mc. 41 fois, dans Lc. 80, dans Mt. 92, mais dans Jo. 307 fois!

La part faite du soin que Jo. met à distinguer les principaux personnages par une opposition marquée, il resterait encore un grand nombre de cas qui ressortiraient à l'araméen. Cette langue, comme l'hébreu, emploie souvent le pronom avec le participe : le grec ne pouvant reproduire cette tournure aurait du moins conservé le pronom en mettant le participe à un temps fini. C'est ce qu'ont fait les traducteurs grecs de l'A. T.

L'argument est ingénieux, mais il est bien difficile de signaler des cas où le pronom n'a pas une certaine importance voulue : on peut dire qu'elle est toujours dans le ton de l'évangile; cf. X, 17. 27. 28 pris au hasard parmi les exemples où Burney ne voit pas d'emphase spéciale. D'ailleurs en grec aussi on écrit assez souvent le pronom sans qu'on en voie la raison : ὡς ἡμεῖς ἠκούσαμεν (Xén. *An.* V, 5, 8) (2).

Le même critique note comme indice spécial de traduction araméenne σύ tout à la fin (I, 21; XVIII, 37; XIX, 9; IV, 19; VIII, 48) ou avant le verbe (σὺ εἶ I, 42. 49; III, 10; VII, 52) comme l'araméen qui peut placer le pronom avant ou après le prédicat. Mais outre que dans ces cas l'araméen n'a pas à traduire le verbe, le grec connaît les deux modes. Le pronom précède ordinairement, mais σύ qui se trouve à la fin dans les dialogues de Jo. est amplement justifié par Ménandre, *Heros* 6 ὦ πονηρὲ σύ, *Discept.* 324 οὐ γὰρ οἶσθα σύ; *Soph. OR.* 1122 Λαΐου ποτ' ἦσθα σύ;

La même préoccupation de souligner la valeur de certaines personnes explique encore la fréquence de ἐκεῖνος, 52 fois, Mt. 4; Mc. 3; Lc. 4.

Sur ce nombre, 11 cas sont pour Jésus : I, 18; II, 21; III, 28. 30; V, 11; VII, 11; IX, 12. 28. 37; XIX, 21. 35 (du moins d'après nous); puis pour Dieu, l'Esprit, la Parole de Jésus : I, 33; V, 19. 38; VI, 29; VIII, 42; XII,

(1) Xén. *An.* III, 5,16; *Hell.* IV, 2,20.
(2) *K.-G.* II, 1, p. 556.

48; XIV, 26; XV, 26; XVI, 8. 13. 14; pour Jean-Baptiste, I, 8; V, 35. 37; pour Moïse V, 46. 47. soit plus de la moitié pour les personnes du premier rang (1).

3. *L'article.* — Il est ordinairement omis devant Ἰησοῦς, tandis que les synoptiques le mettent plus volontiers : d'ailleurs les mss. diffèrent beaucoup.

On ne voit dans Jo. aucun cas positif de l'état construit, lequel interdit absolument pour un sémite que le *nomen regens* soit déterminé, comme dans Lc. I, 69 ἐν οἴκῳ Δαυὶδ παιδὸς αὐτοῦ, etc. On sait d'ailleurs qu'en grec l'article est omis lorsqu'un substantif abstrait est suivi d'un génitif qui lui sert d'attribut (2). L'expression ἀνάστασις ζωῆς ou κρίσεως est quelque chose de semblable; cf. ἀνάστασις νεκρῶν (Act. XVII, 32; XXIII, 6); de même ῥήματα ζωῆς αἰωνίου (VI, 68), φῶς τοῦ κόσμου (IX, 5). Mais πηγὴ τοῦ Ἰακώϐ doit être la traduction littérale de *'Aïn Ia'qob,* nom propre d'une source.

J'aurais souhaité rencontrer quelque explication sur la manière de traduire ὁ πατήρ ou ὁ υἱός. C'est une règle élémentaire qu'en grec l'article remplace le pronom possessif quand il n'y a aucune ambiguïté, soit sur le sujet ἡ μήτηρ εἶπέ μοι, « *ma* mère m'a dit »; soit sur le régime : οἱ γονεῖς στέργουσι τὰ τέκνα, « les parents aiment *leurs* enfants ». Il semble donc que ὁ πατὴρ ἀγαπᾷ τὸν υἱόν (III, 35) devrait se traduire : « le père aime *son* fils », et καθὼς γινώσκει με ὁ πατὴρ κἀγὼ γινώσκω τὸν πατέρα (X, 15) : « comme *mon* père me connaît, moi aussi je connais *mon* père », cf. V, 36. 37, etc. Cependant Jo. dit très souvent ὁ πατήρ μου. Il avait donc une intention en omettant ou en exprimant le pronom possessif? On peut le présumer, et il ne faut pas se risquer à altérer le moins du monde sa pensée lorsqu'il s'agit des deux personnes divines; nous traduisons donc toujours l'article par l'article. Il n'y a pas lieu de suppléer *son* dans I, 14 où le rapport est plus général, du moins dans l'expression.

4. *Prépositions.* — εἰς pour ἐν, assez fréquent chez les synoptiques, se trouve peut-être dans XX, 7 et I, 18 (cf. XIII, 23) à moins que Jo. n'ait voulu mettre une différence entre les choses divines et les choses humaines.

Il ne semble pas que ἐν soit employé au sens sémitique de בּ, si ce n'est peut-être dans ἀγαλλιαθῆναι... ἐν (V, 35).

5. *Adverbes.* — Ἑϐραϊστί, ῥωμαϊστί, Ἑλληνιστί dans Jo. XIX, 20 pourraient être l'indice d'une traduction de l'araméen, car dans Lc. XXIII, 38 où le texte reçu a ajouté γράμμασιν ἑλληνικοῖς (καὶ) ῥωμαϊκοῖς (καὶ) ἑϐραϊκοῖς, la peschitta est revenue aux formes adverbiales, plus habituelles en araméen

(1) Cf. sur XIX, 35 pour l'usage des Pythagoriciens de nommer leur Maître simplement ἐκεῖνος.

(2) *K.-G.* III, 1, 607, τέρμα τοῦ βίου, etc.

qu'en grec. Mais dans v, 2 l'explication ἡ ἐπιλεγομένη Ἑβραϊστί ne saurait être une traduction.

B. — Le vocabulaire.

Le vocabulaire de Jo. diffère beaucoup de celui des synoptiques. Dans son *Johannine vocabulary,* M. Abbott a dressé des tables qui montrent ce qui est propre à Jo. et ce qu'il a de commun avec chacun des autres évangélistes. Son vocabulaire est le plus pauvre de tous. Il a peu de verbes composés, peu d'adjectifs, peu de termes concrets, mais en revanche plus de termes abstraits, quoique le nombre en soit restreint. Selon la méthode que nous avons adoptée pour la grammaire, nous citerons seulement les mots qui attestent le plus une accointance avec le milieu des Juifs palestiniens, et quelques expressions sémitiques.

a) *Mots :* ἀγαλλιάω (Septante). ἁγιάζω, αἰών, αἰώνιος, ἁμαρτία, ἀναβαίνω (pour aller aux fêtes), ἀνίστημι (ressusciter), ἀποσυνάγωγος, ἄρχων (τοῦ κόσμου), βασιλεία (τοῦ θεοῦ), γραφή, θάλασσα (du lac de Tibériade), ἱερόν, μέρος (XIII, 8), νόμος, ὄνομα (à propos de Dieu), πατήρ (Jacob IV, 12; Abraham, VIII, 58; les patriarches VII, 22), ποτήριον, σημεῖον, συναγωγή, τέρατα, τόπος (XI, 48), φωνή (III, 8), ψυχή (XII, 25).

b) *Expressions.* — γεγραμμένον (καθώς ἐστι VI, 31, etc.), εἰρήνη ὑμῖν (XX, 19. 21. 26), εἰσελεύσεται καὶ ἐξελεύσεται (X, 9), ἡμέρα (ἡ ἐσχάτη VI, 39 etc.), ὀπίσω (ἀπέρχομαι XII, 19), πέραν τοῦ Ἰορδάνου (I, 28), σάββατα (τῇ μιᾷ τῶν σαββάτων XX, 1), τηρέω τὰς ἐντολάς (XIV, 15. 21; XV, 10), τί ἐμοὶ καὶ σοί (II, 4), τίθημι τὴν ψυχήν (X, 11) ὁ υἱὸς τῆς ἀπωλείας (XVII, 12).

c) Ce qui est plus caractéristique encore, ce sont les noms hébreux ou araméens que Jo. a conservés tels quels et dont quelques-uns ont été expliqués par lui. Nous les citons ici, quoique certains d'entre eux reviennent ailleurs : ῥαββί (I, 38 et sept autres fois), ῥαββουνί (XX, 16 cf. Mc. X, 51), Μεσσίας (I, 41; IV, 25), Κηφᾶς (I, 42), μάννα (VI, 31. 49), ἀμήν, qu'il est seul à répéter, ὡσαννά (XII, 13): Σιλωάμ (IX, 7), Θωμᾶς (XI, 16; XX, 24), Γαββαθά (XIX, 13), Γολγοθά (XIX, 17). Ἰσκαριώτης a été remplacé (VI, 71) par ὁ ἀπὸ Καρυώτου, ce qui serait une explication très plausible du nom donné au traître. Le nom « hébreu » de la piscine n'est pas expliqué (V, 1).

d) On peut aussi noter avec Zahn (p. 27) que Jo. a employé en grec des mots qui ont été transcrits en lettres sémitiques dans les écrits rabbiniques, comme παράκλητος, παρρησία (9 fois et seulement encore dans Mc. VIII, 32 pour les évangiles), φανός.

Mots latins : φραγέλλιον, σουδάριον (Lc. XIX, 20; Act. XIX, 12 † N. T.), πραιτώριον (Mt. Mc. Act. Phil.).

Conclusion relativement à la langue.

Denys d'Alexandrie a écrit de l'auteur du quatrième évangile : « Il n'a pas seulement écrit en grec sans faire de faute, mais de la façon la plus judicieuse quant aux termes, aux raisonnements, à l'arrangement de l'élocution; tant s'en faut qu'il s'y rencontre une expression barbare ou un solécisme, ou même un idiotisme (1). »

Si par ἰδιωτισμός Denys entendait, comme c'est le plus naturel dans le cas, l'empreinte laissée dans l'esprit par une formation sémitique juive, il a exagéré, car cette empreinte se reconnaît, moins cependant que dans Marc, car, à côté de tous les indices positifs d'aramaïsme que nous avons concédés à M. Burney, il faut aussi mettre dans la balance ceux qui n'y sont pas, comme καὶ ἐγένετο, καὶ ἰδού, ἤρξατο (2) au sens vague, aller et faire, εἷς pour τίς, l'absence d'article à l'état construit, la construction périphrastique, etc. On n'ose insister sur le schématisme de Mc. qui est sûrement un résultat de la catéchèse.

Dans cette situation assez embarrassante pour le critique, il faut d'abord dégager ce qui est certain.

Jean ne dépend pas de la catéchèse dans sa langue pas plus que dans son style et dans le choix de ses thèmes. Il n'a pas cherché à imiter les Septante, dont l'autorité paraît s'être imposée même à Luc, plus lettré que lui.

Il n'a pas les termes concrets de Mc. qui faisaient si bien voir les choses : la position de Jésus dans la barque, le traitement barbare infligé au possédé, les crises du jeune épileptique, etc.

Il faut accorder, je crois, qu'il est moins populaire. Est-ce à dire qu'il ait la moindre prétention, qu'il se pique de réaliser des effets littéraires? Nous ne les rencontrons pas plus dans sa langue que dans son style. Il n'a pas recours aux verbes composés, plus nuancés, plus expressifs, plus précis. Il n'use pas d'adjectifs pour donner du pittoresque à son discours. Il ne vise pas à balancer ses périodes, se contentant au contraire de les mettre bout à bout, avec ou même sans copule (*parataxe* et *asyndeton*). Au lieu de varier ses tournures et ses mots, il se répète, se contentant de faire valoir ses affirmations sous une double forme, négative puis positive.

Son procédé est donc tout à fait simple et direct, et si l'effet produi est saisissant, c'est que les choses, simplement présentées, faits et doctrine, ont d'abord ému l'âme de l'auteur. Son sérieux exclut la recherche, et la qualification de Pédanterie (3) imaginée par Wellhausen

(1) Eus. *H. E.* VII, 25, 25.
(2) Sauf XIII, 5 où il est justifié.
(3) P. 146, en français, de sorte que le sens est peut-être différent.

est injuste jusqu'à n'être qu'un contresens. Le pédant est l'homme qui cherche ses mots dans les livres, et y recueille pour s'en servir les tournures qui ont fait quelque effet sur son âme frivole. Les mots de Jean s'imposaient à son choix : il a pris les premiers venus, les plus simples; et ses répétitions, ses reprises, prouvent qu'il n'était pas résolu d'avance à se hausser au sublime par un choix de vocables pompeux et de combinaisons alambiquées. Le pédant n'est pas celui que pensait Wellhausen.

Mais si Jean a plus de gravité que d'aisance, plus de force que de souplesse, plus de puissance par l'affirmation ou les contrastes que par l'emploi de la dialectique, s'il ne poursuit pas la persuasion par l'enveloppement des tours variés, ne sont-ce pas là les indices d'un tempérament sémitique? Ce point nous paraît tout à fait établi par l'examen qui précède (1). Et comme les Septante n'ont pas exercé sur l'auteur une action spéciale, on ne peut songer comme pour Luc à un gentil qui se serait pénétré de l'esprit et des façons de parler des Juifs en lisant la Bible grecque ou en utilisant la première catéchèse de Jérusalem. Jean était donc lui-même juif et selon toute vraisemblance palestinien. C'est aussi la conclusion à laquelle est arrivé M. Schlatter (2).

On peut avoir la même origine que Marc sans être juif palestinien de la même façon. La tradition de Mc. est celle des anciens récits de la Genèse et des Rois; Jean en a conservé le charme, mais il inaugure dans le christianisme une manière nouvelle, qui n'est pas, grâce à Dieu, celle de la Michna, mais qui se rencontre avec elle sur certaines expressions.

Faut-il aller plus loin, et voir dans notre quatrième évangile une traduction de l'araméen? Rien ne nous y oblige, et la tradition ne nous y invite pas. On peut seulement dire que cette hypothèse expliquerait bien les deux caractères de l'évangile : la tournure d'esprit d'un juif palestinien, et cependant une connaissance très suffisante de la langue grecque. Un auteur original, sachant aussi bien le grec, ne serait-il pas entré davantage dans la manière grecque, surtout quant à l'emploi des verbes composés et des particules, étant donné qu'il n'était pas lié par l'usage de la catéchèse? Ne faut-il pas retenir de l'argument de Denys d'Alexandrie que l'auteur de l'Apocalypse n'a pu écrire un grec aussi satisfaisant que celui du quatrième évangile? Manifestement ce n'est pas en quelques années qu'un homme fort âgé, ayant écrit dans la langue de l'Apocalypse, a pu apprendre le grec de façon à écrire le quatrième évangile. Il faut donc opter entre l'hypothèse d'un secrétaire ou celle

(1) Nous aimons à citer le dernier jugement du regretté Moulton : Le grec n'était pas la langue maternelle de l'auteur de l'évangile et des épîtres : *We infer this from the excessive simplicity of the style and its poverty of idiom, not from any grammatical aberrations* (*A Grammar of New Test. Greek,* II, p. 33).

(2) *Die Sprache und Heimat des vierten Evangelisten,* p. 278 ss.

d'un traducteur. — A moins qu'on ne se décide à placer l'Apocalypse sous Néron!

Quant à attribuer les deux ouvrages à deux auteurs différents, le P. Allo a bien montré que ce serait méconnaître à la fois le témoignage de la tradition et celui des écrits eux-mêmes. Or cette démonstration ne serait pas moins efficace, elle serait même plus aisée, si le quatrième évangile avait été écrit par Jean en araméen.

Cependant nous ne pouvons nous résoudre à accepter cette solution qui ne tient pas assez de compte d'une certaine fluidité de l'évangile, d'une grâce des alliances de mots, d'une précision des termes qui semblent exclure l'intermédiaire d'une traduction : en lisant Jean on boit à à la source.

Mais rien n'empêche que Jean, dictant son évangile à un secrétaire très avisé, ne lui ait laissé une certaine liberté dans le choix des formes. de façon à ménager la grammaire sans rien enlever au caractère particulier du style.

§ 7. — *Les citations de l'Ancien Testament.*

Il y a dans Jean vingt allusions positives à l'Écriture. Elles se trouvent dans I, 23; I, 51; II, 17; VI, 31; VI, 45; VII, 38; VII, 42; VIII, 17; X, 34; XII, 13; XII, 14 s.; XII, 34; XII, 38; XII, 39 s.; XIII, 18; XV, 25; XIX, 24; XIX, 28 s.; XIX, 36; XIX, 37.

Le commentaire indique leur relation avec le texte hébreu et avec les Septante. Il en ressort que si Jo. suit ordinairement les LXX, il sait recourir à l'hébreu, lorsque son texte répond seul à l'usage qu'il entend faire de l'Écriture, en particulier pour montrer comment elle a été accomplie. Voir par exemple VI, 31; XII, 14 s.; XII, 39 s.; XIII, 18; XIX, 37.

Rien n'indique que les passages cités appartiennent à deux auteurs différents (1), ou qu'ils aient été corrigés après coup (2). Il faut donc reconnaître que l'auteur était un juif palestinien qui connaissait la bible hébraïque aussi bien que les Septante, et qui savait en faire l'usage le plus judicieux.

§ 8. — *L'unité d'auteur.*

En principe cette question domine toutes les autres, même celle de l'authenticité. Elle ne pourrait cependant être traitée avant l'examen du

(1) Sur l'opinion de M. Faure dans : *Die alttestamentlichen Zitate im 4. Evangelium und die Quellenscheidungshypothese,* dans la *ZnW,* 1922, p. 90-121, cf. *RB.* 1924, p. 339 ss.

(2) Torrey n'a pas encore développé son opinion singulière que dans les quatre évangiles, tous composés en araméen, les textes de l'A. T. étaient cités en hébreu (article cité, de *Harvard theol. Rev.* 1923, p. 327).

style et de la langue, et elle se trouve résolue par leur parfaite unité, qui ne permet d'admettre ni plusieurs sources, ni une série de compléments. L'ouvrage est écrit d'un seul jet, sans aucun élément étranger, sauf ce qui sera dit de la péricope de la femme adultère (vii, 53-viii, 11) et de l'ange de la piscine (v, 4), où la tradition manuscrite ne rend pas le même témoignage à l'unité.

Ce n'est pas que la disposition de certains faits ne crée de graves difficultés. Ainsi vii, 21 a paru trop éloigné pour le temps du miracle de la piscine (v, 1 ss.); xiv, 31 semblerait devoir être suivi de xviii, 1; l'interrogatoire chez Anne n'a-t-il pas eu lieu en réalité chez Caïphe, ce qui serait clair si l'on plaçait xviii, 24 après xviii, 14? La place de la conclusion xx, 30-31 a donné à penser bien à tort, que le ch. xxi était d'une autre main.

Il semble même qu'il faille admettre une interversion très considérable, celle qui consisterait à placer le chap. vi avant le chap. v. Cette idée m'a été suggérée par le R. P. Olivieri, de l'ordre de Saint-Benoît. Il est évident que le chap. vi suit beaucoup plus simplement le chap. iv que le chap. v, car à la fin de iv on est en Galilée. De même le chap. vii se soude très bien au chap. v, et l'on comprend ainsi les allusions qu'il contient au miracle de la piscine, qui serait assez rapproché. Enfin, d'après Mt. et Mc., la multiplication des pains a lieu aussitôt après la mort du Baptiste, que Jo. suppose déjà mort au ch. v, 35, à ce qu'il semble depuis un certain temps. La conjecture du R. P. Olivieri est donc des plus heureuses : je n'ai pas osé cependant introduire dans le texte une nouvelle disposition.

Il doit y avoir eu en effet dans Jo., comme dans les autres écrivains, des accidents de copistes, des manipulations de réviseurs, des retouches de l'auteur ou même des négligences dans la composition. Ces faits seront discutés dans le Commentaire.

Mais si, depuis le xxe siècle, il est éclos de nombreux systèmes pour expliquer comment le quatrième évangile est un ouvrage composite, l'accueil fait à chacun d'eux n'a pas répondu à l'assurance avec laquelle ils ont été proposés. On n'a même pas essayé de poser des critères qui permissent la discussion. Il nous a donc paru superflu de rien ajouter à ce que nous avons déjà dit (1) de ces conjectures en l'air.

(1) *RB*. 1924, p. 321-342.

CHAPITRE III

CRITIQUE HISTORIQUE.

La critique historique peut s'exercer à propos de la question johannique de deux façons : en contrôlant l'intention historique de l'auteur par la vraisemblance des faits; en examinant les difficultés qu'il y a à les concilier avec ceux qui figurent dans les trois évangiles synoptiques (1). Il va sans dire que nous n'avons pas ici à traiter des objections que l'on fait au surnaturel.

§ 1er. — *L'intention historique de l'auteur et la vraisemblance des faits.*

L'intention réaliste d'un auteur est parfois son secret. Mais quand il affirme des faits comme témoin oculaire, son intention générale n'est pas douteuse et nous avons déjà vu que c'est bien un évangile qu'il a voulu écrire. Pour juger de la façon dont il a réalisé son dessein, il y a lieu de la mettre en contact avec les réalités, telles que nous les connaissons, de la géographie, de la chronologie, du milieu historique. On constate ainsi en même temps l'intention historique et la vraisemblance des données.

I. — GÉOGRAPHIE ET TOPOGRAPHIE.

Pour préciser la situation de Jo. par rapport aux synoptiques, quelques listes sont nécessaires. Elle ne comprennent pas les noms de l'A. T. qui ne sont pas cités comme actuels, Gomorrhe, Sarepta, etc.

a. — *Noms qui se trouvent dans Jo. et dans un ou plusieurs des trois synoptiques :*

Ἀριμαθαία les 4.

Βηθανία près de Jérusalem, les 4, mais Jo. seul donne la distance exacte (XI, 18).

Βηθλεέμ Mt. et Lc., dans Jo. seulement pour l'origine juridique du Messie (VII, 42).

Βηθσαιδά, les 4, dans Jo. seulement à propos de Philippe (I, 45; XII, 21).

(1) Ce qui regarde les discours se rattache au chapitre suivant sur la théologie johannique.

γαζοφυλάκιον dans Mc. XII, 41 et Lc. XXI, 1, un tronc pour les aumônes, dans Jo. VIII, 20 une chambre du temple.

Γαλιλαία et Γαλιλαῖος les 4.

Γολγοθά Mt. Mc., Jo. (XIX, 17) explique que c'est « hébreu ».

ἔρημος (ἡ) le désert de Juda, les 4.

θάλασσα avec Mt. et Mc. pour le lac de Tibériade.

Ἱεροσόλυμα les 4, jamais Ἰερουσαλήμ fréquent dans Lc., et dans Mt. XXIII, 37.

Ἱεροσολυμεῖται Mc. I, 5; Jo. VII, 25.

Ἰορδάνης les 4, mais dans Jo. n'est pas nommé comme lieu de baptême.

Ἰουδαία les 4, mais seulement dans son sens strict comme Mc., tandis que Lc. (I, 5; IV, 44) lui donne un sens très large, et que Mt. l'entend d'une partie de la Pérée (XIX, 1), *contra* Jo. XI, 7.

Ἰουδαῖος les 4, mais Mt. et Lc. 5 fois, Mc. 6 fois et Jo. 71 fois.

Ἰσκαριώτης les 4, mais dans les 3 de Juda le traître, dans Jo. deux ou trois fois sur cinq de Simon, son père (VI, 71; XIII, 2(?). 26), qui lui aura transmis ce surnom.

Ἰσραήλ les 4.

Καφαρναούμ les 4.

Μαγδαληνή les 4.

Ναζαρέτ, les 4; Jo. n'a pas Ναζαρά.

Ναζωραῖος Mt. Lc.

Σαμαρία Lc.

Σαμαρείτης Mt. Lc.

Σιλωάμ la tour dans Lc. XIII, 4; la piscine dans Jo, IX, 7. 11.

Cette liste se comprend assez; c'est le fond commun de la tradition : le plus souvent elle est notée par les quatre évangélistes. On remarquera cependant la précision particulière de Jo. pour Βηθανία, Ἰουδαία, Ἰσκαριώτης. Le γαζοφυλάκιον devient un nom d'endroit, presque un nom propre. Jo. ne marche seul avec Lc. que pour Σαμαρία. Pour Σιλωάμ l'objet est entièrement différent, quoique dans le même lieu.

b. — *Noms qu'on trouve dans les synoptiques, mais non pas dans Jo.*

Ἀβιληνή Lc. III, 1.

Αἴγυπτος Mt. II, 13. 14. 15. 19.

Ἀγρὸς αἵματος Mt. XXVII, 8.

Ἀνατολή (?) Mt. II, 1. 2. 9.

Βηθφαγή les 3.

Γαδαρηνός ou Γερασηνός ou Γεργεσηνός les 3.

Γεθσημανεί Mt. Mc.

Γεννησαρέτ les 3.

Δαλμανουθά Mc.

Δεκάπολις Mt. Mc.
Ἐλαίων Lc. xix, 29; xxi, 37 (si l'on admet cette orthographe).
ἐλαιῶν (τὸ ὄρος τῶν) Mt. Mc. Lc., dans Jo. seulement viii, 1.
Ἑλληνίς Mc. vii, 26.
Ἐμμαούς Lc. xxiv, 13.
Ἰδουμαία Mc. iii, 8.
Ἰεριχώ les 3.
Ἰτουραία Lc. iii, 1.
Καισαρία Mt. Mc.
Κυρηναῖος les 3.
Μαγαδάν Mt. xv, 39.
Ναζαρηνός Mc. Lc.
Ναίν Lc. vii, 11.
ὀρεινή (ἡ) la région montagneuse de Judée, Lc. i, 39.65.
περίχωρος (ἡ), le cercle du Jourdain, Mt. Mc. Lc.
Σιδών Mt. Mc. Lc.
Συρία Mt. Lc.
Συροφοινίκισσα Mc. vii, 26.
Τύρος les 3.
Χαναναῖος Mt. xv, 22.
Χοραζείν Mt. Lc.

On ne s'étonnera pas que Jo. ne fasse pas mention de ces lieux qui sont assez souvent à la périphérie de l'action de Jésus telle qu'il l'a comprise : c'est certainement une lacune du point de vue simplement historique, et une nouvelle indication qu'il ne poursuivait pas une histoire complète par elle-même. Beaucoup plus importantes sont les listes qui contiennent l'apport individuel de chacun des synoptiques.

c. — *Propres à Mt.*	*Propres à Mc.*	*Propres à Lc.*
Ἀγρὸς αἵματος	Δαλμανουθά	Ἀβιληνή
Αἴγυπτος,	Ἑλληνίς, la même que	Ἐλαίων
Ἀνατολή	Συροφοινίκισσα	Ἐμμαούς
Μαγαδάν	Ἰδουμαία.	Ἰτουραία
Χαναναῖος		Ναΐν
		ὀρεινός
		Σιλωάμ (tour)

Le moindre apport est celui de Mt., qui n'a de précis que Μαγαδαν (?) et Ἀγρὸς αἵματος.

Celui de Lc. est fort intéressant, mais combien inférieur à celui de Jo!

d. — *Lieux nommés seulement dans Jo.*

Αἰνών III, 23.
Βηθανία au delà du Jourdain, I, 28.
Βηζαθά ou Βηθεσδά ou Βηθσαϊδά, piscine, V, 2.
Γαββαθά XIX, 13.
διασπορὰ (τῶν Ἑλλήνων) VII, 35.
Ἕλλην VII, 35; XII, 20.
Ἐφραίμ XI, 54.
Ἰσραηλίτης I, 47.
Κανά II, 1. 11; IV, 46; XXI, 2.
Κεδρών XVIII, 1.
κῆπος lieu de l'arrestation XVIII, 1; de la sépulture XIX, 41, non loin du lieu du crucifiement.
κολυμβήθρα, celle de Bezatha V, 2; celle de Siloé IX, 7.
λιθόστρωτος XIX, 13, le même que Gabbatha.
ὄρος « cette montagne » pour le Garizim, IV, 20.
πηγὴ τοῦ Ἰακώβ, IV, 6.
Προβατική, porte, V, 2.
Ῥωμαῖος XI, 48.
Σαλείμ III, 23.
Σαμαρεῖτις IV, 9 (*bis*).
στοὰ τοῦ Σολομῶνος X, 23.
Συχάρ IV, 5.
Τιβεριάς VI, 1, 23; XXI, 1, le lac de Tibériade.
τόπος ἐγγὺς τῆς πόλεως, cf. XIX, 20.
φρέαρ βαθύ IV, 11, le puits de Jacob.

On voudra bien voir au commentaire ce que représentent ces désignations. Quelques remarques générales suffiront ici.

Si l'on déduit les noms d'une portée générale, διασπορά, Ἕλλην, Ἰσραηλίτης, Ῥωμαῖος, Σαμαρεῖτις, qui sont cependant des notes du temps irréprochables, et en ne comptant que pour un Γαββαθά et Λιθόστρωτος, la source et le puits de Jacob, mais en distinguant les deux jardins et les deux piscines, il reste dix-neuf indications de pays ou d'endroits; nombre vraiment considérable étant donné le peu d'événements que contient l'évangile. Quoi qu'il en soit des romanciers modernes qui sont hors de cause, aucun évangile apocryphe ne contient rien d'approchant, ni les actes apocryphes, ni en particulier les *Acta Johannis* de Leucius Charinus : on sait quelle déception pénible atteint ceux qui cherchent dans ce fatras au moins quelques indications topographiques.

Or, si toutes ces indications n'ont pu être vérifiées sur le sol, du moins aucune n'a pu être convaincue d'erreur. Le plus grand nombre se vérifie aisément, et ce nombre augmente avec les recherches en Palestine. C'est un fait qu'on a découvert à Jérusalem, près de la porte probatique, une piscine dont l'agencement avec cinq portiques correspond exactement au texte de Jo. Le nom de Bezatha, accepté par plusieurs critiques modernes, rend compte de sa situation et se rattache à Josèphe. On a retrouvé de même la piscine hérodienne de Siloé. C'est un fait qu'un puits profond de 32 mètres, un des plus profonds assurément de Palestine, se trouve précisément au point si bien vu par Jo., près du Garizim, d'un lieu nommé *Askar,* à l'entrée d'une plaine fertile. Le lieu où Jean baptisait, près d'Ænon et de Salim a été repéré en toute certitude dès 1892 (1). Cana, entre Nazareth et Capharnaum, est très bien représenté par Kefr-Kenna. Ephraïm a perdu son nom ancien, mais était encore connu au IVe siècle. Tibériade fut fondée par Hérode Antipas, et donnait son nom au lac (Jos. *Bell.* III, III, 5) : ἡ πρὸς Τιβεριάδι λίμνη. Le portique de Salomon est connu par les Actes (V, 12) et par Josèphe (*Ant.* XX, IX, 7). Ces résultats sont de nature à inspirer confiance pour le tout.

Cet ensemble de faits est décisif dans la question du caractère réaliste de Jo. La critique hostile affirme couramment qu'il ne contient aucun autre élément réel que ce qu'il a emprunté aux synoptiques, directement ou par des combinaisons. On lui répond : *quod gratis asseritur, gratis negatur.* Mais la réalité des faits ne peut toujours se prouver directement. Ici l'on touche du doigt que Jo. a des éléments propres très réels et nombreux, qui ne sont pas empruntés aux synoptiques. Son indépendance se manifeste même jusqu'à donner des renseignements complémentaires qui auraient l'apparence de la contradiction si précisément ils n'étaient pas complémentaires. La notation d'un jardin, comme lieu de l'arrestation et de la sépulture, n'apporte qu'un double détail de plus. En place de Gethsémani, Jo. dit : « de l'autre côté du Cédron » : cela peut encore passer pour une désignation supplémentaire du même lieu. Mais il place nettement l'activité du Baptiste ailleurs qu'au Jourdain : à Béthanie, qui est au-delà, d'après le texte, et ensuite près de Salim qui peut être assez éloigné. Il ne dit pas que Jésus n'a pas été baptisé dans le Jourdain puisqu'il ne raconte pas son baptême; mais il cite d'autres endroits où le Baptiste baptisait. Il fallait être bien sûr de son fait pour prendre cette attitude en face de la tradition. Et cette allégation est très plausible. Sans parler du danger de baptiser des foules nombreuses dans le Jourdain, torrent rapide, il y a des époques de l'année où il est impossible de l'aborder à cause des inondations, surtout aux lieux où le baptême serait plus facile.

A cette évidence de la sûreté topographique de Jo. on a opposé une échappatoire assez misérable : on ne refuse pas d'admettre qu'un éphé-

(1) *RB.* 1892, p. 274.

sien ait visité la Palestine en pèlerin. Mais serait-il sorti des grandes voies? Et quand il serait allé à tous les lieux marqués par la tradition déjà fixée, cela ne lui eût pas permis de fournir tant de données personnelles. Les pèlerins, certes, veulent avoir tout vu, et ils affirment qu'ils ont tout vu, à tort ou à raison! — mais seulement ce qui est dans les livres. Jamais ils n'introduisent un épisode nouveau dans un endroit nouveau. Ils en savent souvent trop, mais ils ne savent rien par une tradition indépendante. Le fait du puits de Sozomène est peut-être unique : encore est-il raconté à propos d'Emmaüs (1), et Sozomène était palestinien!

On conviendra que s'il existait une tradition topographique indépendante des synoptiques, elle eût pu être recueillie plus aisément par un palestinien que par un étranger. L'auteur était donc palestinien : mais de plus il se donne comme témoin oculaire : nous constatons qu'il a bien vu.

II. — CHRONOLOGIE DU QUATRIÈME ÉVANGILE.

Nous ne mentionnons que pour mémoire certaines menues indications qui ne peuvent servir à fixer la chronologie. Il semble qu'il y ait six jours entre le premier témoignage du Baptiste et le miracle de Cana (2). Cette précision n'a rien de symbolique, car on ne saurait vraiment y voir une réplique des six jours de la création. On dirait plutôt que l'auteur veuille, dès le début, garantir par ces détails la précision de son témoignage. Mais il n'indique pas la saison.

Le milieu (vii, 14) et le dernier jour de la fête (vii, 37) des Tabernacles sont probablement dans le même cas, et ce doit être aussi pour cela que Jo. indique certaines heures (i, 40; iv, 6; xix, 14), toujours avec ὡς, « environ », pour ne pas affecter une précision de pédant.

Les vrais repères chronologiques du quatrième évangile sont relatifs *a*) à certaines fêtes; *b*) à certains jours de la dernière Pâque; *c*) au temps pris par la reconstruction du Temple.

(1) *Sozomène, P. G.* LXVII, c. 1281, cf. *RB.* 1896, p. 91. La tradition ne se gêne nullement pour placer Emmaüs en plusieurs endroits : mais elle n'invente pas un autre nom de lieu pour une scène semblable ou analogue; elle peut proposer Bethabara pour Béthanie, Gergésa pour Gerasa ou Gadara : en pareil cas on dispute sur le nom ou sur le lieu, mais tout roule sur un texte écrit. Si Origène préfère Bethabara, c'est qu'il trouve ce nom tout près du Jourdain : Jean est sacrifié aux synoptiques, sa tradition rayée plutôt qu'ajoutée. Gergésa paraît plus plausible que Gérasa ou Gadara; un seul nom, mieux approprié au texte (pensait-on) en remplace deux... Quelle différence entre les raisonnements des *curiosiores locorum* et la manière souveraine de Jean, à laquelle les découvertes donnent raison!

(2) I, 29 le lendemain; I, 35 le lendemain; I, 43 le lendemain; II, 1 le troisième jour : donc le sixième, mais cf sur II, 1

a) Jo. mentionne trois fêtes de Pâque, très expressément désignées, dans les mêmes termes, et presque avec le même ordre des mots : II, 13 ἐγγὺς ἦν τὸ πάσχα τῶν Ἰουδαίων, VI, 4 : ἦν δὲ ἐγγὺς τὸ πάσχα ἡ ἑορτὴ τ. Ἰ., XI, 55 ἦν δὲ ἐγγὺς τὸ πάσχα τ. Ἰ.

Entre les deux premières, il y a une fête des Juifs (V, 1) ; si elle n'est pas désignée comme la Pâque, ainsi que les trois autres, c'est donc que ce n'était pas cette fête. Si l'on place le ch. VI avant le ch. V, ou c'est la Pâque de VI, 4, ou ce n'est pas la Pâque : des deux façons ce n'est pas une Pâque en plus. Après la seconde Pâque il y a la fête des Tabernacles (VII, 2) et celle de la Dédicace (X, 22).

b) Le jour de la mort du Sauveur ou plus précisément de sa condamnation par Pilate est le jour de la préparation de la Pâque (XIX, 14), ce qui est confirmé par XVIII, 28 et XIII, 29. C'est donc le 14 nisan jusqu'au coucher du soleil.

Le repas de Béthanie est fixé six jours avant la Pâque, avant l'entrée des Rameaux, et le dernier repas est avant la Pâque (XIII, 1).

c) Pour la date assez énigmatique de II, 20 ; voir le Commentaire.

Il est assez clair que ces maigres données ne constituent pas une chronologie telle qu'un historien l'aurait conçue. Elles sont même beaucoup moins dans le style de l'histoire que celles de Luc, qui place la naissance du Baptiste sous Hérode (I, 5), celle de Jésus lors d'un recensement ordonné par César Auguste, avec une certaine relation avec Quirinius, gouverneur de Syrie (II, 1 s.), et qui marque par un synchronisme étendu l'entrée en scène du Baptiste (III, 1 ss.).

On notera aussi que par les indications *a*) et *b*) Jo. semble être peu d'accord avec les synoptiques. On dirait en effet, du moins d'après un examen superficiel, que pour les synoptiques, spécialement pour Luc, le ministère public de Jésus n'a duré qu'un an : autrement pourquoi aurait-il parlé d'un an de grâce (IV, 19.21) ? Et pourquoi aurait-il daté si solennellement le ministère du Baptiste, si ce n'est pour fournir en même temps la date de la mort de Jésus ?

Quant aux jours datés lors de la dernière Pâque, le 14 nisan paraît peu d'accord avec la manducation de la Pâque à la veille de la Passion (Mt. Mc. Lc.), et la cène de Béthanie (dont Lc. ne parle pas) est placée par Mt. et par Mc. après l'entrée des Rameaux.

De sorte que Jo. semble n'avoir pas voulu faire de la chronologie pour elle-même, mais seulement par rapport à une chronologie dont il aurait admis le point de départ, et qu'il prétendait préciser sur certains points ; s'il n'a pas eu l'intention de donner un démenti aux autres évangélistes, ce qu'on ne saurait prouver et qui serait contraire à toute son attitude à leur égard, il a du moins voulu corriger les affirmations inexactes qu'on aurait pu tirer à tort de leur texte. Cela ressort bien de l'opposition facile à relever pour la série *b*. Quant à la série *a*, peut-on dire que Jo. tenait à indiquer le zèle de Jésus à se rendre aux trois fêtes légales? Mais la Dédicace n'en était pas une, et il eût fallu dire que celle de v, 1 en était. Lui fallait-il comme auditoire à Jérusalem un grand concours du peuple venu de tout le territoire? Il eût suffi de parler de fêtes en général, et il n'eût pas été nécessaire de noter la Pâque en Galilée (vi, 4). Jo. semble donc bien avoir voulu dater les grandes interventions de Jésus, et surtout ses discours, d'une façon exacte : mais comme il ne fixe aucune autre date, son souci de précision était donc satisfait par les indications des autres évangélistes, surtout de Luc, et il n'avait à intervenir que dans les cas où l'imprécision des textes antérieurs risquait de mettre le lecteur sur une fausse voie. Nous reviendrons sur la conciliation positive.

De toute façon, ce peu de dates avait son intérêt pour Jo. Est-ce un indice assuré qu'il a voulu fixer le temps du ministère de Jésus? Nous n'osons l'affirmer trop catégoriquement (1) en l'absence d'une détermination positive. Noter des points fixés par un souvenir certain, accroché peut-être aux circonstances d'une fête, cela n'équivaut pas à dire qu'ils aient été les seuls.

Cependant, à tout prendre, c'est bien ce qui est suggéré, par les trois Pâques surtout. Il n'y a aucune raison (2) de supposer l'omission d'une Pâque si l'on interprète comme nous iv, 35 ou si l'on place vi avant v.

A tout le moins le minimum de deux ans et demi pour le ministère est tout à fait certain. Ce point a été fort controversé durant ces dernières années parmi les Allemands catholiques, surtout sous l'influence de M. Belser qui voulait réduire à un an le ministère de Jésus d'après Jo. pour l'harmoniser, pensait-il, avec les synoptiques. Il était obligé de recourir à un changement de texte fort arbitraire, en supprimant vi, 4. Or, non seulement ce verset n'est omis que par un ms. cursif; il coïncide avec les synoptiques et ne fait que dire explicitement ce que leur texte suppose en parlant de foin vert (cf. *Comm.* Mc. vi, 39). Les Pères de l'Église qui ne parlent que d'une année pour le ministère étaient sans doute sous l'influence des synoptiques et ne peuvent faire autorité comme témoins muets de l'omission de ce texte (3).

On a objecté d'autre part que le petit nombre de faits rapportés par

(1) Même sans tenir compte du doute soulevé sur v, 1.

(2) Le texte de vi, 4 étant inattaquable, M. P. Klug a imaginé de confondre cette Pâque avec celle de ii, 13 (*Biblische Zeitschrift,* 1906, p. 152-183). M. P. Dausch a répondu dans la même revue, 1906, p. 398-401. On voit ici à quelles témérités peut conduire la manie de la conciliation.

(3) M. Lévesque (*Nos quatre évangiles,* p. 114) : « Si saint Jean ne dit rien de la Pâque de cette année, c'est que Notre-Seigneur n'ayant pas été à Jérusalem, il n'avait pas à en parler. » Que vaut cette raison en présence de vi, 4?

Jo. n'est pas en proportion avec un ministère aussi long : « Les énormes lacunes que présente le cadre johannique », dit M. Loisy, « tendent aussi à démontrer que ce cadre n'est pas réel (1). » Elles prouvent seulement que les points de repère ne sont pas précisément un cadre à la manière des indications de Thucydide qui inaugurent soit une campagne d'été, soit les quartiers d'hiver. Mais que Jo. ne soit pas un pur historien, on le sait assez.

On ne peut pas avancer non plus que ces cadres ont été fixés pour y placer les événements des synoptiques, car on ne saurait lesquels il y faut mettre, spécialement pour la dernière année, et Loisy a bien raison de dire que les lacunes n'ont pas été ménagées pour cela (2). Enfin, il est tout à fait gratuit d'avancer que, voulant faire valoir la prédication de Jésus dans la métropole des Juifs, il « n'avait d'autre ressource que de multiplier les voyages du Christ à Jérusalem (3). » Il n'y fallait pas deux ans, à juger par tout ce que les synoptiques ont mis dans les derniers quatre jours. Non seulement Jo. a dû avoir conscience que son « cadre » était trop large : il a tenu à le dire expressément (xx, 30).

Mais si son parti pris de choisir dans la vie de Jésus quelques éléments peu nombreux l'obligeait à laisser ses cadres vides, on ne saurait cependant lui en vouloir de nous avoir donné un renseignement précieux.

Du reste, si l'on conteste si vivement dans le camp radical la réalité des indications chronologiques de Jo., c'est afin de faire prévaloir leur caractère purement symbolique. Jo. a voulu avoir « trois ans et quelques mois : c'est une demi-semaine d'années, le chiffre messianique par excellence, qui joue un si grand rôle dans la prophétie de Daniel et dans l'Apocalypse (4) ». Ce point est considéré comme établi, non seulement par M. Loisy, mais par de nombreux critiques : nous ne sommes pas éloigné de dire que c'est plutôt une véritable mystification (5).

Assurément ce chiffre joue un rôle dans Daniel : c'est le temps de la désolation. Et c'est bien ce qu'a compris Jo. dans l'Apocalypse. Pour qu'il n'y ait aucun doute sur le temps, il l'évalue à un temps, des temps, et un demi-temps (Apoc. XII, 14), à quarante-deux mois (Apoc. XIII, 5), à 1.260 jours (Apoc. XI, 3). La durée, un peu indécise dans XII, 14 comme dans Daniel XII, 7, est évidemment fixée à trois ans et demi. A supposer que l'une des deux demi-semaines de Daniel (IX, 27) indique le même temps, il serait difficile aux critiques d'établir que les

(1) 1re éd. p. 65.
(2) *L. l.* p. 65.
(3) P. 65.
(4) Loisy, *l. l.* p. 65 s. citant Dan. XII, 7.11 et Apoc. XII, 6.14; cf. XI, 2-3.9.11; XIII, 5.
(5) Cf. Lepin, *L'origine...* p. 442.

trois ans et demi de Daniel ne s'entendent pas de la deuxième demi-semaine, celle de la dévastation, puisque cela est dit très clairement dans XII, 25.

Il est étrange qu'un critique déclare cette durée « messianique par excellence ». Dans l'Apocalypse, pour laquelle le Messianisme est passé, c'est certainement une durée d'épreuves dans les derniers temps. Quel rapport ce symbolisme a-t-il avec le ministère de Jésus dans le quatrième évangile (1)? La durée la plus probable, on peut dire la seule qui ait son appui sur les textes, est de deux ans et demi. C'est une manifestation sinon toujours de la gloire, du moins de l'action du Verbe, un temps de grâce et de vérité. Jean aurait-il employé le même symbole pour désigner deux temps absolument différents?

Et ce n'est pas le même symbole, car deux ans et demi ne sont pas trois ans et demi. Si à la rigueur — et non sans arbitraire — on trouve les trois ans et demi dans l'Évangile, il y faut un calcul personnel, alors que dans l'Apocalypse l'auteur a fait lui-même la somme et de deux façons, par mois et par jours. Si l'Apocalypse et l'évangile n'étaient pas du même auteur, la difficulté serait encore plus grande, car on n'aurait pas la ressource de dire que la pensée de l'auteur doit être suppléée par ce qu'il a dit ailleurs. Aussi bien il serait peu critique d'employer la même interprétation pour une vision apocalyptique et pour un évangile que nous avons vu si fermement fixé au sol. Regarder les chiffres de l'Apocalypse comme marquant une durée réelle précise serait une faute de méthode, mais tout autant de dénier leur valeur réelle aux repères chronologiques de l'évangile.

Le temps de deux ans et demi pour le ministère de Jésus est-il dénué de vraisemblance? Il serait assurément trop long, et l'on pourrait en dire autant d'une année, — si cette action avait été une agitation révolutionnaire qui eût dû réussir vite sous peine d'être étouffée promptement : un feu de paille, comme les mouvements messianiques dont parle Josèphe (2).

Mais telle ne fut pas évidemment la prédication de Jésus. Même après l'entrée des Rameaux à Jérusalem on ne put persuader au gouverneur que Jésus était un révolutionnaire. Ce qu'il annonçait était vraiment nouveau, mais sous des formes traditionnelles. Si les Athéniens mirent tant d'années pour s'apercevoir qu'en éveillant les consciences

(1) Le P. Allo (*Apocalypse*, p. 145) admet la valeur messianique du chiffre 42, dans l'espèce de quarante-deux mois, mais seulement en ce sens que : « Le second avènement du Christ est préparé par 42 divisions du temps, de même que le premier l'avait été par les 42 générations des croyants du temple élu. » Si l'on veut être logique, on regardera donc les trois ans et demi comme un temps de préparation, non d'action messianique : dans Jo. le Logos fait chair ouvre la manifestation messianique.

(2) Cf. *Le Messianisme*... p. 7 ss.

par ses questions Socrate allait à un remaniement de la morale courante, on peut bien admettre que ce n'était pas trop de deux ans et demi pour déposer dans l'âme de quelques disciples les germes d'une transformation religieuse qui fût efficace.

III. — LE MILIEU HISTORIQUE.

Nous ne prétendons pas faire de Jean ce qu'il n'a pas voulu être, un historien qui écrit l'histoire pour elle-même, qui se complaît à faire revivre le passé, en décrivant les institutions et le théâtre où s'est exercé le jeu des partis. Il nous suffira de constater qu'il ne parle jamais qu'à bon escient des circonstances dans lesquelles le Verbe incarné a apparu et a accompli sa mission. Et en somme il a fourni plus d'un renseignement que nous ne connaissons que par lui.

A. — *Juifs et Romains.*

Jo. met en présence les Juifs et aussi les Romains (xi, 48) que les synoptiques ne nomment pas; il nous apprend incidemment (xix, 20) que la Palestine était un pays où il y avait trois langues officielles, le latin, le grec et l'hébreu ou plutôt l'araméen.

D'abord les Juifs entre eux. La population indigène qui suivait la loi de Moïse et prétendait se rattacher à l'ancien Israël, surtout à la tribu de Juda, était nommée par les autres οἱ Ἰουδαῖοι (Mt. ii, 2; xxvii, 11, etc.; Mc. xv, 2, etc.; Lc. xxiii, 3, etc.); d'ailleurs eux-mêmes se donnaient ce nom (1), et il est employé par les synoptiques (Mt. xxviii, 15; Mc. vii, 3; Lc. vii, 3) du point de vue de la Galilée. On le retrouve aussi dans Jo., en Galilée (ii, 6). Ce qui lui est propre, c'est de donner le nom de οἱ Ἰουδαῖοι spécialement à ceux qui mènent la guerre contre Jésus, c'est-à-dire aux chefs de la nation, par où il entend surtout les grands prêtres et les Pharisiens. Cela commence à Jérusalem (ii, 18), c'est aussi l'expression pour des Galiléens hostiles (vi, 41). Il semble bien que Jo. ait forgé cette nuance du mot pour ne pas répéter « les grands prêtres et les Pharisiens ».

Il est assez naturel qu'elle lui ait été inspirée par l'attitude prise par les chefs de la nation envers Jésus, et non pas seulement par l'attitude prise par les Juifs envers les chrétiens (2); les chefs religieux et politiques chargés du culte et zélateurs de la Loi, étaient parfaite-

(1) Dans Néhémie, Esther, les papyrus d'Éléphantine, etc.

(2) Comme dans saint Paul, Gal. ii, 13, etc. Les deux cas (xi, 8 et xiii, 33) qu'on serai tenté de mettre dans cette catégorie s'expliquent dans l'horizon du temps ancien d'autant mieux que la conversation se tient entre Galiléens.

ment qualifiés pour représenter le peuple et pouvaient en porter le nom.

« Les Juifs » sont donc le nom national, devenu très souvent l'appellation d'une secte ou plutôt de ses chefs, tandis qu'Israël demeure le nom du peuple choisi par Dieu (I, 31, 49; III, 10; XII, 13), de sorte que c'est un éloge que d'être vraiment Israélite (I, 47).

Les Juifs hostiles à Jésus sont les grands prêtres et les Pharisiens. Jo. ne nomme jamais les scribes (γραμματεῖς) (1), ni par conséquent « les scribes et les Pharisiens », locution familière aux trois synoptiques. Il ne nomme pas non plus les Sadducéens, que Mt. nomme assez vaguement dans III, 7; XVI, 1. 6. 11. 12, mais qui n'apparaissent dans Mc. et Lc. qu'à propos de la résurrection des morts (Mc. XII, 18; Lc. XX, 27; Mt. XXII, 23-34). Les anciens (πρεσβύτεροι), c'est-à-dire l'aristocratie du pays, ne paraissent pas non plus, et ils ne sont pas remplacés comme terme propre par les ἄρχοντες, qui s'entendent des dirigeants en général (VII, 26. 48; XII, 42), plutôt cependant des grands prêtres ou d'autres que des Pharisiens. Ni sénateur (βουλευτής, Mc., Lc.) ni gouverneur (ἡγεμών Mt., Lc.), ni tétrarque, ni un Hérode ou des Hérodiens ne figurent sur la scène. Aucun roi d'aucune sorte n'atténue l'effet produit par cette alternative : ou le vrai roi d'Israël ou César.

Il y a donc là une réduction, qui serait fort regrettable dans un tableau historique, qui est irréprochable quant à ses éléments positifs et justifiée dans ses lacunes, parce que Jo. ne voulait mettre en scène que les deux grands partis qui machinèrent la mort de Jésus. Les Anciens faisaient partie du Sanhédrin, et plusieurs sans doute la votèrent : mais ils ne la poursuivirent pas, et Jo. ne parle explicitement que d'une réunion de sanhédrites (συνέδριον XI, 47), laquelle ne fut probablement pas officielle.

La distinction des Pharisiens et des grands prêtres est parfaitement conforme à l'histoire en ceci que ce sont les grands prêtres, représentants officiels de la nation, qui interviennent auprès de Pilate (XVIII, 35; XIX, 6. 15.21). Les Pharisiens ne sont pas nommés dans la Passion (2), si ce n'est pour avoir fourni des agents lors de l'arrestation (XVIII, 3).

Situés comme un îlot entre la Judée et la Galilée, les Samaritains sont l'objet de la haine et du mépris des Juifs (IV, 9; VIII, 48), ce qui est parfaitement conforme aux faits (Eccli. L, 25 s., etc.).

Au-dessus des Juifs, et représentant le pouvoir de Rome, Pilate, auquel Jo. n'a donné aucun titre : il est l'hôte du prétoire (πραιτώριον, Mt., Mc.). En revanche Jo. est seul à nous dire nettement que le droit de vie et de mort (XVIII, 31) n'appartenait plus qu'à Pilate avec le pouvoir

(1) Si ce n'est dans VIII, 3.

(2) Non plus que dans les synoptiques sauf Mt. XXVII, 62, mais il y a les scribes.

d'absoudre aussi bien que condamner (XIX, 10). Il devait se placer sur une estrade (βῆμα) pour juger (XIX, 13), comme Mt. (XXVII, 19) l'avait déjà dit. Le titre d'ami de César, la terreur que devait inspirer une dénonciation de tiédeur à son service, sont des notes excellentes (XIX, 12), ainsi que le lieu du supplice proche de la ville (XIX, 20), le javelot (ὑσσός qu'il faut lire XIX, 29), le *crurifragium* (XIX, 31 s.). Pilate avait sous ses ordres des soldats. Jo. est seul à mentionner le tribun (χιλίαρχος, XVIII, 12); la cohorte (σπεῖρα, XVIII, 3, 12) est connue de Mt. et de Mc., mais c'est dans Jo. seul que les Romains prennent part à l'arrestation de Jésus : de la part des grands prêtres c'était prudence sous un pareil gouverneur.

B. — *Israël sous la Loi : usages et opinions.*

La Loi de Moïse règle toute la vie religieuse et sociale des Juifs; quelques opinions ou usages se sont développés qui sont censés rentrer dans son cadre. Jo. connaît la fête de Pâque, comme les synoptiques, mais il est seul à nommer la fête des Tabernacles (σκηνοπηγία, VII, 2) dont le dernier jour était très solennel (VII, 37), et la fête de la Dédicace (ἐνκαίνια), qui avait lieu l'hiver (X, 22), et qui était venue se joindre aux fêtes légales. Une autre fête qui n'est pas nommée (V, 1) doit être la Pentecôte.

Il est question des purifications (II, 6; III, 25) qui avaient pris une si grande importance chez les Juifs, spécialement de leur nécessité avant de manger la Pâque (XI, 55; XVIII, 28). Il y avait une préparation spéciale pour la Pâque (XIX, 14); cf. synoptiques.

La Loi imposait certaines règles pour l'audition des témoins (V, 31 ss.) et quant aux droits de l'accusé (VII, 50 ss.). Les Pharisiens méprisaient la foule, peu soucieuse de pratiquer les prescriptions dites légales (VII, 49), et, en cas de révolte contre leur autorité, ils pouvaient procéder à l'excommunication (IX, 22. 34; XII, 42; XVI, 2). Si la faute allait jusqu'au blasphème (XIX, 7), on pouvait procéder par zèle à la lapidation (VIII, 59; X, 31). Mais ce n'était pas violer la Loi que de pratiquer la circoncision le sabbat (VII, 22).

La Loi interdisait de laisser les corps des suppliciés sur le gibet (XIX, 31). Pour la sépulture, les Juifs avaient leurs usages (XIX, 40) que l'auteur connaît bien : la toilette du mort (XI, 44), l'usage des épices (XIX, 40) et de l'huile parfumée (XII, 7); les tombeaux étaient creusés dans le roc et fermés par une pierre (XI, 38).

C'est à la Loi qu'on rattachait l'attente du Messie, sous le nom du prophète annoncé par Moïse, du moins dans le peuple de Galilée (VI, 14 s.), car les gens compétents de Jérusalem distinguaient ces deux personnalités (I, 20 s.). On savait que le Messie devait être originaire de Bethléem (VII, 42), mais que cependant son origine devait avoir quelque chose de surprenant (VII, 27). Les Juifs avaient foi en la résurrection (V, 21; XI, 24), mais n'avaient pas fait le raccord entre cette foi et le Messianisme, ce qui est bien conforme à l'opinion dominante ancienne (1). Il est aussi très remarquable que Jo. ait noté le terme de Fils de l'homme comme peu connu des Juifs (XII, 34), alors que les synoptiques l'avaient mis si souvent dans la bouche du Christ.

Les Samaritains, tout en ayant un lieu de culte différent (IV, 20), partageaient les espérances messianiques des Juifs (IV, 25). Il semble même que c'est d'eux que Jo. a appris la tradition sur le puits de Jacob, et sur le lieu que Jacob donna à Joseph (IV, 5), par une combinaison de Gen. XLVIII, 22 et Jos. XXIV, 32.

La prophétie involontaire de Caïphe (XI, 51), la manne donnée par Moïse (VI, 32) ont des répondants dans le rabbinisme.

Si l'on note que le Logos, la seule notion d'apparence philosophique grecque se rattache dans le prologue (I, 14) à deux notions juives, la *Chekina* et la *Ieqara*, on pourra conclure qu'aucune conception d'importation étrangère ne se mêle à celles du milieu juif avant la prise de Jérusalem. Un juif réfugié à Éphèse peut être l'auteur du livre, mais qu'on ne parle pas d'un représentant du christianisme hellénistique à la manière du judaïsme syncrétique de Philon. Il est moralement impossible qu'un ouvrage *né* à Éphèse dans un pareil milieu eût réflété aussi fidèlement l'état des institutions et des esprits à Jérusalem soixante ans plus tôt.

Si l'on se demande comment un pêcheur de Galilée pouvait être si bien au courant des usages juifs et des opinions dominantes parmi les grands prêtres et les Pharisiens de Jérusalem, la tradition et l'auteur lui-même donnent la réponse la plus naturelle. L'auteur était connu (XVIII, 15 s.) du grand prêtre; il savait le nom de son serviteur Malchus (XVIII, 10), et connaissait un parent de ce dernier. Il avait, selon toute apparence, un logis à Jérusalem (XIX, 27). Parlant plusieurs fois de Nicodème, inconnu des synoptiques, il avait sans doute des accointances avec lui : il a pu savoir de lui ce que lui avait dit le Sauveur (III, 1-15), ce qui s'était dit parmi les adversaires de Jésus (VII, 50-52), même dans la réunion où intervint Caïphe (XI, 47-53). Nous avons déjà dit que ces relations avec le sacerdoce de Jérusalem pouvaient être le fait de Jean, fils de Zébédée.

§ 2. — *Le quatrième évangile et les synoptiques.*

Les différences entre les évangiles synoptiques et le quatrième sautent aux yeux. Autrefois, on s'en préoccupait uniquement pour savoir

(1) *Le Messianisme*... p. 176.

s'il y avait entre eux harmonie ou contradiction. Mais la critique moderne a soulevé une question préalable.

I. — *Dépendance absolue des synoptiques ou tradition indépendante?*

Au premier abord, il semble que Jo. ne se préoccupe pas des synoptiques. On a même soutenu qu'il suivait son chemin sans en tenir compte, et que peut-être il ne les avait pas connus. Renan est hésitant. D'après certains critiques plus récents, ce n'est là qu'une apparence. En réalité Jo. s'appuie constamment sur les synoptiques et uniquement sur eux. Son art, qu'il faudrait bien nommer un artifice destiné à abuser le lecteur, serait de s'en servir tout en les transformant pour son but, de façon à ce que tantôt l'on puisse reconnaître l'emprunt, tantôt qu'il soit méconnaissable. Nous avons déjà parlé à propos du plan des endroits manifestement parallèles à ceux des synoptiques; on peut y rattacher la Passion et la résurrection. La difficulté soulevée porte sur les autres parties où Jo. paraît tout à fait indépendant. Voici comment M. Loisy explique sommairement, mais avec précision, ce procédé de démarquage (1) : « Tous les artifices de la composition ne peuvent être marqués en détail que dans le commentaire. On y verra que les noces de Cana dépendent des paroles synoptiques sur le baptême d'eau et sur le vin nouveau de l'Évangile; le second témoignage de Jean-Baptiste, de la démarche faite par les disciples du Précurseur pour s'informer si Jésus est le Messie; l'histoire de la Samaritaine, de ce qu'on lit au sujet des Samaritains dans Luc et dans les Actes; le paralytique de Béthesda, du paralytique de Capharnaüm; l'aveugle-né, de l'aveugle de Bethsaïde et de l'aveugle de Jéricho; Lazare, de la parabole du riche, de la résurrection de la fille de Jaïre et de celle du jeune homme de Naïn; le lavement des pieds et le discours après la cène, de l'institution eucharistique »...

Nous aussi devons renvoyer au commentaire pour les détails. Cependant le lecteur voit bien du premier coup d'œil que jamais les points visés des synoptiques n'auraient pu donner naissance aux récits de Jo. L'apostolat des Samaritains par Jésus n'aurait pu être que l'occasion de composer le dialogue avec la Samaritaine. Peut-être qu'en effet un écrivain n'aurait pas osé attribuer une résurrection à Jésus s'il n'en avait lu dans les synoptiques; mais la fille de Jaïre et le jeune homme de Naïn ne sont pas un premier canevas de la résurrection du mort de Béthanie, même en s'aidant, pour trouver un nom connu, de la parabole du mauvais riche, — dans laquelle on ne ressuscite pas, — comme si l'emprunt du nom avait pour but de souligner la contradiction! C'est

(1) 1re éd. p. 60.

la critique moderne, avec ses ciseaux et sa farine, qui opère ce recollage de bouts de papier; ce n'est pas ainsi que germe une pensée vivante. Et en somme l'affirmation de la dépendance absolue aboutit simplement à dire que Jo. n'aurait rien raconté s'il n'avait trouvé dans les synoptiques une amorce pour son inspiration et un point d'appui qui l'autorisât. Mais d'où vient ce canon qui interdit à un auteur subséquent tout recours à une tradition différente? Si Luc ne s'en était pas privé, tout en écrivant dans le cadre de Marc, comment Jo. ne l'aurait-il pas osé, lui qui renouvelait le cadre, bien plus, qui ne prenait pas garde à d'apparentes contradictions dans l'ordre des récits? Il est bien entendu qu'on peut emprunter à un auteur de quoi le contredire : Jo. aurait pu mettre l'expulsion des vendeurs au début et non à la fin de l'évangile, sans en rien savoir que par les synoptiques. L'hypothèse abstraite ne peut être contestée. Mais le même écrivain n'a pu se croire lié absolument à la matière synoptique afin de gagner du crédit, et en même temps se comporter vis-à-vis d'elle avec une entière indépendance. Or l'indépendance de Jo. est un fait qui n'a donné que trop de travail aux concordistes!

Il faudrait donc à tout le moins lui reconnaître le droit d'inventer à sa guise, étant bien entendu d'ailleurs que ces inventions devaient demeurer dans le thème connu de la vie de Jésus.

Mais les additions de Jo. sont-elles des inventions? Les récits sont, nous l'avons dit, solidement bâtis sur le sol; ils sont parfaitement vraisemblables. La vraie difficulté, c'est la difficulté ancienne qui met en présence la tradition de Jo. et celle des synoptiques. Renan (1) a très bien vu que Jean « avait sa tradition à lui, une tradition parallèle à celle des synoptiques, si bien qu'entre les deux on ne peut se décider que par des raisons intrinsèques... La position de l'écrivain johannique est celle d'un auteur qui n'ignore pas qu'on a déjà écrit sur le sujet qu'il traite, qui approuve bien des choses dans ce que l'on a dit, mais qui croit avoir des renseignements supérieurs, et les donne sans s'inquiéter des autres... Ce n'est ni la méthode éclectique et conciliatrice de Tatien et de Marcion, ni l'amplification et le pastiche des Évangiles apocryphes, ni la pleine rêverie arbitraire, sans rien d'historique, de la *Pistè Sophia*. Pour se débarrasser de certaines difficultés dogmatiques, on tombe dans des difficultés d'histoire littéraire tout à fait sans issue ».

Et c'est bien en effet le point. Jamais la critique n'aurait eu recours à cette théorie contradictoire de la dépendance absolue d'un écrivain si indépendant, si elle n'avait vu dans cet assujettissement fictif la preuve que Jo. n'apportait aucun élément réel nouveau, mais seulement du travesti, car enfin ses récits ne sont pas ceux des synoptiques. Vaine con-

(1) *Vie de Jésus*, p. 530 s.

jecture, car avec ce génie de travestissement et cette indépendance poussée jusqu'à l'opposition, pourquoi se serait-il cru limité si étroitement dans le choix des thèmes? En fait d'ailleurs il n'en est rien, puisqu'il contient tant d'éléments topographiques tout à fait étrangers aux synoptiques, et nous le verrons encore en parcourant quelques-uns des points où la conciliation paraît le plus difficile. En n'évitant pas ces antinomies, il eût perdu tout le bénéfice de sa déférence envers des éléments dont il tirait tant de choses : ses lecteurs anciens, — suivis d'ailleurs par tous les siècles, — ont été plus frappés des divergences que de cet accord artificieux : Jo. ne pouvait espérer rencontrer de son temps des interprètes aussi subtils de sa pensée que ceux du vingtième siècle. Si vraiment cette critique récente n'a pas d'autre issue que cette échappatoire, on peut dire hardiment que sa position est désespérée.

II. — CONFRONTATION DES DEUX TRADITIONS.

Notre dessein n'est pas d'aborder ici toutes les difficultés de l'accord : pour les points particuliers on voudra bien se reporter au commentaire. Ce sont surtout : la date de l'expulsion des vendeurs (II, 13 ss.), l'omission par les synoptiques de la résurrection de Lazare (XI, 1-44), et par Jo. de l'institution de l'Eucharistie; le moment de la cène de Béthanie (Jo. XII, 1-8), le jour de la Passion (XVIII, 28), etc., etc.

Encore moins avons-nous l'intention de tenter une concordance positive pour placer dans le cadre de Jo. tous les événements racontés par les synoptiques (1). Nous nous en tenons à quelques grandes lignes.

I. — *Jérusalem et Galilée.*

On sait que le théâtre principal de l'apostolat de Jésus est en Galilée d'après les synoptiques, à Jérusalem d'après Jean. Mais on sait aussi que Jo. n'exclut pas la Galilée d'où Jésus est venu, étant de Nazareth, et où il est retourné après les deux premiers témoignages du Baptiste (I, 43), après la première Pâque (IV, 43), après le miracle de Bezatha (VI, 1 ou VII, 1), et où il a prêché (VI, 59) après la multiplication des pains. Jo. coïncide aussi avec les synoptiques quant à un séjour dans la Pérée (X, 40 ss.). Mais, d'après les synoptiques, il ne serait venu à Jérusalem que lors de la Pâque de la Passion. Pour Mc. et Mt. il est en effet très clair qu'ils ne parlent que d'un voyage à Jérusalem. Cela n'est pas aussi certain pour Luc. D'après Renan (2) : « Luc semble ici avoir une

(1) Un des essais les plus récents et l'un des plus ingénieux est celui de M. Lévesque, dans *Nos quatre évangiles*, p. 91-205. Mais il suppose gratuitement trois ans et demi de ministère.

(2) *Vie de Jésus*, p. 487.

secrète harmonie avec notre écrivain, ou plutôt flotter entre deux systèmes opposés. » Plus précisément, Luc, décidé à ne pas rompre le cadre de Mc., qui était celui de la catéchèse, et qui se retrouve aussi dans Mt., a rangé sous la rubrique du dernier voyage (IX, 51 ss.) tout ce qu'il avait recueilli pour enrichir son récit propre : or, parmi ces faits, il en est qui supposent le séjour près de Jérusalem, puisque le bourg innomé de Lc. X, 38-42 ne peut être que Béthanie. Si bien que Lc. lui-même fait allusion à des voyages à Jérusalem (XIII, 22; XVII, 11), l'un d'eux (XIII, 22) pouvant très bien coïncider avec la situation de Jo. X, 22. Nous avons donc dans Lc. une tradition flottante, que le cadre qu'il a choisi semble restreindre et comprimer, et dont les éléments reprennent leur individualité sous la plume de Jean. D'ailleurs Mt. (XXIII, 37), parallèle à Lc. (XIII, 34), suppose lui aussi de fréquentes prédications du Christ à Jérusalem : « Combien de fois ai-je voulu réunir tes enfants! » On peut même dire que le récit de la Passion d'après les trois synoptiques se comprend beaucoup mieux si Jésus avait des accointances à Jérusalem (Mc. XI, 2-3; Mt. XXI, 2-3; Lc. XIX, 30 s., Mc. XIV, 13 s.; Mt. XXVI, 18 s., Lc. XXII, 10 s.). Renan déclare que ces séjours à Jérusalem constituent pour notre évangile « un triomphe décisif (1) ». Sans cela il serait impossible d'expliquer comment le christianisme est sorti de Jérusalem et non point de Galilée.

De sorte que cette difficulté dont on a fait tant de bruit n'en est pas une. Ce qu'il y a d'étonnant, ce n'est pas qu'il se soit trouvé un écrivain pour mettre ce point en relief, c'est que jusqu'à lui le mode adopté par la catéchèse se soit imposé même à Luc.

II. — *Le temps du ministère.*

Pour placer tous les voyages à Jérusalem dont a parlé Jo., il faut supposer un ministère de plus d'un an. Mais c'est aussi ce que Jo. a noté expressément. Si l'on va au fond des choses, les synoptiques ne sont point contraires.

Le gazon dont parle Mc. (VI, 32-44 et parall.) à la multiplication des pains indique le printemps, ou, comme dit Jo., l'approche de Pâque. Or longtemps auparavant Mc. (II, 23-28 et parall.) a parlé des épis déjà mûrs froissés par les disciples. Le ministère durait donc depuis près d'un an au moins, lors de la Pâque de la multiplication des pains, elle-même antérieure d'un an au moins à la dernière. Il est vrai que Mc. ne suit pas une chronologie très stricte : cependant les disputes avec les Pharisiens ne durent pas tarder après que Jésus eût commencé son ministère.

(1) P. 487.

III. — *Jésus et Jean-Baptiste.*

Il s'agit ici de tout le début du ministère de Jésus. Les différences entre Jo. et les synoptiques sont sensibles.

1. Jo. omet la prédication du Baptiste, d'ailleurs plus développée dans Lc. que dans Mt. et surtout que dans Mc. C'est une excellente page d'histoire que Jo. a pu supposer suffisamment connue.

2. En revanche Jo. a en plus (I, 19-28) les interrogatoires que la hiérarchie fit subir à Jean-Baptiste. Leur caractère historique est fixé par la désignation du lieu (I, 28).

3. Jo. ne raconte pas le baptême, mais il fait allusion (I, 33 s.) aux circonstances décrites par les synoptiques : la colombe et le témoignage du Père (Mc. I, 10 s.).

4. A ne lire que les synoptiques, on conclurait aisément que Jean ne baptisait que dans le Jourdain. Jo. ne nie pas qu'il ait baptisé dans le fleuve, mais il indique deux autres endroits, l'un à l'orient (I, 28), l'autre à l'occident du fleuve (III, 23). Nous avons déjà dit que cela est tout à fait plausible, car le Jourdain, torrent rapide, n'offre pas grande facilité pour le baptême, et quand il a débordé, comme c'est le cas chaque hiver, ses rives sont à peu près inaccessibles. Le choix d'un endroit à l'est pour les habitants de la Pérée, et d'un autre à l'ouest à mi chemin entre la Judée et la Galilée, rendait le baptême plus aisé.

5. A lire les deux premiers synoptiques on pourrait croire que Jésus, rentrant en Galilée après la tentation, a rencontré sur le bord du lac quatre pêcheurs qui ne le connaissaient pas et les a appelés pour être ses disciples. Ce serait possible assurément. Mais combien plus naturel, plus humain, plus vraisemblable le récit de Jo., qui ne doit rien aux synoptiques!

C'est l'admiration du Baptiste pour Jésus qui suggère à André et à un autre qui doit être Jo. lui-même le désir de connaître Jésus. Puis vient Simon que Jésus nomme Pierre, puis Jésus appelle Philippe et accueille Nathanaël. Tous vont en Galilée, et assistent au miracle de Cana. On revient en Judée, et les disciples de Jésus s'exercent à baptiser. Jalousie des disciples de Jean. Comme pour expliquer qu'il ne contredit pas les synoptiques, Jo. rappelle que Jean n'avait pas encore été mis en prison (III, 24), avertissement plus que naïf, s'il n'avait voulu se mettre en règle avec l'ancienne tradition (Mc. I, 14), qui ne fait commencer le ministère de Jésus qu'en Galilée, après la captivité du Baptiste. On voit ici chez les synoptiques le parti pris de s'en tenir à un point de départ tranché, la prédication de Jésus succédant à celle du Baptiste, tandis que Jo. nous fait connaître une période de juxtaposition, qui ne fut pas sans frictions : mais n'est-ce pas là cette période obscure des préparations qui frappe moins le grand public, mais qui n'a pu faire défaut? Nulle contradiction d'ailleurs avec les synoptiques, puisque les faits appartiennent à une période que Mc. et les autres ont passée sous silence. — L'opposition ne porterait que sur le point particulier du changement de nom de Simon en Pierre, et sur le nom du père de Simon (I, 42). Jo. a pu anticiper l'épisode ou Mt. (XVI, 17 s.) le renvoyer, et le désaccord sur le nom du père de Simon n'est pas irréductible. Quoi qu'il en soit de ces détails, il demeure que Jo. nous fournit ici tout un excellent chapitre d'histoire. Il n'y a pas l'ombre d'une difficulté à recueillir avec reconnaissance ces souvenirs personnels si précis.

6. La vraie difficulté n'est pas dans le domaine des faits et des lieux; elle commence avec les idées. De ce chef nous pourrions renvoyer cette note au chapitre suivant, mais il y a avantage à terminer ici ce qui regarde le Baptiste et à juger ainsi du rapport qui existe dans Jo. entre les faits et les idées.

Chez les synoptiques, le Baptiste ne rend pas témoignage en désignant le Messie : il l'annonce, mais ne dit pas qui il est. Cependant on voit dans Mt. qu'il l'a reconnu (III, 14). Dans Jo., le Baptiste devient celui qui montre Jésus, *indice prodis*. Le Baptiste s'élève à une hauteur incomparable : il est l'homme envoyé par Dieu, le témoin de la lumière. Plusieurs critiques estiment que c'est là un cas de développement artificiel et fictif de la tradition.

D'autres, il est vrai, imaginent que Jo. a voulu de parti pris rabaisser le Baptiste, dont les disciples étaient gênants pour le développement du christianisme. Ce sont deux exagérations. Qu'on n'oublie pas que l'évangile, d'après les critiques radicaux, est sorti d'Éphèse. Quel intérêt aurait-on eu, dans ce milieu, à rehausser la personne de Jean pour l'incliner ensuite devant Jésus? On eût pu avoir cette pensée en Judée, où Jean avait laissé la mémoire d'un prophète. Mais précisément Jo. a laissé dans l'ombre l'accoutrement du prophète et sa vie ascétique, aussi bien que sa prédication. Étant lui-même, selon toute apparence, disciple du Baptiste, il a pénétré dans l'intérieur de cette grande âme, et il a recueilli son témoignage, sans affirmer d'ailleurs qu'il l'ait proclamé en dehors du cercle de ses disciples, et en constatant (III, 26) que quelques-uns l'avaient accepté de mauvaise grâce et restreint le plus possible. Pour être voulu de Dieu, le témoignage de Jean ne devait pas par là même être éclatant et tout à fait public; le Christ ressuscité s'est manifesté à peu de témoins choisis, chargés de prêcher la foi.

Si l'on suppose que le témoignage de Jean n'a été retenu de la même manière que par quelques-uns, qui sont peut-être tous devenus disciples de Jésus, il n'est pas en contradiction avec la tradition des synoptiques et des Actes (XVIII, 25; XIX, 3), et tout s'explique au mieux si Jo. lui-même en a reçu la confidence. Tout se tient dans cette question johannique : l'évangile ne se comprend que comme l'œuvre du témoin oculaire qu'il met en scène.

Quant à l'ambassade de Jean-Baptiste auprès de Jésus (Mt. xi, 2-6; Lc. vii, 18-23), elle n'offre aucune difficulté pour ceux qui y découvrent l'intention de donner une leçon à ses disciples. Pour nous qui y reconnaissons une sorte d'impatience à voir Jésus entrer dans son rôle, la difficulté est à peine plus sérieuse, puisque Jean inviterait à l'action en termes voilés celui en qui il n'avait pas cessé d'espérer.

7. Mais voici enfin une difficulté très grave. Outre son témoignage officiel, encadré dans ἐμαρτύρησεν (i, 32) et μεμαρτύρηκα (i, 34) et qui porte expressément sur le point capital que Jésus est le Fils de Dieu, le Baptiste a dit aussi en montrant Jésus : « Voici l'agneau de Dieu, voici celui qui ôte le péché du monde » (i, 29). Si c'est là une allusion au serviteur de Iahvé dans Isaïe, qui expie pour les péchés du peuple, je ne sais pas, pour ma part, comment on peut la concilier avec la conception que Jean se faisait du Messie, vanneur divin qui sépare le bon grain de la paille destinée au feu, telle que nous la connaissons par Mt. et Lc. (iii, 12; iii, 17).

Mais comment Jean se serait-il élevé à cette notion de l'expiation à laquelle les disciples, Pierre en particulier (Mc. viii, 32 et parall.), se sont montrés si réfractaires? Dira-t-on avec M. Lévesque que Jésus a éclairé le Baptiste dans la confession de pure forme qu'il lui a faite (1)? Il est aisé de l'imaginer, mais la difficulté n'était pas de trouver une occasion à cette confidence.

D'autre part si l'évangéliste possédait cette notion commune aux chrétiens de son temps, comme le prouve le mot ἱλασμός (I Jo. ii, 2; iv, 10), il est assez évident qu'il n'a pas cru devoir lui donner une grande place dans l'Évangile.

Pourquoi donc aurait-il supposé le Baptiste si avancé? A l'extrême rigueur on pourrait supposer que le Baptiste a parlé à ses disciples les plus intimes du rôle expiateur du Christ, tandis qu'il ne le faisait connaître à la foule que comme Juge. Mais il resterait à expliquer son ambassade...

Aussi bien ne nous paraît-il nullement certain que Jean ait fait allusion au serviteur d'Isaïe qui n'est comparé à un agneau que pour un détail secondaire (Is. liii, 7), et « ôter » le péché du monde n'est pas s'en charger pour l'expier (2). Il nous semble plutôt avec Augustin et Chrysostome, que le Baptiste, voyant venir à lui les pécheurs, et parmi eux Jésus qui n'avait pas besoin du baptême, il l'a désigné comme parfaitement innocent, et celui qui devait inaugurer sur la terre une

(1) *Nos quatre évangiles*... p. 94.
(2) Pour le détail, cf. *Comm.*

vie innocente. Cette vision d'un monde renouvelé est précisément celle de l'eschatologie juive pieuse, et se concilie parfaitement avec les images des synoptiques.

Ce que nous avons dit ici sur les grandes lignes des débuts de Jésus dans son ministère sera poursuivi dans tout l'évangile. On constatera que Jo. donne aux synoptiques d'utiles suppléments, qu'il contribue à rendre leur récit plus clair, et que si, dans sa parfaite indépendance, il semble en opposition avec eux, c'est à lui qu'il faut donner raison, sauf à montrer que la contrariété n'est point une contradiction formelle. Cela soit dit sous cette réserve que lui aussi a pu s'écarter de l'ordre chronologique pour mettre ensemble certaines paroles de Jésus (1).

(1) Le dernier mot de Renan sur Jean est assez équivoque : « Si ses renseignements matériels sont plus exacts que ceux des synoptiques, sa couleur historique l'est beaucoup moins. » (*Vie de Jésus,* p. 537.) Un défaut dans la couleur historique n'est point une opposition constatée aux renseignements de l'histoire ; nous dirions plutôt : une absence de coloris, surtout en ce qui concerne la Galilée, ses paysages, ses habitants, ses mœurs, la manière d'y vivre.

CHAPITRE IV

JEAN LE THÉOLOGIEN.

La tradition chrétienne s'est complue à donner à Jean le nom de théologien, parce qu'il est, beaucoup plus que les trois synoptiques, une source inépuisable de conceptions théologiques. Loin que la critique moderne ait rejeté ce jugement, elle a plutôt enchéri : le quatrième évangile n'est pour elle qu'un thème théologique développé sous l'apparence de l'histoire. Tous les critiques négatifs sont ici d'accord. Ceux qui admettent l'unité de composition attribuent à l'auteur le dessein d'imposer la théologie nouvelle du Fils de Dieu, vraiment Dieu, en la rattachant à l'histoire de Jésus de Nazareth afin de mieux supplanter les synoptiques et le culte qu'ils représentaient; d'autres supposent un premier écrit dont les spéculations mystiques « s'exprimaient soit en forme de narration symbolique dont une sentence théologique fournissait la clef, soit dans la forme plus didactique d'un discours plus étendu » (1), et qui aurait été ensuite rapproché par des additions de la doctrine courante et des faits racontés dans les synoptiques. Ce va-et-vient peut être mis au compte d'une critique embarrassée; malgré tout l'écart avec les synoptiques demeure assez grand, même dans la rédaction dernière, celle que nous possédons, et c'est de cet écart que naît l'objection si souvent proposée : La preuve que la théologie de Jean est nouvelle, c'est qu'elle ne coïncide pas avec celle des synoptiques, c'est qu'elle ne répond pas, telle que Jean la prête à Jésus, aux circonstances du temps de Jésus, mais bien à la foi de la fin du Ier siècle; c'est surtout que la physionomie de Jésus comme docteur n'est pas la même que celle du Maître des paraboles et du prédicateur du règne de Dieu. Le Jésus des synoptiques ne parlait que de Dieu, celui de Jean prend la place de Dieu.

Ce premier point résolu à sa façon, la critique négative devait s'informer des sources de cette théologie. Durant très longtemps on regarda vers Philon : on cherche plutôt maintenant du côté des religions du paganisme hellénistique.

Sur la théologie de Jean et sur ses origines, il y aurait un gros volume

(1) *Loisy*, 2e éd. p. 56.

à écrire. C'est une tâche que nous ne pouvons entreprendre ici (1). Nous indiquons seulement les traits essentiels du thème principal, celui du Fils de Dieu avec les notions connexes, pour lequel il a paru indispensable de grouper les textes dont l'explication est tentée dans le Commentaire (2).

§ 1er. — *La théologie du Fils de Dieu.*

Le thème de l'évolution d'après les radicaux est bien connu : Jésus a paru comme un prophète, prêchant le prochain règne de Dieu. La pensée ardente de Paul le transforma en un Christ-Esprit préexistant. Dans les communautés hellénistiques, cette figure s'isola du milieu juif où Paul la retenait encore sans se soucier d'ailleurs des faits de la vie terrestre du Messie d'Israël. Sous l'influence des idées païennes, et, on ajoute depuis peu, d'après l'analogie des faux prophètes dont chacun se disait Dieu ou fils de Dieu, les chrétiens d'Asie en étaient venus à ne voir en Jésus que le Fils de Dieu, quelques-uns même à ne plus croire à son existence humaine : c'est le docétisme, combattu par saint Ignace. — Le quatrième évangile serait une réaction contre cet excès qui risquait de vaporiser l'objet du culte et le culte lui-même (3). Il affirme fortement la venue du Verbe dans la chair : son Fils de Dieu est vraiment Dieu, révélateur des secrets de Dieu, et Sauveur parce qu'il est un avec son Père; en cela est la nouveauté.

Aussi est-ce le thème de la controverse de Jésus avec les Juifs, aussi bien que de ses entretiens avec ses disciples. Et en cela se perçoit le caractère artificiel de l'évangile. La controverse avec les Pharisiens a roulé authentiquement sur la pratique de la Loi, sur la façon de l'entendre, sur les additions qu'y avait faites la tradition des anciens; dans Jean tout cela a disparu : Jésus veut inculquer aux Juifs le dogme de sa nature divine, et ils se montrent récalcitrants. Il ne suffirait pas de répondre que Jean n'est pas revenu sur un thème déjà épuisé, et qu'il s'est occupé de ce que les synoptiques avaient laissé dans l'ombre. On demanderait pourquoi les synoptiques auraient négligé l'essentiel? C'est donc plutôt que Jean a en vue une controverse plus récente, engagée entre les chrétiens hellénisés et les judéo-Chrétiens, et transportée au temps de Jésus pour donner aux affirmations du disciple l'autorité du Maître.

(1) Résumé excellent dans un article de M. Venard (*Dictionnaire de théologie catholique,* fasc. LX-LXI, p. 559 ss.).

(2) Pour les points qui reviennent moins souvent, l'index du Commentaire indiquera les passages.

(3) Telle est en particulier la thèse de Bousset, *Kyrios Christos,* 1913, p. 186 ss.

Car Jésus, celui des synoptiques, ne paraît pas du tout s'être soucié de se donner comme Fils de Dieu et comme Dieu. Il fut le plus grand des prophètes. Était-il digne de lui de se mettre en avant, à la manière d'un Simon le Magicien ou d'un Ménandre, de se servir avec tant d'emphase de ce « moi », haïssable d'après Pascal, qui rappelle les litanies d'Isis?

La stèle de Diodore de Sicile (1) lui fait dire : « Je suis Isis, la reine de toute région, instruite par Hermès, et toutes les lois que j'ai imposées, personne ne peut les abolir. Je suis la fille aînée du plus jeune dieu Kronos. Je suis fille et femme du roi Osiris. Je suis la première qui ait inventé le fruit pour les hommes. Je suis la mère du roi Horus. Je suis celle qui se lève dans l'astre du Chien »...

Même affectation de panégyrique avec ἐγώ en tête de chaque phrase dans l'inscription de Ios (2), où Isis ajoute encore aux louanges qu'elle se donne.

Il est vrai qu'Isis se contente de peu, qu'elle n'invite pas au salut éternel, et que ses relations mythologiques ne semblent qu'une caricature comparées à la sublime élévation des discours du Christ. Néanmoins, ce qui étonne dans le quatrième évangile, c'est précisément ce soin de sa gloire qui paraît si étranger à l'humilité du Jésus synoptique. Est-ce bien le même Jésus qui a éprouvé l'agonie de Gethsémani, et qui cachait avec tant de soin sa qualité de Messie? Est-il digne de Dieu de chercher à éblouir les hommes par des déclarations sur sa propre dignité? Le Fils de Dieu serait-il grandi, s'il avait porté la couronne d'or au lieu de la couronne d'épines? Est-il venu pour souffrir et cela sous la forme d'un esclave, comme nous l'a affirmé saint Paul, ou pour manifester sa gloire à tout propos? Si cette glorification personnelle était vraiment ce que disent les rationalistes, l'âme religieuse en éprouverait un certain malaise, et c'est peut-être ce que n'ont pas senti certains commentateurs (3), qui se sont jetés tête baissée

(1) I, 27. Diodore est mort après l'an 27 de J.-C.

(2) 2e ou 3e s. ap. J.-C., mais se rattachant pour le contenu à celle de Diodore.

(3) Cornely (*Introductio spec.* III, 254 ss.) et après lui la Bible de Crampon, reconnaissent comme idée dominante de l'évangile la manifestation de la gloire du Christ, soit dans sa vie, soit dans sa mort. Nous ne pensons pas que telle soit la pensée fondamentale de Jo. Sans doute le Christ, durant sa vie, a manifesté sa gloire; cela est indiqué expressément pour deux miracles (II, 11; XI, 4) et l'on peut en dire autant des autres par analogie. Mais le grand principe johannique, c'est que le Christ en s'incarnant a voilé sa gloire (XVII, 5), gloire qui ne doit lui être rendue que le moment venu (VII, 39; XII, 16. 23; XVII, 1). Il est en particulier déplacé de parler de la manifestation de la gloire du Christ dans sa Passion. S'il y apparaît toujours dans sa dignité, c'est bien plutôt l'heure des humiliations : la gloire n'est envisagée (XIII, 31) que comme le résultat de son obéissance envers le Père. Le prince du monde n'a aucun droit sur lui (XIV, 30), mais enfin il exerce injustement une tyrannie qui aboutit

dans cette voie, et n'envisagent la passion elle-même que sous l'angle d'une manifestation glorieuse. Cette glorification ne serait dans la bouche du disciple qu'un acte de piété que personne ne songerait à lui reprocher, mais, en la plaçant sur les lèvres de Jésus, n'a-t-il pas altéré sa physionomie?

Telles sont, semble-t-il, les principales difficultés de la critique plus ou moins rationaliste; si l'on a insisté ici sur la dernière, c'est qu'elle paraîtra la principale aux âmes pénétrées de l'esprit de la Croix, esprit aussi paulinien que synoptique. Il résulterait de ces objections que les discours de Jésus ont été, sinon tout à fait inventés, du moins transformés pour servir d'organe à la foi de son disciple.

On note d'ailleurs, avec une sorte de condescendance, que ce procédé rentrerait sans peine dans les usages de l'antiquité, et qu'alors personne n'aurait songé à le blâmer. Il suffirait de citer, non pas tant les discours insérés par les historiens et composés par eux, que les raisonnements et les théorèmes que Platon a prêtés à Socrate.

Nous-mêmes pourrions ajouter que, du point de vue chrétien, le dogme enseigné tiendrait encore. En effet la théologie catholique admet sans difficulté que les Apôtres ont reçu des révélations qui ont pu devenir partie intégrante de la foi de l'Église, qu'elles soient consignées dans l'Écriture, ou transmises par la tradition orale. C'est même sur les textes de Jean qu'on s'appuie le plus fortement pour constater l'existence de cette révélation de l'Esprit, complétant, en même temps qu'elle l'éclairait, la révélation faite par le Christ (XIV, 26; XVI, 13). Que l'évangile spirituel contienne quelqu'une de ces vérités, cela ne serait qu'un sujet de rendre grâces à Dieu.

Mais le respect de la vérité, le sentiment de ce qui lui est dû, sentiment dont la grande âme de Jean était toute pénétrée, et la gravité de ses affirmations comme témoin oculaire, tout cela ne permet pas d'admettre qu'il ait osé imposer une vérité nouvelle à la foi au nom de l'autorité du Maître. Et nous croyons pouvoir montrer que les difficultés proposées n'obligent nullement à tenir les discours de Jésus pour des compositions théologiques de l'évangéliste, alors qu'ils sont au contraire vraiment et proprement des discours du Seigneur (1).

à la dispersion des disciples. C'est dans ce sens, avec des intermittences durant la vie et une consommation définitive entrevue après la Résurrection, que l'auteur peut se ranger parmi ceux qui ont vu la gloire du Verbe incarné (I, 14). Faire de tout l'évangile une manifestation perpétuelle de la gloire du Christ, c'est servir le jeu de ceux qui font de Jo. un doctrinaire insouciant des réalités de l'histoire, telles qu'elles sont exprimées d'ailleurs par les synoptiques. Jo. n'est pas tellement systématique.

(1) Cf. la décision de la Commission biblique du 29 mai 1907 : *utrum... dici possit... sermones vero Domini non proprie et vere esse ipsius Domini sermones, sed compositiones theologicas scriptoris, licet in ore Domini positas? Resp. Negative.*

Il faut cependant entendre cette proposition dans le même sens que pour les synoptiques.

Personne ne prétend aujourd'hui qu'ils aient toujours rapporté textuellement les paroles prononcées par Jésus. Le rapprochement des synoptiques entre eux prouve même que souvent la manière de proposer une parabole et la leçon qui doit en être tirée, sont assez différentes, du moins quant à certaines modalités qui n'atteignent pas la substance.

Il n'y a aucune raison de ne pas appliquer ce critère à Jean. Il était, il est vrai, témoin oculaire, et il raconte en s'appuyant sur ce titre, ce qui n'est pas le fait de Mc., de Lc. ni même de Mt. Mais il écrit longtemps après les faits et saint Thomas (1) n'a pas hésité à noter que sa mémoire eût été incapable de reproduire tous les mots des discours du Seigneur sans l'assistance du Saint-Esprit. Cette assistance, c'est-à-dire le charisme de l'inspiration, a dû agir pour lui comme pour les synoptiques, c'est-à-dire pour obtenir une reproduction toujours substantiellement fidèle, dans certains cas plus ponctuelle. Il n'y a pas d'occasion pour rapprocher sa rédaction des discours d'une rédaction différente, mais une autre considération nous prouve qu'il a participé plus activement à la forme du style, c'est la ressemblance entre le style des paroles de Jésus et celui de la première épître. On peut dire il est vrai (2) que l'apôtre, méditant sans cesse les paroles du Maître, avait conformé son style au sien : cependant la différence de ce style avec celui des synoptiques laisse entrevoir deux manières distinctes d'où il ressort à l'évidence qu'il y a dans le style des discours johanniques un élément personnel à l'écrivain.

En commentant les synoptiques, les catholiques n'hésitent pas à se servir du principe de Maldonat : les évangélistes ne prétendent pas, surtout Matthieu, suivre l'ordre chronologique, ni dans les faits, ni dans les sections des discours. Pourquoi ne pas faire usage du même critère avec Jean? Il se tient plus strictement dans un ordre chronologique, mais enfin nous avons déjà dit que son parti pris de renvoyer à la seconde partie l'instruction des disciples suggère à lui seul que cette seconde partie contient des éléments plus anciens.

Aussi Mgr Ruch, évêque de Strasbourg, a-t-il pu écrire dans un *Dictionnaire* qui résume la théologie courante (3) : « Non seulement les critiques protestants, mais les catholiques de toute école (Calmet, Corluy, Fillion, Knabenbauer, Batiffol, Calmes, Mangenot, Fouard, Lagrange, Nouvelle, Chauvin, Fontaine, Jacquier, Lepin, Brassac, Lebreton, Venard), admettent que, si l'évangéliste conserve avec fidélité

(1) Cf. sur XIV, 26.
(2) *Zahn*, etc.
(3) *Dict. de théol. cathol.* V. c. 995, 1913.

la substance de l'enseignement du Sauveur, il fait subir aux discours un certain travail de condensation et d'adaptation, il revêt les pensées du Verbe incarné d'une forme littéraire personnelle et bien caractérisée. Si donc saint Jean peut omettre des transitions, résumer certains développements, en négliger d'autres, grouper dans un même tout des affirmations détachées de plusieurs entretiens, nous n'aurions pas le droit de nous étonner si un même discours passait brusquement d'un sujet à un autre tout différent. »

Sur quoi il faut spécialement noter la distinction entre les concepts et les expressions. Cette règle n'est pas posée ici pour les besoins de la cause. C'est un lieu commun de la critique des philosophes anciens, sans excepter les plus exacts et les plus précis. C'est ainsi que M. Delatte a pu écrire : « Aristote lui-même se sert de son propre vocabulaire technique en exposant les théories de ses prédécesseurs (1). »

Encore faut-il mettre à part les cas où l'expression désigne un concept essentiel. Nous ne saurions admettre que Jo. ait emprunté, par exemple à la philosophie alexandrine, les termes de lumière, de vie, de vérité (2), qu'on trouve dans les discours de Jésus. Autant vaudrait dire qu'il lui a prêté ses concepts. Et d'autre part rien ne prouve que Jésus ait employé les termes de Logos et de Monogène. Il s'impose donc absolument de distinguer soigneusement les affirmations de Jésus et celles que l'évangéliste prend à son compte. Un théologien y a moins d'intérêt, puisque toutes lui sont garanties par le caractère d'apôtre et l'inspiration. Mais sans cette distinction nous ne pouvons même pas essayer de montrer comment l'enseignement prêté à Jésus est bien celui de son temps. Elle est cependant « peut-être impossible » à établir, d'après le R. P. Lebreton, qui juge superflu de le tenter, et dans un ouvrage sur les *Origines* du dogme de la Trinité (3) : « la révélation vient authentiquement de Jésus, mais ce n'est qu'à travers l'âme de saint Jean qu'on la peut aujourd'hui percevoir ». On ne manquera pas d'en conclure que tout a été finalement remanié selon les idées propres de Jean, telles qu'elles ont évolué dans son esprit.

Nous croyons donc nécessaire de distinguer la théologie développée par Jean, soit dans le prologue, soit dans les commentaires ajoutés aux paroles de Jésus et du Baptiste (III, 15b-21 ; 31-36), soit dans le résumé qu'il a donné de la prédication du Sauveur (XII, 44-50), théologie d'ailleurs parfaitement conforme aux principes énoncés dans les discours

(1) *La vie de Pythagore*... 1922, p. 234 s.

(2) Dans ses *Praelectiones biblicae*, I, 128, le R. P. Simón a écrit du mot Logos : apte explicari potest eius adoptio, sicut et ceterorum verborum quibus Ioan. delectatur (*lux, vita, gratia, veritas, unigenitus*, etc.) ex philosophiae alexandrinae influxu.

(3) 4e éd. p. 444.

du Maître. Il faudra aussi distinguer les discussions de Jésus avec les Juifs de ses entretiens avec ses disciples. Les apologistes catholiques disent très justement : « il est assez naturel qu'un auditeur d'élite ait recueilli plus fidèlement des révélations plus intimes (1) ». Cette note a une grande portée quant aux entretiens après la Cène, mais on ne peut guère s'en prévaloir pour la prédication aux Juifs qui n'avait rien d'intime ni de réservé.

Nous avons conscience d'entrer ainsi dans une voie quelque peu nouvelle et hérissée de difficultés. Il faut s'appuyer en partie sur la critique littéraire, pour attribuer à l'évangéliste ce qu'on avait le plus souvent traité comme les propres paroles de Jésus. Cependant depuis longtemps les catholiques sont partagés sur ce point. La décision de la Commission biblique, que nous avons reproduite et que nous entendons respecter, n'a évidemment en vue que des discours placés par l'évangéliste dans la bouche de Jésus. Dans les cas indiqués, nous pensons que telle n'était pas son intention, et c'est ce qu'ont pensé beaucoup d'autres, seulement nous tirons la conséquence de ce fait, persuadé que c'est la meilleure manière de mettre les paroles de Jésus dans tout leur jour historique et de constater leur authenticité.

Sur ce point capital du passage d'un monothéisme proposé simplement comme tel, au dogme de la Filiation divine et de la Trinité, Notre-Seigneur a procédé avec une sagesse dont les nuances sont encore perceptibles, et qu'on peut retrouver à des degrés divers dans une double manifestation, au public et aux disciples.

A. — *La personne de Jésus, telle qu'elle se révèle dans son ministère public.*

Quand on a été convaincu, au contact des synoptiques, de la réalité de la personne de Jésus, et qu'on a compris par l'esprit et par le cœur la souveraine beauté de cette figure, on est bien résolu à n'y renoncer à aucun prix, fût-ce pour l'échanger contre une autre plus haute qui ne saurait d'ailleurs être conçue. Trop souvent la question johannique est posée de façon à exploiter un sentiment si fort et si motivé, comme s'il fallait nécessairement opter entre Jean et les autres évangélistes! Si vraiment Jean s'était présenté avec la prétention de les supplanter, de substituer dans le culte un autre type de Jésus à celui qu'on adorait, il faudrait lui opposer en effet dès l'abord une fin de non-recevoir.

Mais nous n'avons pas à faire un choix qui serait exclusif. Jean qui connaissait les synoptiques n'a pas voulu en abolir la mémoire ; il a

(1) Lebreton, *op. cit.* p. 443.
(2) *Pol.* I, 2, 1252 A.

plutôt conservé des points de contact avec eux, sauf à développer un aspect de la physionomie de Jésus qui n'avait pas été mis en pleine lumière. A-t-on coutume, dans la critique historique, de se prononcer aussi nettement entre les tableaux qui reproduisent des traits différents de la même personne, et ne serait-il pas aisé, avec des mots authentiques d'un grand homme, d'en tracer deux portraits? La comparaison n'est pas sans inconvenance : mais enfin nous met-on en demeure, à propos de Napoléon, d'opter entre Taine et Frédéric Masson?

La critique sympathique ou seulement juste doit donc se demander simplement s'il n'était pas permis à Jean de mettre en relief soit un côté héroïque de l'humanité de Jésus (1), soit une affirmation plus nette de sa divinité, surtout s'il est loisible de montrer que ce n'est qu'une mise dans un certain jour de traits déjà relevés. N'oublions pas non plus que l'auditoire fait l'orateur. En transposant le théâtre de la prédication de Jésus, Jean a dû changer aussi certains traits de la foule anonyme qui l'écoutait. Celle qui se presse sur les parvis du Temple, composée de Juifs de Jérusalem ou de Galiléens zélés, enflammés par l'émotion du pèlerinage à la maison de Dieu, cette foule qui vient apporter ses contributions au sacerdoce et raviver sa foi dans l'enseignement des maîtres, ce n'est plus seulement la foule des bords du lac témoin de tant de miracles, ravie de la bonté et de la douceur de Jésus, séduite par une parole qui se mettait à sa portée.

Il va de soi que la question posée dans les parvis du temple, autant dire dans les écoles, est une question de principe, qui devient aussitôt brûlante. Renan a dit : « Jérusalem était alors à peu près ce qu'elle est aujourd'hui, une ville de pédantisme, d'acrimonie, de disputes, de haines, de petitesse d'esprit. Le fanatisme y était extrême ; les séditions religieuses renaissaient tous les jours (2). » Aussi lorsque le Jésus des synoptiques arrive à Jérusalem, il ne parle plus de la même façon : à l'enseignement familier a succédé une série de controverses. Si les synoptiques avaient raconté d'autres voyages à Jérusalem, leur auraient-ils donné une couleur différente? Ils avaient donc un sentiment très net de la nécessité pour Jésus de suivre à Jérusalem une autre méthode, déjà esquissée avec les Pharisiens venus de la capitale en Galilée.

On s'étonne cependant que Jésus ait porté la controverse sur le point de sa divinité. Et en effet ce ne fut pas ainsi qu'il débuta, même à Jérusalem. La question soulevée fut précisément la même qui avait fait naître en Galilée l'âpre opposition pharisienne, ce fut celle de l'observance ou du mépris du sabbat (v, 16). Voilà ce qu'il ne faut pas oublier. Par le fait même naissait la question que posent aussi les synoptiques

(1) Sur ce point cf. sur XII, 23-32 et après XVII
(2) *Vie de Jésus*, p. 215.

aussitôt que Jésus entre en contact avec la hiérarchie : Qui était-il donc pour ne pas tenir compte du sabbat (Mc. II, 23-28; Mt. XII, 1-8; Lc. VI, 1-5)? Et ensuite à Jérusalem : Quel était donc le pouvoir qu'il s'arrogeait (Mc. XI, 27-33; Mt. XXI, 23-27; Lc. XX, 1-8)? Dans le premier cas, Jésus affirme son droit ; dans le second il refuse d'abord de répondre ; mais aussitôt après, par la parabole de la vigne, il affirme son rang de Fils (Mc. XII, 1-12 et parall.). Dans Jean, une fois touché le point sensible, l'irritation va croissant ; on ne saurait penser à autre chose. On peut dire que Jean a choisi ce thème, mais vraiment il s'imposait.

I. — LE MESSIE OU LE CHRIST.

Au temps où parut Jésus, on attendait le libérateur d'Israël, le roi fils de David, en un mot le Messie, en grec le Christ. Les synoptiques connaissent cette attente et savent comment le peuple se convainquit que Jésus était le Christ; cependant on voit, surtout par Marc, que Jésus ne fit rien pour favoriser la croyance populaire, et que bien plutôt il recommanda à ses disciples le secret.

C'est aussi ce que nous voyons dans Jean, et même il reflète plus complètement les opinions reçues sur le Messie. Aussitôt que Jean-Baptiste attire les foules par son baptême, on lui demande s'il est le Christ (I, 20) et, puisqu'il ne prétend pas l'être, pourquoi il baptise (I, 25). André, qui était disciple de Jean, attendait plus que d'autres le Messie que son maître annonçait (I, 36. 40 ss.) comme tel (III, 28). Aussi s'empresse-t-il d'avertir son frère Simon qu'il a trouvé le Messie (I, 41). Lorsque Nathanaël le reconnaît comme roi d'Israël (I, 49), c'est dans le même sens. La Samaritaine elle aussi attend le Messie (IV, 25) et demande, déjà persuadée, si ce ne serait pas Jésus (IV, 29). Lorsque les Galiléens le tiennent pour le prophète, c'est une conception originale qui vaut d'être notée, mais pour eux ce prophète se confond avec le Messie, puisqu'ils veulent faire Jésus roi (VI, 14 s.). Lorsque Jésus revient prêcher à Jérusalem, toute la question que se pose la foule, et elle sait bien que les chefs se la posent aussi, c'est de savoir si Jésus est le Messie (VII, 26). On connaît un certain nombre de données qui doivent être exigées : le Messie doit apparaître sans qu'on sache d'où il vient (VII, 27) et cependant il doit être originaire, non pas de Galilée (VII, 41), mais de Bethléem et de la maison de David (VII, 42), demeurer à jamais (XII, 34). Il doit faire des choses extraordinaires (VII, 31). Les chefs, grands prêtres et Pharisiens, sont émus de cette agitation, ils veulent la faire cesser en s'emparant de Jésus (VII, 43 s.) et menacent d'excommunication quiconque le reconnaîtra comme le Christ (IX, 22). C'est donc la foule, comme dans les synoptiques, qui est disposée à acclamer Jésus, et les chefs qui s'y opposent. Cependant ils se décident à lui poser nettement la question (X, 24) comme s'ils n'avaient pas d'opposition de principe à ce que quelqu'un se donnât pour le Messie.

Comme dans les synoptiques, Jésus se refuse absolument à accréditer l'opinion populaire, et à donner raison à ceux qui penchent pour lui, parce que, de même que dans les synoptiques, il veut inspirer une idée plus haute de sa personne. Il consent cependant, encore comme dans les synoptiques, au modeste triomphe de l'entrée à Jérusalem comme roi d'Israël (XII, 13), alors que les grands prêtres et les Pharisiens ont résolu de réprimer toute agitation en le faisant disparaître (XI, 48 ss.). C'est comme roi des Juifs, c'est-à-dire pour ses prétentions de libérateur messianique qu'il est justiciable de Pilate (XVIII, 33 ss.), lequel le fait crucifier pour ce motif affiché sur la croix (XIX, 19 ss.).

Si l'on prétendait que tous ces traits sont secondaires dans l'évangile, on se demande ce qui resterait. On serait plutôt tenté de s'étonner que Jésus, qui n'a jamais voulu passer pour Messie national, ait paru rechercher l'adhésion d'une femme de Samarie (IV, 26). Mais ce trait est tout à fait isolé dans Jean lui-même. L'acquiescement de Jésus risquait d'autant moins de soulever un enthousiasme national que les Samaritains, croyant en lui, lui ont donné le titre de Sauveur du monde (IV, 42), titre en harmonie avec le penchant de cette région à faire confiance à des sauveurs moins sûrs (1). Jésus a accueilli la confession de Marthe (XI, 27), mais sans répondre, ce qui est bien loin de ses félicitations à Pierre dans Mt. XVI, 17.

On conclura que si quelques traits font pencher la balance tantôt d'un côté, tantôt de l'autre, l'attitude de Jésus dans cette question du messianisme, vitale pour les Juifs, est sensiblement la même dans les synoptiques et dans Jean. Il n'a pas voulu du titre de Messie jusqu'au jour où il ne lui apporta plus que la couronne d'épines et la croix. Seulement dans Jean le Messie est plus constamment le Fils de Dieu, comme nous le verrons.

II. — LE FILS DE L'HOMME.

Le titre pris par Jésus, dans Jean comme dans les synoptiques, est un des indices les plus frappants de leurs racines communes dans la réalité de l'enseignement du Maître. Car on sait que les premiers chrétiens y ont renoncé (sauf dans Act. VII, 56). Entre Jo. et Mc. il y a ce double rapport que jamais ils ne l'ont employé dans le même contexte, et qu'ils lui ont donné cependant la même portée mystérieuse, soit dans le sens de la passion, soit dans le sens de l'exaltation.

On nous pardonnera de rappeler ce que nous avons dit de ce terme à

(1) Voir *R.B.* 1912, p. 338 ss.

propos de Mc. (1) : « Lorsque Jésus se nomme Fils de l'homme, il entend simplement « l'homme que je suis » pour attirer l'attention sur sa personne, sans prendre ouvertement, et pour ainsi dire officiellement le titre de Messie. Il va sans dire que, par le fait même, les plus glorieuses prérogatives messianiques peuvent s'accorder avec ce titre. Mais aussi ce nom si modeste, et qui met si bien en relief sa nature humaine... est admirablement en harmonie avec l'annonce de sa passion douloureuse (viii, 31; ix, 12. 31; x, 33)... ... Quand Jésus voulut faire allusion à son triomphe, il put très naturellement associer le texte de Daniel à celui du psaume cx, deux passages qui manifestaient chacun à sa façon un personnage associé à la gloire de Dieu... fils de l'homme n'était point un titre messianique courant. »

Cela n'était écrit qu'en vue des synoptiques et spécialement de Marc; il semble que cela résulte aussi de Jean.

Fils de l'homme est si peu un titre courant que la foule ne le comprend pas (xii, 34) et cependant elle a du moins compris que Jésus l'employait pour dire « je » (2), avec une nuance particulière. Trois fois Jésus est nommé ainsi quand il annonce sa passion future (iii, 14; viii, 28; xii, 34). Et s'il se sert du mot « être élevé », synonyme de « être crucifié », c'est parce que sa mort, pour ceux qui sauront comprendre, sera le point de départ de sa glorification (Lc. xxiv, 26). Mais la passion atteint dans sa chair le Fils de l'homme. Aussi ce terme désigne-t-il bien son humanité. Si c'est le Fils de l'homme qui donne le pain de vie (vi, 27), c'est parce que ce pain est la propre chair du Fils de l'homme (vi, 53). C'est donc aussi de la gloire accordée plus tard à cette humanité qu'il est question dans le même contexte (vi, 62) (3). Le pouvoir de juger les hommes, si haut qu'il soit, est donné au Fils de l'homme (v, 27), sans doute pour qu'ils ne puissent récuser le jugement de l'un d'entre eux, choisi par Dieu pour cet office. C'est seulement lorsque la passion est imminente et déjà envisagée dans ses résultats, comme dans les synoptiques (Mc. xiv, 62 et parall.), que Jésus parle de la glorification du Fils de l'homme (xii, 23; xiii, 31).

Il reste trois textes (i, 51; iii, 13; ix, 35 douteux), difficiles, mais qui ne changent rien à cette image assez nette. On peut dire sans exagération que le sens messianique et, si l'on peut ainsi parler, daniélique, n'est pas plus sensible dans Jean que dans les synoptiques. Si l'on y voit une apparition glorieuse, c'est en vertu de ce préjugé qui exagère le rayonnement de la gloire du Sauveur durant sa vie mortelle.

(1) *Comm.* p. cxxxvi s.

(2) La foule le déduit de ὑψωθῶ.

(3) Il n'est pas dit que le Fils de l'homme ait préexisté comme tel, mais seulement qu'il était préexistant... peut-être avant de devenir Fils de l'homme.

III. — LE FILS DE DIEU, PRÉEXISTANT, UN AVEC SON PÈRE.

C'est ici le point le plus délicat de la théologie johannique. Loin de nous la pensée d'affaiblir la force des déclarations de Jésus sur sa personne. Il en résulte bien qu'il possède la nature divine : il est un avec son Père, c'est-à-dire la même chose que lui, tout en demeurant distinct de lui. C'est le point essentiel. Mais la manière de le dire n'est pas indifférente. Les anciens n'hésitaient point à mettre leur personnalité en avant. La modestie en parlant de soi est devenue la règle des honnêtes gens, et comme ils la tiennent des exemples d'humilité donnés par Jésus, nous ne nous attendons pas à voir le Christ johannique attirer l'attention à plaisir sur les prérogatives de sa nature humaine.

Quant à la nature divine, il lui est propre de rayonner. L'homme qui cherche à se faire valoir aux yeux des autres confesse par là même son indigence. La divinité, en se révélant, ne fait que laisser voir par bonté quelque chose de sa grandeur infinie. Pourtant la situation du Fils incarné en Jésus exigeait quelques tempéraments. Il apparaissait comme homme, avec toutes les réalités de la nature humaine, sauf le péché, parmi les serviteurs d'un Dieu qui était son Père, et dont il consommait l'œuvre depuis longtemps ébauchée. Le premier article de la foi d'Israël, presque le seul dans un isolement solennel, c'était l'unité de Dieu à qui seul était dû le culte et l'amour. Jésus n'aurait-il pas rompu la chaîne des préparations divines en se donnant simplement comme Dieu dès sa manifestation à Israël? Il importait bien plutôt de préparer les esprits à cette vérité salutaire, mais étonnante, inouïe. Le plus pressé était d'établir sa mission comme envoyé de Dieu, venu pour faire son œuvre, une œuvre qui devait être toute à sa gloire. Cet envoyé était bien un envoyé, c'est-à-dire qu'il existait avant d'être envoyé, et comme un être divin, distinct cependant de celui qu'on nommait le Père, et qu'il avait un droit spécial à nommer son Père. Il était donc son Fils, ayant, comme un véritable fils, la nature de son Père.

C'est ainsi que Jésus s'est révélé peu à peu. Il le devait à la gloire de son Père, mais il y était engagé surtout par l'intérêt de ceux qu'il venait sauver. On ose dire qu'il le devait à son propre honneur — selon notre manière de concevoir, — car elle nous paraît bien peu digne de Lui, cette manière de s'étaler que tant de critiques rationalistes attribuent au Verbe incarné, véritable caricature de la manière très noble mais très délicate de saint Jean !

Et d'abord Jésus ne dit jamais : « Je suis Dieu ». Ce n'est pas que c'eût été difficile ou sans exemple. Dans le paganisme, cela n'avait pas grande importance. Le divin était partout, Dieu nulle part. Quelqu'un se présentait pour recevoir les hommages qu'on ne refusait à aucun dieu. Pour ses fidèles il était « le dieu », pratiquement « Dieu » tout court. Il absorbait ainsi pour son compte les attributs de la divinité et sa gloire.

C'est ce que Jésus n'a jamais fait, et il n'a été salué du titre de Dieu qu'après sa résurrection (xx, 28).

Mais il s'est dit Fils de Dieu.

Sous cette forme précise, les textes sont très rares. Quand le Baptiste le dit Fils de Dieu (I, 34), il n'est que l'écho de la voix du Ciel qui nous est connue par les synoptiques. Nathanaël atténue sensiblement sa confession : « Tu es le Fils de Dieu », en ajoutant : « le roi d'Israël (I, 49). Quoique « Fils de Dieu » n'ait pas été un titre messianique courant, ces mots pouvaient avoir ce sens, qui résulte ici de l'addition. Aussi Jésus répond en parlant du Fils de l'homme. La confession de Marthe (XI, 27) dans l'ordre inverse a plus de portée, et suppose plutôt la préexistence du Fils de Dieu. Jésus ne répond pas. A-t-il provoqué l'aveugle-né à le reconnaître Fils de Dieu (IX, 35)? Le texte n'est pas sûr. Dans tous ces cas, ce qui frappe surtout, c'est le dessein de ne pas laisser isolée l'expression de Messie, d'empêcher qu'on l'entendît dans un sens terrestre et national, surtout de préparer les esprits à mettre tout l'accent sur le titre de Fils de Dieu, qu'il fallait entendre dans le sens propre.

C'est ainsi que Jésus parle au futur de l'action du Fils de Dieu (V, 25). Comme on a compris qu'il se disait Fils de Dieu, il explique modestement que ce terme n'a rien d'excessif (X, 36), et il parle à ses apôtres de la gloire qui résultera pour le Fils de Dieu de la maladie de Lazare (XI, 4).

Il est d'ailleurs incontestable que Jésus s'est mis souvent, et dès le début (V, 19.20.21.22.23) vis à vis de Dieu le Père dans le rapport d'un Fils, occupant une situation tout à fait unique, parce que réalisant ce qu'est un fils par rapport à un père. Aussi les Juifs ne s'y sont pas mépris, et c'est pour cela, parce qu'il s'était dit Fils de Dieu, et avait ainsi commis un blasphème, qu'ils l'ont jugé digne de mort (XIX, 7).

Ce dernier endroit est manifestement l'écho de la condamnation prononcée par Caïphe et ses assesseurs, dans la séance ou la partie de la séance que Jean suppose ainsi connue de ses lecteurs par les synoptiques (Lc. XXII, 70 et parall.).

L'accord avec les synoptiques est donc parfait sur ce dernier point. Il existe en substance quant à la revendication du titre de Fils de Dieu, quoique les autres circonstances ne soient pas les mêmes : elles sont plus rares chez les synoptiques, mais par exemple dans la parabole des vignerons Jésus ne revendique pas moins fermement la qualité propre de fils par rapport à Dieu, et ses adversaires l'ont compris (Mc. XII, 1 ss. et parall.).

Des deux parts même réserve, mêmes nuances d'humilité : ce n'est pas la même chose de dire à pleine bouche : « Je suis le fils du Roi », ou de dire avec respect : « Le Roi mon Père ».

A supposer qu'il y ait eu quelque obscurité dans l'énoncé des rapports de Jésus envers son Père, ou du Père envers son Fils, Jésus a complété cette donnée par la notion aisée à saisir de sa préexistence personnelle avant de naître.

On cite des textes nombreux, mais il s'en faut beaucoup qu'ils soient tous également clairs sur ce point (1). Ils peuvent l'être pour nous, sans avoir eu pour les auditeurs la même évidence : ce n'est pas là une conjecture, car Jean a pris soin de noter les impressions différentes des auditeurs qui tantôt ne comprennent pas, tantôt comprennent si bien qu'ils s'irritent.

C'est ainsi qu'il faut ranger parmi les paroles qui préparent la voie à la vérité plutôt qu'elles ne l'énoncent clairement, celles où Jésus déclare que son Père l'a envoyé et qu'il dit ce qu'il a vu ou entendu auprès de son Père. Car les prophètes aussi étaient envoyés et ne disaient que ce que Dieu leur avait commandé de dire. Assurément, à la lumière d'autres textes, ceux-ci contiennent davantage, mais ce que nous voulons surtout noter ici c'est leur adaptation à des esprits qu'il fallait ouvrir progressivement. On peut ranger dans cette catégorie III, 11, VII, 16.28.29.33. Dans d'autres cas le titre de fils de l'homme nuance la portée de la préexistence (III, 13; VI, 62). La métaphore du pain descendu du ciel (VI, 33.51.58), ou de la lumière (XII, 46) n'est pas pour accentuer le caractère essentiel divin de celui qui est descendu du ciel et cela voile peut-être quelque peu d'autres expressions plus fortes (VI, 38.48).

Cependant cette pédagogie discrète devait aboutir à la révélation de la vérité tout entière. On y pénètre surtout dans le grand discours qui suit la fête des Tabernacles. Dans VIII, 26.28.38 on ne voit pas encore clairement si la mission a été donnée à Jésus avant qu'il fût l'homme qui vient de leur parler (VIII, 40). Mais déjà dans VIII, 23 il a affirmé qu'il est d'en haut, et cela apparaît bien dans VIII, 42; cela éclate enfin dans l'affirmation tranquille (VIII, 58): « Avant qu'Abraham ait été, je suis ». Aussi les Juifs qui n'avaient pas d'abord compris (VIII, 27) ont recours aux pierres (VIII, 59).

Jésus existait donc avant de naître comme homme. Il participait même à la nature de son Père. Il a voulu le dire clairement, même à ses ennemis, après une mise en demeure formelle (X, 24), mais il l'a fait sans déroger aux prérogatives de celui qu'il continue à nommer Père. C'est dans le dernier entretien avant l'entrée solennelle à Jérusalem :

(1) Cf. LEPIN, *La valeur historique...* II, 386 ss.

« Moi et le Père nous sommes un » (x, 30) (1). Signe infaillible de la clarté de cette parole, les Juifs veulent le lapider comme blasphémateur. Il reprend cependant : « Le Père est en moi et je suis dans le Père » (x, 38), ce qui détermine une nouvelle explosion de fureur. Il n'y a rien de cet épisode dans les synoptiques, mais c'est bien un « blasphème » de cette sorte qui a déterminé la condamnation de Jésus (Lc. XXII, 70; cf. Mc. XIV, 62; Mt. XXVI, 64). Pourquoi ne pas noter que, lorsqu'il se met au rang de Dieu, Jésus ne paraît sensible qu'à cette unité ineffable avec son Père par laquelle son Père est en Lui et Lui en son Père? Sûrement cela est éblouissant, mais comme l'expression d'une tendresse à la fois filiale et divine. Jésus le dit parce qu'il est de notre intérêt de le croire, et l'on doit croire à cause de ses œuvres, qui sont les œuvres de son Père.

De sorte que, même lorsqu'il s'égale à Dieu, Jésus ne prétend pas prendre sa place, comme tel jeune dieu de la mythologie usurpant le trône de son père. Dans le passage des synoptiques qui ressemble le plus à celui que nous venons de citer (Mt. XI, 25-27; Lc. x, 21 s.), le ton est encore, si l'on ose dire, plus lyrique; il respire l'enthousiasme de Jésus envers les œuvres de ce Père qui est seul à connaître le Fils, que le Fils seul connaît et fait connaître, comme pour rassurer les fidèles serviteurs de Dieu sur le caractère de son intervention. Il n'est venu que pour faire connaître le Père, pour soutenir et développer la religion perpétuelle et essentielle; il n'a point d'autre intérêt que celui de Dieu, étant un avec le Père. Comment Jean se serait-il rencontré sur ces sommets avec la tradition synoptique, si ces accents n'avaient pas été l'effusion de celui qui était et qui est demeuré le Maître?

Nous aurons à indiquer encore de quels sentiments de dépendance envers Dieu est accompagnée ou plutôt comme imbibée cette affirmation d'égalité qui est unique dans la prédication publique de Jésus. Pour terminer ce qui regarde cette relation mystérieuse de Jésus avec son Père, il faut se demander s'il a révélé quelque chose de plus, c'est-à-dire qu'il était un avec le Père non seulement comme son Fils préexistant mais aussi comme éternel, dépendant cependant de lui comme Fils en raison de cette filiation divine. C'eût été instruire les Juifs du point central du mystère de la Très Sainte Trinité.

On peut, il est vrai, lire ce point dans la parole de Jésus : « Moi et le Père nous sommes un. » Car de cette façon il se distingue quand même du Père, et, semble-t-il, en tant que Fils. Aussi nous ne doutons pas que Jean ait compris et enseigné cette vérité, et Jésus lui-même a mis plus directement ses disciples sur la voie dans ses entretiens confidentiels. Mais on croit rencontrer une affirmation explicite de la

(1) Sur la manière dont ce mot décisif est amené, voir le commentaire du v. précédent, où le texte n'est pas absolument sûr.

génération éternelle du Fils même dans la controverse avec les Juifs, et c'est ce qui ne nous paraît pas établi. Parmi les textes cités, III, 17 et XII, 49 sont plutôt un résumé de Jean que des paroles expresses de Jésus; à plus forte raison I Jo. IV, 9.10.14. Les autres textes n'ont pas cette portée. Nous interprétons V, 19-23 et 26 du Fils incarné (1). Il serait bien étrange que dès sa première controverse avec les Juifs, Jésus les ait fait pénétrer dans le secret le plus caché de la vie divine. Le v. 17 aurait pu être interprété autrement que de l'égalité absolue du Fils et du Père. Les Juifs en ont tiré un grief plutôt par mauvaise volonté que parce que la parole était claire. Et loin de soutenir hautement cette égalité, Jésus insiste plutôt sur sa dépendance (2). Le sens de VI, 57 est assez difficile à préciser. Dans X, 36 la filiation n'est pas antérieure à la mission, car celui qui a été envoyé a été sanctifié, ce qui ne peut se dire du Fils éternel.

Nous ne voyons donc pas que Jésus ait enseigné aux Juifs qu'il était le Fils éternel de Dieu, identique à son Père par la nature, dépendant de lui *ratione originis,* comme si rien n'était « plus naturel que de marquer dans la même phrase la sujétion humaine de Jésus et la dépendance éternelle du Fils (3). » Les Juifs n'étaient guère à même de comprendre ce langage : il leur fallait gravir le premier échelon avant de monter plus haut. Ce que Jésus leur demande constamment, c'est de le reconnaître comme l'envoyé du Père, ayant vraiment droit au titre de Fils, sans préciser s'il était devenu Fils de Dieu en devenant Messie, préexistant, puis venu dans le monde, ou s'il l'était de toute éternité. Ce second point était bien le principal, et facile à déduire (4) : mais nous tenons à préciser une nuance entre l'enseignement historique de Jésus tel qu'il eût fallu l'accepter et l'enseignement théologique plus explicite de Jean.

Dans la même vue on notera que Jésus n'a parlé de l'Esprit-Saint distinctement qu'à ses disciples. L'action de l'Esprit au baptême dans l'entretien avec Nicodème se rattache à une notion déjà promulguée par le Baptiste (synoptiques et Jo. I, 33).

IV. — LE « MOI » DE JÉSUS.

Jésus est homme, même dans le quatrième évangile. Il a fallu prouver. A la vérité, la critique n'ose nier un point aussi évident

(1) Avec saint Cyrille.

(2) Avec Lepin, II, p. 387, contre Lebreton, p. 477 et Venard c. 567. D'ailleurs P. Lebreton reconnaît bien que des textes comme VIII, 42; XIII, 3; XVI, 28 ne doivent pas s'entendre de la génération éternelle, mais de l'incarnation.

(3) LEBRETON, *op. cit.* p. 477.

(4) Avec des idées très fermes sur la nature de Dieu, car les Ariens n'y ont rien voulu comprendre.

le Christ « est homme » déclare M. Loisy (1). Mais cette concession était retirée d'avance : « On peut dire que l'humain a disparu et s'est effacé devant le divin, que la doctrine du Verbe incarné transforme l'Évangile en un théorème théologique qui garde à peine l'apparence de l'histoire » et cela parce que le Christ johannique « semble ne parler et n'agir que pour satisfaire aux termes de sa définition, pour prouver qu'il est de Dieu, qu'il est un avec Dieu (2). »

C'est dire que Jean a conçu et composé son évangile pour prouver un thème qu'on a soin de faire exclusif; nous pensons au contraire que son thème est sorti de ses souvenirs, et c'est pour cela qu'il importe de voir d'une façon aussi concrète que possible la situation historique. M. Loisy procède comme ces théologiens qui ont tout expliqué à la lumière du prologue, tandis que d'autres, à la tête lesquels il faut placer saint Cyrille d'Alexandrie, ont toujours en esprit le Verbe, mais incarné. Nous ne devons jamais perdre de vue que celui qui parlait avait non seulement l'apparence, mais la réalité de la nature humaine. Pour lui attribuer autre chose, il fallait y être amené, non seulement par des affirmations qu'on eût pu mépriser, mais par des miracles qui autorisaient la parole. Encore avons-nous vu déjà que Jésus était bien loin de jeter à la tête de ses auditeurs des déclarations incessantes sur sa nature divine; cependant il a daigné parler clairement. De sa nature humaine il n'avait pas à parler : elle se manifestait de la façon la plus concrète et la plus sensible (3). Mais il était important, pour le fruit de l'Incarnation, que cette nature apparût dans son intégrité de vie religieuse, et par conséquent de dépendance envers Dieu. Ce que l'Église a rendu par la définition d'unité de personne en deux natures, Jean l'a exprimé par le « moi » de Jésus, sujet de tous ses sentiments, de toutes ses actions, de tous ses modes d'être.

Tandis que le « moi » du Christ n'est mis en vedette que rarement chez les synoptiques, on le trouve dans Jean presque cent cinquante fois (4). Il peut y avoir dans ce fait un phénomène de langue : il s'expliquerait mieux si l'évangile avait été écrit en araméen, ou était le reflet d'une parole en araméen. Mais on trouve plus de vingt fois ἐγώ avec εἰμι, comme pour esquisser un des aspects de ce qu'est Jésus. Même dans ces cas on pourrait faire la part du style; nous ne sommes pas obligés de croire que Jésus se soit toujours exprimé de la sorte. Il n'en demeure pas moins une préoccupation visible de sa part d'élever les esprits à une pénétration plus complète de ce qu'était sa mission et

(1) 1re éd. p. 99.

(2) *Eod. loc.* p. 73 et 72.

(3) Nous n'insistons pas sur ce point, très bien mis en lumière par M. Lepin et qui résulte de tout l'évangile.

(4) ἐγώ et κἀγώ.

de ce qu'il était. Aurait-il gagné à jamais ses disciples s'il ne leur avait rien dit de tel? Aurait-il même sans cela provoqué la haine spéciale dont il fut l'objet?

Il va sans dire d'abord que Jésus ne procède pas par une énumération fastueuse de ses titres, comme la brave Isis. Il parle de soi selon que les circonstances l'y amènent.

Nous avons déjà dit comment il avait préparé les Juifs à l'affirmation de son moi divin (VIII, 18.23.58; X, 30.38.). Il y a encore trois cas où le sens de ἐγώ εἰμι est assez énigmatique (VIII, 24.28; XIII, 19).

Beaucoup plus souvent, c'est à sa mission qu'il fait allusion, et à ce qu'il sera pour les hommes : il est le Messie (IV, 26), le pain de vie (VI, 35.48), descendu du ciel (VI, 41), la lumière du monde (VIII, 12 cf. XII, 46), la porte des brebis (X, 7.9), le bon pasteur (X, 11.14); il dit à Marthe (XI, 25) : « Je suis la résurrection et la vie », à ses disciples : « je suis la voie, la vérité et la vie » (XIV, 6), la vigne véritable (XV, 1.5). Lorsque ἐγώ se joint à un verbe d'action, c'est pour marquer l'action qu'il fait comme envoyé de Dieu, investi de sa puissance. Mais de cet ἐγώ du Christ les synoptiques offrent déjà des exemples. S'ils sont rares dans Mc., Jésus commande cependant aux mauvais esprits (IX, 25) et reconnaît qu'il est Messie (XIV, 62). Dans Mt. c'est bien comme envoyé de Dieu et législateur de la loi nouvelle, chef du royaume céleste, que Jésus prononce son moi (V, 22.28.32.34.39.44; VIII, 7; X, 32.38; XI, 28; XII, 27.28; XVI, 18; XXVIII, 20). Dans Lc. il se pose en docteur (XI, 9; XVI, 9), dispose des trônes célestes (XXII, 29), promet son assistance (XXI, 15), annonce le Saint-Esprit et donne mission à ses apôtres (XXIV, 49).

Jésus ne s'est donc pas dérobé, par une humilité affectée, au devoir d'annoncer aux hommes, même mal intentionnés, ce qu'il était, et ce qu'il voulait être pour eux. Les cas où il s'exprime ainsi dans Jean n'ont pas toujours le même objet, mais c'est bien toujours la même manière d'adapter son moi à sa mission.

C'est aussi la même dépendance vis-à-vis de Dieu, spécialement en inclinant la volonté de l'homme devant celle du Père : les termes de Mc. XIV, 36; Mt. XXVI, 39 ne sont pas plus forts que ceux de Jo. : οὐ δύναμαι ἐγὼ ποιεῖν ἀπ' ἐμαυτοῦ οὐδέν (V, 30), ἐγὼ τὰ ἀρεστὰ αὐτῷ ποιῶ πάντοτε (VIII, 29); cf. IV, 34 : ἐμὸν βρῶμά ἐστιν ἵνα ποιῶ τὸ θέλημα τοῦ πέμψαντός με. Et cette humilité, cette soumission, cette obéissance donnent leur véritable aspect aux déclarations plus glorieuses du Christ. En tout il n'agissait que pour obéir à son Père; il pouvait bien affirmer qu'il ne recherchait pas sa propre gloire (VIII, 50); car s'il disait aux hommes ce qu'étaient pour leur salut ses paroles, ses œuvres, sa personne, c'était, comme but suprême, en vue de l'unité avec le Père et pour qu'on comprenne son amour (XVII, 23).

V. — LE CHRIST LUMIÈRE.

Dans le Prologue, le Verbe est lumière (I, 4. 5. 7. 8 (*bis*). 9). On en a conclu que de ce thème théorique servant de programme, Jo. a tiré les déclarations qu'il a placées dans la bouche de Jésus, et qui par conséquent ne seraient pas historiques ni appuyées sur la tradition. Mais si l'on prend pour base la critique littéraire, on notera que III, 19. 20. 21 sont des réflexions de Jo., et que XII, 46 est dans un résumé où sa pensée personnelle se reflète plus que dans les discours prononcés par Jésus. Les textes qui restent s'expliquent très bien par les circonstances.

Pour en préciser le sens, il faut tenir compte de la tradition antérieure. Il est fort exagéré de dire que dans tout l'A. T. Dieu est lumière, et ce n'est pas par le Ps. XXXV (XXXVI), 9 qu'on le prouverait; car *In lumine tuo videbimus lumen* « pris dans le contexte du psaume... signifie simplement que le Seigneur comble ses serviteurs, en cette vie même, de précieuses bénédictions » (1). Et il n'eût pas été sans inconvénient, lorsque les cultes astraux étaient florissants chez les Sémites, de dire simplement : « Dieu est la lumière ». Dans Dan. X, 5 (LXX) καὶ ἐκ μέσου αὐτοῦ φῶς, il y a comme une précaution pour éviter d'identifier Dieu et la lumière. Il l'avait créée (Gen. I, 3), il en était comme revêtu (Ps. CIII, 2), elle se répandait de son visage sur ceux qui recevaient la bénédiction du grand prêtre (Num. VI, 25). Si à l'Exode la nuée lumineuse avait guidé les Israélites (Ex. XIII, 21), Dieu se proposait de plus en plus par sa lumière de conduire ses fidèles dans la voie du bien : ἐν τῷ φῶτι τοῦ προσώπου σου πορεύσονται (Ps. LXXXVIII, 15), ou comme disaient les Ps. de Sal. (III, 16) καὶ ἡ ζωὴ αὐτῶν ἐν φωτὶ κυρίου. Dieu était la lumière d'Israël (Is. X, 17), il n'était point encore conçu comme la lumière essentielle. A mesure qu'on s'entendait mieux sur sa nature purement spirituelle, on approchait de ce concept : la sagesse « est un rayonnement de la lumière éternelle » (Sap. VII, 26). Mais on sait que Jean n'a pas employé σοφία pour désigner le Fils de Dieu. Dieu pouvait communiquer sa lumière aux hommes (Ps. IV, 6), et même, dans Isaïe, il choisit son serviteur pour être « la lumière des nations, pour ouvrir les yeux des aveugles » (Is. XLII, 6).

Il était tout naturel que cette prophétie fût entendue du Messie et appliquée à Jésus (Lc. II, 32). Il avait apparu sur les bords du lac (Mt. IV, 16) comme la grande lumière prédite ailleurs par Isaïe (IX, 1). Déjà dans Mc. (IV, 21) Jésus comparait sa doctrine à une lampe qu'il convient de placer sur le chandelier; il nommait ses disciples « la lumière du monde » (Mt. V, 14), il opposait les fils de la lumière aux fils de ce monde (Lc. XVI, 8).

(1) FILLION, *Comm.*

C'est à cette tradition des paroles du Maître que se rattache Jean. Lorsque Jésus déclare : « Je suis la lumière du monde, celui qui me suit ne marchera pas dans les ténèbres, mais il aura la lumière de la vie » (VIII, 12), l'absence de tout contexte explicatif nous laisse dans l'embarras. Mais quelle raison de croire avec Bauer qu'il fait front contre les prétentions de Mithra, ou comme d'autres diront, du Soleil? Il se présente seulement comme le maître de la vérité, celui qui indique la voie qui conduit à la vie, la vérité étant déjà dans l'âme le commencement de la vie spirituelle : φῶς Κυρίου πνοὴ ἀνθρώπων (Prov. XX, 27).

Un second texte est plus précis (IX, 5) : « Tant que je suis dans le monde, je suis la lumière du monde ». C'est donc bien comme envoyé de Dieu qu'il est la lumière du monde ; et cela est dit à propos de l'aveugle-né, donc très naturellement, et en prévision de la nuit qui mettra un terme à son action.

C'est tout à fait la même pensée dans le troisième texte (XII, 35 s.). Tant qu'il est là, il est temps de se ranger à sa doctrine : « Pendant que vous avez la lumière, croyez en la lumière, afin de devenir fils de lumière ». « Fils de lumière », comme dans Lc. XVI, 8. Il est vrai que πιστεύετε εἰς τὸ φῶς semble faire de la lumière l'objet de la foi, et par conséquent la révéler comme essentielle. Toutefois on ne saurait faire abstraction de la métaphore développée dans ces deux versets : croire en la lumière, c'est marcher dans la lumière, prendre le Christ pour guide dans la voie de la vérité. Cyrille a reconnu ici une allusion à l'Écriture, c'est-à-dire sans doute à Is. XLII, 6.

Les deux derniers textes offrent une indication pour l'intelligence du premier : il paraît très naturel de voir dans tous trois une allusion à la mission du Christ, envoyé par Dieu pour être la lumière, c'est-à-dire le dispensateur de la vérité. Il était la vérité, et il l'a dit à ses disciples (XIV, 6) mais non pas explicitement aux Juifs ; il leur disait cependant la vérité (VIII, 40. 45. 46). Ses paroles, telles que les rapporte Jean, sont dans le courant de la tradition synoptique, mettant, il est vrai, dans tout son jour une ancienne prophétie. Et elles ne semblent pas avoir déchaîné spécialement la colère des Juifs. Ce ne serait pas assez pour réaliser en traits d'histoire librement inventés un programme grandiose : c'était assez pour permettre à Jean de dire dans le prologue comment cette lumière qui a brillé dans le temps était une lumière essentielle, étant Dieu, qui est lumière (I Jo. I, 5) ; les deux séries de textes de l'A. T. sur la lumière de Dieu et la lumière de son serviteur se rejoignaient ainsi en la personne du Verbe.

VI. — JÉSUS-CHRIST, VIE ET AUTEUR DE LA VIE.

La vie est à la fois plus intime et plus agissante que la lumière. Tandis que la lumière se donne par le fait même qu'elle paraît, la vie se communique d'une façon plus secrète pour devenir un principe intérieur de mouvement.

Le Père donne la vie au Fils, non point comme à un simple intermédiaire, mais comme à un véritable principe, et le Fils la communique aux hommes. Cette vie spirituelle et même divine naît en eux par la foi et se consomme dans la vie éternelle. En quoi consiste cette vie, c'est le mystère, mais il n'est pas douteux que telle soit la doctrine johannique.

Les difficultés sont assez graves, si l'on tient à préciser, comme nous désirons le faire, quel fut l'enseignemeut public du Sauveur sur ce point, quel son enseignement plus confidentiel à ses disciples, et les conséquences que Jean en a tirées. Comme toujours les critiques qui nient la valeur historique de Jo. et surtout ceux qui nient l'unité de composition, suivent la marche inverse. Ils trouvent dans le Prologue (I, 4) le thème qui sera développé sous forme d'enseignement historique. Il est en particulier devenu de mode (1) de n'attribuer au prétendu auteur primitif que la notion de vie divine actuelle commencée par la foi : les textes relatifs à la résurrection auraient été ajoutés après coup pour ramener l'ouvrage à la croyance commune. D'autres, comme M. Grill (2), n attribuent à l'unique auteur que cette notion mystique, même lorsqu'il parle de la vie éternelle.

Le sujet est d'autant plus compliqué qu'il sort de la christologie et aborde la sotériologie : en d'autres termes, il ne s'agit plus de la personne du Christ seulement, mais aussi et plus encore de sa vie mystique dans les siens : Jean a écrit (XX, 31) pour que la foi procure la vie. Ne dirait-on pas que la vie était le thème propre de la prédication de Jésus?

Nous commençons par là. On sait que c'est une des différences les plus sensibles entre Jo. et les synoptiques. D'après eux, le thème de la prédication de Jésus fut le royaume de Dieu, royaume à venir surtout, mais déjà commencé (3), ou plutôt règne de Dieu prêché et établi par Jésus pour conduire à son royaume éternel.

Jo. a laissé le royaume dans l'ombre. A son ordinaire, et comme pour marquer qu'il gardait le contact avec ses devanciers, il a cependant parlé deux fois du royaume (βασιλεία), celui de Dieu (III, 3. 5) (4) où l'on entre

(1) Bousset, *Kyrios Christos*, p. 214 ss., *Loisy*, etc.
(2) *Untersuchungen über die Entstehung des vierten Evangeliums*, I, p. 285-307.
(3) Cf. *Comm. Mt.* CLVI ss.
(4) Ou des cieux.

par le baptême, et qui est par conséquent celui que Jésus a établi sur la terre, et le sien propre (XVIII, 36) qui n'est pas de ce monde, c'est-à-dire qui est d'une nature spirituelle, et dont il est déjà le roi. Des deux modes de la βασιλεία, Jo. a donc choisi, dans l'usage très restreint qu'il en fait, celui qui prévalait déjà dans saint Paul, et qui remontait certainement à Jésus lui-même.

Mais les synoptiques avaient une autre manière de désigner le royaume de Dieu de l'au-delà : c'était la vie (Mt. VII, 14; XVIII, 8; XIX, 17; Mc. IX, 43), ou la vie éternelle (Mt. XIX, 16; Mc. X, 17; Lc. X, 25; XVIII, 18. 30), les deux termes ayant le même sens. Sauf une allusion de Lc. XV, 32, les synoptiques ne parlent pas d'une vie éternelle commencée, et cette différence avec Jo. est en somme plus notable que son abstention presque totale relativement au royaume. Leur prédication s'adressait surtout aux fidèles réunis idéalement, après avoir été groupés pour la catéchèse; peut-être ont-ils pensé que la notion du royaume, qui se transformait aisément en celle d'Église, suffisait aux premiers besoins. Le « royaume », impliquant quelque chose de visible, était peu propre à exprimer un don intérieur (1), et la vie était exclusivement entendue dans le sens de vie éternelle. Il est difficile de contester le fait, à moins de donner une portée spéciale à la parole citée par Jésus (Mt. IV, 4; Lc. IV, 4) du Deutéronome (VIII, 3) : « l'homme ne vivra pas seulement de pain, mais de toute parole qui sort de la bouche de Dieu ».

Est-ce une raison pour prétendre que la vie spirituelle sur la terre est une invention de Jean? En réalité elle a déjà dans l'A. T. des bases solides. Le Dieu d'Israël était le Dieu vivant, et la source de la vie était auprès de lui (Ps. XXXV, 9) : παρὰ σοὶ πηγὴ ζωῆς. Il va sans dire que le plus souvent les Israélites lui demandaient de prolonger leur vie et de couler des jours heureux. Mais Isaïe (LX, 1-5) parle certainement d'une boisson et d'une nourriture de l'ordre religieux et intérieur : « O vous tous qui avez soif venez aux eaux... Écoutez-moi et mangez ce qui est bon... Écoutez et que votre âme vive. » Le pieux Israélite, admis à la table de Iahvé, aspirait à mener avec lui une vie commune et qui n'aurait pas de terme. La foi en l'immortalité bienheureuse semble avoir eu pour base chez des fidèles aimants le désir de ne pas se séparer de leur Dieu : « Tu ne permettras pas que ton dévot voie la corruption », dit le psalmiste (XVI, 10; cf. LXXIII, 23); « Le sage suit un sentier de vie qui mène en haut, pour se détourner du séjour des morts qui est en bas » (Prov. XV, 24). On ne devait donc pas s'étonner d'entendre Jésus dire aux Juifs : « Si quelqu'un garde ma parole, il ne verra jamais la mort » (Jo. VIII, 51), si ce n'est que l'envoyé de Dieu ne parlait plus de la Loi, mais de sa parole. Ce qu'il y a ici de nouveau, c'est qu'il est lui-même la source de la vie. Il l'est, non

(1) Aussi ne l'avons-nous pas admis pour Lc. XVII, 21.

pas seulement comme chargé de promulguer la véritable loi de Dieu, mais parce qu'il a reçu la vie dans la plénitude qui convient à un principe de vie (v, 26). En effet, c'est par lui que le monde et que chaque homme a la vie.

Laquelle? La vie éternelle de l'au-delà, ou une vie spirituelle déjà présente? Il est clair que Jo. n'a pas renoncé à la conception courante de la vie de l'au-delà. C'était celle des synoptiques, nous l'avons vu, sous la double forme de vie et de vie éternelle. On retrouve exactement le même phénomène dans les Psaumes de Salomon : οἱ δὲ φοβούμενοι κύριον ἀναστήσονται εἰς ζωὴν αἰώνιον (III, 16) tout à fait comme dans II Macch. VII, 9 εἰς αἰώνιον ἀναβίωσιν ζωῆς ἀναστήσει. On ne dira pas que dans les Ps.-Sal. la vie éternelle est déjà commencée, car elle est opposée à la perte définitive (ἀπώλεια) dans IX, 9 et XIII, 9. L'homme pieux économise déjà de la vie pour soi, mais auprès du Seigneur (IX, 9). Les commandements conduisent à la vie, mais cette vie commencera auprès du Seigneur : οἱ δὲ ὅσιοι κυρίου κληρονομήσουσι ζωήν (XIV, 1. 2. 7). Il serait donc bien étrange que Jo. ait employé la vie et la vie éternelle seulement dans un sens différent. Et en effet il a bien en vue le sens normal, surtout lorsqu'il dit ζωὴ αἰώνιος. Nous entendons ainsi les textes où, par la foi de Jésus on acquiert la vie éternelle (III, 15; IV, 36; V, 29. 39. 40; VI, 27. 40; X, 28; XII, 25). Cela est particulièrement clair dans V, 29 : εἰς ἀνάστασιν ζωῆς.

Mais il est aussi des textes qui affirment clairement que la vie, et la vie éternelle est déjà commencée en celui qui croit (V, 24) ou qui mange la chair et boit le sang du Fils de l'homme (VI, 54). De sorte que l'on peut être en doute à propos de textes plus vagues, comme IV, 14; VI, 33. 47. 63. 68; X, 10. De plus dans XI, 25 la vie (spirituelle) semble d'abord liée à la résurrection, puis elle se manifeste comme persistante en dépit de la mort (temporelle). Ce dernier passage nous prouve que les deux notions se complètent. On prétend que le thème de la résurrection est adventice, et que V, 28-30; VI, 39. 40. 44. 54 sont des additions au texte primitif. — Mais rien ne l'indique. La « vie éternelle » à propos de la vie spirituelle présente ne peut être qu'un mot dérivé et une chose anticipée. Or la vie éternelle chez les Juifs avait pour prélude la résurrection. Les discours, adressés à eux, devaient comprendre ce thème. Il était même exigé par les sujets traités à la piscine et à Capharnaüm. — Dans le premier, Jésus affirme qu'il agit comme son Père. Il a guéri un malade; il peut aussi rendre la vie aux morts. Les deux miracles semblent être du même ordre, mais une résurrection isolée évoque l'image de la résurrection des morts qui n'a point pour terme une vie ordinaire : c'est la vie éternelle. Celui qui la donnera peut déjà la communiquer à ceux qui croient en lui. Dans le second discours, Jésus ne veut pas prouver directement qu'il est supérieur à Moïse parce qu'il donne une nourriture spirituelle, mais parce que ceux qui mangent la nourriture qu'il donne ne mourront pas : ils encourront la mort temporelle, mais ils ont déjà le principe de vie lequel sortira son plein effet par la résurrection. Dans les deux cas, la résurrection est au terme, et c'est ce point fixé par la foi juive qui permet à Jésus de proposer sa doctrine de la vie éternelle déjà commencée, et surtout d'affirmer qu'il est le principe et de cette vie et de son épanouissement.

On voit ce qu'il faut penser de l'opposition doctrinale qu'on dit la plus signalée entre les synoptiques et Jean. Eux ne pensaient qu'à l'avènement glorieux prochain du Christ. Jean, lui, y aurait renoncé et l'aurait remplacé par un avènement intérieur et spirituel. On ne peut obtenir cette opposition qu'en supprimant du quatrième évangile les textes sur la résurrection. Cela n'est pas permis. Et, sans parler d'autres textes (Jo. XIV, 2 s.; XXI, 22), quel droit a-t-on de lui refuser une doctrine expressément professée dans la 1re épître (I Jo. IV, 17; V, 20) et même avec le terme formel de parousie (I Jo. II, 28)?

Nous avons donc ici le phénomène souvent constaté. Jean n'insiste pas sur la doctrine reçue, si souvent inculquée par les synoptiques, mais plutôt sur une doctrine très importante, d'un caractère mystique. Il a soin de conserver le contact avec la tradition sur la résurrection des morts, et affirme avec force qu'elle rentre dans la mission du Christ, ce que les synoptiques n'avaient pas dit.

B. — *La personne de Jésus d'après ses entretiens intimes avec ses disciples* (XIV-XVII).

La doctrine est bien la même, mais il est aisé de constater qu'elle est plus développée et plus approfondie. N'était-il pas dans l'ordre que Jésus donnât à ses disciples un enseignement plus complet, qu'il leur fît même connaître des notions que la masse, et surtout des adversaires mal disposés, ne pouvaient supporter encore? C'est la position expresse des synoptiques : « Il vous est donné de connaître les mystères du royaume de Dieu; à ceux-ci cela n'est pas donné » (Mt. XIII, 11; Mc. IV, 11; Lc. VIII, 10). Et cependant les synoptiques citent à peine quelques explications données en particulier aux disciples (Mc. IV, 13 et parall.; Mt. XIII, 36-43; Mc. VII, 17 ss. = Mt. XV, 15 ss., etc.). Jean est donc tout à fait dans leur thème, et il les complète sur les points les plus mystérieux, que la catéchèse n'avait pas d'abord abordés, mais qui étaient bien dans la foi primitive des Apôtres, comme le prouve l'enseignement de saint Paul.

Nous ne faisons ici que signaler rapidement quelques points sur les lignes que nous venons de parcourir.

Jésus ne parle pas à ses disciples de sa qualité de Messie : le mot de Christ est seulement joint à Jésus dans une formule qui a quelque chose d'une profession de foi (XVII, 3).

Le Fils de l'homme apparaît seulement au début du grand entretien (XIII, 31).

Jésus ne se dit pas expressément Fils de Dieu, mais on le voit constamment en tête à tête avec son Père, dans la gloire qu'ils se rendent mutuellement (XIV, 13 et XVII, 1). La foi en Lui, déjà exigée, est mise sur le même rang que la foi en Dieu (XIV, 1) (1). C'est lui qui exauce les prières (XIV, 13.14). Il est en le Père et le Père en lui (XIV, 10), selon la formule qui ne pouvait être dépassée. Sa préexistence avait déjà été affirmée aux Juifs, mais il parle avec plus de netteté de sa mission : venu d'auprès du Père, il retourne auprès du Père (XVI, 28; cf. XVII, 8); il parle avec complaisance de la gloire que le Père lui avait donnée avant que le monde fût (XVII, 5.24). Nous savions déjà que le Père aimait Jésus parce qu'il faisait le sacrifice de sa vie (X, 17); nous apprenons maintenant qu'il l'aime avant la création du monde (XVII, 24). Son origine divine antérieure à l'Incarnation n'est point encore nommée explicitement une filiation, mais c'est le don par le Père, et par conséquent au Fils, de tout ce qui est à lui : le Fils est donc en état d'être une source par rapport à l'Esprit-Saint (XVI, 14 s.); comme son Père doit l'envoyer (XIV, 16.26), il l'enverra aussi (XV, 26; XVI, 7).

Il y a donc dans cet entretien une révélation sur les secrets de la vie divine, dans le Père, le Fils et le Saint-Esprit.

Cependant le « moi » de Jésus est aussi un moi subordonné, manifestement par suite de la mission qu'il a reçue et qui l'a conduit à prendre une chair d'homme : le Père est plus grand que lui par cela même (XIV, 28); c'est sa parole que prononce Jésus (XIV, 24), il lui obéit (XIV, 31), il observe ses préceptes (XV, 10).

Jésus ne se sert plus pour se faire connaître de la métaphore de la lumière : mais il est la vérité (XIV, 6).

Il est surtout la vie (XIV, 6) et, parce qu'il vit, ses disciples vivront (XIV, 19). Si cette vie est une vie spirituelle, Jésus leur donnera aussi la vie éternelle (XVII, 2), et il explique cette fois ce qu'est la vie éternelle, connaître le seul vrai Dieu, et celui qu'il a envoyé, Jésus-Christ. Cette vie est bien celle de l'au-delà, où ils verront la gloire donnée au Fils par le Père (XVII, 24).

Mais si la gloire est l'apanage de la vie future, la vie spirituelle commencée est bien une vie divine, car Jésus en est la sève, comme l'explique la parabole allégorique de la vigne (XV, 1-9), et par le Fils elle touche au Père. Non seulement le Fils viendra, et le Père aussi, pour faire leur résidence dans le disciple aimant : l'unité du disciple

(1) Sur V, 23 qui est du même ordre, cf. *Comm.*

avec le Père est de même sorte que celle du Fils avec le Père (xvii, 11), parce que le Fils étant en eux, ils sont donc dans le Père et dans le Fils qui sont l'un dans l'autre (xvii, 21-23, cf. xiv, 20). L'unité a le dernier mot, dans la charité : non pas que les rangs soient confondus entre celui qui était dans la gloire du Père et ceux qu'il est venu sauver, mais parce que la charité éternelle du Père pour le Fils descend en eux en même temps que le Fils (xvii, 26).

Ces paroles contiennent un enseignement sublime, qui s'exprimera par le mystère de la Très Sainte Trinité et de la vie de la grâce inaugurant la vie de la gloire. Elles n'ont rien cependant d'un cours spéculatif, d'une leçon de théologie. Elles sont, si l'on peut dire, dans la note du moment. La foi des disciples va être mise à une rude épreuve, et cependant l'œuvre de Jésus doit reposer sur eux : il faut qu'ils aient foi en lui, le principe et le terme de leur vie religieuse, orientée vers le seul vrai Dieu; il faut qu'ils se préparent à recevoir l'Esprit-Saint, et qu'ils sachent ce qu'il sera pour eux. C'est pour cela que, dans cette heure suprême, Jésus les instruit de ses relations avec le Père et avec l'Esprit. Il faut encore qu'ils fondent un groupe de fidèles dont la vie doit être surnaturelle, divine : une, par conséquent, en vertu de la vie divine communiquée par Jésus. Cette unité entre des hommes et avec Dieu est fondée sur la charité qui découle du Père : de là l'insistance très particulière dans ces dernières paroles sur la vie mystique des disciples en Jésus-Christ et dans la charité. Et si tout conduit à Dieu dans cette mystique, cependant Jésus-Christ comme Fils incarné en est le médiateur, par sa parole d'abord, puis par sa présence dans les âmes (1) auxquelles il donne la vie. Cette vérité vient de son cœur, et atteint le cœur des disciples; c'est un adieu.

C. — *Le résumé de la prédication de Jésus, les passages où Jean commente ses paroles et le Prologue.*

Il va sans dire que dans le Prologue Jean ne s'astreint pas à reproduire des paroles prononcées par Jésus. Nous pensons, avec nombre d'exégètes catholiques, que ce n'est pas non plus le cas dans les passages où, sans avertir expressément, il laisse cependant reconnaître qu'il poursuit à sa façon l'enseignement donné par le Maître (iii, 16-21; 31-36). Enfin, lorsqu'il donne en quelques lignes (xii, 44-50) un résumé de la prédication de Jésus, ces paroles, placées en dehors de toute situation précise dans sa vie, peuvent passer pour l'impression laissée dans l'esprit du fidèle disciple, et marquer ainsi un certain développement (2).

(1) Eph. iii, 17.
(2) Nous ne parlons pas des réflexions de l'évangéliste (xii, 36-43) qui ont pour objet

Nous supposons ici que la distinction de ces passages repose sur une critique littéraire solide : le rapport spécial qu'ils ont entre eux est une preuve de plus qu'ils ne font pas corps avec les discours qui sont plus proprement ceux de Jésus.

Le résumé (XII, 44-50).

Croire en Jésus, c'est croire en celui qui l'a envoyé; le voir c'est voir celui qui l'a envoyé : cela résulte bien de ce que Jésus a dit à ses disciples (XIV, 9) sous une forme plus compréhensive. Jésus lumière est venu dans le monde : il était donc lumière avant d'y être envoyé, ce qui dépasse ce que nous avons vu de l'envoyé de Dieu (1), mais coïncide avec le Prologue (I, 4 ss.). Il n'est pas venu pour juger le monde, mais pour le sauver, ce qui est tout à fait comme la glose des paroles à Nicodème (III, 17 s.); il y a cependant cette différence que, dans III, 18, la doctrine mystique est plus avancée, puisque le jugement est déjà prononcé par le discernement des bons et des mauvais, ce que XII, 48 renvoie au dernier jour. Nous avons dans XII, 47 s. comme une fusion des deux notions de V, 24 et V, 27-30.

Ayant ainsi glorifié le rôle du Fils, le résumé n'omet pas le point capital de sa dépendance envers le Père dans tout ce qu'il dit comme son envoyé. La lumière étant au début de son œuvre, la vie en marque le terme : c'est le commandement divin qui est vie, vie déjà commencée quand on le pratique, et vie éternelle. La parole qui figure ici n'est point une personne, mais elle est du moins personnifiée, puisque c'est elle qui jugera. Lumière, vie et verbe donnant à ce résumé le caractère d'une réplique du prologue, ou plutôt d'une première esquisse de ce qui pouvait devenir le prologue.

Premier exposé (III, 16-21) (2).

L'amour du Père pour le Fils, répandu sur ses disciples, qui est le dernier mot des confidences de Jésus (XVII, 23), apparaît ici comme le point de départ du dessein du Père : il a tant aimé le monde! Le Fils unique (μονογενής) est nommé au v. 16 et au v. 18, et seulement encore dans le prologue (I, 14.18). Dans les deux cas il est Fils avant l'Incarnation, ce qui n'est pas dit aussi explicitement dans les discours de Jésus. Le Fils a été donné pour que ceux qui croient en lui aient la vie éternelle (XX, 31), car il est venu pour sauver, non pour juger (cf. XII, 47 s.). Le jugement se produit dès maintenant selon l'accueil qu'on fait à la lumière. C'est la doctrine de V, 24 pour ceux qui croient : elle est appli-

le dessein de Dieu dans l'incrédulité d'Israël. On y constaterait aisément que la doctrine, appuyée sur deux citations, a un aspect plus évolué que dans les paroles du Sauveur sur la grâce nécessaire pour venir à lui : VI, 44.65.

(1) Voir plus haut, p. CLXI s.

(2) 15[b] est un verset de transition.

quée à ceux qui ne croient pas par une formule balancée en sens contraire. Enfin l'explication est donnée de cette double attitude en face de la lumière venue dans le monde (I, 9-11; XII, 48). Tout ce passage est donc comme une réflexion théologique sur quelques-unes des données du prologue, plus avancée dans la recherche des causes que le simple résumé de XII, 44-50, mais sur le même thème.

Deuxième exposé (III, 31-36).

Il suit les paroles du Baptiste, et c'est sans doute pour cela qu'il s'en tient au rôle messianique de Jésus. Celui-ci vient d'en haut, du ciel, témoigne de ce qu'il a vu dans le ciel, et prononce les paroles de Dieu. On ne voit pas que l'amour de Dieu pour le Fils doive s'entendre avant l'Incarnation; mais cependant il faut croire au Fils pour avoir la vie éternelle : c'est le thème de l'évangéliste (XX, 31). La menace de la colère rappelle l'énergique prédication du Baptiste. On dirait non plus d'un résumé de la prédication de Jésus, mais d'une orientation de celle du Baptiste vers le but de l'évangile.

Le Prologue (I, 1-18).

L'explication en est tentée dans le commentaire. On voudrait seulement répondre ici à la question posée par la critique : Le Prologue est-il une conception théologique qui domine tout l'évangile écrit précisément pour la mettre en lumière? A la question ainsi posée il faudrait répondre négativement. Sans doute le prologue contient les idées principales de l'évangile, mais sous une forme définitive et en quelque manière dérivée. Ce ne sont point cependant des conclusions déduites et par conséquent inférieures aux principes. Ce sont des principes, les principes premiers de la théologie de l'Incarnation. Mais ces principes sont perçus et énoncés avec une clarté et une ampleur qu'ils n'avaient pas dans l'enseignement de Jésus, surtout dans ses paroles aux Juifs. Ils sont mis dans une lumière nouvelle : il nous est dit, ce que l'évangile ne dit pas ailleurs, que Jésus est le Logos.

Jean est certes bien convaincu que cette leçon sera très utile à ceux qui liront son évangile; et cependant rien dans les paroles de Jésus ne conduisait clairement à une semblable appellation. C'est donc qu'il n'a rien changé à ces paroles dans l'intérêt d'une thèse arrêtée d'avance.

Si le Logos est dans le prologue un point vraiment nouveau, d'autres affirmations qui, celles-là, résultent bien des paroles de Jésus, sont formulées d'une manière plus abstraite, et en des termes plus précis. L'évangile a montré Jésus comme lumière et surtout comme auteur de la vie : ces deux idées ont été rapprochées dans le résumé et dans le premier exposé : nous venons de le voir. Dans le prologue la vie se place en tête, et la lumière est assimilée à la vie (I, 4). La préexistence de cette vie et de cette lumière est celle même du Logos qui était auprès de Dieu toujours et qui est Dieu (I, 1), donc éternel.

Il est en même temps le Fils unique, lui aussi dans le sein du Père. Et pour marquer qu'il a apparu dans la nature humaine, étant réellement homme, Jean nous dit que « le Logos s'est fait chair » (I, 14). Ceux qui l'ont reçu, qui croient en son nom, sont eux aussi, à leur manière, fils de Dieu et engendrés par Dieu : formule plus claire et plus décisive que ce qu'avait dit Jésus à Nicodème (III, 5). La vie divine ainsi reçue de la plénitude du Verbe incarné est grâce et vérité (I, 17). Affranchi de la fidélité qu'il doit aux paroles de Jésus quand il les rapporte, Jean jette un regard sur l'histoire et compare la loi, œuvre de Moïse, à la grâce opérée par le Christ.

Si l'on envisage le prologue comme annonçant la carrière humaine du Christ, c'est vraiment un programme, car l'évangile se propose de montrer l'effet produit par la lumière sur les hommes de bonne et de mauvaise volonté. Mais sa théologie dépasse en quelque façon celle de l'évangile, parce qu'elle condense en quelques formules nettement tracées ce que Jésus avait enseigné selon les circonstances, et ce qu'on pouvait déduire de ses paroles, en y ajoutant la doctrine du Verbe. Pourtant si cette doctrine est souverainement salutaire au lecteur en lui apprenant qui était le Jésus de l'histoire avant son Incarnation et ce qu'il demeure à jamais, elle n'est pas indispensable pour comprendre le sens de ses paroles, car elles n'ont pas été changées pour servir de véhicule à cette conception.

Nous croyons donc pouvoir conclure que Jean a eu conscience de ce qu'il devait être comme docteur et comme historien. Sans doute les paroles de Jésus, déposées dans son cœur, ont été souvent méditées par lui, se sont éclairées l'une par l'autre, ont pris, sous l'influence de l'Esprit-Saint, comme un aspect nouveau. Et que sa manière de comprendre et de dire ait eu quelque influence sur toute sa rédaction, nous ne voudrions pas le nier. Mais lui-même nous a permis, en comparant ce qu'il a mis sur les lèvres de Jésus, et ce qu'il présente plus ou moins nettement comme son interprétation, de reconnaître comme deux états de la doctrine, le second étant notablement plus systématique. Sa valeur comme témoin fidèle ressort donc de cet examen, comme aussi de la distinction entre les discours de controverse et les confidences aux siens, dont la physionomie et même le contenu ne devaient pas être les mêmes. Jésus se révèle selon la loi de sa mission ; Jean est son témoin et son théologien.

Le premier avantage de cette perception des nuances dans les notions théologiques du quatrième évangile est de le rapprocher des synoptiques par ses couches profondes. Les différences mises en relief ne disparaissent pas, mais on voit mieux que le point de départ est le même et qu'elles se résolvent dans l'harmonie. Au fond, ce qui diffère entre les synoptiques et Jean, ce n'est pas la physionomie de Jésus, c'est la direction de la lumière. Dans les synoptiques elle vient de Jésus, et se répand sur les hommes pour les instruire de leur grand devoir envers Dieu, leur apprendre à prier, leur enseigner la pénitence, l'humilité, la confiance et même l'abandon, la droiture, la sincérité; envers le prochain la justice, la bonté, l'indulgence; il leur demande d'être parfaits comme le Père céleste est parfait.

Et c'est bien aussi à Dieu que Jésus conduit ses disciples d'après l'évangile de Jean. Mais c'est en lui-même qu'ils le trouvent. Le culte que les chrétiens lui rendent avec son Père est justifié par ses œuvres et par ses propres déclarations. Si l'on ne voit dans le quatrième évangile qu'une projection de ce culte dans le passé, il restera à expliquer l'origine de leur foi. Ce qu'affirme Jean est aussi ce qui est le plus vraisemblable : si les premiers chrétiens, Juifs convertis, ne se sont pas crus coupables de blasphème en lui rendant des honneurs divins, c'est qu'ils avaient appris de lui son unité avec son Père, seul digne d'être glorifié et adoré. Ce sont ces paroles, en somme peu nombreuses, que Jean a reproduites et ajoutées à celles déjà si fortes des synoptiques. Elles reportaient pour ainsi dire vers l'intérieur du Révélateur la lumière qu'il apportait au monde, sans cependant que sa nature humaine et ses actions humaines aient cessé d'être les mêmes, sans rien retrancher de ses humiliations et de ses souffrances, sans rien ajouter d'essentiel à ce que contenait la tradition.

Qu'on revienne aux synoptiques après avoir lu Jean, on comprendra mieux certaines allusions à son pouvoir, à sa connaissance de Dieu, à ce qu'il y a de mystérieux dans sa personne. Il deviendra même plus accessible, il sera plus proche de nous, s'il est vrai que nous nous sentons plus à l'aise avec Dieu mieux reconnu qu'avec une grande et prodigieuse créature. Le sentiment intime du peuple chrétien ne l'a pas trompé dans la querelle de l'Arianisme, quoi qu'aient pu penser certains gnostiques attardés, soucieux de ne monter au divin que par une échelle d'intermédiaires. L'union de Dieu avec notre nature, miraculeuse, inouïe, donne cependant une satisfaction pleine au sentiment religieux, déçu et repoussé plutôt qu'attiré par l'intrusion d'un pseudo-Dieu. Et c'est de Dieu seulement qu'on peut concevoir qu'en prenant la nature humaine il lui laisse son intégrité et le tranquille usage de ses facultés. Un grand être, dieu sans l'être tout à fait, — c'est déjà un contresens — serait plus envahissant et perturbateur. Tandis que, en lisant Jean, nous sommes comme portés à rattacher à la condescendance du Verbe tous les effets de la condition humaine. Les adorateurs du Dieu incarné n'ont pas à se priver des innocentes joies de la Crèche, ni à se scandaliser de le voir partager en Galilée l'existence des plus modestes parmi ceux qu'il est venu sauver.

§ 2. — *L'origine des titres de Fils de Dieu et de Logos.*

Nous avons déjà indiqué (1) de quel laminoir la critique de la fin du XIXe siècle faisait sortir la notion métaphysique de Fils de Dieu.

Chez les Juifs, Fils de Dieu était plus ou moins synonyme de Messie. « Jésus se dit Fils unique de Dieu dans la mesure où il s'avoue Messie » (2). Il est condamné pour s'être dit Messie ou Fils de Dieu, ce qui revenait au même. Mais Paul, prêchant aux Gentils, ne peut se contenter d'un Sauveur qui ne serait que le Messie : Jésus glorifié devient l'homme céleste, préexistant. Jean marque une troisième étape, celle du Fils de Dieu au sens métaphysique.

Mais d'autres critiques, non moins indépendants, ont reconnu combien cette évolution est artificielle. D'abord ils inclinent à reconnaître que le nom de Fils de Dieu n'était nullement synonyme de Messie dans le langage courant des Juifs (3). D'autre part, on reconnaît que dans les synoptiques le Fils est un terme abstrait. M. Loisy l'a déjà soutenu contre M. von Harnack à propos du passage célèbre : *Nul ne connaît le Fils, si ce n'est le Père*, etc. (Mt. XI, 25-30; Lc. X, 21-24) : « Père et Fils ne sont pas ici des termes purement religieux, mais des termes métaphysiques, théologiques et la spéculation dogmatique a pu s'en emparer sans en modifier beaucoup le sens (4) ». Si bien que M. Wetter, renversant hardiment l'ordre établi par la critique libérale, a pu écrire que « le titre υἱὸς θεοῦ dans la littérature chrétienne non johannique » — y compris Paul « est déjà devenu beaucoup plus un terme technique chrétien que ce n'est le cas pour l'expression du quatrième évangile (5) ». Il est vrai, comme on dit, que le diable n'y perd rien, car l'intention de Wetter est de soutenir que Jean a emprunté une expression toute faite, sous la forme qu'elle avait dans la piété hellénistique : le titre de Fils de Dieu viendrait donc du paganisme. Cette thèse se soude à celle de M. Bousset sur l'origine païenne du christianisme, — sans méconnaître une réaction spirituelle puissante, — thèse que M. Loisy s'est plu depuis à propager.

Pour nous, nous ne pouvons que répéter : « L'attestation authentique de cette filiation ne peut venir que du Père ou du Fils lui-même (6). »

Mais l'affirmation de Jésus, pour être comprise, devait se rattacher à des expressions déjà connues, fût-ce pour les contredire, et il est du plus haut intérêt de savoir si cette vérité d'origine divine avait des attaches

(1) Voir plus haut, p. CXLIV.
(2) LOISY, *L'Évangile et l'Église*, p. 91.
(3) *Comm. Mc.* p. CXXXIII.
(4) *L'Év. et l'Égl.*, p. 78.
(5) *Der Sohn Gottes*, 1916, p. 138.
(6) *Comm. Mc.* CXXXIII.

ou des amorces dans le milieu hellénistique ou au sein de la révélation accordée à Israël.

La thèse de Wetter est que la piété hellénistique trouvait son aliment dans le culte de certaines personnes qui se disaient Fils de Dieu ou Dieu, ce qui était à peu près équivalent. Cette appellation aurait paru à Jean de nature à faire connaître à des populations hellénisées ce qu'était Jésus, quoiqu'il l'entendît d'une autre manière pour n'être pas obligé à renoncer au culte de l'antique Dieu d'Israël.

Ce dernier point n'est pas en litige. Mais nous nions absolument que le titre de Fils de Dieu ait alors été commun chez les païens dans un sens sur lequel le sens chrétien eût pu se greffer.

Le principal argument de Wetter est un texte de Celse que nous a transmis Origène. L'adversaire du christianisme aurait entendu en Syrie et en Palestine des prophètes qui avaient les mêmes prétentions que Jésus. Ils disaient (1) : « Je suis Dieu ou fils (παῖς) d'un Dieu, ou un esprit divin. Je viens : car déjà le monde se perd, et vous, ô hommes, vous périssez par les injustices. Mais je veux sauver; et vous me verrez de nouveau revenant avec une vertu divine. Heureux celui qui maintenant me témoigne sa dévotion; à tous les autres j'enverrai un feu éternel, et aux villes et aux pays. Et quant aux hommes, ceux qui ne savent pas donner satisfaction, ils se reconnaîtront en vain et auront à gémir : pour ceux qui m'écoutent, je les garderai éternels. »

Si vraiment Celse a rencontré de pareils prédicateurs, ils se livraient à une contrefaçon de l'évangile (2). Il est d'ailleurs plus vraisemblable qu'il a généralisé et grossi beaucoup tel cas particulier, en donnant à tous certaines allures de l'évangile : c'était déprécier celui-ci que de le laisser reconnaître dans ces exhibitions de charlatans.

Celse met encore dans d'autres cas θεοῦ υἱός et θεός pour dire la même chose (3). C'est une particularité dont on ne cite pas d'exemple en dehors de la littérature chrétienne, et qu'il lui a donc empruntée. Ce n'est pas que les mots n'aient pu être rapprochés dans le paganisme, mais dans un sens tout différent de celui des chrétiens. Le fils d'un dieu chez les païens était dieu du fait de sa naissance, mais il ne pouvait être le même dieu.

(1) *C. Cels.* VII, 9.

(2) Norden (*Agnostos Theos*, p. 189) a le courage de dire que « l'évangéliste a donc connu une ῥῆσις telle que Celse en entendit encore, et l'a transformée en récit dialogué (sans beaucoup d'art) ». Ainsi l'on compte pour rien le culte de Jésus parfaitement historique dans le christianisme, que Jean ne pouvait ignorer, et l'on préfère mettre l'évangéliste à la remorque d'un ennemi des chrétiens, habitué à travestir les évangiles ! Ce qu'il faut retenir de Norden, c'est que la ressemblance ne peut s'expliquer sans dépendance. Or Celse écrivait vers 180 et connaissait le quatrième évangile (*C. Cels.* I, 41 I, 67; I, 70; II, 55 ; cf. II, 17).

(3) *C. Cels.* II, 30; IV, 2; V, 2.

Tout est là! Aussi ne voyait-on pas les empereurs par exemple prendre simplement le titre de fils de Dieu. Ils étaient un dieu pour leur compte, et fils de tel autre dieu. Aussi l'important dans l'antiquité était de prouver sa propre divinité, sauf à se prévaloir de telle ou telle filiation, comme Néron qui se disait fils de Claude, le plus grand des dieux (1).

Wetter a donc cherché très vainement des exemples pour justifier l'affirmation de Celse. Ni Simon le Mage, ni Ménandre, ni Apollonius de Tyane ne se sont posés en Fils de Dieu, mais en personnages divins, en dépositaires d'une vertu divine, en dieu. Et ce qui regarde ces personnages ne nous est connu que par des sources postérieures à la mort de J.-C. On se serait attendu à plus d'insistance sur le fait de Pythagore, qui a prêché, qui a eu des disciples dont les groupements se sont perpétués, avec des préceptes particuliers, et qui a été adoré comme un dieu. M. Delatte a montré que cette croyance est antérieure à Aristote (2). Mais le titre de fils de Dieu n'apparaît pas : il est Apollon, Pythien ou Hyperboréen, ou Paeon, ou l'un des démons qui habitent la lune, ou l'un des dieux olympiens, ou le fils d'Hermès. Il en était de même des dieux Ptolémées et des empereurs : ils appartenaient à une race divine qui leur transmettait la divinité; mais chacun avait la sienne, qui s'acquérait par la naissance ou par l'adoption. Se servir des termes hellénistiques pour suggérer que Jésus était autre chose qu'un homme c'eût été donner à entendre qu'il tenait sa divinité de son père Joseph ou que Dieu avait rempli l'office d'un père, en apparaissant lui-même en homme pour en faire les fonctions : deux idées également abominables pour un juif ou pour un monothéiste quelconque.

Ces rapprochements ne sont que distractions de philologues ou d'amateurs des religions comparées. Mais si nous rejetons l'origine hellénistique, ayant déjà refusé l'équation Messie et Fils de Dieu, d'où vient ce terme, déjà connu des synoptiques et de saint Paul?

Il semble que c'est précisément Jean qui nous le fait savoir, et à sa source. Tandis qu'en grec « fils » de quelqu'un exprime nécessairement l'idée d'une filiation réelle ou imitée juridiquement par l'adoption, dans les langues sémitiques fils de Dieu peut signifier aussi une appartenance plus vague. C'est ainsi (3) qu'Israël était le fils de Dieu, même son fils unique, et tel était aussi le roi, comme représentant le peuple. D'une manière plus mystérieuse, les fils de Dieu sont des êtres surhumains, qui vivent auprès de Dieu et participent plus étroitement à sa vie. Dieu ayant créé l'homme à son image, on doit croire que ceux-là

(1) Magnésie du Méandre, n° 157 ; τὸν υἱὸν τοῦ μεγίστου θεῶν Τιβερίου Κλαυδίου.

(2) Delatte, *Études sur la littérature pythagoricienne*, Paris, 1916, p. 279, 297 s., et *La vie de Pythagore de Diogène Laërce*, Bruxelles, 1922, p. 170-180, etc.

(3) *La Paternité de Dieu dans l'A. T.*, *RB.*, 1908, p. 481-499.

reproduisent encore mieux cette image. Ce sont des créatures, mais, en tant que semblables à Dieu, elles participent plus ou moins à la divinité. Des magistrats enrichis de dons spéciaux correspondant à leurs fonctions sont aussi des fils de Dieu.

C'est sur ce dernier point que s'appuie Jésus pour amener les Juifs à reconnaître sa vraie nature : il ne faut que passer de ce sens figuré de fils, supposant quand même une certaine participation des dons de Dieu, au sens propre de Fils. C'est ainsi qu'un passage de Jean (x, 34 ss.), regardé comme très difficile, fournit cependant une vraie lumière sur la question. C'est uniquement parce qu'ils ne veulent pas admettre que Jésus a parlé ainsi de lui-même que les critiques cherchent si loin. Nous préférons constater que cette parole de Jésus dans Jean établit le contact avec l'A. T., c'est la notion fondamentale enregistrée par les synoptiques et développée par Paul.

La même simplicité, le même caractère primitif de soudure historique avec l'A. T. se retrouve dans l'application aux croyants du titre d'enfants de Dieu (I, 12), pour ceux qui sont nés de nouveau par le baptême de l'Esprit-Saint (III, 5). Il suffisait de transférer aux fidèles le titre qui appartenait à Israël. De même qu'Israël est devenu fils de Dieu quand Dieu lui a donné l'existence comme son peuple, ainsi les fidèles au moment où ils croiront en Jésus Christ. L'union du Fils avec le Père est le modèle de leur unité, et les fidèles du Christ sont appelés à prendre part à cette unité dans le Fils, de sorte qu'ils seront plus véritablement fils de Dieu. Il reste une différence essentielle : il est la vigne qui a toute la sève, ils sont les branches qui peuvent être retranchées et ne vivent que par lui.

Saint Paul est revenu sur cette doctrine, mais avec des préoccupations qui ne paraissent pas ici. Pour maintenir la différence entre le Fils de Dieu et les fils de Dieu, il a eu recours à l'adoption (Rom. VIII, 15 s.), conception romaine, c'est-à-dire à une comparaison juridique étrangère à la pensée juive primitive. Et au lieu de la parabole de la vigne qui se rattache si étroitement à l'enseignement synoptique de Jésus, il a construit, non sans quelques variantes et sans quelques inégalités, la comparaison du corps et des membres, de l'édifice et des parties (1).

Parce que l'union dans Jean paraît plus profonde, ce n'est pas une raison de dénoncer un développement et de taxer Jean de paulinisme. Les rapports du disciple bien-aimé avec l'apôtre des gentils supposent la même base, mais leurs spéculations n'ont pas la même direction. Paul reçoit le fait du Christ, et remonte le cours de l'histoire pour y reconnaître des préparations désormais dépassées, il se préoc-

(1) Voir *Comm.* sur xv, 1 ss.

cupe de ce que le christianisme peut représenter pour les hommes de son temps, juifs ou gentils.

Le disciple bien-aimé connaît aussi la supériorité de Jésus sur Moïse (1), mais il n'en parle que dans le Prologue. Certes il est pénétré de la pensée de Jésus; elle a grandi en lui, et il désire non moins ardemment que Paul d'en faire naître la foi. Mais étant évangéliste, il ne fait aucune allusion aux problèmes qui ont été agités dans l'Église naissante et ne distribue pas tantôt le lait, tantôt une nourriture plus solide. Il convoque à la source des paroles de Jésus; il nous mène à cette lumière qui doit donner la vie.

Son innovation à lui, relativement à la personne de Jésus, c'est l'affirmation qu'il est le Logos de Dieu. Il ne semble pas qu'elle ait été courante dans le christianisme. L'a-t-il empruntée telle quelle à Philon? Personne n'a jamais pu le soutenir, et l'on est peu porté aujourd'hui à admettre une dépendance véritable. M. Loisy, toujours bien au courant des mouvements de l'opinion, écrit : « Si les affinités sont multiples entre les doctrines de notre évangile et celles de Philon, les différences ne sont pas moins considérables, et même il n'est pas autrement probable que l'évangile johannique dépende littérairement des écrits philoniens (2). »

Nous ne voulons pas revenir au profit de Philon sur ce jugement équitable.

Quand on a bien compris la différence essentielle entre un philosophe exégète, également préoccupé de sauvegarder la loi de Moïse et de s'affubler d'un manteau de philosophe, réalisant cette double tâche par des prodiges d'exégèse allégorique et de combinaisons dialectiques, et d'autre part un disciple de Jésus, animé d'une foi ardente qu'il ne songe pas plus à rendre assimilable aux gentils qu'à la discuter, on est même peu disposé à voir dans le Logos de Jean une invite à la raison grecque pour lui rendre plus sympathique, parce que plus intelligible, la foi en Jésus.

Aussi ne puis-je, pour ma part, adhérer à la brillante argumentation du R. P. Pierre Rousselot, S. J. que le R. P. Huby me permettra de reproduire en souvenir de ce sympathique théologien. Si le système avait chance de prévaloir, ce serait sous cette forme séduisante (3) : « Qu'était-ce que le Logos pour l'intelligence hellénique? C'était assurément, pour certains, un être intermédiaire entre le monde et Dieu; pour

(1) I, 17.

(2) 2e éd., p. 88. De même M. Torrey (*The Harvard theological Review*), 1923, p. 318) : The theory that the book represents Philonic philosophy... is no longer in the foreground.

(3) *Christus*, 4e éd. (1912), p. 740 ss.

d'autres, c'était la raison divine répandue par le monde, distinguant les êtres et les organisant, mais c'était encore bien autre chose, et le mot n'en était arrivé là qu'avec une foule d'associations qu'il entraînait avec lui et qui l'accompagnaient encore. Tout ce qu'il y a de sérieux, de raisonnable et de beau, de réglé, de convenable et de légitime, de musical et d'harmonieux, se groupait pour l'esprit grec autour du *Logos*. Pour s'en former une idée tant soit peu approchée, qu'on pense à tout ce que les hommes du dix-huitième siècle mettaient dans le mot *Raison* : affranchissement, sagesse, vertu, progrès, lumière; — à tout ce qu'inspirait, il y a quelque cinquante ans, le mot *Science;* — à tout ce qu'inspire aujourd'hui le mot *Vie*. De pareils mots résument l'idéal d'une époque, mais ils le résument comme l'énoncé d'un problème; ils sont riches en suggestion par leur indétermination même; ils ne contiennent pas la solution de ce que tout le monde cherche, mais ils indiquent, dans ses grandes lignes, et comme en silhouette, la forme qu'il faudra que cette solution prenne pour se faire universellement adopter. La solution qui aura le plus de chance de réussir sera celle qui fera prendre corps, de façon claire, concrète et définie, au plus grand nombre possible de notions ébauchées et d'aspirations inquiètes qui se trouvaient comme en diffusion dans le grand mot. Or la réponse de l'évangéliste est merveilleusement précise. Fidèle à la tradition biblique, telle que la manifeste le livre de la *Sagesse,* saint Jean enseigne que le Logos est la parole de Dieu, mais en même temps en révélant que ce Logos c'est le Christ vivant et personnel, médiateur et révélateur unique et parfait, il donne une réponse aux désirs des âmes grecques que la théorie d'un Logos impersonnel, intermédiaire plutôt que médiateur, ombre de Dieu plutôt qu'image parfaite, ne pouvait satisfaire qu'incomplètement, il fait converger vers un être réel toutes ces tendances hésitantes, et décuple du même coup la force de pénétration du christianisme, en montrant son affinité profonde avec tout ce que le monde antique cherchait de noble et de beau. Du fait que l'idée de Logos est non seulement consacrée par la religion, mais se trouve tirée au clair et amenée à sa perfection par la religion seule, la prise de la Religion sur les âmes est augmentée en d'incalculables proportions. »

La raison grecque était-elle donc disposée à s'incliner devant une révélation divine? C'était le problème, et il n'était pas résolu parce qu'on donnait au révélateur le nom de Parole divine. Ce qu'a très bien vu le P. Rousselot, c'est que Jean a trouvé dans la révélation comme une première esquisse de son Logos. Ce n'est donc pas en choisissant une expression très répandue et en s'attachant à l'un de ses sens, le plus conciliable avec la tradition, qu'il a comme tiré du chaos une idée claire. On dirait plutôt dans ce système, qu'il a fait coup double en donnant satisfaction à la fois à la tradition biblique et aux aspirations de l'âme grecque. C'eût été ce que M. Tillmann nomme « une invitation au monde hellénique de venir au vrai Logos que son âme avait cherchée (1) ». Ou comme le dit le R. P. Huby : « l'auteur du quatrième évangile, en identifiant le Christ au Logos, a fait preuve d'une admirable compréhension des besoins et des tendances de son époque (2). » Mais on demande : A quel Logos Jean a-t-il identifié le Christ? Ce ne peut être qu'au sien. Or le sien diffère de tous les autres. Comment pouvait-il donc donner satisfaction à tant d'opinions diverses? Le R. P. Rousselot a sûrement vu la difficulté. Il remplace des systèmes définis par une sorte d'attente passionnée portant sur une conception vague. Ce peut être le cas quand on parle aux peuples de raison, de liberté, etc. Pour satisfaire les Grecs, il n'eût pas été opportun de dire que Dieu lui-même est raison, car leurs philosophes spiritualistes pensaient que la pure intelligence (νοῦς) s'approchait plus que la raison de la nature de Dieu. Et les stoïciens panthéistes auraient bien compris qu'on leur changeait leur *Logos*. Dans la religion chrétienne, les meilleurs ont toujours eu à cœur de s'appuyer sur la raison : c'est toute la théologie, qui emploie la raison au service de la foi et satisfait à toutes ses aspirations légitimes. Mais cette disposition n'eût pas conduit à donner le nom spécial de Logos au Fils de Dieu. Et pour obtenir de la raison humaine la soumission à la Parole de Dieu, il n'eût servi de rien de rencontrer un mot qui signifiât à la fois Raison et Parole. Les Grecs ne se payaient pas d'une équivoque et les Latins n'auraient pas compris.

Aussi bien le R. P. Rousselot suppose clairement le stade intermédiaire tenté par Philon. Pour attribuer à Dieu le même nom qu'à la raison humaine, il avait fallu d'abord envisager cette raison en Dieu. En fait ce sont les panthéistes, d'Héraclite aux Stoïciens, qui avaient donné le nom de Logos à la partie la moins matérielle du monde, qu'ils nommaient Dieu, n'en reconnaissant point d'autre. Aucun monothéiste ne pouvait faire bon accueil à une pareille conception. Aussi Philon l'avait complètement transformée. Son Logos est tantôt en Dieu, tantôt hors de Dieu, le plus souvent un Dieu de second ordre, un intermédiaire entre l'homme et Dieu, aussi bien dans l'ordre de la morale et de la religion que de la création et de la nature.

La voilà bien l'invite à l'esprit hellénistique, la tentative de grouper dans un même être tout ce que la droite raison avait de persuasif, tout ce que le Logos stoïcien avait de force pour servir de lien et de loi aux êtres, tout ce que la Bible suggérait d'une communication de Dieu aux hommes par le moyen d'un être divin parlant en son nom. Cette combinaison a échoué, rien de plus certain. C'est le sort réservé à tout

(1) *Comm.* p. 38.
(2) *Saint Jean*, p. 21.

éclectisme de fortune. Les esprits superficiels sont ravis de rencontrer dans un système les mots qui ont séduit les plus grands esprits : peu à peu on s'aperçoit qu'à vouloir contenter tout le monde l'éclectique n'a satisfait personne. C'est à ce moment que le P. Rousselot place le coup de génie de Jean. Les âmes grecques n'étaient pas satisfaites du Logos impersonnel, intermédiaire plutôt que médiateur : elles sont désormais au but. Mais est-ce bien parce que Jean a fait converger vers un être réel tant de tendances hésitantes? Il faudrait dire plutôt qu'il a pris le Logos au point où l'avait laissé Philon. On ne peut donc pas éviter la question des rapports du Logos de Jean avec le Logos de Philon.

Si l'on objecte à l'emprunt par Jean que son Logos est incarné tandis que cette notion répugne absolument au philonisme, c'est ne rien dire, car Jean aurait pu prendre à Philon son Logos comme Philon avait démarqué celui des stoïciens. Ce qui est plus grave, c'est que le Logos de Jean possède un état plus net, quoique non moins mystérieux. Sa personnalité est plus accusée, et sa divinité est entière. Si donc Jean a connu Philon et a pensé qu'il y avait quelque intérêt à s'emparer du Logos, il l'a complètement transformé, ce n'est plus le même. C'est en cela qu'il faudrait reconnaître son inspiration et son génie. Mais si l'on pouvait supposer qu'une autre expression eût été aussi exacte pour donner quelque idée de la filiation divine, comment voir un trait de génie dans la tentative hardie, mais périlleuse, de consacrer au service de la vérité un terme chargé et surchargé de valeurs fausses? Pour faire front à l'erreur, n'eût-il pas été préférable d'employer une expression moins compromise? On peut bien se le demander, surtout si l'on constate avec nous que la confiance en la raison humaine pouvait s'exercer librement dans la nouvelle religion sans cette signification particulière. On savait couramment parmi les fidèles que la voie de Jésus c'était sa parole, qui était aussi la parole de Dieu. La parole de Dieu retentissait surtout depuis le temps de Moïse et des Prophètes ; c'était le thème de la prédication, c'était la prédication elle-même, laquelle n'hésitait pas à faire appel à l'occasion à la raison et même au sentiment religieux des anciens. Quel avantage y avait-il à concentrer pour ainsi dire la notion de Logos, non plus comme raison, mais comme parole, dans le Fils de Dieu, et quel danger n'y avait-il pas qu'on l'assimilât par mégarde au Logos de Philon et à celui des stoïciens?

Si Jean n'a pas hésité, c'est donc qu'il a pensé que ce terme est celui qui exprime le mieux comment le Fils se distingue du Père.

Car c'est bien cela que Jean a voulu dire, comme l'a compris Bossuet, à sa manière, qui est un écho de celle de Jean. Après avoir commenté les diverses expressions bibliques destinées à donner une idée de la Sagesse : « une vapeur de sa toute-puissante vertu, et une très pure émanation de sa clarté » (Sap. VII, 25), « l'éclat de la lumière éternelle »

(Sap. VII, 23), etc., ou du Fils de Dieu : « le caractère et l'empreinte de la substance de son Père » (Heb. I, 3), Bossuet conclut : « Tout cela est mort : le soleil, son rayon, sa chaleur; un cachet, son expression; une image ou taillée ou peinte; un miroir et les ressemblances que les objets y produisent, sont choses mortes. Dieu a fait une image plus vive de son éternelle et pure génération; et, afin qu'elle nous fût plus connue, c'est en nous-mêmes qu'il l'a faite »... Et venant au Fils de Dieu : « Voilà son nom : c'est *le Verbe,* c'est la parole, la parole, dis-je, par laquelle un Dieu éternel et parfait se dit lui-même tout ce qu'il est, et conçoit, et engendre, et enfante tout ce qu'il dit; enfante par conséquent un parfait, un coéternel, un coessentiel et consubstantiel (1). »

Assurément, Bossuet conduit ici le Verbe jusqu à la définition du concile de Nicée, mais c'était bien sa route, et il a pénétré l'intention ultime de Jean. Son évangile était celui du Fils de Dieu, de celui qui était Fils avant d'être homme. Comment concevoir ce Fils et cette génération? L'épître aux Hébreux avait fourni une image : il atteint une idée. Si, dans cette poursuite de l'inaccessible il a tenu compte des dispositions des esprits, ce fut moins sans doute pour leur donner une satisfaction positive par l'emploi d'un mot courant, que pour exclure toute idée grossière ou simplement matérielle de cette génération. On sait que c'est l'objection que se font encore des millions d'hommes : les musulmans ne peuvent accorder que Dieu ait un Fils. Jean a dit ce que la réflexion des siècles chrétiens a reconnu comme ce que l'on pouvait dire de plus approchant de la vérité. Le fils d'un être spirituel, d'une pure intelligence, c'est sa pensée, que l'Écriture nommait sa parole : une parole qui est distincte de lui et qui cependant est en lui.

Si c'est là une conception très haute, elle n'appartient pas à une philosophie spéciale : elle est en contact avec notre nature, elle découle de la révélation qui domine tout, par le dogme qu'elle impose de n'adorer qu'un seul Dieu.

Philon ne conduisait pas si haut, il eût refusé énergiquement de rien dire sur l'ineffable et l'inaccessible; c'est précisément à respecter cette transcendance que pouvait servir son Logos. Peut-être cependant se trouve-t-il en quelque manière au point de départ de la solution de Jean : on ne peut méconnaître que si la pensée diffère essentiellement, entre eux les ressemblances verbales sont nombreuses (2).

Oui, peut-être le mouvement d'idées dont Philon est chez les Juifs le représentant le plus brillant, mais le plus équivoque, est-il pour quelque chose dans la proclamation de Jean. Il n'a pas orienté sa méditation; mais il a pu le déterminer à faire front, puis à tendre la main à

(1) *Élévations sur les mystères*, IV.
(2) Elles seront signalées dans le Commentaire.

ceux qui sacrifieraient leurs conceptions à son dogme. La spéculation judéo-hellénistique lui est peut-être demeurée inconnue; peut-être en a-t-il été stimulé, sauf à se retourner contre elle. L'étude du prologue devra revenir sur ces conjectures.

Mais il n'est pas exact de dire qu'en identifiant le Christ au Logos Jean ait dès l'abord décuplé la force de pénétration du christianisme. Le chiffre est certainement exagéré. Le dogme du Verbe est sublime et d'une immense portée; mais on l'a souvent dénaturé pour lui donner plus d'extension, ce qui n'était pas un avantage.

Les Juifs ne voulurent pas du Logos de Philon, et ce n'est donc pas par cette voie qu'ils acceptèrent la religion du Christ. Le Logos d'Héraclite n'avait pas cessé d'être l'explication dynamique du panthéisme : il est glorifié comme tel plus que jamais par Marc-Aurèle, contempteur des chrétiens. Le Verbe n'apparaît guère chez les anciens écrivains ecclésiastiques. Les gnostiques s'en emparèrent et en faussèrent l'idée. Les apologistes du IIe siècle comprirent ce qu'on pouvait en attendre auprès des esprits cultivés, et cette fois on peut bien parler d'avances conciliantes (1). Elles ne furent pas toujours heureuses : les allégories philoniennes, si mêlées aux divagations sur le Logos, aboutirent assez souvent à des doctrines suspectes. Arius, en exploitant démesurément le rôle personnel du Logos dans la création, en fit un être subordonné et mit en péril la foi chrétienne. Lorsque saint Athanase soutint la divinité de Jésus-Christ, il retrouva du même coup le vrai sens du Logos johannique, sens purement religieux, dépouillé de tous les amalgames d'une fausse philosophie ou d'une exégèse fantaisiste.

La divinité du Logos pleinement reconnue, les Pères se complurent en effet à décrire son action avec les agréments de l'art hellénique, tantôt comme source de toute raison et de toute vérité, tantôt comme type et modèle des choses créées, tantôt comme la vraie lumière des âmes (2). Mais ce n'est là qu'une appropriation au Verbe de ce qui appartient à Dieu, puisqu'une théologie plus précise attribue à Dieu toutes les actions qui procèdent de lui au dehors. Il était réservé à saint Thomas de s'exprimer sur ces sujets ardus avec une exactitude ponctuelle. Le rôle personnel du Verbe ne fit ainsi que rentrer dans les lignes que Jean avait tracées : dogme lumineux et fécond, mais dont il faut respecter les termes. C'est le dernier mot que l'esprit humain, sous l'influence de la Révélation, puisse prononcer sur le mystère de la vie divine, naturellement inaccessible à toutes ses approches.

(1) S. Justin lui-même, dans le récit de sa conversion, ne dit pas qu'il ait été conduit à la foi par le Verbe.

(2) On trouvera des citations très heureuses dans un ouvrage qui ne doit pas tomber dans l'oubli : *Le Christ de la tradition*, par Mgr Landriot, mort archevêque de Reims.

Est-il exact de dire que, parvenu à ce sommet, Jean ait projeté sur tout l'évangile cette notion du Verbe, comme si l'évangile n'avait eu d'autre objet que de prêcher Jésus comme Verbe? « D'un bout à l'autre », écrit le P. Rousselot, « il est dominé par cette identification qui est toute sa raison d'être et qui contient tout son sens (1) ». C'est là encore, nous l'avons vu, une notable exagération.

Les idées de vie et de lumière « subordonnées » à celle du Verbe dans le prologue, ont été produites pour elles-mêmes non point seulement par Jean, mais d'abord par Jésus, et elles auraient leur valeur, quand bien même Jean n'aurait pas eu la révélation du Verbe. Chercher le sens de l'évangile dans la notion du Verbe, c'est admettre implicitement que tout l'enseignement de Jésus a été refondu par Jean selon cette formule. Or ce n'est pas le cas, et la formule elle-même ne reparaît plus après le Prologue. Ce qui domine tout, c'est la divinité de Jésus, qui reçoit un certain éclat de la notion du Verbe, mais qui n'en dépend pas. Après l'assaut donné par Arius à la divinité de Jésus au nom d'un Logos mal compris, contaminé par les spéculations antérieures, le Concile de Nicée n'a pas cru nécessaire de faire figurer le Logos dans le symbole de l'Église (2).

De toute façon il n'y a pas lieu d'exagérer la portée dans le quatrième évangile d'un élément philosophique ou d'une spéculation intellectuelle. Même dans le Prologue le Logos est une donnée qui vient de la révélation et qui affirme l'autorité de la révélation comme issue de Dieu, sans aucune invitation à la raison à y reconnaître ses systèmes, ses ébauches ou ses aspirations.

Plusieurs critiques indépendants reconnaissent aujourd'hui le caractère religieux du Prologue. Le parti pris d'exclure la révélation les a conduits à en chercher l'origine dans une combinaison nouvelle avec la « théosophie égyptienne, qui, utilisant d'une part l'assimilation du Logos à Hermès dans la prédication stoïcienne, et identifiant d'autre part Hermès au dieu Thot, voyait dans Thot-Hermès non seulement le Logos organe de la création, mais le médiateur de la révélation divine et de la régénération pour l'immortalité, et opérait comme notre évangile avec les termes mystiques de « vérité », « lumière », « vie » (3).

Ainsi Jean n'est plus un philosophe hellénistique, ce qui est bien vu, mais le voilà transformé en un érudit alexandrin syncrétiste, ou en confrère des théologiens hermétistes. Ceux-ci opèrent en effet avec la vérité, la lumière, la vie, mais ce qui les rapproche de Jean, —

(1) *Christus*, 4e éd., p. 743.

(2) Il ne figure pas non plus dans le symbole *attribué* au concile de Constantinople en 381.

(3) *Loisy*, 2e éd., p. 89.

et c'est assez peu de chose, — pourrait bien être une dépendance de l'évangile (1).

*
* *

L'impression qui résulte de la doctrine du quatrième évangile, ce n'est pas seulement qu'un même esprit circule dans tout le livre, c'est encore que cet esprit si un est épris d'unité. Le Christ, le Fils de l'homme, le Fils de Dieu sont un, et ce Fils est un avec son Père, et il s'est uni à la nature humaine en prenant sa chair; il appelle tous les hommes à la vérité, et en même temps à l'unité. C'est par lui que se fait l'unité, lorsqu'en mangeant sa chair et en buvant son sang, on devient participant de sa vie. Mais on ne peut s'unir au Fils sans s'unir au Père. Ses disciples qui sont une même chose avec lui seront donc une même chose avec le Père. Le Père et Lui descendront en eux en attendant de les recevoir dans l'unité encore plus parfaite de la vision. Le Saint-Esprit, qui reçoit du Père et du Fils, qui achève l'œuvre du Fils et qui demeure dans les disciples, est lui aussi dans l'unité et procure l'unité.

On ne pénétrera jamais assez profondément dans ce mystère d'union intime et secrète. Mais l'union du Verbe à l'homme étant dans la chair, les disciples demeurant dans le monde, leur unité doit y être sensible, et elle est rendue sensible par l'image du troupeau et du pasteur. Le Pasteur est le Christ, le vrai Pasteur, qui est mort pour le salut de ses brebis. Mais s'éloignant d'elles pour un temps, il a désigné un autre pasteur, en la personne de Pierre (xxi, 15-19). Pierre ayant déjà suivi son Maître quand Jean écrivait, celui-ci estimait sans doute que l'ordination du Seigneur pourvoyait toujours à la même nécessité, à une nécessité plus grande pour les brebis errantes dans le monde, de se grouper auprès d'un pasteur. Ceux qui prétendent que ce passage a été ajouté à l'évangile pour lui acquérir la bienveillance de l'Église romaine reconnaissent donc qu'elle avait dès lors une situation prééminente? Mais l'auteur du chapitre xxi est l'auteur de tout l'évangile, et Jean n'a fait qu'exprimer la vérité déjà enseignée par Mt. (xvi, 17 ss.), et Lc. (xxii, 31 s.). Les termes des trois sont différents, les situations n'étant pas les mêmes. Ceux de Jean se rattachent à la parabole-allégorie du bon Pasteur. Ils consacrent l'unité extérieure après la résurrection, de même

(1) C'est sûrement ce qu'il faudrait admettre si les rapprochements étaient prouvés, puisque les textes hermétiques sont notablement plus récents. Et quoi qu'il en soit de quelques rencontres verbales, ce sont deux mondes tellement différents qu'il nous a paru hors de propos de discuter ici de l'hermétisme. Dans cette troisième édition nous nous permettons de renvoyer le lecteur aux études qui ont paru dans la *Revue Biblique :* 1924, p. 481 ss.; 1925, p. 82 ss.; 368 ss.; 547 ss.; 1926, p. 240 ss.

que les paroles suprêmes de Jésus avant la Passion étaient une ardente supplication au Père pour l'unité dans la foi et la charité. Le plus grand des mystiques chrétiens, le plus convaincu de la nature intime de cette unité, est aussi celui qui a manifesté le plus clairement l'autorité de Pasteur donnée à Pierre sur tout le troupeau. Ceux qui comprennent si bien de nos jours la nécessité de l'union pour les disciples du Christ, mais qui ne souhaitent qu'une union de charité, ou qui rêvent d'unité extérieure sans l'obéissance à un seul Pasteur, auront à se demander s'ils suivent la pensée du disciple bien-aimé ou plutôt de Jésus. S'il leur reste quelque appréhension de voir cette administration extérieure prendre les allures d'un impérialisme profane, ils seront rassurés en lisant dans le même Jean que l'union doit être avant tout une union de charité; la parole de Jésus sera toujours comprise dans l'Église qui en est l'interprète autorisée.

L'Église qui a reçu le quatrième évangile, avant d'être obligée de serrer ses rangs pour résister à la poussée du gnosticisme, y a reconnu sa doctrine sur la divinité de Jésus, sur la réalité, spirituelle, mais la réalité, du sacrement de l'Eucharistie, sur le pouvoir conféré à Pierre comme pasteur à la place du Christ, et sûrement perpétué quelque part. En quoi la conception du grand mystique s'éloigne-t-elle de celle de l'Église catholique romaine, pour se rapprocher de ce protestantisme qui a prétendu restaurer la vie mystique? C'est dans l'Église romaine seule qu'on rencontre à la fois ce libre élan d'un mysticisme profond, contenu dans les limites d'une foi unique, ces sacrements, baptême et eucharistie, qui opèrent une nouvelle naissance et entretiennent la vie, cette soumission de tous à l'unique Pasteur des brebis.

C'est donc là que doit tendre l'esprit d'union, c'est là seulement que peut se réaliser l'unité, qui est le vœu suprême de Jésus : *ut sint unum!*

CHAPITRE V

LA VULGATE.

Le texte du quatrième évangile est plus facile à établir que celui de l'un des synoptiques : la cause principale des confusions l'a moins atteint, c'est-à-dire le souci d'harmoniser les textes semblables et de les compléter les uns par les autres.

Le manuscrit syriaque du Sinaï rendrait les plus grands services, si l'on pouvait tenir pour originales les leçons qu'il offre pour faire disparaître les difficultés. Nulle part son caractère secondaire n'apparaît mieux.

Le texte dit occidental semble avoir une influence spéciale par l'appui que lui donne Irénée placé au lieu des origines de l'évangile. Mais, outre qu'il est ici moins singulier, nous ne saurions renoncer à la règle générale de préférer les leçons des anciens manuscrits. Plus d'une fois cependant le *Vaticanus* a des apparences de correction (1).

La Vulgate, telle qu'elle est sortie des mains de saint Jérôme, contenait assurément une tradition excellente. Telle qu'elle a été éditée par Wordsworth et White, elle se rapproche plus que la Vulgate Clémentine des éditions grecques critiques. C'est déjà un excellent nettoyage, quoique, dans certains cas, il n'y ait pas à regarder le texte des savants anglais comme plus conforme au grec original.

On peut espérer que l'édition préparée par les Pères Bénédictins donnera une image encore plus fidèle du texte hiéronymien. Mais il faut bien se dire que ce texte contiendra encore un très grand nombre de traductions approximatives, sinon inexactes, qui assez souvent n'étaient pas le fait des anciens textes latins. S'il est très important de ne pas trahir la pensée de l'écrivain sacré par une fausse exégèse particulière, il est sûrement beaucoup plus à souhaiter que l'édition officielle de l'Église soit aussi parfaite que possible.

C'est uniquement pour nous associer à ce vœu, nullement avec la prétention de contribuer à le remplir, que nous continuons à indiquer les divergences de la Vulgate avec ce que nous regardons avec plus ou moins de probabilité comme le texte original. A plus forte raison n'avons-nous pas l'intention de fixer une démarcation entre ces degrés

(1) Voir par exemple sur I, 15 ; II, 3. 12. 15 ; III, 34 ; VII, 8 ; XIV, 7 ; XV, 8.

de probabilité, spécialement quant à l'emploi de *hi, illi, ipsi,* ou autres nuances latines.

Les indications sont réparties sur deux séries : A. B. C. et X. Y. Z.

La lettre A) indique les corrections déjà opérées dans l'édition de Wordsworth et White, et qui rapprochent le latin du grec, ne fût-ce que pour l'ordre des mots. B) indique les changements de cette édition qui s'éloignent du grec. C) indique les corrections indifférentes par rapport au grec. Il n'est pas tenu compte des variantes d'orthographe pour les noms communs.

La seconde série s'en tient aux cas où l'édition anglaise ne s'écarte pas de l'édition Clémentine. Nous indiquons dans X) les corrections qui rapprocheraient le latin du grec tel que nous le lisons (1). Y) n'est guère qu'un supplément à ce premier registre pour les cas où l'opportunité d'un changement est moins claire. Z) indique les changements que l'on n'ose proposer, dans l'incertitude du véritable texte original.

Pour les abréviations, l. signifie *loco* « au lieu de »; a. est *ante* p. est *post.* om. est *omittit;* del. est *dele;* res. est *restitue.* Dans tous les cas la seconde variante est celle de la Vulgate Clémentine.

Chap. I. A) 9 om. *hunc.* — 21 *dicit* l. *dixit.* — 29 *videt* l. *vidit;* — om. *ecce* 2°. — 31 om. *in* a. *Israel.*

B) 3 *nihil; quod factum est* etc. — 15 add. *vobis* p. *dixi.*

C) 26 *non scitis* l. *nescitis.* — 28 *Iordanen* l. *Iordanem.* — 42 *Iohanna* l. *Iona.*

X) 6 del. *erat.* — 7 *luce* l. *lumine.* — 8 *luce* l. *lumine.* — 9 *veniens* l. *venientem.* — 11 *sua* (*a q*) l. *propria.* — 12 *nomen* l. *nomine.* — 15 *venit* (*b c*) l. *venturus est.* — 16 *quia* l. *et.* — 18 *Deus* l. *filius* — 19 res. *ad eum* p. *miserunt;* — del. *ad eum* p. *Levitas.* — 26 del. *autem.* — *stat* l. *stetit.* — 27 *qui post me venit* l. *ipse est, qui post me venturus est, qui ante me factus est.* — 29 *postera* (*b q r*) l. *altera.* — 35 cf. 29. — 38 del. *se* — 39 res. *ergo* p. *venerunt;* — del. *autem.* — 40 del. *autem.* — 42 del. *et;* — del. *autem.* — 42 *Ioannis* (*a b* etc.) l. *Iona.* — 43 *postera die* l. *in crastinum.* — 50 *credis?* l. *credis :*

Y) 5 *apprehenderunt* l. *comprehenderunt.* — 12 *credentibus* (*b*) l. *his qui credunt.* — 15 *antecessit me* l. *ante me factus est.* — 20 del. *quia* (2). — 21 res. *ille* p. *propheta.* — 30 cf. 15. — 38 *at illi* l. *qui.*

Z) 49 del. *et ait.*

Chap. II. A) 10 om. *autem.* — 13 *Hierosolyma Iesus* l. *Iesus Ierosolymam.* — 16 om. *et* 2°.

(1) Sans se préoccuper de l'ordre des mots.

(2) Et de même dans d'autres cas de ὅτι récitatif.

B) 20 om. *in.*

C) 1 *tertio* l. *tertia.* — 17 *vero sunt* l. *sunt vero*

X) 4 del. *est* (*e f q*). — 8 del. *Iesus.* — 10 del. *tunc.* — 15 del. *quasi.* — 17 del. *vero.* — 23 *nomen* l. *nomine.*

Y) 16 *mercatus* l. *negotiationis.* — 23 del. *die.*

Z) 3 *et vinum non habebant, quoniam consummatum erat vinum nuptiarum et* (cf. *a b ff*² *r*) l. *et deficiente vino.*

Chap. III. A) 2 *ad eum* l. *ad Iesum.* — 3 *natus* l. *renatus.* — 4 *senex sit* l. *sit sen.* — *nasci* l. *renasci.* — 5 om. *sancto.* — 8 *non scis* l. *nescis.* — *et* l. *aut.* — 15 *in ipso* l. *in ipsum.* — 16 *dilexit Deus* l. *deus dil.* — 18 *credidit* l. *credit* 3°. — 20 *mala* l. *male.* — 21 *eius opera* l. *op. eius.* — 22 *iudaeam terram* l. *t. iud.* — 23 *Aenon* l. *Aennon.* — 23 *adveniebant* l. *veniebant.* — 24. *in carcere Iohannes* l. *I. in car.* — 25 *ergo* l. *autem.* — 33 *accipit* l. *accepit.*

B) 27 *ei fuerit* l. *f. e.* — 28 *ego non sum* l. *n. s. e.*

C) 26 *Iordanen* l. *Iordanem.* — 31 *supra* (*bis*) l. *super.*

X) 3 *natus fuerit desursum* l. *renatus fuerit denuo.* — 5 *natus* l. *renatus.* — 7 *desursum* l. *denuo.* — 10 del. *in* (*b e* etc.). — 15 del. *non pereat sed.* — 17 del. *suum.* — 18 del. *autem.* — *nomen* l. *nomine.* — 19 *quod.* l. *quia.* — 21 cf. 19. — 25 *iudaeo* l. *iudaeis.* — 32 del. *et* a. *quod.*

Y) 1 *nomen eius* (*q*) l. *nomine.* — 7 *ne* l. *non.* — 23 *prope* l. *iuxta.*

Z) 3 *caelorum* l. *Dei.* — 13 del. *qui est in caelo.* — 16 del. *suum.* — 34 del. *Deus* 2°.

Chap. IV. A) 20 add. *in* a. *Hierosol.* — 25 om. *ergo.* — 29 om. *et.* — 30 om. *ergo.* — 32 *dixit* l. *dicit.* — *non scitis* l. *nescitis.* — 38 *laborem* l. *labores.* — 41 om. *in eum.* — 45 *in* l. *ad.*

C) 1 *quod* l. *quia.* — 6 *super* l. *supra* — 53 *quod* l. *quia.*

X) 1 *Dominus* l. *Iesus.* — 2 res. *ipse* p. *Iesus.* — 10 del. *forsitan.* — 14 del. *ego* 2°. — 24 del. *eum.* — 29 *quae* l. *quaecumque.* — 34 *et* l. *ut.* — 36 del. *et* 1° et 3°. — 39 *quae* l. *quaecumque.* — 40 *rogabant* l. *rogaverunt.* — *apud se* l. *ibi.* — 43 del. *et abiit* (*a b* etc.). — 48 *credetis* l. *creditis.* — 51 res. *eius* p. *servi*; — del. *et nunciaverunt.* — 52 *interrogavit* l. *interrogabat*; — *dixerunt ergo* l. *et dixerunt.*

Y) 27 *cur* l. *quid* 2°. — 49 *puer* l. *filius.*

Z) 11 del. *mulier.* — 15 *transeam* l. *veniam.* — 16 del. *Iesus.*

Chap. V. A) 2 *super probatica* l. *probatica.* — 4 om. *v.* — 6 *multum iam* l. *iam multum*; — *habet* l. *haberet.* — 9 om. *ille*; — *illo die* l. *d. i.* — 11 *me fecit sanum* l. *me san. f.* — 13 om. *a.* — 22 *iudicium omne* l. *o. i.* — 26 *vitam habere* l. *habere vitam.* — 28 *eius* l. *filii Dei.* — 35 *exultare ad horam* l. *ad h. e.* — 36 *me misit* l. *misit me.* — 44 *potestis vos* l. *vos potestis.* — 47 *meis verbis* l. *v. m.*

B) 1 *Hierosolymis* l. *Ierosolymam.* — 27 *ei et iud.* l. *ei iud.* — 31 *de me* l. *de meipso.*

C) 44 *est deo* l. *d. e.*

X) 2 *Bezatha* (*e*) l. *Bethsaida.* — 3 del. *magna.* — 10 res. *et* a. *non.* — 12 del. *grabatum tuum.* — 16 res. *et* a. *propterea.* — 19 *dicebat* l. *dixit.* — *quae* l. *quaecumque.* — 36 del. *ego* 2°. — 46 del. *forsitan.*

Y) 19 *ergo* l. *itaque.*

Z) 12 del. *ergo.* — 15 *dixit* l. *nunciavit.* — 44 *ab unico* l. *a solo Deo* ou *eius qui est solus Deus* (*r*).

Chap. VI. A) 5 *dicit* l. *dixit.* — 11 *panes Iesus* l. *Ies. p.* — 13 *manducaverunt* l. *manducaverant.* — 14 om. *Iesus.* — 21 *fuit navis* l. *n. f.* — 27 *vobis dabit* l. *d. v.* — 31 *manna manducaverunt* l. *mand. manna.* — 33 *descendit de caelo* l. *de c. d.* — 40 *enim* l. *autem;* — *resusc. ego* l. *ego res.* — 41 del. *vivus* — 49 *in des. manna* l. *m. in d.* — 52 *carnem suam nobis dare* l. *nob. car. s. d.* — 53 *habetis* l. *habebitis.* — 60 om. *et.* — 71 *Scariotis* l. *Iscariotem.*

B) 24 om. *in.* — 39 *illum* l. *illud.* — 64 om. *non* 2°.

C) 19 *super* l. *supra.*

X) 3 *autem* l. *ergo.* — 10 del. *ergo.* — 12 *dicit* l. *dixit;* — *ne quid pereat* l. *ne pereant.* — 21 *volebant* (*a b* etc.) l. *voluerunt.* — 23 del. *vero* — 24 res. *ipsi* p. *ascenderunt.* — 27 res. *cibum* p. *sed.* — 39 del. *patris.* — 40 del. *qui misit me.* — 42 *nunc* l. *ergo.* — 43 del. *ergo;* — *inter vos* (*a b* etc.) l. *in invicem.* — 47 del. *in me.* — 50 *ut aliquis* l. *ut si quis;* — *manducet* l. *manducaverit;* — res. *et* a. *non.* — 55 *verus* (*bis*) l. *vere.* — 58 del. *vestri manna.* — 65 del. *meo.* — 68 (Vg. 69) del. *ergo.* — 69 *sanctus* l. *Christus Filius.*

Y) 2 *sequebatur autem* (*a b c e* etc.) l. *et sequebatur.* — 5 *magna* l. *maxima.* — 15 *ac rapturi ipsum ut facerent regem secessit* l. *ut raperent eum, ut facerent eum regem fugit.* — 22 *postera* l. *altera.* — 23 *venerunt* l. *supervenerunt; prope* l. *iuxta.* — 54 del. *in.*

Z) 35 del. *autem* ou res. *ergo.*

Chap. VII. A) 1 om. *autem.* — 4 *aliquid.* l. *quid.* — 8 om. *autem.* — 12 *de eo erat in turba* l. *erat in t. d. e.* — 18 *illum* l. *eum.* — 28 *docens in templo Iesus* l. *I. i. t. d.* — 33 om. *eis;* — *misit me* l. *me misit.* — 34 *sum ego.* l. *ego sum.* — 38 *dixit* l. *dicit.* — 41 *Christus venit* l. *v. C.* — 44 *illum* l. *eum.* — 48 *aliquis ex principibus* l. *ex pr. al.* — 50 *dicit* l. *dixit.* — 52 om. *Scripturas.*

B) 7 *quia* l. *quod.* — 34 *quaeritis* l. *quaeretis.* — 36 cf. 34. — 39 *non* l. *nondum.* — 52 *propheta a Galilaea* l. *a Gal. pr.*

C) 39 *fuerat* l. *erat.* — 44 *illum* l. *eum* 2°. — 45 *eum* l. *illum.*

X) 1 res. *et* a. *post;* — *Iudaea* l. *Iudaeam.* — 3 *ergo* l. *autem.* — 8 del. *hunc.* — 9 res. *autem* p. *haec.* — 10 *fratres eius ad diem festum.* — 12 *turbis* l. *turba;* — *alii quidem* l. *quidam enim;* — *turbam* l. *turbas.* — 15 *mirabantur ergo* l. *et mirabantur.* — 16 res. *ergo* p. *respondit.* — 20 del. *et dixit.* — 25. *hierosolymitanis* l. *Ierosolymis.* — 28 *clamavit* l. *clamabat.* — 32 *Pontifices* l. *principes.* — 35 res. *nos* p. *quia.* — 37 *clamavit* l. *clamabat.* — 39 del. *datus.* — 40 del. *eius.* — 42 *dixit* l. *dicit.* — 46 res. *loquitur* p. *homo* 2°. — 50 *prius* l. *nocte.*

Chap. VIII. A) 7 *autem* l. *ergo* — 9 om. *Iesus.* — 10 om. *qui te accusabant.* — 12 *ambulabit* l. *ambulat;* — *lucem* l. *lumen.* — 20 om. *Iesus.* — 22 *dicit* l. *dixit.* — 25 *quia* l. *qui.* — 26 *misit me* l. *me misit.* — 27 *eis* l. *eius;* — om. *Deum.* — 29 om. *et* 2°. — 35 om. *autem* 2°. — 36 *filius vos* l. *v. f.* — 38 om. *meum.* — 45 *quia* l. *si.* — 46 *arguit* l. *arguet.* — 46 om. *vobis* 2°; — add. *vos* a. *non.* — 47. *est ex Deo* l. *ex Deo est.* — 49 *inhonoratis* l. *inhonorastis.* — 50 *quaerit et iudicat* l. *quaerat et iudicet.* — 54 *noster* l. *vester.* — 56 add. *et* a. *vidit.*

B) 6 *haec* l. *hoc.* — 11 *amplius iam* l. *iam amplius.* — 16 *me misit* l. *misit me.* — 21 *quaeritis* l. *quaeretis.*

C) 48 *igitur* l. *ergo* (à supprimer).

X) 2 *diluculo autem* l. *et dil.* — 2 *veniebat* l. *venit* 1° — 3 *statuentes* l. *statuerunt.* — 4 *dicunt* l. *et dixerunt.* — 4 del. *modo;* — *in ipso* (Érasme) *adulterio* l. *in adult.* — 11 *illa autem* l. *quae;* — del. *et.* — 16 del. *Pater;* — *et quidem* (ou *porro et*, Érasme) l. *et.* — 17 *quia et* (Érasme) l. *et.* — 19 del. *forsitan.* — 21 del. *Iesus.* — 24 *in peccatis vestris* l. *in peccato vestro.* — 26 *in mundum* l. *in mundo.* — 27 del. *et.* — 28 del. *eis.* — 31 *estis* l. *eritis.* — 37 *semen* l. *filii.* — 38 *quod ego* l. *ego quod;* — res. *ergo* p. *vos;* — del. *vestrum.* — 41 del. *itaque.* — 42 del. *ergo.* — 48 del. *ergo.* — 52 *ei* l. *ergo.*

Y) 25 *imprimis quod* l. *principium qui.*

Z) 38 *quae audistis* l. *quae vidistis.*

Chap. IX. A) 1 om. *Iesus.* — 5 *in mundo sum* l. *s. i. m.* — 8 *videbant* l. *viderant.* — 9 om. *vero.* — 11 *vidi* l. *video.* — 15 *posuit mihi* l. *m. p.* — 16 *quia* l. *qui;* — om. *autem;* — *in eis* l. *inter eos.* — 22 om. *esse.* — 25 om. *eis.* — 28 om. *ergo;* — *es* l. *sis.* — 32 *aperuit quis* l. *q. a.* — 40 om. *quidam.*

B) 10 *oculi tibi* l. *tibi oc.* — 12 om. *et;* — *ubi est? ille ait* l. *ubi est ille? ait.* — 39 om. *et* 1°; add. *ei* p. *dixit.*

C) 2 *sui* l. *eius.* — 6 *levit* l. *linivit.* — 7 *natatoriam* l. *natatoria.* — 9 *eius* l. *ei.* — 17 *eo* l. *illo.* — 22 *quia* l. *quoniam.*

X) 2 res. *dicentes* a. *rabbi.* — 4 *nos* l. *me.* — 6 *superunxit* (c e) l. *linivit.*

— 7 *Siloam* l. *Siloe*. — 9 *dicebant* l. *autem*. — 10 res. *igitur* p. *quomodo*. — 11 del. *ad natatoria;* — *Siloam* l. *Siloe*. — 14 *qua die* (*a b*) l. *quando*. — 15 res. *et* a. *Pharisaei*. — 17 *quia* l. *qui*. — 20 *ergo* l. *eis*. — 21 *loquetur* l. *loquatur*. — 27 res. *non* a. *audistis*. — 31 del. *autem*. — 34 res. *tu* a. *natus*. — 35 del. *ei*. — 36 res. *et* a. *quis*. — 37 del. *et* 1°. — 40 del. *et* 1°. — res. *haec* p. *Pharisaeis*.

Y) 11 *ut ergo abii et lavi visum*] *recepi* l. *et abii, et lavi, et video*. — 28 res. *et* a. *maledixerunt*.

Z) 35 *hominis* l. *Dei*.

Chap. x. A) 5 *sequentur... fugient* l. *sequuntur... fugiunt*. — 8. *sed* l. *et* 2°. — 11 om. *suis*. — 12 om. *autem*. — 15 om. *meis*. — 17 *pater diligit* l. *d. p.* — 18 om. *et* 1°. — 31 om. *ergo*. — 32 *opera bona* l. *b. o.* — 38 *in me est pater* l. *p. i. m. e.*

C) 6 *illis* l. *eis* 1°.

X) 4 del. *et* — 4 *omnes* l. *oves* 1°. — 10 *abundantem* l. *abundantius*. — 12 res. *eas* p. *rapit;* — del. *oves* 3°. — 13 del. *mercenarius autem fugit;* — *est illi cura* (*l r* ou *curae*) l. *pertinet ad eum*. 16 *unus grex* (*a b c d e* etc.) l. *unum ovile*. — del. *et* 5°. — 22 *tunc* l. *autem;* — del. *et*. — 25 *dixi* l. *loquor*. — 29 del. *mei*. — 31 *iterum* l. *ergo*. — 32 del. *meo*. — 39 res. *iterum* p. *eum*. — 42 res. *ibi* p. *eum*.

Z) 7 del. *eis*. — 8 res. *ante me* p. *venerunt*. — 15 *do* l. *pono*. — 18 *sustulit* l. *tollit*. — 38 *ut sciatis et cognoscatis* l. *ut cognoscatis et credatis*.

Chap. xi. A). 3 om. *eius*. — 7 *dicit* l. *dixit*. — 8. *lapidare Iudaei* l. *I. l.* — 9 *horae sunt* l. *s. h.* — 11 *post hoc dicit* l. *post haec dixit*. — 14 *dixit eis Iesus* l. *I. d. e.* — 18 *Hierosolyma* l. *Ierosolymam*. — 27 om. *vivi;* om. *hunc*. — 37 om. *nati;* — add. *et* p. *ut*. — 39 *enim est* l. *est en*. — 44 *dicit* l. *dixit*. — 45 om. *et Martham;* — om. *Iesus*. — 48 add. *et* a. *locum*. — 49 *Caiaphas;* — om. *nomine* — 52 *sed et ut* l. *sed ut*. — 55 *Hierosoluma* l. *Ierosolymam*. — 56 *veniat* l. *venit*.

B) 10 om. *in* 1°. — 32 *dixit* l. *dicit*. — 37 *dixerunt ex ipsis* l. *ex i. d.* — 44 *Iesus eis* l. *eis Iesus*. — 50 *nobis* l. *vobis*.

C) 11 *exsuscitem* l. *excitem*. — 31 *igitur* l. *ergo*. — 33 *fremuit* l. *infremuit*. — 51 *quia* l. *quod*.

X) 4 del. *eis*. — 5 del. *Mariam*. — 10 res. *quis* p. *autem*. — 11 *dixit* l. *ait*. — 12 *ei* l. *eius*. — 18 *prope* l. *iuxta*. — 22 del. *sed*. — 29 res. *autem* p. *illa;* — *veniebat* l. *venit*. — 30 *autem* l. *enim*. — 31 *putantes* l. *dicentes*. — 35 del. *et*. — 43 res. *et* a. *haec*. — 44 del. *statim;* res. *eum* a. *abire*. — 45 *quod* l. *quae*. — 54 res. *inde* p. *abiit;* — *prope* l. *iuxta*.

Y) 6 *in loco ubi erat* l. *in eodem loco*. — 41. *levavit oculos sursum et dixit* (*l*) l. *elevatis sursum oculis, dixit*.

Chap. XII. A) 1 *fuerat Lazarus* l. *L. f.* — 3 *cap. suis ped. eius* l. *p. e. c. s.* — 4 *dicit* l. *dixit.* — 7. *sine* l. *sinite.* — 12 *Hierosolyma* l. *Ierosolymam.* — 20 *gentiles quidam* l. *q. g.* — 22 *dicunt* l. *dixerunt.* — 23 *glorificetur* l. *clarificetur.* — 27 *hora hac* l. *hac hora.* — 28 *tuum nomen* l. *n. t.* — 30 *vox haec* l. *h. v.* — 35 *tenebrae vos* l. *v. t.* — 40. *eorum cor* l. *c. e;* — om. *non* 2°.

B) 4 *Scariotis* (génitif) l. *Iscariotes.*

C) 29 *factum esse* l. *esse factum.* — 42 *de* l. *e.*

X) 1 del. *mortuus* (*a* etc.). — res. *a mortuis* p. *suscitavit.* — 2 *ergo* l. *autem.* — 3 *domus autem* l. *et domus.* — 6 *auferebat* (*a c e*) l. *portabat.* — 9 res. *et* a. *Lazarum.* — 12 del. *autem.* — 13 res. *et* a. *rex.* — 19 del. *totus.* — 22 *venit Andreas et Philippus et* l. *Andreas rursum et Philippus.* — 23 *respondet* l. *respondit.* — 25 *perdit* l. *perdet;* — *custodiet* l. *custodit.* — 26 del. *meus.* — 27 *hora hac?* l. *hac hora.* — 28 *glorifica* l. *clarifica... glorificavi, glorificabo* (1). — 31 res. *huius* p. *mundi* 1°. — 34 res. *ergo* a. *ei.* — 40. *sanabo* l. *sanem.*

Y) 6 *cura illi esset* (*a e* etc.). l. *pertinebat ad eum.* — 14 *inveniens autem* l. *et invenit;* — del. *et* 2°. — 30 *facta est* (*f*) l. *venit.* — 35 *lux* l. *lumen.*

Z) 4 *autem* l. *ergo.* — 32 *omnes* l. *omnia.*

Chap. XIII A) 1 *diem autem* l. *diem;* — *eius hora* l. *h. e.* — 8 *Iesus ei* l. *ei I;* — *habes* l. *habebis;* — 10 *ut lavet* l. *nisi ut pedes lavet.* — 16 om. *est* 2°. — 18 *impleatur* l. *adimpleatur.* — *levavit* l. *levabit.* — 19 *credatis cum factum fuerit* l. *cum fac. fuer. cred.* — 24 *dicit* l. *dixit.* — 27 add. *tunc* p. *buccellam;* — *illum* l. *eum;* — *et dicit* l. *et dixit.* — 29 *quia dicit* l. *quod dixisset.* — 31 *dicit* l. *dixit.* — 35 *mei discipuli* l. *d. m.* — 38 om. *ei;* — *me ter* l. *t. m.*

B) 2 *corde* l. *cor.* — 26 *cui respondit* l. *respondit.* — 33 *quaeritis* l. *quaeretis.* — 38 *ponis* l. *pones.*

C) 2 *Scariotis* l. *Iscariotae.* — 29 *quia* l. *quod;* — *dicit* l. *dixisset.*

X) 6 del. *et* 1°. — del. *Petrus.* — 13 *dominus* l. *domine.* — 17 *estis* l. *eritis.* — 22 del. *ergo.* — 23 del. *ergo.* — 24 res. *dic* a. *quis.* — 25 *recumbens ergo ille* (*a b* etc.) *sic* l. *itaque cum recubuisset ille.* — 26 res. *ergo* p. *respondit.* — 27 res. *ergo* a. *ei.* — 36 del. *ego.* — 37 res. *domine* a. *quare.* — 38 *repondet* l. *respondit.*

Z) 18 *meum* l. *mecum.* — 32 *in eo* l. *in semetipso.*

Chap. XIV. A) 7 *cognoscitis* l. *cognoscetis.* — 9 *et non cogn. me Philippe?* — *vidit* (*bis*) l. *videt.* — 10 *credis* l. *creditis.* — 13 om. *Patrem.* — 17 *cognoscitis* l. *cognoscetis.* — 22 *nobis manif. es.* l. *m. es. n.*

(1) On ne voit pas pourquoi δόξα, δοξάζειν est traduit tantôt *gloria, glorificare,* tantôt *claritas, clarificare.* On n'indiquera plus ces derniers cas désormais.

B) 22 *Scariotis* l. *Iscariotes*.

X) 4 del. *scitis et*. — 5. del. *et* a. *quo modo;* — *novimus* (*a e* etc.) *viam* l. *possumus viam scire*. — 7 del. *et* 2°; — del. *eum* 2°. — 9 *cognovisti* (*Iren.*) l. *cognovistis*. — 10 *sua* l. *ipse*. — 11 *credite* (*latt.*) *mihi* l. *non creditis*. — 14 *ego* l. *hoc*. — 16 *sit* l. *maneat*. — 17 del. *autem;* — *manet* l. *manebit*. — 18 *venio* l. *veniam*. — 22 res. *et* a. *quid*. — 24 *sermo* (*a* etc.) l. *sermonem*. — 26 *quae* (*e*) *dixi* l. *quaecumque dixero;* — res. *ego* p. *vobis*. — 30 del. *huius*.

Y) 26 *commemorabit* (*a r Aug.*) l. *suggeret*.

Z) 7 *cognovistis* l. *cognovissetis* 1°; — *cognoscetis* l. *cognovissetis* 2°. — 15 *servabitis* l. *servate*.

Chap. xv. A) 6 *aruit* l. *arescet ;* — *eos* l. *eum;* — *mittunt* l. *mittent;* — *ardent* l. *ardet*. — 13 *quis ponat* l. *p. q.* — 15 *dico* l. *dicam; facit* l. *faciat*. — 25 *impleatur* l. *adimpleatur*. — 27 *perhibetis* l. *perhibebitis*.

B) 25 *me habuerunt* l. *habuerunt me*.

X) 2 *tollit* l. *tollet;* — *purgat* l. *purgabit*. — 6 *eiectus est* (*Érasme*) l. *mittetur*. — 15 *quae* l. *quaecumque*. — 16. res. *vos* a. *eatis*. — 20 del. *mei*. — 26 del. *autem*. — 27 *quin et* l. *et*.

Y) 2 *ampliorem* (*a* etc.) l. *plus*.

Chap. xvi. A) 3 om. *vobis*. — 5 *at* l. *et* 1°. — 8 *venerit, ille arguet*. — 9 *credunt* l. *crediderunt*. — 11 *mundi huius* l. *h. m.* — 11 om. *iam*.

B) 5 *me misit* l. *misit me*. — 26 om. *in* 1°. — 27 *amatis* l. *amastis*.

X) 4 res. *eorum* p. *reminiscamini*. — 13 *deducet* (*a*) ou *diriget* (*r*) *vos in veritatem omnem* l. *docebit vos omnem veritatem*. — 15 *accipit* l. *accipiet*. — 16 *videtis* l. *videbitis* 1°; — del. *quia vado ad Patrem* (om. *a b. e* etc.). — 17 *videtis* l. *videbitis* 1°. — 19 del. *autem;* — *videtis* l. *videbitis* 1°. — 20 del. *autem* 2°); — *fiet* ou *erit* (*Aug.*) l. *vertetur*. — 22 *tollit* (*b*) l. *tollet* — 29 del. *ei*. — 33 *habetis* l. *habebitis*.

Chap. xvii. A) 3 *verum Deum* l. *D. v.* — 14 *odio eos* l. *e. o.* — 15 *ex*. l. *a*. — 18 om. *tu*. — 20 *his* l. *eis* 1°. — 21 *mundus credat* l. *c. m.* — 22 del. *et* a. *nos*. — 25 add. *et* a. *mundus*.

B) 12 *his* l. *eis*. — 22 *illis* l. *eis*. — 24 *ego sum* l. *sum ego*.

X) 1 res. *suis* p. *oculis*; del *tuus* p. *filius*. — 7 *quaecumque* (*b c*) l. *quae*. — 11 *ipsi* (*d f*) l. *hi* (οὗτοι); — *quod* l. *quos*. — 12 *quod* l. *quos;* — res. *et* a. *custodivi*. — 16 del. *et*. — 21 del. *unum* 2°. — 23 *ut* (*a e*) l. *et* 2°; — del. *et* (*c e* etc.) a. *me*. — 24 *quod*. l. *quos*.

Chap. xviii. A) 4 *dicit* l. *dixit*. — 10 *eius auric.* l. *a. e.* — 11 om. *tuum*. — 13 *Caiaphae* l. *Caiphae* (1). — 21 *sum* l. *sim*. — 26 om. *ei*. — 28 om.

(1) etc.; toujours *Caïaphas*.

ut 2°. — 36 *mundo hoc* l. *h. m;* — om. *utique.* — 37 *meam vocem* l. *v. m.*

B) 7 *eos interrog.* l. *i. e.* — 18 *calefiebant* l. *calefaciebant se* — 32 *esset morte* l. *m. e.* — 34 add. *et* a. *respondit;* — *tibi dixerunt* l. *d. t.* — 40 om. *ergo.*

C) 9 *ipsis* l. *eis.*

X) 4 *egressus est* l. *processit.* — 5 del. *Iesus.* — 24 *misit ergo* l. *et misit.*

Y) 18 *qui prunas congesserant* (*Érasme,* ou *fecerant*) l. *ad prunas.* — 19 *eius* (*a b* etc.) l. *suis.* — 29 *dicit* l. *dixit.*

Chap. XIX. A) 4 om. *ergo.* — 5 *spineam cor.* l. *c. s.* — 6 om. *eum.* 2°. — 9 *dicit* l. *dixit.* — 11 *esset datum* l. *d. e;* — *tradidit me* l. *m. t.* — 12 om. *et;* — om. *enim.* — 13 *ergo* l. *autem;* — *locum* l. *loco.* — 17 om. *autem.* — 18 *eum crucif.* l. *c. e.* — 20 *legerunt Iudaeorum* l. *I. l.* — 25 *Cleopae l. Cleophae.* — 28 add. *iam* a. *omnia;* — *dicit* l. *dixit.* — 35 *eius testim.* l. *t. e.*

B) 15 *dixit* l. *dicit.* — 24 *impleatur* l. *impleretur.* — 36 cf. 24 — 38 *Arimathia* l. *Arimathaea.* — 40 *eum* l. *illud;* — *Iudaeis est* l. *e. I.*

C) 4 *in eo nullam causam invenio* l. *n. inv. in eo caus.* — 29 *positum erat* l. *e. p.*

X) 5 res. *foras* p. *Iesus.* — 10 *dimittere... crucifigere* l. *cruc... dimittere.* — 14 res. *erat* p. *hora* — 15 *ergo* l. *autem;* — *clamaverunt* l. *clamabant.* — 16 *ergo* l. *autem;* — del. *et eduxerunt* (*a b e* etc. om.). — 17 *quod dicitur hebraice* l. *hebraice autem.* — 19 *nazoraeus* (*e* etc.) *l. nazarenus.* — 20 *latine graece* l. *graecē et latine.* — 23 *Iesum* l. *eum.* — 24 del. *dicens.* — 29 del. *ergo* p. *vas;* — *ergo* l. *autem.* — 31 *illius* (*a b e*) l. *ille.* — 34 *pupugit* (*b*) l. *aperuit.* — 36 *os eius non comminuetur* l. *os non comminuetis ex eo.* — 38 *eius* l. *Iesu.* — 39 *eum* l. *Iesum.*

Y) 13 *lapidestratus* (*q*) l. *lithostrotos* (*tus*). — 26 del. *suae.*

Z) 12 *clamaverunt* l. *clamabant.* — 29 *iaculo* l. *hys(s)opo.*

Chap. XX. A) 1 *videt* l. *vidit.* — 5 id. — 6 id. — 9 *oportet* l. *oportebat.* — 10 *ad semetipsos disc.* l. *disc. ad sem.* — 14 *videt* l. *vidit.* — 17 add. *et* a. *deum.* — 19 *esset ergo sero* l. *ergo s. esset;* — om. *congregati;* — *dicit* l. *dixit.* — 20 *hoc cum* l. *c. h.* — 22 *hoc.* l. *haec;* — *dicit* l *dixit.* — 29 *dicit* l. *dixit;* om. *Thoma.*

C) 2 *eis* l. *illis.*

X) 2 *currit* l. *cucurrit.* — 3 *veniebant* l. *venerunt.* — 6 res. *et* a. *Simon.* — 9 *noverant* l. *sciebant.* — 12 *in monumentum et videt* l. *et prospexit* (1) *in monumentum et vidit.* — 13 res. *et* a. *dicunt.* — 16 res. *hebraice* p. *ei.* — 17 del. *meum.* — 18 *illi* (*a q*) l. *mihi.* — 22 res. *et* a. *hoc* (*haec*). — 25 *dicebant* (*a e* etc.) l. *dixerunt.* — 30 del. *suorum.*

(1) *Et prospexit* rend bien le sens, mais n'est pas plus nécessaire qu'au v. 5.

Chap. XXI. A) 4 add. *iam* a. *facto*. — 5 *dicit* l. *dixit*. — 6 *dixit* l. *dicit*. — 7 *dicit* l. *dixit*; — *tunicam* l. *tunica*. — 12 *discentium* l. *discumbentium*. — 14 om. *suis*. — 18 om. *tu*. — 19 *hoc cum* l. *c. h.* — 20 *tradit* l. *tradet*. — 21 *dicit* l. *dixit*. — 22 *si sic* l. *sic*. — 23 *in* l. *inter*. — 23 *si sic* l. *sic*. — 24 om. *ille*. — 25 om. *posse*.

B) 1 om. *discipulis*. — 12 *esset* l. *est*. — 13 *accepit*. l. *accipit*. — 17 *dicit* l. *dixit* 2°; — *scis* l. *nosti* (*a e* etc.). — 25 add. *amen* in fine.

C) 6 *a* l. *prae*.

X) 3 del. *et* a. *exierunt*. — 4 *ad litus* l. *in littore*. — 6 res. *ipse autem* a. *dixit*; — res. *partem* (*a b c* etc.) p *dexteram*. — 7 res. *ergo* p. *Simon*; — del. *se*. — 9 *vident* l. *viderunt*. — 12 del. *et* a. *nemo*. 13 del. *et* a. *venit*. — 16 res. *secundo* p. *iterum*; — *oves meas* l. *agnos meos*. — 20 *videt* l. *vidit*. — 22 *si* l. *sic*. — 23 *non autem* l. *et non*; — *si* l. *sic*.

Y) 18 *transferet* l. *ducet*. — 25 *qui scriberentur* (b) l. *qui scribendi sunt*.

Au commencement du xxe siècle, le gros des critiques avaient abouti à certaines conclusions touchant le quatrième évangile. D'après M. Maurice Goguel (1) : « Ce *consensus* des critiques libéraux et indépendants au début du xxe siècle, porte sur les points suivants :

1° La tradition extérieure sur l'évangile est sans valeur. Elle est le résultat d'un travail fait *a posteriori* pour justifier l'autorité du livre.

2° L'évangile n'émane ni directement ni indirectement d'un témoin oculaire. Il ne provient donc pas de l'apôtre Jean.

3° Les préoccupations de l'évangéliste et son inspiration ne sont pas d'ordre historique et biographique, mais d'ordre apologétique, didactique et théologique.

4° L'auteur a utilisé la tradition synoptique en en usant très librement à son égard et en l'adaptant à ses besoins.

5° Les déviations que son récit présente par rapport à cette tradition sont le résultat de cette adaptation et ne résultent pas de l'emploi d'une ou de plusieurs sources particulières.

6° Les discours du Christ johannique expriment la pensée de l'évangéliste.

7° Le quatrième évangile n'est donc pas pour la Vie de Jésus une source qui puisse être utilisée conjointement avec les synoptiques, encore moins une source qui doive leur être préférée. »

Tout cela, vraiment, ne tient pas debout.

Le 1° est examiné dans notre premier chapitre. Il ne sera pas inutile d'en grouper les résultats pour mettre en relief l'accord de l'évangile et de la tradition.

Le témoignage de la tradition et celui du livre sont en parfait accord. Rien d'étonnant, dira-t-on, si la tradition a accepté l'affirmation du livre. Mais c'est là précisément le point capital. Le livre prétendait être d'un témoin oculaire, apportant à la tradition synoptique déjà reçue des faits nouveaux, un ordre nouveau, et sûrement aussi des aspects nouveaux pour la doctrine. Toutes les églises l'ont reçu néanmoins, sans qu'aucune contradiction se soit élevée avant celle des « Aloges », née d'une double difficulté toute de circonstance, l'abus que faisaient du quatrième évangile les Montanistes et les quartodécimans.

(1) *Introduction au Nouveau Nestament*, II, p. 49 et s. Nous recevons cet ouvrage précisément au moment d'arrêter les conclusions de notre introduction, déjà achevée.

L'évangile accepté, la tradition a pu en déduire le nom de Jean, fils de Zébédée. Mais, comme cette déduction supposait quelque pénétration, il est tout à fait probable qu'une investigation purement exégétique se serait en partie égarée sur d'autres noms apostoliques. Ce fait ne s'étant pas produit, c'est donc que la tradition a complété l'évangile quant au nom de l'apôtre, par suite d'un renseignement transmis de vive voix.

Après cela on notera encore dans l'évangile (xxi, 24) que la véracité de l'auteur bien connu est garantie par d'autres, où la tradition a vu, outre André, d'autres disciples et des évêques (*Muratori*), qui devaient appartenir à l'Asie, d'après Papias, et à Éphèse, d'après Irénée, Apollonios, Clément d'Alexandrie et ceux qui ont suivi, sans parler des *Acta Iohannis*.

L'évangile suppose la connaissance des synoptiques. La tradition (*Irénée, Muratori, Clément d'Alexandrie*) le regarde comme écrit le dernier des évangiles.

L'évangile suggère que son auteur a vécu fort âgé (xxi, 20 ss.), et donne à entendre ainsi qu'il a écrit l'évangile assez tard. La tradition (*Irénée*, probablement d'après Papias), le fait vivre en Asie jusqu'au règne de Trajan. Ce n'est point une conjecture exégétique, puisque Polycarpe a connu l'Apôtre, comme en témoigne Irénée.

L'évangile est hautement spirituel, et la tradition (*Muratori, Clément d'Al.*) croyait qu'il avait été dès le début donné pour tel.

Si l'on envisageait dans son ensemble la tradition relative aux écrits johanniques, on y trouverait des difficultés spéciales quant à l'Apocalypse.

Mais la raison alléguée par Denys d'Alexandrie contre son authenticité apostolique consiste à dire qu'elle ne peut être du même auteur que l'évangile. Nous n'avons pas à insister sur cette difficulté, fort bien résolue par le R. P. Allo (1); il est clair qu'elle ne suppose pas la moindre hésitation au sujet de l'évangile.

Donc la tradition, soit comme interprète de l'évangile, soit comme organe indépendant, est très nette sur l'auteur apostolique du quatrième évangile; elle n'y a jamais vu que Jean, fils de Zébédée. On ne songerait pas à l'attaquer sans des raisons de critique interne (2).

Il faut reconnaître d'ailleurs que la tradition ne dit rien de précis sur la date de l'évangile, et qu'on ne peut rien déduire de l'examen du texte. On serait présomptueux, — et les critiques les plus hardis le sentent,

(1) *L'Apocalypse*, 1921, ch. xiii.

(2) M. Loisy écrivait dans son premier ouvrage (p. 1) : « A première vue, le suffrage traditionnel, qui désigne comme auteur l'apôtre Jean, paraît solide; mais le contenu du livre et son rapport avec les synoptiques provoquent des objections dont l'exégèse la plus conservatrice est obligée de tenir compte. »

— à vouloir déterminer à vingt ou trente ans près le développement de la doctrine chrétienne. Les seuls points fixes sont la ruine de Jérusalem et les écrits de saint Paul. Les conservateurs ont toujours pensé, car la tradition le suggère, que le dernier évangile n'a pas été écrit avant l'an 70, et ils penchent même pour une date plus tardive, aux environs de l'an 100. Rien n'oblige à reculer si tard si ce n'est l'opinion générale que l'évangile est postérieur à l'Apocalypse, et que l'Apocalypse date du règne de Domitien (vers 96). A ne consulter que l'évangile, nous ne voyons aucune raison d'en fixer la composition plus bas que les environs de l'an 80.

De cet examen un peu long du 1° de M. Goguel, on conclura que le 2° est une négation audacieuse du témoignage de l'évangile et de celui de la tradition.

Le 3° contient une part de vérité, l'importance aux yeux de Jean de la vérité théologique, l'allure didactique et apologétique de son œuvre : mais non seulement ce but n'exclut pas une préoccupation historique, il exige au contraire la solide réalité des faits.

Le venin du 4° n'apparaît que dans le 5°. Nous ne prétendons pas que l'auteur du quatrième évangile ait suivi d'autres sources que les synoptiques, qui ne sont pas même la source de son information : il a jugé à propos d'employer à l'occasion les mêmes épisodes. Quant à affirmer qu'il n'en savait pas plus long, c'est méconnaître, par défaut d'information, tout ce qu'il nous apprend, en particulier sur la géographie de la Palestine. Une telle négligence mêlée de tant d'assurance est une véritable tare pour la critique. C'est sur ce point que la réaction est le plus accusée (1).

Le 6° insinue que les discours du Christ ne représentent ni sa pensée, ni ses paroles. Un examen attentif montre que l'évangéliste a eu soin de reproduire la pensée de Jésus telle qu'elle s'est manifestée aux Juifs et à ses disciples. Quant à l'expression, on ne nie pas que l'écrivain lui ait donné une nuance propre qui venait de sa manière.

Donc, contre 7°, le quatrième évangile est une source très précieuse et qu'on doit employer avec toute la diligence imaginable pour connaître la *Vie de Jésus* dont elle précise, mieux que les synoptiques, le cadre chronologique, et qu'elle complète, tout en suivant son but propre qui est de mettre en pleine lumière Jésus Messie et Fils de Dieu.

Fallait-il insister sur un *consensus* qui n'existe plus, qui paraît même suranné à une jeune école pleine d'entrain, celle des extrémistes?

Sans doute, puisque ceux-ci, en condamnant sur plus d'un point leurs devanciers, montrent du doigt la caducité des constructions en l'air.

M. Loisy croit toucher à une solution, au moins négative : « Les écrits

(1) Même, quoique faiblement, dans l'ouvrage de M. Goguel.

dits johanniques ont été divulgués en Asie par un groupe de croyants qui ont voulu les mettre sous le patronage de l'apôtre Jean. Cet apôtre n'a été pour rien dans la composition de ces écrits (1). »

En apparence, rien n'est changé, la négation n'est que plus inflexible. Mais on reconnaît donc désormais le point auquel nous avons attaché tant d'importance : c'est l'évangile lui-même qui se trouve sous le patronage de l'apôtre Jean. Il ne suffirait pas de dire que la tradition a voulu un apôtre et a désigné Jean. Non, cette désignation émane de l'évangile. La critique s'impose donc le devoir de prouver que cette désignation est une fraude littéraire, et que cette fraude littéraire a été acceptée sans difficulté par toutes les églises comme par les hérétiques. Ce n'est pas tout. On n'a pas osé jusqu'à présent taxer tout l'évangile de fraude littéraire. Il faut donc y distinguer un document mystique, émané d'un contemplatif inoffensif, et une double série d'additions, opérées par des clercs d'Éphèse, emprunts faits à la tradition synoptique, pour concilier au livre l'opinion générale favorable aux synoptiques, et spécialement l'appui de l'Église romaine. Ainsi on nous demande de croire que ces aigrefins d'Éphèse, si parfaitement chez eux en Palestine, ont été assez maladroits pour compléter le mystique par une série d'additions dont la divergence avec les synoptiques a fait naître précisément la question johannique! Il eût été plus simple de ne rien ajouter du tout, ou, s'il y avait des éléments discordants dans l'écrit primitif, de les faire disparaître. La critique extrémiste a donc atteint un point où les gens de sang-froid et de bon sens devraient se sentir obligés à revenir en arrière.

(1) *Le quatrième évangile*, 2e éd., p. 38.

ÉVANGILE

SELON SAINT JEAN

TEXTE, TRADUCTION ET COMMENTAIRE

CHAPITRE PREMIER

[1] ΕΝ ΑΡΧΗ ἦν ὁ λόγος, καὶ ὁ λόγος ἦν πρὸς τὸν θεόν, καὶ θεὸς ἦν ὁ

[1] Au commencement était le Verbe, et le Verbe était avec Dieu,

Le texte est à peu près celui de Hort et Westcott (H). Les divergences sont indiquées dans les notes, qui sont pratiquement une collation de von Soden (S) avec Hort. Dans les cas où ils divergent, le texte de Tischendorf (T) et celui de Vogels (V) sont indiqués. Les variantes ne portent ni sur la ponctuation, ni sur l'orthographe, ni même ici sur l'article ajouté ou omis devant 'Ιησοῦς. Quelques-unes ne sont ni de H ni de S.

1-18. LE PROLOGUE.

Le quatrième évangile débute par une préface très solennelle qui esquisse en quelques mots la personne de Jésus-Christ et le caractère de sa mission, comparée à la fin à celle de Moïse. Une première section (1-5) est surtout consacrée à la personne du Verbe, vie et lumière. Cette idée est reprise au v. 9 et aboutit à la déclaration suprême de l'Incarnation du Verbe (v. 14). La conclusion historique est tirée du v. 16 au v. 18. Cette page parfaitement suivie est interrompue en deux endroits (6-8 et 15) par une allusion à Jean, témoin du Verbe. Ce n'est pas qu'il faille voir là deux gloses postérieures, dues à un second rédacteur (*Loisy,* 2e éd., p. 96); ce sont comme deux indications qui conduisent au témoignage de Jean (19 ss.). La splendeur de la lumière produit son effet sur Jean, qui lui renvoie ses rayons. Il n'y a pas davantage à s'arrêter à la conjecture de Bultmann (ευχαριστηριον, II, p. 26), que tout le prologue sauf 6-8 et 15 (17) a été emprunté à un écrit baptismal à la gloire du Baptiste. Si l'on considère le prologue comme un poème, les deux allusions à Jean peuvent y figurer comme des antistrophes, qui permettent à la pensée de rebondir.

1-5. Le Verbe dans ses rapports avec Dieu, le Monde, les Hommes.

1) Trois articulations, scandées sur le même rythme : antériorité du *logos* à la création, son existence auprès de Dieu, sa participation à la nature divine. Ce sublime *crescendo* dans la révélation d'une pensée sûre d'elle-même suffirait à justifier la comparaison de la manière de Jean au vol de l'aigle. ἐν ἀρχῇ allusion évidente à Gen. I, 1, non pas pour reprendre l'histoire évangélique au même point que l'histoire du monde, mais pour placer au delà l'existence du Verbe. Ignace, *ad Magn.* VI : Ἰησοῦ Χριστοῦ, ὃς πρὸ αἰώνων παρὰ πατρὶ ἦν καὶ ἐν τέλει ἐφάνη. Les Pères ont très bien compris ce renvoi, quelques-uns pour trouver dans Gen. I, 1 la même doctrine que dans Jo. en comprenant ἀρχή du Verbe. Irén. (*Demonstratio*... 43, trad. *Weber*) : *Quem primus annuntiavit Moyses,... et hoc translatum dicitur : Filius in principio, constituit Deus postea terram et coelum.* Mais Jo. n'a pas nommé le Verbe ἀρχή; c'est plutôt celui qui est ἀπ' ἀρχῆς (I Jo., I, 1; II, 13.14).

En soi, d'ailleurs, ἀρχή peut signifier principe, point de départ comme cause, ce qui n'est pas synonyme de commencement, car Dieu est un principe qui n'a pas commencé.

Ainsi Paul a nommé J.-C. ἀρχή, πρωτότοκος ἐκ τῶν νεκρῶν (Col. I, 18), et même dans Apoc. III, 14, il est ἡ ἀρχὴ τῆς κτίσεως τοῦ θεοῦ. Mais ce passage doit être entendu selon la pensée de l'Apocalypse elle-même (cf. *Allo, ad h. l.*). Au moment où Dieu crée, le Verbe agit comme principe : il est donc à la fois sorti de lui et le premier principe des créatures. D'ailleurs, la difficulté n'existe pas pour l'évangile qui ne pose pas la question de savoir comment le Verbe ou J.-C. est principe, ni celle de son origine, mais pose simplement l'existence du Logos d'une façon absolue avant que rien n'ait commencé. La suite indique que cette antériorité est celle qui appartient à Dieu, c'est-à-dire l'éternité.

— ἦν revient une seconde fois, avec πρὸς τὸν θεόν, marquant cette fois l'inhérence, et indirectement la distinction (*Calmes*). Si Jo. avait dit tout d'abord que le Logos était Dieu, on eût pu croire qu'il annonçait simplement que Logos était le nom qui convenait le mieux à Dieu. En réalité le Logos est d'une certaine façon distinct de Dieu, puisqu'il est auprès de lui dans une union très intime. On prétend que πρός ne signifie pas autre chose que παρά, pour répondre à la question : auprès de qui est-il? Il semble cependant qu'il y a une nuance et que πρός exprime spécialement qu'on se tient proche d'une personne, et παρά qu'on habite ensemble (cf. IV, 40; XIV, 23), c'est-à-dire que πρός indique mieux un contact. I Jo. I, 2 la vie ἥτις ἦν πρὸς τὸν πατέρα rappelle ce passage mieux que XVII, 5 : la gloire (notion plus extérieure) ᾗ εἶχον πρὸ τοῦ τὸν κόσμον εἶναι παρὰ σοί (cf. VIII. 38). L'union est donc très étroite, mais le Verbe n'est pas un attribut de Dieu; c'est ce qu'on nommerait naturellement dans la langue d'aujourd'hui une personne distincte.

— ἦν, encore une fois, exprime l'identité. Ces trois imparfaits montrent le logos dans une situation immuable, et nous le comprenons maintenant que nous entendons que le Logos est Dieu. Jean évite cette fois l'article. Avec l'article, θεός signifie le seul être qui soit Dieu. De même que les Arabes distinguent *ilah* et *allah : la ilah ill' allah,* il n'y a de dieu que Dieu, Philon avait déjà mis en relief le sens plein de ὁ θεός. Sans article, θεός pouvait se dire par *catachrèse* et c'est dans ce sens que Philon nomme le *logos* dieu, c'est-à-dire par un emploi abusif : à propos de Gen. XXXI, 13, ἐγώ εἰμι ὁ θεὸς ὁ ὀφθείς σοι ἐν τόπῳ θεοῦ, il glose : « ne passe pas rapidement, mais examine exactement cette parole, pour savoir si réellement il y a deux dieux : Car il est dit : « je suis Dieu (ὁ θεός) qui t'ai apparu », non pas « dans mon lieu » mais « dans un lieu de dieu » (θεοῦ), comme s'il y en avait un autre. Que faut-il donc dire? le Dieu en vérité est un, mais par abus de langage on parle de plusieurs. C'est pourquoi l'Écriture sainte dans cet endroit a fait mention du Dieu en vérité avec l'article, disant ἐγώ εἰμι ὁ θεός, mais pour celui qui ne l'est que par abus de langage, il dit « celui qui t'a apparu dans le lieu non pas τοῦ θεοῦ, mais seulement θεοῦ, il nomme dieu maintenant son plus ancien logos ». (*De Somniis*, I, 228-230). On voit que Philon excuse l'auteur sacré d'une catachrèse, et qu'il confesse en même temps ne pas prendre au sens strict le caractère divin du Logos. Il ne se fait donc pas scrupule d'employer des termes inexacts pour atteindre son but, qui est de concilier la doctrine juive et la conception philosophique des Grecs. On voit aussi quel abîme le sépare de Jean qui dit tout uniment que le *Logos* était Dieu, mettant même θεός (attribut) en tête de la phrase. L'absence d'article n'indique évidemment pas un dieu de second ordre (pour un monothéiste!), ni un abus de langage, puisque l'affirmation est aussi nette que les deux premières. C'est le même Dieu, dont il vient d'être question, non pas avec une personnalité distincte, mais comme nature divine. Le Verbe est Dieu, comme il était auprès du seul Dieu. Il possède donc la nature divine sans être le seul de qui cela pût être affirmé.

Que signifie λόγος? En grec c'est le mot propre pour signifier « la parole », mais c'est aussi « la raison ». Le *logos* des stoïciens était certainement la raison, quand il désignait l'élément actif et intelligent du monde, mais, quand ils interprétaient la mythologie, et disaient qu'Hermès était le logos, ils entendaient la parole. Et lorsqu'ils distinguaient un λόγος ἐνδιάθετος qui signifiait une pensée conçue dans l'esprit, et un λόγος προφορικός, parole proférée, même dans le premier cas le logos-raison n'était plus seulement une faculté intérieure, mais une mise en mouvement de la raison.

Si Jo. n'avait pas dépassé l'usage du mot λόγος dans l'A. T., il viserait ici la parole de Dieu, telle qu'elle avait été adressée aux prophètes, non point comme un son extérieur à la façon humaine, mais comme une pensée sortie de Dieu en forme de commandement, ayant un terme en dehors de lui. Si Jo. avait été inspiré par les stoïciens, il eût pu penser à la raison divine.

Or son Logos n'est certainement pas une simple raison, qui se confondrait dans le monothéisme avec l'intelligence divine; autant valait-il dire νοῦς qui exprimait mieux la faculté. Mais il n'est pas non plus synonyme de la parole de Dieu dans les prophètes, puisqu'ici le Logos est avec Dieu, est Dieu, sans aucune allusion aux rapports de Dieu avec ses créatures. Il reste donc que c'est une parole immanente, un λόγος ἐνδιάθετος, et peut-être λόγος n'aurait-il pas été employé par Jo., si on ne s'était habitué à l'idée d'un logos intérieur. Augustin : *est verbum et in ipso homine, quod manet intus, nam sonus procedit ex ore.*

En latin le logos-raison avait été rendu *ratio*, le logos-parole répondait à *sermo*, et c'est l'expression dont se sert Tertullien ici; mais les versions latines (sauf un ms.) ont traduit unanimement *verbum*, qui signifiait aussi parole

λόγος. [2] Οὗτος ἦν ἐν ἀρχῇ πρὸς τὸν θεόν. [3] πάντα δι' αὐτοῦ

mais avait moins que *sermo* le sens d'un discours, et qui sans doute a paru plus propre à rendre l'idée d'une parole intérieure. On a d'ailleurs compris la difficulté de traduire, et la version latine d'Irénée a conservé le mot logos : *Deus autem totus existens mens et totus existens Logos, quod cogitat, hoc et loquitur; et quod loquitur, hoc et cogitat* (II, XXVIII, 5).

Il est clair qu'ici le Logos est cette individualité distincte que nous nommons une personne; Chrys. : οὗτος δὲ ὁ λόγος οὐσία τίς ἐστιν ἐνυπόστατος.

2) Cette phrase résume les trois articulations précédentes, mais, comme Origène l'a fait remarquer, récapitulation ne signifie pas répétition; c'est plutôt une manière de lier les trois formules isolées. οὗτος, avec une certaine emphase : ce Verbe dont j'ai dit qu'il était Dieu, qu'il était au commencement, et qu'il était auprès de Dieu, je dis que dès le commencement il était auprès de Dieu. — ἐν ἀρχῇ nous ramène encore au souvenir de la Genèse. Celui qui alors était déjà a manifesté alors son action : *transiturus ad eius insinuandam virtutem, prius collegit quasi in summa epilogando quae in primis tribus dixerat, in ista una clausula* (*Thom.*).

3) Nous renvoyons au v. suivant les preuves de la coupure de la Vg. — La leçon οὐδὲ ἕν n'est pas douteuse, mais la leçon οὐδέν (ℵ D minn., des Valentiniens, etc.) peut très bien s'être produite fortuitement ou du moins sans intention dogmatique. C'est ainsi que dans Stob. *Anth.* III, 35, 6 (*Hense*, III, 688) l'éditeur citant Philonide : ἅπαντ' ἐρίζεις καὶ συνίης οὐδὲ ἕν, note οὐδὲ ἕν *correxit* S[1]. D'autres mss. avaient donc οὐδέν. Et que οὐδὲ ἕν puisse terminer une phrase, cela est prouvé par Épict. II, 18, 26 : νῦν δὲ μόνον τὰ λογάρια καὶ πλέον οὐδὲ ἕν, cf. *Ench.* I, 3 (cités par *Bauer*).

Maldonat avait déjà fait remarquer dans la Bible ces additions d'apparence négative qui confirment la proposition principale en insistant, et cité Is. XXXIX, 4 : *omnia quae sunt in domo mea viderunt, non fuit res quam non ostenderim eis*, et Jer. XLII, 4 : *omne verbum quodcumque responderit mihi, indicabo vobis, nec celabo vos quidquam.*

Il n'y a donc pas d'argument philologique qui contraigne à y ajouter ὃ γέγονεν, la question de la coupure doit être tranchée par d'autres motifs. D'autre part ὃ γέγονεν ajouté à οὐδὲ ἕν, loin d'être une tautologie, donne un sens excellent. On n'oserait dire avec Chrys. que Jo. a voulu mettre hors de cause la personne du Saint-Esprit; c'est trop spécialiser. Mais il serait très naturel qu'après avoir élevé nos regards vers la vie divine, pour redescendre ensuite vers les choses créées, Jo. ait entendu délimiter rigoureusement ces dernières. Ce qui se passe au sein de Dieu est un mystère; les choses divines sont réservées. Quant à ce qui devient, tout cela devient par le Verbe. L'idée est énoncée d'une façon positive, puis tout doute sur quoi que ce soit (de créé) est exclu par une formule négative. C'est en cela que consiste la doctrine du verset, ὃ γέγονεν ne faisant qu'expliciter la restriction aux choses créées. — πάντα indique mieux que τὰ πάντα (l'univers) l'origine de chaque chose.

Quel est le rôle du *Logos* dans la création? δι' αὐτοῦ indique un intermédiaire (I Cor. VIII, 6; Col. I, 16) ce qui ne veut pas dire un instrument, comme a pensé

et le Verbe était Dieu. [2] Il était au commencement avec Dieu. [3] Tout s'est fait par lui, et sans lui rien ne s'est fait de ce qui s'est

Philon (*Cherub.* 172) : εὑρήσεις γὰρ αἴτιον μὲν αὐτοῦ (du monde) τὸν θεὸν ὑφ' οὗ γέγονεν... ὄργανον δὲ λόγον θεοῦ δι' οὗ κατεσκευάσθη. Le rôle d'instrument est exclu ici par la nature du Logos qui est Dieu. Cependant la tradition savait que Dieu avait créé le monde par sa parole et le même rôle avait été attribué à la sagesse de Dieu comme conseillère (Prov. VIII, 30; Sap. VII, 12). Le Logos, parole intérieure d'abord, c'est-à-dire concept intellectuel, était donc bien celui par qui Dieu a créé : *Quicumque enim aliquid facit, oportet quod illud praeconcipiat in sua sapientia... Sic ergo Deus nihil operatur nisi per conceptum sui intellectus, qui est sapientia ab aeterno concepta, scilicet Dei Verbum, et Dei Filius; et ideo impossibile est quod aliquid faciat nisi per Filium* (*Thom.*).

Le rôle de l'intelligence dans la création n'avait pas échappé aux Grecs, qui ont admiré l'ordre des choses. Mais en donnant Athéna comme conseillère à Zeus, ils divisaient la divinité en plusieurs dieux; cf. Aristide, *Or. in Minerv.* XXXVII, 5 : οὐ γὰρ ἂν ἄλλως ὁ Ζεὺς ἕκαστα διεῖλεν, εἰ μὴ πάρεδρόν τε καὶ σύμβουλον τὴν Ἀθηνᾶν παρεκαθίσατο.

C'est sûrement la doctrine de saint Paul que Dieu a créé par Jésus-Christ, non point comme incarné, évidemment, mais comme Fils de Dieu : I Cor. VIII, 6 : εἷς θεὸς ὁ πατήρ, ἐξ οὗ τὰ πάντα καὶ ἡμεῖς εἰς αὐτόν, καὶ εἷς κύριος Ἰησοῦς Χριστός, δι' οὗ τὰ πάντα, et Heb. I, 2 Dieu et son Fils : δι' οὗ καὶ ἐποίησεν τοὺς αἰῶνας. Dans ce dernier cas, Dieu est le sujet, et il n'est pas douteux que le Fils soit en quelque façon intermédiaire.

Il faut noter aussi Col. I, 16 τὰ πάντα δι' αὐτοῦ καὶ εἰς αὐτὸν ἔκτισται, où le sens est le même, quoique cette fois τὰ πάντα soit le sujet.

C'est le cas de notre verset. Le R. P. Lebreton (*Les origines du dogme de la Trinité*, 4e éd., p. 479) estime que cette expression ne manifeste pas un principe initial dont le Verbe serait l'agent ou le ministre. Mais si les termes d'agent et de ministre indiquent presque une subordination et sont à laisser de côté, on entrevoit bien le principe initial par le seul fait de la préposition διά, qui ne peut naturellement avoir pour régime la cause première. Il est vrai que d'après Chrys., Jo. a voulu relever la toute-puissance, d'après Hilaire l'éternité, d'après Augustin la consubstantialité du Verbe, mais Thomas a essayé de pénétrer plus avant, et il a constamment supposé le Père comme premier principe de la création. Quel est donc le rôle du Verbe? On peut l'entendre par simple appropriation. Lorsqu'il s'agit d'une opération *ad extra*, c'est Dieu qui agit, sans distinction de personnes, mais il agit par sa sagesse, qu'on attribue au Verbe. Mais il y a plus : *Si vero ly « per » denotet causalitatem ex parte operati* (comme pour un instrument employé pour un but déterminé) *tunc hoc quod dicimus Patrem omnia per Filium facere, non est appropriatum Verbo, sed proprium eius; quia quod est causa creaturarum habet ab alio, scilicet a Patre a quo habet ut sit*; *nec tamen propter hoc sequitur ipsum esse instrumentum Patris*... et la raison c'est que le Fils opère par la vertu qu'il a reçue de son Père. Philon, qui n'admettait pas la divinité de son Logos pouvait le qualifier d'instrument (*Cherub.* 172). La pensée de Jo. est simplement que le Verbe qui était Dieu coopérait à la

ἐγένετο, καὶ χωρὶς αὐτοῦ ἐγένετο οὐδὲ ἓν ὃ γέγονεν. [4] ἐν αὐτῷ ζωὴ ἦν, καὶ

création de toutes choses, étant la pensée que Dieu avait conçue et qu'il exprimait au dehors en quelque façon. Le logos y collabore sans cesser d'être Dieu.

4) Nous avons joint ὃ γέγονεν à ce qui précède avec Ti Vog. contre H S, et parmi les commentateurs avec Schanz, Holtz., Grill, Zahn contre Loisy, Calmes, etc. Sur la tradition : Soden cite pour la coupure (I) après ἕν WCDLA(?) ΩV quelques autres de la tradition d'Antioche, plus *e a b q ff*² *f*, les Naasséniens, les Valentiniens, Héracléon, Théodote, Ptolémée, tous gnostiques; parmi les catholiques : Théophile d'Antioche, Clément, Origène, Eusèbe, Cyrille de Jérusalem, Athanase, Tertullien, Hilaire, Ambroise, Augustin. Il eût pu et dû ajouter Irénée, Ambrosiaster, Cyrille d'Alex. le *sah. syrcur.*, probablement Tatien (*Moes.* 5) et Éphrem.

D'après Zahn (*Excursus*, p. 708) le plus ancien témoin connu pour l'autre coupure (II) est Alexandre d'Alexandrie, au début des controverses ariennes. Elle a été soutenue par Chrys. Théodt., Jérôme. On pourrait donc préférer la coupure I d'abord comme plus ancienne, ensuite parce que la coupure II a été introduite pour combattre l'arianisme. Cette seconde raison n'est cependant pas valable, parce qu'Ambroise et les autres adversaires de l'arianisme n'ont vu aucun inconvénient à soutenir la coupure I. Quant à l'ancienneté, elle est, il est vrai pour I, mais avec cette ponctuation du moins implicite ὃ γέγονεν ἐν αὐτῷ, ζωὴ ἦν. Or la leçon n'a été soutenue par les catholiques, notamment par Aug. et Thomas, qu'en préférant expressément la ponctuation : ὃ γέγονεν, ἐν αὐτῷ ζωὴ ἦν. D'ailleurs aucune de ces deux manières ne donne un sens satisfaisant.

La manière la plus ancienne, celle des gnostiques, est impossible, parce que Jo. n'a sûrement pas l'intention d'installer les créatures dans le Verbe. Origène, en les raillant, a admis un sens assez plausible : ce qui est devenu dans le Verbe, c'est-à-dire les hommes qui ont participé à sa vie, étaient vie, et en tant qu'ils étaient vie, ils étaient aussi lumière : εἴη ἂν καὶ ζωὴ τῶν ἀνθρώπων, ὧν καὶ φῶς ἐστι, mais il a eu le sentiment que ce sens demandait ἐστι : τινὰ μέντοι γε τῶν ἀντιγράφων ἔχει, καὶ τάχα οὐκ ἀπιθάνως· ὃ γ... ἐστιν. Et surtout l'objection est que Jo. parle du Verbe qui était la lumière des hommes, non de la vie et de la lumière dans les hommes, d'autant qu'ils ont agi contre cette lumière.

La manière d'Augustin aboutit à un sens admissible en soi : les créatures sont vie quand elles sont dans le Verbe avant d'exister, c'est-à-dire dans le Verbe comme cause exemplaire : *foris corpora sunt, in arte vita sunt* (*Aug.*). A cela on doit objecter que si juste que soit le concept en lui-même, il serait exprimé d'une façon bien énigmatique, et il n'aboutirait à rien dans le contexte de Jo. Les créatures ne sont ici que comme l'œuvre du Logos. C'est lui qui est seul en scène : il est la Vie et aussi la Lumière. Que les créatures soient vie en lui avant d'exister, cela est hors de propos et cela contrarie même littérairement l'attribution au Verbe seul de la Vie. Ce n'est pas en tant que cause exemplaire des créatures que le Verbe est la Vie, est la Lumière : il l'est essentiellement.

On notera aussi que dans les deux manières il serait peu grammatical de faire du parfait ὃ γέγονεν le sujet de l'imparfait ἦν. Ce qui est devenu *existe*, et c'est

fait. [4] En lui était [la] vie, et la vie était la lumière des hommes;

sans doute pour remédier à cette difficulté qu'est née la leçon ἐστιν au lieu de ἦν 1°, soutenu par ℵD *af it syrcur. sa.*, c'est-à-dire qu'elle a été jugée indispensable par de nombreux représentants de la coupure I. C'est dire qu'elle a le caractère d'une correction : il en résulte qu'on ne peut pas l'admettre, ni l'exégèse qui la rendait nécessaire : Aug. lisait *vita est.* Thomas devait lire *erat*, mais il commente comme s'il y avait *est : secundum quod sunt in Verbo.*

Bauer a bien reconnu l'impossibilité d'aboutir à une exégèse solide avec la coupure I; il y remédie en effaçant ὃ γέγονεν, qu'il est si simple de joindre à ce qui précède. Loisy explique ἐν αὐτῷ « en cela ». Au lieu de dire simplement : « ce qui fut avait la vie », ce qui serait assez banal dans ce contexte, Jo. aurait dit : « ce qui fut, en cela même il y avait de la vie ». Mais comment cette vie participée devient-elle la lumière des hommes? Cette solution est encore plus désespérée, car ἐν αὐτῷ ne peut s'entendre que du Verbe. Loisy reconnaît d'ailleurs (p. 91) que la coupure II « paraît commandée par le sens ». Quant à sa difficulté que la loi rythmique du morceau serait outrageusement violée, elle confond un rythme toujours assez souple avec un mètre strict. Burney suppose un araméen דְּהֲוָא signifiant « car était » en lui la vie, rendu : « ce qui arriva ». Mais outre que nous avons à expliquer un texte grec, on ne voit pas comment la Vie serait la cause de la création et au même temps (ἦν) la lumière de l'humanité créée. Le texte prétendu primitif serait plus obscur que le grec qui serait censé le résultat d'un malentendu.

4[a]) Ce qui regarde la création est terminé au v. 3 par une formule qu'on trouve pléonastique, mais qui est seulement arrondie et définitivement close. Il n'y avait pas à dire que le Verbe était Créateur parce que vivant, d'autant que la création comprend des êtres qui ne vivent pas. C'est donc un retour vers le Verbe, mais qui n'est plus nommé le Verbe, parce que Jo. voulait faire apparaître deux idées importantes de l'évangile : vie et lumière, attributs essentiels du Fils de Dieu Sauveur de l'humanité. D'après Loisy, le Christ dira : « je suis la Vie » (Jo. xi, 25 ; xiv, 6), parce que « le Verbe devient lumière et vie pour les hommes par son incarnation » (*Loisy*, 1°, p. 161). Mais nous n'en sommes pas à l'Incarnation. Et cependant ce n'est pas là une théorie sur le Verbe en soi, auquel cas Jo. aurait peut-être dit : « Le logos était vie », mais un acheminement à l'œuvre du salut. Il n'est pas probable qu'en évitant de dire : « il était la vie », Jo. ait éprouvé un scrupule d'attribuer à Dieu la vie. Il l'a affirmé au contraire (I Jo. i, 5). C'est comme philosophe que Philon répugnait à attribuer à Dieu une qualité qui paraissait indiquer une succession; aussi a-t-il dit que Dieu est plus que la vie (*De fuga et inv.* 36; Cohn, III, 152) ὁ δὲ θεὸς πλέον τι ἢ ζωή, πηγὴ τοῦ ζῆν, ὡς αὐτὸς εἶπεν, ἀέναος. Mais Jo. ne se préoccupait pas de ces distinctions métaphysiques (Grill, p. 210). Envisageant le Verbe avant son Incarnation, non pas en lui-même, mais par rapport aux hommes, il était plus indiqué de dire : « en lui était la vie », donc il pouvait la communiquer, que de dire : « il était la vie », ce qu'on eût pu entendre de toute la vie divine.

4[b]) L'article cette fois devant ζωή, comme pour dire : cette vie dont il vient d'être question; cf. Apoc. iv, 2. Cette vie était la lumière des hommes. Où

ἡ ζωὴ ἦν τὸ φῶς τῶν ἀνθρώπων· [5] καὶ τὸ φῶς ἐν τῇ σκοτίᾳ φαίνει, καὶ ἡ

l'on voit bien que c'était à cause d'eux qu'il en a été fait mention. La vie véritable d'un être qui est esprit, est une vie spirituelle; donnée aux hommes c'est la ζωὴ μετὰ φρονήσεως (*Philon*, l. l.); en elle-même elle est donc une lumière pour l'intelligence. Cette déduction est assurément logique. C'est un fait cependant que Vie et Lumière ne se trouvent aussi étroitement associées que dans le Ps. XXXV, 10 : ὅτι παρὰ σοὶ πηγὴ ζωῆς· ἐν τῷ φωτί σου ὀψόμεθα φῶς. On peut seulement comparer Baruch, III, 14 : ποῦ ἐστιν μακροβίωσις καὶ ζωή, ποῦ ἐστιν φῶς ὀφθαλμῶν καὶ εἰρήνη, qui doit s'entendre de la vie et de la paix dans le service de Dieu. Philon n'offre rien de semblable. Il serait étrange que Jo. ait tiré toute sa théorie d'un passage isolé. C'est parce que le Christ lui est apparu comme une source de vie spirituelle dont l'action commençait par la lumière, qu'il a dès le début posé ce rapprochement. Jo. dit encore ἦν : nous ne sommes donc pas encore à l'Incarnation, qui apparaît tout au plus au v. suivant avec φαίνει. Mais c'est trop spécialiser que de s'arrêter au Paradis (contre *Schanz*). Même avant l'Incarnation, tout ce que les hommes avaient de lumière utile, venant de la vie et conduisant à la vie, leur venait du Verbe. Pourquoi du Verbe, et non pas simplement de Dieu, comme l'affirme la théologie lorsqu'il s'agit des actions divines *ad extra?* Mais la théologie admet aussi les attributions de certains actes à une personne divine, comme on attribue au Verbe ce qui regarde la vérité, à l'Esprit-Saint ce qui regarde la charité. Dans le contexte de Jo., le Verbe seul s'étant incarné pour éclairer les hommes et les sauver, il était très conséquent de lui attribuer la révélation antérieure, comme au docteur de l'humanité, préludant à son action définitive. On sait comment saint Justin a accentué et développé cette idée du Logos révélateur dans l'A. T. et parmi les gentils; c'est ainsi que Socrate a connu le Christ « partiellement, car il était et est la raison partout présente, et c'est lui qui a prédit l'avenir, par les prophètes et par lui-même en devenant semblable à nous », etc. (II Apol. X, trad. Puech; cf. LAGRANGE, *Saint Justin*, p. 137 ss.).

5) Ce verset offre deux difficultés : A) quel est le sens littéral? B) de quel temps faut-il l'entendre?

A) De toute façon il y a une comparaison. Le Verbe est comparé, non pas à la lumière qui paraît dans sa splendeur et qui dissipe les ténèbres (I Jo. II, 8), mais à une lumière qui est seulement assez claire pour guider quelqu'un qui est dans les ténèbres. De toute façon aussi, Jo. ne s'intéresse pas à une lutte cosmique des ténèbres contre la lumière, mais à l'attitude des hommes à l'égard de la lumière. On peut cependant l'entendre de deux manières, selon le sens donné à κατέλαβεν. 1° Le sens de καταλαμβάνω au propre est « saisir », non pas ici pour s'approprier, car la voix moyenne serait alors plus naturelle (Act. IV, 13; X, 34; Eph. III, 18 et Sir. XVI, 7); ce devrait être ici saisir pour entraver, dominer (les Pères Grecs, *Zahn*, sens difficile à établir : on a cité XII, 35, où c'est plutôt « surprendre »). Alors la lutte s'engagerait entre la lumière et les ténèbres qui représentent les hommes : ces derniers seraient comparés à un brouillard de plus en plus épais, qui menace d'offusquer la lumière.

2° Mais καταλαμβάνω, comme le latin *comprehendere* peut avoir le sens de

[5] et la lumière luit dans les ténèbres, et les ténèbres ne l'ont point comprise.

« comprendre », la métaphore étant résolue dans l'ordre intellectuel : cf. Philon, *de mut. nom.*, 4; I, p. 579; Polybe, *Hist.* VIII, 2(4), 6; Denys d'Hal. *Ant.* V, 46, 3; *Épict.* I, 5, 6, mais non *Pap. Tebt.* **15**, 5; **38**, 18, cités par *Bauer*).

L'un de ces deux sens suffit, et il est inutile de supposer (*Ball*, cité par *Burney*) que κατέλαβεν était en araméen מַקְבִּיל au sens d'obscurcir (Am. v, 8), que le traducteur grec aurait mal compris et traduit par recevoir. Conjecture inutile, car le sens propre de καταλαμβάνω équivaudrait presque à l'idée d'obscurcir, mais avec plus de vraisemblance, car les hommes ne peuvent avoir la prétention extravagante d'obscurcir positivement la lumière divine, à la façon dont la nuit succède au jour dans Amos.

B) A quel moment sommes-nous : avant l'Incarnation ou quand elle se produit? L'indication donnée par les deux verbes paraît contradictoire : 1° φαίνει au présent plane au-dessus des temps, comme une action divine. Mais Bauer a noté le mélange de l'imparfait et du présent pour marquer l'action de Dieu : μόνων ἀγαθῶν ἐστιν ὁ θεὸς αἴτιος... ἐπειδὴ καὶ τὸ πρεσβύτατον τῶν ὄντων καὶ τελειότατον ἀγαθὸς αὐτὸς ἦν (Philon, *de conf. ling.* 180; I, p. 432). Par là même il semble que le Verbe a brillé sur les hommes dès leur création. 2° Mais l'aoriste κατέλαβεν semble plutôt indiquer une occasion déterminée, comme l'Incarnation. Dans ce cas le v. 5 serait comme une première esquisse, sous une forme métaphorique, de ce qui sera dit plus loin (10.11) οὐκ ἔγνω, οὐ παρέλαβον.

On peut déjà conclure que A 1° comme sens littéral, indiquerait B 1° comme époque, tandis que A 2° conduirait à B 2°. Dans le premier sens c'est la lutte des ténèbres contre la lumière avant l'Incarnation, sans que leur situation réciproque soit changée, l'ambiance générale luttant en vain contre la lumière qui d'ailleurs ne déploie pas tout son éclat. Dans le second sens les ténèbres s'entendent plus nettement des hommes qui se comportent comme ils l'ont fait au moment de l'Incarnation.

Il est difficile de se prononcer. On peut objecter contre le second sens, soutenu par *Calmes, Loisy, Schanz, Holtz.*, etc., une sorte de va-et-vient, puisque Jean va nous être présenté comme le précurseur de la lumière. Mais cela même est bien dans la manière de Jo., habitué à proposer ses idées sous une forme de plus en plus claire (voir *Introduction*, p. xcvi). On entendra donc φαίνει du moment où la lumière, qui est par nature une lumière pour les hommes, brille pour un dessein particulier et dans une circonstance donnée et n'est pas comprise.

6-8. Jean, témoin de la lumière.

L'évangile commencera, ainsi que les synoptiques, par la déclaration de Jean. Ce sera très expressément le *témoignage* de Jean (v. 19). Jo. a cru devoir l'annoncer dans le Prologue, au moment où il va développer l'action historique du Verbe, identifié avec la lumière. Assurément il y a là un point de départ nouveau, mais ce n'est pas une raison pour y voir une glose. Le v. 19 suppose manifestement les vv. 6-8, et le v. 9 qui pourrait se souder au v. 5 s'y rattache mieux par l'intermédiaire du v. 6 qui inaugure les faits terrestres sans métaphore.

σκοτία αὐτὸ οὐ κατέλαβεν. [6] Ἐγένετο ἄνθρωπος ἀπεσταλμένος παρὰ θεοῦ, ὄνομα αὐτῷ Ἰωάννης· [7] οὗτος ἦλθεν εἰς μαρτυρίαν, ἵνα μαρτυρήσῃ περὶ τοῦ φωτός, ἵνα πάντες πιστεύσωσιν δι' αὐτοῦ. [8] οὐκ ἦν ἐκεῖνος τὸ φῶς, ἀλλ' ἵνα μαρτυρήσῃ περὶ τοῦ φωτός. [9] Ἦν τὸ φῶς τὸ ἀληθινὸν ὃ φωτίζει πάντα

6) ἐγένετο est placé après les lignes du début, précisément comme dans Mc. I, 4 et Lc. I, 5, pour indiquer le commencement d'une histoire. Il y a une opposition entre ἦν (6 fois dans 1-4), l'être permanent, et ἐγένετο, le devenir, mais non pas précisément comme au v. 2 où le monde devient par le Verbe, comme si Jean en était distinct par le fait de n'être qu'une simple créature. C'est plutôt qu'à un temps indéfini, plus conforme à la nature éternelle du Verbe, succède une intervention dans l'histoire. Jean advint, et c'était un envoyé de la part de Dieu; ἀπεσταλμένος indique une qualité, plutôt qu'une action, car il ne se relie pas à ἐγένετο comme si les deux mots étaient un équivalent de ἀπεστάλη. — Le nom de Jean complète la physionomie humaine de cet envoyé de Dieu, envoyé après tant d'autres. Mais sa mission était trop spéciale pour que Jo. l'ait qualifié simplement de prophète. D'autre part il a évité de lui attribuer un rôle distinct et personnel en rappelant son surnom de Baptiste.

Quoique ce nom de Jean ait été très répandu, on ne pouvait se tromper sur cette personnalité.

— La formule ὄνομα αὐτῷ Ἰωάννης peut passer pour sémitique (*Burney*), mais elle est grecque aussi; cf. Oxyrh. III, **465**, 12 ὄνομα αὐτῷ ἐστιν Νεβύ (*Deb.* § 144).

7) Entendu dans l'ordre physique, ce v. serait encore plus étonnant que le v. 5. La lumière a en elle-même son évidence. A quoi servirait un témoignage sur la lumière? A moins qu'on ne suppose un témoin placé à l'entrée de la caverne de Platon, ce qui n'est pas indiqué. La lumière est donc ici une clarté spirituelle, le Verbe vérité que les hommes n'ont pas compris. Il faut désormais qu'ils croient en lui, et il convient qu'il ait un témoin.

Cette notion du témoin, une des idées maîtresses de Jo., apparaît ici pour la première fois. μαρτυρέω signifie proprement affirmer ce qu'on a vu pour fixer la conviction des autres, spécialement des juges dans un procès, d'où le sens large d'attester, c'est-à-dire d'affirmer une conviction, et le sens spécial de rendre justice à quelqu'un, plus précisément d'obliger à lui rendre justice. L'attestation est le sens normal dans l'Islam, et comme sa formule propre : « j'atteste que Dieu est Dieu », etc.; dans Epictète (I, 29, 47-49.56; III, 22, 86; IV, 8, 32), le juste par sa conduite rend témoignage à Dieu, il est son témoin, il le justifie des reproches élevés contre sa Providence. Mais ici « témoigner » a sa valeur primitive. La lumière sera voilée, le Verbe apparaîtra sous une forme étrangère. Jean est celui qui sait, et qui témoigne, de façon que par lui (δι' αὐτοῦ) les autres puissent croire. Comment Jean a-t-il été informé, cela sera expliqué plus tard. En progrès sur ἐγένετο (v. 6) qui ne précisait pas le rôle de Jean, ἦλθεν le montre s'avançant pour un témoignage, à savoir celui qu'il devait rendre à la lumière. C'est sa raison d'être historique.

πάντες indique bien que le témoignage de Jean avait une portée universelle :

[6] Il y eut un homme, envoyé de Dieu, son nom était Jean; [7] il vint pour [le] témoignage, afin de rendre témoignage à la lumière, afin que tous crussent par lui. [8] Non qu'il fût, lui, la lumière, mais afin qu'il rendît témoignage à la lumière. [9] C'était la vraie lumière, —

pour ceux qui l'ont entendu d'abord, puis pour ceux auxquels ses paroles ont été transmises d'une manière sûre. Il était difficile d'élever plus haut le rôle de Jean dans l'économie du salut. Mais il allait de soi que d'autres seraient associés à cette fonction de témoins, que l'évangéliste revendiquera pour lui-même (v. 14).

8) Cette insistance étonne, et le v. a presque l'air d'une répétition. On convient que Jo. n'a nullement l'intention de rabaisser Jean dont l'attitude vis-à-vis de Jésus est si profondément humble. Il ne semble pas non plus qu'il ait voulu brider les prétentions d'une secte qui se réclamait de Jean (*Baldensperger*), ni même la sourde opposition des Juifs tendant à opposer Jean à Jésus (*Bauer*). Il est plus vraisemblable que Jo. suit son dessein très arrêté de mettre Jésus dans une situation tout à fait inaccessible aux autres spécialement dans une autre sphère que Jean (cf. I, 15.19-27.29-34; III, 26-36; V, 33-36; X, 40 s.). Jean n'est pas *la* lumière, et il ne semble même pas qu'il soit *une* lumière. Il n'y a en présence que la lumière et celui qui lui rend témoignage, qui sera qualifié de lampe (V, 35), ou de support pour la lumière. — ἐκεῖνος est un peu atténué, comme il arrive dans Jo. (*Deb.* § 291, 6), pour désigner la même personne que οὗτος (7). — ἀλλ' ἵνα est une tournure elliptique. Il ne faut sous-entendre ni ἦν, ni ἦλθεν, mais « cela est arrivé »; c'est ainsi que Mc. XIV, 49 a été développé par Mt. XXVI, 56 τοῦτο δὲ ὅλον γέγονεν ἵνα... La même ellipse Jo. IX, 3; XIII, 18; XV, 25; I Jo. II, 19. Dans notre verset on pourrait supposer un texte araméen *de* signifiant : il était « celui qui » devait rendre témoignage, et que ce *de* a été pris pour une conjonction (*Burney*); mais les autres cas cités ne comportent pas cette explication, et ils sont sur le même type.

9-13. LA LUMIÈRE VIENT; COMMENT ELLE EST REÇUE.

Les Anciens, presque unanimement, ont entendu 9 et 10 du Verbe avant son incarnation, qui n'entrerait en scène qu'au v. 12. Mais il serait étrange que Jo. soit remonté au thème du v. 3 si ce n'était pour l'appliquer au Verbe incarné. De plus entre 11 et 12 il y a un parallélisme qui ne suppose pas un changement d'horizon. L'opinion des Pères était d'ailleurs logique, car rattachant « venant dans le monde » à « tout homme », ils allaient jusqu'au v. 11 pour trouver une allusion à la venue du Verbe (ἦλθεν), tandis que les modernes la trouvent dans ἐρχόμενον (9).

9) Deux opinions : *a*) les anciens, Schanz, Kn., Burney, joignent ἐρχόμενον à ἄνθρωπον, avec les anciennes versions, sauf la sahidique, du moins en partie. Schlatter (p. 18 s.) a cité *r. Lev.* XXXI, 6 : « tu éclaires ceux d'en haut, et ceux d'en bas, et tous ceux qui viennent dans le monde » (כָּל־בָּאֵי עוֹלָם). Ce rapprochement avec une tournure rabbinique fréquente est très séduisant. Mais il faut noter (*Zahn*) que chez les Rabbins « ceux qui viennent dans le monde » est une expression pour remplacer les hommes, non pour les désigner mieux. Car ou bien ce serait une tautologie pour dire : « Tous les hommes qui naissent », ou

ἄνθρωπον ἐρχόμενον εἰς τὸν κόσμον. [10] ἐν τῷ κόσμῳ ἦν, καὶ ὁ κόσμος δι' αὐτοῦ ἐγένετο, καὶ ὁ κόσμος αὐτὸν οὐκ ἔγνω. [11] Εἰς τὰ ἴδια ἦλθεν, καὶ οἱ

bien ce serait dans un sens précis : « Tout homme au moment où il vient au monde », ce qui serait faux.

Jean doit donc être entendu d'après son texte, sans recourir à une alliance de mots étrangère au N. T. et même au rabbinisme qui n'a pas « tout homme ».

b) Les modernes après Théodore de Mopsueste, Loisy, Holtz., Bauer, Calmes, Vogels, etc. mettent une virgule après ἄνθρωπον, de sorte que ἐρχόμενον se rattache à ἦν, imparfait dont τὸ φῶς est le sujet. La séparation des deux parties du verbe étonne un peu; mais elle est dans le style de Jo. cf. II, 6; X, 40; XVIII, 30.

Ces cas ne sont pas précisément des imparfaits périphrastiques à la manière de l'araméen, car le verbe substantif garde une valeur propre et un certain accent sur l'idée d'être (cf. *Introd.*, p. CIV). Cette coupure n'étant pas contraire à l'usage de la langue, elle est certainement préférable pour le sens, car l'autre n'aboutit qu'à une expression explétive, tandis que celle-ci amène précisément l'idée qui est en situation après que le v. 6 s'est placé sur le terrain de l'histoire évangélique, la venue de la lumière; ἐρχόμενον la montre s'avançant, comme Jésus vint au baptême de Jean. Après la mention du Baptiste, c'est bien ce que semble indiquer l'image, mais le contexte n'y conduit pas, et s'en tient à la venue du Verbe.

— τὸ ἀληθινόν, non pas la lumière sensible, mais la lumière spirituelle, véritable parce que divine; cf. VI, 32; XV, 1. — La parenthèse ὃ φωτίζει rappelle le φαίνει du v. 5, au présent aussi, parce que c'est l'office de cette lumière d'éclairer tous les hommes. Cette lumière, qui éclaire d'en haut, venait alors, quand Jean était là pour lui rendre témoignage. — Sur le κόσμος, un des concepts favoris de Jo., avec des nuances variées, cf. XVII, 9.

10) Il semble bien que Jo. a délibérément évité ἐγένετο pour le Verbe jusqu'au v. 14, de sorte que ἦν a pu paraître aux Anciens se rapporter comme au début à l'existence éternelle du Verbe. Cependant il n'y a aucune difficulté d'entendre cet imparfait comme une conséquence de celui du v. 9. S'étant dirigé vers le monde, le Verbe était dans le monde. La philosophie ne serait pas embarrassée de montrer comment Dieu peut être dit dans le monde, *sicut causa efficiens et conservans... ut dans esse mundo* (*Thom.*), ou comme dit Augustin : *Deus autem mundo infusus fabricat, ubique positus fabricat* mais précisément cette action créatrice va être mentionnée. Le plus naturel est donc de penser que le Verbe était dans le monde *sicut locatum in loco*, comme le fut Jésus. Le sujet de ἦν est toujours la lumière, mais la lumière était le Logos, et nous revenons insensiblement à la notion du Logos. De toute éternité auprès de Dieu, le Logos est maintenant dans le monde, et c'est bien de lui qu'il s'agit, puisque Jo. rappelle, comme au v. 3 que le monde a été créé par lui. Saint Thomas a très bien vu la correspondance du début et du v. 9 et s. *Et ideo totum hoc quod sequitur ab illo loco*, Erat lux vera, *videtur quaedam explicatio superiorum.* Seulement cette explication, au lieu d'être une répétition assez oiseuse, est du plus grand effet entendue comme une application au Verbe incarné de ce qui avait été dit

qui éclaire tout homme, — venant dans le monde. [10] Il était dans le monde, et le monde avait été fait par lui, et le monde ne le connut pas. [11] Il vint chez lui, et les siens ne l'accueillirent pas. [12] Mais tous

du Verbe au v. 3. — Jo. explique maintenant en langage clair que cette lumière du Verbe, par lequel le monde avait été créé, a été méconnue par ce monde. « Le monde » remplace ici les ténèbres. Si donc on entendait le v. 5 des temps antérieurs à l'Incarnation, il faudrait en dire autant de ce v. (*Aug. Thom.*); mais précisément il se continue par le v. 11, qui est vraiment une allusion au ministère du Christ, de sorte qu'il y a ici comme une indication subséquente que le v. 5 lui-même regardait l'incarnation.

D'ailleurs le pronom masc. αὐτόν indique bien que Jo. ne poursuit pas plus longtemps le thème de la lumière. Ce masculin c'est peut-être le Logos, mais en même temps la personnalité historique à laquelle l'évangéliste pense déjà, et dont il prépare la manifestation de cette façon mystérieuse. Au v. 11, cette personne agira comme tout autre homme. — Le second καί signifie presque : « et cependant » (cf. *Introduct.*, p. CVI).

11) Ce verset est manifestement un *crescendo* ou une spécialisation du précédent : et comment méconnaître qu'il s'agit de la venue historique du Verbe — Lumière — Jésus? Sur le sens des ἴδιοι les avis sont partagés. Il n'est pas douteux que ce mot indique une appartenance très étroite : τὰ ἴδια c'est le *home*, le chez soi (Esth. v, 10; vi, 12); cf. *P. Tor.* I, 8, 27 (119 av. J.-C.) εἰς τὰς ἰδίας αὐτῶν μετοικισθῆναι, etc. Et les ἴδιοι sont les commensaux, ceux qui habitent la même demeure. Mais quels sont-ils ici? *a*) Les Juifs (*Schanz, Calmes, Till., Zahn, Kn.*), parce qu'ils sont le peuple particulier de Dieu, ce qui est reconnu de tous, et surtout parce que c'est seulement de cette façon que le verset avance sur la situation du v. 10.

b) Les hommes en général (*Thom., Holtz.* 2e éd., *Heit., Grill, Loisy, Bauer*). — En effet rien n'indique les Juifs en particulier. Ayant créé le monde, le Verbe y était chez lui, et les hommes lui appartenaient. Puisque Jean a identifié le Christ avec le Logos, il faut lui laisser le bénéfice de cette vue si large : πᾶς ἄνθρωπος κατὰ τὴν διάνοιαν ᾤκείωται λόγῳ θείῳ, a dit Philon, précisément à propos de la création (*De Opif. mundi* 146; I, 35, cité par Bauer).

Entre ces deux opinions on peut hésiter, comme *Chrys.* Mais si la seconde paraît plus dans l'esprit du Prologue, la première, incontestablement, indique un thème principal de l'évangile, pour lequel le Prologue a été composé. Le Verbe qui est partout n'est venu en somme qu'en Judée, où il était vraiment parmi les siens. Il serait oiseux de rappeler tous les textes qui signalent l'appartenance spéciale d'Israël à son Dieu, caractère qui n'est pas méconnu par l'évangile. Et même à s'en tenir à la structure du Prologue, on ne voit pas dans la seconde opinion ce que le v. ajouterait à ce qui précède; sans doute la conduite des hommes paraît plus odieuse s'ils sont qualifiés de ἴδιοι, mais ce titre même suggère un *crescendo* réel en suite d'un rapport particulier avec ceux qui, en fait, n'ont pas reçu le Verbe.

12 s.) En suivant la leçon commune des mss., ces deux versets forment un

ἴδιοι αὐτὸν οὐ παρέλαβον. [12]ὅσοι δὲ ἔλαβον αὐτόν, ἔδωκεν αὐτοῖς ἐξουσίαν τέκνα θεοῦ γενέσθαι, τοῖς πιστεύουσιν εἰς τὸ ὄνομα αὐτοῦ, [13]οἳ οὐκ ἐξ αἱμάτων οὐδὲ ἐκ θελήματος σαρκὸς οὐδὲ ἐκ θελήματος ἀνδρὸς ἀλλ' ἐκ θεοῦ ἐγεν-

ensemble dont il faut indiquer le sens général : c'est l'avantage de l'Incarnation pour les hommes. L'accueil qu'ils avaient fait à la Lumière, spécialement les Juifs, semblait représenter sa venue comme un échec. Il ne pouvait en être ainsi. D'autres lui ont donné satisfaction, ce qui, de l'homme à Dieu, signifie s'ouvrir à ses bienfaits. Et comme la venue du Verbe dans le monde est une union avec la chair, en d'autres termes une naissance, le bienfait accordé aux hommes qu'il voulait semblables à lui est la faculté de devenir enfants de Dieu. Ce sera le cas de tous ceux qui auront reçu le Logos, dans lequel nous avons déjà reconnu le Christ. Le recevoir, d'après l'économie nouvelle, c'est croire en lui : *hoc est recipere eum, in eum credere* (*Thom.*). Jusque-là aucune difficulté. Mais quel est le rapport entre : devenir enfants de Dieu, et être nés de Dieu? Deux opinions :

a) Chrys., Thom., Mald., Schanz, Calmes, Loisy, pensent que la génération ou la naissance est présupposée à une action de la volonté qui rend enfant. En effet ἐγεννήθησαν est à l'aoriste, et τέκνα θεοῦ γενέσθαι indique un devenir qui après le don de la faculté (ἐξουσία) suppose un effort humain. Même les baptisés peuvent devenir enfants de Dieu plus parfaitement, s'unir à lui, et devenir vraiment ses enfants dans la vie éternelle : Dedit eis, *qui eum receperunt*, potestatem, *idest infusionem gratiae*, filios Dei fieri, *bene operando*, et gloriam acquirendo (*Thom. 1° modo*). Ce système est parfaitement conçu; mais il se heurte à une difficulté insurmontable. On ne devient pas enfant de Dieu quand on l'est déjà. Or le chrétien est absolument enfant de Dieu dès cette vie, comme l'affirme I Jo. III, 1 s., qui semble réserver pour la vie future un autre terme : νῦν τέκνα θεοῦ ἐσμεν, καὶ οὔπω ἐφανερώθη τί ἐσόμεθα. En réalité Maldonat transcrit tout uniment *filii* par *haeredes*, tandis que la qualité d'héritier est une conséquence de la filiation : *si filii, et haeredes* (Rom. VIII, 17).

b) Il semble donc (*Holtz., Bauer, Heit.*) que le v. 13 soit l'explication de la manière dont on devient enfant de Dieu. C'est par une naissance divine. *Nam si non nascuntur, filii quomodo esse possunt* (*Aug.*)? Le verbe γενέσθαι ne suppose pas un intervalle entre la naissance et la qualité d'enfant de Dieu. Par le fait de la naissance, la qualité est acquise, et c'est notre argument contre la première opinion. Mais la naissance étant la base de la relation peut être conçue comme antérieure, d'où l'aoriste ἐγεννήθησαν, et la qualité, en parlant des hommes, est pour eux une chose acquise : ils *deviennent*, ce qu'ils n'étaient pas et ne pourraient être naturellement.

En somme, de la part des hommes, il y a une première démarche de bonne volonté. Jo. ne dit pas qu'elle ait lieu sans la grâce, mais il ne l'attribue pas non plus à la grâce dans cet endroit : il reviendra sur ce sujet (VI, 44). Cette démarche ouvre la voie au don divin : Dieu donne à ceux qui la font la faculté de devenir enfants de Dieu, ce qu'ils n'étaient pas et ne pouvaient devenir sans un don spécial. Suit une double explication : du côté de l'homme, cette

ceux qui le reçurent, il leur donna le pouvoir de devenir enfants de Dieu, à ceux qui croient en son nom, [13]qui ne sont nés, ni du sang, ni d'un vouloir charnel, ni d'un vouloir d'homme, mais de Dieu.

démarche c'est la foi; en regardant vers Dieu, devenir enfant de Dieu, c'est être engendré par lui d'une façon spirituelle, qui n'a rien de commun avec la génération charnelle.

12) ὅσοι *tous ceux qui*. Au temps de Jean, chacun savait que la perspective ouverte ici était indéfinie : personne n'était exclu du salut proposé à tous. Néanmoins, dans le sens historique, Jo. fait allusion à ceux dont la conduite fut en contraste parfait avec ceux qui n'ont pas reçu la lumière ni celui qui était la lumière. Dès le prologue nous voyons donc se dessiner la grande opposition qui domine tout l'évangile et qui a même influé sur son plan (cf. *Introd.* p. LXXIV).

— ἔλαβον opposé à οὐ παρέλαβον, sans nuance appréciable. Ceux qui ont tout à fait reçu le Christ sont déjà enfants de Dieu. Mais en expliquant que ceux-ci sont les croyants, Jo. distingue une première adhésion confiante, une certaine docilité à recevoir l'enseignement, de la régénération qui a lieu par le baptême, comme il l'expliquera plus tard (III, 3.5).

— ἐξουσία signifie primitivement le pouvoir de faire telle ou telle chose, la libre disposition des choses. Ce sens est fréquent dans la *koinè* (*MM.*), c'est le sens dans Jo.; il n'y a pas à faire intervenir ici la notion de droit, titre, privilège. L'homme a donc le libre pouvoir de devenir enfant de Dieu : mais c'est par un don spécial de Dieu, ensuite de la venue du Verbe. Il n'est pas dit que cette action ne sera pas consentie par l'homme, mais le terme étant la génération par Dieu, il est bien évident que ce sera surtout l'œuvre de Dieu. Nous interprétons donc ἐξουσία comme on le fait dans la première opinion ci-dessus; mais l'action humaine est antérieure ou concomitante à l'acquisition, non postérieure. Selon les termes de la théologie, cette faculté surnaturelle s'exerce par la grâce actuelle : *Ideo dat (Deus) potestatem movendo liberum arbitrium hominis, ut consentiat ad susceptionem gratiae* (*Thom.*).

— τοῖς πιστεύουσιν se rattache à αὐτοῖς, qui lui-même se rattache à ὅσοι. C'est une explication sur la façon dont on reçoit la lumière. Dans l'ordre intellectuel on adhère à la vérité par la science ou par la foi. Comme il s'agit d'une lumière voilée, l'économie du salut est dans le second mode, comme Jo. l'a déjà indiqué au v. 7.

13) A la génération spirituelle qui est entièrement due à Dieu, Jo. oppose la génération humaine. C'est-à-dire qu'il expose ce que n'est pas la génération dont le propre est de venir de Dieu. Pour la génération humaine, il faut le dessein arrêté de l'homme, au sens de *vir*, de l'individu *homo* du sexe masculin; c'est lui qui prend l'initiative de l'union matrimoniale. Il faut aussi un désir de l'union charnelle, qui est naturellement commun aux deux époux.

Il faut enfin cette cause matérielle qui est la semence, nommée plus noblement le sang. C'est ainsi qu'ont compris les anciens; cf. *P. Lips.* I, **28**, 16.

(381 ap. J.-C.) πρὸς τὸ εἶναί σου υἱὸν γνήσιον καὶ πρωτότοκον ὡς ἐξ ἰδίου αἵματος γεννηθέντα σοι (*MM*).

Dans notre verset cet ordre est renversé, afin que la volonté de l'homme soit rapprochée de l'origine divine pour accentuer le contraste.

— ἐξ αἱμάτων. Le pluriel a été expliqué par plusieurs anciens du double sang de l'homme et de la femme (*Aug.*, etc.). On ne peut guère songer à une influence sémitique, car les LXX ont très rarement le pluriel, même quand le sang est répandu, auquel cas le grec emploie aussi le pluriel. Dans Euripide (*Ion* 693) on trouve le pluriel pour désigner la parenté, mais c'est un usage poétique. Il est vrai que Jean dans Apoc. XIX, 18.21 et Jac. V, 3 disent « les chairs », et il y avait peut-être une tendance à mettre le pluriel au lieu du singulier; cependant Jo. dans le cas présent n'a pas employé ce pluriel rare sans une intention, telle que l'a comprise Augustin.

Pour cette allusion au sang on peut comparer Hénoch, XV, 4 ἐν τῷ αἵματι τῶν γυναικῶν ἐμιάνθητε, καὶ ἐν αἵματι σαρκὸς ἐγεννήσατε, καὶ ἐν αἵματι ἀνθρώπων ἐπεθυμήσατε <καὶ ἐποιήσατε> καθὼς καὶ αὐτοὶ ποιοῦσιν σαρκὰ καὶ αἷμα... Sans conclure à une dépendance directe, on rattachera au même genre d'esprit sémitique cette insistance sur le sang et la chair à propos de la génération, et cela expliquerait la longueur de la description négative de Jo.

— θέλημα est au sens propre pour désigner une volonté délibérée, celle de l'homme. Il est étonnant que le même terme désigne l'instinct sexuel. Aussi Aug. a-t-il écrit : *ponitur ergo caro pro uxore,* ce qui n'est plus un sens littéral. Jo. a très bien pu employer une fois θέλημα dans le sens de désir (II Chr. IX, 12; Is. LVIII, 3. 13), et dans un sens plus rationnel connu aussi de la Bible grecque. Ce mot, presque étranger au grec profane, se retrouve dans les écrits hermétiques (*Poim.* XIII, 18.19).

Venons maintenant à l'examen de la leçon concurrente.

Au lieu de ἐγεννήθησαν, Loisy et Zahn lisent ἐγεννήθη, le premier avec ὅς au début, au lieu de οἵ, le second en supprimant le relatif. Zahn a probablement senti l'inconvénient de rattacher une confession de foi distincte et importante à un pronom tel qu'αὐτοῦ (v. 12). Mais sa construction est encore plus invraisemblable, et il se prive de l'appui de quelques textes. Dans ce qui suit nous envisageons seulement le texte ὅς... ἐγεννήθη. Quels sont ses témoins?

Justin (*Dial.* LXIII, 2) : ὡς τοῦ αἵματος αὐτοῦ οὐκ ἐξ ἀνθρωπείου σπέρματος γεγεννημένου ἀλλ' ἐκ θελήματος θεοῦ. Cf. D. LIV, 2; LXI, 1; LXXVI, 1. Dans I Apol. XXXII, 8-9 : πλύνων τὴν στολὴν αὐτοῦ ἐν αἵματι σταφυλῆς (Gen. XLIX, 11), lui fournit ce symbolisme : l'habit, ce sont οἱ πιστεύοντες αὐτῷ, le sang du Christ est réel, mais non ἐξ ἀνθρωπείου σπέρματος.

Justin ne se serait pas exprimé ainsi s'il n'avait connu Jo. I, 13, qui revenait souvent à sa mémoire. Incontestablement il a appliqué au Christ cette négation d'une naissance ordinaire, et dans des termes plus ou moins rapprochés de ceux de Jo., comme il arrive pour des réminiscences; une fois cependant (D. LXI, 1) il l'entend de la naissance divine du Logos : ἐκ τοῦ ἀπὸ τοῦ πατρὸς θελήσει γεγεννῆσθαι, nouvelle indication qu'il lisait ἐγεννήθη.

On dira la même chose du texte d'Hippolyte (*Refut.* VI, 9) versé par Zahn dans le débat. Simon n'était pas le Christ :

ἀλλ' ἄνθρωπος ἦν ἐκ σπέρματος, γέννημα γυναικός, ἐξ αἱμάτων καὶ ἐπιθυμίας σαρκικῆς καθάπερ καὶ οἱ λοιποὶ γεγεννημένος. Justin s'était servi de Jo. I, 13 pour affirmer la conception virginale de Jésus; Hippolyte s'en sert pour la nier de Simon. On doit supposer que ce qu'il niait de Simon n'était pas par opposition aux chrétiens, mais au Christ.

Méthode est moins clair (*de resurrect.* I, 26) : τὸ τοῦ χριστοῦ σῶμα οὐκ ἦν ἐκ θελήματος ἀνδρός, ἡδονῆς ὕπνῳ συνελθούσης... ἀλλὰ ἐκ πνεύματος ἁγίου καὶ δυνάμεως ὑψίστου... La formule de Jo. ne suffisait pas, quoique complétée par une réminiscence profane, puisque l'affirmation se rattache à Luc.

Zahn n'a rien proposé d'autre chez les Grecs : Clément d'Al. (*Strom.* II, 58) et Origène (*Fragm.* 8 *Preuschen*, p. 486 s.) ont la leçon ordinaire.

Il y a, il est vrai, Irénée en latin.

Haer. III, 16, 2. Au cours d'une argumentation sur Mt. I, 1, entre parenthèses comme nous dirions : *non enim ex voluntate carnis, neque ex voluntate viri, sed ex voluntate Dei, verbum caro factum est.* Pourquoi Irénée a-t-il passé le mot topique ἐγεννήθη pour terminer sa phrase par le v. 14? Un autre passage est plus formel : III, 19, 2 : *quoniam is qui non ex voluntate carnis, neque ex voluntate viri natus est filius hominis, hic est Christus Filius Dei vivi.* La citation n'est pas textuelle, mais nous avons le *natus est,* sans *ex Deo.*

III, 21, 5 : *Non ex voluntate viri erat qui nascebatur;* et cf. V, 21, 7 : *uti non ex voluntate viri, sed ex voluntate Dei adventum eius, qui secundum hominem est intellegamus.*

V, 1, 3. *Et propter hoc in fine, non ex voluntate carnis, neque de voluntate viri, sed ex placito Patris manus eius vivum perfecerunt hominem, ut fiat Adam secundum imaginem et similitudinem Dei.* De même la traduction arménienne d'Irénée. — *uti fiat Adam,* etc. se rapporte à ce qui précède, mais *in fine* est une allusion à l'incarnation.

On ne peut douter que le texte latin représente ici le grec d'Irénée.

On trouve la même leçon dans le *cod. Veronensis* (*b*), *qui... natus est,* et dans le *Liber comicus* (*Anecd. Mareds.* I, p. 60) : *qui non ex sanguinibus neque ex volumptate viri, sed ex deo natus est* (*Lectionnaire de Tolède*).

D'après Tertullien, c'est le texte authentique, l'autre est l'œuvre des Valentiniens. Voici le texte, mal imprimé dans Migne (*P. L.* II, c. 829), tel que Sabatier l'avait déjà restauré (*de Carne Christi,* XIX) : *Quid ergo est,* non ex sanguine, neque ex voluntate carnis, neque ex voluntate viri, sed ex Deo natus est? *Hoc quidem capitulo ego potius utar, cum adulteratores eius obduxero. Sic enim scriptum esse contendunt :* non ex sanguine, nec ex carnis voluntate, nec ex viri, sed ex Deo nati sunt, *quasi supra dictos credentes in nomine eius designet, ut ostendat esse semen illud arcanum electorum et spiritualium, quod sibi imbuunt.* Cette fois le texte est cité intégralement. Les Valentiniens sont accusés de l'avoir altéré pour y trouver le type de leurs élus-spirituels. Mais comment? S'ils ajoutaient οἵ, ils confondaient ces élus avec la masse des croyants, ce qui était contre leur dogme. S'ils ne connaissaient pas de relatif (*Zahn*) comment auraient-ils amené ces spirituels? Et comment le relatif se trouve-t-il dans tous les textes, sauf D et *a*? Tertullien n'objecte pas la tradition ancienne. Il rejette le texte commun par une raison d'évidence grossière : les spirituels, Valentin lui-même, sont nés comme tout le monde. Cette raison, personne ne l'allègue aujourd'hui; elle méconnaît le sens symbolique du texte.

νήθησαν. [14] Καὶ ὁ λόγος σὰρξ ἐγένετο καὶ ἐσκήνωσεν ἐν ἡμῖν, καὶ

Quand Tert. ajoute (*eod. loc.* XXIV) : *et, non ex sanguine, neque ex carnis et viri voluntate, sed ex Deo natus est, Ebioni respondit,* il laisse entendre que son texte lui paraît à propos pour combattre ceux qui nient la conception virginale. Le changement pour défendre ce dogme est aussi vraisemblable que le motif qu'il impute aux Valentiniens.

D'ailleurs l'affirmation de Tertullien demeure tout à fait isolée dans le monde latin. On cite Ambroise (in Ps. 37, col. 817 b des Mauristes) : *Christus etsi naturalem substantiam carnis huius susceperat, non tamen contagia ulla susceperat... qui non ex sanguinibus, neque ex voluntate carnis, neque est voluntate viri, sed de Spiritu sancto natus ex virgine, etc.* Au moment où il lui faudrait changer le texte en écrivant *ex Deo natus est,* il tourne court et finit par une allusion à Luc, comme Méthode. D'autant que pour l'ordinaire, et quand il va jusqu'au bout, il écrit *nati sunt,* comme Hilaire et comme Augustin. Il est vrai que ce dernier dans ses Confessions (VII, 9) attribue aux néo-platoniciens : *item legi, ibi,* quia verbum, deus, non ex carne, non ex sanguine neque ex voluntate viri, neque ex voluntate carnis, sed ex Deo natus est. Mais il s'agit ici de la génération du Verbe. Dans quelle mesure Augustin cite-t-il les platoniciens ou Jo?

Il reste Sulpice Sévère (*Hist. Sacr.* II, p. 67) : *is enim non conditione humana editus, siquidem* non ex voluntate viri, sed ex Deo natus est, *mundum istum... in nihilum rediget,* qui se rattache peut-être à la manière d'Ambroise, mais plutôt à un texte latin.

Et peut-être faut-il y joindre avec Zahn le texte primitif de Tychonius (*Texts and studies,* p. 7) dont les manuscrits portent : Verbum caro factum est *et caro Deus, quia* non ex sanguine sed ex Deo *nati sumus* ou *sunt,* à corriger en *natus est.*

Quant aux Syriens, tous ont *qui* au pluriel; que le syrcur. et six mss. de la Peschitta aient *ethiled* au lieu de *ethiledou,* on ne s'en étonnera pas, le *waw* du pluriel étant omis assez souvent, sans compter que la phrase suivante commence par un *waw.*

Enfin, il faudra désormais citer le texte éthiopien de l'*Epistola apostolorum,* car on lit dans la traduction allemande de Wajnberg : « il est le Verbe devenu chair, porté dans le sein de Marie, la Vierge sainte, engendré par l'Esprit-Saint mais non par un désir charnel, mais par la volonté de Dieu (*Gespräche...* p. 28; les éditeurs disent seulement : cf. Joh. 1, 14 !).

La leçon de Tertullien et d'Irénée ne peut assurément se présenter en vertu de la tradition manuscrite comme une leçon originale. La question est de savoir si cette leçon ne doit pas prévaloir pour des raisons intrinsèques.

En effet, quoique nous estimions suffisante l'explication que nous avons donnée de l'aoriste ἐγεννήθησαν qui met au passé en la motivant la faculté indiquée pour l'avenir, cette construction, il faut l'avouer, n'est pas très naturelle; l'autre explication étant encore moins bonne.

De plus, on s'étonne que Jo. donne une description si détaillée des conditions d'une naissance ordinaire pour dire que ce ne sont point celles d'une naissance spirituelle et métaphorique. On comprendrait très bien au contraire cette insis-

[14] Et le Verbe s'est fait chair, et il a habité parmi nous, et nous

tance s'il fallait opposer une naissance *physique* surnaturelle à une naissance ordinaire. Encore : dans ce prologue si chargé d'idées, comment se fait-il que Jo. développe si longuement la qualité des enfants de Dieu, sans dire un mot de cette naissance temporelle du Christ qui en est le prototype? On devra la sous-entendre dans « le Verbe s'est fait chair », mais combien cette phrase serait plus claire, si la naissance du Christ avait été indiquée! D'autant que le καί de début du v. 14, qui serait limpide dans ce cas, ne s'explique guère si l'Incarnation vient après une explication sur les enfants de Dieu, qualité qui découle de cette Incarnation.

Ces raisons sont assez plausibles; néanmoins il est un argument décisif en faveur de la génération spirituelle des enfants de Dieu, c'est l'importance de cette idée dans la pensée de l'auteur de la Ire Épître, qui est aussi l'auteur de l'évangile. On peut être d'avis qu'il lui fait trop de part dans ce prologue où tout converge vers l'Incarnation du Verbe, mais ce n'est pas notre jugement qui doit prévaloir, c'est le sien, manifesté dans I Jo. II, 29; III, 9; IV, 7; V, 4. 18; cf. III Jo. 3-8.

Toujours est-il que si l'on admet la leçon de Tert., il faut être logique et reconnaître avec Zahn que l'intention de Jo. était de donner une formule nouvelle à la croyance en la conception surnaturelle professée par Mt. et Lc. Avec cette leçon il est parfaitement clair que Jo. a voulu éliminer de cette naissance presque tout ce qui caractérise les autres. Loisy essaie de parer l'argument en l'exagérant, comme si la mère aussi était exclue. Alors que signifiait cette naissance qui n'en serait pas une?

Selon le texte reçu, on n'a pas cependant le droit d'écrire que Jean « ignore la conception virginale ». Il ne pouvait l'ignorer, eût-il été un simple chrétien de la fin du Ier siècle. Il a pu la supposer sans reproduire les détails donnés par Lc., comme il a supposé le baptême sans le raconter. Aussi bien pour tout lecteur de bon sens, il va de soi que le Logos qui désormais sera simplement le Fils de Dieu n'est pas né d'un père humain comme tout le monde : il faut une réflexion philosophique très exercée pour reconnaître que, absolument parlant, l'incarnation n'exige pas la conception virginale. Jo. n'a donc pas cru avoir à insister sur une croyance générale, répondant à une convenance non moins généralement sentie.

14-18. L'Incarnation du Verbe apporte la grace et la vérité.

La section précédente n'était qu'une première esquisse : la lumière, malgré son témoin, avait brillé sans être comprise : cependant Dieu avait de ce fait donné aux hommes qui l'avaient reçue la faculté d'être enfants de Dieu. Quel rapport entre la Lumière et cette adoption? Dans quelle mesure Dieu avait-il offert ses dons? En quoi consistait cette venue de la Lumière, de ce Verbe qui n'avait par ailleurs pas cessé d'éclairer les hommes et qui avait créé le monde? C'est ce que Jo. va révéler maintenant, autant que ces choses peuvent être dites. Il apparaît comme témoin, et du coup son style s'anime, son âme est touchée. Il a vu, il a su ce qu'on pouvait savoir de Dieu par celui qui est dans son sein. On notera cette *inclusio :* au début ἦν πρὸς τὸν θεόν... à la fin (v. 18) ὁ ὢν εἰς τὸν κόλπον τοῦ

ἐθεασάμεθα τὴν δόξαν αὐτοῦ, δόξαν ὡς μονογενοῦς παρὰ πατρός, πλήρης

πατρός. Le Logos apparaît ici comme Fils, apportant aux hommes en plénitude grâce et vérité. Comme Fils il est le type des enfants de Dieu, adoptés parce qu'il a pris leur chair.

14) D'après la leçon de Tertullien nous ne pourrions commencer ici une nouvelle strophe, et le καί indiquerait naturellement une suite. Avec la leçon reçue, c'est une reprise de tout le discours qui en révèle le sens caché : après des préparations mystérieuses, le jour se fait. De sorte que καί doit indiquer la cause comme le *waw* hébreu, sinon tout à fait dans le sens de « car » (Gen. VI, 17 etc.), du moins comme nous disons : « oui » dans le style noble, pour une affirmation qui étonne : « oui, c'est Agamemnon... Oui, je viens dans son Temple »...

ὁ λόγος nommé trois fois au v. 1 n'avait plus paru sinon dans sa manifestation comme vie et Lumière. L'effet est d'autant mieux senti quand ce *Logos* suprême reparaît en opposition avec la chair, et pour s'unir à elle. Ordinairement l'opposition biblique est entre πνεῦμα et σάρξ, « l'esprit et la chair ». Mais il est clair que le Logos est plus même qu'esprit, puisqu'il est Dieu.

— ἐγένετο comme au v. 6 indique un devenir historique, nettement opposé à ἦν du début.

Les modernes conviennent (même *Loisy*) que Jo. n'a pas songé à une transformation du Logos en chair. Le Logos demeure ce qu'il est, mais il se manifeste dans la chair, il vient dans la chair (I Jo. IV, 1-3; II Jo. 7), ou, plus énergiquement, afin qu'on ne voie pas là une simple apparence, il devient chair, c'est-à-dire homme, car personne ne pouvait douter que Jo. fît allusion à l'homme parfait, Jésus, le Christ. Il a dit *chair*, parce que la chair désigne l'homme dans l'Écriture sous son aspect périssable (Gen. VI, 3; Is. XL, 6 etc.), infirme, le moins noble. Le contraste est ainsi plus saisissant. Jo. n'a sûrement pas pensé à exclure l'âme; mais peut-être a-t-il évité le mot homme qui désigne un homme complet, ce qui eût risqué de faire paraître moins étroite l'union du Logos avec Jésus, moins dominant le rôle du Logos dans cette union unique.

— D'après la leçon courante, Jo. ne dit pas, il est vrai, comment le Verbe est devenu chair. D'après Loisy, qui cependant admet la leçon de Tert., « l'incarnation se confond, dans la perspective actuelle de la narration si ce n'est dans la pensée de l'écrivain, avec la descente de l'Esprit sur Jésus lors de son baptême » (p. 104). Mais Bauer a bien répondu que : 1°) ce n'est pas le Logos mais l'Esprit qui se manifeste au baptême; 2°) le baptême est un signe pour le Baptiste, sans rien changer à l'existence de Jésus; 3°) venir dans la chair, devenir chair, c'est naturellement venir au moment où la chair prend naissance. Si Jo. avait pensé à autre chose, il eût dû le dire, surtout en présence de la foi des chrétiens, attestée par Mt., et Lc., en la conception virginale. Si d'ailleurs Jésus est né, c'est qu'il avait une mère, mais pas d'autre Père que Dieu. Aussi est-ce sur cette Paternité que Jo. va insister.

— ἐσκήνωσεν. Jolie expression biblique pour désigner la vie nomade (Jud. VIII, 11). Le nomade transporte son abri çà et là : image du caractère transitoire de

avons contemplé sa gloire, gloire qu'un tel Fils unique tient d'un

la vie humaine. Mais ceux qui vivent sous la tente, s'ils semblent moins compter sur la durée que ceux qui habitent des maisons de pierre, s'en vont ensemble et n'en sont que plus solidaires les uns des autres. La traduction *habitavit* retrouve le sens de l'hébreu שָׁכַן.

L'intimité est indiquée par ἐν ἡμῖν, qui, d'après la suite, doit être restreint au groupe des disciples parmi lesquels Jésus a vraiment vécu. — Un lecteur étranger aux idées d'Israël n'aurait peut-être rien vu de plus dans ces deux mots. Mais Jo. n'a pas dû choisir ce mot de vivre sous la tente, à une époque où la vie nomade était restreinte au désert, si ce n'était précisément en mémoire de la présence de Dieu au milieu d'Israël. D'autant que cette habitation avait été manifestée par une nuée, dans le Tabernacle (Ex. xxxiii, 7-11) et ensuite dans le Temple (III Regn. viii, 10.11), de sorte que la *Chekina*, « habitation », était une présence sensible de Dieu et une expression pour signifier Dieu. Au lieu de dire (Lev. xxvi, 12) : « Je marcherai au milieu de vous », le Targum disait : « Je ferai demeurer ma *Chekinta* (araméen) parmi vous », etc. Dans les passages où il est question de l'habitation de Dieu, les LXX n'avaient pas employé σκηνόω, mais Aquila le fera, avec la satisfaction de mettre en grec les mêmes consonnes qu'en hébreu. Saint Jean semble avoir déjà été frappé de ce rapprochement; dans Apoc. vii, 15 καὶ ὁ καθήμενος ἐπὶ τοῦ θρόνου σκηνώσει ἐπ' αὐτούς, cf. xxi, 3 : καὶ σκηνώσει μετ' αὐτῶν. D'ailleurs il n'est pas le premier qui en ait usé ainsi. La Sagesse qui avait planté sa tente dans les hauteurs, avait reçu de Dieu l'ordre de s'établir de même en Jacob : ἐν Ἰακὼβ κατασκήνωσον (Sir. xxiv, 8), en quoi elle était bien le prototype du Logos.

— ἐθεασάμεθα est manifestement l'expression d'un témoin oculaire, (même *Loisy*). Il se peut que l'auteur parle au nom d'un groupe de témoins oculaires qui seraient les disciples. Mais il est assez vraisemblable que ce « nous » est celui des écrivains, assez usité dans la *koinè*, et que l'auteur parle ici pour son compte (cf. *Introduction*, p. xxi s.). Quoi qu'il en soit, cette affirmation gêne ceux qui ne veulent ni reconnaître dans l'auteur un disciple, ni lui attribuer une contre-vérité un peu trop forte. Bauer rappelle que la contemplation des choses divines n'est pas le fait des témoins oculaires, mais est une action de l'âme. On peut citer Philon (*de Abrah.* 236 Cohn) : ἀσώματα δὲ ὅσοι καὶ γυμνὰ θεωρεῖν τὰ πράγματα δύνανται, οἱ ψυχῇ μᾶλλον ἢ σώματι ζῶντες, et aussi le « toucher » de Act. xvii, 27. Mais précisément Jo., au lieu de parler de cette contemplation spirituelle qui fait abstraction des sens, a montré le Verbe devenant visible, et il a *vu*, à l'aoriste, donc dans le temps déterminé de l'habitation du Verbe parmi les hommes. Ce qui ne veut pas dire qu'il ait vu des yeux du corps tout ce qu'il a compris. Mais la vue sensible était le point de départ.

Ce serait méconnaître la haute spiritualité de Jo. que d'imaginer une sorte de surenchère sur les manifestations sensibles de la gloire que les anciens Israélites avaient pu constater de leurs yeux. Bien plutôt pour lui la gloire est au dedans, et même voilée plutôt que révélée par la chair. Cependant elle a éclaté par les miracles, prouvant la toute-puissance de Jésus et sa nature divine. C'est en ce sens que Jean a vu la gloire du Fils unique, sans parler

χάριτος καὶ ἀληθείας. [15] Ἰωάννης μαρτυρεῖ περὶ αὐτοῦ καὶ κέκραγεν λέγων·

15. ον ειπον (TSV) et non ο ειπων (H).

---

de la contemplation du ressuscité dont les actions révélaient mieux encore les attributs divins.

Si l'on doutait que σκηνόω fût une réminiscence de la *Chekina*, on ne pourrait hésiter pour δόξα, la gloire, en hébreu כָּבוֹד, en araméen יְקָרָא, la splendeur, d'autant que la *Chekina* et la *Ieqara* sont nommées l'une à côté de l'autre dans les Targums; le texte d'Is. VI, 5 : « car mes yeux ont vu le Roi, le Seigneur des armées » devient : « car mes yeux ont vu la *Ieqara* de la *Chekina* du Seigneur des siècles » (cité par Burney, avec d'autres textes). Or précisément après avoir cité cette vision d'Isaïe, Jo. ajoute XII, 41 : ταῦτα εἶπεν Ἠσαΐας ὅτι εἶδεν τὴν δόξαν αὐτοῦ. Cette gloire était la *Ieqara* du Targum (Is. VI, 1) : « J'ai vu la *Ieqara* du Seigneur. »

Cette gloire est celle du fils unique, ὡς n'est pas comparatif. Comme Chrys. l'a bien vu : τὸ δὲ ὡς, ἐνταῦθα, οὐχ ὁμοιώσεώς ἐστιν, οὐδὲ παραβολῆς, ἀλλὰ βεβαιώσεως. Bauer le nie, mais la construction est parfaitement grecque. Dans ce cas ὡς peut restreindre le sens, mais il peut aussi indiquer que le sujet possède à un haut degré la qualité dont il s'agit; cf. ὥστε θεός, « en qualité de déesse » (Γ 381 cité par *Kühn.-Gerth*, II, 2, p. 493). Ici μονογενοῦς est en apposition avec αὐτοῦ, qui lui-même représente le Logos. Cette expression de monogène ou fils unique est propre à Jean (ici et v. 18; III, 16.18; I Jo. IV, 9) pour désigner le Fils de Dieu. Elle l'isole davantage dans la région divine que πρωτότοκος, qui se prête à l'idée d'autres fils, fût-ce seulement par adoption (Rom. VIII, 29). Dans Platon (*Tim.* 92 B) c'est le monde qui est μονογενής, mais ce terme ne semble pas avoir eu beaucoup de diffusion. Il se trouvait dans Hésiode (*Cosm.* 426.448) et semble avoir été en vogue chez les Orphiques (WOBBERMIN, *Relig. Stud.* p. 118), mais non dans l'hermétisme. Sur Dusarès μονογενὴς δεσπότου, cf. *Ét. rel. Sém.* 2e éd., p. 88 (Holl lit Χααμου et non Χααβου dans EPIPH. *haer.* LI, 22, 11). — Dans le paganisme l'épithète prouvait seulement que tel dieu n'avait pas eu d'autre enfant. Pour Jo. cette possibilité n'apparaît nulle part : le Fils auquel le Père a tout donné (XVII, 10) est nécessairement et dans un sens très auguste « unique ». Philon ne se sert pas de *monogène* (*Drum.* II, p. 185) et dit du Logos qu'il est πρωτόγονος. Dans Valentin (*Ir.* I, II, 1), c'est une imitation de Jo.

Faut-il entendre ce μονογενής de la filiation éternelle du Verbe ou de l'Incarnation? Il serait certainement faux de l'entendre de l'Incarnation, s'il fallait conclure avec Loisy : « il est devenu Fils de Dieu en se faisant homme » (p. 106), car telle n'est pas la pensée de Jean, d'après III, 16 et I Jo. IV, 9, où le Fils unique a été donné, envoyé; il était donc engendré déjà par le Père. D'autre part, Jo. n'a pas dû parler seulement de la génération éternelle, puisque le terme μονογενής vient après l'affirmation de l'Incarnation, et précède « plein de grâce » qui s'entend sûrement du Christ. Ce point serait encore plus clair avec la leçon de Tertullien au v. 12. Il reste que Jo. n'a pas distingué deux naissances du Verbe en tant qu'il s'agit de son rapport avec Dieu le Père.

tel Père, plein de grâce et de vérité. [15] Jean lui rend témoignage

Maldonat : *loquitur autem Ioannes, ut opinor, de verbo, etiam quatenus homo erat; nam etiam ut homo unigenitus erat Dei, et omnem eius gerebat gloriam.* Le Christ historique est précisément le Fils unique de Dieu : il n'y a pas à distinguer en lui le Verbe et une autre individualité. C'est le Verbe qui est ce Fils de Dieu qu'adorent les chrétiens en J.-C. — Faut-il joindre παρὰ πατρός à δόξαν ou à μονογενοῦς? Il faut sans doute exclure une gloire venue du Père pour être accordée au Verbe une fois incarné. Mais on ne saurait entendre παρὰ πατρός d'une filiation, comme a fait Origène : τὸ « ὡς μονογενοῦς παρὰ πατρός » νοεῖν ὑποβάλλει ἐκ τῆς οὐσίας τοῦ πατρὸς εἶναι τὸν υἱόν. οὐδὲν γὰρ τῶν κτισμάτων παρὰ πατρός, ἀλλ' ἐκ θεοῦ διὰ τοῦ λόγου ἔχει τὸ εἶναι (*Preuschen*, p. 490), en effet παρὰ ne peut signifier la filiation (contre *Kn.*, *Till.*). C'est donc la gloire qui appartient au Fils et qui lui convient comme Fils, que le Père ne pouvait manquer de lui transmettre. Loisy : « comme celle qu'un fils unique » peut tenir « de son père » (p. 106). Quoique ni « monogène » ni « père » n'ait l'article, on comprend qu'il s'agit du Père dont la gloire est connue et éclatante et de son Fils.

Incarné, ce Fils unique devait donc apparaître plein de grâce et de vérité.

πλήρης a été reconnu comme un génitif, en apposition avec μονογενοῦς, selon l'usage de la *koinè* qui le traite comme indéclinable, quoique, d'après Moulton (Gram. 162) on ne connaisse qu'un exemple avant l'ère chrétienne. D'ailleurs il ne serait pas impossible de regarder πλήρης comme une sorte de nominatif absolu qui reprendrait la phrase. — La grâce et la vérité ont été rapprochées de חֶסֶד וֶאֱמֶת, dans l'A. T., d'autant que Dieu se déclare Seigneur de ces deux attributs (Ex. xxxiv, 6) après avoir promis de montrer sa gloire à Moïse (Ex. xxxiii, 18.22). Mais le sens de l'hébreu paraît être « faveur (les LXX ἔλεος) et stabilité », c'est-à-dire en somme faveur stable ou fidélité (Dillmann, *Handb. der alttest. Theol.*, p. 270). Si Jo. a pensé à ces textes, comme on peut le croire d'après tout le caractère du passage, il semble que, cette fois encore, il a dû entendre quelque chose de plus que l'économie de l'A. T. Non que les attributs de Dieu puissent devenir plus parfaits, mais il peut se manifester plus complètement. C'est ce qu'il a fait dans son Fils unique. La grâce est la bonté tout à fait gratuite et prévenante, la faveur à laquelle on ne pouvait s'attendre, et cela dans sa source elle-même, car le Verbe est Dieu, et l'on ne doit pas oublier que ces attributs lui appartiennent en essence, il est lui-même ce qu'ils signifient : οὐκ ἄλλος ὢν τούτων ὧν λέγεται εἶναι πλήρης (*Orig.* ed. Pr., p. 491). La vérité se définit par elle-même : c'est la vérité substantielle, qui nous a été présentée jusqu'à présent comme la lumière, la vérité qui se répandra avec les paroles de Jésus comme un principe de sanctification (xvii, 16 s.). La grâce accorde une manifestation de vérité et cette lumière ramène à la vie. Il faut l'entendre en même temps, et même surtout, dans l'ordre historique, du Verbe incarné : *Fuit ergo plenus gratia, inquantum non accipit a Deo aliquod donum speciale, sed quod esset ipse Deus... plenus veritatis... Scilicet quod ille homo esset ipsa divina veritas* (*Thom.*). Cette plénitude suppose une communication à d'autres : Jo. l'indiquera au v. 16.

15) Il est très facile de constater que ce verset est inséré dans le développe-

οὗτος ἦν ὃν εἶπον· ὁ ὀπίσω μου ἐρχόμενος ἔμπροσθέν μου γέγονεν, ὅτι πρῶτός μου ἦν. [16] ὅτι ἐκ τοῦ πληρώματος αὐτοῦ ἡμεῖς πάντες ἐλάβομεν, καὶ χάριν ἀντὶ χάριτος· [17] ὅτι ὁ νόμος διὰ Μωυσέως ἐδόθη, ἡ χάρις καὶ

ment qui va du v. 14 au v. 16. Loisy (p. 107) : « On dirait que le rédacteur a été pressé de faire proclamer par Jean, dès le prologue, l'éternité du Logos-Christ. » C'est bien cela, mais pourquoi un rédacteur et non pas l'auteur? C'est l'auteur qui a signalé dans le Prologue les idées principales de l'évangile, parmi lesquelles le témoignage de Jean. Au v. 6 il était indiqué, mais sans qu'on sache sur quoi il avait porté. Il fallait attendre que le dogme principal ait été proclamé. Aussitôt Jean reparaît, et cette fois les verbes marquent le présent, parce que son témoignage, dans le prologue, n'entre pas dans le développement de l'histoire passée, mais se perpétue. C'est un résumé anticipé de ce que nous saurons par le récit des faits. C'est ainsi qu'une symphonie indique par quelques notes, plusieurs fois reprises, la mélodie qui va éclater dans toute son ampleur.

— κέκραγα, parfait au sens du présent, comme dans les LXX (Ps. CXLI, 1; Job, XXX, 20, etc.) et dans Plutarque (*Cato min.* LVIII, p. 787, cité par *Bauer*) οὐχ ὑπέμεινεν ὁ Κάτων, ἀλλὰ μαρτυρόμενος καὶ κεκραγὼς ἐν τῷ συνεδρίῳ... qui offre précisément l'exemple d'une attestation énergique, rendue avec force, à la manière des prophètes (cf. Is. LVIII, 1 ἀναβόησον). On dirait que l'évangéliste, ancien disciple du Baptiste, entend encore retentir la voix qui ébranlait le peuple aux rives du Jourdain. Mais les paroles étant seulement un écho du passé, le Baptiste dit ἦν et non ἐστιν comme au v. 30 (*Zahn, Bauer*).

— ὃν εἶπον est parfaitement grec pour ὑπὲρ οὗ ἐγὼ εἶπον (v. 30). C'est peut-être parce que cette intervention posthume du Baptiste leur a paru étrange que B C et ℵ[c] ont lu ὁ εἰπών, leçon qui serait à préférer et rentrerait plus naturellement dans le contexte si λέγων que ces autorités n'ont pas omis ne marquait clairement le commencement du discours direct.

— ἔμπροσθεν dans le sens de l'espace comme ὀπίσω, non du temps. Les Ariens avaient insisté sur γέγονεν, comme indiquant l'origine postérieure et donc créée du Logos. Chrys. a très bien vu que ce mot marquait le rang. Augustin : *Post me venit, et praecessit me... non factus est antequam factus essem ego; sed antepositus est mihi.* Les modernes (*Calmes*, *Loisy*, *Zahn*, *Bauer*, etc.) précisent qu'il s'agit moins de la dignité que de la place occupée. — L'image est très simple. Jean est entré en scène le premier par sa prédication. Jésus le suivait, mais a passé devant par l'exercice d'une fonction plus haute. C'était juste, car il existait avant lui. L'argument ne prouverait rien entre hommes, car le plus ancien n'a pas toujours le droit de passer avant le plus jeune, et Jean, né le premier, était en somme le plus ancien. C'est donc qu'il confesse la préexistence du Christ.

— ὅτι explique pourquoi Jésus a dépassé Jean : c'est qu'il était avant lui. Donc ἔμπροσθεν ne signifiait pas une antériorité de temps; car autrement ce serait prouver une affirmation en la répétant.

— πρῶτος pour πρότερος; voir les exemples cités, *RB.*, 1911, p. 80 ss. Rien de nouveau n'a été produit. Traduire « mon chef » comme Abbott (*Joh. Gram.* 510), c'est remplacer le sens profond du prologue par une niaiserie rabbinique.

16) Des anciens (*Héracléon*, *Clém. Al.*, *Orig.*) attribuaient ces mots au précur-

et s'écrie, disant : « C'était de lui que je disais : celui qui vient après moi a passé devant moi, car il était avant moi. » [16] Oui, de sa plénitude nous avons tous reçu, et grâce après grâce; [17] car la loi a

seur. Mais Chrys. a bien vu que l'évangéliste reprend ici la parole, et les modernes sont tous avec lui, car ἡμεῖς πάντες ἐλάβομεν se rattache à ἐθεασάμεθα (v. 14), comme la plénitude au πλήρης du même verset. C'est reconnaître une fois de plus que le v. 15 est comme un fil de couleur spécial entrelacé dans un tissu, ce qui ne veut pas dire : étranger au dessin de l'auteur. — καί serait bien préférable à ὅτι, qui a l'air de boîter après ὅτι πρῶτος. Et c'est sans doute pour cela que la tradition d'Antioche a mis καί (aussi *Vg.*), qui ne saurait prévaloir contre l'ancienne leçon de ℵBCD... *latt.* Or. Hipp. Comme on ne peut pas dire que le Logos était plein de grâce... pour cette raison essentielle que nous avons reçu de lui, le sens est donc : il est si vrai que le Logos est plein... que nous avons reçu; le second ὅτι (17) dépend du premier mais simplement comme une explication complémentaire : ce sont deux faits qui mettent en lumière la proposition énoncée. La causalité n'est pas intrinsèque, mais elle existe dans l'ordre de la preuve : ὅτι = si bien que.

Le πλήρωμα est simplement le substantif répondant à πλήρης du v. 14. Il n'y a pas à se préoccuper du sens que ce mot a pris chez les gnostiques, « ensemble des éons », ni même de celui qu'il a dans saint Paul. C'est le fait d'être rempli de grâce et de vérité. — ἡμεῖς πάντες ne peut guère remonter à tous ceux qui ont eu déjà dans l'A. T. une participation à la lumière (*Calmes*); d'autre part πάντες indique un cercle plus étendu que celui des premiers témoins de choix (ἐθεασάμεθα v. 14); ce sont donc tous ceux qui appartiennent au Christ. De la plénitude de grâce et de vérité (v. 14), Jo. discerne d'abord la grâce; καί, « c'est à savoir ».

— χάριν ἀντὶ χάριτος d'après Calmes (et presque Loisy) s'entend de l'Évangile qui a succédé à la Loi. Mais il est bien clair que la Loi n'appartient pas à la grâce; d'après le v. 17 elle est remplacée par la grâce. Ici c'est une succession de grâces. Au lieu de concevoir le don de Dieu comme accordé à une démarche humaine, Jo. l'entend comme un pur don qui en appelle d'autres. On cite Philon (*de poster. Caini*, 145) : « C'est ainsi que toujours il suspend et ménage les premières grâces, avant que ceux qui les reçoivent en soient rassasiés et l'insultent, et il en donne d'autres à la place de celles-là et des troisièmes à la place des secondes, et toujours des nouvelles à la place des anciennes, tantôt différentes, tantôt les mêmes » (ἑτέρας ἀντ' ἐκείνων καὶ τρίτας ἀντὶ τῶν δευτέρων καὶ αἰεὶ νέας ἀντὶ παλαιοτέρων). C'est bien le même emploi de ἀντί, mais Philon insiste plus sur la sagesse de la dispensation qui évite la surabondance des mêmes dons, tandis que Jo. paraît avoir en vue la libéralité divine. Encore est-il que Jo. n'a pas marqué l'accumulation qui eût demandé ἐπί, peut-être parce que la première grâce était la condition qui permettait de recevoir la seconde : il n'y a pas un amas de grâces, mais une gradation sagement ordonnée. Si la seconde vient à la place de la première, c'est qu'elle est plus haute. Naturellement χάρις sans l'article indique une grâce reçue de celui qui a la plénitude.

17) Mais lorsqu'il s'agit de la collectivité, de l'effet produit dans le monde, c'est bien *la* grâce qui entre en scène. La vérité l'accompagne comme au v. 14.

ἡ ἀλήθεια διὰ Ἰησοῦ Χριστοῦ ἐγένετο. [18] θεὸν οὐδεὶς ἑώρακεν πώποτε· μονογενὴς θεὸς ὁ ὢν εἰς τὸν κόλπον τοῦ πατρὸς ἐκεῖνος ἐξηγήσατο.

18. *om.* ο *a.* μονογενης (H) et non *add.* (TSV). — θεος (HV) plutôt que υιος (TS).

Ce qui a précédé c'était la Loi. Trois différences : 1) La Loi était un don, quelque chose qui était imposé du dehors : la grâce devient, pénètre; 2) la Loi a été donnée par Moïse; la grâce par Jésus-Christ; 3) d'un côté la Loi, une obligation; de l'autre la grâce, une faveur. Jo. ne prend pas la peine de dire que Jésus-Christ est plus grand que Moïse; quelle comparaison eût-on pu instituer une fois posée l'identité de Jésus-Christ avec le Verbe incarné? Car c'est à cela que Jo. aboutit enfin. Il ne nommera plus le Verbe, et Jésus-Christ ne figure plus que dans XVII, 3, comme dans une confession de foi.

18) Il restait à expliquer en quoi consistait cette vérité venue par Jésus-Christ. C'est la révélation de Dieu, impossible à tout autre qu'au Monogène.

Le texte a été très discuté (Zahn, *Excursus* III, p. 712 ss.).

I. Μονογενής sans υἱός ni θεός, mais avec l'article. Ces leçons courtes, qu'on suppose complétées de deux manières, sont assez séduisantes. Mais celle-ci est par trop mal appuyée. Comme ms. seulement deux de la *Vg.* (X et *gat.* dans *Wordsworth*). Parmi les Pères, Éphrem (*Moes.* 3) et Aphraate (éd. Parisot, p. 269 à traduire : *solitarios omnes laetificat Unigenitus qui est e sinu patris*) ne prouvent même pas pour le texte de Tatien, car ce ne sont pas des citations textuelles. D'autant qu'Épiphane qui connaît une forme pleine emploie aussi μονογενής seul (*Ancor.* § 2). On peut en dire autant des épîtres pseudo-ignatiennes (Philipp. 2), d'Origène (IV, 102), d'Ambroise (*ep.* 10). On ne connaît pas d'autre forme pour Victorin (VIII, 157) et Cyr. de Jér. (117), mais ils ne citent pas textuellement.

II. μονογενὴς θεός (*Hort, Zahn*) sans article. Mais nous traitons d'abord seulement l'alternative μ. θεός ou III ὁ μονογενὴς υἱός, l'article étant certain dans cette leçon.

Pour la leçon θεός ℵ*BC*L 33, *sah. boh. eth.* Tout cela est une seule famille très nette qui est égyptienne; Soden ajoute K[c]. Parmi les Syriens, la palestinienne qu'on peut rattacher à Origène, mais aussi la peschitta et Tatien arabe.

Parmi les anciens auteurs : chez les Valentiniens, Ptolémée cité par Irénée (I, 8, 5) cité par Épiph. (*Haer.* XXXI, 21 ; éd. *Holl*) : Ἰωάννης... ἀρχήν τινα ὑποτίθεται τὸ πρῶτον γεννηθὲν ὑπὸ τοῦ θεοῦ· ὃ δὴ καὶ υἱὸν καὶ μονογενῆ θεὸν κέκληκεν. Théodote, cité par Clém. (*Excerpta* 6, 2) : ἀρχὴν μὲν γὰρ τὸν Μονογενῆ λέγουσιν, ὃν καὶ θεὸν προσαγορεύεσθαι... ὁ μονογενὴς θεὸς ὁ ὢν εἰς τὸν κόλπον (éd. *Stählin,* p. 107). Héracléon : du moins Origène semble lui attribuer le texte qu'il suit lui-même (éd. *Preuschen,* p. 108), où le vrai texte est μονογενὴς θεός qui avait été corrigé dans un ms.

On pourrait donc soupçonner d'après l'accord des Valentiniens qu'ils ont introduit cette leçon, mais aucun Père ne le leur a reproché.

Parmi les Pères, Irénée latin a *unigenitus Deus* dans IV, XX, 11 et *unigenitus filius* (IV, XX, 6) ou même : *nisi unigenitus Filius Dei* dans III, XI, 6. Clément (dans *quis div. Salv.* 37) ὃν ὁ μονογενὴς θεὸς μόνος ἐξηγήσατο (éd. *Stählin,* contrai-

été donnée par Moïse, la grâce et la vérité se sont répandues par Jésus-Christ. [18] Personne n'a jamais vu Dieu : un Dieu fils unique étant dans le sein de [son] Père, lui-même a parlé.

rement à ce que dit Preuschen sur Origène, p. 108) et dans Strom. I, 169 μονογενὴς υἱός, cf. Paed. I, 8, mais dans des allusions vagues.

Origène n'a jamais υἱός, si ce n'est dans un fragment latin *Unigenitus filius salvator noster*, à côté de *Unigenitus ergo Deus salvator* (Preuschen, p. 562).

Il faut ajouter Didyme, Basile (2 sur 3), Épiphane, Cyrille d'Alexandrie; Eusèbe incline vers l'autre leçon.

Chez les Latins, le seul traité sur Isaïe VI, 1-7, attribué à saint Jérôme par dom Morin (*Anecd. Mareds.* III, 3, 108) : *Sed et Iohannes clamat : Deum nemo vidit unquam; Unigenitus Deus, qui est*, etc.

III ὁ μονογενὴς υἱός. Toute la tradition manuscrite qui n'a pas été citée pour II, Hippolyte (*contra Noet.* 5), mais sans l'article, de sorte que peut-être υἱός a remplacé θεός dans son texte (*Zahn*), Alexandre d'Alexandrie, Ath. Chrys., etc. les Latins.

Anthime de Nicomédie († 302) ou un faussaire dont le traité περὶ τῆς ἁγίας ἐκκλησίας a été publié par Mgr Mercati (*Studi e testi* 5, p. 87 ss.) cite la mauvaise influence d'Hermès Trismégiste comme cause de la variante θεός : ὅθεν (pour obtenir un second dieu) αὐτῷ καὶ ὁ μονογενὴς θεὸς παρὰ τὸν θεῖον Ἰωάννην λέγοντα υἱὸν μονογενῆ προσερρύη (s'est glissé). αὐτῷ désigne Astérios, probablement un des chefs des Ariens mort vers 341. Nous croirions plutôt que la leçon υἱός est d'origine arienne, mais elle a pu venir aussi d'un adversaire des Ariens qui eût été dans les sentiments de Photin de Sirmium.

Dans cette situation, il est assez clair que υἱός a supplanté θεός qui est la leçon ancienne. Deux raisons : 1) La leçon θεός est difficile; 2) elle est isolée dans Jo. tandis que Jo. III, 16.18 et I Jo. IV, 9 suggéraient presque nécessairement υἱός au lieu de θεός.

Par exemple dans Icho'dad on trouve les trois leçons, mais on voit très bien que son texte est μονογενὴς θεός. Le fils devait naturellement venir une fois ou l'autre sous la plume, et il a fini par remplacer θεός.

La seule question pour nous est de savoir s'il faut lire ὁ avec la leçon II. Nous concluons négativement (contre *Vogels*). Des mss. grecs, seul 33 a ὁ. Les versions coptes et syriennes (*pes* et *jer*) aussi, mais cela est moins significatif. Quant aux Pères, l'article ne se trouve guère que dans les allusions libres, mais non dans les citations complètes (avec le premier θεόν). Et en effet il est impossible de justifier l'article dans cette leçon. Écrire ὁ θεός après avoir écrit simplement θεόν semblerait différencier le second dieu du premier.

C'est donc la leçon μονογενὴς θεός que nous avons à expliquer.

Jo. connaissait assurément la vision de Dieu accordée à Moïse (Ex. XXXIII, 11) et à Isaïe (VI, 1). Il faut donc supposer qu'il les regardait comme d'un ordre inférieur, ou encore enveloppées d'images, comme on pouvait le conclure de Ex. XXXIII, 20. 23. Cette incapacité qui frappe tous les hommes n'atteint pas celui qui est le fils unique, Dieu comme son Père. Même doctrine dans VI, 46;

VIII, 38. Il n'y a pas à se demander si θεός est attribut ou μονογενής. Ce sont deux qualités du même sujet : une personnalité qui est à la fois né unique et Dieu, c'est celui-là, ὁ ὤν κ. τ. λ. Inutile de dire du Père qu'il est Dieu. Mais le Père n'est pas une simple répétition de θεόν. Ce n'est pas comme Père que Dieu est invisible, c'est la nature divine qui est invisible, mais non pour le Fils, qui la possède et peut en parler. Quel est le temps marqué par ὤν? Jo. fait-il allusion à la présence du Fils avant l'Incarnation, ou à son retour après l'Incarnation? Il semble plutôt que ὁ ὤν indique une présence éternelle, car rien n'indique ici une allusion au retour du Christ auprès de son Père (contre *Zahn*), d'autant que ce retour a succédé à la révélation; s'il y a retour, il est purement littéraire et nous ramène au premier verset par une sorte d'*inclusio* ou d'encadrement (cf. *Introd.* p. XCIX). — εἰς relève donc d'un emploi peu grammatical pour ἐν τῷ, admis dans la *koinè;* cf. Lc. XI, 7, εἰς τὴν κοίτην εἰσιν : ils y sont venus, c'est sûr, mais ils y sont. Il est possible que Jo., qui a écrit ἐν τῷ κόλπῳ (XIII, 23), ait voulu indiquer ici une pénétration plus complète comme il a dit πρός et non παρά au v. 2.

« Dans le sein » se dit de l'intimité conjugale (Dt. XXVIII, 54. 56, etc.) ou de l'enfant sur le sein de sa mère ou de sa nourrice (III Regn. III, 20; Ruth IV, 16) et par comparaison de la bonté de Dieu (Num. XI, 12), ou encore des animaux familiers (II Regn. XII, 3; PLUT. *Periclès* I). L'analogie humaine la plus semblable est la tendresse de Cicéron pour son fils : *iste vero sit in sinu semper et complexu meo* (*Ep. ad fam.* XIV, 4, 3).

ἐκεῖνος lui, et lui seul. ἐξηγήσατο n'a pas de régime. Il n'y a pas à préciser en suppléant τὸν θεόν. On n'explique pas Dieu. Le Monogène incarné a dit ce qu'il fallait dire et ce que les hommes pouvaient comprendre (XV, 15; XVII, 8). Jo. insiste donc sur la connaissance connaturelle du Fils. C'est comme Verbe que Jésus a connu le Père. Cependant c'est durant sa vie humaine qu'il l'a révélé, et il serait étonnant que sa nature humaine n'ait pas été associée à la connaissance du Verbe. Étant donnée l'étroite union du Verbe et de la chair, c'est-à-dire de la divinité et de l'humanité, et la connaissance requise pour être, à un degré unique, le révélateur, c'est laisser entendre que Jésus était gratifié de la vision béatifique dès cette vie. La thèse théologique nous semble avoir ici un appui solide (*Kn.*).

— ἐξηγεῖσθαι se disait des choses divines comme des autres, mais on ne saurait dire que ce terme « est emprunté au langage religieux du monde hellénique » (*Loisy*, 110) faute d'exemples de ce temps.

L'origine de l'idée et de l'expression « Logos ».

Nous regardons comme acquis par l'explication du Prologue qu'il contient une doctrine sur le Verbe, c'est-à-dire qu'il entend donner ce nom à une entité divine, celle-là même qui a apparu en Jésus-Christ, Verbe incarné. En d'autres termes qui sont ceux de saint Thomas : *Verbum proprie dictum in divinis personaliter accipitur et est nomen personae Filii; significat enim quandam emanationem intellectus* (I[a] *p. qu.* XXXIV, a. 2.). Sans employer une expression aussi théologique, on a cru dès saint Justin — sans parler de l'épître à Diognète (VII, 2) — que Jo. avait exprimé dans son prologue une conception spéciale. Il est vrai qu'Origène a pris *logos* au sens métaphorique, comme l'un quelconque des noms donnés au Christ, et MM. Zahn et Belser ont soutenu encore tout récemment que le Prologue ne parle dès le v. 1 que du Christ, c'est-à-dire du Fils de Dieu incarné, auquel Jo. donne le nom de Verbe comme représentant la révélation divine. Dans cette opinion, on n'a évidemment pas à se préoccuper de l'origine du terme ni de l'idée, qui seraient simplement bibliques. Mais tel n'est pas le sens du prologue qui distingue deux états du Verbe (1-5; 6-18).

Ceux au contraire qui tiennent pour une doctrine spéciale doivent constater que ni le mot ni l'idée ne sont appliqués à Jésus-Christ en dehors des écrits johanniques, où ils figurent seulement : quatre fois dans le prologue, une fois dans I Jo. I, 1 et une fois dans Apoc. XIX, 13, avec un sens moins clair.

L'usage restreint se comprend assez bien, et fait honneur à la probité de l'auteur (*Zahn*). Ayant conscience que le terme n'a pas été prononcé par Jésus, car on ne peut trouver cette désignation dans Jo. XVII, 17[b] ὁ λόγος σὸς ἀλήθειά ἐστιν, Jean s'est abstenu de le faire figurer dans l'histoire évangélique, soit sur les lèvres de Jésus, soit sur d'autres. Il en a fait une qualification du Christ préexistant, avant son incarnation. Et le fait qu'il ne se trouve nulle part chez les autres auteurs du N. T. est aussi un indice qu'il n'émane pas de Jésus, et qu'il ne fut guère connu de la première génération chrétienne. Ce n'est pas une preuve qu'il n'appartient pas à la Révélation, qui ne fut close qu'à la mort du dernier apôtre, mais enfin pourquoi Jean l'a-t-il promulgué?

On peut même demander avec les exégètes catholiques, quelle fut la raison de son choix? Personne sans doute ne prétendrait affirmer que Jean a entendu résonner ce mot à ses oreilles, et, quand il l'a écrit pour la première fois (Ap. XIX, 13), il ne dit pas qu'il lui ait été révélé dans sa vision, mais que le cavalier mystérieux s'appelle, ou est appelé, du moins dans certains cercles, le Verbe de Dieu : καὶ κέκληται τὸ ὄνομα αὐτοῦ ὁ λόγος τοῦ θεοῦ. Aussi bien dans ce passage il n'est pas évident que le Logos n'est pas simplement la parole de Dieu. De toute façon, pourquoi Jo. a-t-il placé ce mot en tête de l'évangile?

Jo. étant un écrivain juif et palestinien, sans même nous prévaloir ici de son identité avec Jean le disciple, il est naturel de chercher d'abord du côté de la Bible et des opinions juives palestiniennes. C'est ce que l'on a fait. Mais l'étude de la Bible a montré que le Logos-parole n'avait fait aucun progrès dans le cours des siècles vers le sens d'une personne distincte. C'est à peine si dans le livre de la Sagesse, tout entier ou presque, consacré à l'éloge de la Sagesse, il y a une phrase où le Logos figure comme une personnification, comme l'instrument d'un châtiment divin (XVIII, 15 s.). Spécialement, lorsque Dieu crée, il est assisté non pas du Logos, mais de la Sagesse. C'est elle dont on comprenait de mieux en mieux qu'elle constituait, ou peu s'en faut, une hypostase en Dieu.

Quant aux juifs palestiniens, on s'est demandé si dès cette époque ils avaient l'habitude de désigner Dieu par les mots *memra* ou *dibboura*, « parole » de *Iahvé*, qu'on prononçait *Adonaï*. Il est vraisemblable que oui, sans qu'on puisse le prouver, car on peut raisonner par analogie : c'est ainsi que le « lieu » (*maqôm*) pour désigner Dieu n'apparaît chez les Juifs que dans la *Michna*, mais Philon (*de Somniis*, I, 228-230; I, 655) suppose clairement cet usage. Seulement *memra* comme *maqom* n'était qu'une manière de ne pas prononcer le nom divin quand Dieu eût paru engagé dans quelque anthropomorphisme. On n'aurait pu faire sortir de ce scrupule une théorie sur la personnalité distincte de la *Memra*.

Quant à transposer directement la Sagesse en Logos, ce n'était pas impossible, mais on l'admettrait plus aisément s'il y avait des amorces, des préliminaires dans ce sens.

Or ces préliminaires existaient dans la doctrine de saint Paul. Cette doctrine n'est pas une déduction des prémisses bibliques; elle part d'un fait, l'existence de Jésus, Messie, et Fils de Dieu. De ses miracles, de ses paroles, de sa résurrection, les apôtres et spécialement Paul dont la foi nous est mieux connue, ont conclu à la préexistence de l'individualité de Jésus, personne réellement et proprement divine. Paul ne spécule pas sur ce qu'était le Christ avant l'Incarnation comme personne distincte, si ce n'est qu'il était Fils de Dieu et dans la forme de Dieu (Phil. II, 5 ss.); ordinairement c'est du Christ qu'il parle, même lorsqu'il lui décerne des prédicats divins. Parmi ces attributs, il est la Puissance de Dieu, la Sagesse de Dieu (I Cor. I, 24) χριστὸν θεοῦ δύναμιν καὶ θεοῦ σοφίαν. Le Christ étant la Sagesse de Dieu, était aussi son image antérieure à la création (Col. I, 15) ὅς ἐστιν εἰκὼν τοῦ θεοῦ τοῦ ἀοράτου, πρωτότοκος πάσης κτίσεως, ce qui peut passer pour un renvoi à la doctrine des Proverbes (VIII) et de la Sagesse (VII, 26), qui employait le mot εἰκών, à propos de la Sagesse. « Image » convenait bien au Christ comme illuminateur (II Cor. IV, 4), ce qui est aussi l'office de la Sagesse (Sap. VII, 22). L'Ancien Testament suggérait une certaine participation de la Sagesse à la création du monde. Quand Paul dit que tout a été créé par le Christ, après l'avoir qualifié d'image du Dieu invisible, c'est comme s'il l'identifiait avec la Sagesse, image et aussi industrieuse ouvrière (τεχνῖτις) de toutes choses (Sap. VII, 22). Deux fois, et non sans veiller au choix de la préposition (διά I Cor. VIII, 6 et Col. I, 16), Paul dit que tout a été créé « par le moyen » du Christ, non qu'il en fasse un simple instrument, puisqu'il est la fin (Col. I, 16) : τὰ πάντα δι' αὐτοῦ καὶ εἰς αὐτὸν ἔκτισται, mais pour distinguer son action de celle du Dieu invisible dont il est l'image. Dans l'épître aux Hébreux, ἀπαύγασμα et χαρακτήρ (I, 3) qui se disent du Fils de Dieu sont à comparer avec ἀπαύγασμα et εἰκών qui se trouvent au même endroit dans la Sagesse (VII, 26).

Le Christ était donc investi de prédicats qui appartenaient à la Sagesse, et spécialement il avait eu une part spéciale à la création du monde. Or, si cette part se déduisait sans aucune difficulté des textes des Proverbes (VIII) et de la Sagesse (VII), il n'était pas moins clair d'après la Bible que Dieu avait créé par sa parole (Ps. XXXII, 6). De sorte qu'on pouvait par ce chemin donner au Christ le nom de Logos aussi bien que celui de Sagesse. Jo. paraît bien avoir suivi cette voie, car la première chose qu'il nous dit du Verbe, c'est que tout a été créé δι' αὐτοῦ, par lui, par son moyen. Une fois l'attention attirée sur le mot Logos, il apparaissait plus convenable comme nom masculin déjà, mais surtout comme exprimant plus aisément que la Sagesse une hypostase distincte, car la Parole étant un acte se distingue plus aisément qu'un attribut. Et d'autre part la Parole n'était pas nécessairement un acte de Dieu ayant son terme au dehors, puisque les Grecs connaissaient la parole intérieure. En Dieu le Verbe était parole intérieure; mais pour les hommes il était une lumière. Cette construction est tellement simple, tellement logique, que l'on ne voit aucune nécessité de chercher ailleurs. Ce n'est pas la *Memra* qui a dû suggérer le Verbe personnel, mais le choix du mot répond dans les deux cas à la même suggestion biblique. Pour désigner Dieu parlant aux hommes, se montrant à eux, les rabbins dirent : la Parole. Pour exprimer cette personne divine qu'était le Christ révélateur, rien ne valait : la Parole. Et il est très naturel que Jo. qui connaissait le sens de la « gloire » et de l' « habitation », et qui s'est complu à employer ces termes (I, 14), ait vu aussi un certain avantage à employer un terme connu en Palestine comme un équivalent de Dieu : *Voluit ergo Ioannes accommodate ad usum loqui; voluit intelligi* (*Mald.*).

Le même souci ne devait-il pas le disposer à faire aussi des avances aux Gentils, ou du moins aux Juifs parlant grec, à supposer que leurs conceptions n'aient pas eu d'influence sur lui? On peut examiner diverses hypothèses. Celle des purs philosophes n'offre guère de probabilité. L'auteur a pu entendre dire que les philosophes grecs parlaient volontiers du logos. Mais une impression aussi vague ne pouvait le déterminer à employer le même terme qu'eux. Il fallait savoir ce qu'ils entendaient par Logos, se rendre compte de l'enchaînement de leurs conceptions; Héraclite n'avait plus de disciples directs, du moins dans l'opinion moyenne, et son Logos n'était qu'une loi inflexible. Les Stoïciens seuls comptaient; ils étaient la philosophie. Philon a bien essayé de transformer leur Logos, mais cela se voit; il n'y a pas dans Jo. la moindre trace de cette intention.

Mais le judaïsme alexandrin n'a-t-il pas servi d'intermédiaire? C'est encore une opinion courante dans la critique. Le R. P. Lebreton (*Les origines*... p. 591) opine qu'on peut : « avec la plus grande probabilité, attribuer au terme de logos une origine alexandrine ». Dans sa première édition (p. 154) M. Loisy écrivait : « L'influence des idées philoniennes sur Jean n'est pas contestable. » Aujourd'hui (p. 88) : « Il n'est pas autrement probable que l'évangile johannique dépende littérairement des écrits philoniens. »

Il faudrait d'abord déterminer ce que l'on entend par une origine alexandrine. Un écrivain peut subir l'influence d'un autre en lui empruntant des éléments qu'il adapte à sa doctrine, soit tels qu'ils sont, soit en les modifiant quelque peu. Mais il se peut aussi que son propre système naisse dans son esprit en prenant conscience des défauts d'un autre système, et s'il lui arrive encore d'emprunter un terme, ce sera pour lui donner une valeur toute différente. Dans ce dernier cas on parlerait plus exactement d'opposition que d'influence, quoiqu'il y ait encore un certain enchaînement dans la genèse des idées.

A prendre la question sous cet aspect tout à fait vague, elle n'est guère susceptible de solution sans témoignages positifs, et elle est assez oiseuse. Nous pourrions nous résigner à ne savoir jamais si Jean a vaguement entendu parler du système philonien, s'il s'est dit qu'il y aurait avantage à lui emprunter le mot de Logos, sauf à lui donner un sens différent, même à le contredire.

Ce qui au contraire est possible, et important, c'est de confronter les deux systèmes et de juger de leurs points de contact et de leurs différences. Le point de contact entre Jo. et Philon est le rôle considérable du Logos.

Dans Philon, le Logos est la raison de Dieu, mais aussi sa parole. Il est l'intermédiaire de la création du monde, étant l'image intelligible de Dieu, qui s'en est servi pour créer le monde sensible. Il est le révélateur et l'illuminateur des hommes, le canal et le distributeur des grâces, même leur nourriture et leur breuvage spirituel. Il est l'intercesseur pour les hommes, et les amène au repentir, après quoi il ménage leur réconciliation; enfin il est fils de Dieu et comme tel peut être l'objet du culte des imparfaits (cf. *RB.*, juillet, 1923).

Il faut reconnaître que l'ensemble de ces traits ressemble étonnamment au portrait de Jésus dans Jean. Mais il faut cependant en venir à déterminer de plus près la pensée de Philon. Son logos est-il seulement un attribut de Dieu, de sorte qu'il soit en somme Dieu lui-même? Car on ne saurait songer à en faire une pure abstraction. Tous les offices qui lui sont assignés deviendraient des fonctions divines, détaillées dans l'intérêt de notre intelligence, dramatisées par une personnification pour émouvoir notre sentiment. Si Jo. avait entendu parler d'un *logos* philonien de cette sorte, il ne pouvait employer le même terme qu'en lui donnant un sens très différent, car ce qu'il cherchait c'était le nom propre d'une personne divine distincte, qui avait apparu dans la chair, ensuite d'une union très étroite qui répugnait absolument à tout le système de Philon.

Si au contraire, et nous sommes persuadé que c'est le cas, Philon a parlé pour dire quelque chose, et a délibérément introduit dans la religion un être intermédiaire distinct, dont il dit très nettement qu'il n'est pas Dieu, il a commis la plus caractérisée des hérésies, une véritable apostasie du judaïsme, inconsciemment peut-être, mais avec des conséquences inévitables. C'est pourquoi la question de la personnalité ou de l'individualité du Logos n'est point affaire de mot, mais problème fondamental dans l'ordre religieux. C'est toute la religion monothéiste qui est ébranlée s'il existe entre Dieu et le monde, entre l'âme et Dieu, un pareil intermédiaire, dont la fonction est bien de conduire à Dieu, mais qui peut cependant demeurer le terme des aspirations religieuses moyennes. Supposons que Jo. ait perçu ce sens du philonisme, il est bien assuré que, à l'instar de tous les Juifs palestiniens et sans doute de la majorité des Alexandrins, il aura eu horreur de cette conception bâtarde. La transformer en donnant au Logos le rang divin, ce n'était plus une simple adaptation du philonisme.

Ainsi la différence fondamentale entre Philon et Jo., c'est que le premier hésite soit à attribuer la divinité au Logos, ce qu'il pourrait faire sans inconvénient s'il ne le distinguait pas de Dieu, soit à le distinguer nettement, sauf à lui refuser la nature divine. Il penche cependant manifestement vers le second parti, et par conséquent ce qui donne au Logos de Jo. son caractère spécial c'est de maintenir la divinité de J.-C., Fils de Dieu distinct de son Père, et cependant une même chose, c'est-à-dire un même Dieu avec lui. Mais sa doctrine Jo. la possédait, d'après les déclarations de Jésus, dans la foi de l'Église, sans le terme de Logos : eût-elle été mieux établie, eût-elle eu plus d'éléments de succès par l'emprunt à Philon d'un terme qui signifiait autre chose dans ses propres écrits? Le risque d'une contamination était évidemment plus grand que les chances de la propagande.

De plus, ce qu'on néglige trop souvent dans des analyses d'ailleurs soignées, il faut comparer l'esprit même de Philon dans le choix de son Logos et celui qui pouvait animer Jo.

Pour Philon, le Logos, qui est raison pour les Grecs, est la maîtresse pièce de son œuvre, l'outil indispensable. Il entend prouver aux esprits cultivés d'Alexandrie que la religion juive, qui leur paraît bizarre et peu rationnelle, n'est autre chose que l'expression figurée de la droite raison. Il faut donc établir l'identité de la Loi, parole du Dieu d'Israël, avec la raison, telle que l'ont mise en lumière les meilleures têtes de l'hellénisme : le *Logos* est le terme rêvé pour cette équation qui dépouille en somme la révélation de ses prérogatives, et remplace la foi à la parole de Dieu par l'adhésion de l'esprit aux principes de la raison naturelle.

Jo. avait-il besoin du Logos pour cela? Son but est d'obtenir la foi en la parole de Dieu, parole prononcée par celui qui est vraiment la Parole de Dieu, et qui est en même temps le terme de l'adoration aussi bien que son Père. Tout l'échafaudage philonien croulait par terre. L'évangéliste aurait-il eu recours à ce méprisable artifice de suggérer aux Grecs que le Verbe de Dieu c'était précisément cette raison dont ils faisaient tant de cas? On n'en était pas encore au moment où il parut souhaitable, comme il est en effet, de montrer que la foi n'est pas contraire à la droite raison, et qu'elle peut l'employer à son service, sans cesser d'être l'adhésion de l'intelligence au Dieu révélateur.

Concluons donc que si Jo. a employé le terme de Logos, ce n'est pas parce qu'il avait cours — au titre de fausse monnaie; — ni pour s'approprier les avantages d'une conception qu'il rejetait dans son ensemble, mais simplement parce que c'était le terme le mieux choisi pour exprimer les rapports du Fils avec le Père dans l'unité d'une nature spirituelle (cf. *Introd.* p. CLXXX ss.).

Donc si l'on tient à serrer le problème de près, il faut surtout insister sur le « littérairement » de la deuxième manière de M. Loisy. Nier toute espèce de suggestion alexandrine serait téméraire, d'autant que par la Sagesse c'est bien une influence alexandrine qui s'exerçait. Mais je ne puis prendre sur moi d'admettre une influence directe. Un lecteur de Philon, subissant tant soit peu son attrait, n'eût pu s'empêcher de faire à son tour le philosophe. Si tout cet étalage, véritable bric-à-brac philosophico-religieux lui déplaisait, — il est si étranger à l'âme de Jean! — il n'eût pas cru faire merveille en lui prenant quelque chose, voire dans le dessein de l'améliorer. Cette profondeur mystique sublime, qui risquait de rompre le rapport immédiat de l'âme avec Dieu sous prétexte de les rapprocher par un « pont », n'a rien fourni à cette page qui met en contact, bien plus, en union, le Verbe intelligence et la chair. Celui qui a tracé en une page la solution divine de la médiation, unissant à Dieu les âmes de bonne volonté, parce qu'une personne qui est Dieu a pris la nature humaine, n'avait rien à emprunter à Philon. Le nom de Logos donné à cette personne ne vient pas non plus de chez lui, puisqu'il n'est pas pris dans le même sens, et qu'il n'y a aucune trace qu'il lui ait été dérobé dans un instinct de polémique. En disant que le Logos est Dieu, Jo. ne contredit pas directement Philon, dont la pensée n'était pas nette. Tout au plus en insistant sur le Fils monogène a-t-il paru protester contre Philon qui donnait à Dieu deux fils, le monde intelligible et le monde sensible, mais y a-t-il pensé? Philon est très célèbre parmi nous, parce que ses œuvres nous sont parvenues, mais son influence fut sans doute plus grande au sein du christianisme que parmi ses coreligionnaires et de son temps.

Après cela il est sans doute inutile de demander si Jo. n'aurait pas été influencé par l'Hermès mythologique. Ce n'est même pas le cas pour Philon, car alors

[19] Καὶ αὕτη ἐστὶν ἡ μαρτυρία τοῦ Ἰωάννου ὅτε ἀπέστειλαν πρὸς αὐτὸν οἱ Ἰουδαῖοι ἐξ Ἱεροσολύμων ἱερεῖς καὶ Λευίτας ἵνα ἐρωτήσωσιν αὐτόν Σὺ τίς εἶ; [20] καὶ ὡμολόγησεν καὶ οὐκ ἠρνήσατο, καὶ ὡμολόγησεν ὅτι Ἐγὼ οὐκ εἰμὶ ὁ χριστός. [21] καὶ ἠρώτησαν αὐτόν Τί οὖν; σὺ Ἠλίας εἶ; καὶ λέγει

21. συ Ηλιας ει (H) **plutôt que** Ηλιας ει συ (SV) T *om.* συ.

Hermès, spécialement l'Hermès de Cornutus, n'était guère que le logos humain, la parole. Certaines ressemblances, Hermès messager et le Logos envoyé par Dieu, viennent de postulats semblables. Philon ayant l'ange de Iahvé n'avait que faire d'Hermès. A supposer qu'il ait connu Hermès comme le Logos entité métaphysique, c'était l'explication philosophique qui l'intéressait, non le dieu de la mythologie, car il ne se proposait certes pas une fusion du judaïsme et des cultes païens, si indulgent qu'il fût pour l'erreur polythéiste. — Alors que penser de Jo. qui est, lui, étranger à tout ce qui se passe dans le paganisme? C'est après coup qu'un apologiste comme Justin a pu trouver une ressemblance entre Hermès et le Logos divin (I Apol. XXII); encore Hermès ne figure-t-il pas comme le Logos métaphysique des Stoïciens, mais comme l'interprète et le messager du dieu son père.

PREMIÈRE PARTIE : JÉSUS SE MANIFESTE AU SEIN DU JUDAISME (I, 19-XII, 50).

19-34. Les deux témoignages du Baptiste. Le Prologue a son unité, c'est une introduction générale; mais ce n'est pas une pièce détachée. L'histoire de Jésus, c'est-à-dire le témoignage qui lui est rendu par Jean, et celui qu'il se rend à lui-même, suivent sans interruption l'exposé doctrinal. Jo. ne raconte pas le baptême, suffisamment mis en lumière par les synoptiques, et ne dit de la carrière de Jean que ce qui se rapporte à Jésus. Son témoignage succède au baptême, au récit duquel il est fait allusion (32). Il y a deux épisodes, Jésus étant d'abord absent, puis présent.

19-28. Jean est provoqué par les Juifs a rendre témoignage a Jésus.

19) Καί pourrait passer pour le début d'une histoire à la manière des livres bibliques, mais αὕτη est une allusion à I, 15. Ce n'est pas ici un nouveau témoignage, c'est l'exposé historique de ce qui avait figuré dans le prologue à l'état absolu. Un temps déterminé est indiqué maintenant par ὅτε, dans une circonstance donnée. — Aussitôt apparaissent les Juifs. A raisonner historiquement, il n'y avait qu'un pouvoir central qui représentât la nation à Jérusalem, et c'était le Sanhédrin, que plusieurs exégètes mettent en scène. Mais Jo. n'entre pas dans ce détail, et nous n'avons pas à changer la physionomie de son texte. Pour lui ce sont les Juifs, c'est-à-dire la nation incarnée dans ses chefs qui se dressent devant la figure du Christ, non point encore comme des opposants acharnés, mais déjà comme des enquêteurs qui se croient le droit de juger sur tout mouvement d'apparence messianique (cf. *Introd.* p. CXXXI s.).

[19]Et voici quel fut le témoignage de Jean, lorsque les Juifs envoyèrent vers lui, de Jérusalem, des prêtres et des lévites, pour lui demander : « Qui es-tu? » [20]Et il reconnut, et ne nia pas, et il reconnut : « Ce n'est pas moi qui suis le Christ. » [21]Et ils lui demandèrent : « Quoi donc? tu es Élie? » Et il dit : « Je ne le suis pas. »

On délègue des prêtres et des lévites. Le choix des prêtres s'explique par leur autorité officielle. On peut justifier la présence des Lévites par les risques du voyage (*Zahn*), les Lévites constituant la police du Temple (Schürer, *Geschichte*... 4e éd. II, p. 328 ss.). Mais c'est là encore une précision qui n'est pas dans la manière de Jo. : il a simplement associé les Lévites aux prêtres pour compléter l'organisme sacré du culte. En fait il est tout naturel que les prêtres se soient fait accompagner par cette sorte de domesticité supérieure, pour organiser les étapes, le logement, etc.

La démarche des Juifs se comprend très bien; on serait même tenté de la placer auparavant. Aussitôt que Jean a pris sur lui d'attirer les foules, de les amener à un rite bien connu, mais qui ne se pratiquait pas en masses, de présenter ce rite comme une préparation à l'intervention divine, le Sacerdoce et les autres chefs spirituels et temporels des Juifs ont dû s'émouvoir. De tout agitateur on pouvait se demander s'il ne se donnait pas comme Messie. L'agitation est censée connue, ce qui donne son vrai sens à la question : qui es-tu? Il eût paru naïf de demander : es-tu le Messie? peu sympathique d'insinuer : te donnes-tu pour le Messie? C'est exactement ainsi que les Athéniens, étonnés du rôle que se donne Socrate, lui demandent (dans *Épictète*, III, 1, 22) σὺ οὖν τίς εἶ; Origène a noté la circonspection (τὸ εὐλαβές) des prêtres.

20) Jean comprend très bien qu'on ne lui demande pas son état civil, et répond à la pensée des interrogateurs. La formule positive et négative n'est point rare : Eur. El. 1057 φημὶ καὶ οὐκ ἀρνοῦμαι, Jos. *Ant.* VI, VI, 4 Σαοῦλος δὲ ἀδικεῖν ὡμολόγει καὶ τὴν ἁμαρτίαν οὐκ ἠρνεῖτο, résumant les Septante; l'insistance qui ramène ὡμολόγησεν est dans la manière un peu diffuse de Jo. — Mais ἐγώ qui ne reparaît pas dans les deux autres réponses a sa valeur; simple insinuation très légère : si ce n'est pas moi c'est donc un autre.

21) Au lieu de suivre Jean sur cette voie, les envoyés officiels qui ont une mission précise, continuent leur interrogatoire dans le même sens, mais l'éclat avait été tel, le Messie était tellement à l'horizon, qu'ils ne croient pas se tromper en demandant à Jean s'il n'est pas Élie, que l'on attendait comme le précurseur de la restauration. C'est ainsi que le Siracide (XLVIII, 10 s.) expliquait l'oracle de Malachie (III, 23 s.; cf. *Le Messianisme*... p. 210), si bien que Jésus a expliqué à ses disciples après la Transfiguration que le Baptiste avait joué le rôle d'Élie (Mc. IX, 11-13; Mt. XVII, 10-12). Mais les Juifs attendaient Élie en personne, revenu sur la terre pour révéler et oindre le Messie (Justin, Dial. VIII). On s'étonne qu'ils aient pu supposer que Jean était Élie, surtout lorsqu'on a lu dans Luc l'histoire de sa naissance, de ses parents, etc. Mais comme Jean avait vécu ensuite dans le désert, qu'il avait apparu aux bords du Jourdain avec le costume d'Élie (*Comm.* Mc. I, 6), et avec les mêmes

Οὐκ εἰμί. Ὁ προφήτης εἶ σύ; καὶ ἀπεκρίθη Οὔ. [22]εἶπαν οὖν αὐτῷ Τίς εἶ; ἵνα ἀπόκρισιν δῶμεν τοῖς πέμψασιν ἡμᾶς· τί λέγεις περὶ σεαυτοῦ; [23]ἔφη Ἐγὼ φωνὴ βοῶντος ἐν τῇ ἐρήμῳ Εὐθύνατε τὴν ὁδὸν Κυρίου, καθὼς εἶπεν Ἠσαίας ὁ προφήτης. [24]Καὶ ἀπεσταλμένοι ἦσαν ἐκ τῶν Φαρισαίων. [25]Καὶ ἠρώτησαν αὐτὸν καὶ εἶπαν αὐτῷ Τί οὖν βαπτίζεις εἰ σὺ οὐκ εἶ ὁ χριστὸς οὐδὲ Ἠλίας οὐδὲ ὁ προφήτης; [26]ἀπεκρίθη αὐτοῖς ὁ Ἰωάννης λέγων Ἐγὼ

paroles enflammées, le même zèle, on ne savait que penser. Il n'est pas interdit d'imaginer que la question a été posée avec un pli sceptique des lèvres, d'autant que Jean répond assez sèchement à la question d'identité. Quant à l'analogie de son rôle avec la fonction esquissée par Malachie, elle n'est ni soulignée, ni évitée par Jo., la question n'ayant pas été soulevée à ce moment, comme le prouve l'attitude des disciples dans les synoptiques (Mt. xvii, 10; Mc. ix, 11).

— Troisième question relative au prophète. Moïse avait dit : « Iahvé, ton Dieu, te suscitera du milieu de toi, d'entre tes frères, un prophète tel que moi; vous l'écouterez » (Dt. xviii, 15). Il était très naturel que cet oracle fût appliqué au Christ Jésus, révélateur et prophète (Act. iii, 22; vii, 37; cf. Mc. ix, 7), d'autant que la prophétie étant muette depuis longtemps, sans avoir produit personne d'aussi grand que Moïse, l'espérance avait grandi en se projetant dans l'avenir. Quelques-uns attendaient donc « le » prophète, soit qu'ils y vissent une manière de désigner le Christ (vi, 14), ou quelque grande figure de son temps (vii, 40 s.). La question est donc plausible, quoique le rabbinisme n'ait pas interprété le texte de Dt. xviii, 15 dans le sens d'une unité exceptionnelle. On peut dire que les anciens (sauf Origène et Jérôme) ont excédé en n'y voyant que le Christ, mais il serait non moins inexact de l'exclure de cette promesse qui touche *omnes prophetas veteris Testamenti non excluso Christo* (*Hummelauer* ad h. l.).

— τί οὖν; comme Rom. iii, 9; vi, 15, etc. en grec plus souvent τί οὖν δή; Jean entend probablement « le » prophète dans un sens équivalent à Messie; d'où sa réponse. Les Pères ont célébré à l'envi la modestie et l'humilité du Précurseur, qui refuse même les noms d'Élie et de prophète, qu'il eût pu interpréter en sa faveur. L'énergie de son caractère apparaît aussi dans ces réponses précises, de plus en plus courtes. Il semble même qu'il y perce une certaine fierté sinon ombrageuse, du moins réservée. Avec leur politesse affectant de le prendre pour une très grande figure, les Prêtres ont dû lui paraître peu sincères. Ce n'était pas le moyen de tirer quelque chose de lui. Les envoyés l'ont compris.

22) Aussi désormais, sans quitter un ton courtois, et alléguant l'autorité qui les envoie comme une excuse pour leur indiscrétion, et aussi comme une autorité à laquelle Jean doit se rendre, ils reprennent la première question en lui donnant une application plus directe à sa personne; ils l'estiment assez pour ne vouloir s'en rapporter qu'à lui.

23) Mais qu'importe à Jean sa propre personne, qui s'efface devant la mission qu'il remplit? Il répond par l'oracle d'Isaïe (xl, 3), déjà cité par les synoptiques en leur nom, mais combien plus émouvant dans la bouche de Jean lui-même! Tandis que Mc. (i, 3), Mt. (iii, 3), Lc. (iii, 4) citent tout le verset exactement

« Es-tu le Prophète? » Et il répondit : « Non. » [22] Ils lui dirent donc : « Qui es-tu? afin que nous donnions une réponse à ceux qui nous ont envoyés; que dis-tu de toi-même? » [23] Il dit : « Je suis *la voix de celui qui crie dans le désert : Redressez le chemin du Seigneur,* comme a dit le prophète Isaïe. » [24] Et l'on avait envoyé des Pharisiens. [25] Et ils l'interrogèrent et lui dirent : « Pourquoi donc baptises-tu, si tu n'es ni le Christ, ni Élie, ni le prophète? » [26] Jean leur

dans les mêmes termes, Jo. ne cite que la première partie, et remplace ἑτοιμάσατε par εὐθύνατε, ce qui est moins conforme à l'hébreu, mais qui le dispense d'ajouter avec les synoptiques : εὐθείας ποιεῖτε τὰς τρίβους αὐτοῦ. Cette condensation a pu se faire aussi bien d'après le grec que d'après l'hébreu. La coupure qui lie ἐν τῇ ἐρήμῳ à βοῶντος et non à ce qui suit (contre l'hébreu) est d'ailleurs plus naturelle dans la bouche de Jean qui parle au désert que sous la plume des synoptiques alléguant un texte dans un ouvrage écrit. — Le renvoi à Isaïe est bien attribué à Jean par Jo., mais peut être du fait de ce dernier. Entre Jean et les prêtres de Jérusalem il n'était pas besoin d'une allégation précise.

24) La leçon ἀπεσταλμένοι sans article est la mieux attestée (H T S V d'après ℵ B C L A *bo. sah.*, contre *Loisy*); avec l'article il serait évident que la délégation est la même, et c'est peut-être pour cela qu'il a été ajouté. Mais le défaut d'article ne prouve pas que les Pharisiens soient venus après les prêtres. Zahn le soutient : sinon Jo. aurait dû nommer les Pharisiens dès le début, et de plus le Sanhédrin n'aurait pas envoyé des Pharisiens, d'autant qu'ils étaient très peu nombreux parmi les prêtres. Mais la conversation est manifestement la même, sans aucun indice d'interruption. Le Sanhédrin n'a pas été nommé, et il y avait des prêtres Pharisiens, comme celui du papyrus 840 d'Oxyrhynque (*RB*. 1908, 538 ss.). Les Pharisiens sont nommés sans beaucoup d'art au moment où ils interviennent (cf. *Introd.* p. xciv). Les prêtres se sont montrés polis; ils ont insisté pour avoir une réponse; l'ayant obtenue, leur rôle est terminé. Mais voici les Pharisiens, avec leur caractère agressif. Origène a même pensé que les prêtres avaient approuvé le baptême comme un rite convenable pour préparer les voies du Seigneur : les Pharisiens, ceux qui sont séparés, font opposition et obstruction. — Le sens n'est pas que la délégation avait été envoyée par les Pharisiens, il faudrait παρά et non ἐκ, mais que quelques Pharisiens étaient parmi les envoyés, ce qui est du style de Jo., cf. vii, 40; xvi, 17; II Jo. 4; Apoc. ii, 10 (*Field*).

25) Ceux qui interrogent n'ignorent pas la réponse du v. 23; sans la discuter, ils estiment que cet office de prédicateur n'autorise pas Jean à baptiser, surtout avec cet éclat. Nous n'avons aucune indication que le Messie ou Élie ait dû être investi de cette mission spéciale, et l'intention des Pharisiens n'est pas de la leur réserver. Quoi que fasse l'envoyé de Dieu, on n'a pas à lui demander de comptes s'il ouvre une voie nouvelle de salut; mais toi?

26 s.). La réponse de Jo. n'est pas directe, mais elle résout l'objection : je ne dépasse pas mon rôle, car je ne baptise que dans l'eau, rite déjà pratiqué,

βαπτίζω ἐν ὕδατι· μέσος ὑμῶν στήκει ὃν ὑμεῖς οὐκ οἴδατε, [27] ὀπίσω μου ἐρχόμενος, οὗ οὐκ εἰμὶ ἐγὼ ἄξιος ἵνα λύσω αὐτοῦ τὸν ἱμάντα τοῦ ὑποδήματος. [28] Ταῦτα ἐν Βηθανίᾳ ἐγένετο πέραν τοῦ Ἰορδάνου, ὅπου ἦν ὁ Ἰωάννης βαπτίζων. [29] Τῇ ἐπαύριον βλέπει τὸν Ἰησοῦν ἐρχόμενον

27. *om.* ο *a.* οπισω (H) ου *add.* (TSV).

---

et qui, selon l'usage, n'était que préliminaire. C'était d'ailleurs l'office que Jean s'attribuait dans les synoptiques (Mc. I, 8; Mt. III, 11; Lc. III, 16), en ajoutant dans Mt. et dans Lc. une allusion à celui qui vient après lui, et auquel il n'est pas digne de rendre un modeste service, allusion qui précède dans Mc. Jo. suit donc l'ordre de Mt. et de Lc. avec la formule « délier la courroie des chaussures » (Mc. Lc), et non « les porter » (Mt.). Au lieu de dire que cet autre est plus fort que lui, s'adressant à des enquêteurs indiscrets, il leur reproche de ne pas le connaître, alors qu'il est au milieu d'eux; le baptême par l'Esprit, qui est dans ce contexte chez les trois synoptiques, est réservé à une audience plus intime, en présence de Jésus (33), comme aussi son origine surnaturelle. Ce premier témoignage est comme une esquisse mystérieuse bien propre à éveiller l'attention, car on savait que le Messie serait longtemps caché.

Les Pharisiens durent s'en contenter et se retirèrent, car il y a un dessein de clore l'épisode, sinon d'une manière directe, du moins en indiquant le lieu. — ἵνα n'a plus du tout le sens final.

28) Lorsque rien n'indique le lieu de la scène, tel critique en conclut qu'elle se passe entre ciel et terre, donc en dehors de l'histoire. Ici M. Loisy écrit (p. 11) : « Notre évangile offre plus d'un exemple de cette précision voulue, et suspecte parce que voulue », etc. D'autres, plus modérés, allèguent que l'auteur a pu faire un pèlerinage en chrétien, sans être pour cela un témoin oculaire. Il faut cependant noter que dès le temps d'Origène tout souvenir de Béthanie au delà du Jourdain avait disparu, si bien qu'il a lu Bethabara (*RB*. 1895, p. 502 ss.) que la mosaïque de Mâdaba place à l'ouest du Jourdain. (Ichoʿdad est pour Bethabara, « d'autant que ʿAbara est une grande localité dans le voisinage de la Galilée et de Gadara ». Mais c'est une confusion avec l'au delà du Jourdain qu'il appuie sur des textes de Mc. (III, 8; V, 1)). Il est vrai qu'un gué a deux issues, mais une localité fixée à l'est ne peut avoir été à l'occident. Nous lisons donc Βηθανια (HTSV d'après ℵABC, etc. *latt. vg. bo. pes.* etc.) et non Βηθαβαρα ou Βηθεβαρα, ou Βηθαραβα, dont le succès très restreint vient d'Origène, lequel reconnaît cependant que Βηθανια figure dans presque tous les mss. (σχεδὸν ἐν πᾶσι τοῖς ἀντιγράφοις κεῖται), et doit être ancien, d'autant qu'il se trouve dans Héracléon. Loisy suppose que Béthanie a supplanté Bethabara, parce qu'un village de ce nom était nommé presque dans le même contexte que l'endroit où Jean baptisait (X, 40); mais que fait-il de la distance de 15 stades de Jérusalem (XI, 18) à cette Béthanie? Il y avait donc deux villages de ce nom; celui qui était au-delà du Jourdain, plus ou moins près du fleuve, était probablement la transcription de בֵּית אֲנִיָּה, maison du bateau, tel qu'on en voit un sur la carte de Mâdaba en

répondit, disant : « Pour moi, je baptise dans l'eau; au milieu de vous se tient quelqu'un que vous ne connaissez pas, [27]qui vient après moi, dont je ne suis pas digne de délier la courroie de la chaussure. » [28]Cela se passait à Béthanie, au delà du Jourdain, où Jean baptisait.

[29]Le lendemain, il voit Jésus venant à lui, et il dit : « Voici l'a-

forme de bac, glissant le long d'un câble. Le même lieu pouvait se nommer Bethabara, maison du passage, mais la mosaïque a placé Bethabara plus au sud. Il faut donc chercher Béthanie à l'orient du Jourdain; le R. P. Féderlin, des missionnaires d'Alger, estime l'avoir repérée en 1908 à une ruine qu'il nomme Khirbet el-Medech (*Béthanie*, tirage à part de « Jérusalem » revue des Pères Assomptionnistes). Je l'ai visitée le 7 févr. 1923. *El-Medech* est le nom de tout l'estuaire, très étendu, du ou. Nimrin, nommé là *esch-scha'ib*. La ruine a été nommée par un Adwan le *kh. et-Tawil* (le long), nom qui ne peut être qu'une désignation d'après son aspect. Ce tell est situé à environ 40 minutes du pont du Jourdain au nord-est, sur la rive droite du ouadi, à environ 300 mètres du Jourdain. Il domine la plaine et avait même une petite acropole. Au pied du tell les eaux coulent très abondantes, du moins en hiver : il a dû être très facile de les capter et d'organiser un lieu de baptême beaucoup plus commode que le Jourdain, lequel n'est pas toujours accessible, mais qui cependant était à proximité. L'installation serait parallèle à celle d'Aenon (III, 23), mais plus rapprochée du fleuve. L'identification du R. P. Féderlin est donc très plausible, sans être encore confirmée par l'onomastique locale.

D'ailleurs il ne résulte nullement du texte de Jo. que Béthanie ait été le lieu du baptême de Jésus. Ce baptême avait déjà eu lieu lors du témoignage, et, d'après les synoptiques (Mc. et Mt.) dans le Jourdain. Au temps d'Origène on croyait connaître le lieu où Jean baptisait, par où l'on entendait sans doute le lieu du baptême de Jésus, et depuis lors la tradition n'a pas dû changer: elle est demeurée fixée au monastère du Prodromos (*Qaṣr el-Yehoud*). D'après X, 40, le lieu où Jean baptisait d'abord, dans la perspective de l'évangile, c'est-à-dire quand il rendait son témoignage, était nettement au delà du Jourdain.

29-34. LE TÉMOIGNAGE RENDU EN DÉSIGNANT JÉSUS.

C'est de beaucoup le plus important, celui que la tradition a interprété par un geste du Baptiste montrant Jésus du doigt, dans la liturgie (*indice prodis*) et dans la peinture (Léonard de Vinci). On est au même lieu, et Jésus, déjà baptisé, s'approche de Jean, sans qu'on en sache le motif, mais cette approche donne au langage du Précurseur un accent ému, avec la joie de posséder et de répandre le secret du salut. Léonard de Vinci a mis un tel enivrement dans les yeux du Baptiste que d'anciens catalogues le prenaient pour un Bacchus! Le confident de l'Esprit-Saint exulte en voyant de ses yeux le Fils de Dieu.

29) Le lendemain, pour mettre un intervalle, en se dispensant de dire que la délégation est repartie (contre *Belser*). On ne sait à qui s'adresse le Baptiste, mais son âme s'épanche si librement que l'auditoire était sans doute sympathique, sinon restreint. ἴδε, impér. d'εἶδον, devenu synonyme de voici. Ce qui

πρὸς αὐτόν, καὶ λέγει Ἴδε ὁ ἀμνὸς τοῦ θεοῦ ὁ αἴρων τὴν ἁμαρτίαν τοῦ κόσμου. [30]οὗτός ἐστιν ὑπὲρ οὗ ἐγὼ εἶπον Ὀπίσω μου ἔρχεται ἀνὴρ ὃς ἔμπροσθέν μου γέγονεν, ὅτι πρῶτός μου ἦν. [31]κἀγὼ οὐκ ᾔδειν αὐτόν, ἀλλ'

31. *om.* τω *a.* υδατι (THV) et non *add.* (S).

---

suit est interprété le plus souvent, surtout depuis Luther, comme une indication du rôle du Messie, agneau destiné à être immolé pour le salut du monde, pour enlever les péchés en les prenant sur soi (*Kn.*, *Schanz, Belser,* etc.). Cet agneau est, ou bien l'agneau des sacrifices du Temple, ou bien l'agneau pascal, ou bien une figure du serviteur de Iahvé dans Isaïe (LIII, 7), semblable à l'agneau à la boucherie (Jér. XI, 19). Il y a d'ailleurs plus d'accord sur le sens messianique expiatoire que sur l'image et le rôle de l'agneau. — Cette interprétation souffre de graves difficultés. Il n'y aurait pas un inconvénient absolu à attribuer à Jean une appréciation du messianisme de Jésus si supérieure à celle de Pierre, même après sa Confession de Césarée de Philippe. Mais il faudrait admettre que, entre sa première prédication et ce moment, l'idéal messianique du Baptiste a bien changé, puisqu'il regardait surtout le Messie comme un Juge qui vient nettoyer son aire (Mt. III, 12; Lc. III, 17). De plus on s'expliquerait mal l'ambassade du Baptiste (Mt. XI, 2-6; Lc. VII, 18-23), et tout le monde n'est pas disposé à dire avec Belser qu'il s'est plaint que Jésus n'ait pas encore nourri les Juifs de manne. Aussi il est admis comme démontré par la critique indépendante que Jo. prête ici à Jean sa propre conception du rôle du Messie, figuré par l'agneau pascal. Maldonat semble avoir préludé, quoique prudemment, à une explication de ce genre : *Proprium inter evangelistas Ioanni est, ut Christum agnum appellet...* (suivent les exemples nombreux de l'Apocalypse). *Habet vocabula quaedam Ioannes, quibus delectatur.* Jo. aurait donc fait dire à Jean ce que la Passion du Christ avait appris aux chrétiens.

Le seul moyen d'éviter cette conséquence, c'est de renoncer à une exégèse qui n'est pas traditionnelle. Augustin ne voit ici aucune allusion au Messie souffrant, mais seulement à l'innocence de l'agneau : *qui non assumpsit de nostra massa peccatum, ipse est qui tollit nostrum peccatum.* La spécialisation au péché originel vient de l'obsession d'Augustin à cette époque, mais l'idée générale est très juste, c'est celle de Thomas d'abord : *peccatum nullum fecit, sed venit peccatum tollere.* Chrysostome : « celui qui est assez pur pour effacer les péchés des autres n'est sûrement pas venu pour confesser (ses propres) péchés ». Il y a là un tact très juste. Jean n'est pas dans une chaire occupé à expliquer et à combiner des textes. Il baptise, et tout le monde confesse plus ou moins bruyamment ses péchés (Mc. I, 5; Mt. III, 6). Cependant il sait très bien qu'il ne baptise que dans l'eau. Le baptême provoque des dispositions dont Dieu tiendra compte, mais ce n'est pas encore le remède efficace qui fait disparaître le péché.

Dans cette foule, Jésus apparaît comme un agneau innocent, et c'est lui, Lui, qui doit enlever le péché! Le sens de αἴρω n'est pas douteux : c'est enlever, et non prendre sur soi. Irénée et Cyprien lisaient *qui auferet*, la préface pascale dit encore : *qui abstulit.* C'est le sens de I Jo. III, 5, avec un contexte tout à

gneau de Dieu, qui ôte le péché du monde. [30] C'est lui dont j'ai dit : derrière moi vient un homme qui a passé devant moi, car il était avant moi. [31] Et pour moi, je ne le connaissais pas ; mais c'est pour

fait semblable. Cette idée correspond très bien aux espérances messianiques d'alors. Le roi attendu serait pur de tout péché, et son rôle serait de faire disparaître le péché (Ps.-Sal. XVII, 41, 21 ss.), sans qu'il soit nullement question d'expiation. Cette intelligence du rôle du Messie est en harmonie avec l'idéal de celui qui nettoie son aire (Mt. III, 12, Lc. III, 17), de sorte qu'il n'y a pas d'opposition entre Jo. et les synoptiques.

Une pareille explication, conforme à la méthode historique, et on peut dire traditionnelle, ne doit pas céder à l'exégèse de Luther, trop fortement impressionnée par des concepts pauliniens qu'elle antidate. Il ne faut pas non plus mettre les deux interprétations bout à bout comme on le voit dans Loisy : « cette déduction même [fondée sur les anciens textes] a été provoquée par la notion mystique du dieu souffrant et victime salutaire » (p. 119), et aussitôt après : « L'Agneau chasse le péché sans que le péché l'ait seulement touché » (p. 120). C'est ce second point qui est juste. Il n'est même pas nécessaire de dire que Jo. a prêté au Baptiste cet agneau d'une innocence divine ; car l'agneau était bien un symbole du juste parmi les pécheurs : καὶ οἱ ὅσιοι τοῦ θεοῦ ὡς ἀρνία ἐν ἀκακίᾳ ἐν μέσῳ αὐτῶν (Ps.-Sal. VIII, 28), ce qui était bien la situation de Jésus au baptême. Aussi bien les partisans du sens expiatoire ne s'entendent pas : Zahn ne veut rien savoir d'Isaïe, ni Schanz de l'agneau pascal, et en effet aucun texte ancien ne rend compte de l'image. Les agneaux immolés dans les sacrifices étaient surtout célèbres par le sacrifice bi-quotidien (Ex. XXIX, 38) qui n'était pas expiatoire. Pour l'agneau pascal, son sang avait arrêté l'ange exterminateur, il avait sauvé les Israélites, mais il n'avait pas un rapport direct avec le péché même quand il fut cité comme type du Christ (I Cor. v, 7 ; cf. Jo. XIX, 36). Quant au texte d'Isaïe, il est saisissant pour nous, mais une allusion si brève et si vague eût-elle été comprise ? Encore n'est-elle en situation que si l'Agneau prend sur lui les péchés, ce qui n'est pas dit. Noter le participe αἴρων, pour une action qui n'est pas commencée, mais qui caractérise une personne, et τοῦ κόσμου, ce n'est pas seulement Israël, mais le monde dont le péché doit être enlevé, quoique, à vrai dire, l'opposition soit plutôt entre Dieu et le monde pécheur qu'entre Israël et le reste du monde.

30) Cette déclaration est la même pour sa première partie que celle du v. 27, mais avec une raison que Jean n'avait pas donnée aux Pharisiens, et que Jo. avait déjà fait figurer dans le témoignage succinct du prologue, v. 15 ; ici il y a ἀνήρ en plus, amené peut-être par la présence humaine de Jésus. Jean déclare donc que dès à présent, quoique les apparences paraissent contraires, Jésus a passé devant lui, du droit de sa préexistence.

31) Une affirmation aussi extraordinaire devait être justifiée, car Jésus n'avait encore rien fait au dehors qui la motivât. Aussi Jean se réfère à une révélation spéciale. κἀγὼ οὐκ, « moi non plus » ; l'ignorance générale se comprend, et Jean n'avait pas non plus cette connaissance tout à fait extraordinaire dont il vient

ἵνα φανερωθῇ τῷ Ἰσραὴλ διὰ τοῦτο ἦλθον ἐγὼ ἐν ὕδατι βαπτίζων. [32] Καὶ ἐμαρτύρησεν Ἰωάννης λέγων ὅτι Τεθέαμαι τὸ πνεῦμα καταβαῖνον ὡς περιστερὰν ἐξ οὐρανοῦ, καὶ ἔμεινεν ἐπ' αὐτόν· [33] κἀγὼ οὐκ ᾔδειν αὐτόν, ἀλλ' ὁ πέμψας με βαπτίζειν ἐν ὕδατι ἐκεῖνός μοι εἶπεν Ἐφ' ὃν ἂν ἴδῃς τὸ πνεῦμα καταβαῖνον καὶ μένον ἐπ' αὐτόν, οὗτός ἐστιν ὁ βαπτίζων ἐν πνεύματι ἁγίῳ. [34] κἀγὼ ἑώρακα, καὶ μεμαρτύρηκα ὅτι οὗτός ἐστιν ὁ ἐκλεκτὸς τοῦ θεοῦ.

34. εκλεκτος ου υιος (THSV).

---

de parler : la vocation de Jésus qui est d'enlever le péché, son existence antérieure à celle d'un autre, né cependant avant lui. Jo. a pu écrire cela sans dessein de contredire Mt. III, 14, qui ne supposait encore ni cette connaissance, ni la manifestation publique que Jean accomplit maintenant. Le Messie devait être caché jusqu'à ce qu'Élie le fît connaître (καὶ φανερὸν πᾶσι ποιήσῃ, Justin, *Dial.* VIII, 4), et c'est précisément pour cela que Jean a eu mission de baptiser. C'est donc à l'occasion de son baptême que Jésus devait être connu de Jean, et il est bien étrange qu'on ait attribué à Jo. l'intention de mettre de côté le baptême (*Bauer*) et de le remplacer par autre chose. La manifestation du Messie, que Jean ne nomme toujours pas, était réservée d'abord à Israël. Le Baptiste s'attribue donc le rôle d'Élie, que les synoptiques lui ont reconnu d'après les paroles de Jésus (Mc. IX, 12; Mt. XVII, 12); et cependant il vient de dire aux prêtres qu'il n'est pas réellement Élie en personne. L'auteur semble donc nous inviter à le lire avec attention, à ne pas voir des contradictions où il n'y en a pas, dédaignant de s'expliquer lui-même (cf. *Introd.* p. XCV).

32) Jean avait donc mission de manifester le Messie, ce qui supposait qu'on le lui ferait connaître. Il n'a pas encore dit comment; c'est ce qu'il fait ici. L'enchaînement des idées est si étroit qu'on ne peut supposer une reprise du discours après un temps notable. Le signe était la descente de l'Esprit en forme de colombe, comme elle était racontée par les synoptiques au baptême de Jésus (Mc. I. 10 et par.); Jo. ajoute que la colombe demeura (cf. Is. XI, 2), ce qui était plus significatif, et indiquait aussi que pour le moment l'Esprit n'était pas donné à d'autres (VII, 39). — Loisy note que « dans la logique de l'Incarnation, le Logos fait homme n'a aucun besoin d'être sacré par l'Esprit » (p. 122); il en conclut que ce passage est ajouté au thème primitif. Il suffisait de constater qu'en effet il n'y a pas d'onction, telle que les Juifs l'attendaient (Justin, *Dial.* VIII, 4) χριστὸς δέ, εἰ καὶ γεγένηται καὶ ἔστιν που, ἄγνωστός ἐστι καὶ οὐδὲ αὐτός πω ἑαυτὸν ἐπίσταται οὐδὲ ἔχει δύναμίν τινα, μέχρις ἂν ἐλθὼν Ἡλίας χρίσῃ αὐτὸν καὶ φανερὸν πᾶσι ποίησῃ. Manifestement le Logos incarné ne ressemblait pas à ce Christ qui s'ignorait, dépourvu de toute puissance jusqu'au jour de son onction, qui le sacrait roi ou Messie. Et c'est peut-être pour cela que Jo. a évité jusqu'ici le terme de Messie comme trop au-dessous du Verbe incarné. La descente de l'Esprit qui s'arrête sur Jésus est simplement le signe donné à Jean, et conformément aux Écritures (Is. XI, 1 ss., XLII, 1; LXI, 2). Dans l'A. T. il n'était pas dit non plus que ce don de l'Esprit serait la nature divine ajoutée à la nature humaine

qu'il soit manifesté à Israël que je suis venu, moi qui baptise dans l'eau. » [32] Et Jean rendit témoignage, disant : « J'ai vu l'Esprit descendant du ciel comme une colombe, et il est demeuré sur lui; [33] et pour moi, je ne le connaissais pas; mais celui qui m'a envoyé baptiser dans l'eau, celui-là m'a dit : Celui sur qui tu verras l'Esprit descendre et demeurer, c'est lui qui baptise dans l'Esprit-Saint. [34] Et c'est bien ce que j'ai vu, et j'ai rendu témoignage que celui-ci

du Messie; selon la manière ordinaire, c'était plutôt un don, une impulsion en vue de l'action. C'était bien aussi le sens de la descente de l'Esprit dans les synoptiques; Jo. n'a donc pas changé ce qui se conciliait très bien avec sa théologie du Verbe, quoique le signe donné à Jean ait dû avoir sa raison d'être par rapport à Jésus lui-même; aussi bien Jean ne dit-il pas que le signe ne fut donné qu'à lui et en vue de lui seul.

33) Jean a bien indiqué le signe, mais comment en a-t-il compris la portée et le sens? C'est ce qu'il explique maintenant, en accentuant de nouveau son ignorance antérieure, dissipée par la révélation de celui qui l'a envoyé pour baptiser, mais seulement dans l'eau. Nouvelle insistance pour amener le trait définitif, celui du baptême dans l'Esprit-Saint. L'ordre est irréprochable, à la condition que la descente de l'Esprit-Saint ait eu lieu au moment du baptême de Jésus. Par cette déclaration, Jo. se réfère enfin à la mission du plus fort dans les synoptiques (Mc. I, 8; Mt. III, 11; Lc. III, 16). — ὁ βαπτίζων, comme ὁ αἴρων (29), participe immuable, entrant en exercice quand le temps sera venu, après le don de l'Esprit (VII, 39).

34) Au lieu de υἱός, ℵ (cf. Ox^2) 77 218 *e syrsin* et *cur* Amb. ont ἐκλεκτός, d'autres ont les deux (57 etc. *ab* ff^2 *sah.*). « Le mot « Fils » convient mieux à la théologie de l'auteur » (*Loisy*, 123), mais cette raison a pu frapper un copiste. Si on lit υἱός on supposera connu le récit des synoptiques (Mc. I, 11; Mt. III, 17; Lc. III, 22) sur la voix qui s'est fait entendre, sous la forme de Mt. : « Celui-ci est mon Fils bien-aimé. »

Il faut beaucoup de parti pris pour écrire : « C'est très délibérément qu'il [Jo.] a passé sous silence le baptême et qu'il y substitue le témoignage de Jean touchant la descente de l'Esprit. » « Sans doute notre auteur estimait-il que le baptême conféré par Jean ne relevait point comme il faut le Logos-Christ » (*Loisy*, 124). — Sans doute il ne le relevait pas du tout, pas plus que la Passion, si ce n'est comme un acte d'obéissance (XVIII, 11, etc.). Si Jo. avait voulu contredire les synoptiques, il n'eût pas dû écrire de façon à laisser croire qu'il tirait parti de leur récit. C'est en effet ce récit qui sert de base au témoignage de Jean. Il y a cependant encore, d'après Loisy, une grosse différence : « La tradition synoptique avait bien osé faire consacrer, en quelque sorte, Jésus comme Christ par Jean tenant la place d'Élie, mais elle ne s'était pas risquée à lui faire révéler publiquement le Christ, comme la tradition juive (cf. JUSTIN, *Dial.* (VIII; CX)) disait qu'il serait révélé par ce prophète » (p. 121). C'est exagérer pourtant l'audace des synoptiques : Jean n'y consacre pas le Christ, ce seraient l'Esprit et la voix du

[35] Τῇ ἐπαύριον πάλιν εἱστήκει ὁ Ἰωάννης καὶ ἐκ τῶν μαθητῶν αὐτοῦ δύο, [36] καὶ ἐμβλέψας τῷ Ἰησοῦ περιπατοῦντι λέγει Ἴδε ὁ ἀμνὸς τοῦ θεοῦ. [37] καὶ ἤκουσαν οἱ δύο μαθηταὶ αὐτοῦ λαλοῦντος καὶ ἠκολούθησαν τῷ Ἰησοῦ. [38] στραφεὶς δὲ ὁ Ἰησοῦς καὶ θεασάμενος αὐτοὺς ἀκολουθοῦντας λέγει αὐτοῖς Τί ζητεῖτε; οἱ δὲ εἶπαν αὐτῷ Ῥαββί, (ὃ λέγεται μεθερμηνευόμενον

35. ο. α. Ιωαννης (TSV) et non *om.* (H).
37. οι δυο μ. α. (TH) plutôt que αυτου οι δυο μ. (SV).

---

ciel, si l'on pouvait appeler cela une consécration. Il est vrai cependant qu'ils n'avaient pas accentué comme Jo. le caractère de révélateur et de témoin du Baptiste. Apparemment cela n'entrait pas dans leur plan. Que Jo. ne l'ait pas fait sans avoir une certitude historique, c'est ce que montrent les rapports de Jean avec les premiers disciples.

35-51. LES PREMIERS DISCIPLES DE JÉSUS.

Après le témoignage de Jean vient très naturellement l'impression qu'il produisit sur quelques-uns de ses disciples. La continuité du dessein de Dieu se marque en ceci que les principaux disciples de Jésus sont sortis du cercle du Baptiste. Ce récit, plus détaillé que ne le sont d'ordinaire ceux du IVe évangile, a l'aspect d'un souvenir lointain, caressé dans la mémoire, comme il arrive des événements qui ont changé le cours de notre vie. Le Christ s'y montre avec moins d'empire que dans la vocation des bords du lac, mais avec plus de séduction persuasive. Cette première entrevue explique d'ailleurs très bien comment la vocation définitive, dont Jo. ne parle pas, a été si vite menée.

35) πάλιν ne dit pas « assez naïvement » (*Loisy*) que Jean était là « de nouveau », car ce mot peut signifier « encore » (cf. XII, 39, etc.); c'était le lendemain de ce qui vient d'être dit. Jean est mis en scène avec deux disciples, ce qui ne prouve pas qu'ils fussent seuls ou que les deux n'eussent pas été présents la veille, mais leur présence est tout ce qui importe pour le moment. Jo. signale volontiers cette situation debout (III, 29; VII, 37; XII, 29; XVIII, 18. 25; XX, 14), qui est une position d'attente. Ce n'est pas Jean qui va chercher Jésus; c'est Jésus qui passe.

36) Alors Jean fixe sur lui son regard. La veille Jésus était venu vers Jean; ce jour-là il passe, comme pour ne pas attirer l'attention du Baptiste et provoquer une nouvelle déclaration. Cependant Jean répète les premiers mots de son témoignage de la veille. Il arrive que des discours très incisifs ne font impression que sur l'intelligence, et qu'un léger rappel ébranle la volonté. Ou bien les disciples entendant ce mot pour la première fois, frappés de ce qu'il avait d'énigmatique, ont-ils résolu soudain de s'enquérir auprès de Jésus lui-même? L'auteur ne le dit pas; la première hypothèse est plus vraisemblable.

37) Les deux disciples de Jean suivent Jésus, non pas comme ses disciples, mais dans l'intention de lui parler. La première démarche vient d'eux, mais provoquée par les paroles du Baptiste, qui parurent en singulière harmonie avec la douceur et la candeur que respirait toute la personne de Jésus. On ne voit

est l'élu de Dieu. » [35] Le lendemain, Jean se tenait encore [là], ainsi que deux de ses disciples, [36] et attachant son regard sur Jésus qui passait, il dit : « Voici l'agneau de Dieu. » [37] Et les deux disciples entendirent ce qu'il disait et suivirent Jésus. [38] Jésus s'étant retourné et voyant qu'ils le suivaient, leur dit : « Que cherchez-vous? » Ils lui dirent : « Rabbi », — ce qui signifie maître, — « où demeures-

pas d'ailleurs que Jean ait rien fait pour diriger ses disciples vers le Messie. Son rôle est seulement de le montrer. Aussi est-ce une fantaisie de Strauss d'avoir vu dans les deux disciples l'équivalent des deux messagers des synoptiques (Mt. XI, 2 ss.; Lc. VII, 18 ss.).

38) Si l'on veut « suivre » quelqu'un sans qu'il s'en doute, on le précède. Il est naturel que Jésus se soit aperçu de l'intention des disciples si naïvement manifestée, aussi Jo. ne parle d'aucune connaissance surnaturelle. Jésus donc se tourne et les regarde attentivement. Sa demande — la première parole qu'il prononce dans l'évangile — est moins banale que : « désirez-vous me parler »? qui serait peu encourageant. Elle équivaut à : « avez-vous besoin de quelque chose? » tout en autorisant un sens plus profond. Si les deux disciples suivent Jésus dans une telle circonstance, c'est qu'ils attendent de lui un bien de l'ordre moral. Cette question est posée à tout lecteur de l'évangile. — Les deux répondent par une interrogation, parce que, dans leur pensée, les choses qu'ils cherchent sont trop importantes pour être traitées sur le grand chemin. Ils disent Rabbi, quoique Jésus n'ait pas l'allure d'un docteur de profession, mais aussi était-ce souvent un simple titre de politesse (Monsieur), — quoique Jo. donne l'explication littérale, διδάσκαλος, « celui qui enseigne ». L'emploi de mots sémitiques, le soin de les expliquer, prouvent que l'auteur a conservé à ce morceau son aspect primitif, comme si, dans ce cas, les mots retentissaient encore. Loisy concède qu'il avait une certaine connaissance des choses juives; il y mêle un goût décidé pour l'allégorie : « C'est à raison de cette valeur mystique, et non par coquetterie d'érudit, que la forme sémitique des noms lui a paru bonne à garder » (p. 130). Serait-ce donc que la valeur mystique était attachée aux syllabes sémitiques et non au sens des mots, le même en grec qu'en hébreu ou en araméen? Cela relèverait plutôt de la magie que de la mystique. — μένω peut s'entendre d'un séjour très court, même dans Jo. (II, 12; IV, 40). Loisy : « Le Christ johannique n'est pas sans asile, comme le Christ synoptique » (Mt. VIII, 20; Lc. IX, 58) il a « sa maison »... (p. 127). Mais les synoptiques ne prétendent pas que Jésus ait toujours couché à la belle étoile, et Jo. ne parle pas d'une maison. La grande foule qui venait au baptême ne pouvait se loger dans les petits villages des bords du Jourdain; c'est là, et même mieux qu'en Galilée, qu'on pouvait dormir en plein air ou dans des cabanes de roseaux. Jésus avait un abri temporaire, pour le temps qu'il avait résolu de passer aux alentours du Baptiste, c'est tout ce que suggère le texte.

39) La réponse est agréablement calquée sur la demande, mais comme la demande impliquait plus que ne disaient les termes, la réponse a dû être accom-

Διδάσκαλε) ποῦ μένεις; [39]λέγει αὐτοῖς Ἔρχεσθε καὶ ἴδετε. ἦλθαν οὖν καὶ εἶδαν ποῦ μένει, καὶ παρ' αὐτῷ ἔμειναν τὴν ἡμέραν ἐκείνην· ὥρα ἦν ὡς δεκάτη. [40]Ἦν Ἀνδρέας ὁ ἀδελφὸς Σίμωνος Πέτρου εἷς ἐκ τῶν δύο τῶν ἀκουσάντων παρὰ Ἰωάννου καὶ ἀκολουθησάντων αὐτῷ· [41] εὑρίσκει οὗτος πρῶτον τὸν ἀδελφὸν τὸν ἴδιον Σίμωνα καὶ λέγει αὐτῷ Εὑρήκαμεν τὸν Μεσσίαν (ὅ ἐστιν μεθερμηνευόμενον Χριστός). [42]ἤγαγεν αὐτὸν πρὸς τὸν Ἰησοῦν.

39. ιδετε plutôt que οψεσθε (THSV).

---

pagnée d'un sourire : Vous verrez où je demeure; soyez-les bienvenus. Et en effet, c'est bien ce qu'ils virent. Quand nous voudrions tant savoir ce qui s'est dit, Jo. le tait et insiste sur des minuties; on peut cependant en déduire que l'entretien fut long. Commencé à la dixième heure, c'est-à-dire vers 4 heures du soir, il dura le reste de la journée. L'heure, calculée depuis le lever du soleil, doit marquer le moment où l'on arriva au gîte de Jésus, l'indication étant en rejet; cf. IV, 6; XIX, 14. Il serait tout à fait contraire aux usages de l'Orient que les deux disciples n'aient pas passé la nuit dans cet endroit (*Chrys. Cyr. Aug.*), mais ce n'était plus rester auprès de Jésus, c'est-à-dire pour l'entretenir. D'après Bauer (en 1912, et Loisy en 1921) *syrsin* et *syrcur* placent expressément le contenu de 40-42 au même jour. Il n'est pas tenu compte de la découverte de Mrs. Lewis qui lit dans *syrsin* v. 41 « au matin » (*om. syrcur.*) comme *e : et mane invenit,* avec *b* et *r*[1]. C'est donc le lendemain matin, d'après ces témoins et selon la vraisemblance, qu'André se mit en quête de son frère.

— Nous lisons ἴδετε qui correspond à la formule rabbinique courante : « viens et vois »; cf. I, 46 et XI, 34; ὄψεσθε de B C L doit être une élégance. Des copistes auraient pu harmoniser, mais il est plus probable que Jo. n'a pas changé cette formule.

40) André était l'un des deux : qui était l'autre? Chrys. a bien posé le dilemme : ou bien c'était un disciple qui ne joua aucun rôle, ou bien c'était l'auteur de l'évangile. Dans la première hypothèse (*Maldonat,* etc.), le disciple de Jean ne serait pas devenu tout à fait disciple de Jésus, et alors pourquoi le mettre en avant sans parler de son recul? D'autant que, sur cinq disciples, quatre seront nommés. Il semble donc (*Zahn, Schanz,* etc.) qu'on voie commencer ici le procédé de l'auteur qui évite de se nommer, mais qui se laisse suffisamment entrevoir (XIII, 23; XIX, 26; XX, 2; XXI, 7.20). Ici il ne dit pas : le disciple que Jésus aimait, car ils en sont à la première entrevue. La conjecture est tout à fait probable; M. Loisy lui accorde une certaine chance, mais à la condition que ce disciple ne soit qu'un symbole, « l'idéal de l'évangéliste, et, en ce sens, l'évangéliste lui-même » (p. 128). On ne voit guère ce que signifierait ici le symbole. D'autant que la principale raison pour reconnaître ici l'auteur, c'est la précision des détails qui lui est même peu habituelle, surtout quant à la succession des jours. Il tient à montrer dès le début qu'il est parfaitement bien informé et

tu? » [39] Il leur dit : « Venez et voyez. » Ils vinrent donc et surent où il demeurait, et ils demeurèrent auprès de lui ce jour-là : il était environ dix heures. [40] André, le frère de Simon Pierre, était un des deux qui avaient entendu les paroles de Jean, et qui l'avaient suivi; [41] il trouva tout d'abord son frère Simon et lui dit : « Nous avons trouvé le Messie »; ce qui signifie Christ. [42] Il l'amena à Jésus. Jésus

laisse entendre — ce que ses amis et disciples savaient plus clairement — qu'il était lui-même un des acteurs de ces premières scènes.

41) La leçon πρῶτος (T) adoptée par Zahn après beaucoup d'autres lui fournit un autre argument. Si André *le premier* a trouvé son *propre* frère, c'est que son compagnon, en second lieu, a trouvé son frère à lui, c'est-à-dire que Jean a amené Jacques, et que nous avons ici implicitement les quatre premiers appelés au bord du lac. C'est un peu trop subtil. D'ailleurs la leçon πρῶτον (om. *syrcur.*) est beaucoup plus soutenue (HSV), et s'explique sans difficulté pour désigner une première rencontre avant celles des vv. 43 et 45. La leçon πρωί proposée par Mrs Lewis (*The old syriac Gospels,* etc. p. XXVIII s.) d'après *syrsin b e r*[1] serait excellente, car elle préciserait le temps selon l'esprit de toute cette péricope : le lendemain, de bonne heure, car André a hâte de communiquer la bonne nouvelle. Mais elle est bien peu appuyée. — ἴδιος est assez souvent l'équivalent dans la *koinè* du pronom possessif (cf. Mt. XXII, 5), et on doit le déduire ici du contexte qui ne parle d'aucun autre frère. — Il est difficile de donner au premier εὑρίσκω le sens de rencontrer par hasard, et au second le sens de trouver après avoir cherché. Dans les deux cas André a cherché, seulement la première recherche était aisée; la seconde, dans laquelle il avait un compagnon, est l'objet d'une joie presque inespérée. Μεσσίας dans le N. T. ne figure qu'ici et IV, 25, les deux fois avec son explication de « oint »; c'est la transcription de l'araméen משיחא ou de l'hébreu משיח (cf. *Le Messianisme...* p. 213 ss.); l'article indique que l'Oint n'était pas tout à fait un nom propre. Cependant on ne pouvait se méprendre sur l'individualité qu'il désignait, à savoir le roi attendu pour sauver Israël; les conceptions d'André sont celles du peuple.

42) Toute l'initiative appartient à André qui amène son frère à Jésus. On a l'impression qu'André a trouvé, lui et un autre, celui que Pierre désirait aussi rencontrer, de sorte qu'il suffisait d'un mot pour le mettre au courant et pour l'entraîner. Les Pères n'ont donc pas tort de relever la foi et la docilité de Pierre; la meilleure preuve de ses bonnes dispositions est dans l'accueil qu'il va recevoir. Jésus fixe son regard (comme Jean au v. 36) avant de prononcer une parole importante; il parle avec autorité, prenant en quelque sorte possession de son disciple en changeant son nom. Bauer cite Strabon XIII, II, 4 : Τύρταμος δ' ἐκαλεῖτο ἔμπροσθεν ὁ Θεόφραστος, μετωνόμασε δ' αὐτὸν ὁ Ἀριστοτέλης Θεόφραστον, nom plus harmonieux et qui marquait le goût du disciple pour un style abondant. Jo. ne dit pas ici à quoi répondait dans la pensée de Jésus le nom de Képhas (cf. *Comm.* Mt. XVI, 17 s.). Pour ne pas multiplier les noms sémi-

ἐμβλέψας αὐτῷ ὁ Ἰησοῦς εἶπεν Σὺ εἶ Σίμων ὁ υἱὸς Ἰωάννου, σὺ κληθήσῃ Κηφᾶς (ὃ ἑρμηνεύεται Πέτρος). [43] Τῇ ἐπαύριον ἠθέλησεν ἐξελθεῖν εἰς τὴν Γαλιλαίαν. καὶ εὑρίσκει Φίλιππον καὶ λέγει αὐτῷ ὁ Ἰησοῦς Ἀκολούθει μοι. [44] ἦν δὲ ὁ Φίλιππος ἀπὸ Βηθσαιδά, ἐκ τῆς πόλεως Ἀνδρέου καὶ Πέτρου. [45] εὑρίσκει Φίλιππος τὸν Ναθαναὴλ καὶ λέγει αὐτῷ Ὃν ἔγραψεν Μωυσῆς ἐν τῷ νόμῳ καὶ οἱ προφῆται εὑρήκαμεν, Ἰησοῦν υἱὸν τοῦ

tiques, il nomme Simon υἱὸς Ἰωάννου, tandis que dans Mt. il est Βαριωνᾶς, simple transcription de l'araméen. Ἰωάννης était peut-être un équivalent admis pour יונא, comme il l'était pour יוחנן, nom beaucoup plus fréquent. Σίμων était lui-même un équivalent vraiment grec de שִׁמְעוֹן, transcrit plus strictement Συμέων, ce dernier, à propos de Pierre, seulement dans Act. xv, 14 et plus probablement II Pet. I, 1. On dirait bien que dans la pensée de Jo., Jésus a connu de sa science propre le nom du nouveau venu aussi bien que celui qu'il convenait d'y substituer; le premier point n'est pas mis en vedette, d'autant qu'André avait pu parler des siens. Mais il attache de l'importance au second, puisque Σίμων ne sera pas employé seul, mais toujours avec Πέτρος (sauf dans l'interpellation solennelle de xxi, 15.16.17), tandis que Πέτρος, dont le sens est désormais connu, paraîtra seul. Il a donc bien voulu marquer que le changement de nom eut lieu dès le premier jour, — ce qui est conforme à l'usage de Mt. IV, 18, etc. — mais sans en donner la raison, réservée pour plus tard dans Mt. — Jo. n'entend pas le contredire tacitement sur ce point, car il ne prétend pas dès lors signifier « l'institution de l'Église chrétienne » (*Loisy*). L'impression faite sur André nous est connue; il n'est rien dit de celle de Pierre. André lui-même aurait-il alors fait une confession aussi ferme que celle de Pierre à Césarée? Il y a beaucoup de distance entre un premier enthousiasme et une conviction réfléchie (cf. VI, 68).

43) Si l'on ne connaissait par ailleurs quelque chose de l'histoire de Jésus — et l'on avait les synoptiques, — on s'étonnerait que Jésus ne restât pas chez lui en Judée. Et d'où venaient Pierre et André? Jo. ne le dira qu'à propos du lieu d'origine de Philippe, v. 44. Il compte donc sur les données acquises à ses lecteurs. Ils devaient penser que Jésus, venu de Galilée pour être baptisé, après avoir passé quarante jours dans le désert était revenu près du Jourdain, comme pour prendre congé du Baptiste, et qu'il se disposait à retourner en Galilée. ἐξελθεῖν n'indique pas nécessairement sortir de son pays, mais seulement du lieu où l'on est, ou même s'en aller : ἀφ' ὡς ἐ<κ>ξῆλθες ἀπ' ἐμοῦ (*MM*) « depuis que tu m'as quitté », et cela est ici indiqué par εἰς. Jésus ne sort pas *de* la Judée, il part *pour* la Galilée. Il faut aussi noter (*Mald.*) la force du mot ἠθέλησεν : *certo consilio*. Jésus *veut* aller en Galilée parce que c'est là qu'il doit se manifester. Et pour Jo. cette volonté exprimée clairement suffit à indiquer le fait du voyage. Au ch. II, 1, nous sommes en Galilée; on ne dit pas quand Jésus y est arrivé. Nous préférons (avec *Mald. Loisy*) placer le voyage ici plutôt qu'après la vocation de Nathanaël. Comment tous ces Galiléens se seraient-ils trouvés en Judée? Il y a des figuiers à Jéricho, mais Nathanaël sous le figuier a l'air d'être chez

arrêtant son regard sur lui, dit : « Tu es Simon, le fils de Jean; tu t'appelleras Céphas »; ce qui signifie Pierre.

[43] Le lendemain Jésus résolut de partir pour la Galilée, et il trouve Philippe. Et Jésus lui dit : « Suis-moi. » [44] Or Philippe était de Bethsaïda, de la ville d'André et de Pierre. [45] Philippe trouve Nathanaël, et lui dit : « Celui dont ont écrit Moïse dans la loi, et les prophètes,

lui. — εὑρίσκει doit donc se placer près de la Galilée. C'est le même verbe que v. 41, ce qui donne l'apparence d'une continuité au même lieu, mais cette continuité n'est en réalité que dans le même dessein de Dieu et de l'évangéliste, poursuivant le thème des premières vocations. Jésus rencontre Philippe à point nommé pour lui dire : « suis-moi »! non pas : viens en ma compagnie en Galilée (*Schanz*, etc.), mais « sois mon disciple », comme pour Matthieu (Mt. VIII, 22 et par.).

44) Jugeant inutile de dire que Philippe a obéi à cet appel, puisqu'il le présentera comme un propagandiste, Jo. note seulement que Philippe était de Bethsaïda, que nous savons par les synoptiques être sur les bords du lac de Tibériade (cf. *Comm.* Mc. VI, 45; Lc. IX, 10), et nous apprenons en même temps que c'était la patrie d'André et de Pierre; on dirait que, rentrés chez eux, ils ont causé avec leur compatriote, si le dessein de Jo. ne paraissait assez clair d'attribuer cette fois toute l'initiative à Jésus.

45) A son tour, toujours selon le même dessein divin, Philippe, qui s'était un moment détaché des autres, rencontre Nathanaël, et lui parle comme André avait parlé à Pierre, au pluriel, parce que désormais il fait partie du groupe. Au lieu de dire le Messie, il se sert d'une périphrase; le rappel de Moïse ne doit nullement être restreint à Dt. XVIII, 15. 18; la Loi, en tant que distincte des Prophètes, comprenait tout le Pentateuque, avec des textes comme Gen. XII, 3, XLIX, 10, si bien que Moïse, dans la Loi, avait en vue le Christ (V, 45). Quant aux prophètes, sans dresser ici la liste des prophéties messianiques, rappelons qu'Isaïe avait annoncé un miraculeux rejeton de Jessé (XI, 1 ss.). Cet objet des Écritures, c'est Jésus, fils (υἱόν) de Joseph de Nazareth. En disant τὸν υἱόν, Philippe aurait insinué qu'il était connu des deux interlocuteurs (*Schanz*); c'est donc : un certain fils de Joseph. Philippe s'était informé vaguement et parlait comme tout le monde, sans probablement en savoir davantage. L'évangéliste montre ici sa probité; ce n'est pas lui qui parle (contre *Bauer*, *Loisy*), c'est Philippe, et c'est pour cela qu'il ajoute, ce qui était très vrai, que Jésus était de Nazareth, puisqu'il n'était né à Bethléem que par une circonstance providentielle. D'après Loisy, l'évangéliste ignore délibérément le miracle de la conception virginale et la naissance à Bethléem. Mais, du moins, il n'ignorait pas que Jésus était le Fils de Dieu incarné; Loisy dit très bien : « Son langage ne prouve pas qu'il ait regardé le Christ comme étant réellement, en son humanité, fils de Joseph et de Marie; il a voulu signifier plutôt que le Logos en chair avait été pour les Juifs « Jésus fils de Joseph, de Nazareth » (p. 134). Plus simplement : il a fait parler Philippe selon l'opinion commune, sans engager sa personne et son

Ἰωσὴφ τὸν ἀπὸ Ναζαρέτ. [46]καὶ εἶπεν αὐτῷ Ναθαναήλ Ἐκ Ναζαρὲτ δύναταί τι ἀγαθὸν εἶναι; λέγει αὐτῷ Φίλιππος Ἔρχου καὶ ἴδε. // [47]εἶδεν Ἰησοῦς τὸν Ναθαναὴλ ἐρχόμενον πρὸς αὐτὸν καὶ λέγει περὶ αὐτοῦ Ἴδε ἀληθῶς Ἰσραηλίτης ἐν ᾧ δόλος οὐκ ἔστιν. [48]λέγει αὐτῷ Ναθαναήλ Πόθεν με γινώσκεις; ἀπεκρίθη Ἰησοῦς καὶ εἶπεν αὐτῷ Πρὸ τοῦ σε Φίλιππον φωνῆσαι ὄντα ὑπὸ τὴν συκῆν εἶδόν σε. [49]ἀπεκρίθη αὐτῷ Ναθαναήλ Ῥαββί, σὺ εἶ ὁ υἱὸς τοῦ θεοῦ, σὺ βασιλεὺς εἶ τοῦ Ἰσραήλ. [50]ἀπεκρίθη Ἰησοῦς καὶ εἶπεν αὐτῷ Ὅτι εἶπόν σοι ὅτι εἶδόν σε ὑποκάτω τῆς συκῆς πιστεύεις; μείζω

46. *om.* ο *a.* Φιλιππος (TSV) plutôt que *add.* (H).
49. *om.* και λεγει *p.* Ναθαναηλ (TH) plutôt que *add.* (SV).

---

autorité dans une formule qu'il jugeait fausse; et ce sera encore le cas VI, 42; VII, 27.28. Le nom de Nathanaël est en hébreu massor. נְתַנְאֵל (Dieu a donné), mais Ναθαναήλ garde mieux la prononciation ancienne (cf. babyl. *natan-ili*); il pouvait être porté dans une population parlant araméen. Dans XXI, 2, Nathanaël est de Cana en Galilée; sa présence prouve bien que nous sommes déjà en Galilée, et explique l'arrivée de Jésus aux noces. On admet volontiers que ce Nathanaël a dû être un apôtre, et que c'est Barthélemy, associé à Philippe dans les catalogues des synoptiques (Mt. X, 3; Mc. III, 18; Lc. VI, 14). Barthélemy serait une désignation qu'il était fils de Tolmaï. Zahn ne connaît aucun témoin de cette opinion avant le XIIIe s.; c'est cependant celle d'Ich'odad (vers 850) : « il est admis que Nathanaël, c'est-à-dire Bar Toulmi, était bien instruit des écritures. » Peut-être les Grecs et les Latins ont-ils été arrêtés par ce nom différent, ne comprenant pas comme les Syriens qu'il était patronymique. — Sur Nazareth, cf. *Comm.* Mt. II, 23.

46) L'objection de Nathanaël n'est pas celle des Juifs de Jérusalem contre la Galilée (VII, 41), car elle eût porté contre sa propre région. C'est une querelle de voisins. Étant de Cana, il n'a pas meilleure opinion de Nazareth que les Athéniens des Béotiens. Il sait d'ailleurs que cela ne peut fâcher Philippe qui n'en est pas. Mais aucun préjugé ne tient contre un fait. Philippe persuade à Nathanaël de venir voir, probablement au lieu où s'était arrêtée la petite caravane.

47) ἀληθῶς Ἰσραηλίτης ne doit pas être simplement synonyme de ἀληθινός Ἰ., « un Israélite vrai », mais signifie « vraiment digne du nom d'Israélite »; cf. *Plat.* 1,642 D ἀληθῶς καὶ οὔτι πλαστῶς ἀγαθοί. Il serait étonnant qu'il n'y ait pas là une allusion au sens d'Israël, qu'on pouvait rattacher à la racine יָשַׁר, « être droit », sans aucune prétention à l'étymologie philologique. Du moins Iechouroun, nom bienveillant donné à Israël (Dt. XXXIII, 5.26; Is. XLIV, 2), est traduit par Jérôme *rectissimus*, Sym. ὁ εὐθύς. En effet, ce qui suit explique la première pensée : être digne du nom d'Israélite, c'était n'avoir pas de ruse; cf. Ps. XXXI, 2 οὐδέ ἐστιν ἐν τῷ στόματι αὐτοῦ δόλος. Cette qualité n'était pas

nous l'avons trouvé; c'est Jésus fils de Joseph, de Nazareth. » [46] Et Nathanaël lui dit : « De Nazareth peut-il venir quelque chose de bon? » Philippe lui dit : « Viens et vois. » [47] Jésus vit Nathanaël venant à lui, et dit de lui : « Voici un véritable Israélite, en qui il n'est point d'artifice. » [48] Nathanaël lui dit : « D'où me connais-tu? » Jésus répondit et lui dit : « Avant que Philippe t'appelât, quand tu étais sous le figuier, je t'ai vu. » [49] Nathanaël lui répondit : « Rabbi, tu es le Fils de Dieu, tu es le roi d'Israël! » [50] Jésus lui répondit : « Parce que je t'ai dit que je t'ai vu sous le figuier, tu crois? Tu

d'ailleurs si fréquente en Israël (Os. xii, 1) qu'il ne valût la peine de la relever magnifiquement.

48) Nathanaël ne se laisse pas séduire par un compliment. Sa réponse, en forme interrogative, prouve qu'il ne voudrait pas être dupe. La réplique du Maître a le caractère d'un signe extraordinaire. Que Jésus ait vu à distance Nathanaël sous le figuier de son jardin (III Regn. iv, 25 (Vg.); Mich. iv, 4; Zach. iii, 10), quand Philippe l'a appelé, cela témoignerait d'une vision extraordinaire, mais ne répondrait pas à la question. « Je t'ai vu » doit signifier ici j'ai vu qui tu es. Il est nécessaire de supposer que ce figuier rappelle à Nathanaël une circonstance, une crise de sa vie intérieure, car il ne saurait pour lui être question d'un péché grave. Peut-être Nathanaël ouvrait-il son cœur à Dieu en le priant de lui faire connaître l'avènement du Messie. C'est quelque chose comme le signe de sainte Jeanne d'Arc donné au roi Charles VII. Loisy l'a très bien compris. Il ajoute : « Toute cette mise en scène est incohérente et bizarre si l'incident du figuier n'est pas symbolique » (p. 136), mais il néglige de dire quel est le symbole du figuier. L'ombre du péché (*Aug.*)? L'ombre de la Loi (*Grég.*)? Inutile de chercher. Ce qui demeure voilé n'est pas pour cela incohérent. Jo. marque très clairement que Jésus a su se faire comprendre à demi-mot.

49) La confession de Nathanaël dit la même chose de deux façons. Il reconnaît le Messie comme roi d'Israël, ou sous le nom de fils de Dieu. Thomas : *Si enim intellexisset eum esse Filium Dei per naturam, non dixisset : Tu es rex Israel solum, sed totius mundi.* Loisy exagère : « Mais il est plus conforme à l'esprit johannique de supposer... que le nouveau disciple a reconnu le Logos-Christ à sa science divine » (p. 136). Si Jo. ne parle jamais plus du Logos, c'est qu'il a conscience d'en avoir dit aux chrétiens de son temps plus que n'en savaient d'abord les disciples. D'ailleurs si Nathanaël avait été si avancé, il n'eût pas eu besoin d'en voir davantage (*Thom.*).

50) Le signe donné était suffisant pour reconnaître l'envoyé de Dieu. Jésus cependant promet d'autres signes, et cela à Nathanaël lui-même. Il est donc demeuré un fidèle disciple. Augustin l'exclut de la liste des Douze comme trop savant. Mais cela ne résulte pas de ses entretiens avec Philippe et avec le Sauveur; et il se serait mis sans doute au niveau de ceux qui avaient tout à apprendre.

τούτων ὄψῃ. [51]καὶ λέγει αὐτῷ Ἀμὴν ἀμὴν λέγω ὑμῖν, ὄψεσθε τὸν οὐρανὸν ἀνεῳγότα καὶ τοὺς ἀγγέλους τοῦ θεοῦ ἀναβαίνοντας καὶ καταβαίνοντας ἐπὶ τὸν υἱὸν τοῦ ἀνθρώπου.

51) ἀμήν répété, ce qu'on ne trouve pas dans les synoptiques, tandis que Jo. a toujours la répétition, comme plus solennelle; mais c'est bien l'écho de la même manière. Dans l'A. T. héb. on trouve *amen* répété (Num. v, 22; Neh. viii, 6; Ps. xli, 14; lxxii, 19), mais seulement comme adhésion à ce qui vient d'être dit. La formule de Jésus est donc originale. Il s'adresse à Nathanaël, mais aussi aux autres, ὄψεσθε. Ce qui suit est manifestement une allusion à la célèbre échelle de Jacob, le long de laquelle les anges montaient et descendaient (Gen. xxviii, 10-17). C'est une manière de dire qu'aux miracles de Jésus les disciples reconnaîtront que le ciel est ouvert, et que les anges montent et descendent alternativement, sans doute au service du Fils de l'homme : ἐπί s'entend de toute la manœuvre qui se passe au-dessus de sa tête, comme pour Jacob. Il ne faut donc point demander à quel moment de la vie de Jésus ce phénomène s'est réalisé littéralement par une vision sensible. Et en effet ce ne peut être ni le baptême déjà passé, ni la résurrection, ni l'ascension, ni le jugement (*Mald.*), trop loin dans l'avenir, puisque c'est une manifestation suivie qui doit conduire à une foi plus haute que celle de Nathanaël en ce moment. Thomas, résumant Augustin : *Angeli autem ascendunt et descendunt, inquantum ei adsunt obsequendo et ministrando.* Philon (cité par *Bauer*), *de Somniis,* I, 140 s. (*Mang.* I, 642) interprétait le songe de Jacob comme une allégorie du ministère des anges ou plutôt des raisons par lesquelles Dieu éclaire les hommes selon les lois ordinaires de sa Providence. Ici c'est tout le programme de la manifestation divine qui va s'accomplir. — On a dit très bien que « Fils de l'homme » n'a pas une importance spéciale dans le quatrième évangile; si donc Jo. emploie ce terme treize fois, c'est qu'il entend bien garder le contact avec la tradition des synoptiques; et si dans onze cas c'est Jésus lui-même qui prend ce titre, c'est une preuve que telle était bien la tradition, écho fidèle du fait (cf. *Comm.* Mc. p. cxxxv ss.).

Sur les premières vocations. Nous nous sommes abstenu d'insérer (avec *Zahn*) implicitement un appel de Jean, le disciple innommé, à son frère Jacques, de façon à retrouver les quatre premiers appels de Mc. et de Mt., celui de Philippe, le cinquième, remplaçant celui de Matthieu-Lévi. — Il nous semble plutôt que ces premières relations de Jésus avec ses disciples sont distinctes des vocations décisives des synoptiques (Mc. i, 14 ss. et par.). Celles-ci ont eu lieu après l'arrestation de Jean, sur les bords du lac; elles ne nomment pas les mêmes personnes, si ce n'est André et Pierre; elles ne procèdent pas de la même façon. Nathanaël qui a tous les honneurs dans Jo. ne paraît pas dans les synoptiques. On note surtout que les disciples dans Jo. reconnaissent aussitôt le Messie, tandis que d'après les synoptiques ils ne l'ont confessé que longtemps après. Bauer conclut que Jo. a écrit en vue de sa théologie : « Le verbe incarné doit dès le début marcher dans la pleine lumière de la filiation divine », ou comme dit Loisy : « La manifestation du Logos en chair n'admettait point de tels retards » (p. 131).

verras de plus grandes choses que celles-là. » [51] Et il lui dit : « En vérité, en vérité je vous le dis : vous verrez le ciel ouvert et les anges de Dieu montant et descendant au-dessus du Fils de l'homme. »

Ces savants s'obstinent donc à mettre Logos où Jo. a dit Messie. On peut penser aussi que le détachement complet des apôtres selon les synoptiques vaut bien un hommage verbal. Ne dirait-on pas, en lisant cette page printanière, animée de l'enthousiasme de jeunes cœurs prompts à se donner, qu'il leur manquait une conviction plus solide pour résister à l'opposition des chefs spirituels de la nation? La réflexion de Jésus à Nathanaël ne le blâme pas d'avoir cru, mais promet à cette foi naissante un nouvel appui. On voit bien que, présentée par Jean avec une humilité respectueuse et attendrie, la personne de Jésus a exercé une séduction extrême, mais tout indique — sans reprendre l'idylle galiléenne de Renan — qu'il en fut bien ainsi. Jo. n'a donc pas sacrifié la réalité à un théorème théologique, sachant bien et disant que la lumière ne s'est pas répandue toute d'un seul coup. Dans sa pensée, cette première attache est une aurore; elle en a le charme, et en partie le caractère passager. Après ces préliminaires, on comprend mieux comment Jésus a pu si brusquement adresser son appel à des pêcheurs occupés à leur métier. Le moment d'agir étant venu, il les entraînera à sa suite.

CHAPITRE II

[1]Καὶ τῇ ἡμέρᾳ τῇ τρίτῃ γάμος ἐγένετο ἐν Κανὰ τῆς Γαλιλαίας, καὶ ἦν ἡ μήτηρ τοῦ Ἰησοῦ ἐκεῖ· [2]ἐκλήθη δὲ καὶ ὁ Ἰησοῦς καὶ οἱ μαθηταὶ αὐτοῦ εἰς τὸν γάμον. [3]καὶ οἶνον οὐκ εἶχον, ὅτι συνετελέσθη ὁ οἶνος τοῦ γάμου, εἶτα λέγει ἡ μήτηρ τοῦ Ἰησοῦ πρὸς αὐτόν Οἶνον οὐκ

3. οινον... ειτα (T) plutôt que υστερησαντος οινου (HSV).

1-11. LE PREMIER MIRACLE DE JÉSUS AUX NOCES DE CANA.

Les tentatives pour maintenir la réalité des faits sans y laisser subsister le miracle ont échoué. Il ne reste en présence que l'interprétation catholique, qui voit ici l'histoire d'un miracle, et la critique alléguant que l'histoire a été construite pour exprimer un symbole. Si c'eût été l'intention de Jo., nous n'aurions qu'à la reconnaître, et à interpréter son récit comme une parabole mise en action. Mais on prétend à la fois (*Bauer*) que Jo. ne fait que tisser une allégorie et qu'il croit à la réalité des faits. S'il a entendu écrire un fait réel, il faudrait donc prouver qu'il ne peut pas l'être. Pour ne pas s'en tenir à la négation du miracle, on allègue les invraisemblances du récit. Dans l'explication on verra qu'il n'y en a aucune, et nous essayerons de découvrir ce qu'il peut y avoir de symbolique dans des faits d'ailleurs réels.

1) Le plus naturel est de rattacher ce troisième jour à I, 43, le départ pour la Galilée. Trois jours suffisaient pour se rendre, même du bas cours du Jourdain, à une ville de Galilée. Cependant il n'est pas prouvé que Jo. ait entendu fixer les dates d'une façon suivie. Elles sont peut-être marquées d'événement en événement : ici le dernier événement est la conversation avec Nathanaël. — Si l'on tient à suppléer au silence de Jo., on peut concevoir deux itinéraires. Des environs de Jéricho, à plus forte raison d'un point plus au nord, on peut aisément gagner Beisan (alors Scythopolis) en deux jours ; de là à Nazareth par la vallée qui fait suite à la plaine d'Esdrelon (ou. Djaloud), un jour. Ce sera l'itinéraire de ceux qui pensent que les trois jours ont leur point de départ à I, 43. D'autres supposeront que Jo. a nommé Bethsaïda patrie de Philippe, de Pierre et d'André comme un point de repère. C'est près de là que Jésus aura appelé Philippe. Pendant que Jésus s'arrêtait quelque peu auprès des deux frères, Philippe aura eu des raisons d'aller à Cana où il aura trouvé Nathanaël chez lui (XXI, 2) pour l'amener à Jésus. Après trois jours, tout ce monde aura pris la direction de Cana sans toucher à Nazareth, qui est au delà en venant du lac.

Cela est vrai du Kh. Qana, au nord de Sephoris, aussi bien que de Kefr

[1] Et le troisième jour il se fit des noces à Cana de Galilée, et la mère de Jésus était là; [2] or Jésus aussi fut invité aux noces, ainsi que ses disciples. [3] Et ils n'avaient plus de vin, parce que le vin des noces était épuisé. Ensuite la mère de Jésus lui dit : « Ils n'ont plus de

Kenna. Kefr Kenna représente moins bien la prononciation du K qui doit représenter un ק sémitique, mais entre ce village, distant de Nazareth de neuf ou dix kilomètres et cette ville, il y a une source el-Qana, qui a conservé l'ancien son. Jérôme dans la lettre à Marcelle (ep. XLVI) indique un point près de Nazareth sur la route du Thabor : *haud procul inde cernetur Cana, in qua aquae in vinum versae sunt. Pergemus ad Itabyrum.* La tradition actuelle de Kefr Kenna est donc solide, d'autant qu'on y a découvert les ruines d'une église byzantine où l'on voit une inscription araméenne. Le Cana d'Aser (Jo. XIX, 28) est hors de la perspective; le Kh. Qana n'est désigné par aucune tradition (l'addition *el-Djelîl* n'est pas certaine), il n'est pas prouvé que Josèphe l'ait eu en vue (*Vita,* 16).

La mère de Jésus était là, non pas à demeure, mais comme invitée, ainsi que le prouve le v. 2. En disant « la mère de Jésus », sans lui donner son nom de Marie, connu de tous, Jo. emploie la manière la plus honorable, aujourd'hui encore parmi les Arabes, pour nommer une femme qui a eu un fils. C'est par un dessein très réfléchi qu'il la met en scène avant le premier miracle de Jésus, comme elle sera présente au moment de sa mort (ἡ μήτηρ αὐτοῦ, XIX, 25).

2) Jésus aussi fut invité et ses disciples. Pourquoi inviter à Cana les disciples de Jésus, alors qu'on ne pouvait savoir qu'ils étaient de sa compagnie, attendu qu'ils appartenaient à une région assez éloignée? On ne le comprend bien qu'en supposant que Nathanaël, qui était de Cana, les a amenés avec lui, et les a fait inviter à la noce, ce qui ne les détournait pas de Nazareth (nommée I, 45). On comprend aussi de la sorte qu'ils ne soient pas arrivés avec Marie venue du côté opposé et qui était déjà là quand Jésus fut invité. — ἐκλήθη est en effet un aoriste qui ne doit pas être rendu par un plus-que-parfait sans nécessité (*Schanz*). Peut-être la noce était-elle déjà commencée; elle a pu durer sept jours (Jud. XIV, 17; Tob. XI, 21)!

3) La leçon de HSV est ὑστερήσαντος οἴνου d'après tous les témoins, sauf ℵ *a b ff*[2] *r syr.* de Jérusalem en marge, et *e l.* Tandis que ces derniers ont *factum est per multam turbam vocitorum vinum consummari,* T. lit avec les premiers : καὶ οἶνον οὐκ εἶχον, ὅτι συνετελέσθη ὁ οἶνος τοῦ γάμου. εἶτα, — leçon que nous avons préférée avec Loisy et Zahn. Ce style plus diffus est dans la manière de Jean, ainsi que εἶτα (XIX, 27; XX, 27). La leçon reçue s'explique comme une correction élégante. Mais, dans le même ℵ, οἶνος οὐκ ἔστιν (T) nous paraît à son tour une correction pour éviter la répétition; nous préférons donc οἶνον οὐκ ἔχουσιν, appuyé cette fois par les *latt.* anciens. — Ce dernier point ne change rien au sens, mais le début que nous adoptons indique au moins une nuance. La noce touche à sa fin; le vin qu'on avait préparé est épuisé. De nouveaux convives arrivent. Leur présence rend la situation plus difficile : on voudrait faire honneur à ces hôtes. La bonne Mère de Jésus se dit que son fils pourrait tout arranger. Elle se contente de le mettre au courant, mais, dans l'esprit du récit, elle demande un

ἔχουσιν. [4]καὶ λέγει αὐτῇ ὁ Ἰησοῦς Τί ἐμοὶ καὶ σοί, γύναι; οὔπω ἥκει ἡ ὥρα μου. [5]λέγει ἡ μήτηρ αὐτοῦ τοῖς διακόνοις Ὅ τι ἂν λέγῃ ὑμῖν

miracle (*Loisy*), et si cela est conforme à la théologie de l'Incarnation, nous savons que Marie n'y était pas étrangère, non seulement par les récits de Mt. et de Lc. sur la conception virginale, mais encore par Jo. puisque c'est en elle que le Verbe est devenu chair (I, 14). D'après Zahn, Marie ne pouvait se douter de rien, parce que Jésus n'avait pas encore fait de miracle ; elle lui fait seulement confidence de ses inquiétudes, selon sa coutume. Ce n'est pas ce que comprend Jésus qui, d'abord, refuse.

4) La réponse de Jésus comprend deux phrases, qui ne doivent pas être isolées, mais qu'il faut expliquer l'une après l'autre. Il est clair d'abord qu'il ne prétend pas nier qu'il soit le fils de celle que Jo. présente comme sa mère, comme ont osé l'avancer les Manichéens (*Aug. ad h. l.*). Ce n'est pas non plus une manière de dire : nous n'avons pas à nous en occuper : *commoda quidem et pia interpretatio, si loquendi consuetudo pateretur* (*Mald.*). A l'opposé, Irénée y a vu un reproche : *Dominus repellens eius intempestivam festinationem* (*Haer.* III, XVI, 7); mais comment Marie aurait-elle eu l'intention de prévenir les desseins de Dieu en s'abstenant même d'une demande explicite? Chrysostome a hasardé la conjecture d'un sentiment de vaine gloire; mais quel rapport y a-t-il entre cette indication modeste et compatissante d'une part, et l'exigence déplacée des frères de Jésus, véritable mise en demeure (VII, 3)? Un interprète ne doit ni dissimuler le sens naturel des mots, ni les envisager seuls sans tenir compte du contexte, et il faut ajouter, de la situation. Les Arabes de Palestine emploient fréquemment encore *ma-lech, quid tibi?* C'est un mot dont toute la portée est dans l'accent qu'on y met. Tantôt il signifie : « occupez-vous de vos affaires », et tantôt, avec un sourire : « laissez-moi faire, tout ira bien ». Or il ressort de tout le récit que cette seconde manière est bien celle de Cana, avec plus de dignité dans le ton, mais sans doute aussi plus d'affection dans l'accent. — τί ἐμοὶ καὶ σοί a été souvent traduit : « qu'y a-t-il de commun entre vous et moi? » — C'est un fait qu'en grec κοινόν est quelquefois ajouté à cette locution, mais on nous avertit que ce n'est pas une raison pour le sous-entendre quand il est absent (*Kühn.-Gerth,* II, 1, 417 n. 20). Dans ce cas le sens dépend du contexte. Dans Épictète, II, 19, 16 τί ἡμῖν καὶ σοί se dit à quelqu'un qui pose des questions oiseuses au lieu de secourir un naufragé : ce n'est pas ce qu'exige la situation ! De même la traduction de מה-לי ולך dans la Bible (Jud. XI, 12; II Regn. XVI, 10; XIX, 22; III Regn. XVII, 18; IV Regn. III, 13; II Paral. XXXV, 21 = I Esd. I, 24) est toujours une réponse négative; le sens est laissez-moi ! De même dans le N. T. Mt. VIII, 29; Mc. I, 24; V, 7; Lc. IV, 34; VIII, 28. Naturellement les mêmes mots pouvaient être accentués beaucoup plus fortement envers un ennemi, qu'envers un ami simplement mal avisé. — γύναι n'est point du tout un manque de respect; c'est le mot de Jésus en croix (XIX, 26) à sa mère. Il ne faut donc voir là aucune intention de lui rappeler la distance entre une femme et le Verbe incarné; cf. Jos. *Ant.* I, XVI, 3, avec une intention très polie. Il y a ici de la solennité plutôt qu'un manque d'égards. Ce qui est clair, c'est que cette première partie de la phrase décline la proposition. Un refus peut avoir l'accent d'un reproche si

vin. » [4] Et Jésus lui dit : « Qu'importe à moi et à toi, femme? mon heure n'est pas encore venue. » [5] Sa mère dit aux serviteurs : « Quoi

l'intervention est vraiment indiscrète. Ce n'est pas le cas ici, puisque la raison du refus sera de nature à l'adoucir. — Cette raison, c'est que le moment n'est pas venu. Dans ἡ ὥρα μου on a vu souvent avec Aug. une allusion à la Passion; cf. ἡ ὥρα αὐτοῦ VII, 30; VIII, 20; XIII, 1, et cf. XII, 23. 27; XVII, 1, et (avec ὁ καιρὸς ὁ ἐμός) VII, 6. 8. Cependant dans le cas présent le contexte indique bien clairement le temps de répondre au désir de sa mère, c'est-à-dire de faire un miracle. Cette heure il la connaît, elle est déjà fixée d'une certaine manière, c'est le moment où il doit se manifester, en attendant la manifestation plus éclatante qui suivra sa mort. Cependant il y a trop de gravité solennelle dans ces mots pour qu'on puisse les entendre : Patience, ce n'est pas encore; ce sera dans un instant. Marie doit s'en rapporter entièrement à Jésus. Elle n'a pas eu tort de s'intéresser aux convives, de s'épancher avec son fils, de recourir à lui. Elle ne savait pas que le temps n'était pas venu, ce qui ne peut lui être reproché. En effet on dirait bien que « mon » heure marque une attitude nouvelle. D'après Schanz, Jésus décline toute intervention dans l'œuvre messianique, qu'il doit entreprendre d'après la volonté de son Père, indépendamment de toute influence humaine; — ce n'est pas exact puisque l'intervention de Marie va amener le miracle. Cependant il est bien vrai qu'il entre pour ainsi dire dans un ministère nouveau. Jusqu'à présent il était dans le cercle de la famille; désormais il commence en public son œuvre dont le programme est arrêté.

5) L'étonnant est que Marie semble compter sur le miracle. C'est le fait d'une mère qui connaît le cœur de son fils. Plus attentive peut-être au ton de la voix, au regard, à l'accent des paroles qu'à leur sens matériel, elle est persuadée qu'il saura concilier son devoir avec le désir de lui plaire. Qu'elle ait donné des ordres aux serviteurs, ce n'est pas selon l'étiquette d'une réception dans le monde, mais cela est parfaitement compatible avec la simplicité des Orientaux ou des personnes de la campagne en tout pays. Il allait de soi que c'était pour ménager une agréable surprise à ses hôtes. Et de fait Jésus entre dans ses vues presque aussitôt. Comment ce qui n'était pas de saison est-il devenu opportun? Ni les allégoristes, ni Zahn ne réussissent à l'expliquer. La seule explication est que l'humilité de Marie et son abandon ont obtenu ce qui d'abord lui avait été refusé. Et il faut bien dire que, après un refus, la puissance de son intercession paraît davantage. En cédant tout d'abord, Jésus aurait paru accorder à sa demande ce qu'il était tout disposé à faire. Non, l'heure n'était pas venue, et cependant il concède le miracle. La prière de la Cananéenne avait été plus bruyante, ses instances presque fatigantes, et Jésus a rendu les armes devant sa confiante obstination (Mt. XV, 21 ss.). Pourquoi n'aurait-il pas cédé à sa mère (*Chrys.*) et à une attitude tellement plus discrète, mais encore plus confiante? Tout se passe ici dans une atmosphère de sentiments délicats; c'est entrer dans l'esprit du texte que de le comprendre ainsi. — Dans le système allégorique de Loisy, la Mère de Jésus c'est Israël qui fournit au Christ ses premiers serviteurs, les ministres de l'évangile, les premiers chefs. C'est prêter beaucoup au texte, d'autant que la Synagogue ne

ποιήσατε. [6] ἦσαν δὲ ἐκεῖ λίθιναι ὑδρίαι ἓξ κατὰ τὸν καθαρισμὸν τῶν Ἰουδαίων κείμεναι, χωροῦσαι ἀνὰ μετρητὰς δύο ἢ τρεῖς. [7] λέγει αὐτοῖς ὁ Ἰησοῦς Γεμίσατε τὰς ὑδρίας ὕδατος. καὶ ἐγέμισαν αὐτὰς ἕως ἄνω. [8] καὶ λέγει αὐτοῖς Ἀντλήσατε νῦν καὶ φέρετε τῷ ἀρχιτρικλίνῳ· οἱ δὲ ἤνεγκαν. [9] ὡς δὲ ἐγεύσατο ὁ ἀρχιτρίκλινος τὸ ὕδωρ οἶνον γεγενημένον, καὶ οὐκ ᾔδει πόθεν ἐστίν, οἱ δὲ διάκονοι ᾔδεισαν οἱ ἠντληκότες τὸ ὕδωρ, φωνεῖ τὸν νυμφίον ὁ ἀρχιτρίκλινος [10] καὶ λέγει αὐτῷ Πᾶς ἄνθρωπος πρῶτον τὸν καλὸν οἶνον τίθησιν, καὶ ὅταν μεθυσθῶσιν τὸν ἐλάσσω· σὺ τετήρηκας τὸν καλὸν οἶνον ἕως ἄρτι. [11] Ταύτην ἐποίησεν ἀρχὴν τῶν σημείων ὁ Ἰησοῦς ἐν Κανὰ

10. *om.* τοτε *p.* μεθυσθωσιν (TH) et non *add.* (SV).

---

paraît avoir mis personne au service du Christ. L'attitude si tendrement soumise de Marie pouvait-elle paraître à Jo. une figure de la nation juive telle qu'il l'a dépeinte?

— ὅ τι ἂν λέγῃ « quoi qu'il lui arrive de dire, même s'il donne plusieurs ordres ». Comme il s'agit d'un miracle, et non d'une façon normale de faire le nécessaire, les serviteurs ne devront s'étonner de rien. Et en effet l'ordre qui leur sera donné pourra leur paraître une étrange plaisanterie. Cf. Denys d'Hal. VII, 26, 4 ποιεῖν ὅ τι ἂν ἐκεῖνοι κελεύσωσιν (*Bauer*).

6) κατὰ καθαρισμόν pourrait paraître une construction prégnante : « selon le besoin qu'en avaient les Juifs pour leurs purifications », mais κατά « en vue de » est déjà classique : « venir pour voir » κὰτὰ θέαν ἥκειν (Thuc. VI, 31). Ces grandes urnes étaient le plus souvent en argile, mais on en a trouvé plusieurs en pierre. Celle de l'atrium de la basilique d'Eudocie contient environ 180 litres. Celles de Cana n'étaient pas toutes de même grandeur, selon la facilité de trouver et de tailler les blocs. Une mesure, en hébreu un בַּת, contenait d'après Josèphe (*Ant.* VIII, II, 9) soixante-douze setiers, soit presque quarante litres. Donc pour les six de cinq à sept hectolitres. La quantité est considérable et dépasse de beaucoup l'usage présentement en vue. Le miracle ne lésinera pas. — Quant aux purifications, on sait qu'elles étaient fréquentes, et nécessitaient même des bains (cf. *Comm.* Mc. VII, 3 ss.). Probablement on ne remplissait les urnes que selon les besoins, pour éviter que l'eau ne se corrompît. De moindres récipients suffisaient pour les menues purifications.

7) Les anciens commentateurs se sont demandé pourquoi Jésus avait changé l'eau en vin au lieu de créer le vin dans les jarres. C'était d'abord pour que le miracle fût bien constaté (*Chrys.*); autrement on aurait pu croire qu'on avait mis par amusement du vin dans ces vases. Peut-être aussi était-ce pour figurer le changement de substance dans l'Eucharistie. Si les jarres doivent être pleines d'eau jusqu'en haut, c'est pour montrer la largesse du thaumaturge, et exclure le mélange.

8) Au moment où Jésus donne l'ordre de puiser, le miracle est accompli ou

qu'il vous dise, faites-[le]. » [6]Il y avait là six urnes en pierre, disposées pour les ablutions des Juifs, contenant chacune deux ou trois mesures. [7]Jésus leur dit : « Remplissez les urnes d'eau. » Et ils les remplirent jusqu'en haut. [8]Et il leur dit : « Puisez maintenant et portez au maître d'hôtel. » Et ils [en] portèrent. [9]Lorsque le maître d'hôtel eût goûté l'eau changée en vin, — et il ne savait pas d'où il venait, mais les serviteurs qui avaient puisé l'eau le savaient — le maître d'hôtel appelle l'époux [10]et lui dit : « Tout le monde sert d'abord le bon vin, et quand on est ivre, le moins bon; toi, tu as gardé le bon vin jusqu'à présent. » [11]Tel fut, à Cana de Galilée, le

s'accomplit. Jo. n'en dit rien; nouvel indice de ce style en clair obscur, où la clarté se dégage d'elle-même malgré la réserve des mots. L'ἀρχιτρίκλινος n'est pas le fiancé ni son père, ni tel autre qui aurait présidé le festin, mais celui que nous appelons le maître d'hôtel, chargé de veiller au service. Le mot est rare; Héliodore VII, 27 ἀρχιτρίκλινοι καὶ οἰνοχόοι. Le τρίκλινος « table à trois lits » se disait de la salle à manger. La jarre représente le κρατήρ des Grecs, où l'on puisait avec des coupes.

9 s.) Le maître d'hôtel, n'ignorant pas que le vin manquait, soupçonne sans doute qu'on est allé en chercher ailleurs; les serviteurs se gardent bien de le mettre au fait, épiant l'inquiétude du dégustateur, qui n'était pas sans défiance. Il est joyeusement surpris, et appelle l'époux en particulier, car ce qu'il va dire n'est pas à l'honneur de ses pratiques ordinaires au service d'amphytrions peu généreux. On ne sait rien d'un pareil usage, qui serait tout à fait contraire aux bonnes traditions d'aujourd'hui. Peut-être après tout est-ce une boutade d'un majordome mécontent de n'avoir pas été mis au courant des secrets de la cave. En tout cas son hypothèse n'est pas applicable au cas présent, où les convives n'étaient pas ivres; on a dû ménager le vin avant d'être obligé de constater le déficit, et Jésus n'aurait pas fait un miracle pour favoriser un tel excès. L'ivresse n'était pas inconnue des Hébreux, cela va de soi (Gen. XLIII, 34; Is. XXVIII, 1, etc.) et les tessons trouvés à Samarie prouvent qu'on savait apprécier le mérite des différents crus. Sûrement l'habitude de boire après le repas s'était introduite avec les mœurs grecques, et c'est bien à ce moment que les maîtres de maison ont dû être tentés d'écouler leurs vins médiocres. Mais une maison de bons Israélites, amis de la sainte Famille de Nazareth, avait sans doute des mœurs moins relâchées, même dans la joie d'une noce.

11) ταύτην sans article devant ἀρχήν (d'après la meilleure leçon); non pas : « il fit ce commencement », mais « tel fut le commencement ». Bauer compare ISOCRATE, *Panég.* X, 38 ἀλλ' ἀρχὴν μὲν ταύτην ἐποιήσατο τῶν εὐεργεσιῶν, τροφὴν τοῖς δεομένοις εὑρεῖν. Les σημεῖα sont le mot de Jo. pour désigner les miracles de Jésus; de la part de l'écrivain II, 23; IV, 54; VI, 2.14; XII, 37; XX, 30; de Jésus, IV, 48; VI, 26; d'autres personnes III, 2; VII, 31; IX, 16; XI, 47; XII, 18. Les synoptiques ne le disent pas des miracles de Jésus, sauf Lc. XXIII, 8, où il s'agit de l'espé-

τῆς Γαλιλαίας καὶ ἐφανέρωσεν τὴν δόξαν αὐτοῦ, καὶ ἐπίστευσαν εἰς αὐτὸν οἱ μαθηταὶ αὐτοῦ.

rance d'Hérode; mais les adversaires lui demandent des signes, Mt. xii, 38 s.; xvi, 1.4. Mc. viii, 11 s.; Lc. xi, 16. 29 s. Les Actes emploient ce mot sans difficulté. Il appartenait donc à la langue chrétienne, quoique dans les synoptiques il ait été réservé pour les signes de la fin des temps (Mt. xxiv, 3.30; Lc. xxi, 11.25), signes extraordinaires que les Juifs prétendaient obtenir comme preuve de la mission de Jésus. Dans Jo. le σημεῖον est employé pour sa valeur propre de signe; c'est un miracle contenant une indication surnaturelle spécialement sur la personne de Jésus. Tandis qu'un miracle annoncé par Moïse manifeste la gloire du Seigneur (Ex. xvi, 7), Jésus manifeste sa gloire, cette gloire de Fils unique qui est en même temps celle du Père (i, 14). Ses disciples avaient déjà cru qu'il était le Messie, ils croient plus fermement encore, et leur foi se dirige simplement vers lui, εἰς αὐτόν.

On a objecté contre la réalité de ce miracle des difficultés de détail assez futiles : Pourquoi la réponse de Jésus est-elle si dure? Comment Marie attend-elle néanmoins un miracle? Avait-elle des ordres à donner? Jésus qui avait refusé cède aussitôt. Les serviteurs obéissent à un ordre bien étrange. Pourquoi tant de vin? etc. Et l'on conclut à une allégorie sans base dans les faits. Mais si Jo. avait composé librement une allégorie détaillée, elle serait sans doute plus claire, car de dire que la Mère de Jésus représente la Synagogue mise à l'écart par Jésus, n'explique ni la condescendance du Fils, ni l'abandon de la Mère.

Aussi bien Jo. a conscience de raconter un très grand miracle, qui est à la base de la foi des disciples. S'il ne parle pas des autres personnes, c'est qu'elles ne sont pas son objet actuel. Mais pourquoi ce miracle, dont les synoptiques n'ont pas parlé, qu'ils n'auraient pas approuvé, puisque, d'après Mt. et Lc. c'était céder à une tentation du démon que d'user d'un pouvoir surnaturel pour subvenir aux nécessités de la vie (Mt. iv, 4; Lc. iv, 4)? — On peut répondre que les synoptiques ne font commencer la vie publique de Jésus qu'après l'emprisonnement de Jean-Baptiste, et qu'eux aussi ont raconté le miracle de la multiplication des pains et des poissons. Ils ont aussi établi le pouvoir de Jésus sur les éléments par la Tempête apaisée (Mc. iv, 35-41 et par.).

En se montrant le maître de la nature dans une circonstance où le miracle était sollicité par sa Mère dans un sentiment de bienveillance et de gratitude pour des hôtes, Jésus ne donnait pas une vaine satisfaction à la curiosité; il excitait et confirmait la foi des disciples. Ce miracle, comme la multiplication des pains, est probablement aussi un acheminement vers l'Eucharistie. Isolé et envisagé par des incrédules, il leur paraît étrange, mais ceux qui croient au changement du vin au sang du Seigneur ne sont point étonnés qu'il ait changé de l'eau en vin. C'est par ses attaches avec l'ordre surnaturel que le miracle a sa raison d'être.

Aussi nous ne rejetons pas un certain sens allégorique, qui n'est point nuisible à la crédibilité du fait. Ce n'est qu'une nouvelle ordination du miracle vers les choses du salut, qu'on peut estimer être dans les desseins de Dieu quand l'allégorie est claire. Jo. compte sur ses lecteurs pour la comprendre, eux qui

premier des miracles que fit Jésus, et il manifesta sa gloire, et ses disciples crurent en lui.

savent que le Verbe, plein de grâce et de vérité, est le don de Dieu qui vient remplacer la loi de Moïse. Les urnes pleines d'eau, en vue de ces purifications où s'absorbent les Juifs, c'est une image de l'ordre ancien; l'ordre nouveau c'est la force et la joie que l'opinion générale attribue à l'action du vin. Et il paraît très naturel que les disciples aient eu déjà une certaine intuition de cet ordre nouveau. Car la véritable difficulté du récit, c'est que des disciples aient été éloignés de la compagnie du Baptiste, représentant de l'ancienne prophétie ascétique — Jo. n'y a pas insisté, mais le fait était notoire — pour chercher des leçons plus hautes auprès d'un Maître qui, ensuite, les conduit à une noce, où il change l'eau en vin pour donner satisfaction aux convives! Si Jésus l'a fait pour fixer sa doctrine au-dessus d'une ascèse étroite, et laisser entendre que le salut embrasserait tous les états, qu'il n'excluait ni le mariage, ni l'usage convenable des aliments et des boissons, c'était déjà une leçon utile, mais il fallait surtout qu'ils fissent un acte de foi en celui qui les avait appelés, et pour une œuvre nouvelle, laquelle serait dans l'ordre du salut ce qu'est un vin généreux qui donne la joie à l'âme (Sir. xl, 20), comparé à de l'eau qui ne lave que l'extérieur.

On trouve dans Bauer l'indication de plusieurs miracles relatifs au vin dans la légende de Bacchos-Dionysos. Ils sont à leur place dans le culte du dieu du vin. Nous ne voulons pas les dissimuler à nos lecteurs. Il y a d'abord : *a*) le mythe, connu comme tel, des Bacchantes qui font sortir du vin de terre; Eur. *Bacch.* 706 s.; Hom. *Od.* II, 10; Diodore de Sic. III, 66; allusion vague dans Philostr. *Vita Apoll.* III, 15; *b*) la tradition du temple d'Andros, d'où le vin coulait à la fête de Bacchus; Pline, *H. N.* II, 231 *Andro in insula templo Liberi patris fontem nonis Ianuariis semper vini saporem fundere Mucianus ter consul credit*, et XXXI, 16, un peu plus fort, puisque c'est du vin qui coule durant sept jours, et qui loin du temple est changé en eau : *Mucianus Andri e fonte Liberi patris statis diebus septenis eius dei vinum fluere, si auferatur e conspectu templi, sapore in aquam transeunte;* Pausanias, VI, 26,2; *c*) le miracle de la fête des Thyia chez les Éléens. On renferme dans une chambre trois marmites vides, on met les scellés aux portes, et le lendemain on les trouve pleines de vin cf. *Pausanias* (vers 173 A. D.) VI, 26, 2; *Athénée* (vers 230) I, 61, p. 34[a]; *d*) *Paradoxographus Vaticanus* 23, ed. Keller dans *Rerum naturalium scriptorum graeci minores*, I, p. 109, parle d'une source qui enivre ceux qui en boivent; *e*) dans la vie d'Apollonios par Philostrate (vers 240 ap. J.-C.), un gymnosophiste lui dit (VI, 10) qu'Apollon ne mêle pas de miracles à ses oracles; « quoiqu'il lui eût été facile de remuer le Parnasse tout entier, et de changer la fontaine de Castalie pour lui faire couler du vin », où je n'hésite pas à voir qu'Apollon dédaigne de transporter les montagnes et de changer l'eau en vin, comme il en est question dans l'évangile. Le lecteur choisira lequel de ces modes a pu inspirer l'évangéliste! S'il en reste vaguement l'idée d'un changement d'eau en vin, on ne voit en somme nulle part une transformation d'eau en vin opérée par un thaumaturge à l'époque historique.

[12] Μετὰ τοῦτο κατέβη εἰς Καφαρναοὺμ αὐτὸς καὶ ἡ μήτηρ αὐτοῦ καὶ οἱ ἀδελφοὶ αὐτοῦ καὶ οἱ μαθηταὶ αὐτοῦ, καὶ ἐκεῖ ἔμειναν οὐ πολλὰς ἡμέρας.

12. αυτου *p.* αδελφοι (T) plutôt que *om.* (HSV).

Bauer est mieux inspiré en citant Philon (*Leg. alleg.* III, 82; I, p. 103) où l'on voit Melchisédec, représentant le Verbe divin, offrant du vin au lieu d'eau, afin que ceux qui y goûtent soient pris d'une ivresse divine, plus sobre que la sobriété même. — En effet ce texte nous montre un symbolisme du vin propre à élever les pensers des disciples au-dessus d'un incident de noce. Dans Philon, le Logos est l'échanson de Dieu, son maître d'hôtel, συμποσίαρχος (*de Somniis* II, 249; I, p. 691); il se donne même en breuvage, mais purement spirituel. C'est à quoi les disciples ne pouvaient encore songer.

Tout récemment (*Biblische Zeitschrift,* 1922, p. 93 ss.), M. A. Schulz a proposé une nouvelle interprétation du dialogue entre la Mère et le Fils. Marie, l'esprit rempli des promesses de l'A. T., imaginait une transformation de la nature dans laquelle le Messie ferait couler le vin à flots. Jésus aurait répondu que le temps de la transformation du monde n'était pas venu, et Marie aurait compris qu'il se contenterait d'un miracle particulier dans le style des prophètes. Cela est appuyé sur les récits de l'enfance (Lc. II, 48 ss.) pour expliquer comment Marie serait tombée dans ce malentendu. — Il nous semble que Jésus lui-même serait censé avoir cru au millénarisme, ce qui serait encore plus fort. Sans parler de la difficulté théologique, rien n'est plus éloigné de l'esprit du quatrième évangile, dont les termes n'offrent aucun appui à cette conjecture fantaisiste.

12. COURT SÉJOUR A CAPHARNAÜM.

Nous lisons αὐτοῦ après ἀδελφοί avec T contre HSV qui suivent BLT *a c e* Ox[2] Or.; l'omission est plus élégante, mais suspecte par là même de correction. Il n'y a pas à tenir compte des variantes qui suppriment les disciples ou les frères ou mettent les disciples avant les frères.

Déjà au temps d'Origène on opposait à la véracité et à l'inspiration des évangélistes la divergence entre les débuts des synoptiques et ceux de Jo., spécialement sur ce point, car Mt. IV, 13 place plus tard l'installation du Sauveur quittant Nazareth pour s'installer à Capharnaüm, après l'emprisonnement de Jean. Origène conclut : « Je ne refuse pas de reconnaître qu'ils ont transposé dans l'intérêt d'un but mystique (symbolique) ce qui s'était passé autrement selon l'histoire », et il ajoute plus loin : « sauvant ainsi la vérité spirituelle, par ce qu'on pourrait appeler un mensonge matériel » (*Com.* sur Jo, II, 12 *Preuschen,* p. 175). Il attribue spécialement cette intention à « celui qui a raconté d'une façon plus rationnelle ce qui regarde le Verbe fait chair, et qui n'a pas cru devoir décrire l'origine de ce Verbe qui était au commencement auprès de Dieu » (*eod. loc.*, p. 177). Rien n'empêche de faire un usage discret des *transpositions,* que tout le monde admet pour Mt. et qui peuvent être justifiées aussi bien par l'intérêt de l'enseignement mystique ou symbolique, que par celui de l'enseignement didactique, tandis que la critique radicale d'aujourd'hui attribue à Jo. *l'inven-*

[12] Après cela il descendit à Capharnaüm, lui, et sa mère et ses frères et ses disciples, et ils y restèrent quelques jours.

tion des récits dans l'intérêt de la théologie du Verbe incarné. Mais nous ne pouvons pas dire avec Origène que Capharnaüm vient après Cana comme la consolation après la joie.

Quel est donc le sens du passage dans la pensée de Jo? Deux opinions principales : *a*) C'est une nstallation définitive à Capharnaüm (*Zahn, Belser*, etc.). On sait par les synoptiques, surtout par Mt., que cette installation a eu lieu : Mt. IV, 13; IX, 1 (c'est la propre ville de Jésus); XI, 23; XII, 46; XVII, 24-27 (c'est là que Jésus paie l'impôt); Mc. II, 1; III, 31 et même Jo. VI, 17. 24. 42. 59. Mt. ne suit pas l'ordre chronologique; Jo. a voulu indiquer d'une façon plus précise quand ce déménagement a eu lieu. (Aug. *de Consensu ev.* II, XVII, 39 *an forte Matthaeus quod praetermiserat recapitulavit*). Zahn insiste sur ce que d'après Mc. VI, 3 et Mt. XIII, 56 les sœurs de Jésus seules sont à Nazareth, non les frères; c'est donc que ceux-ci sont à Capharnaüm lorsqu'ils viennent le trouver.

Ce dernier point serait décisif s'il était prouvé; mais si les gens de Nazareth ne parlent pas dans les mêmes termes des frères et des sœurs, ils ne disent pas cependant que les frères, qu'ils nomment par leurs noms, ne sont pas parmi eux. De ces noms nous avons conclu (*Comm. Mc.* p. 72 ss.) que ces frères ne sont que des cousins. On ne comprend pas pourquoi des cousins, établis à Nazareth, et peu dociles à l'enseignement de Jésus, seraient venus s'installer en même temps que lui à Capharnaüm. C'est de loin, et une fois par hasard qu'ils se sont dérangés de Nazareth (Mc. III, 31).

b) Il faut donc dire (*Schanz, Loisy*, etc.) que Jésus, à cette date, n'est venu à Capharnaüm qu'en passant, pour quelques jours, comme le texte le dit expressément. De Nazareth pour aller à Jérusalem, c'était un très sensible détour, mais on s'y résignait sans doute pour éviter la Samarie, et la caravane n'était pas pressée. Capharnaüm fut peut-être choisie comme une ville où l'on s'arrêtait volontiers, à proximité de Bethsaïda, patrie d'André, de Pierre et de Philippe. C'était comme un rendez-vous, d'autant que Pierre avait sa belle-mère à Capharnaüm (Mc. I, 29 ss. et par.). Rien n'indique que Jésus ait commencé à s'y manifester. Il devait inaugurer son ministère à Jérusalem. Le miracle de Cana avait été accordé avant l'heure à l'intercession de Marie.

— μετὰ τοῦτο indique un délai assez court; cf. XI, 7. 11; XIII, 7; XIX, 28. Rien ne prouve la présence des frères à Cana; ils n'y étaient sûrement pas, n'étant nommés que maintenant. On admettrait plutôt un retour de Jésus et de sa Mère à Nazareth; mais peut-être chacun est-il venu de son côté à Capharnaüm, d'où la caravane est partie pour Jérusalem. C'est Jésus qui est en tête de la phrase, comme il convenait; aucun lien spécial n'est indiqué entre sa mère et ses frères, pas plus qu'avec ses disciples. Cette association de parents et de disciples se comprend mieux pour une caravane que pour une installation définitive. On descend beaucoup de Nazareth ou de Cana vers le lac de Tibériade, qui est à deux cents mètres au-dessous du niveau de la mer. Héracléon y voyait exprimée la descente du Verbe dans la matière. M. Loisy nous dit que « le Christ johannique est toujours en mouvement, ressemblant en cela à tels « fils de Dieu »,

[13] Καὶ ἐγγὺς ἦν τὸ πάσχα τῶν Ἰουδαίων, καὶ ἀνέβη εἰς Ἱεροσόλυμα ὁ Ἰησοῦς. [14] καὶ εὗρεν ἐν τῷ ἱερῷ τοὺς πωλοῦντας βόας καὶ πρόβατα καὶ περιστερὰς καὶ τοὺς κερματιστὰς καθημένους, [15] καὶ ποιήσας φραγέλλιον ἐκ σχοινίων πάντας ἐξέβαλεν ἐκ τοῦ ἱεροῦ τά τε πρόβατα καὶ τοὺς βόας, καὶ τῶν

15. το κερμα (TSV) plutôt que τα κερματα (H). — ανετρεψεν (H) plutôt que ανεστρεψεν (TSV).

Apollonius, Simon le magicien, etc. » (p. 147). Ces mouvements cependant se répartissent sur plusieurs années dans un petit pays et sont précisément motivés dans Jo. par les fêtes. Qu'on n'oublie pas non plus que nous ne sommes informés sur Simon et sur Apollonius que par des documents bien postérieurs et tout à fait légendaires.

13-22. EXPULSION DES VENDEURS DU TEMPLE (Mc. XI, 15-19; Mt. XXI, 12-17; Lc. XIX, 45-48).

Les trois synoptiques racontent, chacun à sa manière, le même événement; Lc. est le plus concis, Mc. le plus détaillé, Mt. y ajoute des guérisons et le mécontentement des chefs contre les enfants qui saluent le fils de David. Cet événement est situé par eux avant la dernière Pâque et la Passion, quand Jésus entre à Jérusalem salué comme le Messie. On se demande depuis longtemps si c'est le même épisode que Jo. raconte ici. Il y a des différences : *a*) dans l'exécution; *b*) dans la raison donnée par Jésus; *c*) dans l'entretien avec les chefs des Juifs. Pour le dernier point on pourrait aisément supposer que Jo. a complété les synoptiques, sans toucher à ce que Mt. a en plus; et les autres différences ne sont pas telles qu'elles empêchent de reconnaître l'identité de deux faits qui ont tant de ressemblances. Ce qui a arrêté les interprètes qui croient à l'inspiration des évangiles, c'est que Jo. place l'épisode avant une première pâque, laquelle dans sa chronologie est antérieure d'au moins deux ans à celle dont parlent les synoptiques. On a donc craint de mettre les synoptiques et Jo. en contradiction sur le temps d'un même événement, contradiction qui disparaît si l'on en admet deux (encore *Belser*). Assurément la foi à l'inspiration règle l'exégèse catholique, mais elle n'oblige pas à dire que les faits ont été rangés dans l'ordre chronologique. Si l'on professe ouvertement que ce n'est pas le cas pour Mt., l'inspiration est donc hors de cause. Dès lors ce point doit être résolu comme tout le monde le résout dans une histoire sérieuse : « On ne peut guère raisonnablement soutenir cette répétition » (LEVESQUE, *Nos quatre évangiles*, p. 62, n. 1); c'est une question de dignité pour l'exégèse catholique.

Il faut donc choisir, quant au temps, entre Jo. et les synoptiques.

Le moment indiqué par les synoptiques paraît plus vraisemblable : *a*) parce que cet acte extraordinaire, qui ressortit bien au rôle du Messie est placé très à propos après le triomphe des Rameaux; *b*) parce que la parole de Jésus aux chefs a été alléguée dans le procès de condamnation (Mc. XIV, 58; Mt. XXVI, 61; XXVII, 40) ce qui suppose un souvenir récent, à peine brouillé,comme il arrive

[13] Et la Pâque des Juifs était proche, et Jésus monta à Jérusalem. [14] Et il trouva dans l'enceinte du Temple des gens qui vendaient des bœufs et des brebis et des colombes, et les changeurs sur leurs sièges, [15] et faisant un fouet avec des cordes, il les chassa tous de l'enceinte du Temple, avec les brebis et les bœufs, et il répandit

quand il y a plusieurs auditeurs d'une parole d'ailleurs obscure; c) parce que l'allusion de Jésus à sa mort s'explique mieux si la haine des sanhédrites était déjà résolue au crime.

En faveur de Jo. on peut alléguer : a) qu'écrivant le dernier il a eu pour but de remettre certains faits à leur place; b) qu'ayant très bien pu mettre l'expulsion avant la mort de Jésus, il a donc choisi délibérément un autre moment, tandis que les synoptiques, ne racontant qu'un voyage à Jérusalem, *n'avaient pas le choix;* c) l'indication chronologique de l'an 28 (au v. 20) coïncide parfaitement avec la première Pâque.

Il semble qu'on concilierait tout si l'on admettait que Jo. a bien placé l'expulsion dans son temps, mais qu'il y a ajouté l'entretien avec les chefs qui est vraiment plus naturel avant la Passion, et que les synoptiques eux-mêmes n'ont pas rattaché explicitement à l'expulsion. Comme il ne se proposait pas de revenir sur les controverses de la dernière semaine, suffisamment traitées par les synoptiques, il a pu détacher ce trait de ses souvenirs et le placer après l'expulsion. Parlant de la première Pâque, il en aurait ainsi marqué la date, quoi qu'il en soit du moment où a eu lieu précisément l'altercation. L'essentiel est que les quarante-six ans correspondent bien au moment où les Juifs prononcent cette parole d'après Jo.

13) Sur la Pâque, cf. *Comm.* Mc., p. 341. — Jo. ajoute « des Juifs », parce qu'il écrit pour les gentils, mais aussi parce qu'il a conscience d'appartenir à un groupe religieux qui n'est pas celui des Juifs (*Or.*). — Jésus est monté, ce qui est évident pour tous, s'il venait de Capharnaüm; d'ailleurs l'expression était consacrée : on montait à Jérusalem d'un peu partout. Jo. ne dit jamais Ἱερουσαλήμ, que Lc. emploie si souvent.

14) Pour la situation, cf. *Comm.* Mc.; Jo. ajoute les bœufs et les brebis, ce qui est très naturel. Il emploie κερματιστής, inconnu ailleurs, mais issu de κερματίζω et de κέρμα petite monnaie; donc les changeurs.

15) Plus de détails que dans Mc. D'abord le φραγέλλιον, transcription du latin *flagellum,* fouet improvisé avec des cordes groupées dans la main, à la façon des étrivières, mais celles-ci, plus dures, étaient des courroies. Cela n'a rien du redoutable instrument de supplice employé pour Jésus (Mc. xv, 15); l'emploi du fouet n'était même pas regardé comme infamant. Les Perses faisaient marcher leurs soldats à la cravache au grand scandale des Grecs (Hér. VII, 56, etc.); naguère encore, pour dissiper un rassemblement, les cavaliers turcs distribuaient des coups de cravache, en l'air, mais aussi sur le dos des récalcitrants. Les hommes comprennent et s'enfuient les premiers, mais Jésus expulse aussi (en plus des synoptiques) les brebis et les bœufs plus lents à s'ébranler, ce que Loisy, attentif à un certain idéal de style et indifférent à la réalité, regarde

κολλυβιστῶν ἐξέχεεν τὸ κέρμα καὶ τὰς τραπέζας ἀνέτρεψεν, [16] καὶ τοῖς τὰς περιστερὰς πωλοῦσιν εἶπεν Ἄρατε ταῦτα ἐντεῦθεν, μὴ ποιεῖτε τὸν οἶκον τοῦ πατρός μου οἶκον ἐμπορίου. [17] Ἐμνήσθησαν οἱ μαθηταὶ αὐτοῦ ὅτι γεγραμμένον ἐστίν Ὁ ζῆλος τοῦ οἴκου σου καταφάγεταί με. [18] Ἀπεκρίθησαν οὖν οἱ Ἰουδαῖοι καὶ εἶπαν αὐτῷ Τί σημεῖον δεικνύεις ἡμῖν, ὅτι ταῦτα

comme surajouté. — Les κολλυβισταί qui remplacent ensuite les κερματιστάς peuvent bien être une réminiscence des synoptiques, mais ce mot variait agréablement avant κέρμα. L'usage fréquent de κέρμα au singulier (*MM*) appuie la leçon commune contre le pluriel (H d'après B L X Ox² 33 *b q*) qui aura paru plus naturel de pièces répandues. — Il est difficile de choisir entre ἀνατρέπω (H avec B cette fois beaucoup plus soutenu, entre autres par Ox² W) et ἀναστρέφω. Nous préférons — légèrement — le premier comme plus précis, pour culbuter, renverser du pied.

16) Tandis que dans Mc. et dans Mt. Jésus renverse aussi les sièges des vendeurs de colombes, ce qui suppose que ceux-ci s'étaient enfuis, dans Jo. ils ont comme un traitement de faveur; leur commerce était moins sale que celui des troupeaux, sans parler des beuglements des bœufs. Le prix des colombes devait être à peu près fixé, et ne comportait pas de marchandage. Jésus leur enjoint seulement de partir de là, c'est-à-dire de l'enceinte du hiéron, et il leur en donne la raison. Elle n'est pas, comme dans les synoptiques, tirée littéralement de deux textes (Is. LVI, 7; Jér. VII, 11), mais c'est bien le sens, en des termes appropriés; ne citant pas l'Écriture, Jésus dit : la maison de mon Père, dans le même sens qu'il avait fait à douze ans (Lc. II, 49).

On ne trouve pas dans Jo. (non plus que dans Mt. ni dans Lc.) le trait de Mc. XI, 16 : « il ne permettait pas qu'on portât des charges à travers le hiéron », car si vraisemblable qu'il soit, il n'appartient pas directement au thème du trafic.

17) Nous nous apercevons ici de la présence des disciples. Le v. 12 n'étant qu'une introduction au voyage à Jérusalem, Jo. nous a suffisamment avertis qu'ils étaient venus. Cet acte de zèle leur rappelle le passage d'un psaume (LXIX, 10), citation assez difficile à interpréter. De toute façon le ps. faisait allusion à un zèle ardent, tel que celui de Jérémie (XX, 9; XXIII, 9) ou du psalmiste (CXIX, 139). Et ainsi l'application à Jésus était excellente, car ce qu'il venait de faire était un acte de zèle. C'était le temps où beaucoup de Juifs avaient montré un tel zèle, qu'on avait créé pour eux le surnom de Zélotes (ζηλωτής), désignant parfois des groupes, mais toujours une tendance à faire respecter les droits de Dieu quoi qu'il en coûte, et sans s'arrêter à aucune considération humaine, parfois avec tant d'indifférence sur le choix des moyens qu'on les nomma sicaires (cf. *Le Messianisme*... p. 18 ss.). Mais les disciples ne songeaient pas à comparer Jésus à l'un de ces hardis partisans; le psaume qui leur fournissait un meilleur exemple de zèle, et pour la maison de Dieu, développait longuement tout ce qu'il en avait coûté au psalmiste de montrer tant d'ardeur. D'où la question de savoir ce que signifie, même pour le psalmiste : « le zèle de ta maison m'a dévoré. »

la petite monnaie des changeurs, et il renversa leurs tables, [16] et il dit à ceux qui vendaient les colombes : « Emportez cela d'ici; ne faites pas de la maison de mon Père une maison de trafic. » [17] Ses disciples se souvinrent qu'il est écrit : « *Le zèle de ta maison me consumera.* » [18] Les Juifs donc prirent la parole et lui dirent : « Quel

Isolés les mots suggèrent que le zèle l'a consumé à l'intérieur comme un feu brûlant; mais comment trouver ensuite le parallélisme avec ce qui suit : « et les outrages de ceux qui t'insultent sont retombés sur moi »? Ce second hémistiche a précisément été cité par Paul (Rom. xv, 3) à propos du Christ. On peut donc croire que dans le ps. « le zèle m'a dévoré » doit s'entendre : « m'a valu d'être consumé de douleurs. » Le parfait étant dans le contexte, il est très probable que les Septante ont écrit κατέφαγέν με, changé en καταφάγεται dans les meilleurs ms., d'après Jo. Car il n'est pas douteux que le texte de Jo. soit καταφάγεται, un futur hellénistique de κατεσθίω, formation hybride (*Phrynichus* 327 φάγομαι βάρβαρον) de l'aor. sec. ἔφαγον, conservant la forme moyenne de ἔδομαι.

Les latins (*latt.* et *vg.*) ainsi que les Syriens ont mis le parfait, ce qui a orienté l'exégèse vers le sens d'une consomption intérieure, mais les coptes ont bien le futur. Si donc Jo. a accepté des LXX ou plus probablement choisi le futur, c'était dans l'intention d'insinuer ce que ce zèle devait coûter à Jésus (*Zahn*, *Belser* nettement et même *Schanz* quelque peu), car son zèle était actuellement assez ardent pour qu'il n'ait pas eu à le consumer plus tard. — Autres allusions au sens messianique du Ps. LXIX, dans Jo. xv, 25; XIX, 28; Act. I, 20; Rom. XI, 9.

18) οὖν se rapporte à l'acte de Jésus (16). La conséquence est très bien tirée. Les chefs du Temple, que Jo., selon son habitude, nomme les Juifs, se devaient d'intervenir. L'acte n'avait rien qui fût spécifiquement messianique, aussi ne lui demande-t-on pas s'il se pose en Messie. A cette époque où les esprits étaient surexcités, on vit sans doute plus d'un acte de zèle, comme celui qui coûta la vie à plusieurs Pharisiens (Jos. *Ant.* XVII, VI, 2 ss.) qui n'avaient aucune prétention messianique. Le peuple voyait cette ardeur d'un très bon œil comme en général toute action vigoureuse et hardie; on comprend très bien, même sans un miracle, sans un éclat terrifiant dans le regard de Jésus, que les marchands se soient enfuis sous les huées de la foule qu'ils avaient souvent exploitée. Mais quand on empiétait si manifestement sur les droits des autorités établies et sur les coutumes reçues, il fallait donner des preuves d'une mission divine. C'est ce que promettaient les agitateurs : « Car des hâbleurs et des charlatans, sous prétexte d'inspiration divine, profitant des révolutions et des changements, persuadaient à la foule de s'abandonner à un transport sacré, et les conduisaient dans le désert, comme si Dieu devait leur y donner des signes de liberté » (Jos. *Bell.* II, XIII, 4; cf. *Ant.* XX, VIII, 6). Très judicieusement, les chefs demandent que le signe soit donné *à eux* (ἡμῖν), qui sont responsables du bon ordre, et non à une foule qui se laisserait égarer et conduire à sa perte dans quelque échauffourée. — La question des Juifs équivaut

ποιεῖς; [19] ἀπεκρίθη Ἰησοῦς καὶ εἶπεν αὐτοῖς Λύσατε τὸν ναὸν τοῦτον καὶ ἐν τρισὶν ἡμέραις ἐγερῶ αὐτόν. [20] εἶπαν οὖν οἱ Ἰουδαῖοι Τεσσεράκοντα καὶ ἓξ ἔτεσιν οἰκοδομήθη ὁ ναὸς οὗτος, καὶ σὺ ἐν τρισὶν ἡμέραις ἐγερεῖς αὐτόν;

à celle que posent les Sanhédrites dans les synoptiques (Mc. xi, 27-33; Mt. xxi, 23-27, Lc. xx, 1-8) mais sans alléguer un acte particulier de Jésus. Les Sanhédrites ont pu en effet dissimuler leur dépit, puis revenir à la charge en affectant de ne point viser un incident qui n'était pas en leur honneur. Et cela se comprend mieux si déjà leur décision est prise à la sourdine (Mc. xi, 18 par.). Mais qu'ils se soient redressés sur le coup, cela est non moins vraisemblable, et même plus naturel si l'auteur de l'acte de zèle ne leur était pas encore connu. Les deux interventions sont donc bien placées chacune selon les vraisemblances de leur temps. — ὅτι, souvent ainsi dans Jo. vii, 35; viii, 22; ix, 17; xi, 47; xiv, 22; xvi, 9, « étant donné que » a une saveur sémitique, mais n'est pas un indice de traduction araméenne, d'autant qu'il se trouve dans Mc. iv, 41; Lc. xii, 17; xvi, 3.

19) Jésus ne refuse pas de donner un signe, mais celui qu'il choisira et à son heure, laquelle cependant dépend en quelque façon des Juifs. L'impératif λύσατε ne saurait être un ordre; après avoir montré tant de zèle pour la maison de Dieu, Jésus ne peut commander aux Juifs de la détruire. Blass-Deb. l'entend comme une concession (§ 387) = ἐὰν καὶ λύσητε. « Quand bien même vous auriez détruit »; mais les Juifs n'y songeaient pas. Il faut plutôt (*Bauer*) l'entendre comme un futur; il est employé de cette façon à propos d'un signe dans Is. xxxvii, 30 : τοῦτο δέ σοι τὸ σημεῖον· φάγε τοῦτον τὸν ἐνιαυτὸν ἃ ἔσπαρκας. C'est d'ailleurs une tournure connue en hébreu (*Kautzsch*, § 110), cf. Ps. cix (cx héb.), 2; cf. Mt. xxiii, 32; Jo. xiii, 27.

— λύειν et ἐγείρειν s'emploient pour des constructions : on devait assez naturellement penser que Jésus parlait du sanctuaire (ναός), quoique, à propos d'un édifice détruit, on dise plus volontiers qu'on en bâtira un autre. Quelques-uns ont pensé qu'en parlant Jésus avait montré son corps pour leur indiquer le mot de l'énigme. Mais pourquoi ne pas noter ce geste? Jo. a très bien conscience que la parole, telle qu'elle est, ne pouvait pas encore être comprise. Zahn essaie de lui donner un sens : les Juifs, par leur haine envers lui, seront cause de la ruine du Temple, et lui en rebâtira un nouveau; c'est-à-dire son église. Mais ce n'est pas là ce que Jo. a entendu. Il faut donc simplement reconnaître que les Juifs ne sont pas en faute pour n'avoir pas pénétré ce mystère, pas plus d'ailleurs que les disciples (22). C'est précisément cette parole, mal comprise et transformée en une pensée hostile, qui fut alléguée dans l'interrogatoire de Jésus (Mc. xiv, 58; Mt. xxvi, 61; xxvii, 40). Le signe n'est pas nécessairement clair quand on le donne; il le devient quand il est accompli; cf. Mt. xii, 38 s.; xvi, 4.

ἐν ταῖς τρισὶν ἡμέραις (aussi Mt. xxvii, 40) ne signifie pas « le troisième jour », ce qui serait absurde à propos d'une construction dont le propre est d'être continue; cependant on a pu commencer tard le premier jour et finir tôt le troisième; tandis que les faux témoins en disant διὰ τριῶν ἡμερῶν (Mc. xiv, 58; Mt. xxvi, 61) suggèrent qu'il y faudrait intégralement trois jours.

miracle nous montres-tu, pour agir de la sorte? » [19] Jésus répondit et leur dit : « Détruisez ce temple, et je le relèverai en trois jours. » [20] Les Juifs donc lui dirent : « On a mis quarante-six ans pour bâtir

— ἐγείρω, dans les synoptiques est employé au passif pour le Christ (cf. Mt. xvi, 21); il ne semble pas que Jo. ait voulu ici mettre en relief l'action propre de Jésus, car le mot énigmatique ne comportait pas une autre tournure, si bien qu'au v. 22 on voit paraître le passif tel qu'il figure chez les synoptiques (Mt. xxviii, 6, etc.).

20) Les Juifs n'ont pas compris que Jésus parlait de son corps, et Jo. n'avait aucun motif de faire allusion à son âge, comme le prétend Loisy : « Jésus a, figurativement, quarante-six ans accomplis quand il chasse les vendeurs du temple; le commencement de la cinquantième année, l'année jubilaire, coïncidera avec son entrée dans la gloire éternelle par la résurrection » (p. 151). Et il n'y a pas le moindre indice que Jo. ait composé cette allégorie. Aucun auteur ancien n'a eu cette idée saugrenue. Origène avoue qu'il ne sait pas comment le Temple a été bâti en quarante-six ans, mais il se moque de l'explication gnostique d'Héracléon. Le pseudo-Cyprien (*de montibus Sina et Sion*, 4), ayant trouvé qu'Ἀδαμ = 46, adopte ce chiffre pour la passion du Christ, d'autant que le temple a été bâti durant ce temps, et qu'il figurait son corps; mais c'est sa conjecture, il ne l'attribue pas à Jo. lequel ne pensait pas qu'on fût au moment de la Passion. D'après Loisy (cf. *Calmes*), Jo. « doit penser au temple de Zorobabel; il paraît avoir entendu de ce temple, symboliquement de l'âge du Christ, les sept semaines que Daniel (ix, 29) distingue dans la prophétie des soixante-dix semaines d'années; dans cette prophétie, une demi-semaine (Dan. ix, 27) est mise à part, où notre auteur a pensé trouver la durée du ministère du Christ; selon lui (viii, 57), Jésus avait, ou devait avoir, il avait symboliquement près de cinquante ans quand il mourut » (p. 151). — Absolument rien n'indique que Jo. ait fait parler les Juifs du Temple de Zorobabel. Pourquoi pas de celui de Salomon, comme pensait Origène? Jo. aurait-il été le seul à ignorer que le Temple avait été bâti par Hérode? Et l'idée serait plus que bizarre de composer l'âge du Christ avec sept semaines en soustrayant une demi-semaine séparée des premières par soixante-deux semaines. On a pu plus tard être frappé de cette coïncidence d'une demi-semaine — trois ans et demi — avec le temps du ministère du Christ, évalué d'une certaine manière (cf. *Introd.* p. cxxix), mais sans jamais lui appliquer les sept premières semaines.

Aussi bien l'histoire offre une solution très simple. Hérode avait commencé les constructions du Temple la dix-huitième année de son règne (Jos. *Ant.* XV, xi, 1). Si Josèphe dit la quinzième année dans *Bell.* I, xxi, 1, c'est peut-être qu'il retarde le début du règne d'Hérode de trois ans, ou plutôt par erreur. Cette année du règne, d'après Schürer (*Geschichte*... I, p. 369), Kroll (*Pauly-Wiss.*), etc. correspond à l'an 20/19 av. J.-C. Si l'on part de l'an 19, on aboutit aux quarante-six ans à la Pâque de l'an 28, ce qui correspond à la date que nous avons déterminée d'après Lc. iii, 1. Un pareil synchronisme est tout à fait

[21] ἐκεῖνος δὲ ἔλεγεν περὶ τοῦ ναοῦ τοῦ σώματος αὐτοῦ. [22] Ὅτε οὖν ἠγέρθη ἐκ νεκρῶν, ἐμνήσθησαν οἱ μαθηταὶ αὐτοῦ ὅτι τοῦτο ἔλεγεν, καὶ ἐπίστευσαν τῇ γραφῇ καὶ τῷ λόγῳ ὃν εἶπεν ὁ Ἰησοῦς.

[23] Ὡς δὲ ἦν ἐν τοῖς Ἱεροσολύμοις ἐν τῷ πάσχα ἐν τῇ ἑορτῇ, πολλοὶ ἐπίστευσαν εἰς τὸ ὄνομα αὐτοῦ, θεωροῦντες αὐτοῦ τὰ σημεῖα ἃ ἐποίει· [24] αὐτὸς δὲ Ἰησοῦς οὐκ ἐπίστευεν αὐτὸν αὐτοῖς διὰ τὸ αὐτὸν γινώσκειν πάντας [25] καὶ ὅτι οὐ χρείαν εἶχεν ἵνα τις μαρτυρήσῃ περὶ τοῦ ἀνθρώπου, αὐτὸς γὰρ ἐγίνωσκεν τί ἦν ἐν τῷ ἀνθρώπῳ.

22. ον (TH) plutôt que ω (SV).
24. αυτον (THV) et non εαυτον (S).

---

e bienvenu, et une preuve assurée du caractère historique de l'épisode. Mais comment les Juifs peuvent-ils dire que le naos a été bâti en quarante-six ans, quand Josèphe fixe à un an et cinq mois le temps pour la construction du naos, plus huit ans pour les portiques, etc. (*Ant.* XV, XI, 5.6)? — Nous savons par le même Josèphe que les travaux du hiéron ne furent achevés qu'au temps du procurateur Albinus (*Ant.* XX, IX, 7), vers l'an 63. On comprend que les Juifs, répondant à Jésus, aient employé le mot naos pour désigner toutes les constructions du Temple. Peut-être alors les travaux étaient-ils interrompus, ou considérés comme achevés pour l'essentiel.

21) Jésus l'entendait de son corps, temple du Dieu vivant, sur lequel les Juifs devaient s'acharner jusqu'à lui enlever la vie; mais lui devait le ressusciter en trois jours, terme qui a plusieurs modalités dans la tradition synoptique; cf. Mt. XII, 40.

22) Les apôtres n'avaient pas compris, non plus que les Juifs, mais ils avaient gardé le silence par respect. Le mot était donc obscur pour tout le monde, comme une sorte de prophétie dont l'avenir révélerait le secret (cf. XI, 12; XVI, 17 s.), ce qui est tout à fait dans l'esprit de l'évangile; non que le Seigneur emploie ce mode comme un châtiment, mais pour affermir la foi et la confiance en lui. C'est bien le résultat qui fut atteint. Les disciples constatèrent la résurrection et crurent à la portée prophétique de l'Écriture et de la Parole de Jésus. Ils croyaient déjà à l'Écriture, mais leur foi ne s'était pas appliquée à ce point particulier qui n'était pas clair pour eux (XX, 9), non plus que la parole de Jésus; cf. Lc. XXIV, 25 s.; Act. II, 24-32; I Cor. XV, 4.

23-25. CONVERSIONS IMPARFAITES A JÉRUSALEM.

C'est une introduction à l'entretien avec Nicodème, pour nous renseigner sur les dispositions générales dont ce maître offrira un échantillon, avec un désir assez accentué d'aller plus loin.

23) La Pâque, comme fête, durait huit jours que les pèlerins passaient ordinairement à Jérusalem. ἐν τῇ ἑορτῇ n'est pas une simple opposition à ἐν τῷ πάσχα, mais indique cette période. La foi est un des thèmes favoris de Jo., avec εἰς qu'on trouve une fois chez les synoptiques (Mt. XVIII, 6), rarement ailleurs.

ce temple, et tu le relèveras en trois jours? » [21] Mais lui parlait du temple de son corps. [22] Lors donc qu'il fut ressuscité d'entre les morts, ses disciples se souvinrent de ce qu'il avait dit, et ils crurent à l'Écriture et à la parole qu'avait dite Jésus.

[23] Or comme il était à Jérusalem pour Pâque durant la fête, beaucoup crurent en son nom, voyant les miracles qu'il faisait. [24] Mais lui Jésus ne se confiait pas à eux, car il les connaissait tous, [25] et il n'avait pas besoin qu'on rendît témoignage au sujet de l'homme, car lui-même savait ce qu'il y avait dans l'homme.

Cette préposition ne souligne pas une imperfection, même avec τὸ ὄνομα, cf. I, 12; III, 18, comme s'ils avaient cru au nom du Messie, mais non à la réalité divine de Jésus; l'imperfection, indiquée au v. 24, n'est pas expliquée clairement : ils ne croyaient qu'à cause des signes, qui sont bien un motif pour croire, mais d'une foi qui peut demeurer théorique et ne pas dominer la pratique, ou qui n'est pas assez entière pour qu'on s'en remette à celui auquel on croit; c'est ce dernier sens que suggère le ch. III. Il n'est pas dit qu'ils aient dès lors reconnu Jésus comme le Messie, ni qu'ils aient eu de la répugnance pour sa doctrine, car il a dû prêcher (III, 2. 11). Ils étaient disposés à le prendre pour guide, comme les disciples de Hillel ou de Chammaï qui donnèrent leur nom à une école, mais non à s'en remettre à lui pour leur salut. On voit qu'en tout cas Jo. n'exagère pas l'importance des signes dans l'ordre du salut. Thomas : *commendabiliores sunt qui propter doctrinam credunt.*

24) Il faut lire αὑτόν = ἑαυτόν (qu'écrit Soden) avec HV, plutôt que αὐτόν (T) qui revient aussitôt après. Zahn regarde cette tournure comme presque sans exemple, cependant Bauer cite Plut. *Regum et imperatorum apophtegmata*, p. 181 *d;* on peut ajouter Hérodien VII, 5, 5 : πιστεῦσαι σεαυτὸν ἐλπίδι κρείττονι, ᾗ πάντες πεπιστεύκαμεν, au sens de se confier, s'abandonner à l'espérance. Cf. Sap. XIV, 5 ἐλαχίστῳ ξύλῳ πιστεύουσιν ἄνθρωποι ψυχάς, « leurs vies », et aussi leurs personnes. Donc Jésus ne voulait pas se confier à eux. Mais avait-il quelque chose à redouter? Voulaient-ils l'entraîner dans quelque aventure? On est amené au sens de Chrysostome : confier le secret de sa personne et de sa doctrine. Si Jésus avait révélé à ces convertis de la première heure, entraînés par des miracles, le secret de sa mission par la passion, il eût compromis même cette foi naissante. Cela est tout à fait conforme à sa pédagogie avec ses disciples dans les synoptiques; s'assurer de leur fidélité avant de leur annoncer sa mort. Il fera un pas dans ce sens avec Nicodème dont l'insistance paraissait un gage de bonne volonté, mais le résultat donnera raison à sa pratique.

25) Jésus était éclairé par sa science propre, qui pénètre au fond des cœurs. Les hommes ont besoin des témoignages que les uns rendent aux autres parce qu'ils les connaissent depuis longtemps. Jésus sait dès le premier moment à quoi s'en tenir sur les dispositions actuelles, et sur ce qu'elles présageaient.

CHAPITRE III

[1] Ἦν δὲ ἄνθρωπος ἐκ τῶν Φαρισαίων, Νικόδημος ὄνομα αὐτῷ, ἄρχων τῶν Ἰουδαίων· [2] οὗτος ἦλθεν πρὸς αὐτὸν νυκτὸς καὶ εἶπεν αὐτῷ Ῥαββί,

1-21. Nicodème et la nouvelle naissance par l'Esprit. Réflexions de l'évangéliste.

Cette première prédication de Jésus dans Jo. ressemble bien peu à celle des synoptiques, il serait inutile de le dissimuler. D'après Loisy : « Cette religion de mystère se substitue à la pénitence et au renoncement que le Christ synoptique exige de ceux qui veulent entrer dans le royaume des cieux » (p. 155). Il faut cependant tenir compte du but de Jo. qui ne se substitue pas aux synoptiques, mais les complète, et nous verrons qu'il a pris soin de rappeler leur thème. Autre chose est la prédication populaire, autre chose la réponse à une préoccupation d'un docteur, sollicitée en grand secret. La doctrine de Jo. n'est pas empruntée aux mystères, mais au principe fondamental du christianisme. La seule véritable difficulté, c'est que cet exposé paraîtrait plus naturel sur les lèvres d'un catéchiste chrétien assez longtemps après la fondation de l'Église, que comme un premier jet émanant de Jésus lui-même, d'autant qu'il se termine insensiblement par des paroles qui semblent bien être de Jo. (16-21).

Nous aurons donc à poser le principe d'une distinction — qu'on ne peut toujours appliquer avec précision — entre le fond de la pensée et les expressions. Il serait contraire à toute critique de refuser au fondateur du christianisme la conscience de son principe fondamental, mais contraire aussi à la critique de lui attribuer les termes mêmes d'un discours qui n'a pas ici l'aspect araméen de ceux des synoptiques. On a souvent reproché à Jésus d'avoir prêché le royaume de Dieu sans expliquer sa nature autrement qu'en paraboles : c'était ce qu'il fallait pour la foule; mais pourquoi se serait-il refusé à donner à des docteurs une initiation plus précise? C'est ce qu'il a fait avec Nicodème.

On distingue dans ce morceau : l'introduction (1-2); l'entretien avec Nicodème sur la régénération (3-15); l'enseignement sur le Fils de Dieu venu dans le monde et sur l'accueil qu'il y a reçu (16-25). Nous examinerons après le v. 15 les rapports de la régénération avec les mystères païens.

1-2. *Introduction.*

1) Le δέ lie avec ce qui précède : les croyants imparfaits s'en tenant là, l'un d'eux fait une démarche. — ἄνθρωπος est probablement ici comme le terme le plus naturel, sans allusion aux deux mots semblables dans II, 25. Le nom de Nicodème est grec, selon une coutume assez courante chez les personnes de qualité, comme était celui-ci, ἄρχων c'est-à-dire membre du Sanhédrin. Il appartenait au parti des Pharisiens, qui furent hostiles à Jésus, mais qu'un acte

[1]Or il y avait parmi les Pharisiens un homme nommé Nicodème, l'un des principaux d'entre les Juifs. [2]Il vint durant la nuit le trouver et lui dit : « Rabbi, nous savons que tu es venu de la part

de zèle devait choquer beaucoup moins que les Sadducéens. Nous verrons plus loin que c'était un docteur. Jo. ne le présente nullement comme un personnage symbolique, lui accordant au contraire un rôle dans l'évangile (vii, 50 ; xix, 39), alors qu'il est loin de prodiguer les noms propres. Les critiques radicaux croient savoir qu'il a voulu donner un doublet à Joseph d'Arimathie qu'il connaît aussi (xix, 38)! — On s'est demandé si l'existence de ce disciple — car tout porte à croire qu'il se déclara enfin — n'est pas confirmée dans l'histoire. On ne peut guère s'appuyer sur Josèphe (*Bell.* II, xvii, 10) qui parle vers l'an 66 ap. J.-C. d'un Gorion fils de Νικομήδης, car *Nicodemi* de la version latine seule aura été influencé par l'évangile; cependant le nom de Νικόδημος se trouve dans *Ant.* XIV, iii, 2 (en 63 avant J.-C.). Le Talmud de Babylone (*Ta'anith* $19^{b}20^{a}$) connaît un Bouni (ou *Bounaï*), riche bienfaisant de Jérusalem qui fut nommé ensuite Naqdémon (נקדימון = Νικόδημος) et qui était fils de Gorion. Le rapprochement des deux noms, dans le Talmud et dans Josèphe, quoiqu'ils soient intervertis pour la filiation, indique la même famille; mais notre Nicodème, qui n'était sûrement pas jeune lors de son entretien, étant un docteur renommé, aurait-il vécu jusqu'en 66? On a tenté de faire de Naqdimôn un disciple de Jésus d'après un autre passage du Talmud (*b. Sanh.* 43^{a}). Il est question de cinq disciples de Jésus qui ont comparu devant un tribunal juif : Mattaï, Naqqaï, Nécer, Bouni, Toda. Ils jouent sur le sens de leurs noms d'après les textes sacrés pour n'être pas condamnés à mort; on leur répond par d'autres textes. C'est une fantaisie exégétique, et les faits sont peut-être relatifs à la persécution de Bar-Kokébas, s'il y a du vrai dans ce récit (Strack, *Jesus, die Haeretiker und die Christen,* p. 43). Pour y trouver Nicodème, il faudrait que ce soit Bouni, dont il avait porté le nom, ou Naqqaï, que Dalman (*Grammatik...* 2e éd. 179) regarde comme une abréviation de Nicodème. Or les rabbins n'ont sûrement pas eu l'intention de compter parmi les disciples de Jésus un de leurs hommes illustres. Tout cela n'est donc pas très concluant. Nous constatons seulement l'existence du nom à cette époque. — Nicodème n'est connu que de Jo. dans le N. T. et revient dans les Clémentines (*Rec.* III, 68; *Hom.* II, 1). Un évangile apocryphe porte son nom.

2) Nicodème vient de nuit, sans doute pour ne pas se compromettre, à en juger par ce qui est dit de Joseph d'Arimathie (xix, 38), mais peut-être aussi pour n'être pas dérangé dans l'entretien important qu'il voulait avoir. En Orient et surtout parmi les gens modestes, entre qui veut, tout le jour et même le soir; la nuit est le seul moment réservé à l'intimité. Il nomme Jésus *rabbi*, comme les disciples (i, 38), mais sûrement au sens propre, puisqu'il regarde Jésus comme un maître, donc comme un égal. Quoique Jésus n'ait jamais fait parade d'études scripturaires, son enseignement a dû paraître inspiré par la connaissance des prophètes. La preuve que ce maître venait de la part de Dieu, Nicodème la trouvait dans les miracles. Cependant il n'ignorait pas que même

οἴδαμεν ὅτι ἀπὸ θεοῦ ἐλήλυθας διδάσκαλος· οὐδεὶς γὰρ δύναται ταῦτα τὰ σημεῖα ποιεῖν ἃ σὺ ποιεῖς, ἐὰν μὴ ᾖ ὁ θεὸς μετ' αὐτοῦ. [3]ἀπεκρίθη Ἰησοῦς καὶ εἶπεν αὐτῷ Ἀμὴν ἀμὴν λέγω σοι, ἐὰν μή τις γεννηθῇ ἄνωθεν, οὐ δύναται ἰδεῖν τὴν βασιλείαν τοῦ θεοῦ. [4]λέγει πρὸς αὐτὸν ὁ Νικόδημος Πῶς δύναται ἄνθρωπος γεννηθῆναι γέρων ὤν; μὴ δύναται εἰς τὴν κοιλίαν τῆς μητρὸς αὐτοῦ δεύτερον εἰσελθεῖν καὶ γεννηθῆναι; [5]ἀπεκρίθη ὁ Ἰησοῦς Ἀμὴν ἀμὴν λέγω σοι, ἐὰν μή τις γεννηθῇ ἐξ ὕδατος καὶ πνεύματος, οὐ δύναται

5. των ουρανων (T) plutôt que του θεου (HSV).

---

un faiseur de prodiges pouvait être un séducteur, contre lequel la Loi mettait en garde (Dt. XIII, 2), car il n'en était que plus dangereux. Il fallait savoir si la doctrine de Jésus était conforme à l'enseignement des docteurs, ou si elle n'était pas nouvelle et émancipée. Selon le mot célèbre de Pascal : « Les miracles discernent la doctrine, et la doctrine discerne les miracles » (*Pensées*). Nicodème, qui avait peut-être appréhendé des nouveautés, ne précise pas son état d'esprit; timide avec Jésus comme envers les Juifs, il se contente d'un exorde insinuant, laissant à l'envoyé de Dieu le soin de pénétrer sa pensée. A tout prendre les miracles de Jésus à Jérusalem — sur lesquels nous ne sommes pas informés en détail, — étaient de telle nature que le doigt de Dieu y paraissait. C'était même l'opinion de son groupe (οἴδαμεν). On espérait l'avènement du règne de Dieu, mais quel moyen proposait le jeune maître? Telle est du moins la question tacite à laquelle Jésus répond. Elle ne ressemble que de loin à la question du jeune homme de Mt. (XIX, 16 ; cf. Mc. X, 17; Lc. XVIII, 18), beaucoup plus spontané, assez ingénu et bien disposé pour demander ce qu'il avait à faire pour acquérir la vie éternelle.

3-15. *La renaissance dans l'Esprit et le salut par le fils de l'homme.*

3) Jésus répond solennellement, en indiquant le moyen indispensable pour atteindre le seul but nécessaire, le royaume de Dieu. Avec ἰδεῖν, on pourrait penser au règne de Dieu sur la terre, mais εἰσελθεῖν (5) indique le royaume, et l'on voit ensuite (15) que ce royaume est la vie éternelle. Il est exact de dire que « le royaume de Dieu est intérieur aux croyants » (*Loisy*); mais seulement comme un gage de la vie éternelle. Comment le voir? La réponse dépend en partie du sens d'ἄνωθεν, mais seulement quant au sens précis du mot, car une naissance d'en haut est nécessairement une nouvelle naissance, et une nouvelle naissance n'a de prix que si elle vient d'en haut. De sorte que « d'en haut » c'est-à-dire de Dieu est l'idée principale qui devait être exprimée, tandis que la régénération en découlerait tout naturellement. ἄνωθεν pourrait signifier « de nouveau », c'est le sens des latins, des coptes, des syriens (מן דריש, *da capo,* derechef), sauf syr.-hiér. (למעל, d'en haut). On notera que les Syriens ont dû choisir, et l'on ne saurait assigner un mot araméen qui aurait les deux sens, de sorte qu'en araméen Jésus aurait opté, mais la réponse de Nicodème tiendrait dans les deux cas. — De la signification « à partir d'en haut » est

de Dieu comme docteur, car personne ne peut faire les miracles que tu fais si Dieu n'est avec lui. » [3]Jésus répondit et lui dit : « En vérité, en vérité, je te le dis, nul, s'il ne naît pas d'en haut, ne peut voir le royaume de Dieu. » [4]Nicodème lui dit : « Comment un homme peut-il naître, étant vieux? Peut-il entrer une seconde fois dans le sein de sa mère et naître? » [5]Jésus lui répondit : « En vérité, en vérité je te le dis, nul, s'il ne naît de l'eau et de l'esprit, ne

venu « du commencement, de nouveau », sens assez fréquent en grec, et préféré par Justin (I Apol. LXI) : ἂν μὴ ἀναγεννηθῆτε, Tert. (*de Baptismo*, XIII), Clém. Al. (*Cohort.* IX, 82), aujourd'hui Zahn. Origène qui a reconnu ce sens, préfère celui de ὕψωθεν, « venant d'en haut », c'est à dire du ciel (éd. *Preuschen*, p. 510) ; de même Chrys. Cyrille d'Al., Thomas, qui recourt au grec; de nos jours Calmes, Loisy, Schanz, etc. Ce dernier sens n'est pas douteux car c'est celui de Jo. ailleurs (III, 31 ; XIX, 11. 23) et le contexte n'y est pas contraire, car il n'est pas nécessaire que Nicodème ait compris ce sens. Naître d'en haut, c'est devenir fils de Dieu, comme Jo. l'a déjà dit (I, 12), et loin que cette idée soit nouvelle, elle a été exprimée par Mt. V, 45, texte qu'Origène a déjà signalé ὅπως γένησθε υἱοὶ τοῦ πατρὸς ὑμῶν. Il y a cependant une grande différence entre l'exhortation morale de Jésus dans Mt. et la naissance qu'il propose ici.

4) Nicodème comprend vraisemblablement que Jésus a parlé de naître de nouveau. S'il avait entendu « une naissance d'en haut », il eut été sur la voie d'une action divine, d'un sens spirituel, auquel on fait il ne songe pas. Qu'on parle de pénitence, soit; cela peut aller jusqu'à changer sa vie, à devenir comme un enfant (Mc. X, 15 ; Mt. XVIII, 3). Mais la recommencer, naître de nouveau, c'est impossible. Choqué d'une réponse qu'il eût voulu plus digne de lui, il donne à son objection la forme la plus réaliste, par l'image ridicule d'un vieillard qui retournerait dans le sein de sa mère. La double interrogation marque de la vivacité, et l'absurdité manifeste de l'hypothèse accuse un dédain qui lui vaudra la réplique accentuée du v. 10. On ne peut d'ailleurs rien conclure de là sur l'âge de Nicodème; ce sont ses dignités qui indiquent un âge avancé.

5) Jésus reprend son affirmation, mais il remplace le mot ἄνωθεν, mal compris de Nicodème, par une explication de la naissance en question : elle doit résulter de l'eau et de l'esprit, c'est-à-dire du baptême, dont il sera le créateur.

C'est le fondement de l'institution chrétienne, et non seulement les synoptiques ont attribué à Jésus le baptême en esprit, mais ils ont fait annoncer par Jean que telle serait sa mission (Mt. III, 11; Mc. I, 8; Lc. III, 16); Jo. ayant indiqué non moins clairement que l'action de l'Esprit n'excluait pas la réalité du baptême (I, 33). Telle était la prédication officielle du Baptiste, que Nicodème pouvait connaître. La nécessité de ce baptême pour entrer dans le royaume de Dieu est enseignée dans la finale de Mc. XVI, 16, et supposée par Mt. XXVIII, 19. Le commandement solennel donné aux disciples par Jésus en les quittant est

εἰσελθεῖν εἰς τὴν βασιλείαν τῶν οὐρανῶν. [6] τὸ γεγεννημένον ἐκ τῆς σαρκὸς σάρξ ἐστιν, καὶ τὸ γεγεννημένον ἐκ τοῦ πνεύματος πνεῦμά ἐστιν. [7] μὴ θαυμάσῃς ὅτι εἶπόν σοι Δεῖ ὑμᾶς γεννηθῆναι ἄνωθεν. [8] τὸ πνεῦμα ὅπου θέλει πνεῖ, καὶ τὴν φωνὴν αὐτοῦ ἀκούεις, ἀλλ' οὐκ οἶδας πόθεν ἔρχεται καὶ

l'application de la prédiction du Baptiste, que Jésus commente ici à Nicodème. — Nous avons déjà noté εἰσελθεῖν au lieu de ἰδεῖν (v. 3). Avec T. nous préférons τῶν οὐρανῶν soutenu par les Pères anciens à τοῦ θεοῦ (HSV), qui doit être une harmonisation avec le v. 3. En disant royaume du ciel, Jésus remplace pour ainsi dire ἄνωθεν pour marquer l'origine céleste du baptême, et il emploie une expression plus connue des Juifs (cf. *Comm.* Mt. p. 46 ss.), double concession pour aider Nicodème (cf. *Zahn*).

6) Jésus ne prétend pas qu'il n'y ait dans l'homme que de la chair, même selon l'ordre de la nature, et cela n'est pas en question; il distingue deux sortes de naissances, l'une selon la chair, qui donne la vie corporelle périssable, selon le sens que les Hébreux donnaient au mot de chair surtout en tant qu'opposée à l'esprit (Gen. VI, 3; Ps. LVI, 5; LXXVIII, 39; Job. X, 4; Is. XXXI, 3). Mais Dieu pouvait communiquer son Esprit, spécialement pour rendre l'homme meilleur (Is. LXIII, 10 ss.; Ps. LI, 13; Dan. IV, 5. 6. 15; V, 11), et c'est ce que Jésus nomme ici une naissance par l'esprit, qui doit aboutir à une vie spirituelle. Un israélite ne risquait pas d'admettre une absolue identité de celui qui devient esprit avec l'Esprit divin. Une allusion à la création du monde (Gen. I, 2), né de l'eau et de l'esprit par la vertu de la parole divine (*Loisy*) n'est indiquée par rien. — Faut-il envisager ici la chair au sens paulinien comme un principe mauvais? Alors on serait tenté de faire du v. 6 l'explication du précédent : le baptême en esprit est nécessaire pour entrer dans le royaume de Dieu parce qu'il efface le péché, représenté par la chair. Rien de plus juste en soi, mais la rémission des péchés n'est pas envisagée directement ici. L'esprit donne droit au royaume par lui-même, et ce droit la chair ne l'a pas. Il serait également déplacé de tirer de ce texte des conclusions sur la passivité ou sur l'activité de l'homme dans la naissance par l'esprit; il faut seulement reconnaître qu'elle est l'œuvre de Dieu.

7) Cette remarque, d'après Loisy, est destinée à maintenir au discours l'apparence d'une conversation, mais elle dérange l'économie de la première strophe. — On ne voit pas au contraire pourquoi le v. 8 aurait expliqué que l'esprit est réel, quoique invisible, si Nicodème n'avait manifesté — cette fois par un simple jeu de physionomie ou par un geste, — qu'il n'était toujours pas convaincu. Jésus lui dit de ne pas s'étonner, et il lui fournit une analogie tirée des choses sensibles. Les hellénistes enseignent que μή avec l'impératif présent se dit pour protester contre une chose commencée, comme dans Jo. II, 16; V, 14. 28. 45; VI, 20. 43; XIX, 21; XX, 17. 27, tandis que μή avec le subj. aoriste prévient une chose qu'on veut empêcher. C'est le seul cas dans Jo., il faut donc qu'il ait voulu indiquer que Jésus coupe court à une interruption de Nicodème; cf. μὴ θορυβήσητε (PLATON, *Apologie*, 20 E) *avant* qu'on ait fait du bruit, et μὴ θορυβεῖτε (*l. l.* 21 A) *après* (Dr Jackson, cité par Moulton, *Prol.* p. 122). — Après les

peut entrer dans le royaume des cieux. [6]Ce qui est né de la chair, est chair, et ce qui est né de l'esprit est esprit. [7]Ne t'étonne pas, si je t'ai dit : Il vous faut naître d'en haut. [8]Le vent souffle où il veut, et tu entends sa voix; mais tu ne sais ni d'où il vient ni où il va.

explications déjà données, ἄνωθεν devait nécessairement signifier « d'en haut ».

8) Pour donner l'idée d'une force très agissante, quoique invisible, on pourrait aujourd'hui citer l'électricité ou la télégraphie sans fil, etc. Jésus s'en tient au mot esprit qui, en hébreu comme en grec, avait originairement le sens de souffle, vent. C'est une petite parabole, dont l'application se fait comme souvent (Mt. XIII, 40, etc.) par οὕτως. Aucun moderne n'en doute. Maldonat n'a pas osé le conclure franchement à cause de l'autorité des Pères, surtout de saint Augustin, quoique Thomas ait laissé voir clairement sa préférence pour l'opinion de Chrysostome, lequel a bien vu que le vent avait été choisi comme intermédiaire entre la matière et l'immatériel. C'était déjà pour cela que les stoïciens nommaient πνεῦμα le principe actif du monde. Jésus prête au vent une certaine personnalité : *a*) il va où il veut; *b*) on entend le bruit qu'il fait sans le voir; cf. Sir. XVI, 21; *c*) on ne sait ni d'où il vient, ni où il va. Aug. a objecté contre le sens de vent, que du vent on sait très bien s'il vient du sud ou du nord; mais cette difficulté a été réduite par Thomas. Quand on voit passer un voyageur, on voit bien quelle direction il suit; mais sait-on son point d'origine et l'endroit où il se rend? Après la description des propriétés du vent, l'application. Ce n'est pas : « ainsi en est-il de l'Esprit. » Mais : « ainsi en est-il de celui qui est né de l'Esprit. » Zahn note avec raison γεγεννημένος, « celui qui est né » et désormais en possession de tout ce que comporte sa naissance, et non pas γεννώμενος, celui qui naît. Mais il comprend : ainsi en est-il de l'Esprit pour celui qui est né de l'Esprit; de cette manière : *a*) l'Esprit étant libre, il n'y a qu'à le laisser faire; *b*) celui qui l'a reçu entend sa voix; *c*) mais il ne sait d'où il vient ni où il va. Je croirais plutôt que le sens est : ainsi en est-il au regard des autres de celui qui est né de l'Esprit. Sans pouvoir atteindre l'Esprit lui-même, on reconnaît en cet homme sa présence, précisément parce qu'il participe à l'Esprit, lequel est donc bien comparé au vent, d'une comparaison nécessaire et sous-jacente. L'Esprit de Dieu agit en toute liberté, il fait retentir sa voix quand il parle aux prophètes, mais on ne peut pénétrer ses desseins : « Il passe près de moi, et je ne le vois pas; il s'éloigne sans que je l'aperçoive » (Job. IX, 11). Celui qui est né de l'Esprit jouit donc aussi de la liberté intérieure; on entend par lui la voix de l'Esprit; on ne sait quels sont les desseins que Dieu lui a inspirés, et où il le mène, mais si l'Esprit demeure invisible, son action n'en est pas moins certaine et révèle sa présence. — Le raisonnement est analogue à celui de Socrate (XÉN. *Memor.* IV, III, 14) qui, pour apprendre à ne pas mépriser les choses invisibles cite plusieurs exemples des « serviteurs des dieux » comme le tonnerre et les vents : Καὶ ἄνεμοι αὐτοὶ μὲν οὐχ ὁρῶνται, ἃ δὲ ποιοῦσι φανερὰ ἡμῖν ἐστι, καὶ προσιόντων αὐτῶν αἰσθανόμεθα (*Logos spermaticos*, *Bauer*).

Nicodème n'est donc pas autorisé à douter de la naissance par l'Esprit, et

καὶ οὐ πιστεύετε, πῶς ἐὰν εἴπω ὑμῖν τὰ ἐπουράνια πιστεύσετε; [13] καὶ οὐδεὶς ἀναβέβηκεν εἰς τὸν οὐρανὸν εἰ μὴ ὁ ἐκ τοῦ οὐρανοῦ καταβάς, ὁ υἱὸς τοῦ ἀνθρώπου ὁ ὢν ἐν τῷ οὐρανῷ. [14] καὶ καθὼς Μωυσῆς ὕψωσεν τὸν ὄφιν ἐν τῇ

13. ο ων εν τω ουρανω (TV) ou *om.* (HS).

Maldonat a succombé à cette objection, et entendu l'opposition entre un mode humain, et une manière plus nue de parler des choses divines (cf. *Loisy, Calmes*). Mais le texte distingue bien deux catégories d'après leur caractère propre, et et comment parler de Dieu si ce n'est *humano more?* Il faut donc s'en tenir à une opposition entre deux états des choses divines. Jésus a parlé de l'action de l'Esprit dans l'homme et affirmé qu'on peut s'en rendre compte d'une certaine manière, quoique le principe des actions soit objet de foi. Mais les choses divines en elles-mêmes, par exemple la filiation divine du Fils, le rapport entre Dieu et l'Esprit, sont des choses qui se passent au ciel, selon notre manière de parler qui place en haut ce qui dépasse notre intelligence. Aussitôt que le Fils descend sur la terre, son incarnation entre en quelque sorte dans notre domaine (ἐπίγειός ἐστι, *Chrys.*). Les ἐπουράνια sont réservés; Jésus n'en parlera donc pas aussitôt après; il semble même qu'il n'en parlera pas au public profane de ses ennemis (cf. *Introd.*, p. CLVII s.); mais il tient à établir qu'il en aurait le pouvoir et le droit, appartenant lui-même au monde céleste.

13) Nous lisons non sans hésitation ὁ ὢν ἐν τῷ οὐρανῷ (TV), car l'omission (HS) nous paraît trop exclusivement égyptienne (ℵBLT 33 *boh. sah.* Cyr), quoique ce soit aussi probablement la leçon de Tatien (*Moes.* 168, 187, 189) et de deux mss. *pes.* Plusieurs modernes (*Loisy, Bauer*, même *Calmes*) entendent ἀναβέβηκεν de l'Ascension. Il est vrai qu'il n'est pas question d'une visite de Jésus au ciel durant sa vie, mais de quelqu'un qui y serait monté pour y séjourner (le parfait); seulement Jo. ne peut avoir voulu dire cela de Jésus dans un entretien avec Nicodème. Prétendre qu'il s'est oublié, qu'il parle aux chrétiens de son temps de l'Ascension du Christ, que ce sont ses réflexions qui commencent, ne pourrait être admis (à cause du v. 14) que si c'était le seul sens possible. Or il est très admissible que εἰ μή inaugure une restriction qui ne correspond pas exactement à ce qui précède : III, 27; Mt. XII, 4; Lc. IV, 27 (cf. Act. XXVII, 22), surtout Apoc. XXI, 27 sont des exemples de cette concision exagérée. Le Christ s'est étonné que Nicodème refuse de croire à ce qu'il a dit. Et cependant il avait toute qualité pour parler, comme il l'avait indiqué au v. 11, et comme il va le montrer plus clairement, parce qu'il est le Fils de l'homme descendu du ciel. Il a donc qualité de révélateur. Mais il y a plus, il est le seul. Les anges ne sont pas commis à ce ministère d'une façon normale. Personne autre ne pouvait descendre du ciel, et personne n'y est monté. Le sens est donc : personne ne peut révéler les choses du ciel, car personne n'y est monté; personne, si ce n'est le Fils de l'homme qui en est descendu. On sait qu'une tournure elliptique se trouve fréquemment en hébreu avec כי אם marquant une exception (KAUTZSCH, *Gram.* § 163; cf. Gen. XL, 14). — Jo. n'avait pas à se préoccuper d'Hénoch et d'Élie, enlevés vivants, et qui étaient censés le plus souvent n'avoir

peut entrer dans le royaume des cieux. [6]Ce qui est né de la chair, est chair, et ce qui est né de l'esprit est esprit. [7]Ne t'étonne pas, si je t'ai dit : Il vous faut naître d'en haut. [8]Le vent souffle où il veut, et tu entends sa voix; mais tu ne sais ni d'où il vient ni où il va.

explications déjà données, ἄνωθεν devait nécessairement signifier « d'en haut ».

8) Pour donner l'idée d'une force très agissante, quoique invisible, on pourrait aujourd'hui citer l'électricité ou la télégraphie sans fil, etc. Jésus s'en tient au mot esprit qui, en hébreu comme en grec, avait originairement le sens de souffle, vent. C'est une petite parabole, dont l'application se fait comme souvent (Mt. XIII, 40, etc.) par οὕτως. Aucun moderne n'en doute. Maldonat n'a pas osé le conclure franchement à cause de l'autorité des Pères, surtout de saint Augustin, quoique Thomas ait laissé voir clairement sa préférence pour l'opinion de Chrysostome, lequel a bien vu que le vent avait été choisi comme intermédiaire entre la matière et l'immatériel. C'était déjà pour cela que les stoïciens nommaient πνεῦμα le principe actif du monde. Jésus prête au vent une certaine personnalité : *a*) il va où il veut; *b*) on entend le bruit qu'il fait sans le voir; cf. Sir. XVI, 21; *c*) on ne sait ni d'où il vient, ni où il va. Aug. a objecté contre le sens de vent, que du vent on sait très bien s'il vient du sud ou du nord; mais cette difficulté a été réduite par Thomas. Quand on voit passer un voyageur, on voit bien quelle direction il suit; mais sait-on son point d'origine et l'endroit où il se rend? Après la description des propriétés du vent, l'application. Ce n'est pas : « ainsi en est-il de l'Esprit. » Mais : « ainsi en est-il de celui qui est né de l'Esprit. » Zahn note avec raison γεγεννημένος, « celui qui est né » et désormais en possession de tout ce que comporte sa naissance, et non pas γεννώμενος, celui qui naît. Mais il comprend : ainsi en est-il de l'Esprit pour celui qui est né de l'Esprit; de cette manière : *a*) l'Esprit étant libre, il n'y a qu'à le laisser faire; *b*) celui qui l'a reçu entend sa voix; *c*) mais il ne sait d'où il vient ni où il va. Je croirais plutôt que le sens est : ainsi en est-il au regard des autres de celui qui est né de l'Esprit. Sans pouvoir atteindre l'Esprit lui-même, on reconnaît en cet homme sa présence, précisément parce qu'il participe à l'Esprit, lequel est donc bien comparé au vent, d'une comparaison nécessaire et sous-jacente. L'Esprit de Dieu agit en toute liberté, il fait retentir sa voix quand il parle aux prophètes, mais on ne peut pénétrer ses desseins : « Il passe près de moi, et je ne le vois pas; il s'éloigne sans que je l'aperçoive » (Job. IX, 11). Celui qui est né de l'Esprit jouit donc aussi de la liberté intérieure; on entend par lui la voix de l'Esprit; on ne sait quels sont les desseins que Dieu lui a inspirés, et où il le mène, mais si l'Esprit demeure invisible, son action n'en est pas moins certaine et révèle sa présence. — Le raisonnement est analogue à celui de Socrate (Xén. *Memor.* IV, III, 14) qui, pour apprendre à ne pas mépriser les choses invisibles cite plusieurs exemples des « serviteurs des dieux » comme le tonnerre et les vents : Καὶ ἄνεμοι αὐτοὶ μὲν οὐχ ὁρῶνται, ἃ δὲ ποιοῦσι φανερὰ ἡμῖν ἐστι, καὶ προσιόντων αὐτῶν αἰσθανόμεθα (*Logos spermaticos, Bauer*).

Nicodème n'est donc pas autorisé à douter de la naissance par l'Esprit, et

ποῦ ὑπάγει· οὕτως ἐστὶν πᾶς ὁ γεγεννημένος ἐκ τοῦ πνεύματος. [9] ἀπεκρίθη Νικόδημος καὶ εἶπεν αὐτῷ Πῶς δύναται ταῦτα γενέσθαι; [10] ἀπεκρίθη Ἰησοῦς καὶ εἶπεν αὐτῷ Σὺ εἶ ὁ διδάσκαλος τοῦ Ἰσραὴλ καὶ ταῦτα οὐ γινώσκεις; [11] ἀμὴν ἀμὴν λέγω σοι ὅτι ὃ οἴδαμεν λαλοῦμεν καὶ ὃ ἑωράκαμεν μαρτυροῦμεν, καὶ τὴν μαρτυρίαν ἡμῶν οὐ λαμβάνετε. [12] εἰ τὰ ἐπίγεια εἶπον ὑμῖν

encore moins les Juifs de l'origine de Jésus, dont ils devraient savoir d'où il vient (VII, 28; IX, 30), et qui cependant ne savent ni d'où il vient, ni où il va (VIII, 14).

9) Le docteur ne se rend pas. Il voit bien maintenant que Jésus ne parle pas d'une naissance naturelle; mais tout ce qu'il expose (ταῦτα) n'en est pas moins obscur; il reprend donc pour ce nouveau thème le πῶς δύναται du v. 4.

10) L'article devant διδάσκαλος ne pose pas Nicodème comme le maître d'Israël par excellence; l'éloge serait excessif ou la moquerie trop vive. Pour un sens atténué on cite *Mart. Polyc.* XII, 2 ὁ τῆς Ἀσίας διδάσκαλος et Ps.-Clém. Hom. V, 18 de Socrate : ὁ τῆς Ἑλλάδος διδάσκαλος, mais dans ces deux cas le nom est pris très au sérieux, quant aux chrétiens et quant aux Grecs. Il semble donc plutôt que l'article distingue Nicodème de son interlocuteur. De nous deux, répond le Sauveur, c'est toi qui es *le* maître d'Israël, une autorité pour alléguer et interpréter la tradition, ce que Jésus ne prétendait pas faire. Il y a incontestablement une pointe d'ironie, que Nicodème s'est attirée en affectant de ne rien comprendre, comme si on lui proposait une doctrine absolument nouvelle et déroutante pour un maître comme lui. Or s'il y avait dans les paroles de Jésus un mot nouveau, la naissance d'en haut, ou de l'Esprit, c'était au fond la doctrine même de l'Esprit que Nicodème ne pouvait ignorer (*Loisy*). Lui était-il tellement difficile de concevoir une rénovation par l'Esprit qui pût être comparée à une nouvelle naissance, puisqu'il l'entendait ainsi? Il avait dû lire Ez. XI, 19 s.; XXXV, 26 s. : « Je vous donnerai un cœur nouveau; j'ôterai de votre chair le cœur de pierre, et je vous donnerai un cœur de chair; je mettrai au-dedans de vous mon Esprit », promesse dont on eût pu dire aussi : comment cela se peut-il faire? cf. Ps. LI, 13. C'est l'Esprit de Dieu qui avait parlé par les prophètes, lesquels faisaient donc entendre sa voix, et on savait que la plus large effusion de l'Esprit devait être le signal du salut : Is. XLIV, 3; LIX, 21; Joël III, 1. Aussi bien les Juifs se sont approprié l'idée d'une naissance nouvelle par le baptême et la circoncision. Dans le traité *Iebamoth* 62ᵃ, le prosélyte devenu israélite est comme un enfant nouveau-né, et même celui qui suit l'impulsion d'un esprit pur pour entrer dans la voie de la perfection est comme un enfant né aujourd'hui (*Wünsche*, *Neue Beiträge*... p. 506) : on ne saurait affirmer que cela se disait au temps de Nicodème, mais cela est sûrement sorti de l'enseignement traditionnel. Toutefois ce n'est dans le judaïsme qu'une comparaison, parce qu'il ne dispose pas de la réalité spirituelle dont parle Jésus.

11) L'intention de Jo. est manifestement de placer ces mots dans la bouche de Jésus, comme tout ce qui suit jusqu'au v. 15 inclus; dans ses épîtres il ne dit pas ἀμὴν ἀμήν, affirmation solennelle réservée à Jésus, et au v. 14 la Passion est encore à venir. On objecte la ressemblance du début avec I Jo. I, 3 ὃ ἑωράκαμεν καὶ

Ainsi en est-il de quiconque est né de l'esprit. » [9]Nicodème répondit et lui dit : « Comment cela peut-il se faire? » [10] Jésus répondit et lui dit : « Tu es le docteur d'Israël, et tu ignores cela? [11]En vérité, en vérité, je te dis que nous parlons de ce que nous savons, et nous rendons témoignage de ce que nous avons vu, et vous n'acceptez pas notre témoignage. [12]Si je vous ai dit les choses

ἀκηκόαμεν où il parle pour son compte (cf. Jo. I, 14 καὶ ἐθεασάμεθα), et en effet cette manière de dire a pu influencer les termes de notre verset. On objecte encore, avec plus de raison, le pluriel οἴδαμεν, car on reconnaît que Jésus n'emploie pas ailleurs le pluriel de majesté, et ici il ne fait pas groupe avec ses disciples, qui ne sont pas encore associés à son enseignement. Zahn soutient après d'autres protestants conservateurs que « nous » s'entend du Sauveur et du Baptiste. Mais comment Nicodème l'aurait-il deviné? Cette fois, à ne pas comprendre, il eût été dans son droit. Les Pères unissaient à Jésus soit le Père, soit le Père et le Saint-Esprit. Mais on voit par la suite que Jésus insiste sur son propre témoignage. Quand il fait appel au témoignage de Jean et de son Père il le dit (v, 32 ss.). Au surplus, rien n'empêche d'admettre ici un pluriel figuré, οἴδαμεν, pour répondre à οἴδαμεν de Nicodème (v. 2). D'autant que Jésus revient au singulier dès le v. suivant. Jo. a donc voulu que cette conclusion de l'entretien débutât avec une certaine solennité. Nicodème et son groupe — puisqu'il s'est présenté comme parlant au nom de plusieurs — doivent accepter les affirmations de Jésus, même s'ils ne les comprennent pas, parce qu'il parle de ce qu'il sait, et témoigne de ce qu'il a vu. Or ils ne veulent pas accepter ce témoignage. On ne nie pas que cette expression ait pu être colorée par l'expérience de Jo., constatant l'attitude négative des docteurs, mais Jésus en avait un avant-goût dans la difficulté à croire de Nicodème, l'intellectuel hésitant. — Il n'est pas sûr que ἑωράκαμεν soit un *crescendo* par rapport à οἴδαμεν quant à l'objet, comme si la vision devait s'entendre spécialement de la vision du Fils dans le sein du Père (I, 18; III, 32; VI, 46; VIII, 38; XVII, 5, *Schanz*, etc.). Le *crescendo* est plutôt dans la certitude selon la manière ordinaire de parler : témoigner de ce que l'on a vu offre plus de garantie que parler de ce que l'on sait. Thomas attribue la science à l'humanité, la vision à la divinité; mais ce n'est pas le sens naturel et immédiat du texte.

12) Jésus fait allusion à ce qu'il vient de dire, et cette fois au singulier (εἶπον) à propos d'un fait particulier, et non plus de la doctrine en général. Il dit cependant ὑμῖν, pour ne pas changer complètement sa manière, d'autant que Nicodème en représente d'autres. — La pensée rappelle celle de Sap. IX, 16 : « Nous avons peine à apprécier par conjectures ce qui est sur la terre... qui a poussé ses investigations jusque dans le ciel? » L'opposition des ἐπίγεια et des ἐπουράνια est dans saint Paul (I Cor. XV, 40; Phil. II, 10) mais seulement à propos des objets en eux-mêmes, tandis qu'ici il s'agit des choses comme objet de connaissance. D'autre part le Christ n'a rien enseigné sur la nature physique des choses, même en ce qu'il a dit du vent en parlant comme tout le monde, et son enseignement portant toujours sur les choses divines, pourquoi cette distinction?

καὶ οὐ πιστεύετε, πῶς ἐὰν εἴπω ὑμῖν τὰ ἐπουράνια πιστεύσετε; [13] καὶ οὐδεὶς ἀναβέβηκεν εἰς τὸν οὐρανὸν εἰ μὴ ὁ ἐκ τοῦ οὐρανοῦ καταβάς, ὁ υἱὸς τοῦ ἀνθρώπου ὁ ὢν ἐν τῷ οὐρανῷ. [14] καὶ καθὼς Μωυσῆς ὕψωσεν τὸν ὄφιν ἐν τῇ

13. ο ων εν τω ουρανω (TV) ou *om.* (HS).

Maldonat a succombé à cette objection, et entendu l'opposition entre un mode humain, et une manière plus nue de parler des choses divines (cf. *Loisy, Calmes*). Mais le texte distingue bien deux catégories d'après leur caractère propre, et et comment parler de Dieu si ce n'est *humano more?* Il faut donc s'en tenir à une opposition entre deux états des choses divines. Jésus a parlé de l'action de l'Esprit dans l'homme et affirmé qu'on peut s'en rendre compte d'une certaine manière, quoique le principe des actions soit objet de foi. Mais les choses divines en elles-mêmes, par exemple la filiation divine du Fils, le rapport entre Dieu et l'Esprit, sont des choses qui se passent au ciel, selon notre manière de parler qui place en haut ce qui dépasse notre intelligence. Aussitôt que le Fils descend sur la terre, son incarnation entre en quelque sorte dans notre domaine (ἐπίγειός ἐστι, *Chrys.*). Les ἐπουράνια sont réservés; Jésus n'en parlera donc pas aussitôt après; il semble même qu'il n'en parlera pas au public profane de ses ennemis (cf. *Introd.*, p. CLVII s.); mais il tient à établir qu'il en aurait le pouvoir et le droit, appartenant lui-même au monde céleste.

13) Nous lisons non sans hésitation ὁ ὢν ἐν τῷ οὐρανῷ (TV), car l'omission (HS) nous paraît trop exclusivement égyptienne (א BLT 33 *boh. sah.* Cyr), quoique ce soit aussi probablement la leçon de Tatien (*Moes.* 168, 187, 189) et de deux mss. *pes.* Plusieurs modernes (*Loisy, Bauer,* même *Calmes*) entendent ἀναβέβηκεν de l'Ascension. Il est vrai qu'il n'est pas question d'une visite de Jésus au ciel durant sa vie, mais de quelqu'un qui y serait monté pour y séjourner (le parfait); seulement Jo. ne peut avoir voulu dire cela de Jésus dans un entretien avec Nicodème. Prétendre qu'il s'est oublié, qu'il parle aux chrétiens de son temps de l'Ascension du Christ, que ce sont ses réflexions qui commencent, ne pourrait être admis (à cause du v. 14) que si c'était le seul sens possible. Or il est très admissible que εἰ μή inaugure une restriction qui ne correspond pas exactement à ce qui précède : III, 27; Mt. XII, 4; Lc. IV, 27 (cf. Act. XXVII, 22), surtout Apoc. XXI, 27 sont des exemples de cette concision exagérée. Le Christ s'est étonné que Nicodème refuse de croire à ce qu'il a dit. Et cependant il avait toute qualité pour parler, comme il l'avait indiqué au v. 11, et comme il va le montrer plus clairement, parce qu'il est le Fils de l'homme descendu du ciel. Il a donc qualité de révélateur. Mais il y a plus, il est le seul. Les anges ne sont pas commis à ce ministère d'une façon normale. Personne autre ne pouvait descendre du ciel, et personne n'y est monté. Le sens est donc : personne ne peut révéler les choses du ciel, car personne n'y est monté; personne, si ce n'est le Fils de l'homme qui en est descendu. On sait qu'une tournure elliptique se trouve fréquemment en hébreu avec כי אם marquant une exception (KAUTZSCH, *Gram.* § 163; cf. Gen. XL, 14). — Jo. n'avait pas à se préoccuper d'Hénoch et d'Élie, enlevés vivants, et qui étaient censés le plus souvent n'avoir

terrestres et que vous ne croyez pas, comment croirez-vous si je vous dis les choses célestes? [13]Et personne n'est monté au ciel, si ce n'est celui qui est descendu du ciel, le Fils de l'homme qui est dans le ciel. [14] Et de même que Moïse a élevé le serpent dans le

été transférés que dans l'Éden; du moins cela est dit expressément pour Hénoch (Jub. IV, 23, et Hénoch slavon). Celui qui descend est ici le Fils de l'homme, car Jésus ne veut pas révéler dès à présent les choses célestes; c'est comme Fils de l'homme que le Logos appartenait aux choses terrestres, et cependant il était encore dans le ciel, comme il est dit en termes plus secrets (le sein du Père) dans le prologue (I, 18). Jo. ne saurait avoir oublié cette première page. Le Fils de l'homme est donc le Verbe incarné, dans la réalité de sa nature humaine, ce qui ne l'empêche pas d'être encore au ciel comme Verbe. Il n'y a nullement à faire intervenir ici l'homme céleste, ni à rappeler l'homme d'après l'image de Philon, c'est-à-dire une image de Dieu qui sert de type à l'homme terrestre, et qui équivaut en somme à son logos : cette terminologie est étrangère à l'esprit de Jo. et à sa pratique. On peut croire néanmoins que la difficulté de placer au ciel celui qui parle à Nicodème a déterminé l'omission de ὁ ὢν ἐν τῷ οὐρανῷ dans la tradition égyptienne, tandis que *e syrcur*. Aphraate lisaient *qui erat*, et 80, 88 avec *syrsin* ἐκ τοῦ οὐρανοῦ.

14 s.) Jésus n'a pas établi si fortement sa qualité de révélateur pour s'en tenir à ce qu'il a dit à Nicodème du baptême. C'est le premier objet de l'enseignement pour qui désire entrer dans le royaume de Dieu. Mais d'où vient la nécessité du baptême, si ce n'est qu'on s'y unit à la mort du Christ pour effacer le péché? Jésus touche donc au fond de la doctrine du salut, sans aborder les choses dans leur état céleste, et cela est amené très naturellement : après l'Incarnation suggérée par la notion du Fils de l'homme venu du ciel, son rôle comme rédempteur. C'est un contresens de Zahn de voir avant tout dans ὑψωθῆναι l'exaltation céleste, le retour au ciel du Fils de l'homme. L'allusion au serpent d'airain (Num. XXI, 8.9) est très claire, et Jo. n'emploie jamais ce mot que pour signifier l'exaltation de la Passion (VIII, 28; XII, 32.34). Rêver qu'on dansait en étant élevé, c'était un pronostic de crucifixion : κακοῦργος δὲ ὢν σταυρωθήσεται διὰ τὸ ὕψος καὶ τὴν τῶν χειρῶν ἔκτασιν (ARTÉMIDORE, *Oneirocr*. I, 76, cf. II, 53; IV, 49 cités par *Bauer*). D'après l'usage de Jo. on serait tenté de croire que ὑψοῦν était un euphémisme pour crucifier (cf. Chrys.). Il est possible cependant qu'il ait choisi ce mot à cause de son sens d'exalter, — non parce que l'exaltation du Christ a suivi sa passion, car la gloire n'est pas ici dans la perspective —, mais parce que la Croix était déjà pour Jésus une exaltation; il y devait être élevé comme sauveur, afin que chacun puisse élever aussi les yeux vers lui par la foi (cf. Gal. III, 1); déjà le serpent d'airain était σύμβολον σωτηρίας (Sap. XV, 6); Jésus sera la réalité. En effet les Hébreux qui se tournaient vers le serpent n'étaient pas guéris par lui, mais par Dieu (Sap. XVI, 7), tandis qu'ici la foi devra procurer en lui la vie éternelle. Tout cela est encore au futur, δεῖ, c'est un décret divin qui ne manquera pas d'être exécuté; la pensée de Jo. est clairement de placer le v. 14 dans la bouche de Jésus. La transition se fait

ῥήμῳ οὕτως ὑψωθῆναι δεῖ τὸν υἱὸν τοῦ ἀνθρώπου, [15]ἵνα πᾶς ὁ πιστεύων ἐν αὐτῷ ἔχῃ ζωὴν αἰώνιον.

au v. 15, complément logique du précédent, mais qui introduit le but de l'évangéliste (xx, 31). Il faut reconnaître que la transition est presque imperceptible, étant ménagée par le « Fils de l'homme », désignation qui n'étonne pas de la part de Jésus, mais qui est déjà posée à la troisième personne. Il semble donc que la contemplation où l'évangéliste allait entrer ait déjà influé sur les expressions du v. 15. Sur le serpent d'airain, cf. Philon, *Leg. Alleg.* II, 76 ss., *Agric.* 95; Barn. xii, 5-7. Barnabé parle il est vrai de la gloire de Jésus, mais c'est parce que αὐτὸς ὢν νεκρὸς δύναται ζωοποιῆσαι. Cf. Justin, *Dial.* xci, xciv; I Apol. lx, dans le même sens, sans aucune allusion à la glorification postérieure de Jésus. — Si on lit ἐν αὐτῷ avec B W T *c. l.* la Vg. de WW, il faut joindre à ἔχῃ; au contraire si on lisait εἰς αὐτόν ce serait un régime de πιστεύων.

L'entretien de Jésus avec Nicodème se termine ici. Si Jo. n'avait rien dit de plus sur lui, on estimerait qu'il est resté étranger au christianisme. Il aura changé plus tard (xix, 39). En ce moment il est le type achevé du rabbin qui croirait renoncer à sa raison en adhérant à une doctrine dont le surnaturel dépasse l'ancienne Alliance. Tel il se montre, réservé, s'abstenant de contredire en face, exprimant seulement sa répugnance à sortir du chemin tracé, à s'abandonner au souffle de l'Esprit, — tel fut le judaïsme rabbinique, évitant les attaques ouvertes contre le christianisme, même lorsqu'il n'y risquait rien, se bornant à des allusions sournoises contre ceux qui divisaient, pensait-il, la nature divine (cf. *Le Messianisme...* p. 295 ss.). Quel contraste avec les premiers disciples, ouverts et dociles! Que leur a dit Jésus? L'évangéliste en a gardé le secret; le peu qu'il nous a conservé indique des entretiens fort simples; Jésus parle avec autorité, ils le suivent. Avec Nicodème on dirait presque qu'il se met en frais pour le convaincre. Il expose à ce maître le caractère spirituel de sa doctrine, il lui laisse entrevoir sa mission, sa passion comme source de grâce; il ne dédaigne pas de prendre un point d'appui sur l'Ancien Testament en citant le serpent d'airain, figure du salut. Tout cela se heurte à la résistance passive du docteur. Il est donc bien, nous le répétons, le type du judaïsme érudit de Jérusalem. Le type, non le pur symbole, car rien n'autorise à douter de son individualité, pas plus que de celle des apôtres, qui sont aussi des types de Galiléens ardents et prompts. Parce qu'il a plu à Platon de faire de Gorgias, d'Hippias, de Protagoras, de Prodicos les types de la sophistique de son temps, doute-t-on de leur existence historique? On ne doute pas non plus de Phèdre, épris des choses de l'esprit où il pénétrera par le cœur, ni de sa beauté, parce qu'elle est en harmonie avec le thème traité, ni de la présence de Phédon à la mort de Socrate, parce qu'il est le modèle de ceux qui l'ont aimé pour son noble idéal. Ne refusons pas de reconnaître que sous l'inspiration du génie des êtres vivants peuvent devenir presque des Idées, et ne nions donc pas que ces types immortels aient été des hommes. Pour cela il a suffi à Platon, il a suffi à saint Jean, de choisir certains traits, et si l'on tient compte du peu de cas que l'évangéliste fait de l'art d'écrire, on concèdera facilement que ses types sont plus strictement moulés d'après la réalité.

désert, ainsi faut-il que le Fils de l'homme soit élevé, [15]afin que quiconque croit ait en lui la vie éternelle. »

NOTE SUR LA NAISSANCE DE L'ESPRIT ET LA NOUVELLE NAISSANCE.

Nous pensons que Jo. n'a pas fait allusion directement à la régénération; mais une naissance d'en haut est une nouvelle naissance; les deux points sont connexes; cf. Tit. III, 5 ἔσωσεν ἡμᾶς διὰ λουτροῦ παλινγενεσίας καὶ ἀνακαινώσεως πνεύματος ἁγίου. Sous les deux formes, naissance d'en haut et renaissance se produisent au baptême par l'action de l'Esprit-Saint. La doctrine de la naissance est développée dans le même sens que Jo. III, 3. 5 dans I Jo. III, 9 πᾶς ὁ γεγεννημένος ἐκ τοῦ θεοῦ ἁμαρτίαν οὐ ποιεῖ, ὅτι σπέρμα αὐτοῦ ἐν αὐτῷ μένει, καὶ οὐ δύναται ἁμαρτάνειν, ὅτι ἐκ τοῦ θεοῦ γεγέννηται; cf. I Jo. II, 29; IV, 7; V, 1. 4. 18. On ne peut rien dire de plus fort, puisque l'auteur parle d'une semence divine. On ne doit pas oublier d'ailleurs qu'il est rigoureusement monothéiste, et n'envisage par conséquent qu'un germe spirituel.

On a cependant avancé que cette notion qui n'est pas venue de la Bible a grandi sur le sol hellénistique (*Bauer*), ou comme dit M. Loisy : « la notion, comme celle que Paul s'est faite... procède des cultes mystiques où la renaissance pour l'immortalité, moyennant les sacrements de l'initiation, s'entendait en un sens très concret et de tout point comparable à ce que nous trouvons dans le discours à Nicodème » (p. 158).

C'est ce que nous ne pouvons admettre.

Et d'abord dans aucun mystère ancien il n'y a la moindre probabilité que la régénération — quelle qu'elle soit — ait été jointe au baptême. Les religions grecque et romaine ont connu de nombreuses purifications, où l'eau était employée pour obtenir une sorte de pureté religieuse après un acte comportant une souillure, comme était surtout le meurtre, même involontaire. Avant d'être initié aux mystères qui supposaient un contact avec la divinité, il fallait prendre des bains. On connaît la cérémonie préalable à l'initiation d'Éleusis (*RB*. 1910, p. 183 ss.). De même pour l'initiation isiaque dans Apulée (*Mét.* XI, 23), où le bain précède l'initiation de dix jours : *et prius sueto lavacro traditum, praefatus deum veniam, purissime circumrorans abluit*, etc.; *circumrorans* avec *abluit* ne répond pas au rite égyptien de répandre la vie en forme de gouttes qui arrosent, comme prétend Reitzenstein (*Archiv für Religionswissenchaft*, VII (1904) p. 406 s.). Ce n'est pas non plus la déesse qui arrose, mais le prêtre. Si le baptême chrétien n'avait eu d'autre symbolisme que de remettre les péchés, ces rapprochements seraient très fondés, mais plutôt que de conclure à un emprunt, on devrait reconnaître un symbolisme si naturel qu'il est né un peu partout.

Il est vrai que Tertullien (*de Baptismo*, 5) a écrit : *certe ludis Apollinaribus et Eleusiniis tinguuntur idque se in regenerationem et impunitatem periuriorum suorum agere praesumunt*. Mais, d'après tout ce que nous savons des mystères, spécialement d'Éleusis, il est clair que Tertullien qui cherche les rapprochements les a exagérés, joignant ici sans raison l'idée chrétienne de régénération à celle de pardon et d'impunité. Et en effet on ne voit dans les baptêmes et ablutions des païens aucun élément qui permette de leur attribuer une influence quelconque de vie intérieure. Tout au plus chez les Juifs, où les baptêmes étaient moins destinés à effacer le péché qu'à protester d'un désir de pénitence, pouvait-on par comparaison assimiler les baptisés à des nouveaux-nés, mais comme nous l'avons vu (sur III, 10), cela ne va même pas jusqu'à la métaphore.

L'application de la renaissance au baptême serait donc en tout cas propre au christianisme, et nous dirons pourquoi.

Mais, ajoute-t-on, la naissance du fait des dieux étant un des points du paganisme dont les Juifs avaient le plus d'horreur, le dogme chrétien vient donc plutôt de l'hellénisme que du Judaïsme. — Distinguons la première et la seconde naissance. Pour la première, la théorie païenne est bien connue, et assez logique : elle suppose qu'un dieu a pris une forme humaine pour séduire une vierge ou remplacer un mari. Mais il n'y a aucun rapport entre cette première naissance et une seconde. Aussi osons-nous affirmer qu'il n'y a aucun texte antérieur au Christianisme qui comprenne les mystères comme une naissance, ni qui s'approche même de loin de l'énergie des termes de I Jo. III, 9. Et en effet cette seconde naissance ne peut avoir de sens que si l'on admet dans l'homme une entité spirituelle qui en fait un homme nouveau, ce dont le paganisme grec n'avait aucune idée : il connaissait la possession d'un homme par un dieu, mais non pas d'une façon permanente pour l'aider à pratiquer la vertu. Le δαιμόνιον de Socrate lui était extérieur. Tout ce que l'on peut admettre c'est que le contact que les mystères établissaient avec les dieux répondait à une adoption qui faisait entrer juridiquement et très réellement l'initié dans la famille du dieu, pour imiter les droits de la naissance. Encore est-il que ce point dépend à peu près uniquement de l'interprétation d'un texte de l'Axiochos, dialogue faussement attribué à Platon, mais antérieur à l'ère chrétienne. Socrate encourage le vieil Axiochos qui a peur de mourir en lui promettant l'immortalité bienheureuse : ἐνταῦθα τοῖς μεμυημένοις ἐστί τις προεδρία, καὶ τὰς ὁσίους ἁγιστείας κἀκεῖσε συντελοῦσι. πῶς οὖν οὐ σοὶ πρώτῳ μέτεστι τῆς τιμῆς, ὄντι γεννήτῃ τῶν θεῶν; καὶ τοὺς περὶ Ἡρακλέα τε καὶ Διόνυσον κατιόντας εἰς Ἅιδου πρότερον λόγος ἐνθάδε μυηθῆναι καὶ τὸ θάρσος τῆς ἐκεῖσε πορείας παρὰ τῆς Ἐλευσινίας ἐναύσασθαι (p. 371 D). Tout dépend du sens de γεννήτης τῶν θεῶν. Rohde (*Psyche* II, 422 s.) l'entend d'une adoption opérée par le mystère. Wilamowitz pense à la noblesse d'Axiochos qui prétendait peut-être descendre des dieux; nous n'en savons rien, mais le dialogue l'indique. Si le but de l'initiation était l'adoption, ni Héraclès, ni Dionysos n'en avaient besoin. C'est donc quelque chose de spécial, avantageux même pour des fils de dieux très authentiques, qui cependant gardent leur avantage propre, celui du premier rang parmi les initiés : car Rohde s'épuise en vain à éluder le πρῶτος, le rang distingué promis à Axiochos parmi les initiés. Nous traduisons donc : « Là-bas il est une certaine préséance pour les initiés, qui y célèbrent encore leurs fonctions sacrées. Comment donc cet honneur ne te serait-il pas échu à toi tout le premier, étant issu des dieux? Car on dit bien qu'Héraclès et Dionysos se sont fait initier ici (à Athènes) avant de descendre dans l'Adès, et ils ont allumé aux torches d'Éleusis le courage de ce voyage. »

Que si l'on admet cependant que l'initié faisait désormais partie de la famille divine, il faudrait l'entendre comme Rohde d'une adoption, pratiquée parfois symboliquement à la façon d'une seconde naissance. Après son apothéose, — après, et non dans une initiation, — Héraclès fût adopté par Héra qui fit le simulacre d'un accouchement (*Diodore*, IV, xxxix, 2); Hésychius (Dictionn. sur δευτερόποτμος) : ἢ ὁ δεύτερον διὰ γυναικείου κόλπου διαδύς· ὡς ἔθος ἦν παρὰ Ἀθηναίοις ἐκ δευτέρου γεννᾶσθαι, de même que Héra ayant adopté Héraclès était δευτέρα τεκοῦσα (*Lycophron*, 39); tous termes qui ne peuvent être que symboliques. Mais ce n'est pas du tout ce que suggère Apulée, le premier qui parle de la régénération. Dix jours après le baptême, Lucius est initié. La cérémonie représente la mort du candidat qui descend aux enfers, pour en ressortir après avoir contemplé les dieux. Étant mort symboliquement, il commence une vie nouvelle. Encore Apulée est-il moins formel; il dit *quodammodo renatus*, « né de nouveau, en quelque sorte ». Manifestement ce n'est pas là, comme dans le N. T. une réalité, mystique, mais une réalité. C'est une simple comparaison, et qui s'explique non par un principe divin de vie nouvelle, mais parce que l'initié a commencé par mourir. Sa vie nouvelle sera assurément sous la protection de la déesse; il a accepté de mourir : elle lui rend la vie; mais absolument rien n'indique qu'elle l'ait adopté. Le lien est contracté entre l'initié et l'initiateur qui devient son père, ce qui est tout autre chose que la génération par la divinité. Tertullien (*ad Nationes*, I, 7) : *sine dubio initiari volentibus mos est prius ad magistrum sacrorum vel patrem adire*. Lucius pourra donc dire que désormais le Père des fonctions sacrées est son père : *complexus Mithram sacerdotem et meum iam parentem*. (Apul. *Met.* XI, 25); naturellement aussi il célébrera son jour de naissance, *exhinc festissimum celebravi natalem sacrum* (les mss. *sacrorum*). Donc vers l'an 150, on ne proposait encore la renaissance de l'initié que comme une comparaison, de même que pour le baptême chez les Juifs, et sans allusion à une naissance divine. Nous avons le droit de demander d'autres preuves. Bauer cite un papyrus du ive siècle, la pseudo-liturgie de Mithra (Dieterich, *eine Mithrasliturgie*, p. 12) σήμερον τούτου ὑπό σου μεταγεννηθέντος, « moi qui aujourd'hui suis né de nouveau de toi »; mais la pensée est-elle ancienne dans ce milieu? Quant au texte du Poimandrès, xiii, 1 ss. il a quelque peu le sens de celui de Jo. Mais il en dépend (cf. *RB*. 1926, p. 252 ss.; et surtout p. 259 s.). Le *renatus in aeternum* par la vertu du taurobole ne se trouve qu'au ive siècle, et nous croyons avoir montré qu'on ne peut faire beaucoup de fond sur le *Natalicium* dans le culte de Cybèle (*RB*. 1919, p. 465 ss.). Enfin toutes ces régénérations, si elles créent un lien juridique entre la divinité et celui qui commence une vie nouvelle, — et c'est le maximum qu'on puisse dire, — ne sont toujours pas des naissances d'en haut, par un principe intérieur.

Étrangère à l'hellénisme, la nouvelle naissance de l'Esprit n'était pas connue de l'A. T. Le titre de Fils de Dieu donné à Israël indiquait seulement l'affection de Dieu pour son peuple et pour chacun de ses membres (cf. *La paternité de Dieu dans l'A. T.*, *R.B.* 1908, p. 481 ss.). Mais l'A. T. contenait cependant déjà l'action de l'Esprit-Saint non seulement pour des exploits ou un enseignement divin, mais encore comme un principe permanent de sanctification. C'est de là sans doute que Philon a déduit l'action divine dans les âmes pour y semer le germe des vertus (*Leg. Alleg.* III, 180 s.; I, p. 122). Il emploie la même image que I Jo. iii, 9 encore plus développée : θεοῦ... τοῦ μόνου δυναμένου τὰς ψυχῶν μήτρας ἀνοιγνύναι καὶ σπείρειν ἐν αὐταῖς ἀρετὰς καὶ ποιεῖν ἐγκύμονας καὶ τικτούσας

[16] Οὕτως γὰρ ἠγάπησεν ὁ θεὸς τὸν κόσμον ὥστε τὸν υἱὸν τὸν μονογενῆ ἔδωκεν, ἵνα πᾶς ὁ πιστεύων εἰς αὐτὸν μὴ ἀπόληται ἀλλὰ ἔχῃ ζωὴν αἰώνιον. [17] οὐ γὰρ ἀπέστειλεν ὁ θεὸς τὸν υἱὸν εἰς τὸν κόσμον ἵνα κρίνῃ

16. *om.* αυτου *p.* υιον (TH) plutôt que *add.* (SV).

τὰ καλά, mais le résultat de cette action divine est de féconder l'âme par des vertus qui seront les filles de l'homme, non point d'engendrer un homme nouveau. La renaissance exigeait la conception d'une mort antécédente, réalisée par l'union du fidèle avec le Christ mort pour lui, la vie nouvelle étant fondée sur la résurrection du Christ ; or cette union au Christ se faisait par le baptême (Rom. VI, 3 ss.). Il fallait le concours de tous ces éléments pour aboutir à une doctrine qui ne possède son sens plein que dans le christianisme, parce qu'elle ne pouvait naître que là : application de la mort du Fils de Dieu et de sa vie à l'homme pour lequel il est mort et qui désormais croit en lui, et croyance au pouvoir de Dieu de créer dans le fidèle une seconde nature spirituelle greffée sur l'homme naturel. C'était bien confesser le caractère sacramentel du baptême, mais un caractère qui ne pouvait exister ailleurs dans le monde sémitique ou gréco-romain. La vraie difficulté relative à Jo. III, 3.5, c'est que cette doctrine, véritable synthèse de la foi chrétienne, ait été annoncée dès le premier jour par Jésus. Mais on ne peut cependant pas expliquer le christianisme sans les révélations faites par son Fondateur. Celui qui était investi du pouvoir de baptiser dans l'Esprit, — formule attribuée à Jean par les synoptiques, — devait savoir ce que cela signifiait.

16-21. Le monde jugé d'après son attitude envers Jésus.

Ce sont là des réflexions de l'évangéliste, inspirées par l'enseignement donné à Nicodème, mais aussi par l'attitude que les hommes ont prises envers Jésus, après son sacrifice. Tandis que le v. 15 envisageait le résultat de la crucifixion dans l'avenir, la mort de Jésus est déjà un fait acquis au v. 16. Tout le passage est un commentaire plus étendu de ce que Jo. a dit dans le prologue (I, 11 s.), en insistant sur le châtiment réservé à ceux qui n'ont pas reçu le Fils monogène. Il est vrai que la plupart des Pères et des Commentateurs catholiques placent encore ces paroles sur les lèvres de Jésus parce que le v. 16 s'appuie sur le v. 15. Mais il est très naturel que l'évangéliste fasse de ces paroles le thème de ses développements. On objecte aussi la sublimité de cet enseignement, digne du Maître. Mais nous ne prétendons pas que Jo. l'ait inventé ; il a dû emprunter à d'autres paroles de Jésus la substance de cette doctrine. Il est seulement très clair qu'elle viendrait trop tôt dans l'entretien avec Nicodème, qui n'a pas entièrement rejeté la doctrine et alors que les Juifs n'ont pas encore rejeté le Christ, et que quelques-uns croyaient en son nom, quoique imparfaitement. Tout le morceau suppose qu'on a pris parti pour ou contre. Jésus l'a prévu, a dû dire qu'il en serait ainsi, mais ces choses dites au passé à ce moment sont plus vraisemblables comme une constatation de l'évangéliste.

On pourrait aussi noter que le style est plus franchement johannique, avec le

[16]Car Dieu a tant aimé le monde qu'il a donné [son] Fils unique, afin que quiconque croit en lui ne périsse pas, mais qu'il ait la vie éternelle. [17]Car Dieu n'a pas envoyé [son] Fils dans le

μονογενής (cf. *Introd.* p. CLXIX). La troisième personne figure déjà au v. 15 en parlant du Christ, mais ce qui frappe ici c'est qu'elle est employée exclusivement, ce qui serait contraire à l'usage de Jésus.

Parmi les commentateurs catholiques, Calmes, Tillmann et Belser font commencer les réflexions de l'évangéliste dès le v. 13.

16) γάρ (explicatif) lie à ce qui précède, mais plutôt logiquement que pour marquer l'unité de la personne qui parle : Oui, Dieu a tant aimé le monde... ἠγάπησεν à l'aoriste, car si Dieu aime toujours ses créatures, il en est venu cependant à un acte d'amour extraordinaire par où les choses célestes se sont mêlées à celles de la terre (cf. XIII, 1; Rom. VIII, 37); c'est la pensée de Rom. V, 8 et de I Jo. IV, 10 αὐτὸς ἠγάπησεν ἡμᾶς καὶ ἀπέστειλεν τὸν υἱὸν αὐτοῦ ἱλασμὸν περὶ τῶν ἁμαρτιῶν ἡμῶν. Il n'est pas douteux en effet que ἔδωκεν doit s'entendre non de l'Incarnation (*Zahn*), mais de l'abandon du Fils à la mort à laquelle le v. 15 a fait allusion (*Schanz*, *Bauer*, *Loisy*, *Calmes* après *Mald.*, etc.). Zahn qui attribue ce discours à Jésus est d'ailleurs plus logique que Schanz, car ἔδωκεν suppose la mort déjà acquise. On pourrait dans d'autres cas parler d'un décret de Dieu déjà escompté, mais cela ne serait pas naturel ici où les deux aoristes se présentent comme l'exécution découlant d'un sentiment déjà en acte. En effet si ὥστε signifie la simple dépendance du second verbe par rapport au premier, le second verbe se met à l'infinitif; si le second verbe est à un temps fini, spécialement à l'indicatif, c'est que la conséquence est présentée comme ayant réellement eu lieu, à propos d'un événement réel dans un temps déterminé. Ce sont les termes de Kuhn.-Gerth II, 2, p. 512. Or il est d'autant plus probable que Jo. n'a pas mis l'indicatif sans raison que c'est le seul cas du N. T. avec Gal. II, 13 (cf. *Blass-Deb.* § 391, 2; *Radermacher*, p. 160); la variante ὅτι pour ὥστε est une traduction qui accuse ce sens. Le fils monogène (cf. sur I, 14) a donc été donné au monde, tandis que dans les synoptiques Jésus se disait envoyé à Israël (Mt. XV, 24); c'est augmenter la divergence entre Jo. et les synoptiques que de faire parler Jésus de cette façon. — Tout dépendra de la foi comme l'indiquait le v. 15, déjà dans le style de l'évangéliste parlant pour son compte. Le terme ou l'objet de la foi est indiqué, εἰς αὐτόν (variante dans v. 15). — μὴ ἀπόληται marque le risque où chacun était de périr : le don est donc rédempteur, pour sauver le monde du péché, seul motif authentique de l'Incarnation. — ἀλλά « mais » que, comme Jésus vient de le dire, celui qui croit ait la vie éternelle. Bauer relève l'opposition entre la perte qui se passe en un moment (aoriste), et la possession permanente (ἔχῃ présent) de la vie.

17) Donne la raison de ce qui précède en manière d'explication.

Lorsque nous considérons le Christ comme juge, c'est pour prononcer au dernier jour sur les bons et les méchants (Mt. XXV, 31-46). Ce n'est pas de cela que parle Jo. Il n'a pas non plus refusé au Christ le droit de juger (V, 22-30); mais ici il envisage uniquement le rôle du Fils de Dieu sur la terre. Il n'est

τὸν κόσμον, ἀλλ' ἵνα σωθῇ ὁ κόσμος δι' αὐτοῦ. [18] ὁ πιστεύων εἰς αὐτὸν οὐ κρίνεται. ὁ μὴ πιστεύων ἤδη κέκριται, ὅτι μὴ πεπίστευκεν εἰς τὸ ὄνομα τοῦ μονογενοῦς υἱοῦ τοῦ θεοῦ. [19] αὕτη δέ ἐστιν ἡ κρίσις ὅτι τὸ φῶς ἐλήλυθεν εἰς τὸν κόσμον καὶ ἠγάπησαν οἱ ἄνθρωποι μᾶλλον τὸ σκότος ἢ τὸ φῶς, ἦν γὰρ αὐτῶν πονηρὰ τὰ ἔργα. [20] πᾶς γὰρ ὁ φαῦλα πράσσων μισεῖ τὸ φῶς καὶ οὐκ ἔρχεται πρὸς τὸ φῶς, ἵνα μὴ ἐλεγχθῇ τὰ ἔργα αὐτοῦ· [21] ὁ δὲ ποιῶν τὴν ἀλήθειαν ἔρχεται πρὸς τὸ

18. *om.* δε *p.* ο 2° (TH) plutôt que *add.* (SV).

---

pas venu pour juger, comme on le croyait souvent. Depuis Amos surtout, — sans parler du souvenir du déluge, — Israël attendait avec tremblement le jugement de Dieu, où l'on ne voyait pas une sentence rendue sur les individus, mais des calamités répandues par la colère divine. La visite de Dieu était plus redoutée que désirée. A mesure que l'horizon s'élargissait, on regardait le jugement de Dieu comme un jugement sur le monde (Is. LXVI, 15 s.), et lorsqu'on y mêla son envoyé, ce fut comme instrument de ses vengeances. Il suffira de rappeler l'Assomption de Moïse, Hénoch, les Sybilles (cf. *Le Messianisme...* p. 85 s.; 92, *passim*). La prédication du Baptiste, encore insuffisamment éclairé, avait conservé quelque chose de ces pressentiments de terreur (Mt. III, 12; Lc. III, 17) avant que Jésus fût venu au baptême. Tel n'était pas le dessein de Dieu qui veut d'abord offrir sincèrement le salut à tout le monde, et c'est pour cela qu'il a envoyé son Fils. Toutes les terreurs eschatologiques sont donc renvoyées à plus tard; elles n'atteindront que ceux qui n'auront pas voulu du salut offert à tous. Bauer cite le mot de Cornutus non pas, comme il dit, sur Hermès-Logos, mais sur le rôle de la parole : οὐ γὰρ πρὸς τὸ κακοῦν καὶ βλάπτειν, ἀλλὰ πρὸς τὸ σῴζειν μᾶλλον γέγονεν ὁ λόγος : c'est-à-dire qu'on doit employer plus souvent le discours pour la défense que pour l'accusation; la ressemblance est purement verbale entre cette réflexion de rhéteur-philosophe et la vérité religieuse proclamée par Jo. Ce sont les croyants qui profiteront du salut, mais le monde lui-même sera sauvé, c'est-à-dire grandement amélioré par leur foi, et soustrait, si les hommes voulaient, aux jugements de Dieu.

18) Mais si le Fils n'est pas venu pour rompre les reins des forts, briser les dents des pécheurs, etc., les droits de la justice ne sont pas abolis. A défaut d'une sentence extérieure de condamnation, le discernement se fera au-dedans, aboutissant à une condamnation pour ceux qui ne croient pas. Ils sont condamnés pour leur attitude par rapport au Fils unique; le mépris d'un tel don ne comporte aucune excuse. Chacun est donc déjà dans la vie ou dans la mort, ce qui n'exclut pas une manifestation suprême quand tout sera définitif (v, 28 s.). Ceux qui auront cru au nom du Fils iront à lui, les autres seuls seront jugés, c'est-à-dire que leur séparation de la vie sera constatée. — μὴ πεπίστευκεν après ὅτι serait une faute d'après l'usage des classiques (cf. I Jo. v, 10, avec οὐ correctement), mais la langue allait préférant μή comme plus énergique (*Blass-Deb.* § 428,5).

monde pour juger le monde, mais pour que le monde soit sauvé par lui. [18]Celui qui croit en lui n'est point jugé. Celui qui ne croit pas est déjà jugé, parce qu'il n'a pas cru au nom du Fils unique de Dieu. [19]Or voici en quoi consiste le jugement : c'est que la lumière est venue dans le monde, et les hommes ont préféré les ténèbres à la lumière, car leurs œuvres étaient mauvaises. [20]Car quiconque fait le mal hait la lumière, et ne vient pas à la lumière, afin que ses œuvres ne soient pas connues pour ce qu'elles valent; [21]mais celui

19-21. L'horizon est encore étendu à tout le monde, puisqu'il ne s'agit pas des Juifs seulement, mais des hommes. Cependant ceux qui ne croient pas sont bien du type pharisien : il existait aussi chez les gentils parmi les docteurs de morale. Si Jo. regarde la hiérarchie juive comme responsable de la faute de la nation, il est probable qu'il reproche le même aveuglement aux maîtres intellectuels de la gentilité. N'oublions pas que cette conclusion suit un entretien avec un grand docteur.

19) κρίσις dans Jo. signifie toujours jugement, et plutôt défavorable. Il vient de dire que le jugement est déjà un fait accompli, sans appareil extérieur. Le sens est donc que la décision se produit automatiquement; il n'y a pas jugement proprement dit, et cependant l'essentiel du jugement est acquis, le discernement des bons et des mauvais. — Le principe de ce discernement est l'avènement de la lumière mais, comme il a été dit dans le Prologue (I, 5), les ténèbres ne l'ont pas comprise, c'est-à-dire que les hommes — en plus grand nombre — ont même préféré les ténèbres (μᾶλλον, *potius quam*). — La raison? C'est que leurs œuvres étaient mauvaises. Cette raison va être expliquée.

20) La proposition est très générale : c'est bien le fait normal, quoiqu'il y ait des fanfarons du vice, qui s'y livrent surtout pour être vus : *praeterea luxuriosi vitam suam esse in sermonibus, dum vivunt, volunt, nam si tacetur, perdere se putant operam* (SÉNÈQUE, *Ep.* 122, 14). L'immense majorité des hommes n'aime pas à laisser voir ses fautes, pour ne pas encourir le châtiment. Mais il y a ici une nuance indiquée par ἐλεγχθῇ. Ceux dont parle Jo. n'évitent pas seulement la lumière pour ne pas s'exposer à des reproches, ou au châtiment : ils en ont la haine, parce qu'elle révèle le véritable caractère de leurs œuvres : ἐλέγχειν signifie d'abord convaincre. Il est impossible de ne pas songer à ceux qui prêchent l'observance de la Loi ou de la morale et dont la vie ne répond pas à cet idéal. C'est bien ce qui s'est passé dans Israël et ce qui se passait aussi chez les païens. On sait combien peu les Stoïciens se souciaient de pratiquer leur morale. Ces docteurs, qui seraient qualifiés pour chercher la lumière, n'en veulent pas, parce que la lumière elle-même serait déjà une condamnation en dévoilant le désaccord de leur vie et de leurs doctrines : ils seraient convaincus de fausseté et de mensonge.

21) Au contraire ceux qui font la vérité. La tournure hébraïque (Gen. XXXII, 11; XLVII, 29; Neh. IX, 33) signifie montrer de la fidélité. Mais en grec la vérité a son sens bien net. Ici cela doit s'entendre d'après I Jo. I, 6 d'une

φῶς, ἵνα φανερωθῇ αὐτοῦ τὰ ἔργα ὅτι ἐν θεῷ ἐστὶν εἰργασμένα.

[22] Μετὰ ταῦτα ἦλθεν ὁ Ἰησοῦς καὶ οἱ μαθηταὶ αὐτοῦ εἰς τὴν Ἰουδαίαν

conduite sincère, qui pratique ce qu'on croit être le vrai. Celui dont la vérité est la règle, va à la lumière qui est la vérité. Il serait en contradiction avec son propre principe s'il allait à la lumière pour être vu et approuvé des autres. On pourrait donc estimer que ἵνα doit s'entendre d'une conséquence; mais ce serait rompre le parallélisme avec ἵνα du v. précédent. Celui-ci a donc le dessein que ses œuvres soient manifestées, mais comme faites en Dieu : ὅτι, non pas « parce que », mais « en tant que ». La lumière, en éclairant le caractère de ses œuvres, montrera qu'elles ont été faites en Dieu; ce sera pour lui une consolation, une assurance, sans risque de vaine gloire. D'après Loisy (p. 169) : « L'on n'a pas seulement ici la distinction morale des bons et des méchants, mais la distinction théologique des prédestinés et des réprouvés, surtout le dualisme mystique des spirituels et des charnels, respectivement attirés dans la sphère de la force, supérieure ou inférieure, divine ou diabolique, vers laquelle ils sont, en principe, orientés. » — C'est exagérer beaucoup et même imaginer un dualisme, là où Jo. se contente d'indiquer, et très sobrement, le rôle de la grâce. De ceux qui font le mal il ne dit point ici qu'ils aient eu un autre mobile que leur propre volonté. Ceux qui font le bien agissent en Dieu, c'est-à-dire en vue de lui, en contact avec lui, comme enveloppés de lui et par conséquent sous son impulsion. Ceux-là vont vers la lumière, c'est-à-dire vers une connaissance plus intime de Dieu : principe fondamental de la mystique chrétienne. Cependant on ne doit pas perdre de vue la situation historique esquissée ici. Parmi les Juifs, que l'entretien avec Nicodème a mis en scène, telle fut bien la sélection. Les faux justes, les hypocrites, ceux dont l'autorité religieuse eût croûlé si l'on eût connu l'insuffisance ou le fâcheux état de leur vie intérieure, n'ont pas cru au Christ, mais bien ceux qui agissaient dans la simplicité de leur cœur. Et de même chez les gentils. Ceux qui ne croient pas au Christ, qu'ils se demandent si leurs œuvres sont faites en Dieu, et une humble confession les amènera à la lumière de la foi; Aug. *Quid est, Facis veritatem? Non te palpas, non tibi blandiris, non te adulas; non dicis iustus sum, cum sis iniquus, et incipis facere veritatem.*

22-36. Dernier témoignage de Jean-Baptiste. Réflexions de l'évangéliste.

Comme le morceau précédent, celui-ci se compose de trois parties : une introduction (22-26); le témoignage du Baptiste (27-30); les réflexions de l'évangéliste (31-36).

22) Après son séjour à Jérusalem, où il juge les dispositions trop incertaines pour y grouper des disciples sûrs, Jésus ne retourne cependant pas en Galilée, il se dirige vers un point de la Judée qui n'est pas déterminé, si ce n'est par rapport au lieu où se trouvait Jean. Ce dernier étant, comme nous le verrons, dans la vallée du Jourdain à huit milles au sud de Beisan-Scythopolis, il faudrait chercher le lieu du séjour de Jésus notablement plus au sud, probablement sur les bords du Jourdain, aucun autre point d'eau n'étant indiqué. Car Jésus qui était là avec ses disciples, baptisait. (Un seul ms. dans Soden a ἐβάπτιζον se rapportant aux disciples.) Cependant plus loin (iv, 2) l'auteur dit expressément que ce n'était pas Jésus qui baptisait, mais ses disciples. En écrivant ἐβάπτιζεν

qui pratique la vérité vient à la lumière, de façon que ses œuvres soient manifestées comme faites en Dieu.

[22]Après cela Jésus vint, ainsi que ses disciples, dans le pays de

il a donc voulu dire que Jésus, entouré de ses disciples, leur permettait de baptiser et prenait même la responsabilité de cette démarche, mais nous ne pouvons apprécier la nature de ce baptême sans tenir compte de la restriction expresse qui suivra. Si Jésus lui-même avait baptisé, on pourrait dire qu'il a mis en œuvre le baptême dans l'Esprit; mais dire avec affectation qu'il ne baptisait pas, c'est éviter de donner à ce baptême le caractère du baptême chrétien, en parfaite conformité avec la doctrine de l'évangéliste que l'Esprit ne serait donné qu'après le départ du Christ (VII, 39; XVI, 7). C'est d'ailleurs la doctrine de saint Paul que la grâce du baptême vient de la mort du Christ (Rom. VI, 3). Chrysostome est très net : « Si quelqu'un demande ce que le baptême des disciples avait en plus de celui de Jean, nous dirons : rien du tout. Car aucun des deux ne participait à la grâce de l'Esprit-Saint, et ils avaient la même raison de baptiser, amener au Christ ceux qu'ils baptisaient. »

C'était déjà l'opinion de Tertullien dont le texte (*de Baptismo,* 11) doit être cité, car il est appuyé d'arguments décisifs : *itaque tinguebant discipuli eius ut ministri, ut Iohannes antepraecursor, eodem baptismo Iohannis, ne qui alio putet, quia nec exstat alius nisi postea Christi, qui tunc utique a discentibus dari non poterat, utpote nondum adimpleta gloria domini, nec instructa efficacia lavacri per passionem et resurrectionem, quia nec mors nostra dissolvi posset nisi domini passione nec vita restitui sine resurrectione ipsius* (éd. *Reifferscheid* et *Wissowa,* p. 210). Saint Léon, pape (*ep.* XVI, 3 aux évêques de Sicile, *P. L.* LIV, 699) : Le Christ aurait pu instruire ses disciples au sujet de son baptême avant sa résurrection, *nisi proprie voluisset intelligi regenerationis gratiam ex sua resurrectione coepisse.*

Maldonat a fort excédé en traitant cette opinion d'erreur, car il n'a fourni aucune bonne raison en faveur d'un baptême dans l'Esprit-Saint. L'autorité de saint Augustin, qui a entraîné les autres, est bien amoindrie ici par son parti pris de trouver dans Jo. la preuve directe de sa thèse contre les Donatistes, que c'est le Christ qui baptise quand son ministre baptise, fût-il indigne. Dire avec Maldonat et Belser que Jésus a dû nécessairement baptiser ses Apôtres, c'est s'appuyer sur ce que nous ne savons pas. Dire avec Tolet qu'on ne peut expliquer autrement la querelle qui suit, c'est s'appuyer sur une conjecture. De toute façon on ne tient pas compte du texte si formel de Jo. VII, 39, et du soin qu'il a de dire que Jésus ne baptisait pas (IV, 2), ce qui est entendu de notre verset même par *Aug., Calmes, Belser,* etc.

L'opinion de Chrysostome doit cependant être complétée (*Schanz, Kn., Tillmann*).

Il est exagéré de dire que le baptême des disciples ne différait en rien de celui de Jean. Il orientait plus directement vers le Christ, car, on le voit plus loin (IV, 1), ce baptême servait à recruter des disciples à Jésus. Quand les personnes de bonne volonté venaient à lui, attirées par sa personne, sa doctrine, sa

γῆν, καὶ ἐκεῖ διέτριβεν μετ' αὐτῶν καὶ ἐβάπτιζεν. [23] ἦν δὲ καὶ Ἰωάννης βαπτίζων ἐν Αἰνὼν ἐγγὺς τοῦ Σαλίμ, ὅτι ὕδατα πολλὰ ἦν ἐκεῖ, καὶ παρεγίνοντο καὶ ἐβαπτίζοντο· [24] οὔπω γὰρ ἦν βεβλημένος εἰς τὴν φυλακὴν Ἰωάννης. [25] Ἐγένετο οὖν ζήτησις ἐκ τῶν μαθητῶν Ἰωάννου μετὰ Ἰουδαίου

23. *om.* ο *a.* Ιωαννης (TSV) et non *add.* (H).
24. *om.* ο *a.* Ιωαννης (TH) et non *add.* (SV).

---

réputation de thaumaturge, il leur faisait administrer le baptême pour établir déjà cette habitude parmi les siens. On entrait par là dans sa sphère d'influence; dans le style des synoptiques, on dirait d'un commencement du royaume de Dieu. Mais pourquoi Jean continuait-il à baptiser? Parce que sa mission était de préparer au règne de Dieu (que le Messie devait établir) en prêchant le baptême de la pénitence. Tant que Jésus n'avait pas donné la grande impulsion attendue par Jean, son devoir était de l'aider selon son rôle de précurseur et de disposer les voies. On le comprendrait beaucoup moins bien si dès lors Jésus avait baptisé dans l'Esprit-Saint, car alors Jean, d'après ses propres paroles, aurait dû regarder son rôle comme terminé.

23) Jean baptisait à Ainon, près de Salim, parce qu'il y avait là beaucoup d'eau. Donc nous ne sommes pas sur les bords du Jourdain, mais dans un endroit où les sources sont abondantes; il est même très probable que αἰνών n'est que la transcription de l'araméen עֵינְוָן, « sources » écrit עֵינָן dans le Targ. de Dt. VIII, 7 (*'aenân*),quoique les syriens aient décomposé le mot en עין נון (*sin*) ou עין יון (*Cur* et *pes*), ou omis le *noun* final (עינו *hiér.*). Mais absolument rien n'indique la Judée, encore moins la Judée montagneuse du sud, comme le soutient Zahn. Jean eût ainsi complètement changé son champ d'action. Jésus était en Judée, mais à une certaine distance de Jean, puisqu'on a distingué les deux groupes. Or la tradition, depuis Eusèbe, fixe sans hésiter le lieu d'Aenon à huit milles de Scythopolis au midi (*Onomast.* p. 41). En cet endroit il y a un grand nombre de sources, et le nom de Salim semble s'être conservé au *tell Sarem,* à environ cinq kilomètres au nord. On sait d'ailleurs que les noms se sont souvent déplacés sans quitter la région, et l'ancienne Sedima d'Éthérie pourrait bien être aux ruines de Oum el-'Amdan près des sources. Nous avons donc regardé cette localité comme celle du baptême de Jean (*RB.* 1895 p. 506 ss.), et le P. Abel a abouti à la même conclusion (*RB.* 1913 p. 223).

La localisation générale est confirmée par la persistance du nom de Ainoun, à environ trois heures au sud-ouest, dans un endroit très aride, qui a dû prendre ce nom d'ailleurs. Comme la tradition d'Eusèbe s'appuie sur l'existence en son temps d'un lieu nommé Salim, avec la coïncidence de toutes ces eaux, on peut tenir son renseignement comme un des plus certains de la topographie palestinienne. Choisir entre les sources serait plus hasardeux; on peut noter cependant que celle de ed-Deir est la seule qui soit entourée de ruines byzantines assez considérables. De toute façon l'évangéliste nous donne ici une preuve

Judée, et il passait là quelques jours avec eux et baptisait. [23]Or Jean aussi baptisait à Ainon, près de Salim, car il y avait là beaucoup d'eaux, et les gens venaient et se faisaient baptiser; [24]car Jean n'avait pas encore été jeté en prison. [25]Les disciples de Jean eurent

de sa connaissance précise des lieux. On peut s'étonner qu'il n'ait pas identifié de préférence l'endroit où Jésus baptisait. Mais ayant commencé à situer l'action du Baptiste, et ayant à dire que Jean avait changé de place, il a dû fixer le nouvel endroit. Peut-être Jésus se tenait-il au lieu où il avait été baptisé. — Il n'y a sûrement rien à faire ni de Αἰνών de quelques mss. des Septante sur Jos. xv, 61, ni du village actuel de *Salim* à environ 6 kilomètres de Naplouse (préféré par *Albright* dans *The Harvard theol. Rev.* 1924 p. 193 s.).

24) Puisque Jean baptisait, c'est donc qu'il n'était pas en prison. Jo. n'aurait pas pris la peine de le dire s'il n'avait voulu rapprocher son récit de celui des synoptiques. Ce n'est ni pour les contredire, ni pour indiquer une coïncidence, mais plutôt pour revendiquer son droit à dire ces choses, puisqu'il parle d'une période sur laquelle les synoptiques avaient gardé le silence. Aussi n'a-t-il pas parlé d'une prédication de Jésus officielle, comme la promulgation du règne de Dieu que les synoptiques placent après l'emprisonnement de Jean (Mc. I, 14; Mt. IV, 12; cf. Lc. IV, 14).

25) La leçon Ἰουδαίων est très bien appuyée (א Θ etc. *latt* et *vg syrcur boh* Or.) mais Ἰουδαίου se recommande absolument par sa rareté. Bauer et Loisy supposent un texte primitif Ἰησοῦ ou τῶν Ἰησοῦ qui aurait disparu pour éviter le scandale d'une dispute entre les disciples de Jean et ceux de Jésus. Mais les disciples de Jean ne sont guère ménagés ici, et la correction aurait amené uniquement les Juifs au pluriel. Il faut plutôt reconnaître que cet incident se recommande comme authentique par son aspect peu commun. On ne saurait vraiment pas dire pourquoi Jo. l'aurait imaginé. — La question a été soulevée par les disciples de Jean (ἐκ), à en juger d'après Denys d'Hal. VIII, 89, 4 ζήτησις δὴ μετὰ τοῦτο πολλὴ ἐκ πάντων ἐγίνετο (*Bauer*). Mais c'est sans doute que le Juif avait avancé une proposition qui leur parut contestable. Si c'est vraiment un individu, rien n'indique que la désignation soit doctrinale autant que régionale, comme c'est ordinairement le cas pour les Juifs dans Jo. C'est peut-être simplement un juif de Judée, venant de Judée où Jésus baptisait. La suite indique clairement que Jésus était pour quelque chose dans la discussion. On admet volontiers (*Schanz, Calmes, Kn.*, *Tillmann*, etc.) qu'elle portait sur les deux baptêmes : le Juif aurait préféré celui de Jésus; l'irritation des disciples de Jean, leur recours à leur Maître se comprendraient aisément. Encore est-il qu'ils n'allèguent rien de semblable, et si Jo. avait eu en vue le baptême, pourquoi ne pas le dire? Le thème du καθαρισμός est bien connu, c'est celui des ablutions plus ou moins nécessaires, plus ou moins complètes. Nous avons un excellent exemple de ces discussions dans le papyrus d'Oxyrhynque n° 840 (*RB.* 1908 p. 538 ss.). Le Juif a pu entendre Jésus montrer la vanité d'une purification purement extérieure; il a pu exagérer, d'où le mécontentement des disciples de Jean, très fervents pour les purifications, envers une influence qui n'est pas

περὶ καθαρισμοῦ. [26]καὶ ἦλθαν πρὸς τὸν Ἰωάννην καὶ εἶπαν αὐτῷ Ῥαββί, ὃς ἦν μετὰ σοῦ πέραν τοῦ Ἰορδάνου ᾧ σὺ μεμαρτύρηκας, ἴδε οὗτος βαπτίζει καὶ πάντες ἔρχονται πρὸς αὐτόν. [27]ἀπεκρίθη Ἰωάννης καὶ εἶπεν Οὐ δύναται ἄνθρωπος λαμβάνειν οὐδὲν ἐὰν μὴ ᾖ δεδομένον αὐτῷ ἐκ τοῦ οὐρανοῦ. [28]αὐτοὶ ὑμεῖς μοι μαρτυρεῖτε ὅτι εἶπον Οὐκ εἰμὶ ἐγὼ ὁ χριστός, ἀλλ' ὅτι Ἀπεσταλμένος εἰμὶ ἔμπροσθεν ἐκείνου. [29]ὁ ἔχων τὴν νύμφην νυμφίος ἐστίν· ὁ δὲ φίλος τοῦ νυμφίου, ὁ ἑστηκὼς καὶ ἀκούων αὐτοῦ, χαρᾷ χαίρει διὰ

28. *om.* εγω *p.* ειπον (TSV) et non *add.* (H).

---

celle de leur Maître et qui est peut-être à l'encontre de leurs idées; tel est l'état d'esprit que révèle l'intervention plus ou moins grave du juif, quand il n'aurait eu aucune autorité personnelle.

26) Jo. n'ayant pas raconté expressément le baptême de Jésus, fait parler les disciples dans le sens de sa propre narration. Ils renvoient à ce passage où il était dit que le Baptiste, étant au delà du Jourdain, avait rendu témoignage à Jésus (I, 26-34). Leur pensée est peut-être qu'après avoir reçu de Jean un pareil hommage, Jésus n'aurait pas dû lui faire concurrence dans son propre office de Baptiste. Mais ils ne veulent pas dire que Jésus aurait dû s'appliquer à son rôle propre, car ce dont ils sont jaloux, c'est de l'affluence qui se fait autour de lui. En somme, ou ils n'ont pas compris que ce témoignage rangeait leur maître dans un ordre très inférieur, ou plutôt ils regrettent qu'il ait lui-même donné des armes à un rival. D'ailleurs πάντες est le ton d'une amertume qui exagère inconsciemment.

27-30. Réponse du Baptiste.

Une âme moins ardente et moins aimante eût cru faire beaucoup en se résignant à une situation diminuée. L'humilité du Baptiste est d'une autre nature; humilité profonde, certes, mais débordante de joie, parce qu'il aime celui qu'on lui présente comme un rival. Il est satisfait, parce que Lui va grandir, Lui qui est le fiancé, dans l'éclat de sa beauté, et dont la voix le fait tressaillir. Se souvenant peut-être du cantique des cantiques, il se laisse envahir, lui l'ami austère, par un saint enthousiasme.

27) D'après Chrys., Jean invite ses disciples à reconnaître dans le succès un don de Dieu. Les modernes sont presque unanimes pour ce sens (*Schanz, Kn., Loisy, Calmes, Zahn, Tillmann*). Nous avons peine à comprendre qu'on ait pu imputer à cette âme si haute une maxime de rabbin à la Gamaliel (Act. v, 34 ss.). Sans doute personne ne réussit sans la permission de Dieu (xix, 11), mais la prospérité d'Hérode n'a pas empêché Jean de lui faire des représentations énergiques. On prétend que ce sens répond seul aux paroles des disciples choqués du succès de Jésus. Mais au fond ce succès ne les fâche que parce qu'il marque une déchéance pour leur maître. L'acceptera-t-il? C'est à leur pensée qu'il répond en refusant de prendre ce que Dieu ne lui a pas donné. C'est ce qu'Aug. a très bien compris. Ils disent : *Quid dicis? non sunt prohibendi,*

donc une contestation avec un Juif à propos de purification. [26]Et ils vinrent vers Jean et lui dirent : « Rabbi, celui qui était avec toi au delà du Jourdain, auquel tu as rendu témoignage, le voilà qui baptise et tout le monde va à lui. » [27]Jean répondit et dit : « Il n'appartient pas à l'homme de prendre ce qui ne lui est pas donné du ciel. [28]Vous-mêmes me rendez témoignage que j'ai dit : Je ne suis pas le Christ; mais : j'ai été envoyé devant celui-là. [29]Celui qui a l'épouse, est l'époux; mais l'ami de l'époux, qui se tient là et qui l'entend, éprouve la joie la plus vive, à cause de la voix de

ut ad te potius veniant? Il répond : *Quasi homo accepi, ait, de caelo.* De même Cyr. d'Al., Belser. — δύνασθαι « être en disposition de », VII. 7; Mc. II, 19 « convient-il »? Ou même « serait-il possible »? Ne serait-ce pas de ma part une tentative insensée, si c'était sans un dessein de Dieu? La proposition est générale, pour amener doucement les disciples, par une affirmation de sens commun, à régler le cas de Jean. — λαμβάνειν en soi peut signifier recevoir (VI, 7; XIV, 17 *Bauer*), mais ici ce serait une tautologie : il est clair qu'on ne reçoit que ce qui est donné. Donc « prendre » (*Loisy*) « s'arroger » (*Calmes*), comme dans Héb. V, 4, avec la même idée. ἐὰν μή, exception qui ne correspond pas exactement à ce qui précède : « personne ne peut prendre que ce qui est donné » serait contradictoire; le sens est : « personne ne peut prendre sans permission; il faut se contenter de ce qui est donné »; nous avons signalé une brachylogie semblable pour εἰ μή (III, 13).

28) Ce verset ne fait bien suite qu'avec le sens que nous avons adopté. C'est un argument *ad hominem*. Vous venez de rappeler mon témoignage : puis-je me mettre en contradiction avec moi-même? Non seulement Jean a déclaré qu'il n'était pas le Christ, il a même reconnu qu'il était envoyé (non pas devant lui, qui serait αὐτοῦ) devant celui dont ils parlent (ἐκείνου) — Chrys. a remarqué avec raison le tact et la douceur de Jean, qui ne brusque pas ses disciples. Leur zèle venait de leur affection pour sa personne. Ils ne peuvent trouver mauvais qu'il reste dans son rôle, assez glorieux. Et son humilité de serviteur, indigne de délier les cordons de la chaussure du Messie (I, 27) s'épanche dans la joie de l'ami, car il n'est rien moins que l'ami de l'époux. Que ses disciples sentent leur tristesse se fondre dans sa joie!

29) Rien n'indique qui est l'épouse. La communauté d'Israël n'a pas été prise pour épouse, et ne s'y dispose guère. L'humanité sera-t-elle digne de cet honneur? L'Église n'est pas encore en vue. Il n'y a donc ici qu'une comparaison, et elle porte surtout sur l'époux. C'est lui qui a l'épouse, c'est-à-dire qui est le héros de la fête, celui qui est au comble de ses vœux et comme ravi de joie, « le jour de ses épousailles, le jour de la joie de son cœur » (Cant. III, 11). Le rôle de l'ami est effacé : sa joie ne peut être qu'un reflet de celle de l'époux. Jésus lui-même a usé de cette comparaison en sa personne (Mc. II, 19; Mt. IX, 15; Lc. V, 34). Il n'est pas nécessaire que l'époux parle à son ami pour qu'il s'associe à sa joie; l'ami, celui qui a été désigné comme étant le plus intime

τὴν φωνὴν τοῦ νυμφίου. αὕτη οὖν ἡ χαρὰ ἡ ἐμὴ πεπλήρωται. [30] ἐκεῖνον δεῖ αὐξάνειν, ἐμὲ δὲ ἐλαττοῦσθαι. [31] Ὁ ἄνωθεν ἐρχόμενος ἐπάνω πάντων ἐστίν. ὁ ὢν ἐκ τῆς γῆς ἐκ τῆς γῆς ἐστιν καὶ ἐκ τῆς γῆς λαλεῖ· ὁ ἐκ τοῦ οὐρανοῦ ἐρχόμενος · [32] ὃ ἑώρακεν καὶ ἤκουσεν μαρτυρεῖ, καὶ τὴν

31. *om.* επανω παντων εστιν *p.* ερχομενος 2° (T) plutôt que *add.* (HSV).
32. *om.* τουτο *p.* ηκουσεν (T) plutôt que *add.* (HSV).

---

pour faire honneur à l'époux, se tient debout pendant la cérémonie, et il suffit que l'époux exprime son bonheur pour qu'il se réjouisse avec lui. Cette joie, quoiqu'elle ne soit que dérivée, Jean l'a goûtée dans sa plénitude relative : *Ego sum in audiendo, ille in dicendo; ego sum illuminandus, ille lumen; ego sum in aure, ille Verbum* (*Aug.*). Sur cette plénitude de joie, cf. xv, 11; xvi, 24; xvii, 13; I Jo. i, 4. — ἑστηκώς, cf. xviii, 18. 25.

30) Après cela le sacrifice de l'abaissement sera facile, car il sera compensé par l'élévation de l'ami : δεῖ, cela est réglé par Dieu, mais avec quelle convenance! — On a souvent remarqué que la fête de saint Jean coïncide presque avec le solstice d'été, Noël avec le solstice d'hiver; mais il ne semble pas que ce symbolisme ait influé sur le choix des jours de ces fêtes.

31-36. Réflexions de l'évangéliste.

Les raisons d'attribuer ces versets à l'évangéliste sont les mêmes que pour les versets 16-21. Schanz, Kn. et Zahn ont encore refusé de se rendre à cette évidence critique, reconnue par Calmes, Belser, Tillmann. En revanche les critiques radicaux (*Bauer*, *Loisy*) ne font guère de différence, et attribuent tout le discours à Jean-Baptiste, car ils voient dans les deux parties une création de l'évangéliste. Nous reconnaissons le style de Jo. même dans la première partie, surtout par le trait caractéristique du comble de la joie (29). Mais il nous semble avéré que Jo. n'a pas traité de la même manière les paroles du Baptiste et ses propres réflexions. Les premières ont un accent personnel, à la première personne, et sont en situation. Les autres sont très abstraites et sont beaucoup plutôt parallèles à 16-21, qu'à 27-30. On pourrait remplacer 16-21 par 31-36 et réciproquement ou faire de 31-36 la suite de 16-21. Il serait étrange que Jo. n'ait point vu d'inconvénient à attribuer à Jésus et à Jean des considérations tellement semblables. De plus, dans les deux cas, elles sont au passé, supposant la crise de la foi et de l'incrédulité après la révélation du Fils de Dieu. Il y a donc dans tout ce chapitre une sorte de parallélisme. D'un côté l'hésitation de Nicodème, de l'autre la mauvaise humeur des disciples de Jean; chaque épisode est un symbole de ce qui adviendra plus tard.

31) Jean a eu bien raison de ne pas revendiquer la première place en rivalité avec celui qui vient d'en haut ou du ciel (cf. v. 13), car celui-ci est au-dessus de tous; cf. Act. x, 36; Rom. ix, 5. Il est clair que ἄνωθεν ici est pour τοῦ οὐρανοῦ ou plutôt prépare ces mots : πάντων est un pluriel masculin, puisque la comparaison va porter sur l'enseignement du Christ et celui des autres. — Mais alors pourquoi celui qui est de la terre serait-il Jean, comme l'entend tout le monde? Si c'était Jean qui parlait, ainsi que pensaient les anciens, on pourrait estimer

l'époux. C'est bien là ma joie qui est à son comble. [30]Il faut que Lui croisse et que je diminue. »

[31]Celui qui vient d'en haut est au-dessus de tous. Celui qui est de la terre appartient à la terre et parle [à la façon] de la terre. Celui qui vient du ciel [32]témoigne de ce qu'il a vu et entendu, et personne

qu'il s'humilie. Mais si c'est l'évangéliste qui réfléchit sur toute la situation, aurait-il oublié le rang qu'il a donné au Baptiste comme témoin du Fils de Dieu? Certes ce qu'il vient de dire n'est pas de la terre. On explique que si Jean est le témoin du Christ, c'est par une grâce de Dieu, et non par une résultante de la nature, ce qui est très vrai, mais si c'est comme homme que le Baptiste est inférieur à Jésus, pourquoi ne pas voir ici un homme quelconque, tous les hommes (*Zahn*), abstraction faite d'une grâce spéciale, qui était la caractéristique du Baptiste? Jo. se trouve en présence d'un commencement d'incrédulité dès le début de l'enseignement de Jésus, dans la personne de Nicodème et des disciples de Jean. Ils n'ont donc pas compris, ce que Jean disait assez clairement, mais que l'évangéliste affirme avec plus de netteté et de force, que Jésus est le seul révélateur. Pourquoi? parce qu'ils étaient de la terre. — ὤν répond au γεγεννημένον du v. 6, dans le sens de γενόμενος; celui qui est sorti de la terre (*Schanz, Calmes, Zahn*), qui appartient normalement à la terre (ὤν, le participe), se montre bien dans sa pratique conforme à cette origine; il ne s'élève pas aux choses d'en haut, et ne parle que de ce qu'il aime, comme ceux qui sont du monde (I Jo. IV, 5) opposés à ceux qui sont de Dieu, parmi lesquels était sûrement le Baptiste qu'il avait envoyé! Même opposition entre le Christ et ses contradicteurs (VIII, 23). Naturellement le Baptiste, comme homme, est compris parmi les autres, mais la comparaison ne se fait pas directement avec lui comme représentant les hommes; ce sont plutôt ses disciples qui ont amené Jo. à considérer l'opposition entre celui qui est du ciel et ceux qui sont de la terre. — Tischendorf écrit, avec de bonnes autorités (א D, le groupe Ferrar, plusieurs *latt. sah. syrcur.*, mais non *sin.*) ὁ ἐκ τοῦ οὐρανοῦ ἐρχόμενος [32] ὃ ἑώρακεν καὶ ἤκουσεν μαρτυρεῖ, c'est-à-dire qu'il omet ἐπάνω πάντων ἐστίν et τοῦτο. Le texte est beaucoup plus satisfaisant; on objecte qu'on a corrigé pour éviter une répétition, mais l'œil a pu se porter du second ἐρχόμενος au premier.

32) C'est un écho du v. 11, formulé par Jo. qui constate le refus de croire. La réflexion serait étrange dans la bouche du Baptiste en réponse à la plainte de ses disciples que tout le monde allait après Jésus! — Le mot « personne » atteste l'amertume dont Jo. est animé en présence d'une incrédulité trop générale. Lui-même indiquera des exceptions (v. 36). — Dans I Jo. I, 3 il y a deux parfaits ἑωράκαμεν et ἀκηκόαμεν, les disciples ayant entendu aussi longtemps qu'ils ont vu; dans Act. XXII, 15, comme ici ἑώρακας καὶ ἤκουσας. D'où vient cette vision au parfait et cette audition à l'aoriste? Serait-ce que, voyant toujours Dieu, Jésus entend à certains moments les paroles qu'il doit révéler?

Mais l'explication la plus simple est que la vue a quelque chose de naturellement continu. Platon lui-même a écrit, et avec l'indication du moment précis : τεκμαίρομαι ἔκ τινος ἐνυπνίου, ὃ ἑώρακα ὀλίγον πρότερον ταύτης τῆς νυκτός (*Criton* I).

μαρτυρίαν αὐτοῦ οὐδεὶς λαμβάνει. [33] ὁ λαβὼν αὐτοῦ τὴν μαρτυρίαν ἐσφράγισεν ὅτι ὁ θεὸς ἀληθής ἐστιν. [34] ὃν γὰρ ἀπέστειλεν ὁ θεὸς τὰ ῥήματα τοῦ θεοῦ λαλεῖ, οὐ γὰρ ἐκ μέτρου δίδωσιν τὸ πνεῦμα. [35] ὁ πατὴρ ἀγαπᾷ τὸν υἱόν, καὶ πάντα δέδωκεν ἐν τῇ χειρὶ αὐτοῦ. [36] ὁ πιστεύων εἰς τὸν υἱὸν ἔχει ζωὴν αἰώνιον· ὁ δὲ ἀπειθῶν τῷ υἱῷ οὐκ ὄψεται ζωήν, ἀλλ' ἡ ὀργὴ τοῦ θεοῦ μένει ἐπ' αὐτόν.

33 s.) Ces deux versets ne forment qu'une phrase : *Quod ideo dicit evangelista ut ostendat, eos qui non credunt Deo, veritatem Patris negare* (*Thomas*). Seulement Jo. s'exprime d'une façon positive. Il paraît bien difficile d'entendre le sceau d'une empreinte que les croyants posent sur leur cœur (*Thom.* 1°, *Schanz, Zahn*). Ce doit être une simple métaphore. De même qu'on atteste la vérité d'une déclaration en y apposant son sceau, comme on faisait déjà dans l'ancienne Babylonie pour les contrats, de même celui qui accepte le témoignage du Fils affirme la vérité de la parole divine, la véracité de Dieu même, puisque c'est lui qui parle par celui qu'il a envoyé. On ne pouvait rien dire de plus fort contre ceux qui prétendent croire en Dieu sans croire au Christ. En réalité Dieu a parlé par lui, et rejeter cette révélation qui vient de Dieu, c'est supposer que Dieu nous a trompés. Même idée dans I Jo. v, 10; c'est bien le même auteur qui parle. — Il est vrai que Dieu avait envoyé des prophètes, mais ceux-là, quoique dépositaires de sa parole, n'avaient pas vu les choses du ciel, n'étant pas venus du ciel. — La fin du v. est difficile. ὁ θεός après δίδωσιν ne peut être considéré comme authentique, non plus que les autres additions de la tradition syrienne dans *cur,* Aphraate, Éphrem, qui prouvent seulement son sans-gêne. B et *syrsin.* ont omis τὸ πνεῦμα : autre preuve d'embarras. Tel que le lisent les critiques, le texte est interprété presque unanimement du don de l'Esprit que le Père fait au Fils, soit de toute éternité par la génération spirituelle (*Belser*), soit au moment du baptême : on rappelle le texte de l'évangile selon les Hébreux : *cum ascendisset dominus de aqua descendit fons omnis spiritus sancti et requievit super eum* (cf. *RB.* 1922, p. 330). Mais pourquoi ne pas indiquer par un complément quelconque le don fait au Fils? Ce qui paraît décisif contre ce sens, c'est que le don du Père au Fils est très clairement indiqué au verset suivant; il y aurait plus qu'une répétition, il y aurait incohérence entre δίδωσιν et δέδωκεν. D'ailleurs cette phrase doit avoir un sens relatif à la mission du Christ (contre *Belser*), être une raison (γάρ) de la crédibilité due à ses paroles. — Zahn a supposé que πνεῦμα est le sujet. Entendant le v. 34 de tous les envoyés de Dieu, il motive leur autorité parce que l'esprit donne largement ce qu'il convient de donner. Mais cette parenthèse serait par trop déplacée dans l'argumentation relative au Fils. — La seule voie me paraît être de faire de l'envoyé le sujet de δίδωσιν (*Origène*); dans ce cas un régime indirect est inutile; ce sont tous ceux qui sont en situation de recevoir. L'envoyé de Dieu par excellence donne, distribue l'Esprit sans mesure : tandis que les anciens prophètes n'en disposaient que partiellement. L'Esprit-Saint inspirait les paroles des prophètes; il fallait donc les en croire : combien plus celui qui dispose de toute la vérité inspirée! Le don de l'Esprit était le signe du messianisme; il était naturel qu'il fût dis-

n'accepte son témoignage. [33]Celui qui a accepté son témoignage a signé de son sceau que Dieu est véridique. [34]Car celui que Dieu a envoyé dit les paroles de Dieu, car il ne donne pas l'esprit avec mesure. [35]Le Père aime le Fils, et il a tout remis dans sa main. [36]Celui qui croit au Fils a la vie éternelle; celui qui refuse de croire au Fils ne verra pas la vie, mais la colère de Dieu reste [suspendue] sur lui.

tribué par le Christ non seulement comme grâce, mais comme doctrine; l'enseignement devait même précéder pour faire naître la foi. Dans l'A. T. Dieu seul donne l'Esprit; mais le Christ ressuscité le donne aux apôtres (xx, 22). D'après Jo., c'est le Christ qui parle, c'est sa révélation qui se fait entendre, c'est lui qui donne l'Esprit : il en est la source, ce qui est beaucoup plus dans le contexte que s'il le recevait seulement. Origène a très bien expliqué tout cela : Εἰ γὰρ καὶ ἄνδρες σοφοὶ θεὸν ἐσχηκότες ἐλάλησαν τὰ τοῦ θεοῦ ῥήματα, ἀλλ' οὖν ἐκ μέρους εἶχον τὸ πνεῦμα τοῦ θεοῦ λέγοντος· Ἐκχεῶ ἀπὸ τοῦ πνεύματός μου ἐπὶ πᾶσαν σάρκα (Joël II, 28 [III, 1]). ὁ δέ γε σωτὴρ ἀποσταλεὶς ἐπὶ τῷ τὰ ῥήματα τοῦ θεοῦ λαλεῖν οὐκ ἐκ μέρους δίδωσι τὸ πνεῦμα. οὐ γὰρ λαβὼν αὐτὸς ἑτέροις παρέχει, ἀλλ' ἀποσταλεὶς ἄνωθεν καὶ ἐπάνω πάντων ὑπάρχων δίδωσιν αὐτό, τυγχάνων αὐτοῦ πηγή (éd. *Preuschen*, p. 523). Il serait impossible de ramasser mieux tout le passage. De même Cyr. d'Al.

35) Dans l'opinion où le Fils a reçu l'Esprit, quel est le contexte? D'après les anciens, après avoir montré dans le Christ le serviteur, Jo. relève la dignité du Fils. Maldonat : Jo. indique la raison pour laquelle le Père a donné l'Esprit. Mais on peut aussi bien dire que le Fils donne l'Esprit parce que le Père a tout remis entre ses mains; il est l'unique dépositaire du salut auprès des hommes. πάντα ne doit pas s'entendre de la divinité donnée au Verbe par le Père (*Aug. Thom.* 1°), mais de tout ce qui concerne le salut de l'humanité. Thomas a noté que si on l'entendait de la divinité, l'amour ne serait pas la cause, mais le signe, sans quoi l'Esprit-Saint serait le principe de la génération du Fils. *Si referatur autem ad Christum secundum quod homo, sic ly* diligit *dicit rationem principii, ut dicatur Pater omnia in manu Filii tradidisse, scilicet quae in coelis et quae in terris sunt.* C'est donc le sens littéral; cf. XIII, 3.

36) En harmonie avec XVII, 2, ce qui est plus naturel si c'est l'évangéliste qui parle et non le Baptiste, Jo. nous dit que ce plein pouvoir donné au Fils incarné a pour objet la vie éternelle en faveur des croyants. La colère est celle que les hommes ont méritée (Rom. I, 18 ss.) et à laquelle ils ne peuvent échapper qu'en se donnant au Fils par la foi. Ce sont les idées des vv. 17-18.

CHAPITRE IV

[1] Ὡς οὖν ἔγνω ὁ κύριος ὅτι ἤκουσαν οἱ Φαρισαῖοι ὅτι Ἰησοῦς πλείονας μαθητὰς ποιεῖ καὶ βαπτίζει ἢ Ἰωάννης, — [2] καίτοιγε Ἰησοῦς αὐτὸς οὐκ ἐβάπτιζεν ἀλλ' οἱ μαθηταὶ αὐτοῦ, — [3] ἀφῆκεν τὴν Ἰουδαίαν καὶ ἀπῆλθεν

1-3. Transition.

1) οὖν est une liaison assez vague qui ne peut se rapporter qu'au fait du concours du peuple auprès de Jésus (iii, 26), objet de la jalousie des disciples de Jean. A leur tour les Pharisiens en prennent ombrage, non comme d'une concurrence à Jean, auquel ils demeurent étrangers, mais parce que toute cette agitation leur déplaît. Il faut même supposer que leur mécontentement menaçait Jésus d'une mesure directe, pour expliquer comment il juge à propos de renoncer à son action. Mais le mécontentement des Pharisiens aurait-il été tellement plus prononcé contre Jésus que contre Jean, seulement parce qu'il faisait plus de disciples? Il serait plus naturel, si Jésus s'était prononcé contre leurs purifications. On peut dire aussi que Jean, étant remonté près de Scythopolis, n'était plus dans le territoire de la Judée, mais sous la domination d'Hérode, qui n'eût pas toléré une ingérence étrangère, tandis que les Pharisiens de Jérusalem pouvaient faire agir le procurateur de la Judée. Cette explication serait encore plus décisive si déjà Jean avait été mis en prison : de son côté Hérode a mis fin à l'agitation ; les Pharisiens veulent en faire autant. Il y aurait là entre Jo. et les synoptiques un accord tacite plus frappant qu'une harmonie extérieure, pour parler comme Héraclite ; ἁρμονίη ἀφανὴς φανερῆς κρείττων. — Le bruit accueilli par les Pharisiens est reproduit en propres termes, au présent. Il parvient au Seigneur qui savait ce qu'il en était par sa connaissance surnaturelle (ii, 25), mais qui se conduisait aussi suivant les informations normales.

2) A ce bruit, tel que les Pharisiens l'avaient accueilli, Jo. fait une rectification : ce n'est pas Jésus lui-même qui baptisait. On est très tenté de voir là une glose ; les mots ont bien cette apparence ; mais quel autre que l'évangéliste aurait osé la faire? D'autant que la rectification n'a pas pour but de ramener le bruit à ce qui avait été dit plus haut, mais qu'au contraire elle porte sur ce qu'avait dit l'évangéliste lui-même (iii, 22). Il a donc entendu corriger au moment opportun l'idée inexacte qu'on eût pu se faire. Les Pharisiens étaient d'autant moins autorisés à sévir contre Jésus comme Hérode l'avait fait contre Jean, que Jésus ne baptisait pas en personne.

3) Du baptême administré directement ou indirectement il ne sera plus question jusqu'à la promulgation du baptême chrétien (Mt. xxviii, 19 ; Mc. xvi, 15 s.). C'était une préparation à la prédication du règne de Dieu, car elle

[1] Lors donc que le Seigneur eut appris que les Pharisiens avaient ouï dire que Jésus faisait et baptisait plus de disciples que Jean, — [2] quoique Jésus lui-même ne baptisât pas, mais ses disciples, — [3] il quitta la Judée et s'en alla de nouveau en Galilée. [4] Or il fallait

va commencer, d'après les synoptiques. Jo. jugeant ce point suffisamment connu marque seulement le retour de Jésus en Galilée.

4-42. La Samaritaine.

La merveille des merveilles. Après l'expulsion des vendeurs du Temple à Jérusalem, la brève mais saisissante altercation avec les Juifs, l'entretien nocturne avec Nicodème, dont les doutes ne paraissent pas dissipés, l'évangéliste nous transporte dans les champs de Sichem auprès du puits de Jacob, dans le grand soleil de midi éclairant les moissons blanchissantes. Sur ce sol où flotte le souvenir des patriarches, au pied de cette montagne du Garizim, rivale de la petite colline de Sion, Jésus s'attache au salut d'une femme.

Si le contraste est sensible avec Jérusalem, cependant la suite des idées est bien tracée. Jésus a parlé à Nicodème de la régénération par l'Esprit; un culte en esprit doit être rendu partout. Il a été envoyé dans le monde par l'amour du Père, non pour juger le monde, mais pour le sauver (iii, 17) : et il se révèle en effet comme le Sauveur du monde. Son action chez les Samaritains n'est donc qu'un développement et une application de sa doctrine. Le sens dogmatique est si transparent dans cet épisode, qu'il ne faut pas trop s'étonner qu'on y ait vu un pur symbole, créé par le génie de l'évangéliste. Mais depuis quand est-il interdit au génie de s'appuyer sur la réalité? Pourquoi ne lui emprunterait-il pas les traits qui signifient, qui expriment la vérité?

D'autant que, le mot de symbole prononcé, il faut s'entendre sur son caractère et se garder d'exploiter dans ce sens les détails si naturels du récit. On dit volontiers aujourd'hui que la femme est la personnification des Samaritains, et on le prouve par une prétendue allusion aux cinq faux dieux qu'ils ont adorés, devenus les maris de cette femme (iv, 17). Mais outre que cette allusion serait énigmatique, la Samaritaine représente bien plutôt l'âme pécheresse et cependant religieuse en dehors du Judaïsme. La moisson destinée aux Apôtres comprend toute l'humanité, et Jésus est salué comme Sauveur du monde.

Une femme en chair et en os, aussi réelle que les moissons, ne peut-elle avoir servi de type? Nous nous refusons à nier l'existence de la Béatrice de Dante, comme le font quelques critiques allemands, sous prétexte que Béatrice, la Bice tant aimée, est devenue le symbole de la théologie. Quand il faudrait s'y résoudre, on peut affirmer que la Samaritaine est encore plus femme, par sa manière d'avancer une théologie de surface pour voiler le secret de son cœur, par la grâce ondoyante de ses manières, par son revirement soudain, parce qu'elle foule aux pieds l'amour-propre, quand elle a subi l'ascendant de l'homme qui lui a révélé sa faiblesse. On a toujours été frappé — on l'est davantage à mesure qu'on connaît mieux le pays et le temps — de la parfaite exactitude des moindres circonstances.

πάλιν εἰς τὴν Γαλιλαίαν. [4]Ἔδει δὲ αὐτὸν διέρχεσθαι διὰ τῆς Σαμαρίας. [5]ἔρχεται οὖν εἰς πόλιν τῆς Σαμαρίας λεγομένην Συχὰρ πλησίον τοῦ χωρίου

5. τω *a*. Ιωσηφ (H) plutôt que *om*. (TSV).

Plusieurs critiques ont cependant noté que cette révélation que Jésus fait de lui-même, et à des Samaritains, n'est guère en harmonie avec le parti qu'il a adopté, d'après les synoptiques, de ne pas se manifester comme Messie, et de ne pas envoyer ses disciples chez les Samaritains, comme Mt. (x, 5) l'atteste expressément. Mais le même Mt. a bien raconté comment Jésus a dérogé à la loi de sa mission en faveur de la Cananéenne (xv, 21-28). Ici, le Sauveur du monde, provoqué par une femme pécheresse qui fait appel au Messie, ne se refuse pas à lui dire qu'il est ce sauveur. Cela était très opportun pour établir son autorité à proposer l'enseignement capital du culte en esprit et en vérité. Ce culte est le seul qui convienne à Dieu, qui est Esprit. Mais si Jésus dérange, pour parler à notre manière, ses plans les mieux arrêtés en faveur d'une femme, et pécheresse, est-il rien de plus propre à faire naître dans les cœurs cet amour qu'en fait l'histoire de la Samaritaine excite de génération en génération? De telles œuvres ne doivent pas être jugées seulement à la loupe. Qu'on les sonde dans tous leurs détails avec la minutie la plus exacte, c'est bien. Mais qu'on n'oublie pas à quelle hauteur elles se dressent, quelle lumière elles ont versé sur l'humanité, quel réconfort pour les âmes! Ce sera toujours un contresens paradoxal d'attribuer à un inconnu la pensée maîtresse du christianisme, plutôt qu'à ce Fondateur devant lequel l'évangéliste s'incline si profondément. Renan lui-même, après quelques réserves sur les détails de la conversation, conclut : « Mais l'anecdote du chapitre IV de Jean représente certainement une des pensées les plus intimes de Jésus, et la plupart des circonstances du récit ont un cachet frappant de vérité » (*Vie de Jésus*, 19e éd., p. 243 note).

Nous ne prétendons pas cependant que l'évangéliste ne soit pour rien dans la manière de présenter les choses; mais on aurait tort d'insister sur le caractère secret de l'entretien. Si tout d'abord les disciples ont bridé leur curiosité par respect, on peut bien croire que Jean, le disciple bien-aimé, s'est cru autorisé à demander à son maître cette confidence, comme il a fait à la Cène pour un secret plus redoutable (XIII, 24 ss.).

Ce long récit se subdivise aisément en plusieurs petites sections qui seront indiquées.

4-6. *Introduction à l'entretien.*

La mise en scène, si l'on ose s'exprimer ainsi, est plus détaillée que pour aucun autre enseignement de Jésus : le lieu précis, l'heure du jour, la fatigue d'une marche à pied, l'origine de celle qui vient à la source. Il serait puéril de nier que l'art puisse produire le même effet de réalité que l'histoire vraie. On n'est point obligé de croire que la mise en scène du Phèdre de Platon n'a rien d'inventé. Mais il est clair du moins que Platon connaissait très bien les rives de l'Ilissos, et l'évangéliste le puits de Jacob. Dans un ouvrage comme le

qu'il passât par la Samarie. [5]Il arrive donc à une ville de la Samarie, nommée Sychar, près du champ que Jacob avait donné à Joseph

IVe évangile où la littérature tient si peu de place, où l'idée même de créer un cadre pittoresque s'accorderait mal avec la gravité du ton, ces détails révèlent le témoin oculaire.

4) ἔδει n'indique pas une volonté divine, mais une convenance personnelle d'itinéraire. La Samarie était le chemin ordinaire des Galiléens allant à Jérusalem, d'après Josèphe (Ant. XX, vi, 1) : ἔθος ἦν τοῖς Γαλιλαίοις ἐν ταῖς ἑορταῖς εἰς τὴν ἱερὰν πόλιν παραγινομένοις ὁδεύειν διὰ τῆς Σαμαρέων χώρας· Mais l'incident qu'il rapporte aussitôt prouve qu'on courait le danger d'être attaqué. Étant dans la vallée du Jourdain, Jésus aurait très bien pu remonter la vallée et entrer en Galilée par Scythopolis; c'était le plus court. Il s'est déterminé, pour une raison que nous ignorons, à rejoindre la route ordinaire de Jérusalem à Nazareth qui passait comme aujourd'hui par Sichem-Naplouse, en remontant du Ghôr à la crête des plateaux soit par Aqrabeh, soit par l'ou-Far'â et Beït-Dedjân. On ne peut supposer qu'il a constaté le mécontentement des Pharisiens à Jérusalem même, puisqu'il apprit, — donc par un intermédiaire, — que les Pharisiens avaient entendu dire, etc.

5) Jésus arrive dans la région qui avait pris son nom de la grande cité de Samarie, devenue alors Sébaste, auprès d'une ville. D'après ce qui suit, les disciples y pénètrent, tandis que Jésus va seul s'asseoir auprès du puits de Jacob. Cette ville est nommée Sychar. On ne sait vraiment pas pourquoi saint Jérôme a prétendu (*Quaest. in Gen.* p. 66, et *epist.* cviii, 13) que Sychar était une erreur de copiste pour Sichem. Le pèlerin de Bordeaux (en 333) connaissait déjà Sechar, placée sur le terrain sous son nom araméen de *Sychora* (...ΧΩΡΑ) à côté de Σικιμα par la carte en mosaïque de Mâdaba.

Ce point correspond aux ruines, relevées durant ces dernières années, de 'Askar, nom arabe transformé pour aboutir à un sens (*soldat*). La même carte de Mâdaba indique la source de Jacob, η πηγη του Ιακωϐ, au point où se trouve aujourd'hui le Bir-I'aqoub. Ce puits très profond était déjà un sanctuaire au temps de saint Jérôme (*Onomasticon*). C'est un point fixé d'une manière certaine. Tout auprès se trouve le village actuel de Balata, au nord-est duquel un tell, fouillé en 1914 par une expédition autrichienne, représente certainement l'ancienne Sichem. On pourrait donc objecter au récit de Jo. que la ville de Sichem était plus rapprochée du puits que le village d''Askar = Sychar. Mais précisément les fouilles ont prouvé que ce tell était abandonné à l'époque romaine, et même bien avant. Sichem s'était transportée au pied du Garizim, dans la situation actuelle de *Nâblous* dès le temps des Séleucides. En venant de Jérusalem et même en remontant du Jourdain, on rencontrait d'abord le puits de Jacob où le Seigneur s'est arrêté, à environ un kilomètre de Sychar-'Askar, et à deux kilomètres de Sichem-Nâblous. Il pouvait y avoir des raisons d'aller à Sychar plutôt qu'à la capitale religieuse d'une population hostile aux Juifs. La belle source d''Askar est une difficulté : Pourquoi la Samaritaine serait-elle venue puiser à un puits très profond? Mais cette source ne coule pas toujours, et peut-être la femme était-elle dans un champ voisin d'où on l'a envoyée chercher de l'eau.

ὃ ἔδωκεν Ἰακὼβ τῷ Ἰωσὴφ τῷ υἱῷ αὐτοῦ· [6] ἦν δὲ ἐκεῖ πηγὴ τοῦ Ἰακώβ. ὁ οὖν Ἰησοῦς κεκοπιακὼς ἐκ τῆς ὁδοιπορίας ἐκαθέζετο οὕτως ἐπὶ τῇ πηγῇ· ὥρα ἦν ὡς ἕκτη. [7] ἔρχεται γυνὴ ἐκ τῆς Σαμαρίας ἀντλῆσαι ὕδωρ. λέγει αὐτῇ ὁ Ἰησοῦς Δός μοι πεῖν· [8] οἱ γὰρ μαθηταὶ αὐτοῦ ἀπεληλύθεισαν εἰς τὴν πόλιν, ἵνα τροφὰς ἀγοράσωσιν. [9] λέγει οὖν αὐτῷ ἡ γυνὴ ἡ Σαμαρεῖτις Πῶς σὺ Ἰουδαῖος ὢν παρ' ἐμοῦ πεῖν αἰτεῖς γυναικὸς Σαμαρείτιδος;

Quoi de plus légitime que de répondre par des hypothèses vraisemblables aux chicanes intentées à l'auteur, qui connaissait si bien les lieux, mais qui ne s'est pas donné la peine de tout justifier par le menu? — Jo. indique encore un point de repère : près de l'endroit que Joseph a reçu de son père Jacob. C'est une allusion à Gen. XLVIII, 22 et XXXIII, 19. La tradition actuelle montre tout près du puits le tombeau de Joseph, et cette tradition remonte au moins à Eusèbe : Συχὲμ ἡ καὶ Σίκιμα ἢ καὶ Σαλὴμ. πόλις Ἰακὼβ νῦν ἔρημος. δείκνυται δὲ ὁ τόπος ἐν προαστείοις Νέας πόλεως (faubourg aujourd'hui nommé Balata) ἔνθα καὶ ὁ τάφος δείκνυται τοῦ Ἰωσήφ (*Onomasticon*). Il est très probable que χώριον dans Jo. désigne ce tombeau, dont l'emplacement était indiqué par Josué (XXIV, 32) à Sichem, c est-à-dire près de l'ancienne Sichem.

La Michna (*Menakhot*, X, 2) parle d'une vallée large de *'Aïn Soker* (*fontaine du marchand*), mais si elle n'était pas tout près de Jérusalem, c'était à en juger d'après les règles du sabbat, et il serait bien peu vraisemblable qu'on soit allé chercher les deux pains de Lév. XXIII, 17 au pays des Samaritains. Les historiettes du Talmud (*Baba Qama* 82[b]; *Menakh.* 64[b]) ne supposant pas non plus un lieu si éloigné.

6) Jo. parle de la source de Jacob, dont nous verrons (v. 11) qu'elle jaillissait au fond d'un puits. L'A. T. n'en parle pas : la tradition locale avait très naturellement donné ce nom au puits dont la région était fière. Ces puits bâtis pour capter une source profonde ne sont point rares en Palestine. Plusieurs avaient été creusés par Isaac (Gen. XXVI, 18. 32). — Jésus était fatigué, et, semble-t-il, plus que les autres, d'une marche à pied particulièrement pénible à cause de la montée depuis la vallée du Jourdain : c'est un des cas assez fréquents où Jo. met en lumière autant que les synoptiques la nature humaine du Verbe incarné; il n'est pas superflu de le noter dans ce récit. — ὁδοιπορία, cf. II Cor. XI, 26; — οὕτως (cf. XIII, 25) comme ὡς ἦν Mc. IV, 36; Chrys. : ἁπλῶς καὶ ὡς ἔτυχεν ἐπ' ἐδάφους. La meilleure manière de se reposer était de s'asseoir sur le sol, le dos appuyé contre le puits; ἐπί avec le datif peut signifier « auprès de » (*sah.*); cf. Jo. V, 2; Jos. *Ant.* V, I, 17 στρατοπεδευσαμένους ἐπί τινι πηγῇ τῆς πόλεως οὐκ ἄπωθεν (*Bauer*). Cependant rien n'empêche de l'entendre au sens propre; Jésus se serait assis sur la margelle du puits (*latt. syrr. bo.*); cf. Iliade, III, 153 ἧντ' ἐπὶ πύργῳ. Cette position plus noble est celle des peintres. — La sixième heure du jour, c'est-à-dire midi; Jo. dit environ pour ne pas affecter une précision qui ne conviendrait qu'à un itinéraire où l'on compte les minutes.

7-15. *Entretien sur l'eau vive.*

7) Cette femme était sans doute originaire de la ville ou du bourg qui vient d'être nommé, mais peu importent ses attaches locales; c'est une Samaritaine,

son fils. [6] Là se trouvait la source de Jacob. Jésus donc, fatigué du chemin, était assis à même près de la source; il était environ la sixième heure. [7] Survient une femme de la Samarie, pour puiser de l'eau. Jésus lui dit : « Donne-moi à boire; » [8] car ses disciples s'en étaient allés à la ville pour acheter des vivres. [9] La femme samaritaine lui dit donc : « Comment toi, qui es Juif, me demandes-tu à boire, à moi qui suis une femme samaritaine? » Car les Juifs n'ont

comme ses compatriotes seront des Samaritains. Jo. a tenu à mettre en relief leur nationalité, qui avait pris un caractère religieux spécial, ce qui ne les transforme pas en symboles. — Combien de fois n'a-t-on pas vu en Palestine les femmes plonger dans les grands puits des vases attachés à de longues cordes qu'elles tirent ensuite en prenant un point d'appui sur la margelle, y creusant ainsi des rainures parallèles! — Jésus demande à boire parce qu'il a soif, c'est vraiment un service qu'il sollicite de cette femme, service qui n'est jamais refusé. — πεῖν (HT) contraction hellénistique pour πιεῖν (SV).

8) S'il a recours à elle, c'est que les disciples ont poussé jusqu'à la ville pour acheter quelque nourriture, sans quoi (γάρ) ils seraient intervenus. Il faudrait en conclure qu'ils avaient avec eux le matériel très simple qui permettait de tirer de l'eau, ou qu'ils l'auraient emprunté à la ville. On peut bien penser que si Jésus n'attend pas, c'est afin d'engager l'entretien avec cette femme dont il connaît les dispositions et qu'il voudrait ramener au bien.

9) Au lieu de se montrer d'autant plus empressée qu'elle reconnaît en Jésus un étranger, un Juif qui a dû se faire violence pour lui parler, la Samaritaine n'est pas fâchée de signaler cette dérogation à la hauteur habituelle des Juifs. Elle est au courant des querelles religieuses, et partage le ressentiment provoqué chez les siens par le mépris des habitants de Jérusalem pour les Samaritains en général, et surtout pour ceux de Sichem : ἐν δυσὶν ἔθνεσιν προσώχθισεν ἡ ψυχή μου, καὶ τὸ τρίτον οὐκ ἔστιν ἔθνος· οἱ καθήμενοι ἐν ὄρει Σαμαρείας, Φυλιστείμ, καὶ ὁ λαὸς μωρὸς ὁ κατοικῶν ἐν Σικίμοις (Sir. L, 25 s.). Les anciens Samaritains sont comparés aux Philistins; c'étaient presque des étrangers et des idolâtres, depuis que les Assyriens avaient installé leurs colonies (IV Regn. XVII, 24 ss.), mais ceux de Sichem étaient plus odieux encore depuis que Manassès avait installé au Garizim un temple et un sacerdoce rivaux (Jos. *Ant.* XI, VII, 2). Ce n'était pas un peuple, mais une secte détestée. D'après Josèphe, c'étaient les Samaritains qui commençaient les hostilités (*Ant.* XVIII, II, 2; XX, VI, 1), et en effet leur caractère était turbulent. Aujourd'hui encore Naplouse est le point de Palestine où il est le plus difficile aux Juifs de pénétrer. — L'incise de la fin ου γαρ-Σαμαρειταις est omise par אD *a b d e;* Zahn la regarde comme une interpolation très ancienne. En tout cas, cette réflexion n'appartiendrait pas à la Samaritaine, mais à l'évangéliste. Elle avait son intérêt en dehors de la Palestine, et ne contredit pas la pratique des disciples qui vont acheter des vivres. Les Galiléens étaient sans doute moins méprisants que les Juifs puisqu'ils avaient l'habitude de traverser la Samarie lors des fêtes (Jos. *Ant.* XVIII, II, 2). Le traité des

οὔσης; οὐ γὰρ συνχρῶνται Ἰουδαῖοι Σαμαρείταις. [10] ἀπεκρίθη Ἰησοῦς καὶ εἶπεν αὐτῇ Εἰ ᾔδεις τὴν δωρεὰν τοῦ θεοῦ καὶ τίς ἐστιν ὁ λέγων σοι Δός μοι πεῖν, σὺ ἂν ᾔτησας αὐτὸν καὶ ἔδωκεν ἄν σοι ὕδωρ ζῶν. [11] λέγει αὐτῷ Κύριε, οὔτε ἄντλημα ἔχεις καὶ τὸ φρέαρ ἐστὶν βαθύ· πόθεν οὖν ἔχεις τὸ ὕδωρ τὸ ζῶν; [12] μὴ σὺ μείζων εἶ τοῦ πατρὸς ἡμῶν Ἰακώβ, ὃς ἔδωκεν ἡμῖν τὸ φρέαρ καὶ αὐτὸς ἐξ αὐτοῦ ἔπιεν καὶ οἱ υἱοὶ αὐτοῦ καὶ τὰ θρέμματα αὐτοῦ; [13] ἀπεκρίθη Ἰησοῦς καὶ εἶπεν αὐτῇ Πᾶς ὁ πίνων ἐκ τοῦ ὕδατος τούτου διψήσει πάλιν· [14] ὃς δ' ἂν πίῃ ἐκ τοῦ ὕδατος οὗ ἐγὼ δώσω αὐτῷ, οὐ

11. *om.* η γυνη *p.* αυτω (H) ou *add.* (TSV).

Samaritains (*Koutim*) dans le Talmud respire une profonde antipathie (cf. *Nidda*, IV, 1). — Mais comment la Samaritaine reconnaît-elle Jésus pour un Juif? Peut-être simplement parce qu'il venait de la Judée à une époque qui n'était pas celle des pèlerinages, ou parce qu'il portait la frange (Mt. IX, 20; Mc. VI, 56; Lc. VIII, 44), ou tel autre indice d'observance stricte de la Loi. Un Galiléen pouvait être un juif dans ce sens, et un juif orthodoxe aurait le plus souvent craint de se souiller en buvant au seau d'une Samaritaine.

10) Elle s'est étonnée. Et la situation était étrange en effet, car c'était plutôt à elle (σύ accentué) d'implorer l'eau vive de celui qui la demandait. Mais pour insinuer que cette eau vive n'est pas de l'eau de source par opposition à de l'eau de citerne (cf. Gen. XXVI, 19; Jer. II, 13; Zach. XIV, 8), Jésus la caractérise comme un don précieux de Dieu, le don de Dieu par excellence. Loisy interprète : « le salut offert par Dieu au croyant, la vie éternelle que procure l'Esprit reçu dans le baptême » (p. 179). Sans doute, mais le Seigneur ne demandait sûrement pas à la Samaritaine d'extraire une théologie aussi développée de ses paroles. C'est beaucoup qu'il se présente comme dépositaire d'un don gratuit de Dieu comparé à l'eau vive, parce que tel est le point de départ de la conversation. Il n'y a pas à se demander s'il désigne le don de sa personne, ou de sa parole, ou de l'Esprit-Saint qu'il comparera plus tard à l'eau vive (VII, 37-39). La Samaritaine n'eût pu le discerner; elle s'en tient d'ailleurs au sens propre de l'eau.

11) La Samaritaine répond à chacune des deux pensées de Jésus. D'abord l'eau vive. Où la prendrait-il? Le puits de Jacob en contient, comme celui d'Isaac (Gen. XXVI, 19), mais il est un des plus profonds, sinon le plus profond de Palestine. Depuis que les Grecs l'ont nettoyé des débris qui l'avaient comblé en partie, il mesure 32 mètres de profondeur. Dans quelques-uns de ces puits l'eau affleure presque, malgré leur profondeur, ce qui ne peut être le cas au puits de Jacob où la nappe d'eau est profonde; même lorsqu'il y a beaucoup d'eau, elle est encore à une dizaine de mètres au-dessous de la margelle (28 mars 1924). Le détail a donc son intérêt. L'évidence du fait est telle, que Jésus ayant indiqué une intervention de Dieu, la femme se demande s'il a quelque autre secret pour se procurer l'eau vive. Suppose-t-il que Dieu va

point de rapports avec les Samaritains. [10] Jésus répondit et lui dit : « Si tu savais le don de Dieu, et quel est celui qui te dit : Donne-moi à boire, c'est toi qui l'aurais prié, et il t'aurait donné de l'eau vive. » [11] Elle lui dit : « Seigneur, tu n'as rien pour puiser, et le puits est profond; comment aurais-tu donc de l'eau vive? [12] Serais-tu plus grand que notre père Jacob, qui nous a donné le puits, et il en a bu lui-même, et ses fils et ses troupeaux? » [13] Jésus répondit et lui dit : « Quiconque boit de cette eau aura soif encore; [14] mais qui boira de l'eau que je lui donnerai n'aura plus soif à jamais;

faire un miracle en sa faveur comme il l'a fait en faveur de Moïse (Ex. XVII, 5 ss.)?

— La phrase négative suivie d'une clause positive se rend en grec par οὔτε... τέ, très rarement καί, comme c'est le cas ici et dans III Jo. 10. Kühner-Gerth (II, 2, p. 291 s.) cite Euripide *Iph. Taur.* 591 s. εἶ γάρ, ὡς ἔοικας, οὔτε δυσγενὴς | καὶ τὰς Μυκήνας οἶσθα. — ἄντλημα, un récipient quelconque pour puiser, fût-il improvisé. Ordinairement une corde y est attachée, mais on aurait pu la remplacer par une courroie, une pièce de l'habillement, si le puits n'avait été profond.

12) Si l'étranger a dans l'esprit une intervention divine, c'est qu'il se croit quelqu'un comme il a paru l'insinuer. Toujours n'est-il pas plus grand que Jacob, l'ancêtre de tous les Israélites, mais dont le nom représentait surtout le royaume du Nord (Os. XII, 3; Is. IX, 7, etc.). Il y a déjà une pointe de controverse dans cette réflexion. Il ne faudrait pas qu'un juif se mette au-dessus de l'ancêtre dont les Samaritains (ἡμῶν) sont fiers, qui leur avait donné ce puits (ἡμῖν) dont il s'était servi lorsqu'il séjournait dans leur région. Rien de tout cela ne sortait du cours normal des choses, et l'on peut gager, d'après l'usage constant, qu'il y avait encore près du puits des auges où l'on versait l'eau, et où venait s'abreuver le bétail. Il en avait été ainsi depuis qu'on avait creusé le puits, et c'est Jacob que désignait une tradition si naturelle en cet endroit.

13 s.) Quoique Jésus ait sans doute mis l'accent sur l'eau *vive*, c'était cependant l'expression consacrée pour de l'eau de source; l'erreur de la Samaritaine était excusable, et Jésus lui découvre maintenant sa pensée sur ce point, en même temps qu'il maintient sa qualité d'auteur de ce don, qualité qui grandit avec le don lui-même, car l'eau dont il parlait jaillit pour la vie éternelle. — « Cette eau » s'applique tout d'abord à l'eau du puits. Mais eau de source ou eau de citerne, l'eau ne désaltère que pour un temps très court. L'eau que donnera Jésus apaisera pour toujours la soif.

Il semble que le Siracide ait dit le contraire en parlant cependant de la Sagesse divine : οἱ ἐσθίοντές με ἔτι πεινάσουσιν, καὶ οἱ πίνοντές με ἔτι διψήσουσιν (Sir. XXIV, 21). Mais de pareilles métaphores doivent être interprétées selon les différents points de vue. Dans la soif ordinaire, le palais est desséché, c'est une souffrance qui ne peut être calmée qu'en recourant à une nouvelle quantité d'eau. D'autre part l'eau fraîche produit une sensation agréable que l'on peut

μὴ διψήσει εἰς τὸν αἰῶνα, ἀλλα τὸ ὕδωρ ὃ δώσω αὐτῷ γενήσεται ἐν αὐτῷ πηγὴ ὕδατος ἁλλομένου εἰς ζωὴν αἰώνιον. [15]λέγει πρὸς αὐτὸν ἡ γυνή Κύριε, δός μοι τοῦτο τὸ ὕδωρ, ἵνα μὴ διψῶ μηδὲ διέρχωμαι ἐνθάδε ἀντλεῖν. [16]λέγει αὐτῇ Ὕπαγε φώνησον τὸν ἄνδρα σου καὶ ἐλθὲ ἐνθάδε. [17]ἀπεκρίθη ἡ γυνὴ καὶ εἶπεν αὐτῷ Οὐκ ἔχω ἄνδρα. λέγει αὐτῇ ὁ Ἰησοῦς Καλῶς

15. διερχωμαι (TH) plutôt que ερχομαι (S), ou ερχωμαι (V).

16. *om.* ο Ιησους *p.* αυτη (TH) ou *add.* (SV). — τον ανδρα σου (TSV) plutôt que σου τ. α. (H).

---

désirer pour elle-même : qui a éprouvé le bonheur de connaître les choses divines désire les connaître mieux encore. De plus le don de Jésus ne procède pas, comme la Sagesse du Siracide, par addition d'eau rafraîchissante : c'est le don même de la source, de sorte qu'on a pas à désirer une autre eau : on n'éprouve même plus la soif, puisque l'eau jaillit, et jusqu'à la vie éternelle. Telle source, comme celle du Bir Eyoub à Jérusalem, jaillit avec les fortes pluies et semble donner naissance à une rivière : elle s'épuise promptement et disparaît dans le sable. D'autres sources ne tarissent pas et donnent naissance à ces fleuves qui vont jusqu'à la mer. Ainsi la source dont parle Jésus parvient à la vie éternelle, y conduit, peut-on dire, celui qui la possède en soi. Jésus n'a pas voulu engager une discussion sur le nom et la grandeur de Jacob, ce qui n'eût pu que froisser la Samaritaine. Mais quel était donc celui qui pouvait donner une pareille eau? — Philon a dit plus d'une fois que la fontaine de la Sagesse c'était le Logos de Dieu, par exemple *De Fuga,* 97; M. I, p. 560 : προτρέπει δὴ τὸν μὲν ὠκυδρομεῖν ἱκανὸν συντείνειν ἀπνευστὶ πρός τὸν ἀνωτάτω λόγον θεῖον, ὃς σοφίας ἐστὶ πηγή, ἵνα ἀρυσάμενος τοῦ νάματος ἀντὶ θανάτου ζωὴν ἀίδιον ἆθλον εὕρηται. C'est le rapprochement le plus frappant entre le Logos de Philon (cf. *RB.*, 1923, p. 362 s.) et le Christ de Jo. Encore faut-il remarquer que dans Jo. le Christ n'est pas seulement la source, mais celui qui la fait naître dans les cœurs. Dans Philon on puise à la source, car en Dieu est la source de vie (Ps. xxxv, 10) ὅτι παρὰ σοὶ πηγὴ ζωῆς, mais il ne connaît pas le don de Dieu en source jaillissante. Ce don de Dieu est clairement ce que l'Église nomme la grâce sanctifiante, que Jean (I Jo. III, 9), désigne par une autre métaphore comme le σπέρμα de Dieu, demeurant en celui qui est né de lui, semence qui est déjà la vie éternelle (I Jo. v, 11). Surtout depuis que sainte Thérèse s'est servie si agréablement de l'eau pour expliquer les degrés de la contemplation acquise et infuse, les mystiques entendent volontiers ce passage des grâces d'oraison : ce ne peut être que par accommodation.

15) Toute l'attention de la Samaritaine se porte maintenant sur l'eau merveilleuse dont on lui parle. Elle ne comprend pas que cette eau n'est qu'une image du don de Dieu : « la vie éternelle » ne la fait pas réfléchir; elle pense à quelque recette magique, à quelque eau de Jouvence, mais sûrement sans y croire. Certes, elle ne demanderait pas mieux, car c'est si pénible de revenir toujours puiser! Après tout, que ne pouvait-on attendre des temps messiani-

mais l'eau que je lui donnerai sera en lui une source d'eau jaillissant en vie éternelle. » [15]La femme lui dit : « Seigneur, donne-moi cette eau, afin que je n'aie plus soif et que je ne me rende plus ici pour puiser. » [16]Il lui dit : « Va, appelle ton mari et viens ici. » [17]La femme répondit et lui dit : « Je n'ai pas de mari. » Jésus lui dit : « Tu as bien dit : je n'ai pas de mari;

ques? Toutefois elle n'a pas dû penser à Is. XLIX, 10 : οὐ πεινάσουσιν, οὐδὲ διψάσουσιν, οὐδὲ πατάξει αὐτοὺς καύσων... καὶ διὰ πηγῶν ὑδάτων ἄξει αὐτούς. — διέρχωμαι n'est soutenu que par ℵB et Origène (4 contre 1), mais est beaucoup plus pittoresque, comme on dirait familièrement : pour que je n'aie plus à faire le voyage. Et cette expression souligne la pointe d'incrédulité qui dut apparaître aussi sur la physionomie et détermina Jésus à prendre un autre ton.

16-26. *Jésus se révèle à la Samaritaine comme le Messie.*

Ici commence une péripétie assez brusque. Cependant Jésus ne s'écarte pas du but de l'entretien. Deux points étaient en question : l'eau vive, et son propre pouvoir. On aurait pu discourir longtemps sur le thème de l'eau; la Samaritaine était réfractaire, parce qu'elle ne songeait qu'à la vie physique, nullement à son salut éternel. Il fallait faire un appel sérieux et presque foudroyant à sa conscience pour élever son esprit plus haut. En même temps l'autorité de Jésus lui serait imposée avec évidence.

16) D'après Loisy (moins affirmatif dans la 2e édition) Jésus ne désire pas continuer l'entretien avec la femme seule, et veut « se procurer un auditeur plus capable de recevoir son enseignement » (p. 182). Cette opinion singulière méconnaît le but du Sauveur, indiqué clairement par l'évangéliste. La Samaritaine qui ne comprend pas ou affecte de ne pas prendre au sérieux les choses surnaturelles ne pourra refuser de rentrer en elle-même à l'appel parfaitement clair de la conscience morale. Jésus ne lui dit pas d'appeler son mari à sa place, mais de venir avec lui comme pour une confrontation.

17 s.) Décidément cette femme excelle à prendre, comme on dit familièrement, la tangente. Elle se met à l'abri de toute inquisition ultérieure en déclarant simplement qu'elle n'a pas de mari. Et en effet elle pouvait être veuve ou répudiée. Jésus lui fait donc compliment par deux fois (καλῶς... τοῦτο ἀληθές) de cette réponse, à ce coup parfaitement juste, ce qui ne va pas sans ironie, et lui prouve que ces petites habiletés ne servent de rien avec celui qui sonde les cœurs. Ainsi déjà Socrate approuvait les réponses dont il se préparait a révéler l'insuffisance. Ce procédé et cette ironie supposent bien que la femme n'avait pas marché très droit dans ses paroles et méritait une leçon. Elle avait eu cinq maris légitimes; on peut penser que quelques-uns étaient morts, que d'autres l'avaient répudiée; de toute façon elle devait passer pour un parti peu avantageux, et elle avait accepté une liaison irrégulière, peut-être depuis peu (νῦν, sur ἔχεις cf. I Cor. v,11). — Josèphe (*Ant.* IX, XIV, 3) a dit des Cuthéens implantés en Samarie : ἕκαστοι κατὰ ἔθνος ἴδιον θεὸν εἰς τὴν Σαμάρειαν κομίσαντες, πέντε δ' ἦσαν, καὶ τούτους καθὼς ἦν πάτριον αὐτοῖς σεβόμενοι παροξύνουσι τὸν μέγιστον θεόν... On ne voit pas clairement si le nombre cinq doit s'entendre des nations ou des dieux.

εἶπες ὅτι Ἄνδρα οὐκ ἔχω· [18]πέντε γὰρ ἄνδρας ἔσχες, καὶ νῦν ὃν ἔχεις οὐκ ἔστιν σου ἀνήρ· τοῦτο ἀληθὲς εἴρηκας. [19]λέγει αὐτῷ ἡ γυνή Κύριε, θεωρῶ ὅτι προφήτης εἶ σύ· [20]οἱ πατέρες ἡμῶν ἐν τῷ ὄρει τούτῳ προσεκύνησαν· καὶ ὑμεῖς λέγετε ὅτι ἐν Ἱεροσολύμοις ἐστὶν ὁ τόπος ὅπου προσκυνεῖν δεῖ. [21]λέγει αὐτῇ ὁ Ἰησοῦς Πίστευέ μοι, γύναι, ὅτι ἔρχεται ὥρα ὅτε οὔτε

21. πιστευε (THV) et non πιστευσον (S).

Dans la pensée de Josèphe cela revenait au même : à chaque nation son dieu. Cependant le livre des Rois (IV Regn. xvii, 30 s.) énumère sans les compter cinq nations et sept dieux, — même on pourrait en compter huit dans les Septante, dont quelques-uns sont des déesses. Un copiste du xiiie siècle (ou environ) a écrit en marge de Josèphe : « prends note de ces cinq nations transportées d'Assyrie en Samarie. Et prends note aussi de leurs cinq dieux, et sache que c'est de là que vient ce qui fut dit par le Christ à la Samaritaine : tu as eu cinq maris. C'est-à-dire : tu as vénéré d'abord les cinq dieux transportés d'Assyrie. Maintenant que des prêtres ont été appelés d'Assyrie (?) tu as appris à connaître la loi de Moïse qui t'annonce Dieu, lequel n'est pas ton mari, à savoir un dieu qui en porte mensongèrement le nom, mais le vrai et réellement Dieu; tout à l'inverse les dieux des Assyriens et leurs idoles » (Nestle, *Ztschr. f. ntl. Wiss.*, 1904, p. 166). Cette opinion, reprise semble-t-il d'abord par Strauss, a été adoptée par « l'école critique » (encore *Loisy*, *Bauer*). Elle est cependant difficile à soutenir. Les faux dieux pouvaient bien, quoique à tort, être regardés par les anciens Samaritains comme des maris légitimes, et le Dieu d'Israël qu'ils prétendaient aussi avoir pour mari n'aurait pas accepté ce titre. Mais la situation avait bien changé au temps de Jésus; les Samaritains n'admettaient qu'un seul Dieu, le même que les Juifs. Le schisme ne portait pas sur ce point, mais sur le lieu du culte. La comparaison du Dieu d'Israël à un conjoint illégitime aurait eu quelque chose de choquant, et il n'eût pas été juste de rendre ces gens responsables des fausses religions des peuples transportés. Prendre Simon le Magicien pour le sixième ne remédierait à rien, car ce serait toujours du symbolisme. En se lançant dans une allégorie, et aussi obscure, le Sauveur eût manqué son but qui était d'éveiller dans la femme la conscience morale au contact d'un homme de Dieu; enfin et surtout elle n'aurait pu dire *à ses compatriotes :* il m'a dit tout ce que j'ai fait (29). Jo. aurait certainement compris combien ce symbolisme eût rompu désagréablement le fil de l'entretien. C'est invention de pédants trop au courant des livres. — Icho'dad est plus naturel et dans le ton des opinions populaires en suspectant la Samaritaine de passer pour une tueuse (involontaire) de maris; son dernier mariage n'eût été qu'un mariage blanc, pour éviter un pareil sort à celui qui avait accepté de la soustraire à l'opprobre de la viduité. Mais alors elle n'eût pu dire : je n'ai pas de mari; elle en avait un juridiquement.

19) Le tour est des plus subtils. En apparence, la Samaritaine reconnaît ses torts, puisqu'elle avoue que Jésus a vu juste. Mais le terme même de prophète,

[18]car tu as eu cinq maris, et maintenant celui que tu as n'est pas ton mari; [en] cela tu as dit vrai. » [19]La femme lui dit : « Seigneur, je vois que tu es un prophète. [20]Nos pères ont adoré sur cette montagne; et vous dites que c'est à Jérusalem qu'est le lieu où il faut adorer. » [21]Jésus lui dit : « Femme, crois-moi

dont elle se sert, lui permet de détourner une conversation qui n'est pas à son avantage. Puisque ce Juif est un prophète, c'est une bonne occasion de traiter avec lui une question religieuse. Sa conduite privée étant percée à jour, elle se lance dans la controverse, où il lui sera plus facile d'avoir raison. — Si elle admet seulement maintenant que Jésus est un prophète, sa demande du v. 15 n'était donc pas très sérieuse.

20) Du puits de Jacob, la Samaritaine pouvait montrer non pas le sommet, mais les premières pentes du mont Garizim, où le prêtre Manassès avait élevé un temple rival de celui de Jérusalem (Jos. *Ant.* XI, VIII, 2). Elle oppose très habilement ὑμεῖς, vous autres, les Juifs d'aujourd'hui, aux pères dont les Samaritains suivent la tradition. Ces pères sont à tout le moins les fondateurs du Temple, époque déjà assez lointaine. Le Temple avait été démoli par Jean Hyrcan en 129 av. J. C., mais le culte se célébrait toujours sur la montagne, et aujourd'hui encore on y immole la Pâque (cf. *RB* 1922, p. 434 ss.). Mais les Samaritains ont sûrement appuyé leur coutume sur des autorités plus anciennes, comme lorsqu'ils ont remplacé l'Ebal par le Garizim dans leur texte du Pentateuque (Dt. XXVII, 4), et ils ont dû alléguer la présence de Jacob aux environs, et l'autel qu'il avait dressé (Gen. XXXIII, 20) près de Sichem; pourquoi ne serait-il pas monté au Garizim pour prier? De même pour Abraham. Tandis que les Juifs lisaient *Moriah* le lieu du sacrifice d'Abraham (Gen. XXII, 2 cf. Jos. *Ant.* I, XIII, 1 τὸ Μώριον ὄρος) et l'identifiaient avec l'emplacement du Temple (II Chr. III, 1), les Samaritains lisaient Moreh, ce qui équivalait à désigner la montagne qui domine Sichem (Gen. XII, 6). Lorsqu'elle dit « nos » pères, la Samaritaine a pu avoir la pensée d'opposer les Juifs modernes à leurs ancêtres communs, ou simplement de désigner les pères comme mieux représentés par les Samaritains que par les Juifs. De toute façon on voit qu'elle a confiance dans son argument qu'elle sait appuyé par les savants de la nation sur de bonnes preuves. Chrys. croit qu'elle a fait allusion à une tradition sur Abraham, car « on dit » (φασί et non *dicebant*) que c'est là qu'il a conduit son fils. Elle se tient d'ailleurs sur la défensive, ne prétendant que défendre le droit de ses compatriotes menacé par l'esprit exclusif des Juifs qui n'admettent pas qu'on adore en dehors de Jérusalem. Mais avec quelle habileté leur prétention est réduite à peu de choses : « vous » en opposition avec « nos pères »; vous « dites », opinion de peu de poids contre une coutume aussi autorisée; « un lieu à Jérusalem » plutôt que « sur cette montagne » citée par Moïse; δεῖ, « il faut » : sur quoi peut reposer cette nécessité?

21) Cette toile d'araignée est balayée d'un mot. Jésus refuse de discuter les titres des deux montagnes; il oblige la Samaritaine à élever son âme (*Chrys.* διανίστησιν αὐτῆς τὴν ψυχήν); désormais le culte du Père ne sera pas restreint

ἐν τῷ ὄρει τούτῳ οὔτε ἐν Ἱεροσολύμοις προσκυνήσετε τῷ πατρί. [22] ὑμεῖς προσκυνεῖτε ὃ οὐκ οἴδατε, ἡμεῖς προσκυνοῦμεν ὃ οἴδαμεν, ὅτι ἡ σωτηρία ἐκ τῶν Ἰουδαίων ἐστίν· [23] ἀλλὰ ἔρχεται ὥρα καὶ νῦν ἐστίν, ὅτε οἱ ἀληθινοὶ προσκυνηταὶ προσκυνήσουσιν τῷ πατρὶ ἐν πνεύματι καὶ ἀληθείᾳ, καὶ γὰρ ὁ

à l'un de ces deux endroits. Reconnu comme prophète, Jésus demande à la femme de le croire (*Schanz*, *Zahn*), car il va précisément faire une prophétie. — προσκυνήσετε ne doit pas s'entendre des Samaritains et des Juifs (*Mald.*), puisque l'opposition revient au v. 22, mais pas davantage des Samaritains seuls, (*Schanz*, *Zahn*), car ce serait annoncer leur conversion en masse, ce qu'on ne peut déduire de Act. VIII, 14, encore moins du mouvement qui va être raconté. Il semble donc que le pluriel s'adresse à tous ceux qui ont Dieu pour Père (*Origène*), c'est-à-dire à tous les hommes qui seront désignés au v. 23. C'est par un juste sentiment exégétique que προσκυνήσετε a été remplacé par προσκυνήσουσι dans quelques mss. Du moment que le privilège de Jérusalem était annulé, ce devait être au profit de toutes les nations (Mal. I, 11).

22) Le v. 21 se continue ou plutôt est repris au v. 23, à cause de l'incise du v. 22. L'ordre n'est pas selon les règles de la composition écrite, mais nous assistons à une conversation. Ce n'est pas un retour à la controverse amorcée par la Samaritaine; la question du lieu de culte a été tranchée contre les deux prétentions rivales. Mais l'ordre nouveau ne sera pas la suite d'une révolution; il est dans les desseins de Dieu, il était donc préparé. Le salut devait venir des Juifs qui avaient conservé le dépôt de la révélation mieux que les Samaritains. C'est à tort que Maldonat a cherché à établir un contexte plus étroit, une logique plus stricte dans l'entretien : *sensus igitur est, quod vos in monte isto adoratis, nescitis quid faciatis.* En effet « ὃ » est le terme de l'adoration, par conséquent Dieu lui-même. Cependant l'antithèse doit être dégagée, pour être comprise par d'autres que des Sémites, de ce que l'opposition a de heurté. Ni l'ignorance des Samaritains n'était absolue, ni la science des Juifs parfaite (VII, 28). On pouvait dire avec le Psalmiste (Ps. LXXV, 2) γνωστὸς ἐν τῇ Ἰουδαίᾳ ὁ θεός, mais avec Isaïe (I, 3) Ἰσραὴλ δέ με οὐκ ἔγνω, selon les dispositions du peuple. Mais enfin, en n'acceptant que le Pentateuque, les Samaritains avaient interrompu une révélation qui était un progrès dans la lumière, et s'étant figés dans une situation de révoltés, ils avaient perdu le sens des desseins de Dieu. — ὅτι n'est pas « à savoir », mais « c'est pour cela que ». Le salut sortira des Juifs, cf. Is. II, 3 et Rom. III, 1 ss. IX, 4.5. Le Verbe incarné se range parmi les Juifs; il est venu vers les siens (I, 11). On voit d'ailleurs par les hérésies de Simon le Magicien, de Ménandre et de Dosithée que les Samaritains ont admis plus facilement que les Juifs des erreurs grossières sur la nature de Dieu (EUS. *H. E.* III, 26; IV, 22).

23) C'est bien la suite du v. 21, mais en tenant compte du v. 22, la restriction en faveur des Juifs, qui oblige à une opposition, ἀλλά. Ce privilège des Juifs va cesser. La reprise ἔρχεται ὥρα (21) est corrigée ou plutôt précisée (*contradictio in adjecto*), par καὶ νῦν ἐστι, comme dans Jo. V, 25, et I Jo. II, 18, ce qui prouve bien que c'est du style de Jo., car dans Rom. XIII, 11 s. il y a plutôt synonymie.

l'heure vient où ce ne sera ni sur cette montagne ni à Jérusalem que vous adorerez le Père. [22]Vous adorez ce que vous ne connaissez pas; nous adorons ce que nous connaissons, car le salut doit venir des Juifs. [23]Mais l'heure vient, et c'est maintenant, où les vrais adorateurs adoreront le Père en esprit et vérité; aussi

Bauer cite Polybe (*Hist.* IV, 40, 10) ἔσται δὲ καὶ περὶ τὸν Πόντον παραπλήσιον· καὶ γίνεται νῦν. L'heure viendra, et ce futur sera maintenu par προσκυνήσουσι, mais c'est déjà maintenant puisque l'œuvre est commencée — ἀληθινός au sens de réel, digne de ce nom (Plat. *Rep.* 499 B : ἀληθινῆς φιλοσοφίας ἀληθινὸς ἔρως). — ἐν ἀληθείᾳ, non point uniquement selon la vérité objective, ou comme dit Origène, ἐν ἀληθείᾳ καὶ μὴ τύποις, mais dans une disposition sincère à l'égard de la vérité connue et possédée; cf. I Jo. iii, 18; II Jo. 3.4; III Jo. i, 3; II Cor. vii, 14; I Tim. ii, 7. Il faut donc entendre aussi ἐν πνεύματι d'une disposition humaine; l'esprit de l'homme est ce qu'il y a en lui de plus pur, de plus semblable à Dieu : c'est par cette faculté qu'il doit le chercher en l'adorant. L'action de l'Esprit-Saint peut être aisément déduite, mais n'est pas indiquée expressément. Ce sont ces adorateurs que le Père désire, car il n'est pas indifférent à la nature des hommages qu'il reçoit. Ce dernier trait n'est pas le moins beau. Les philosophes qui ont le plus exalté la nature divine affirment volontiers que Dieu n'a pas besoin de nos hommages, quels qu'ils soient; cela est très vrai, mais plus il est élevé au-dessus de nous, plus nous avons, nous, besoin de savoir s'il agrée nos hommages et lesquels. Or Jésus ne parle pas ici de la nature des dons qu'on prodiguait à la divinité en forme de sacrifices ou d'offrandes, mais seulement des dispositions des adorateurs tels que Dieu les requiert (τοιούτους ζητεῖ). — C'est ici une parole décisive dans l'histoire religieuse de l'humanité, une vue profonde sur le culte dû à Dieu et une prophétie sur les destinées de ce culte. Dès lors que la religion se distingue de la magie, l'homme sent plus ou moins instinctivement que le culte rendu à la divinité serait vain sans une participation de ses propres sentiments, de ce qui est vraiment lui. Il faut avouer que les cultes grecs, par ailleurs si beaux, développaient peu ce sentiment; aussi la critique rationnelle ne se souciant que de la moralité intérieure eut-elle souvent le courage de leur rompre en visière. L'Ancien Testament, tout en maintenant la nécessité du culte extérieur traditionnel, a insisté fortement sur l'inutilité des sacrifices sans l'attachement à Dieu et aux règles de la morale (Is. i, 11 ss. xxix, 13; Jér. vi, 20; Amos v, 20-26; Ps. l, 7-23, etc.). Ces réserves sur les principales exigences de Dieu n'empêchaient pas les Israélites de croire qu'il ne pouvait être bien servi que par des sacrifices d'animaux immolés dans un lieu déterminé, par un sacerdoce national. Les philosophes grecs avaient souvent une conviction différente, mais les plus religieux, Socrate, Platon, Xénophon, ont pratiqué la règle de suivre le culte de la cité (νόμῳ πόλεως, Xén. *Mém.* I, 3, 1 et IV, 3, 16). Les stoïciens eux-mêmes entendaient justifier cet exclusivisme pratique. Les religions de mystère n'étaient pas affranchies de certaines attaches nationales, et attiraient les âmes par un culte tout autre que l'adoration en esprit. Philon, appuyé à la fois sur la révé-

πατὴρ τοιούτους ζητεῖ τοὺς προσκυνοῦντας αὐτόν· [24]πνεῦμα ὁ θεός, καὶ τοὺς προσκυνοῦντας αὐτὸν ἐν πνεύματι καὶ ἀληθείᾳ δεῖ προσκυνεῖν. [25]λέγει αὐτῷ ἡ γυνή Οἶδα ὅτι Μεσσίας ἔρχεται, ὁ λεγόμενος Χριστός· ὅταν ἔλθῃ ἐκεῖνος, ἀναγγελεῖ ἡμῖν ἅπαντα. [26]λέγει αὐτῇ ὁ Ἰησοῦς Ἐγώ εἰμι, ὁ λαλῶν σοι. [27]Καὶ ἐπὶ τούτῳ ἦλθαν οἱ μαθηταὶ αὐτοῦ, καὶ ἐθαύμαζον ὅτι μετὰ γυναικὸς ἐλάλει· οὐδεὶς μέντοι εἶπεν Τί ζητεῖς; ἤ Τί

lation de l'A. T. et sur la philosophie, a dit une parole assez semblable à celle de Jésus (*quod deter. pot. insid. Sol.* § 21; M. I, 195) : « il s'égare de la voie de la piété, celui qui prend le culte pour la sainteté, qui offre des dons à celui qui n'en reçoit pas et ne prend jamais rien de semblable, qui flatte celui qu'on ne saurait flatter et qui aime un service véritable, — à savoir celui d'une âme qui offre en sacrifice la seule et simple vérité, — mais qui se détourne d'un service illégitime, consistant dans l'exhibition des biens extérieurs ». Mais si l'on avait consulté Philon sur ce qu'il fallait faire à Jérusalem, il eût répondu comme les socratiques : se conformer à la loi du peuple, c'est-à-dire à la loi de Moïse, source de toute sagesse, sauf à la vivifier par un sentiment intérieur qui se développait seul dans les colonies juives en dehors de la Palestine; cf. Bréhier, *Les idées... de Philon...* p. 226 ss. La parole de Jésus est plus nette. Ce qu'elle annonce de positif, venant après la désaffectation des lieux de culte au v. 21, loin d'indiquer un fléchissement du sentiment religieux, fort ordinaire chez ceux qui attaquaient les cultes, lui donne son fondement le plus assuré et définitif. La religion doit être purement spirituelle. Elle ne dépendra ni des lieux, ni des langues, ni des nations, et ne connaîtra pas les sacrifices qu'on n'offre que dans des endroits déterminés, mais elle n'en sera que plus haute, allant à Dieu par l'esprit. Jésus demande aussi qu'on adore en vérité, c'est-à-dire par l'adhésion de l'esprit à la vérité, et par la sincérité du cœur. Est-ce à dire que la religion ne comprendra ni rites, ni symboles? Ce serait contraire à la pensée de Jo. (iii, 3); des actes extérieurs sont indispensables à la nature humaine, et sont même grandement utiles, s'ils dépendent de l'action de l'esprit. En excluant ici les sacrements opérant *ex opere operato*, les protestants méconnaissent ce point. Ils s'empressent d'ailleurs de noter en faveur de leurs communautés que le culte en esprit n'exclut pas les réunions à dates fixes, dans certains lieux, avec certaines formes. L'Église catholique l'entend ainsi avec une universalité plus réelle.

24) La raison dernière qui oblige à un culte en esprit, c'est que Dieu lui-même est esprit. Quelques Grecs l'avaient pressenti, qu'ils se servissent du mot νοῦς ou du mot πνεῦμα νοερόν, mais ils ne tiraient pas la conclusion. Bauer cite les *Dicta Catonis* (Baehrens, *Poetae lat. min.* iii, p. 216) 1 : *Si Deus est animus, nobis ut carmina dicunt, Hic tibi praecipue pura sit mente colendus*. Cette maxime stoïcienne du iiie s. ap. J.-C. est bien frappée, mais ne sort pas du panthéisme polythéiste.

25) La femme dit Μεσσίας sans article (à la différence de i, 41), comme si c'était un nom propre; ὁ λεγόμενος Χριστός est une explication de Jo. Elle regarde le Messie surtout semble-t-il comme un révélateur, c'est-à-dire un prophète.

bien ce sont ceux-là que le Père cherche pour adorateurs : [24] Dieu est esprit, et ceux qui l'adorent doivent adorer en esprit et vérité. » [25] La femme lui dit : « Je sais que le Messie doit venir, celui qu'on nomme Christ. Lorsqu'il sera venu, il nous fera tout savoir. » [26] Jésus lui dit : « Je le suis, moi qui te parle. »

[27] Et là-dessus ses disciples arrivèrent, et ils s'étonnaient qu'il parlât avec une femme. Cependant personne ne dit : Que désires-tu?

Il n'est pas douteux qu'à cette époque les Samaritains attendaient un Messie. C'est sûrement comme Messie que sous Ponce-Pilate un inconnu promettait de retrouver les vases sacrés de Moïse sur le mont Garizim (Jos. *Ant.* XVIII, IV, 1). Origène dit cinq fois que Dosithée s'est donné comme le Messie (*Le Messianisme*..., p. 20, n. 3). Justin dit (I Apol. LIII); Ἰουδαῖοι δὲ καὶ Σαμαρεῖς... ἀεὶ προσδοκήσαντες τὸν Χριστόν... or il était de Naplouse. La littérature des Samaritains et leur foi actuelle connaît le Messie sous le nom de *Ta'ëb,* « celui qui revient »; il était surtout pour eux un second Moïse, probablement d'après Dt. XVIII, 15, moins grand que Moïse : un prophète qui serait en même temps prince temporel et conquérant (MONTGOMERY, *The Samaritans,* etc., Philadelphia, 1907). — ἀναγγέλλω signifie proprement : annoncer au retour d'une mission (Act. XIV, 27; XV, 4); c'est peut-être un terme choisi à dessein pour le *Ta'ëb,* s'il portait déjà ce titre. En tout cas il viendra avec une mission de l'ordre religieux pour éclaircir tous les doutes et les questions controversées entre Juifs et Samaritains (ἡμῖν), son autorité s'étendant à tous.

26) Il était donc possible que le Messie attendu par les Samaritains vînt de Judée, et Jésus pouvait se déclarer tel sans provoquer chez la femme une résistance de principe. Il n'en est pas moins très étonnant qu'il ait révélé sa qualité de Messie, qu'il recommandait à ses disciples de tenir secrète d'après les synoptiques (Mc. VIII, 30 par). Mais il est clair qu'à ce passage en Samarie il n'y avait pas à craindre une agitation comme celle qui se produisit en Galilée après tant de miracles. Ayant été envoyé aux brebis perdues de la maison d'Israël, Jésus voulut annoncer la bonne nouvelle aux Samaritains, sauf à ne pas y envoyer ensuite ses apôtres (Mt. X, 5), auxquels il assignait un champ très déterminé dans leur propre région. On voit ici que Jo. n'hésite pas à présenter une attitude nouvelle par rapport à Mt. mais que Lc. faisait déjà pressentir (X, 33; XVII, 16).

27-30. *Retour des disciples.*

27) L'étonnement des disciples ne porte pas sur la nationalité de la femme, mais sur le fait que Jésus conversait avec une femme. Aujourd'hui, il est tout à fait contraire à la coutume de s'entretenir avec une femme qu'on rencontre en chemin ou près d'une source, quoique les femmes musulmanes de la campagne ne soient pas voilées et aient une certaine liberté d'allure. Si l'on demande son chemin, il faut le faire en peu de mots. C'était déjà la pratique juive (*Eroubin* 53[b]). Les disciples devaient naturellement supposer que Jésus demandait quelque chose (τί), ou alors pourquoi (τί) parlait-il? Il est possible que l'encratite Tatien ait été spécialement embarrassé de cette situation. D'après

λαλεῖς μετ' αὐτῆς; [28] ἀφῆκεν οὖν τὴν ὑδρίαν αὐτῆς ἡ γυνὴ καὶ ἀπῆλθεν εἰς τὴν πόλιν καὶ λέγει τοῖς ἀνθρώποις [29] Δεῦτε ἴδετε ἄνθρωπον ὃς εἶπέ μοι πάντα ἃ ἐποίησα· μήτι οὗτός ἐστιν ὁ Χριστός; [30] ἐξῆλθον ἐκ τῆς πόλεως καὶ ἤρχοντο πρὸς αὐτόν. [31] ἐν τῷ μεταξὺ ἠρώτων αὐτὸν οἱ μαθηταὶ λέγοντες Ῥαββί, φάγε. [32] ὁ δὲ εἶπεν αὐτοῖς Ἐγὼ βρῶσιν ἔχω φαγεῖν ἣν ὑμεῖς οὐκ οἴδατε. [33] ἔλεγον οὖν οἱ μαθηταὶ πρὸς ἀλλήλους Μή τις ἤνεγκεν αὐτῷ φαγεῖν; [34] λέγει αὐτοῖς ὁ Ἰησοῦς Ἐμὸν βρῶμά ἐστιν ἵνα

l'harmonie de Liège (p. 115) c'est à la femme que les disciples demandent « que cherches-tu »? Et peut-être est-ce le sens de *syrcur* : « que cherche-t-elle »? *Syrsin* a représenté le Christ debout, pour indiquer un entretien moins familier.

28 s.) La Samaritaine était plus touchée qu'elle n'avait voulu l'avouer tout d'abord. Loisy objecte que « si l'auteur avait eu en vue la conversion de la femme, il n'aurait pas laissé ainsi l'entretien comme suspendu. L'attitude équivoque de la Samaritaine figurerait assez bien celle des Samaritains réfractaires à la prédication chrétienne », etc. (p. 185). Il faut donc absolument qu'elle soit un symbole, et : « peut-être aussi la cruche reste-t-elle vide auprès du puits pour insinuer que la Samaritaine n'avait pas reçu l'eau de l'Esprit », etc. (p. 186). Vide ou pleine — car nous n'en savons rien, — la cruche laissée sur la place marque agréablement l'empressement de la Samaritaine. L'arrivée des disciples mettant fin à l'entretien, elle court annoncer à ses compatriotes qu'elle a rencontré un vrai prophète. Si elle n'a montré aucune contrition jusqu'à présent, elle n'hésite pas maintenant à glorifier les connaissances surnaturelles de Jésus, au risque de confesser qu'elles s'étaient exercées à ses dépens. Si elle le qualifie de Messie sans paraître trop sûre de son fait, c'est qu'elle doit déférer au jugement des personnes compétentes; elle ne dit pas « croyez », mais « voyez », pour les amener à se convaincre par eux-mêmes (*Chrys.*). — En général μή ou μήτι supposait une réponse négative, mais dans la *koinè*, on trouve le sens de « ne serait-ce pas? » (*Blass-Deb.* § 427, 2; *K.-G.* II, 2, p. 394); cf. Mt. xii, 23.

30) L'imparfait ἤρχοντο, « ils étaient en train de venir », après l'aoriste ἐξῆλθον, exactement comme dans xx, 3.

— La meilleure preuve que la Samaritaine était convaincue, c'est qu'elle a su persuader.

31-38. *La moisson, le semeur et le moissonneur.*

31) ἐν τῷ μεταξύ sous-entendu χρόνῳ, locution adverbiale. Non pas entre le départ des Samaritains et leur arrivée (*Loisy*), mais entre le départ de la Samaritaine et leur arrivée (*Schanz*), car les disciples ont dû offrir leurs aliments à leur Maître aussitôt cette femme partie. Ce qui se passait dans la ville voisine ne peut être un point de repère pour ceux qui étaient au puits, et il serait trop vague de traduire : « après ». Il va de soi que l'écrivain n'aurait pas mentionné l'invitation des disciples si le Maître avait accepté comme d'habitude; elle est parfaitement naturelle et de circonstance.

ou : Pourquoi parles-tu avec elle? [28]La femme laissa donc sa cruche, et s'en alla à la ville et dit aux gens : « [29]Venez voir un homme qui m'a dit tout ce que j'ai fait; ne serait-il point le Christ? » [30]Ils sortirent de la ville et ils venaient auprès de lui.

[31]Dans l'intervalle, les disciples le priaient, disant : « Rabbi, mange. » [32]Il leur dit : « J'ai à manger un aliment que vous ne connaissez pas. » [33]Les disciples se disaient donc les uns aux autres : « Quelqu'un lui aurait-il apporté à manger? » [34]Jésus leur dit : « Ma nourriture est de faire le vouloir de celui qui m'a

32) Si Jésus a demandé à boire, c'est qu'il avait vraiment soif. Nous devons penser aussi que s'il refuse la nourriture, ce n'est pas simplement pour proposer une leçon plus haute, mais parce qu'il n'a pas faim. Il était soumis à la nécessité de manger, mais il a pu lui arriver, comme à certaines personnes, de ne plus éprouver ni la faim ni la soif sous le coup d'une émotion qui rende indifférent aux besoins du corps. La rencontre de son âme avec l'âme de la Samaritaine, pécheresse, susceptible cependant d'un changement salutaire et disposée à recevoir la vérité de l'envoyé de Dieu, lui a pour ainsi dire arraché son secret. Dans cet office de sa charité il avait trouvé sa nourriture; il n'avait plus ni faim ni soif. Au lieu de le dire de cette façon aux disciples, il les prépare à comprendre ses sentiments : le ton est confidentiel et provoque leur curiosité.

βρῶσις dans son sens de nourriture (VI, 55; Heb. XII, 16).

33). Les disciples ne comprennent pas, non plus que dans Marc (*Comm.*, p. CXLVIII s.), non plus que Nicodème (III, 4) ou la Samaritaine (IV, 11). Manifestement les évangélistes veulent montrer combien la doctrine de Jésus était au-dessus de la portée de leur intelligence, mais leur réflexion n'en est pas moins très naturelle. On aurait pu dire exactement ce qu'avait dit Jésus pour faire une surprise agréable en compagnie. Cependant qui pourrait avoir apporté de la nourriture? La Samaritaine était venue avec sa cruche qui l'empêchait de porter autre chose. C'était à n'y pas croire; μή quand on pressent une réponse négative, avec la restriction indiquée au v. 29.

34) Cette parole aux disciples dépasse de beaucoup la réponse faite à Satan (Mt. IV, 4). Les deux parties n'en sont pas synonymes (*Zahn*). Il y a d'abord le rapport permanent (ποιῶ, au présent) entre la volonté active de l'envoyé et de celui qui l'a envoyé : Jésus a pour nourriture spirituelle, comme principe d'énergie dans tous ses actes, de faire la volonté de celui qui l'a envoyé. Mais il ne s'agit pas seulement de travailler pour lui plaire, son rôle propre est de conduire à son terme l'œuvre propre de celui-ci (αὐτοῦ τὸ ἔργον), de l'amener à sa perfection (τελειώσω, aoriste), par le fait de sa propre action sur la terre. C'est Dieu même qui travaille à cette œuvre (V, 17.36; X, 32 s.). Quelle est-elle? Nous le verrons plus loin (36) : conduire les hommes à la vie éternelle. Mais déjà on peut le pressentir d'après ce qu'a fait le Christ avec la Samaritaine.

ποιῶ τὸ θέλημα τοῦ πέμψαντός με καὶ τελειώσω αὐτοῦ τὸ ἔργον. [35] οὐχ ὑμεῖς λέγετε ὅτι Ἔτι τετράμηνός ἐστιν καὶ ὁ θερισμὸς ἔρχεται; ἰδοὺ λέγω ὑμῖν, ἐπάρατε τοὺς ὀφθαλμοὺς ὑμῶν καὶ θεάσασθε τὰς χώρας ὅτι

L'œuvre de Dieu était commencée en elle par la révélation ancienne, la promesse du Messie, quelque vague confusion sur sa situation de conscience; Jésus a développé ces bons germes, elle touche au salut. Mais combien d'autres sont maintenant tout prêts à recevoir cette consommation de l'œuvre de Dieu par son Fils! C'est vers cette multitude que s'élève la pensée de Jésus. — βρῶμα dans le même sens que βρῶσις, le seul sens possible avec cette forme, qui a été choisie ici soit pour varier, soit pour son assonance avec θέλημα.

35) Deux sens sont possibles : *a*) D'après la grande majorité (*Zahn*, *Loisy*, *Bauer*, *Calmes*, etc.) : « Selon le point où en sont les cultures, vous dites, et vous exprimez ainsi l'opinion publique normale, qu'il y a encore quatre mois avant la moisson. Soit! Mais cette moisson, qui n'est pas encore mûre, est l'image d'une autre moisson, celle des êtres humains, déjà prête à être recueillie par le Père de famille dans son grenier. » La métaphore était courante; les synoptiques l'ont mise dans la bouche de Jean-Baptiste (Mt. III, 12; Lc. III, 17) et de Jésus (Mt. IX, 37 ss.; Mc. IV, 29; Lc. X, 2); elle est dans Apoc. XIV, 15.

Mais comment une moisson encore en herbe peut-elle être le symbole d'une moisson d'âmes déjà prête? Chrys. a essayé de résoudre la difficulté en faisant porter le sens spirituel sur les Samaritains qui s'avancent dans la plaine verdoyante comme une moisson spirituelle qui s'offre au moissonneur divin : « Le champ (ἡ χώρα) et la moisson signifient la même chose, la foule des âmes prêtes à recevoir la prédication. Les yeux dont il parle sont ici et les yeux de l'âme et ceux du corps. Et d'ailleurs ils voyaient venir la foule des Samaritains. Il nomme des champs blanchissants leur disposition toute prête. » De cette façon nous aurions un précieux point de repère chronologique dans l'histoire du Sauveur. On n'est pas, comme on le dit souvent, en décembre, mais tout au plus à la fin de janvier.

Dans la magnifique plaine de Maḥneh, chaque année ensemencée de céréales, les orges peuvent être coupées à la fin de mai, mais le froment seulement quinze jours plus tard, et cette plaine fertile est réservée d'ordinaire à cette culture, tandis que les orges sont semées sur les pentes. Les conditions climatériques et économiques n'ont pas dû changer depuis J.-C. Si on pouvait offrir au 16 nisan (vers le 5 avril), une gerbe d'orges nouvelles (Lev. XXIII, 9-15; Jos. *Ant* III, x, 6), il fallait aller la chercher à Jéricho. Peu importe d'ailleurs le moment précis; on était sûrement en hiver.

b) Mais cette opinion souffre des difficultés. Si les disciples ont fait la réflexion qu'il restait quatre mois avant la moisson d'après la date, c'est par rapport à la vallée du Jourdain ou à la Galilée; car sur place il leur était très difficile d'évaluer le temps de la moisson en hiver, à un mois près. D'ailleurs Jésus ne dit pas : vous venez de dire, mais : vous dites ou plutôt : « ne dites-vous pas », c'est-à-dire n'avez-vous pas coutume de dire? Et la parole est énoncée au pré-

envoyé et d'achever son œuvre. [35]Ne dites-vous pas : Encore quatre mois et voici venir la moisson? Eh! bien, je vous dis : Levez les yeux, et voyez les champs qui déjà blanchissent pour la moisson.

sent, d'une façon absolue, comme un proverbe. On a refusé de voir là un proverbe, parce qu'il ne répondrait pas à la nature d'un pays où la moisson peut commencer en avril (à Jéricho) et finir à la fin de juin (Jérusalem et Hébron). Mais il suffit qu'il ait été frappé en Galilée, le pays des disciples, ou en général dans le pays bas. Quel en serait le sens? D'après le contexte l'idée serait : entre les semailles et la moisson il y au moins quatre mois; avant ce moment il serait tout à fait inutile de se mettre à l'ouvrage; quand on a semé, il n'y a qu'à attendre (cf. Mc. IV, 26-29). On a refusé ce sens (*Belser*) sous prétexte que Pline (H. N. XVIII, 7) exige sept mois, en Égypte, entre la semaille et la moisson; mais c'est sûrement beaucoup trop. On peut constater qu'en Galilée, où les semailles sont reculées parfois jusqu'à la fin de décembre faute de pluie, la moisson peut se faire au début de mai, du moins sur les rives du lac de Tibériade. Et nous avons aujourd'hui la preuve que les agriculteurs l'avaient noté.

Le calendrier agricole de Gézer met précisément quatre mois pleins entre les semailles et la moisson (*RB.* 1909, p. 243 ss. article du P. Vincent; M. Lidzbarski ne mettrait que trois mois). On comprend très bien que les disciples aient employé ce proverbe, précisément à propos du changement des esprits (cf. Comm. Mc. IV, 26-29) : il faut attendre le grand coup de la moisson, du jugement dans le style du Baptiste. Quoi qu'il en soit, à ἔτι du proverbe le Sauveur répond par ἤδη. Manifestement il parle de la moisson spirituelle, mais cette figure est bien plus naturelle si la moisson au sens propre va être commencée. En effet on ne peut dire que les Samaritains représentent la moisson, et Chrys. a essayé en vain de prévenir l'objection que la moisson est celle qu'on voit sur les champs, tandis que les Samaritains viennent à travers les champs. Si l'on fait abstraction des Samaritains pour entendre : regardez des yeux de l'esprit les pays où la moisson blanchit, on perd le contact avec la réalité qui fait le charme de cet enseignement : les moissons que les disciples sont invités à regarder sont blanchissantes, symbole des âmes qui attendent la parole; le moment est venu d'agir.

On peut alléguer aussi dans ce sens la raison d'Origène : si l'on est en hiver, Jésus ne rentrera en Galilée que longtemps après la Pâque, et on ne peut expliquer l'impression toute fraîche des Galiléens (IV, 45). Ajoutons que la fête de V, 1 ne pouvant être la Pâque (à moins qu'on n'intervertisse VI et V), il faudrait que Jo. en ait omis une, ce qui serait étrange (cf. INTRODUCTION, *Chronologie*, p. CXX et CXXVIII).

— Sur la tournure ἔτι... καί, cf. Mc. XV, 25 et papyrus de Paris (*Notices et extraits* XVIII, 2, n° 18) : ἔτι δύο ἡμέρας ἔχομεν καὶ φθάσομεν εἰς Πηλοῦσι (MOULTON, *Prol.* 12, n. 2). Cette parataxe est d'ailleurs très naturelle en araméen (cf. *Comm.* Mt. p. XC s.). — χώρα « région », ici au sens de champ cultivé, cf. Lc. XII, 16; XXI, 21; Jac. V, 4). En France on parle volontiers de la couleur dorée

λευκαί εἰσιν πρὸς θερισμὸν ἤδη· [36] ὁ θερίζων μισθὸν λαμβάνει καὶ συνάγει καρπὸν εἰς ζωὴν αἰώνιον, ἵνα ὁ σπείρων ὁμοῦ χαίρῃ καὶ ὁ θερίζων. [37] ἐν γὰρ τούτῳ ὁ λόγος ἐστὶν ἀληθινὸς ὅτι ἄλλος ἐστὶν ὁ σπείρων καὶ ἄλλος ὁ θερίζων· [38] ἐγὼ ἀπέστειλα ὑμᾶς θερίζειν ὃ οὐχ ὑμεῖς κεκοπιάκατε· ἄλλοι κεκοπιάκασιν, καὶ ὑμεῖς εἰς τὸν κόπον αὐτῶν εἰσεληλύθατε. [39] Ἐκ δὲ τῆς πόλεως ἐκείνης πολλοὶ ἐπίστευσαν εἰς αὐτὸν τῶν Σαμαρειτῶν διὰ

des moissons; en Palestine, à cause de la sécheresse, elles sont sûrement plus blanches.

Où placer ἤδη? avec ce qui précède (*c f ff² boh sah pes vg*) ou avec ce qui suit (A C D *b d l q e syrsin* et *cur*)? Les modernes sont pour la seconde manière à cause de Jo. IV, 51; VII, 14; XV, 3, mais on peut opposer I Jo. IV, 3. La première manière nous a paru préférable parce qu'il y a ainsi une opposition entre un temps assez long et « désormais », et parce que la phrase qui suit a quelque chose d'absolu qui fait abstraction du temps.

36-38. Ce passage peut être entendu de deux manières. D'après Zahn, il appartient strictement au contexte général. Jésus est le moissonneur, et Dieu le semeur. Cette interprétation entièrement nouvelle a séduit Tillmann. Déjà Jésus, le moissonneur, se réjouit de la moisson qui s'avance; il continue, il achève l'œuvre de son Père, le semeur. Puis, passant aux disciples, Jésus leur conseille d'entrer dans ses sentiments d'humilité. L'avantage de cette opinion, c'est que l'on reste strictement dans la situation concrète. Mais on ne comprend guère comment le Sauveur recevrait un salaire, et comment la scène changerait tout à coup, Dieu et le Christ étant remplacés par les prophètes et les Apôtres. Nous suivrons donc simplement l'ancienne opinion commune (*Chrys. Aug. Cyr. Thom. Mald.*, etc.), qui voit dès le v. 36 une allusion aux ouvriers apostoliques.

36) Sans ἤδη, placé au v. précédent, et qui serait nécessaire dans le système de Zahn. — Après l'allusion à la moisson spirituelle, dont le champ est illimité, vient un enseignement sur les moissonneurs et les semeurs; selon notre manière d'interpréter le v. 35, le semeur est virtuellement en scène par le temps qui sépare les semailles de la moisson. Le moissonneur se réjouit car il reçoit son salaire et il a le bonheur de ramasser le fruit, c'est-à-dire de grouper les âmes, de les introduire dans la vie éternelle; le semeur, grâce au travail complémentaire du moissonneur, goûte aussi cette joie. — καρπός n'est pas le fruit que le moissonneur s'approprie, déjà indiqué par μισθός, mais le fruit qu'il apporte au propriétaire qui est Dieu; cf. Mt. III, 12. — ὁμοῦ « aussi bien que », et « en même temps que »; la perspective de la vie éternelle met en contact le semeur et le moissonneur. Le premier a pu croire en mourant que ses travaux avaient été inutiles; il se réjouit du succès de l'œuvre commune. Les présents s'entendent du moment où commence l'éternité.

37) Le proverbe (λόγος, « un dire » *Thuc.*, *Pindare*, *Platon*, etc.) est celui qui va être cité : trop souvent l'un sème, l'autre récolte, c'est-à-dire que le premier est frustré du prix de ses travaux. Il y a quelque chose de semblable dans Lev. XXVI, 16; Is. LXV, 22; Mich. VI, 15; Job XXXI, 8, et chez les Grecs : ἄλλοι σπείρουσιν,

[36]Le moissonneur reçoit un salaire, et ramasse le fruit pour la vie éternelle, de façon que le semeur se réjouisse aussi bien que le moissonneur. [37]Car le proverbe a cela de vrai qu'autre est le semeur et autre le moissonneur. [38]Je vous ai envoyé moissonner ce qui ne vous a coûté nulle peine; d'autres ont pris peine, et vous êtes entrés dans leur labeur. »

[39]Beaucoup des Samaritains de cette ville crurent en lui, à cause de la parole de la femme qui attestait : « Il m'a dit tout ce que

ἄλλοι δ' ἀμήσονται (*Corpus paroemiographorum graec.*, éd. Leutsch, t. II, dans la collection de Grég. de Chypre, I, 58), etc. Qu'y a-t-il de vrai dans ce proverbe, si on l'applique aux choses spirituelles? Il demeure très véridique (IV, 23) en cela (ἐν τούτῳ) que le résultat provient de deux activités distinctes. De cette vérité banale il faut déduire ici cette leçon, que le moissonneur doit se souvenir qu'il n'a pas fait tout l'ouvrage, ni même la partie la plus pénible. C'est ce que le v. suivant va expliquer.

38) Au moment où Jésus parlait, il n'avait pas encore envoyé ses apôtres prêcher, ils n'étaient pas entrés dans le travail des autres. Il faut donc reconnaître que Jo. dans sa façon de parler anticipe quelque peu; c'est sa manière (XVII, 18), le dessein de Jésus étant réalisé d'avance. Mais ce serait lui attribuer gratuitement un contresens que d'introduire ici les missionnaires du second siècle opposés à ceux de la première génération apostolique y compris Jésus. D'après Loisy les premiers travailleurs « ne peuvent être les prophètes, ou bien Jésus lui-même ne serait plus semeur » (p. 190). Soit! il n'y a aucun inconvénient à ce que Jésus, dans ce contexte, ne soit pas semeur; il ne l'est sûrement pas : il est celui qui envoie les moissonneurs! Les semeurs sont donc Moïse et les prophètes, comme les Pères l'ont compris unanimement depuis Origène : leur prédication regardait l'avenir et n'a été comprise que par le ministère des apôtres (Eph. III, 5, cité par *Or. Thom.*). Jo. a placé le même envoi dans les derniers discours (XVII, 18) sous une forme plus grandiose ἀπέστειλα αὐτοὺς εἰς τὸν κόσμον; ici l'expression est conforme aux circonstances et au symbole de la moisson. — Il faut remarquer l'insistance sur le travail des premiers ouvriers, sur la facilité relative de l'œuvre des moissonneurs, d'où se dégage une leçon pour les disciples, et pour tous les ouvriers apostoliques. S'ils en viennent à s'attribuer le succès à eux seuls, ils oublient la longue préparation des âmes par l'enseignement traditionnel et par les exemples des saints; le grand ouvrier, c'est Dieu qui parle au-dedans, lui qui fait blanchir la moisson avant d'envoyer le moissonneur.

39-42. *Jésus parmi les Samaritains.*

39) Il semble qu'il eût suffi ici de mentionner l'arrivée des Samaritains, au moment où Jésus achevait de parler à ses disciples. Mais Jo. a voulu distinguer deux moments de la foi de ces gens. Aussi revient-il au thème du v. 29, pour expliquer comment, animés d'une foi encore imparfaite, ils s'étaient mis en route : ils n'avaient encore que le témoignage de la Samaritaine.

τὸν λόγον τῆς γυναικὸς μαρτυρούσης ὅτι Εἶπέν μοι πάντα ἃ ἐποίησα. [40] ὡς οὖν ἦλθον πρὸς αὐτὸν οἱ Σαμαρεῖται, ἠρώτων αὐτὸν μεῖναι παρ' αὐτοῖς. καὶ ἔμεινεν ἐκεῖ δύο ἡμέρας. [41] καὶ πολλῷ πλείους ἐπίστευσαν διὰ τὸν λόγον αὐτοῦ, [42] τῇ τε γυναικὶ ἔλεγον ὅτι Οὐκέτι διὰ τὴν σὴν λαλιὰν πιστεύομεν· αὐτοὶ γὰρ ἀκηκόαμεν, καὶ οἴδαμεν ὅτι οὗτός ἐστιν ἀληθῶς ὁ σωτὴρ τοῦ κόσμου.

[43] Μετὰ δὲ τὰς δύο ἡμέρας ἐξῆλθεν ἐκεῖθεν εἰς τὴν Γαλιλαίαν. [44] αὐτὸς γὰρ Ἰησοῦς ἐμαρτύρησεν ὅτι προφήτης ἐν τῇ ἰδίᾳ πατρίδι τιμὴν οὐκ ἔχει.

40) Suite du v. 30. Leur première foi suffit pour décider les Samaritains à inviter le Sauveur. Combien ils l'emportent sur ceux qui le prieront de s'en aller, et après un miracle (Mc. v, 17; Mt. viii, 34; Lc. viii, 37)! On ne voit pas s'ils ont demandé à Jésus de se fixer parmi eux. En fait, il resta deux jours, sûrement sans compter celui qui était si avancé, donc aussi deux nuits. Le thème des entretiens n'est pas plus indiqué que pour les disciples (i, 39), et aucun miracle n'est relevé. Mais tandis que ceux de Jérusalem n'ont eu qu'une foi imparfaite après des miracles (ii, 23 s.), ceux de Samarie croient à cause de la parole.

41 s.) Le nombre des croyants s'accroît, et leur foi est bien appuyée; quoique λαλιά ne soit pas employé ici au sens de bavardage, puisque λόγος a été dit aussi de la femme (39), il y a de la différence entre l'enseignement de Jésus et ce qu'elle a rapporté. Si bien qu'ils tiennent à indiquer à la femme elle-même qu'ils ont eux aussi leurs motifs. Ils ont entendu et ils savent, par la clarté qu'a faite en eux cette parole et cette présence : *Primo per famam, postea per praesentiam* (*Aug.*). Il serait difficile de prouver que les Samaritains ont vraiment employé le terme de ὁ σωτὴρ τοῦ κόσμου pour signifier le Christ, et l'on pourrait supposer que Jo. leur prête sa manière de parler (I Jo. iv, 14; cf. Jo. xi, 52, etc.); sur le titre de σωτήρ cf. *Comm.* Lc. ii, 11. Tandis que la Samaritaine s'en était tenue à la querelle entre Juifs et Samaritains, rivaux sur le terrain mosaïque, il y avait sans doute à Sychar des gentils disposés à entendre la parole de Jésus et qui crurent en lui. Il fallait donc lui donner un titre plus étendu que celui de Messie. Cependant même des Juifs auraient pu parler de la sorte. A propos du Messie on lit dans IV Esdr. xiii, 26 : « C'est celui que le Très-Haut a réservé durant de longues époques pour sauver par lui sa créature » ou comme a traduit l'éthiopien, « le monde » (cf. éd. Violet, I, p. 382).

43-54. Retour en Galilée. Guérison du fils d'un dignitaire.

Cette péricope est sûrement parallèle à celle des noces de Cana, puisque le lieu du miracle est le même, sans qu'il soit fait mention d'un séjour de Jésus dans cette bourgade. On en a conclu que c'est un nouveau point de départ. Tandis que la section ouverte par le premier miracle était relative à la supériorité du christianisme, religion de l'esprit, religion universelle, sur le judaïsme qu'il allait remplacer, la section ouverte par le second miracle de Cana montrerait en Jésus le principe de la vie véritable. On en voit un indice dans la formule de la guérison : ton fils vit (iv, 50). Cependant on ne saurait détacher du

j'ai fait. » [40]Lors donc que les Samaritains furent arrivés vers lui, ils l'invitaient à demeurer auprès d'eux. Et il y demeura deux jours. [41]Et un bien plus grand nombre crurent à cause de sa parole, [42]et ils disaient à la femme : « Ce n'est plus sur ton rapport que nous croyons : car nous-mêmes avons entendu et nous savons qu'il est vraiment le Sauveur du monde. »

[43]Or après ces deux jours, il sortit de là [pour aller] en Galilée. [44]En effet, Jésus lui-même a attesté qu'un prophète n'est point

second miracle de Cana les versets 43-45 qui en sont le préambule, et ils font pendant à II, 23-25. Il nous semble donc plutôt que le second épisode à Cana forme comme *l'inclusio* de la section précédente, placée ainsi dans un cadre galiléen au début et à la fin. Rien n'empêche que cette sorte de clôture ait contenu une indication du motif dominant de la section suivante.

43-45. *Retour en Galilée.*

43) Après les deux jours déjà indiqués (40), Jésus reprend son chemin, à peine interrompu, vers la Galilée.

44) Ce verset a donné lieu à de longues dissertations et aux sentiments les plus divers. La patrie est tantôt Nazareth (*Cyr. Calmes*), tantôt Capharnaüm (*Chrys.*), tantôt la Judée (*Schanz*), tantôt la Galilée (*Aug. Bauer, Zahn, Tillmann*, etc.), tantôt les trois provinces (*Loisy*) de Judée, Galilée, Samarie. — On doit concéder que πατρίς n'est pas seulement la ville natale (Mc. VI, 1; Mt. XIII, 54), ce peut être la patrie (II Macch. VIII, 21; Heb. XI, 14); on peut donc chercher soit un pays soit une ville. — Il ne peut être question de Capharnaüm, où Jésus est venu récemment (II, 12). La Judée n'est pas la patrie de Jésus, surtout en opposition avec la Galilée. Les trois provinces ne conviennent pas ici, où il y a opposition, très bien vue par Augustin, entre l'accueil de la Samarie et celui des autres provinces. Reste donc la Galilée, qu'on peut dire patrie de Jésus, puisque c'était la région de sa ville de Nazareth (I, 45); Jo. est parfaitement d'accord avec les synoptiques sur ce point (II, 1; VII, 3. 41. 52; XVIII, 5. 7; XIX, 19). Mais si l'on admet avec Zahn, Tillmann, etc. que Jésus a été bien reçu en Galilée, il faudrait donc que le proverbe ait été cité à contresens ou que Jésus n'ait pas prévu ce qui allait arriver. Si au contraire on insiste avec Aug. sur l'insuffisance de la foi des Galiléens, il faut reconnaître qu'elle est moins accentuée que celle des gens de Jérusalem (II, 23). Si Jo. avait voulu opposer la Judée et la Galilée, il fallait le faire au moment du départ de Judée (IV, 1) et Schanz a certainement raison de dire qu'à tout prendre Jésus était mieux reçu en Galilée qu'en Judée.

Que conclure? Augustin a insisté sur la place précise de la remarque, après l'accueil enthousiaste des Samaritains d'après la seule parole de Jésus, constrastant avec la foi insuffisante de ceux de Jérusalem et de Galilée, insuffisante précisément pour la même raison, que dans les deux pays on demande des signes. La patrie de Jésus en opposition avec la Samarie est déterminée par sa qualité de Juif; sa patrie, c'est le pays des Juifs, qu'ils soient en Judée ou en Galilée;

[45] ὅτε οὖν ἦλθεν εἰς τὴν Γαλιλαίαν, ἐδέξαντο αὐτὸν οἱ Γαλιλαῖοι, πάντα ἑωρακότες ὅσα ἐποίησεν ἐν Ἱεροσολύμοις ἐν τῇ ἑορτῇ, καὶ αὐτοὶ γὰρ ἦλθον εἰς τὴν ἑορτήν. [46] Ἦλθεν οὖν πάλιν εἰς τὴν Κανὰ τῆς Γαλιλαίας, ὅπου ἐποίησεν τὸ ὕδωρ οἶνον. Καὶ ἦν τις βασιλικὸς οὗ ὁ υἱὸς ἠσθένει ἐν Καφαρναούμ· [47] οὗτος ἀκούσας ὅτι Ἰησοῦς ἥκει ἐκ τῆς Ἰουδαίας εἰς τὴν Γαλιλαίαν ἀπῆλθεν πρὸς αὐτὸν καὶ ἠρώτα ἵνα καταβῇ καὶ ἰάσηται αὐτοῦ τὸν υἱόν, ἤμελλεν γὰρ ἀποθνήσκειν. [48] εἶπεν οὖν ὁ Ἰησοῦς πρὸς αὐτόν Ἐὰν

47. απηλθεν (THV) plutôt que ηλθεν (S).

---

c'est eux qui ne l'ont pas reçu comme il faut (I, 11). Malgré tout, cette explication ne tient pas compte de ce fait que, si insuffisante que soit leur foi, les Galiléens ont reçu Jésus comme ayant opéré des choses merveilleuses à Jérusalem (45).

On ne voit donc aucun moyen d'expliquer tout le passage selon les règles d'une logique stricte, en particulier de rattacher γάρ à ce qui précède. Loisy a proposé que Jésus, sachant que sa mission n'était pas de recevoir des honneurs, mais d'affronter les mépris, n'a pas voulu rester plus de deux jours à Sychar, et a marché vers la Galilée. Mais il faudrait donner à οὐκ ἔχει un sens absolu : « ne doit pas avoir » « n'est pas destiné à recevoir ». Et derechef on se heurterait au bon accueil reçu en Galilée.

Il faut donc reconnaître ici une allusion inintelligible en elle-même, mais suffisamment claire pour qui connaissait les synoptiques, à l'accueil reçu par Jésus à Nazareth, et à la parole que « lui-même » a prononcée dans cette circonstance (Mc. VI, 4; Mt. XIII, 57; Lc. IV, 24). Le γάρ du v. 44 ne marque pas une causalité logique, mais, si l'on peut dire, une causalité littéraire : Jésus est allé en Galilée, *car* c'est là (à Nazareth) qu'il a prononcé cette parole... Sur le terrain restreint de sa propre patrie, il a été mal reçu et a pu s'appliquer le proverbe. Mais ce point particulier mis à part, et entendu comme on le doit d'après les synoptiques, Jésus a été reçu en général dans la Galilée d'une façon plus favorable. Cette manière d'écrire n'est pas la plus parfaite : on l'entend cependant, à la condition de supposer un renvoi tacite aux synoptiques, ce qui est de la plus haute importance pour déterminer la manière de Jo. et son but.

Naturellement l'hypothèse d'une glose de copiste serait plus simple, mais aussi trop arbitraire.

45) οὖν se rapporte au v. 43, le v. 44 étant comme une parenthèse. On ne peut nier que δέχομαι (le seul cas de Jo.) signifie donner volontiers l'hospitalité (Lc. IX, 5) et Schanz voit là une opposition avec l'accueil de la Judée. Mais en Judée aussi Jésus avait attiré beaucoup de monde à lui (II, 23; III, 26), seulement cet empressement était de qualité inférieure, parce qu'il était occasionné uniquement par des miracles et n'était pas solide. Ici Jo. insinue la même chose, puisque les Galiléens sont entraînés par ce qu'ils avaient vu à Jérusalem, et c'est bien la remarque que fera Jésus (48). Il n'y avait donc pas longtemps que les Galiléens avaient été à cette fête de Pâque, comme Origène

honoré dans son propre pays. [45] Lors donc qu'il vint en Galilée, les Galiléens l'accueillirent, ayant vu tout ce qu'il avait fait à Jérusalem pendant la fête, car eux aussi étaient venus à la fête. [46] Il vint de nouveau à Cana, de Galilée, où il avait changé l'eau en vin. Et il y avait là un fonctionnaire de la cour dont le fils était malade à Capharnaüm ; [47] ayant appris que Jésus était venu de Judée en Galilée, il se rendit auprès de lui et le pria de descendre et de guérir son fils, car il allait mourir. [48] Jésus lui dit donc :

l'a noté fortement. Tout au plus pourrait-on répondre que la perspective littéraire rapproche le retour du départ, puisque Jo. a raconté si peu d'événements dans un long intervalle; mais on est dispensé de recourir à cette échappatoire si l'on ne voit pas dans le v. 35 une allusion à l'hiver.

46-54. *Guérison du fils d'un dignitaire.*

46) Rien n'indique que Jésus se soit fixé à Cana. Il y vint, nous ne savons pourquoi. L'évangéliste rappelle le miracle précédent, le seul qui avait eu lieu en Galilée, et le second demeure également isolé, du moins dans sa perspective. — Au lieu de βασιλικός, D lit βασιλισκος (31ev. *a d* quelques mss. *boh.*), qui n'est probablement qu'une correction pour correspondre au latin *regulus*, qui est la leçon de l'Anc. lat. et de la Vg. Cette traduction ne pouvait pas même s'appuyer sur l'usage de βασιλικός pour dire un parent du roi (Lucien, *dial. deor.* 20; *de salt.* 8; Plut. *de sui laude* 19, p. 546. E). Chrys. hésite : ἤτοι τοῦ γένους ὢν τοῦ βασιλικοῦ, ἢ ἀξίωμά τι ἀρχῆς ἕτερον οὕτω καλούμενον ἔχων. Ce dernier emploi était beaucoup plus fréquent : donc un fonctionnaire dépendant directement de la personne royale (Plut. *Solon* 27). Jérôme préférait personnellement ce sens : *regulus, qui graece dicitur* βασιλικός *quem nos de aula regia rectius interpretari possumus palatinum* (in Is. LXV, 1.). Ce n'est donc pas un petit roi, mais un dignitaire de la cour d'Antipas, lequel n'était que tétrarque, mais qu'on pouvait nommer roi par flatterie (cf. Mc. VI, 14) On ne saurait dire quel était au juste son emploi. Notre traduction a évité le mot officier qui en français s'entend de préférence des militaires, d'autant qu'on n'a pas relevé βασιλικός, pour indiquer un grade dans l'armée, quoique Josèphe parle des soldats royaux, le plus souvent même sans le mot στρατιῶται (Bell. I, I, 5, etc.).

47) De Capharnaüm où il habitait, le fonctionnaire royal apprend que Jésus est rentré en Galilée, et même il sait qu'il est à Cana : la route de *Kefr-Kenna* à *Tell-Ḥum* est coupée par une descente profonde. — ἐρωτᾶν ἵνα comme XVII, 15; XIX, 31.38. — ἤμελλεν ἀποθνήσκειν cf. Lc. VII, 2 ἤμελλεν τελευτᾶν, et plus encore II Macch. VII, 18 μέλλων ἀποθνήσκειν. Le dignitaire royal a donc entendu parler des miracles que Jésus a faits à Jérusalem; le bruit aurait pu se répandre parmi les païens, mais le plus naturel est qu'il compte sur un miracle en sa qualité de compatriote.

48) D'ailleurs Jésus le met expressément au rang des autres. S'adressant à un païen, il ne lui eût pas reproché de faire dépendre la foi des miracles

μὴ σημεῖα καὶ τέρατα ἴδητε, οὐ μὴ πιστεύσητε; [49] λέγει πρὸς αὐτὸν ὁ βασιλικός Κύριε, κατάβηθι πρὶν ἀποθανεῖν τὸ παιδίον μου. [50] λέγει αὐτῷ ὁ Ἰησοῦς Πορεύου, ὁ υἱός σου ζῇ. ἐπίστευσεν ὁ ἄνθρωπος τῷ λόγῳ ὃν εἶπεν αὐτῷ ὁ Ἰησοῦς καὶ ἐπορεύετο. [51] ἤδη δὲ αὐτοῦ καταβαίνοντος οἱ δοῦλοι αὐτοῦ ὑπήντησαν αὐτῷ λέγοντες ὅτι ὁ παῖς σου ζῇ. [52] ἐπύθετο οὖν τὴν ὥραν παρ' αὐτῶν ἐν ᾗ κομψότερον ἔσχεν. εἶπαν οὖν αὐτῷ ὅτι Ἐχθὲς ὥραν

50. ον (TH) plutôt que ω (SV).
51. αυτου *p.* δουλοι (H) ou *om* (TSV). — σου (SV) plutôt que αυτου (TH).

---

qu'on voyait, comme faisaient ceux de Jérusalem (ɪɪ, 18.23) et même Nicodème (ɪɪɪ, 2). — τέρατα cette seule fois dans Jo., après σημεῖα comme dans Mt. xxɪv, 24; Mc. xɪɪɪ, 22, où il s'agit des faux Christs; τέρας beaucoup plus que σημεῖο indique un prodige extraordinaire, et pour ainsi dire déconcertant, mais sans signification pour un enseignement quelconque. La distinction est d'Origène : οἶμαι δὲ τὰς μὲν παραδόξους καὶ τεραστίους δυνάμεις κατ' αὐτὸ τὸ παράδοξον καὶ ἐκβεβηκὸς τὴν συνήθειαν θαυμάσιόν τε καὶ ὑπὲρ ἄνθρωπον γινόμενον « τέρατα » ὀνομάζεσθαι· τὰ δὲ δηλωτικά τινων ἑτέρων παρὰ τὰ γινόμενα « σημεῖα » λέγεσθαι (*Preuschen* p. 296). Mais Jésus pouvait-il reprocher personnellement à cet homme d'avoir demandé un prodige éclatant, ou même de n'avoir pas cru sans un prodige, puisqu'il vient à lui avec confiance? Il n'y a pas, semble-t-il, à accumuler les inductions subtiles pour mettre le pauvre père dans son tort. Il faut plutôt constater — ce qu'indique le pluriel — que Jésus, pour l'éprouver, lui parle comme s'il représentait le judaïsme du temps, qui attendait un Messie glorieux et thaumaturge avec éclat, et était peu disposé à se contenter de Jésus dans l'humilité de sa mission rédemptrice. Origène : de même que Jean-Baptiste qui attendait un signe οὕτως καὶ οἱ προκεκοιμημένοι ἅγιοι προσδοκῶντες καὶ τὴν ἐν σώματι τοῦ χριστοῦ ἐπιδημίαν ἀπὸ τῶν σημείων καὶ τῶν τεράτων ἐχαρακτήριζον αὐτὸν διὰ τούτων τῷ ἐλπιζομένῳ πιστεύοντες (p. 290). Si les anciens prophètes avaient attribué au Christ ce caractère, combien plus les contemporains mêlant à cet idéal des revendications nationales qui ne pouvaient être satisfaites que par des prodiges inouïs! — Sur οὐ μή cf. *Comm.* Mc. p. xcɪɪɪ.

49) Il y a quelque impatience dans la réponse du dignitaire. Quoi qu'il en soit de ces considérations, semble-t-il dire, le temps presse. Sa foi serait assurément plus parfaite s'il demandait seulement à Jésus d'exprimer sa volonté, mais l'idée ne lui est pas venue d'un miracle fait à distance. Il ne se laisse pas décourager, il insiste, il est exaucé. Rien de plus naturel que les paroles de ce père dans l'angoisse; « descends » est bien le mot qui s'imposait dans cette situation chorographique.

50) πορεύου, est à l'occasion une formule désobligeante (Lc. xɪɪɪ, 31), mais signifie aussi : « tu peux t'en aller satisfait » (vɪɪɪ, 11; cf. Lc. v, 24; x, 37), même sans ἐν εἰρήνῃ. Ici la bienveillance est exprimée par ce qui suit. Il n'y a pas promesse, mais affirmation. La formule (IV Regn. ɪ, 2; vɪɪɪ, 8) indique une guérison, puisqu'il était question de maladie. Désormais le péril est écarté,

« Ne croirez-vous donc pas, à moins de voir des miracles et des prodiges? » [49]Le fonctionnaire de la cour lui dit : « Seigneur, descends avant que mon enfant ne meure. » [50]Jésus lui dit : « Va, ton fils vit. » L'homme crut à la parole que Jésus lui avait dite, et s'en alla. [51]Comme il était déjà en train de descendre, ses serviteurs vinrent à sa rencontre, disant : « Ton enfant vit ». [52]Il leur demanda donc à quelle heure il s'était trouvé mieux. Ils lui dirent

la grâce est accordée. C'est bien ainsi que l'entend l'homme, dont la foi s'élève, puisqu'il croit que le miracle a été opéré sans aucun contact. — ἐπορεύετο, il se retire comme Jésus l'y avait invité.

51) Toujours sous l'impression des lieux, Jo. indique que le dignitaire commençait à descendre, ce qui est à prendre au sens strict, pour indiquer le point de la rencontre. On était donc à l'endroit où la route commence sa descente rapide au-dessus de Capharnaüm, aux environs de Qorn Hattin. Mais il y a une difficulté soulignée par Loisy. Si le miracle a eu lieu à sept heures (52), soit à une heure de l'après-midi, comment le père, pressé d'embrasser son fils guéri, n'est-il pas descendu et arrivé le jour même? Cependant Loisy n'avance pas que Jo. a « augmenté fictivement la distance pour faire valoir le miracle ». C'est plutôt qu'il lui fallait un nombre parfait, sept, pour un miracle qui figure l'œuvre salutaire du Christ; « et comme cette œuvre ne s'est accomplie que par la conversion du monde païen, il convient qu'une certaine distance sépare Jésus du malade à guérir, qu'un certain temps s'écoule entre la parole du Christ et la vérification du miracle » (p. 197). Ce symbolisme est une invention fort subtile. Sans parler du Cana d'Aser ou du Kh. Qana, il y a environ 33 kilomètres de Kefr-Kenna à Capharnaüm (Tell-Ḥum). Assurément on peut franchir cette distance en six à sept heures. Mais on ne l'entreprend pas l'après-midi sans une urgente nécessité. Et la foi du père exigeait, peut-on dire, qu'il ne manifestât aucune précipitation. Il s'était précipité pour venir, soit! Et un dignitaire n'était pas venu à pied. On était donc parti de Capharnaüm de bonne heure; il était nécessaire de laisser reposer les bêtes et les gens. Des deux parts on dut partir le lendemain au petit matin, et se rencontrer environ à moitié chemin. Tout cela est parfaitement plausible. Si l'auteur avait eu la tournure d'esprit purement livresque, il aurait pensé comme Loisy que « l'économie du récit ne suppose pas qu'il y ait loin de Capharnaüm à Cana » (1re éd., p. 378); mais comme il avait vécu sur les lieux, il a mis « une assez grande distance », car on peut bien dire que plus de trente kilomètres sont « une assez grande distance ». — παῖς σου qui se recommande par le discours direct, et non παῖς αὐτοῦ, plus élégant; mais παῖς et non υἱός qui a dû être suggéré par 50 et 53.

52) Il était bien naturel que le père demandât à quel moment son fils s'était trouvé mieux; il n'avait pas l'intention de s'assurer que c'était à l'heure où Jésus avait parlé; mais lorsqu'il s'en aperçut, sa foi s'en trouva confirmée. La septième heure est une heure de l'après-midi, selon le comput ordinaire de Jo.; cf. I, 39 — ἐπύθετο est jugé incorrect par Deb. (§ 328), l'usage étant de mettre

ἑβδόμην ἀφῆκεν αὐτὸν ὁ πυρετός. [53] ἔγνω οὖν ὁ πατὴρ ὅτι ἐκείνῃ τῇ ὥρᾳ ἐν ᾗ εἶπεν αὐτῷ ὁ Ἰησοῦς Ὁ υἱός σου ζῇ, καὶ ἐπίστευσαν αὐτὸς καὶ ἡ οἰκία αὐτοῦ ὅλη. [54] Τοῦτο δὲ πάλιν δεύτερον σημεῖον ἐποίησεν ὁ Ἰησοῦς ἐλθὼν ἐκ τῆς Ἰουδαίας εἰς τὴν Γαλιλαίαν.

l'imparfait (cf. Mt. II, 4; Lc. XV, 26; XVIII, 36; Act. IV, 7) parce que la première action semble inachevée tant qu'il n'y est pas répondu. L'heure est à l'accusatif, cf. Gen. XLIII, 16, etc. — κομψότερον ἔσχεν cf. P. Oxy. VI, 935 (IIIe s. ap. J.-C.) θεῶν συνλαμβανόντων ἡ ἀδελφὴ ἐπὶ τὸ κομψότερον ἐτράπη (*MM.*). Dans Épictète κομψῶς ἔχειν (III, 10, 13) ou εἶναι (II, 18, 14). — La guérison avait été marquée par la fin de la fièvre, souvent si facile à constater.

53) L'homme avait ajouté foi à la parole de Jésus; maintenant que le miracle est évident pour lui, sa foi est plus ferme. C'est un effet naturel et voulu de Dieu que le miracle provoque la foi; ce que Jésus condamnait, c'était la demande de signes. La foi peut et ordinairement doit naître sans miracles constatés personnellement. Quand Jésus se manifestait par ses paroles et sa présence, la raison de croire était suffisante. — ἐπίστευσεν sans objet est l'adhésion totale à la personne et à la doctrine de Jésus. Il est très probable que si Jo. parle encore de « toute sa maison », c'est qu'elle était connue des premiers chrétiens et avait sans doute eu sa part aux progrès de l'évangile. On ne peut rien dire de plus. On a pensé à Chouza (Lc. VIII, 3) ou à Manahem (cf. Act. XIII, 1), qui appartenaient à la petite cour d'Hérode Antipas.

54) πάλιν avec δεύτερον est un pléonasme (contre *Schanz*, *Belser*); on ne peut guère en douter quand on lit dans les Inscriptions de Priène (n° 22) : καὶ πά[λιν τὸ] δεύτερον, « de nouveau pour la seconde fois ». Néanmoins, le fait même de cette accumulation souligne que ce fut un second miracle (δευτ. σημ. attribut), évidemment par rapport au premier à Cana (II, 11). Cependant il y en avait eu d'autres à Jérusalem (II, 23). Est-ce donc le second miracle en Galilée? Il eût suffi d'écrire ἐν τῇ Γαλιλαίᾳ. Très précisément c'est le second miracle que Jésus fit à son entrée en Galilée, venant de Judée, comme pour témoigner de sa bienveillance envers ses compatriotes. En même temps Jo. insinue que Jésus n'avait pas encore commencé en Galilée sa carrière de prédicateur et de thaumaturge. Des guérisons nombreuses seront mentionnées VI, 2, mais alors nous aurons rejoint les synoptiques depuis un temps indéterminé.

On se demande si la guérison du fils du dignitaire est le même miracle que la guérison du serviteur du centurion (Mt. VIII, 5-13; Lc. VII, 1-10). La principale ressemblance est que le malade est à Capharnaüm, et que la guérison se fait sans contact; dans les deux cas celui qui demande le miracle est un personnage d'une certaine importance. Mais les divergences sont nombreuses. Dans Jo. le malade est un fils, dans Lc. un serviteur, et il n'y a pas de raison de croire que Mt. ait parlé d'un fils. Dans Jo. le père vient à Cana et insiste pour faire venir Jésus; le centurion a assez de foi pour demander seulement une parole. Aussi le dignitaire est-il le type des Juifs, à Jérusalem ou en Galilée qui demandent des miracles pour croire; le centurion le type des gentils dont la foi surpasse celle des Israélites. Dans ces conditions, il est à tout le moins

donc : « Hier, à la septième heure, la fièvre l'a quitté. » [53]Le père reconnut donc que c'était l'heure à laquelle Jésus lui avait dit : Ton fils vit; et il crut, lui et sa maison tout entière. [54]Ce fut encore un second miracle que Jésus fit en venant de la Judée en Galilée.

certain que Jo. n'a pas exploité librement la tradition synoptique (*Loisy*); car exploiter cette tradition, c'eût été profiter d'un exemple aussi frappant pour mettre la foi d'un gentil au-dessus de celle des Juifs, dans le sens de la mission de Jésus en Samarie; Jésus se serait vraiment montré le Sauveur du monde aussi en Galilée. Prétendre avec Loisy que l'histoire est une leçon sur « la foi qui doit caractériser l'Église de la gentilité », parce que Jo. « veut opposer à la foi qui demande des miracles celle qui croit à la parole » (p. 198), pourrait avoir un sens si le récit de Jo. avait été transposé en celui des synoptiques, et non *vice versa*. (Ce contresens ne figurait pas dans la première édition.) Il faudrait donc supposer qu'un fait de guérison à distance a pris dans la tradition deux formes très différentes, ce qui est possible en général, mais très peu probable quand la pointe même du récit est tout à fait changée, et surtout dans le cas concret des évangélistes, car Jo., sûr de sa tradition, aurait voulu mettre les choses au point; ce qui ramène la supposition d'un remaniement en sens inverse de tout le mouvement de son évangile.

Nous croyons donc que les deux miracles sont distincts, sans nous appuyer sur la différence du temps, qui ne serait pas un argument suffisant. On a aussi comparé le miracle de Jo. à une histoire du Talmud racontée de Rabbi Ḥanina ben Dosa, vers 70 ap. J.-C. Le texte est en hébreu, et doit appartenir à une ancienne tradition des Tannaïtes, peut-être écrite dès l'an 200 (Fiebig, *Rabbinische Wundergeschichten*... p. 7, et *Jüdische Wundergeschichten*.. p. 19 s.) : « Nos maîtres ont transmis par tradition. C'est un fait que le fils de Rabban Gamaliel fut malade. Il envoya deux de ses disciples très sages auprès de Rabbi Ḥanina ben Dosa afin qu'il implorât pour lui la miséricorde. Quand il les vit, il monta à la chambre haute et implora pour lui la miséricorde. Quand il fut descendu, il leur dit : « Allez, car la fièvre l'a quitté. » Ils lui dirent : « Es-tu donc un prophète? » Il leur dit : « Je ne suis ni prophète, moi, ni fils de prophète, moi; mais j'ai cette tradition : si ma prière coule dans ma bouche, je sais qu'il (lui-même) est agréé; sinon, je sais qu'il est rejeté. » Ils s'assirent, ils écrivirent, ils fixèrent l'heure. Et quand ils vinrent auprès de Rabban Gamaliel, il leur dit : « Par le Service! vous n'avez ni retranché ni ajouté. Car il en fut ainsi; c'est à cette heure que la fièvre l'a quitté et il a demandé à boire » (*Berakhot*, 34 b). Comme cette histoire fait en somme partie d'un recueil composé au ve ou au vi^e siècle, il faudrait être bien naïf pour la faire remonter plus haut que Jo., sous prétexte que R. Ḥanina vivait avant que Jo. ait écrit. Selon les règles ordinaires, si la coïncidence ne peut s'expliquer sans dépendance, ce sont les Rabbins qui se seront servis de Jo. pour avoir un miracle à distance, car c'est bien un miracle qu'obtient R. Ḥanina, tandis que Jésus l'opère en maître. L'intention des Rabbins aurait été de combattre indirectement, selon leur méthode, la conclusion qu'on pouvait tirer d'un pareil miracle en faveur de la foi en Jésus.

Un pareil cas ne prouvait même pas que le Rabbi eût été prophète, comme il en convenait modestement. Il est possible cependant qu'il n'y ait pas de dépendance; l'indication de l'heure est le seul moyen efficace pour s'assurer du fait miraculeux à distance, et la fièvre est le type le plus ordinaire des maladies en Orient.

Chapitre v. L'ACTION DU FILS EST SEMBLABLE A CELLE DU PÈRE, LEQUEL REND TÉMOIGNAGE AU FILS. Le chapitre v forme un tout complet qui contient la guérison du malade à la piscine de Bezatha et un discours de Jésus aux Juifs à l'occasion de ce miracle.

Il y a donc naturellement deux parties : le miracle (1-18) et le discours (19-47).

La première partie elle-même a deux sections : le miracle, et les circonstances qui l'ont suivi.

Nous pensons (cf. *Introd.* p. cxx) que dans l'ordre primitif le ch. vi précédait celui-ci.

M. Meinertz veut bien nous faire remarquer qu'il a déjà proposé cette transposition dans la Biblische Zeitschrift XIV (1917), p. 239 ss.

CHAPITRE V

[1] Μετὰ ταῦτα ἦν ἑορτὴ τῶν Ἰουδαίων, καὶ ἀνέβη Ἰησοῦς εἰς Ἱερο-

1. *om.* η *a.* εορτη (H) plutôt que *add.* (TSV).

---

[1]Après cela, il y eut une fête des Juifs, et Jésus monta à Jérusa-

1-9[a] Jésus a la piscine de Bezatha.

1) Quelle est cette fête? D'abord la question textuelle. Il faut lire ἑορτή sans article, car l'article ne s'appuie que sur ℵCE etc. *boh. sah. Cyr.*, c'est-à-dire des autorités égyptiennes, ou antiochiennes de second ordre, tandis que ἑορτή a ABD, WΘ etc., Chrysostome. Origène cite ἑορτή (*Pr.* 265, 13) et s'il met ensuite l'article (*Pr.* 284, 27; 293, 25), c'est qu'il se réfère à une fête dont il vient de parler. De plus Jo. n'écrit jamais ἑορτή sans article; les copistes ont dû l'ajouter, plutôt que le retrancher. Il y avait une autre raison de l'ajouter : ne pas laisser cette fête sans détermination, mais en faire la fête par excellence ou la Pâque (*Loisy, Calmes*).

Cela posé, dans l'ordre actuel des chapp. iv, v et vi, si on devait lire ἡ ἑορτή, il semble que ce ne pourrait être que la fête principale, déjà nommée (ii, 13.23; iv, 45), et non la fête des tabernacles, qui sera mentionnée plus tard sous son nom (vii, 2), σκηνοπηγία (contre *Zahn*), ni une autre moindre. En lisant ἑορτή comme l'exige la critique textuelle, ce ne peut être la Pâque, malgré l'opinion d'Irénée (II, xxii, 3) : *Et post hoc iterum secunda vice ascendit in diem festum paschae in Hierusalem, quando paralyticum... curavit.*

Ce ne peut être non plus la fête des Pourim (contre *Schanz*) au mois de mars, car l'expression « une fête »... suivie de ἀνέβη indique une des trois grandes solennités pour lesquelles on montait à Jérusalem. Et si Jésus est monté pour la dédicace (termes différents x, 22), il serait bien étonnant qu'il se soit associé à la fête des Pourim, réjouissance qui avait souvent un caractère très profane. La Pâque étant exclue et les Tabernacles, pour les raisons indiquées, il reste la Pentecôte, dont le nom grec πεντηκοστή était connu des Grecs (Tob. ii, 1; II Macch. xii, 32; Josèphe, Philon), mais n'avait rien d'officiel (*Cyr. Belser*). Il y aurait lieu de sous-entendre une Pâque si l'on regarde iv, 35 comme marquant une date fixe, environ janvier. Mais si c'est, comme nous pensons, une manière de proverbe, cette Pentecôte est celle qui a suivi l'expulsion des vendeurs. Jésus a pu séjourner environ un mois aux bords du Jourdain, revenir en Galilée par Naplouse après son passage si remarqué à Jérusalem (iv, 45) et retourner à Jérusalem pour la Pentecôte.

σόλυμα. [2]Ἔστιν δὲ ἐν τοῖς Ἱεροσολύμοις ἐπὶ τῇ προβατικῇ κολυμβήθρα

2. Βηζαθα plutôt que Βηθζαθα (THS) et non Βηθεσδα (V).

Mais si l'on place le chap. vi avant le chap. v, avec la leçon ἡ ἑορτή, ce sera la fête de Pâque annoncée comme prochaine dans vi, 4. Si au contraire on lit ἑορτή, Jésus aura laissé passer la Pâque et sera venu pour la Pentecôte. De toute façon il n'y aura qu'une Pâque outre celle qui suit le miracle de Cana et celle de la Passion, même si Jésus avait passé en Samarie en janvier, avant l'unique Pâque de vi, 4 et de v, 1.

2) Grosse difficulté textuelle. Premier cas : nous lisons ἐπὶ τῇ προβατικῇ avec la grande majorité des témoins, car la suppression de επι τη (א *a Vg.-Clém.*) est une correction pour éviter une difficulté; de même la suppression de επι τη προβατικη (*syrsin*); εν τη (A D Θ *a b ff*²) est bien soutenu, mais ne donne aucun sens. Ce premier point peut être regardé comme résolu. — De même ἡ ἐπιλεγομένη est sûr au lieu de τὸ λεγόμενον de Tisch. soutenu seulement par א. La leçon τὸ λεγόμενον avait pour but de distinguer un édifice commençant par Beth, « maison », de la piscine; scrupule d'ailleurs mal fondé, vu le grand nombre de noms très divers qui peuvent commencer par Beth..., en hébreu et en araméen (comme « maison des mains » pour « gants » etc.). — Pour le nom propre il y a en présence : βηθσαιδα (B *c boh. sah Vg* Tert. Jér.) suspect à cause de l'étymologie trop facile (maison de pêche) surtout pour le latin *piscina*, et trop restreint comme tradition; βηθεσδα (A C les Antiochiens et les syriens) trop exclusivement syrien, et suspect aussi par l'étymologie facile (maison de miséricorde). Ces deux leçons rejetées sans trop d'hésitation, il reste à choisir entre deux formes, en *atha* ou *etha*. Le son *e* se trouve sous la forme Βελζεθα (D *d r*), *betzeta* (*b*), *bethzetha* (*ff*²), *bethzeta* ou *bethzeda* (trois mss. de la vg.); à ma connaissance la forme *bezetha* ne se trouve nulle part. Le son *a* est incontestablement mieux attesté : il se trouve sous la forme Βηθζαθα (préférée par THS) dans אL 33 (*betzatha*), mais sous la forme Βηζαθα dans Eusèbe (*Onom.*) et dans *e : bezatha*. On trouve le même flottement entre *a* et *e* dans Josèphe, du moins Niese donne à la nouvelle colline de Jérusalem le nom de Βεζεθά (*Bell.* II, xv, 5; II, xix, 4; V, iv, 2 (*bis*); V, v, 8), mais il signale la variante Βεζαθα. Jamais Josèphe n'a Βηθζαθα ni Βηθζεθα. Si le même nom est visé, il faudra donc adopter *a* avec les meilleurs mss. de Jo., et supprimer θ avec Josèphe, car la présence du θ s'explique par la tendance à compléter cette leçon dans le sens des autres, βηθσαϊδα, βηθεσδα.

Nous lisons donc βηζαθα, comme Eusèbe, qui connaissait la prononciation de Jérusalem. L'étymologie, déjà indiquée par M. Conder a été solidement établie par M. Burkitt (*The Syriac Forms of New Testament Proper Names*, p. 20); c'est l'araméen בְּזַעְתָּא « coupure », ou בְּזִיעְתָּא « coupure, fente ». En effet Bezetha ou Bezatha) était le nom d'un quartier nouveau, séparé de la ville par un fossé : Josèphe (*Bell.* V, iv, 2) καὶ τοῦ ἱεροῦ τὰ προσάρκτια πρὸς τῷ λόφῳ συμπολίζοντες (réunissant à la ville) ἐπ' οὐκ ὀλίγον προῆλθον, καὶ τέταρτον περιοικηθῆναι λόφον, ὃς

lem. [2]Or il y a à Jérusalem, près de la [porte] des Brebis une

καλεῖται Βεζεθά, κείμενος μὲν ἀντικρὺ τῆς Ἀντωνίας, ἀποτεμνόμενος δ' ὀρύγματι βαθεῖ. — ἀποτεμνόμενος nous met sur la voie de l'étymologie. Parmi les noms des communes de France on trouve Le Fossé, La Fosse, Fosses, Rochetaillée, etc.; en Palestine Pierre-encise. Il est vrai que Josèphe aussitôt après βεζεθά a écrit τὸ νεόκτιστον μέρος, ὃ μεθερμηνευόμενον Ἑλλάδι γλώσσῃ καινὴ λέγοιτ' ἂν πόλις. Mais ce n'est là qu'un équivalent, aussi peu sérieux que ασαρθα rendu par πεντεκοστήν (Ant. III, x, 6). — On sait qu'on a retrouvé la piscine aux cinq portiques à l'église de Sainte-Anne, située précisément au nord-est de l'ancienne ville, et non loin de l'Antonia (VINCENT et ABEL, *Jérusalem*, II, 4). En araméen cette piscine a très bien pu s'appeler piscine de Bezetha ou Bezatha (l'araméen expliquerait même les deux formes), c'est-à-dire du nouveau quartier portant ce nom, quelque chose comme *Fossanova* en Italie. — Le texte ainsi établi, il semble que ἐπὶ τῇ προβατικῇ signifie « contre la Porte des Brebis », en sous-entendant « porte ». La porte des brebis (II Esdr. XIV, 1. 32; XXII, 39) ἡ πύλη ἡ προβατική était bien au nord du temple. On lit dans la vie de Polycarpe par Pionius (IVe s.) 3, ἐπὶ τὴν καλουμένην Ἐφεσιακήν, le mot πύλη étant sous-entendu. La porte qui appartenait à l'enceinte du Temple ayant été détruite, il se peut que la piscine, étant d'utilité publique, ait été épargnée ou même restaurée par les Romains. Ce qui est sûr, c'est que les Pères, depuis Origène, appliquent le nom de probatique, non point à la porte, mais à la piscine, et c'est sûrement de là qu'est venue la variante qui supprime ἐπὶ τῇ. Il faut surtout citer Origène (Pr. 533) μετὰ γὰρ τὰς ἐν κύκλῳ τεσσάρας μέσην εἶχεν ἑτέραν. προβατικὴ δὲ κολυμβήθρα ἐλέγετο ἀπὸ τοῦ τὰ προσαγόμενα πρόβατα ταῖς ἑορταῖς ἐκεῖ συναθροίζεσθαι, καὶ ἀπὸ τῶν θυομένων τῶν προβάτων ἐν ἐκείνῳ πλύνεσθαι τῷ ὕδατι τὰ ἔγκατα.

Origène ne connaissait donc qu'une piscine, qu'il nommait probatique; malheureusement le nom araméen n'a pas été conservé dans ses œuvres. — ἐπιλεγομένη (leçon certaine) n'est pas synonyme de μεθερμηνευόμενον (Jo. I, 38. 42; Mc. V, 45, etc.), comme si le nom de la piscine probatique (d'après la leçon de la Vg.-Clém.) était en araméen Bethsetha, par exemple בית שׁיתא « maison de la brebis ». ἑβραϊστί, en hébreu, ou plutôt en araméen, selon toutes les variantes.

Loisy : « La piscine, disent les interprètes, était sans doute enfermée dans une construction pentagonale » (p. 200). Puis il suggère que les cinq portiques sont une invention du symbolisme : « Les anciens qui voyaient dans la source un symbole du judaïsme, et dans les cinq portiques une allusion aux cinq livres de la Loi, rencontraient probablement la pensée de l'évangéliste » (p. 200). Tout cela est fort léger. Origène avait déjà noté que quatre portiques flanquaient le rectangle de la piscine, et que le cinquième la coupait en deux : disposition qui a été inconstestablement révélée par les fouilles. Mais lui-même ne parlait plus de la porte, qui avait dû disparaître. Jo. s'exprime donc ici comme un témoin de l'état des lieux, et son ἔστιν, sans indiquer nullement qu'il a écrit avant la ruine de Jérusalem est une indication qu'il se transporte par le souvenir au temps de Jésus ou plutôt qu'il vise une situation inchangée. On trouvera dans la Jérusalem des Pères Vincent et Abel une restauration appuyée sur les monuments et conforme au texte de Jo. (*Op. l.*, p. 685 ss. et pl. LXXV).

ἡ ἐπιλεγομένη Ἑβραιστὶ Βηζαθά, πέντε στοὰς ἔχουσα· [3]ἐν ταύταις κατέκειτο πλῆθος τῶν ἀσθενούντων, τυφλῶν, χωλῶν, ξηρῶν ἐκδεχομένων τὴν τοῦ ὕδατος κίνησιν. [4][ἄγγελος γὰρ Κυρίου κατὰ καιρὸν κατέβαινεν ἐν τῇ κολυμβήθρᾳ καὶ ἐτάρασσε τὸ ὕδωρ· ὁ οὖν πρῶτος ἐμβὰς μετὰ τὴν ταραχὴν

3. εκδεχομενων... κινησιν (V) plutôt que *om.* (THS).
4. le texte d'après V.; *om.* THS.

---

3) Question textuelle célèbre. Sans parler de l'addition de παραλυτικων par D *a b e*, qui semble avoir pour but de désigner d'avance la catégorie à laquelle appartiendra le malade, les mots ἐκδεχομένων τὴν τοῦ ὕδατος κίνησιν sont omis par ℵBACL trois cursifs, *syrcur.* (*sin.* manque) *sah. q*. Mais ils figurent dans la masse, dans Θ, dans la Vg. (WW ne citent aucun ms. pour l'omission), et aussi dans D et dans W qui n'ont pas le v. 4. On peut donc estimer avec Calmes qu'ils sont authentiques, alors même que le v. 4 ne le serait pas.

Le texte nous montre donc des infirmes de toute sorte rangés sous les portiques. Il est sans exemple que des eaux thermales aient guéri des aveugles, mais une vague espérance pouvait en attirer là quelques-uns, d'autant que les anciens attribuaient assez souvent aux eaux médicinales une vertu surnaturelle; chez les païens c'était l'influence du génie des eaux; chez les Juifs on devait penser à un ange. Le mouvement des eaux était probablement celui de nouvelles eaux plus pures, retenues jusqu'alors par une vanne et qui alors entraient dans la piscine. L'opinion commune était que ces eaux sortant de la terre plus récemment avaient plus de vertu curative.

D'ailleurs la science reconnaît à certaines eaux, surtout thermales, des propriétés radioactives qui se renouvellent à la source et disparaissent ensuite rapidement.

4) Om. par ℵBCD 33 157 134 *sah. syrcur. q*, mais si l'addition est cette fois dans A elle est absente de W *f l* et la Vg. de WW, qui justifient l'omission soit par l'autorité de plusieurs mss., soit par la divergence des trois formes qui représentent le v. dans les mss. Nous en citerons deux : *angelus autem domini secundum tempus descendebat in piscinam et movebat aquam qui ergo primus descendisset post motum aquae sanus fiebat a quocumque languore tenebatur;* ou bien : *angelus autem secundum tempus lavabatur in natatoria et movebatur aqua et qui prior descendisset in natatoriam post motionem aquae sanus fiebat a languore quocumque tenebatur*. Ces variations prouvent que Jérôme n'avait pas fixé un texte, car elles sont l'écho des variantes du grec, plus nombreuses que dans le reste de l'évangile, ce qui est naturellement aussi un argument contre l'authenticité du grec. D'après Soden : δε *l* γαρ; om. γαρ; add. κυριου *p.* γαρ; add. του θεου; om. κατα καιρον; ελουετο *l.* κατεβαινεν; εταρασσετο *l.* εταρασσεν; εγενετο *l.* εγινετο; οιω *l.* ω; ο αν *l.* δηποτε, δηποντουν sans parler des transpositions. D'après les règles de la critique textuelle on ne peut donc admettre ce verset (avec THS contre V). Parmi les Pères, le plus ancien témoignage est de Tertullien (*de baptismo* 5) : *piscinam Bethsaidam angelus interveniens commovebat,*

piscine connue en hébreu sous le nom de Bezatha, et qui a cinq portiques; [3] dans ceux-ci étaient couchés un grand nombre d'infirmes, aveugles, boiteux, perclus qui attendaient le bouillonnement de l'eau. ([4] Car l'ange du Seigneur descendait de temps en temps dans la piscine, et agitait l'eau. Le premier donc qui descendait

qui pourrait en somme être une interprétation personnelle ou reçue du v. 3. C'est ce que suggère le texte d'Aug. qui ne lisait certainement pas le v. 4 comme authentique, puisque l'ange était pour lui une conjecture : *Subito enim videbatur aqua turbata, et a quo turbabatur, non videbatur.* CREDAS *hoc angelica virtute fieri solere.* Cf. Ephrem, *Moes.* p. 146. — Pour le verset, Ambroise (*de myst.* II, 330; *de sacram.* II, 355) avec la forme *movebatur aqua.* De même Chrys.; Cyr. (sans le commenter). Parmi les catholiques, le v. n'est pas admis par Schegg, Schanz, Mader, Calmes, Mgr Le Camus, Belser (qui l'attribue à un disciple de Jean).

Quant aux raisons internes, on prétend (*Kn.*, etc.) que sans ces mots le v. 7 est inintelligible. Ce n'est sûrement pas le cas si on admet le v. 3b. Même en supprimant 3b, il faudrait seulement supposer un récit incomplet, mais pas plus énigmatique que III, 25 ou tant d'autres passages dont l'interprétation est controversée. Contre l'authenticité on fera observer que si Dieu envoyait un ange pour donner aux eaux une vertu curative, il serait étrange que ce miracle ait été une fois pour toutes limité à un seul cas. Et d'autre part ce grand nombre de miracles successifs, devenus comme naturels, affaiblirait singulièrement l'effet du miracle de Jésus. On peut regarder ce verset comme une interpolation sans contrevenir au décret du Concile de Trente, car ce n'est point une des *parties* de l'Écriture alors controversées, et il est plus probable qu'il ne fait pas partie de la Vulgate hiéronymienne. L'interpolation est d'ailleurs extrêmement adroite, bien faite pour rendre les faits plus plausibles par un recours au surnaturel. Mgr Le Camus (après *Schanz*) y voit l'expression d'une opinion populaire. L'ange n'est pas nécessairement l'ange des eaux (Apoc. XVI, 5), qui est préposé aux eaux comme un autre aux vents (Apoc. VII, 1). — Moqaddasi, cité par Wellhausen, attribue les inondations du Tigre à ce qu'un ange y plonge le doigt (XIII, 3), et aussi le flux sensible à Bassora à l'immersion du pied d'un ange (XXIV, 18); ce sont de vagues traditions sur des faits naturels. Sur d'autres cas de sources thermales regardées comme miraculeuses, cf. VINCENT et ABEL, *Jérusalem,* II, 4, p. 888. — ἐν avec le datif après κατέβαινεν a des répondants dans la *koinè,* mais s'expliquerait mieux avec ἐλούετο, le bain de l'ange aura paru choquant et aura été remplacé par une descente. — ταράσσω agiter, faire bouillonner (Is. XXIV, 14), et non pas troubler (les latins *movebatur*, jamais *turbabat* ou *turbabatur* sauf *aur : conturbabat*). — κατὰ καιρόν en soi peut signifier au temps voulu par Dieu (Rom. V, 6), mais il s'entend très normalement de choses périodiques, réglées à des intervalles fixes, comme les recensements : ταῖς κατὰ καιρὸν κατ' οἰκ(ίαν) [ἀ]πογρα(φαῖς) (Pap. Lond. 974, en 305-6 ap. J.-C. dans *MM.*), ou sans dates fixes, de temps en temps. Ici on ne peut guère parler de dates fixes (*Tert. l. l. unum semel anno*), encore moins d'heures (*Belser,* à la Pentecôte

τοῦ ὕδατος ὑγιὴς ἐγίνετο ᾧ δήποτε κατείχετο νοσήματι]. [5]ἦν δέ τις ἄνθρωπος ἐκεῖ τριάκοντα καὶ ὀκτὼ ἔτη ἔχων ἐν τῇ ἀσθενείᾳ αὐτοῦ· [6]τοῦτον ἰδὼν ὁ Ἰησοῦς κατακείμενον, καὶ γνοὺς ὅτι πολὺν ἤδη χρόνον ἔχει, λέγει αὐτῷ Θέλεις ὑγιὴς γενέσθαι; [7]ἀπεκρίθη αὐτῷ ὁ ἀσθενῶν Κύριε, ἄνθρωπον οὐκ ἔχω ἵνα ὅταν ταραχθῇ τὸ ὕδωρ βάλῃ με εἰς τὴν κολυμβήθραν· ἐν ᾧ δὲ ἔρχομαι ἐγὼ ἄλλος πρὸ ἐμοῦ καταβαίνει. [8]λέγει αὐτῷ ὁ Ἰησοῦς Ἔγειρε

à 9 heures, midi, 3 heures); mais, puisqu'il y a tant de gens qui attendent, il faut que l'ange soit descendu assez souvent et avec une certaine régularité. — νόσημα est un *hapax* dans le N. T., mais l'expression κατέχεσθαι νοσήματι se trouve.

5) ἔχων se rapporte au temps de la maladie, et non pas directement à ἐν ἀσθενείᾳ, cf. XI, 17, Épictète II, XV, 5 : ἤδη τρίτην ἡμέραν ἔχοντος αὐτοῦ τῆς ἀποχῆς. Il serait exagéré de dire avec Irénée (II, XXII, 3) que cet homme était demeuré tout ce temps à la piscine. Il y était depuis assez longtemps, c'est tout ce qu'on peut dire. Sa maladie n'est pas indiquée, mais les Pères le nomment couramment le paralytique, et c'est ce qui paraît résulter du v. 7, comparé avec Mt. IX, 6. — On a cherché le sens symbolique de ces trente-huit ans et cité Dt. II, 14, qui met trente-huit ans de Cadès-Barné au torrent de Zared. Mais la date normale du séjour dans le désert après la sortie d'Égypte est de quarante ans. Il faudrait donc dire avec Apollinaire (*Catena*) que Jésus lui fait grâce de deux ans sur le temps normal des grands châtiments. Mais comment appliquer cela au peuple juif? A-t-il été guéri deux ans avant la passion du Sauveur? Cyrille dit seulement (*Catena*) que cette longue maladie symbolise l'infidélité des Juifs toujours guérissable. C'est tout ce qu'on peut avancer, mais cela n'explique pas le chiffre, lequel n'est donné ici que comme un détail de fait, attirant la commisération spéciale de Jésus. Peut-être aussi Jo. a-t-il cité ce chiffre comme indiquant une situation qui n'était pas encore désespérée : quarante est un chiffre définitif.

6) Sûrement Jo. attribue à Jésus une connaissance surnaturelle, qui paraîtra ici même (14), mais γνοὺς s'entend plus simplement d'une connaissance naturelle, comme dans IV, 1. On peut en déduire que Jésus s'est informé, même qu'il a interrogé le malade lui-même sur le temps qu'il avait déjà passé là, et il ne sera pas sans vraisemblance de dire que le Sauveur est venu pour causer avec ces malades et les consoler. En tout cas Jo. ne dit pas qu'il soit venu expressément pour faire le miracle. Peut-être, comme dans son entretien avec la Samaritaine, a-t-il été amené par les circonstances et par sa compassion à secourir ce malheureux. La question de Jésus n'est point tellement étrange qu'elle ne puisse s'expliquer que par le symbolisme ou dans un sens spirituel (*Bauer*, *Loisy*). Évidemment le malade désire la guérison; si donc Jésus l'interroge, c'est pour le faire réfléchir sur la manière dont il peut être guéri; c'est une avance, une suggestion que celui qui pose la question peut donner la satisfaction souhaitée.

7) Le malade ne répond pas oui, ce qu'il sentait être superflu; mais il ne juge pas non plus la question oiseuse ou impertinente; il voit très bien qu'on lui demande : veux-tu *vraiment* être guéri, en prends-tu les moyens, et, comme rien ne lui laisse soupçonner que Jésus puisse faire un miracle, il

après l'agitation de l'eau, était guéri de son mal, quel qu'il fût). [5]Il y avait là un homme, demeuré infirme depuis trente-huit ans. [6]Jésus, le voyant couché et sachant que cet état durait depuis déjà longtemps, lui dit : « Veux-tu être guéri? » [7]L'infirme lui répondit : « Seigneur, je n'ai personne qui me jette dans la piscine lorsque l'eau a été agitée : pendant que j'y vais, un autre descend avant moi. » [8]Jésus lui dit : « Lève-toi, prends ton grabat,

répond qu'il fait bien ce qu'il peut, mais qu'il ne peut rien. Il aurait besoin de quelqu'un qui le portât rapidement vers l'eau; βάλλειν, jeter dans l'eau (P. Oxyrh. v, 840, *RB*. 1908, p. 539 s.), mais ici plutôt « conduire » (Lc. xii, 58, etc.). Lui-même ne se meut que difficilement; quand il est prêt à descendre, un autre l'a déjà précédé. Si l'on table sur le v. 4, cela s'explique assurément : une longue expérience avait appris que le premier était ordinairement guéri, mais le premier seul. Mais vainement chercherait-on dans la Bible et dans l'histoire chrétienne authentique un phénomène surnaturel de cette sorte. D'autre part si les eaux médicinales ont plus d'efficacité en sortant de la source, on n'est pas autorisé à restreindre cette efficacité à une seule personne. On est donc réduit à supposer que l'autorité compétente ne permettait qu'à une personne chaque fois de tenter la guérison; peut-être l'arrivée des eaux qui mettaient la piscine en mouvement se produisait-elle sur un point déterminé, où il n'y avait place que pour une personne; ou bien les autorités, moins confiantes que le vulgaire dans la vertu des eaux, voulaient-elles éviter l'encombrement et un désordre inutile? — ἵνα pour ὅς.

8) Les paroles de Jésus rappellent la guérison du paralytique dans les synoptiques, spécialement d'après la formule de Mc. qui a, lui aussi, le κράβαττος (Mc. ii, 9 ss.; Mt. ix, 5 ss.; Lc. v, 23 ss.). Loisy : « C'est la guérison du paralytique de Capharnaüm, transportée à Jérusalem, non pour le grossissement du miracle, mais pour une meilleure adaptation à la leçon symbolique » (p. 203). Autant vaudrait dire que Jo. a inventé un miracle tout exprès, car il n'y a de semblable que cette formule, très naturelle en pareil cas, et dont Jo. a pu en effet employer les termes comme traditionnels. Ce n'est pas seulement le lieu de la scène qui est différent; c'est la portée doctrinale du récit. Dans les synoptiques le scandale naît de la rémission des péchés; ici de la violation du sabbat, liée à la formule « prends ton grabat ». A Bezatha le péché n'est qu'un incident relevé après coup. Aussi Loisy finit par conclure que « c'est la combinaison, avec le paralytique de Capharnaüm, de la guérison sabbatique »... (Mc. iii, 1-6 et par.). Cela ferait bien des recherches érudites! Jo. aurait eu meilleur compte d'inventer, car son récit n'eût pas été autorisé par une allusion aussi énigmatique à deux miracles si différents. Sur une combinaison de l'exégèse postérieure, cf. Harnack, *Marcion*, p. 170* n. 24. Du point de vue de la critique, qui nous empêcherait de dire qu' « une tradition indépendante, touchant un miracle hiérosolymitain, ait été surchargée de traits empruntés aux premiers évangiles »? (contre Loisy, p. 203). La précision exceptionnelle du lieu garantit un souvenir précis.

ἆρον τὸν κράβαττόν σου καὶ περιπάτει. [9]καὶ εὐθέως ἐγένετο ὑγιὴς ὁ ἄνθρωπος, καὶ ἦρε τὸν κράβαττον αὐτοῦ καὶ περιεπάτει. ˢἮν δὲ σάββατον ἐν ἐκείνῃ τῇ ἡμέρᾳ. [10]ἔλεγον οὖν οἱ Ἰουδαῖοι τῷ τεθεραπευμένῳ Σάββατόν ἐστιν, καὶ οὐκ ἔξεστίν σοι ἆραι τὸν κράβαττον. [11]ἀπεκρίθη αὐτοῖς Ὁ ποιήσας με ὑγιῆ ἐκεῖνός μοι εἶπεν ˢἎρον τὸν κράβαττόν σου καὶ περιπάτει. [12]ἠρώτησαν αὐτόν Τίς ἐστιν ὁ ἄνθρωπος ὁ εἰπών σοι ˢἎρον καὶ περιπάτει; [13]ὁ δὲ ἰαθεὶς οὐκ ᾔδει τίς ἐστιν, ὁ γὰρ Ἰησοῦς ἐξένευσεν ὄχλου ὄντος ἐν τῷ τόπῳ. [14]Μετὰ ταῦτα εὑρίσκει αὐτὸν ὁ Ἰησοῦς ἐν τῷ ἱερῷ καὶ εἶπεν αὐτῷ Ἴδε ὑγιὴς γέγονας· μηκέτι ἁμάρτανε, ἵνα μὴ

11. rien avant απεκριθη (TV) et non ος δε (H) ou ο δε (S).
12. *om.* ουν *a.* αυτον (TH) plutôt que *add.* (SV).

9a) La guérison s'opère, l'homme en a conscience et obéit. A la différence du miracle de Capharnaüm, différence que peut-être Jo. a voulu souligner, le malade n'a pas été apporté dans son lit pour implorer un miracle, mais il y était depuis longtemps, et il n'a même pas compris d'abord que Jésus lui offrait la guérison.

9b-18. Discussion avec les Juifs sur le sabbat.

9b) La guérison du paralytique n'est pas représentée par Jo. comme un σημεῖον (II, 11; IV, 54); c'était simplement une œuvre de miséricorde (*Zahn*). Aussi avait-elle passé pour ainsi dire inaperçue, Jésus s'étant retiré aussitôt. Il n'est même pas dit que ses adversaires aient vu le miracle. Mais, comme il était naturel, le malade guéri a dû communiquer aux autres sa joie, mettre un certain temps à ramasser sa couche et ses accessoires. Or c'était un jour de sabbat.

10) Les Juifs, c'est-à-dire ceux qui représentent l'hostilité à Jésus, les chefs spirituels et temporels du peuple, comme toujours dans Jo. Ils s'adressent au délinquant, d'autant qu'ils n'ont peut-être pas entendu l'ordre qui lui a été donné. On lit dans Jérémie (XVII, 21 ss.) que le prophète avait interdit de la part de Dieu de porter des fardeaux le jour du sabbat, mais hors des portes de Jérusalem, c'est-à-dire pour des transactions commerciales, comme l'explique la mesure prise par Néhémie de fermer les portes (Neh. XIII, 9 ss.). L'acte prescrit par Jésus était beaucoup plus inoffensif. Il n'était pas assujetti à la loi du sabbat, mais elle pouvait s'entendre plus ou moins strictement. Les Pharisiens la faisaient pratiquer en toute rigueur; une jurisprudence plus douce n'était pas contraire à la Loi. Il semble que Jésus n'aurait pas ordonné au malade quelque chose qui dût paraître évidemment une transgression grave.

11) La réponse de l'homme décline la question de principe. Il s'en rapporte à l'autorité de celui qui a fait un miracle. Non qu'il ait l'intention de le desservir. Peut-être imagine-t-il, dans sa simplicité, que son raisonnement convaincra les enquêteurs. Il répète textuellement les paroles de Jésus qui l'ont frappé. — ἐκεῖνος, car Jésus est éloigné.

et marche. » [9]Et aussitôt l'homme fut guéri, et prit son grabat, et il marchait.

Or c'était un jour de sabbat. [10]Les Juifs dirent donc à celui qui venait d'être guéri. « C'est jour de sabbat, et il ne t'est pas permis d'emporter le grabat. » [11]Il leur répondit : « Celui qui m'a guéri m'a dit : Prends ton grabat et marche. » [12]Ils lui demandèrent : « Quel est l'homme qui t'a dit : Prends et marche? » [13]Or celui qui avait été guéri ne savait pas qui c'était, car Jésus s'était esquivé, la foule étant [compacte] en cet endroit. [14]Après cela Jésus le trouve dans le Temple et il lui dit : « Te voilà guéri;

Jo. pratique volontiers l'asyndeton; aussi la vraie leçon pourrait bien être απεκριθη (D etc.) avec TV, et non *prem.* ο δε (ℵ C etc.) avec S, ou ος δε (A B), avec H.

12) ὁ ἄνθρωπος, avec une nuance de dédain; cf. Pap. Berl. 1208 l. 25 (27-26 av. J.-C.) ἵνα δὲ εἰδῇς τὸ ὄρθριον (le premier haut fait), τοῦ ἀνθρώ[που (*MM*). Les Juifs ne disent pas « celui qui t'a guéri », mais répètent les termes qu'ils jugent délictueux et étranges.

13) τίς ἐστιν et non τίς ἦν (D, probablement d'après le latin *esset*) car la personnalité ne change pas. — ἐκνέω, littéralement s'échapper à la nage, d'où s'échapper, ou simplement se retirer, se mettre à l'écart (Justin, *C. Typhon*, ix, 3). L'aor. est pour notre plus-que-parfait, l'action s'étant accomplie d'un seul coup et sans laisser de suites. En effet il faut que Jésus se soit retiré dès le premier moment pour que le malade n'ait pas eu le temps de lui parler et de lui demander à qui il devait sa guérison. Pourquoi ce départ soudain? La mention de la foule peut être là pour expliquer que ce départ ne fut pas remarqué, mais plutôt encore pour en donner la raison : Jésus ne se soucie pas de se manifester devant tant de monde.

14) μετὰ ταῦτα, comme au v. 1; cette fois il semble que le délai fut très court. Mais ce n'est pas une raison pour dire avec Loisy que le paralytique avait porté son lit dans la cour du Temple. Ce savant prête une absurdité à Jo. pour conclure au symbolisme : le paralytique a porté son lit dans le Temple parce qu'il est le peuple juif dont le Temple est la maison! Nous ne savons même pas si les Juifs n'ont pas obligé le malade à laisser son lit où il était. En tout cas il ne pouvait le porter que dans sa maison discrètement, au lieu de braver l'opinion en traversant le Temple. Lui-même y est sans doute venu pour rendre grâce à Dieu. Jésus le trouve (cf. i, 41. 43) comme par hasard, mais non sans un dessein providentiel, dans le hiéron, c'est-à-dire dans l'un des parvis du Temple. La monition suppose que le péché avait causé la maladie (Sir. xxxviii, 15) et relève la connaissance surnaturelle de Jésus, qui d'ailleurs savait que ce n'est pas toujours le cas (ix, 1-3). On s'étonne que le péché soit en cause seulement à propos de ce paralytique et de celui des synoptiques (Mt. ix, 2 et parall.); mais n'est-ce pas à dessein que Jo. a évité de désigner la maladie? On ne peut

ιχεῖρόν σοί τι γένηται. [15] ἀπῆλθεν ὁ ἄνθρωπος καὶ εἶπεν τοῖς Ἰουδαίοις ὅτι Ἰησοῦς ἐστιν ὁ ποιήσας αὐτὸν ὑγιῆ. [16] καὶ διὰ τοῦτο ἐδίωκον οἱ Ἰουδαῖοι τὸν Ἰησοῦν ὅτι ταῦτα ἐποίει ἐν σαββάτῳ. [17] ὁ δὲ ἀπεκρίνατο αὐτοῖς Ὁ πατήρ μου ἕως ἄρτι ἐργάζεται, κἀγὼ ἐργάζομαι. [18] διὰ τοῦτο οὖν μᾶλλον

15. ειπεν (TH) plutôt que ανηγγειλεν (SV).
17. *om.* Ιησους *p.* ο δε (TH) ou *add.* (SV).

---

donc insister sur cette ressemblance. Il n'est pas dit que le malade était alors dans l'état de péché, comme si la guérison équivalait à la rémission des péchés. Mais il pourrait faire de sa santé un mauvais usage, comme autrefois, et encourir la réprobation dans le monde à venir; Jésus ne se préoccupe pas d'une rechute physique, mais du salut de cet homme : il est venu pour sauver (III, 17; IV, 42).

15) Si le miraculé avait voulu dénoncer Jésus ou seulement s'excuser, il aurait dit : Voilà celui qui m'a donné l'ordre de porter mon grabat. Il agit donc dans la simplicité de sa reconnaissance, tellement conscient de l'évidence du miracle, qu'il prête aux autres quelque chose de ses sentiments. Jo. a donc opposé sa gratitude à l'obstination des Juifs (*Aug.*, *Chrys.*, *Schanz*, *Loisy*, etc.). Mais alors comment cet homme pourrait-il représenter le peuple juif?

16) διὰ τοῦτο, suivi de ὅτι V, 18; VI, 65; VIII, 47; X, 17; XII, 18. 39; I Jo. III, 1. Dans la plupart des cas, il ne semble pas que διὰ τοῦτο se rapporte à ce qui précède (*Bauer*), sauf à être expliqué de nouveau par ὅτι, mais plutôt que διὰ τοῦτο se rapporte d'avance à ce qui est enfin expliqué par ὅτι, comme le prouve XV, 19, qui est dans l'ordre inverse. Dans notre cas on dirait que le καί lie nécessairement à ce qui précède, mais alors on ne sait comment expliquer les imparfaits, ἐδίωκον, ἐποίει... Loisy a dit très bien : « On peut tordre cette phrase dans tous les sens... on n'arrive pas à la faire tenir naturellement dans le cadre de l'incident rapporté, s'il ne s'agit que d'un incident. Tout va bien, si derrière la circonstance présente on voit la carrière du Christ... » (p. 207), c'est-à-dire les premières controverses synoptiques sur le sabbat (Mt. XII, 14), car il est tout à fait superflu d'ajouter — ce qui importe le plus pour Loisy : « et les débuts du christianisme poursuivi par la haine des Juifs ». Donc ici Jo. résume d'un mot le motif principal de la persécution des Juifs, un certain nombre de faits semblables (ταῦτα) que Jésus faisait (ἐποίει) le jour du sabbat, ce qui serait très naturel si le chap. V avait été à l'origine placé après le ch. VI, Dès lors le καί du début est plutôt explicatif que copulatif, aussi a-t-il été omis par la *Vg.* D'ailleurs dans la perspective du récit de Jo. cette remarque comprend naturellement le dernier incident, et met les Juifs en présence de Jésus à la façon de mécontents qui demandent compte d'un délit.

17) C'est à leur grief que Jésus répond. D'après Aug., il aurait déclaré que le sabbat n'existe plus : *Aperte ergo Dominus dicat sacramentum sabbati, et signum observandi unius diei ad tempus datum esse Judaeis; impletionem vero ipsam sacramenti in illo venisse.* Mais cette explication dépasse les termes du texte. On

ne pèche plus, de peur qu'il ne t'arrive pire. » [15] L'homme s'en alla, et dit aux Juifs que c'était Jésus qui l'avait guéri. [16] Et pour ce motif les Juifs persécutaient Jésus parce qu'il faisait de pareilles choses pendant le sabbat. [17] Mais il leur répondit : « Mon Père agit jusqu'à présent, et moi aussi j'agis. » [18] Sur quoi les Juifs cherchaient encore plus à le faire mourir, parce que non seulement

voit plus loin (VII, 19-24) que Jésus a tenu plutôt à montrer aux Juifs qu'il ne violait pas le sabbat ni la loi de Moïse. Ce doit être ici le cas. Le sabbat a été établi comme une imitation du repos de Dieu après la création (Gen. II, 1-3; Ex. XX, 11; XXXI, 17), et cependant il est certain que Dieu agit toujours (*Philon*, souvent), toute l'histoire d'Israël en est une preuve; autrement il ne serait pas le Dieu vivant. La conciliation de ces deux vérités préoccupait les sages d'Israël, en particulier Aristobule, cité par Eusèbe (*Praep. ev.* XIII, 12, 11) τὸ τὲ διασαφούμενον διὰ τῆς νομοθεσίας ἀποπεπαυκέναι τὸν θεὸν ἐν αὐτῇ, τοῦτο οὐχ, ὥς τινες ὑπολαμβάνουσιν, μηκέτι ποιεῖν τι τὸν θεὸν καθέστηκεν, ἀλλ' ἐπὶ τῷ καταπεπαυκέναι τὴν τάξιν αὐτῶν οὕτως εἰς πάντα τὸν χρόνον τεταχέναι (cf. CLÉM. AL. *Strom.* VI, XVI, *Stählin*, p. 504). — L'ordre de la création établi, il n'y avait plus qu'à le conserver. Dans *Berechit rabba* XI (*Wünsche*, p. 48), la création terminée, Dieu ne cesse pas pour cela de s'occuper des justes et des pécheurs. Mais quelle que soit la solution de cette difficulté scripturaire, le fait de l'action de Dieu prouvait que son repos ne devait pas être entendu d'une façon absolue, et par une conséquence naturelle on devait en dire autant du sabbat (*Zahn*, *Tillm.*). Il y avait lieu de distinguer entre ce qui était contraire ou conforme à l'esprit de la Loi. Or, si le Père agit jusqu'à présent, c'est-à-dire continue à agir, il en est de même du Fils.

Telle qu'elle pouvait être comprise à première vue, cette parole n'affirmait pas l'unité d'action pour le Père et le Fils, mais bien le droit pour le Fils d'agir comme le Père, droit qu'il n'hésitait pas à exercer. Jésus, comme son Père, agit, et si l'action du Père n'est point en contradiction avec le repos que lui attribue l'Écriture, l'action du Fils dans sa manière de traiter le sabbat n'est point contraire à l'esprit de cette institution. Si cette parole est profonde et mérite d'être sondée, il ne faut pas perdre de vue la parfaite simplicité des termes. Rien de métaphysique en apparence. Dieu est comparé à un ouvrier qui travaille, et son Fils, en guérissant, travaille lui aussi à sa manière, même le jour du sabbat.

En résultera-t-il l'abrogation du sabbat? Cela n'est pas dit, ni même suggéré. Mais on voit que le Fils est libre et maître. C'est une autre forme, moins précise, de la déclaration qui est dans les synoptiques : κύριος γάρ ἐστιν τοῦ σαββάτου ὁ υἱὸς τοῦ ἀνθρώπου (Mt. XII, 8 et parall.). — ἀπεκρίνατο, forme moyenne, seulement dans ce contexte (v. 19) dans Jo. — ἕως ἄρτι, « jusqu'au moment présent », (II, 10; XVI, 24; Mt. XI, 12; I Cor. IV, 13; VIII, 7; XV, 6); mais ce moment peut durer (I Jo. II, 9).

18) C'est également après les controverses sur le sabbat, spécialement après la guérison de l'homme à la main desséchée dans les synoptiques (Mt. XII, 9-14 et parall.), que les Pharisiens prennent la résolution de faire périr Jésus. Elle est mieux expliquée dans Jo., puisqu'ils le regardent comme un blasphémateur.

ἐζήτουν αὐτὸν οἱ Ἰουδαῖοι ἀποκτεῖναι ὅτι οὐ μόνον ἔλυε τὸ σάββατον ἀλλὰ καὶ πατέρα ἴδιον ἔλεγε τὸν θεόν, ἴσον ἑαυτὸν ποιῶν τῷ θεῷ. [19] Ἀπεκρίνατο οὖν ὁ Ἰησοῦς καὶ ἔλεγεν αὐτοῖς Ἀμὴν ἀμὴν λέγω ὑμῖν, οὐ δύναται ὁ υἱὸς ποιεῖν ἀφ' ἑαυτοῦ οὐδὲν ἂν μή τι βλέπῃ τὸν πατέρα ποιοῦντα· ἃ γὰρ

Ils ont très bien compris ce qui était clair dans la réponse de Jésus, qu'il nommait Dieu son Père à un titre si particulier qu'il se mettait sur le même rang que lui, ce qui pour eux était un blasphème : cf. Philon (*Leg. alleg.* I § 49) : φίλαυτος δὲ καὶ ἄθεος ὁ νοῦς οἰόμενος ἴσος εἶναι θεῷ. On voit que sa théorie du Logos ne le disposait nullement à l'idée de l'incarnation de ce Logos; on pouvait, par abus, donner au Logos de nom le Dieu; de la part d'un homme, s'égaler à Dieu, comme a fait par exemple Caligula, c'est un blasphème. C'en était un aussi pour Jo., aussi a-t-il pris soin de nous dire que le Verbe est Dieu (I, 1). — διὰ τοῦτο est expliqué par ὅτι — μᾶλλον, non pas *acriori animo* (*Schanz*), mais « encore plus pour cette autre raison », « plus qu'auparavant » cf. XIX, 8 etc. — ἴδιον ne signifie pas « son », car tout Israélite pouvait nommer Dieu son père, mais « son propre père, son père à lui », dans le sens de l'égalité. La dernière incise n'est pas une affirmation de l'évangéliste, mais ce qui fonde le grief des Juifs : pour eux, un homme qui s'égale à Dieu dit un non-sens.

19-47. Discours de Jésus.

D'après un grand nombre de critiques modernes, ce discours n'a qu'un semblant de couleur locale, « le point essentiel étant le rôle que s'attribue Jésus, c'est-à-dire la qualité du Christ johannique, défendue contre le judaïsme contemporain de l'évangéliste » (*Loisy*, p. 208). C'est peut-être faire le jeu de ces critiques, que d'interpréter le discours comme une révélation sur les relations entre les personnes divines, telles qu'un théologien pourrait les déduire du texte en prenant pour point de départ l'unité de nature entre le Père et le Fils. D'autre part il est certain qu'on ne rendrait pas compte des termes si l'on prétendait tout expliquer de l'humanité du Christ (*natura assumpta*), en tant que distincte de la nature divine ou de la personne divine du Fils.

Il faut donc s'en tenir à la situation où Jo. nous place. Jésus parle aux Juifs, et par conséquent fait allusion à tout ce qu'il a le droit de faire, non pas précisément comme homme ni comme la seconde personne de la Sainte Trinité, mais comme Fils de Dieu incarné. Il reçoit du Père sa nature divine, mais elle est unie à la nature humaine et toutes deux n'ont qu'un seul principe personnel d'action, qui est la personne du Fils, avec des circonstances dérivant de sa situation d'envoyé, et dans une nature humaine. Le Christ sait, Lui, qu'il est un avec le Père, mais il ne l'a pas dit encore ouvertement. Il parle seulement de son action, semblable à celle du Père. Au lieu de partir d'un principe pour en déduire logiquement les conséquences, il invite les Juifs à peser la portée de ce qu'il a fait et de ce qu'il fera encore, pour essayer de pénétrer quels peuvent être les rapports du Fils avec le Père.

Cette manière d'entendre le discours peut s'appuyer sur saint Cyrille d'Alexandrie, peu suspect de tiédeur sur la divinité du Christ : « Ayant donc mélangé à l'autorité et à l'éclat qui convenait au Dieu un discours en harmonie avec

il violait le sabbat, mais encore parce qu'il disait que Dieu était son propre Père, se faisant égal à Dieu. [19]Jésus répondit donc et il leur disait : « En vérité, en vérité, je vous le dis : le Fils ne peut rien faire de lui-même, s'il ne le voit faire au

l'humanité, il se dérobe au poids de leur colère, s'exprimant en quelque sorte avec plus de modestie et de condescendance qu'il ne fallait. » C'est bien un langage ἁρμόζων τῇ ἀνθρωπότητι.

Les Ariens, et avant eux Paul de Samosate, avaient abusé de ce chapitre pour affirmer l'infériorité et la subordination du Fils. Au lieu de leur répondre en faisant disparaître cette subordination par une exégèse peu littérale, nous avons préféré l'expliquer comme saint Cyrille par l'état du Fils dans une nature humaine, dans laquelle et par laquelle il accomplissait la volonté de Dieu. Au surplus les théologiens reconnaissent que certains passages doivent s'entendre de la nature humaine, tout en retenant certains autres pour qualifier les rapports du Père et du Fils dans l'éternité. Ce va-et-vient paraît contraire au naturel du discours.

Le discours est divisé en deux points. Les Juifs reprochent à Jésus de s'égaler à Dieu. Il se contente (19-30) de dire qu'il donne la vie de la même façon que Dieu, et que comme Dieu il est le juge suprême; même tout l'appareil extérieur du jugement lui est confié par Dieu. Tel qu'ils le voient, il est son envoyé, qui ne fait qu'exécuter les desseins du Père, et son rôle particulier dans le jugement (comme dans le salut) lui vient de sa nature humaine. Mais on aurait tort d'en conclure qu'il ne s'est pas donné comme égal à Dieu. Car s'il tient tout de son Père comme Fils, il a donc la même nature, et c'est, en dernière analyse, ce qui explique qu'ils agissent de même. Si les Juifs ne pénétraient pas cela, ils devaient du moins comprendre qu'il était le dispensateur de la vie éternelle et le juge, dans une communion intime avec le Père et comme son égal.

Dans une seconde partie (31-47), Jésus justifie ses affirmations par l'harmonie de ses œuvres avec le témoignage du Père dans l'Écriture.

19-30. *Le Fils fait ce que fait le Père.*

19) ἀπεκρίνατο n'indique pas que Jésus répond par un discours dogmatique à des gens qui veulent le tuer (*Loisy*). Ce mot reprend le v. 17, comme un développement et une explication. Jésus voit la mauvaise impression produite par sa parole, les sentiments de haine qu'elle a fait naître; il s'attache, autant qu'il est en lui, à montrer qu'il n'a rien dit qui ne répondît à la réalité de sa mission. Il ne rétracte rien, car sa conduite est précisément celle qui convient au Fils, par rapport au Père. La question du sabbat a servi de point de départ, mais elle cède la place à une question plus haute, celle du droit de Jésus d'agir et de parler comme il le fait.

— La seconde partie du verset n'est qu'une manière différente d'affirmer la proposition du v. 17, mais avec une nuance d'apologie. Le Fils ne dépasse pas ses pouvoirs en agissant ainsi, puisqu'il ne fait rien de sa propre initiative (ἀφ' ἑαυτοῦ), mais seulement ce qu'il voit faire au Père. Dans les choses humaines, un fils pourrait excéder en faisant ce qu'il voit faire à son père; il

ἂν ἐκεῖνος ποιῇ, ταῦτα καὶ ὁ υἱὸς ὁμοίως ποιεῖ. [20] ὁ γὰρ πατὴρ φιλεῖ τὸν υἱὸν καὶ πάντα δείκνυσιν αὐτῷ ἃ αὐτὸς ποιεῖ, καὶ μείζονα τούτων δείξει αὐτῷ ἔργα, ἵνα ὑμεῖς θαυμάζητε. [21] ὥσπερ γὰρ ὁ πατὴρ ἐγείρει τοὺς νεκροὺς καὶ ζωοποιεῖ, οὕτως καὶ ὁ υἱὸς οὓς θέλει ζωοποιεῖ. [22] οὐδὲ γὰρ ὁ πατὴρ κρίνει

n'en est pas ainsi du Fils de Dieu, ce qui suppose qu'il est l'égal de son Père. Étant Fils cependant, l'initiative ne lui appartient pas. Parole mystérieuse, qui paraît justifiée par la situation particulière du Fils incarné, d'autant plus que celui qui parle a dit : « Ma nourriture est de faire la volonté de celui qui m'a envoyé » (IV, 34). On ne peut en déduire, semble-t-il, sans faire appel à d'autres principes, que l'action du Fils est essentiellement l'action du Père. Cependant ὁμοίως ne veut pas dire : « de la même manière », comme ferait un disciple imitateur, mais plutôt « aussi bien » (Jo. VI, 11; XXI, 13) « également, » « semblablement » : c'est-à-dire, *positis ponendis :* le Père conserve le monde; le Fils dans l'état d'incarnation guérit par exemple le jour du sabbat et fait les œuvres que lui indique la pratique du Père. Il n'était donc pas légitime d'en déduire avec les Ariens que le Fils, comme tel, avait appris de son Père à la manière d'un disciple, en soutenant à la suite de Philon la distinction des natures, puisque le Père sert de modèle à son Logos : τοῦτον μὲν γὰρ πρεσβύτατον υἱὸν ὁ τῶν ὅλων ἀνέτειλε πατήρ, ὃν ἑτέρωθι πρωτόγονον ὠνόμασε, καὶ ὁ γεννηθεὶς μέντοι, μιμούμενος τὰς τοῦ πατρὸς ὁδούς, πρὸς παραδείγματα ἀρχέτυπα ἐκείνου βλέπων ἐμόρφου τὰ εἴδη (de *conf. ling.* § 63; M. I, 414). — Bauer cite Aristide (Discours sur Athéné, or. XXXVII, 6) οὕτως δ' ἔστιν αἰδέσιμος τῷ πατρὶ καὶ πάντων κεκοινώνηκε... 28 ὁπότ' ἔξεστι τὰ τοῦ Διὸς ἔργα κοινὰ τοῦ Διὸς εἶναι φῆσαι καὶ τῆς Ἀθηνᾶς. L'idée du rhéteur (né en 129 ap. J.-C.) est que Zeus a tellement favorisé Athéna qu'elle est, pour ainsi dire, la vertu de Zeus, à laquelle on peut attribuer les œuvres de Zeus. S'il y a là plus qu'une figure de rhétorique, il faut y voir un progrès de la fusion des dieux dans une grande force plus ou moins personnelle, plus ou moins mêlée au monde.

20) Le v. 19 supposait déjà que ce que le Père fait est connu du Fils. Il nous est dit maintenant que cette ouverture provient de l'amour du Père pour le Fils. Plus haut (III, 35) l'évangéliste avait déjà parlé de cet amour du Père pour le Fils, raison de lui tout donner. Ici c'est la raison de lui montrer tous les secrets, et, comme le thème est l'action divine, spécialement de lui montrer tout ce que le Père fait lui-même. La confiance justifie les confidences; elles coulent de source dans l'affection; sans même y prendre garde, celui qui aime se plaît aussi à dire tout ce qu'il fait. Ce ne sont pas des rapports de maître à élève, mais l'abandon de l'amour. — On ne saurait, en saine théologie (*Thomas*), regarder l'amour du Père pour le Fils comme la raison de la génération du Fils ; pour rester dans ce domaine éternel, il faut recourir à des subtilités qui s'éloignent du texte. Le plus simple est donc d'entendre le Fils du Verbe Incarné, non pas pour sa nature humaine précisément, mais en raison de la dépendance acceptée par le Fils du fait de l'Incarnation (même *Schanz*).

Entre les deux parties du verset, il est sous-entendu que le Fils agit selon ce que lui montre son Père : c'est ainsi que déjà il a fait des miracles. Mais le

Père; car ce que fait celui-ci, le Fils le fait pareillement. [20]Car le Père aime le Fils, et il lui montre tout ce qu'il fait, et il lui montrera des œuvres plus grandes que celles-ci, de sorte que vous soyez dans l'étonnement. [21]En effet, de même que le Père ressuscite les morts et [les] fait vivre, ainsi le Fils fait vivre qui il veut. [22]Si bien

Père lui montrera, et par conséquent il fera des œuvres plus grandes, comme Jésus l'avait annoncé à Philippe (I, 50 s.). Ces œuvres, destinées à faire naître la foi (II, 11), n'auront pas toujours ce résultat : les Juifs (ὑμεῖς) seront bien obligés de s'en étonner, d'en être frappés, mais Jésus aurait voulu davantage; aussi ἵνα exprime-t-il ici le résultat, plutôt que la finalité. Cet étonnement, plutôt de la stupeur que de l'admiration, suppose que les œuvres auront un caractère d'évidence, comme les miracles, ce qui n'exclut pas l'action spirituelle dans les âmes, le changement des mœurs, qu'on peut aisément constater.

21-23. Ces trois versets expliquent quelles sont ces choses plus grandes : c'est le pouvoir de vivifier et de juger. Ce double pouvoir oblige à honorer le Fils comme le Père, car il est trop essentiellement divin pour être délégué à un homme. C'est comme une sorte de sommaire dont les deux idées seront reprises en expliquant quel est déjà le rôle du Fils dans la résurrection spirituelle (24-26), et ce qu'il sera lors de la résurrection générale et du jugement (28 29), le v. 27 étant un verset de transition.

21) La première chose que le Fils doit opérer, c'est de rendre la vie aux morts. Est-ce dans le sens physique, comme la résurrection de Lazare ou la résurrection générale, ou bien le passage de la mort spirituelle à la vie? Les termes sont sans doute généraux à dessein, de manière à comprendre aussi la résurrection spirituelle. Il en sera question plus loin (24), puis plus explicitement de la résurrection générale des corps (28). On trouve dans l'A. T. la même manière de parler vaguement du pouvoir souverain de Dieu sur la vie (Dt. XXXII, 39; I Regn. II, 6; Tobie XIII, 2), soit qu'il guérisse ceux qui touchent déjà aux portes de la mort, comme souvent dans les Psaumes, soit qu'il doive ressusciter réellement des morts (Is. XXVI, 19; Dan. XII, 2), ou que la résurrection soit le symbole de la guérison spirituelle d'Israël (Os. VI, 2; Ez. XXXVII, 1-14). Le Père a donc ce pouvoir souverain, et le Fils l'a aussi : ζωοποιεῖ, qui comprend l'acte antécédent de faire lever (ἐγείρει) les morts, insiste moins sur la résurrection physique, et prépare ce qui suit. — οὓς θέλει marque bien le pouvoir souverain du Fils, non point pour l'égaler au Père dans l'initiative ou pour marquer l'indépendance par rapport au Père, mais « ceux qu'il veut », par son libre choix, comme ferait le Père. Il n'est pas dit que chacun d'eux ressuscite ceux qu'il veut, ni expressément que leur action soit la même. D'après ce qui suit, le Fils incarné fera dans l'humanité (cf. VI, 37) ce que la religion attribuait à Dieu.

22) La perspective de la résurrection évoque la pensée du jugement. La fonction de juge de l'humanité n'est pas moins divine que celle de donner la vie (Ps. LXXX, 8; LXXXII, 8, etc.) : donc on doit rendre au Fils les mêmes honneurs qu'au Père; les lui refuser sous prétexte qu'il n'est qu'un délégué serait offenser

οὐδένα, ἀλλὰ τὴν κρίσιν πᾶσαν δέδωκεν τῷ υἱῷ, [23] ἵνα πάντες τιμῶσι τὸν υἱὸν καθὼς τιμῶσι τὸν πατέρα. ὁ μὴ τιμῶν τὸν υἱὸν οὐ τιμᾷ τὸν πατέρα τὸν πέμψαντα αὐτόν. [24] Ἀμὴν ἀμὴν λέγω ὑμῖν ὅτι ὁ τὸν λόγον μου ἀκούων καὶ πιστεύων τῷ πέμψαντί με ἔχει ζωὴν αἰώνιον, καὶ εἰς κρίσιν οὐκ ἔρχεται ἀλλὰ μεταβέβηκεν ἐκ τοῦ θανάτου εἰς τὴν ζωήν. [25] ἀμὴν ἀμὴν λέγω ὑμῖν ὅτι ἔρχεται ὥρα καὶ νῦν ἐστιν ὅτε οἱ νεκροὶ ἀκούσουσιν τῆς φωνῆς τοῦ υἱοῦ τοῦ θεοῦ καὶ οἱ ἀκούσαντες ζήσουσιν. [26] ὥσπερ γὰρ ὁ πατὴρ

25. ακουσουσιν (HT) plutôt que ακουσωσι (S) ou ακουσονται (V).

---

le Père qui l'a envoyé, car le Fils n'est pas le ministre du Père, mais son égal, quoiqu'il tienne le jugement de lui. — Tel doit bien être le sens des deux versets, qu'on ne peut guère entendre seulement d'un discernement (κρίσις) en vue de la vie spirituelle. Le Fils étant dès à présent investi des pouvoirs de juge, c'est dès à présent qu'on devrait lui rendre honneur.

— οὐδὲ γάρ est difficile. Ce ne peut être : « il ne juge pas non plus », puisque le Père vivifie. Il semble que le γάρ est parallèle à celui du v. 21. Car de même que le Père vivifie, de même le Fils vivifie. On s'attend à : Car aussi, de même qu'il juge, de même le Fils juge. Mais ce n'est pas ce qu'il fallait dire, puisque le Père ne juge pas, mais remet tout le jugement au Fils. La phrase étant négative, οὐδέ remplace ὥσπερ. Il s'agit toujours des œuvres que Dieu montre au Fils pour qu'il les fasse, seulement on ne saurait dire du jugement que le Père le fait le premier : donc : « mais d'autre part, comme il ne juge pas, il a donné », etc. On verra plus loin que néanmoins, même dans le jugement, le Fils n'a pas l'initiative (30). — πᾶσαν tout ce qui regarde le jugement ou peut ressortir au jugement (cf. Mt. vii, 22. 23; xvi, 27; xxiv, 37-51 ; xxv, 31-46; Act. x, 42, etc.).

23) La première partie du v. pourrait encore être en situation, Jésus marquant pour l'avenir que le Fils doit recevoir un culte égal au Père. Mais la deuxième partie suppose que actuellement il en est qui n'honorent pas le Fils, c'est-à-dire ne lui rendent pas le culte divin : ceux-là doivent savoir qu'en agissant ainsi ils ne rendent pas à Dieu le culte qui lui est dû, à ce Dieu qui a envoyé le Fils.

24) Cf. iii, 17. Le v. se soude pour le sens au v. 21; il développe la doctrine johannine par excellence, mais dont on ne doit pas douter qu'elle a été proposée par Jésus, avec une force d'affirmation particulière. Celui qui croit a déjà la vie en lui, et par conséquent il a passé de la mort à la vie sans avoir à redouter le jugement comme s'il était accusé. — Quand Jésus parle, Dieu enseigne en lui : celui qui croit, par l'adhésion de toute son âme, a déjà la vie éternelle, c'est-à-dire une vie que le Fils lui a donnée; il n'est donc pas dans la situation de ceux qui sont traînés en justice, εἰς κρίσιν ἄγεσθαι (Ditt. *Or. graec.* 669, l. 39, 1 av. J.-C. dans *MM*). Par l'acte de foi, celui qui était mort reçoit la vie ; la métaphore (μεταβαίνειν) implique un passage du séjour des morts à celui des vivants. Même mot dans I Jo. iii, 14, où la charité remplace la foi, tant il est vrai que la foi ici nommée comprend la charité. La résurrection spirituelle était déjà insinuée dans Lc. xv, 32. — Cf. Philon, *de Poster. Caini* § 43; M I p. 234 οὓς γὰρ ὁ θεὸς

que le Père ne juge personne, mais il a remis au Fils le jugement tout entier, [23]afin que tous honorent le Fils comme ils honorent le Père. Qui n'honore pas le Fils n'honore pas le Père qui l'a envoyé. [24]En vérité, en vérité je vous le dis : celui qui écoute ma parole et qui croit en celui qui m'a envoyé a la vie éternelle, et il n'est pas mis en jugement, mais il a passé de la mort à la vie. [25]En vérité, en vérité je vous le dis : l'heure vient, et c'est maintenant, où les morts entendront la voix du Fils de Dieu, et ceux qui l'auront écoutée vivront. [26]Car de même que le Père a la vie en lui, ainsi

εὐαρεστήσαντας αὐτῷ μετεβίβασε καὶ μετέθηκε ἐκ φθαρτῶν εἰς ἀθάνατα γένη, παρὰ τοῖς πολλοῖς οὐκέθ' εὑρίσκονται (*Bauer*); mais il s'agit dans Philon du passage physique à l'immortalité (à propos d'Hénoch).

25) Ce v. parle encore (*Aug.* etc.) de la résurrection spirituelle. Déjà l'œuvre est commencée, καὶ νῦν ἐστιν, ce qu'on ne peut entendre ni de la résurrection générale, ni de celle de Lazare. Les morts sont ceux qui étaient dans le domaine de la mort. La voix du Fils est la prédication de Jésus. Ce ne sont pas tous ces morts spirituels qui entendent cette voix comme il faut tous entendent, mais seulement ceux qui ont entendu de la bonne façon vivront; même manière de donner deux sens à ἀκούειν dans Mt. XIII, 13. Ce double sens est souligné par l'article devant ἀκούσαντες; l'article est en effet un indice que tous n'entendront pas de la même façon, et par conséquent ce n'est pas ici le thème du jugement dernier (contre *Zahn*).

26) On pourrait estimer que pour la première fois dans ce discours, il est question de l'origine éternelle du Fils par rapport au Père. Nous ne l'avons pas reconnue, malgré l'autorité d'Augustin, dans les mots « voir » et « montrer » (19-20), mais le mot « donner la vie » paraît très clair dans ce sens, et rappelle I, 4. Le logos qui avait la vie serait ici le Fils qui la reçoit de son Père dans l''éternité. Nous n'osons rejeter ce sens à cause de l'autorité de quelques Pères, quoiqu'on puisse alléguer qu'ils ont cherché partout des arguments contre l'Arianisme, mais il nous semble que Cyrille d'Al. a plus justement entendu ces mots du Verbe incarné dans le contexte présent, — si vrais qu'ils soient en eux-mêmes du Verbe (I, 4). Jusqu'à présent c'est Jésus qui parle, et il établit son droit à donner la vie, parce qu'il la tient du Père, et aussi à juger, parce qu'il en a reçu le pouvoir comme homme : tout cela se tient (*Mald., Schanz, Calmes*). — ἔδωκεν tout court indiquerait bien la génération divine; mais ἔδωκεν ἔχειν s'entend mieux d'une qualité destinée à être communiquée à d'autres. Ce verset explique pourquoi le Fils donne la vie : c'est qu'il l'a reçue pour l'avoir en lui comme elle est dans le Père, et comme une source pour les autres. Euthymius ἔχει ζωὴν ἐν ἑαυτῷ ἀντὶ τοῦ πηγάζει (cité par *Mald.*).

Comme le Père est source de vie envers le Fils, — le Fils dans sa mission, comme envoyé par le Père, pourra donner la vie. Le premier don, comme dit Maldonat, est l'union hypostatique *eo ipso, quod homo ille factus est Deus, omnem quam Deus habebat postestatem naturaliter habuit.*

ἔχει ζωὴν ἐν ἑαυτῷ, οὕτως καὶ τῷ υἱῷ ἔδωκεν ζωὴν ἔχειν ἐν ἑαυτῷ· [27] καὶ ἐξουσίαν ἔδωκεν αὐτῷ κρίσιν ποιεῖν, ὅτι υἱὸς ἀνθρώπου ἐστίν. [28] μὴ θαυμάζετε τοῦτο, ὅτι ἔρχεται ὥρα ἐν ᾗ πάντες οἱ ἐν τοῖς μνημείοις ἀκούσουσιν τῆς φωνῆς αὐτοῦ [29] καὶ ἐκπορεύσονται οἱ τὰ ἀγαθὰ ποιήσαντες εἰς ἀνάστασιν ζωῆς, οἱ τὰ φαῦλα πράξαντες εἰς ἀνάστασιν κρίσεως. [30] Οὐ δύναμαι ἐγὼ ποιεῖν ἀπ' ἐμαυτοῦ οὐδέν· καθὼς ἀκούω κρίνω, καὶ ἡ

28. cf. 25.
29. *om.* δε *a.* φαυλα (TH) ou *add.* (SV).

---

27) Il n'y pas de raison pour mettre un point avant ce verset (TSV); un point en haut (H) suffit largement, comme a compris Cyr. : δέδωκέ μοι τὸ δύνασθαι ζωογονεῖν ὁ Πατὴρ, δέδωκέ μοι τὸ κρίνειν ἐπ' ἐξουσίας. — κρίσιν ποιεῖν, c'est prononcer le jugement, ce jugement auquel ne sont pas conduits comme accusés ceux qui ont déjà reçu la vie. Ce sera donc par le fait un jugement de condamnation, la fonction austère de celui qui n'est pas venu pour juger, mais pour sauver (III, 17). La même opposition parallélique entre la vie et le jugement se retrouvera au v. 29. Malgré ce parallélisme, la clause ὅτι υἱὸς α. ἐστίν se rapporte spécialement au jugement. L'acte de vivifier est un acte du Fils comme Dieu, le pouvoir de juger est le terme de la carrière du Fils devenu vraiment un fils d'homme. L'expression des synoptiques est ὁ υἱὸς τοῦ ἀνθρώπου : l'absence des deux articles atténue le caractère messianique de l'expression, et insiste sur l'humaine nature (cf. *Comm.* Mc. p. CXXXV). Pourquoi? Probablement parce que le jugement est le dernier acte de l'histoire de l'humanité rachetée par le Christ. C'est à celui qui était mort pour la sauver qu'il appartenait de juger ceux qui auraient rejeté le salut. Ou bien est-ce pour fermer la bouche aux pécheurs en leur imposant le jugement d'un homme? Dieu, infiniment parfait, trouverait des taches en ses anges. Un homme sera, selon notre manière de parler, plus enclin à l'indulgence, cf. Heb. IV, 15. On ne saurait admettre l'explication de Cyr. (*Zahn*) : il a reçu la vie et le pouvoir, parce qu'il ne les avait pas étant homme : τὴν αἰτίαν εὐθὺς τοῦ δεδέχθαι λέγειν ἑαυτὸν ἐξηγούμενος τὴν οὐδὲν ἔχουσαν ἐξ ἑαυτῆς ἀνθρωπότητα. La pensée serait banale, car Cyrille ne voulait pas dire qu'un homme comme tel a reçu et exercé ces dons. C'est ce que soutenait Paul de Samosate, et c'est pour écarter ce sens que Chrys. et les Antiochiens ont rattaché cette clause à ce qui suit; précaution qui n'était pas nécessaire et qui changeait la ponctuation naturelle.

28) Jésus remarque sans doute chez ses auditeurs un étonnement peu sympathique, cf. III, 7. De quoi s'étonnaient-ils? La guérison du paralytique est trop éloignée, ce qui regarde le fils de l'homme est trop spécial. On peut hésiter entre le contenu du v. 27 (*Aug., Mald., Schanz*) et tout l'ensemble de 19-27 (*Zahn*). La question doit être résolue d'après l'analogie de III. 7 : τοῦτο doit être la proposition principale qu'il s'agit d'expliquer ou de dépasser : or cette proposition est celle du v. 25, la dernière qui ait été solennellement affirmée : Vous vous étonnez que le Fils fasse entendre sa voix aux morts (spirituels), de

a-t-il donné au Fils d'avoir la vie en lui ; [27] et il lui a remis le pouvoir de juger, parce qu'il est un fils d'homme. [28] Ne vous étonnez pas de ceci, car l'heure vient où tous ceux qui sont dans les tombeaux entendront sa voix, [29] et ils sortiront : ceux qui auront fait le bien pour une résurrection de vie, ceux qui auront pratiqué le mal pour une résurrection de jugement. [30] Je ne puis rien faire de moi-même : selon que j'entends, je juge, et mon jugement est juste,

sorte que quelques-uns l'entendent comme il faut. Il y aura plus étonnant quand tous les morts entendront cette voix, etc. En contraste avec μὴ θαυμάσῃς (III, 7) il y a ici μὴ θαυμάζετε « ne vous étonnez pas comme vous faites », car il y aura mieux. La résurrection physique n'étant pas commencée comme celle des âmes, Jésus ne répète pas καὶ νῦν ἐστιν, qu'il ne faut pas sous-entendre. Ce qu'il y a d'étonnant, ce n'est pas la résurrection de la chair, à laquelle croyaient les Juifs, mais qu'elle se produise à la voix du Fils, qui appartient, comme ils le voient, à la nature humaine.

29) Si l'on était tenté d'expliquer le v. 28 de la résurrection spirituelle, le doute cesserait ici. Ce sont bien là les fins dernières de l'humanité, le jugement sans appel sur les bonnes et les mauvaises actions. On a vu une sorte d'antinomie entre les deux doctrines de la résurrection spirituelle et de la résurrection physique, comme si la première avait supplanté la seconde dans l'esprit de Jo. Loisy regarde les vv. 28 et 29 comme une addition postérieure. En fait les deux notions se complètent. La vie spirituelle du croyant est déjà le commencement de la vie éternelle, mais elle n'empêche pas la mort du corps. A la fin des temps, le corps ressuscité sera associé à cette vie. L'harmonie est telle entre le v. 24 et le v. 29, que les justes ne sont pas, à proprement parler, soumis au jugement : ils vont à la vie ; les autres ressuscitent pour être jugés.

Le gén. κρίσεως est moins naturel que le gén. ζωῆς, où la résurrection vient de la vie et complète la vie, tout en conduisant à la vie ; d'après ἀνάστασις εἰς ζωήν (II Macch. VII, 14), on s'attendrait à εἰς κρίσιν : mais le parallélisme a amené la même tournure.

Comme dans Mt. XXV, le discernement porte sur les bonnes et les mauvaises actions. C'est le criterium traditionnel le plus large. Il va sans dire que ceux qui ne veulent pas croire s'excluent du salut (III, 36).

— Sur la foi des Juifs contemporains à la résurrection du corps, cf. *Le Messianisme...* p. 176-185.

30) Ce verset termine la première partie du discours par une *inclusio* caractérisée.

Οὐ δύναμαι correspond à οὐ δύναται (19), dans le même sentiment du Fils incarné, qui désormais parle à la première personne. Seulement le discours s'est spécialisé. Au début c'était l'action du Père qui servait de modèle ; le Fils agissait selon qu'il voyait. Maintenant que le Fils est juge, il se conforme au jugement qu'il entend prononcer par le Père. C'est toujours cet accent de modestie et de dépendance proportionné à la nature humaine, souligné par

κρίσις ἡ ἐμὴ δικαία ἐστίν, ὅτι οὐ ζητῶ τὸ θέλημα τὸ ἐμὸν ἀλλὰ τὸ θέλημα τοῦ πέμψαντός με [31] Ἐὰν ἐγὼ μαρτυρῶ περὶ ἐμαυτοῦ, ἡ μαρτυρία μου οὐκ ἔστιν ἀληθής· [32] ἄλλος ἐστὶν ὁ μαρτυρῶν περὶ ἐμοῦ, καὶ οἶδα ὅτι ἀληθής ἐστιν ἡ μαρτυρία ἣν μαρτυρεῖ περὶ ἐμοῦ. [33] ὑμεῖς ἀπεστάλκατε πρὸς Ἰωάννην, καὶ μεμαρτύρηκε τῇ ἀληθείᾳ· [34] ἐγὼ δὲ οὐ παρὰ ἀνθρώπου τὴν μαρτυρίαν λαμβάνω, ἀλλὰ ταῦτα λέγω ἵνα ὑμεῖς σωθῆτε. [35] ἐκεῖνος ἦν ὁ λύχνος ὁ καιόμενος καὶ φαίνων, ὑμεῖς δὲ ἠθελήσατε ἀγαλλιαθῆναι πρὸς

Cyrille. Les Juifs savaient que le jugement appartenait à Dieu : qu'ils ne s'étonnent pas; c'est bien Dieu qui juge, puisque le fils de l'homme ne fait que se conformer à sa volonté. Le ton extrêmement humble de ce verset, où n'apparaît plus que l'envoyé de Dieu exécuteur de la volonté de celui qui l'a envoyé est sûrement une raison d'entendre aussi le v. 26 du Fils incarné, plutôt que de sa génération éternelle.

31-47. *Témoignage rendu à Jésus par le Père dans les Écritures.*

Tandis que dans la première partie Jésus a parlé de lui-même à la troisième personne sous le nom de Fils, il dit « je », comme il avait commencé de faire au v. 30. Les idées se suivent aisément, mais avec quelques incises. Jésus a le témoignage d'un autre que lui-même (31-32), dont on comprendra plus loin que c'est son Père. Ce n'est pas Jean, dont le témoignage était subordonné (33-34). — Incidente sur le rôle de Jean et l'attitude des Juifs à son égard (35). — Un témoignage plus fort est celui des œuvres de Jésus (36), et celui du Père (37). — Attitude des Juifs vis-à-vis du témoignage du Père (38.) Et cependant il est contenu dans les Écritures (39). — Incidente sur les mauvaises dispositions des Juifs (40-44). C'est par les Écritures elles-mêmes et par Moïse qu'ils seront confondus (45-47).

31) Dans VIII, 14, Jésus revendiquera énergiquement la valeur de son propre témoignage, qui en effet, pour nous, est le plus décisif. Mais au point où il en était, discutant pour la première fois avec les Juifs sur les preuves de sa mission comme envoyé de Dieu au titre unique de Fils, il accepte le principe qu'ils énonceront plus loin (VIII, 13), et qui est d'ailleurs généralement reçu. — Bauer cite Démosthène c. Steph. (non authentique) II, 9 μαρτυρεῖν γὰρ οἱ νόμοι οὐκ ἐῶσιν αὐτὸν αὑτῷ. Cicéron, *pro Roscio* XXXVI, 108, applique cette règle même à Scipion l'Africain.

32) Mais c'est un autre qui témoigne. Ce ne peut être Jean-Baptiste (*Chrys.*) à cause du v. 34. Il faut donc que ce soit déjà le Père (*Aug. Cyr.* opinion commune), dont le témoignage apparaît ici comme un premier rayon, pour éveiller l'attention. — La leçon οἴδατε (T) dans אD *e a q syrcur.* a sûrement remplacé οἶδα comme beaucoup plus facile. On ne comprend pas au premier abord comment après le v. 31 Jésus en appelle à sa propre connaissance des choses (*Zahn*). Mais on voit plus loin qu'en réalité les Juifs ne reçoivent pas le témoignage du Père. En attendant de préciser en quoi consiste ce témoignage et quelle est sa valeur, Jésus pouvait bien dire qu'il en avait une claire conscience; ce n'est pas témoigner pour soi-même en sa faveur, mais affirmer qu'on est sûr d'être sou-

parce que je ne recherche pas mon vouloir, mais le vouloir de celui qui m'a envoyé.

[31] Si c'est moi qui me rends témoignage à moi-même, mon témoignage n'est pas véridique; [32] c'est un autre qui me rend témoignage, et je sais que le témoignage qu'il me rend est véridique. [33] Vous avez envoyé auprès de Jean, et il a rendu témoignage à la vérité; [34] pour moi je ne me prévaux pas du témoignage d'un homme, mais ce que j'en dis est pour que vous soyez sauvés. [35] [Jean] était la lampe qui brûle et qui luit : vous avez voulu vous réjouir un

tenu par un témoignage décisif. Ce témoignage est toujours rendu et a une valeur permanente (μαρτυρεῖ au présent).

33) Au contraire le témoignage du Baptiste est au passé. Il y a une antithèse entre ὑμεῖς ici et ἐγώ au v. suivant. Vous étiez disposés à vous contenter du témoignage de Jean; moi je suis plus difficile en ma propre cause, mais je puis vous l'opposer puisque vous avez montré votre confiance en lui par votre ambassade; et il a rendu un témoignage dont l'expression appartient au passé, mais qui demeure (μεμαρτύρηκεν, le parfait); cf. XVIII, 37; III Jo. 3. L'allusion à l'ambassade est là pour prouver que les Juifs acceptaient le message de Jean; dans cette occasion il n'a pas désigné Jésus ouvertement; mais Jo. a bien le droit de se référer tacitement aux autres affirmations du Baptiste, entre autres I, 29-34, sans parler de son discours à ses disciples (III, 27-30).

34) Plusieurs ont essayé d'atténuer la première partie de cette déclaration (*Cyr. Mald.*). ne pouvant comprendre comment le témoignage du Précurseur, ordonné dans les desseins de Dieu, n'avait pas une valeur décisive (cf. I, 7). A l'autre extrême, Calmes a compris : Je vous donne cet avertissement dans votre intérêt, qui est de ne pas attribuer trop d'importance au témoignage de Jean. Il semble que la vérité soit cette fois encore une opinion moyenne. En rigueur, aucun témoignage humain ne suffit à prouver la mission du Christ; du moins il refuse de s'appuyer sur lui, non seulement pour sa conviction personnelle, ce qui est bien évident, mais comme argument dont dépendra la foi en sa mission. Cependant le témoignage de Jean n'était pas sans valeur. Jésus le rappelle dans l'intérêt spirituel des Juifs. Il mettait vraiment sur la voie, il conduisait à la foi, qui ne doit reposer en dernière ligne que sur l'autorité du Père (cf. *Schanz, Kn., Loisy*, etc.). — λαμβάνω n'est donc pas : je n'ai pas besoin du témoignage de Jean, je pourrais m'en passer (*Mald.*), mais positivement : je ne m'en sers pas. — ταῦτα ce qui regarde Jean au v. 33, et non mon refus du témoignage humain (*Calmes*).

35) Comme dans Mt. et Lc., Jésus parle honorablement du Baptiste. Il n'était pas la lumière; nous le savions déjà (I, 8). Mais dans la nuit, avant que le soleil se lève, on est bien aise d'avoir une lampe, ὁ λύχνος avec l'article, la lampe dont on se sert en pareil cas. L'imparfait ἦν indique que Jean était déjà mort. καιόμενος καὶ φαίνων, marquent la chaleur et la lumière, et non simplement que la lampe ayant été allumée brillait, ce qui serait ἡμμένος (cf. Lc. VIII, 16); il faut donc comparer σέλας καιομένοιο πυρός (*Iliade* XIX, 376). C'est une allusion au zèle

ὥραν ἐν τῷ φωτὶ αὐτοῦ· [36]ἐγὼ δὲ ἔχω τὴν μαρτυρίαν μείζων τοῦ Ἰωάννου, τὰ γὰρ ἔργα ἃ δέδωκέν μοι ὁ πατὴρ ἵνα τελειώσω αὐτά, αὐτὰ τὰ ἔργα ἃ ποιῶ, μαρτυρεῖ περὶ ἐμοῦ ὅτι ὁ πατήρ με ἀπέσταλκεν, [37]καὶ ὁ πέμψας με πατὴρ ἐκεῖνος μεμαρτύρηκεν περὶ ἐμοῦ. οὔτε φωνὴν αὐτοῦ πώποτε ἀκηκόατε οὔτε εἶδος αὐτοῦ ἑωράκατε, [38]καὶ τὸν λόγον αὐτοῦ οὐκ ἔχετε ἐν

36. μειζων (S) et non μειζω (HTV).
37. εκεινος (TH) ou αυτος (SV).

---

brûlant du Baptiste pour la pénitence, en même temps qu'à la révélation qu'il avait communiquée sur le Christ. Sur cette comparaison, cf. II Regn. XXI, 17; II Petr. I, 19. Spécialement à propos d'Élie, type de Jean (Lc. I, 17; Mt. XVII, 11 s.; Mc. IX, 11 s.), dans Sir. XLVIII, 1 καὶ ἀνέστη Ἠλίας προφήτης ὡς πῦρ, καὶ ὁ λόγος αὐτοῦ ὡς λαμπὰς ἐκαίετο. — Ce n'est pas sans dessein que Jésus ne parle plus ensuite de la chaleur de la flamme, mais seulement de la lumière. Cette lumière a attiré les Juifs; ils s'en sont approchés avec joie, espérant qu'elle annonçait le réveil de leurs espérances. Mais leur joie a été de courte durée, πρὸς ὥραν, cf. II Cor. VII, 8; Gal. II, 5; Philem. 15. Ils n'ont pas laissé à cette parole ardente le temps de les pénétrer intérieurement; ils y ont pris plaisir un moment, puis ils ont pensé à autre chose.

36) De même que dans Mt. (XI, 5) et Lc. (VII, 22), l'hommage rendu au Baptiste est en contact avec le témoignage que ses propres œuvres rendent au Christ; parmi ces œuvres la résurrection des morts est indiquée dans les deux synoptiques, et aussi la bonne nouvelle annoncée aux pauvres. Ici les œuvres ne sont pas énumérées, c'est toute la mission du Christ. En effet τελειοῦν est plus qu'accomplir, c'est conduire au terme, achever et parachever; cf. IV, 34; XVII, 4. Avec ce parti pris de dépendance envers le Père, si caractéristique de tout le discours, et en même temps d'action propre, Jésus dit que ces œuvres lui ont été données, et cependant qu'il les fait. C'est la vraie preuve qu'il a été envoyé par son Père. Le fondement de l'argumentation est dans l'opinion reçue de tous : tant valent les œuvres, tant vaut l'homme. — μείζων est à l'accusatif, comme il est évident; le ν ajouté librement et sans raison par l'usage hellénistique (MOULTON, *Prol.* 49) a été supprimé pour la correction par quelques mss. La construction μείζων τοῦ Ἰωάννου signifierait à la lettre que Jésus est mieux attesté que Jean (*Zahn*, *Bauer*). Mais la comparaison est plutôt entre le témoignage de Jean et celui des œuvres (γάρ). C'est donc la comparaison abrégée (cf. Mt. V, 20), bien connue même des classiques (cf. *RB.* 1911, p. 83).

37) Le témoignage du Père n'est pas celui qu'il a rendu à Jésus au baptême, car il ne se trouve pas mentionné expressément dans Jo., si ce n'est comme contenu dans le témoignage du Baptiste (I, 32-34). D'ailleurs le contexte suivant montre bien qu'il s'agit des Écritures (*Schanz*, *Zahn*, etc. après *Cyr.*). Ce qui suit est difficile. Le contexte semble indiquer : « mais ce témoignage du Père, vous ne l'avez pas compris ». Cette idée est exprimée d'abord par deux négations : vous n'avez jamais entendu la voix du Père et vous ne l'avez jamais vu.

moment à sa lumière; [36] mais j'ai un témoignage plus grand que [celui de] Jean : car les œuvres que mon Père m'a données à accomplir, les œuvres mêmes que je fais rendent pour moi témoignage que le Père m'a envoyé, [37] et le Père qui m'a envoyé, lui-même me rend témoignage. Vous n'avez jamais entendu sa voix et vous n'avez pas vu sa face, [38] et vous n'avez pas même sa parole demeurant en vous, puisque vous ne croyez pas à celui qu'il a envoyé.

Chrys. Cyr. l'entendent à la lettre de toute l'histoire d'Israël. Vos pères, même les plus favorisés, ont entendu à l'Horeb des voix, et ils ont eu des visions; mais en réalité ils n'ont pas entendu ni vu Dieu, que personne ne peut voir (I, 18). C'est très certain, mais peut-on le reprocher aux Juifs ou à n'importe qui? Et si ce n'est pas un reproche, comment cela se soude-t-il à ce qui suit? — Zahn restreint l'allocution à ceux qui sont présents. Il ne saurait être question de voir Dieu; mais ils n'ont pas même été gratifiés de ces apparitions dont parle l'Écriture; raison de plus pour eux (καί), — et c'est ici que commence le reproche, — de s'appliquer à la parole de Dieu contenue dans l'Écriture, ce qu'ils n'ont pas fait. Mais si καί peut bien signifier une réserve, il ne peut marquer une opposition aussi complète; les trois choses sont sur le même plan. — Schanz (*Tillmann*) adoucit les termes : les Juifs n'ont jamais écouté de bon cœur l'enseignement divin; ils n'ont pas su voir Dieu qui conduisait toutes leurs destinées, etc. — Ce sens est très facile, mais peu littéral et hors de propos. Il n'est pas question ici de l'enseignement de Dieu, mais de son témoignage. Entendre sa voix pourrait encore être pris largement, mais voir sa forme ne peut être qu'au sens littéral. — Il nous semble que Jésus répond à l'infidélité des Juifs sous-entendue : Vous refusez ce témoignage... de quel droit? vous n'avez jamais entendu la voix de Dieu, vous n'avez eu aucune apparition (εἶδος)... quelle qu'ait été la vraie nature des anciennes manifestations. D'après Cyrille d'Al. (de même *Loisy*) Jo. aurait voulu montrer que les textes mosaïques sur les apparitions et autres manifestations du Sinaï ne devaient pas être pris trop à la lettre; c'est un indice que la fête est bien la Pentecôte (*Olivieri*).

38) N'ayant ni vu ni entendu Dieu, ils ne peuvent même pas (καί... οὐ) alléguer que sa parole demeure en eux, comme une chose vivante et un principe de vie, puisqu'ils refusent de croire à celui qu'il a envoyé, et que ses Écritures annonçaient, comme il va être dit. Pour ceux qui croient, la Parole de Dieu subsiste en eux; elle a atteint son but, en préparant l'avènement du Fils; pour les Juifs ce n'est plus qu'un objet d'étude. Ces paroles ne sont pas plus dures que ce qu'on lit dans Jérémie : « Comment dites-vous : Nous sommes sages, nous possédons la loi de Iahvé? Vraiment la voici changée en mensonge par le style menteur des scribes. Les sages sont confondus, consternés, pris au piège, parce qu'ils ont rejeté la parole de Iahvé » (Trad. *Condamin*). Depuis ce temps les scribes avaient accentué toujours davantage les privilèges de celui qui étudie la Loi, œuvre sainte par excellence. Pour ce sens de μένειν, cf. xv, 7; I Jo. II, 14. 24; III, 17; II Jo. 2. — ὅτι est plutôt un signe qu'une cause (*Mald.*).

ὑμῖν μένοντα, ὅτι ὃν ἀπέστειλεν ἐκεῖνος τούτῳ ὑμεῖς οὐ πιστεύετε. [39] ἐραυνᾶτε τὰς γραφάς, ὅτι ὑμεῖς δοκεῖτε ἐν αὐταῖς ζωὴν αἰώνιον ἔχειν· καὶ ἐκεῖναί εἰσιν αἱ μαρτυροῦσαι περὶ ἐμοῦ· [40] καὶ οὐ θέλετε ἐλθεῖν πρός με ἵνα ζωὴν ἔχητε. [41] Δόξαν παρὰ ἀνθρώπων οὐ λαμβάνω, [42] ἀλλὰ ἔγνωκα ὑμᾶς ὅτι τὴν ἀγάπην τοῦ θεοῦ οὐκ ἔχετε ἐν ἑαυτοῖς. [43] ἐγὼ ἐλήλυθα ἐν τῷ ὀνόματι τοῦ πατρός μου καὶ οὐ λαμβάνετέ με· ἐὰν ἄλλος ἔλθῃ ἐν τῷ ὀνόματι τῷ ἰδίῳ, ἐκεῖνον λήψεσθε. [44] πῶς δύνασθε ὑμεῖς πιστεῦσαι, δόξαν παρ'

44. *om.* θεου *p.* μονου, plutôt que *add.* (THSV).

---

39) Les modernes sont d'accord que ἐραυνᾶτε n'est point un impératif, mais un indicatif présent, comme tous les autres verbes de ce contexte. On s'étonne que l'impératif ait séduit tous les anciens, sauf Cyrille, car Jésus ne refusait pas aux Juifs le zèle de l'Écriture. Il ne le blâmait pas non plus entièrement, mais il le jugeait cependant mal inspiré. Les Juifs estiment qu'ils ont dans les Écritures la vie éternelle. Ce n'est pas comme si l'on disait d'un savant qu'il fait de l'étude sa fin dernière, mais parce qu'ils les croient suffisantes pour les conduire à la vie éternelle et toute l'humanité avec eux. Loin d'attendre un Messie dont la révélation serait plus complète, et qui était même le terme de l'ancienne révélation, ils n'envisageaient le Messie que comme l'instrument de Dieu pour faire prévaloir leur Loi dans le monde. Or en réalité les Écritures témoignent d'un Messie qu'ils devront écouter, et qui en réalité est le Fils de Dieu; c'est en lui, non dans les Écritures seules, que se trouve la vie (III, 16). — καί « et précisément ».

40) Mais les Juifs ne veulent pas chercher cette vie en Jésus, précisément à cause de leur engouement exagéré pour la valeur intrinsèque de la Loi. Ou plus probablement, à cause de ce qui suit, οὐ θέλετε a-t-il un sens plus général : pour des raisons à eux, les Juifs ne veulent pas croire. — καί « et cependant », s'il se rapporte à la dernière incise; « ensuite de quoi », s'il se rapporte à 39a.

41-47. Ces versets forment un groupe distinct; ils sont destinés à expliquer pourquoi les Juifs refusent de reconnaître l'envoyé du Père; c'est qu'ils sont mal disposés envers Dieu lui-même, et en conséquence envers Moïse qui contient son témoignage. S'ils croyaient vraiment en Moïse, ils croiraient en Jésus. Mais ils sont empêchés par l'orgueil qui paralyse en eux l'amour de Dieu.

41) On dit volontiers (*Bauer*) qu'ici Jésus passe de la défensive à l'offensive; il attaque. Mais cette attaque elle-même ne fait que répondre à une accusation sous-entendue. Les Juifs, jugeant la prétention de Jésus extravagante, se posaient en défenseurs de la gloire de Dieu, dont l'honneur leur était confié. C'est ce que Jésus ne veut pas admettre. L'incrédulité des Juifs n'est pas fondée; leur mobile non plus n'est pas pur. Et d'abord leur reproche à Jésus de rechercher la gloire n'est pas juste. Il n'a que faire de cette gloire que donnent les hommes; ce n'est pas pour se faire honneur de ses disciples qu'il les invite

[39] Vous scrutez les Écritures, parce qu'il vous paraît avoir en elles la vie éternelle; et ce sont elles qui me rendent témoignage, [40] et vous ne voulez pas venir à moi pour avoir la vie! [41] Je ne reçois pas de gloire des hommes, [42] mais je vous connais pour n'avoir pas en vous-mêmes l'amour de Dieu. [43] Je suis venu au nom de mon Père, et vous ne me recevez pas; si un autre vient en son propre nom, vous le recevrez. [44] Comment pourriez-vous croire, alors que vous

à venir à lui. Si les Juifs le soupçonnent, dit Cyrille, c'est qu'eux-mêmes son affligés de cette maladie. — cf. I Thess., II, 6.

42) L'amour pour Dieu (*Schanz*, etc.) comme dans I Jo., II, 15; III, 17; IV, 12; V, 3, et non l'amour venant de Dieu (*Zahn*) d'après I Jo. IV, 7-12. C'est parce qu'ils prétextent leur zèle pour Dieu que les Juifs refusent de croire en son Fils. Or ils ne l'aiment pas tant! Il n'est pas question de la charité témoignée par Jésus au malade, qui a excité la haine des Juifs (contre *Zahn*) : il n'est plus dans la perspective. D'ailleurs le Sauveur ne donne d'autre preuve de son affirmation que sa connaissance surnaturelle, qui pénètre en eux (ἐν ἑαυτοῖς plus fort que ἐν ὑμῖν (38). Qu'ils interrogent leur conscience sur la pureté de leur intention! Il n'y a donc pas un lien étroit entre 42 et 43.

43) Illogisme de leur conduite. Jésus revendique la dignité de Fils : du moins ajoute-t-il qu'il vient au nom de son Père, avec son témoignage, et insiste-t-il sur sa dépendance vis-à-vis des desseins du Père. Et si quelqu'un se présente (évidemment comme Messie) en son nom propre d'homme qui se croit une grande mission, ils le recevront. Ce n'est pas que ce faux Messie ne se présente au nom de Dieu, mais il ne fera pas ses œuvres, et l'événement montrera que les espérances étaient trompeuses. ἄλλος sans article désigne un faux Messie quelconque (cf. Mt. XXIV, 24; Mc. XIII, 22). La liste en est longue, et les Juifs sont-ils seulement las d'espérer? Prophétie assurément étonnante, et bien propre à mettre en lumière leur aveugle obstination... Il est vrai que les Pères ont pensé à une personne particulière, à savoir l'Antéchrist; plusieurs critiques modernes le remplacent par Bar-Cochébas (135 ap. J.-C.); ensuite de quoi Bauer envisage froidement la composition de l'évangile vers le quatrième quart du IIe s. Mais à supposer que ἄλλος sans article puisse désigner un particulier, il eût fallu écrire : « quand un autre viendra », ce qui viserait bien une personne. « Si un autre vient » (cf. VI, 62) laisse la personne dans le vague. — Cyrille d'Al. a bien remarqué la ressemblance de cette argumentation avec II Thess., II, 10-12.

44) Pas de lien très étroit avec ce qui précède. On dirait d'un retour au v. 41. Mais ce n'est pas une contre-attaque, comme pour dire : moi je ne cherche pas la gloire, c'est plutôt vous. Car le ton est celui de la commisération. Les Juifs ne croient pas. Pourquoi? Ils ne veulent pas (40); mais les malheureux ne peuvent même pas, tant qu'ils sont dominés par la vanité et l'orgueil. Dans toute cette partie du discours, les Juifs sont très spécialement les Pharisiens, et plus nettement les docteurs de la Loi. La gloire n'est donc pas l'hommage

ἀλλήλων λαμβάνοντες, καὶ τὴν δόξαν τὴν παρὰ τοῦ μόνου οὐ ζητεῖτε; [45] μὴ δοκεῖτε ὅτι ἐγὼ κατηγορήσω ὑμῶν πρὸς τὸν πατέρα· ἔστιν ὁ κατηγορῶν ὑμῶν Μωυσῆς, εἰς ὃν ὑμεῖς ἠλπίκατε. [46] εἰ γὰρ ἐπιστεύετε Μωυσεῖ, ἐπιστεύετε ἂν ἐμοί, περὶ γὰρ ἐμοῦ ἐκεῖνος ἔγραψεν. [47] εἰ δὲ τοῖς ἐκείνου γράμμασιν οὐ πιστεύετε, πῶς τοῖς ἐμοῖς ῥήμασιν πιστεύσετε;

rendu par les hommes à des héros, mais celui que se rendent entre eux (παρὰ ἀλλήλων) des lettrés ou des savants. Au fond cela seul compte pour eux, l'opinion de la foule leur étant indifférente. Ce qui n'est peut-être que vanité chez des gens de lettres, est plutôt de l'orgueil, encore que puéril, chez des intellectuels fiers de leur supériorité. Rien de plus flatteur pour un docteur de la Loi que d'être cité par un confrère comme une autorité, fixant une tradition qui en fait l'emportera peut-être sur l'Écriture (*Le Messianisme*... p. 143). Cette disposition à régenter l'opinion exclut l'humilité nécessaire pour accepter de croire. Ces maîtres sont bien éloignés de se réfugier dans ce silence et cette obscurité où l'on est avide de recevoir la lumière de Dieu et son approbation. Cette δόξα n'est pas semblable à l'autre, aussi n'y a-t-il pas seulement τὴν δόξαν παρὰ τοῦ, mais bien τὴν δόξαν τὴν π., la gloire telle qu'on peut la recevoir du Père, peut-être longtemps sans aucun éclat extérieur, étant seulement le suffrage intime de Dieu dans la conscience. — On attendrait donc : la gloire qui vient de Dieu seul, en grec παρὰ μόνου τοῦ θεοῦ, ou παρὰ τοῦ θεοῦ μονοῦ. Le texte reçu qui est aussi celui des critiques a τοῦ μόνου θεοῦ, « du dieu unique », idée qu'on n'attend pas ici. Nous pensons qu'il faut omettre θεοῦ avec B W *a b sah. boh.* Or. Eus. Adam. Did. C'est encore la conception de l'unité (de Dieu), mais en tant qu'opposée aux suffrages multiples des hommes, ce qui est plus dans le contexte (*Zahn*) —ὑμεῖς, « vous, comme des gens qui ». — ζητεῖτε remplacé dans ℵ par ζητοῦντες qui serait plus normal.

45) Celui qui est investi des fonctions de juge (v, 22) ne saurait descendre au rôle d'accusateur. Ce n'est pas l'intention de Jésus de porter cette affaire au tribunal de son Père. Il y a là un accusateur, à savoir Moïse, et qui remplit déjà son office (κατηγορῶν). En tant qu'accusateur au lieu et place du Christ, Moïse est une personne. En tant qu'objet de l'espérance des Juifs, — ce qui était dit des Écritures (39), — Moïse est nommé pour ces Écritures elles-mêmes.

46) Et en effet, la foi des Juifs portait moins sur la personne de Moïse que sur la parole du Dieu qui l'avait inspiré et lui avait révélé ses desseins. Cependant c'est bien comme auteur de l'Écriture qu'il paraît de nouveau en personne (ἐκεῖνος). Strictement parlant, Moïse n'est pas indiqué ici comme l'auteur de tout le Pentateuque, mais seulement comme l'auteur des prophéties messianiques du Pentateuque. Les Juifs faisaient une place à part à la Loi qu'ils lisaient et étudiaient beaucoup plus que les autres livres, comme la source principale de la révélation et la règle de leur vie morale et sociale. En fait la Loi contenait des allusions au salut qui était proposé par Jésus (Gen. III, 15; XII, 3; XLIX, 10), et tout le soin que Dieu avait pris d'Israël devait aboutir au salut. Les prophètes avaient été autorisés d'avance par Moïse (Dt. XVIII, 15). Moïse domine donc toute l'Écriture, et qui croyait en Moïse devait croire en

acceptez de la gloire les uns des autres, et que vous ne recherchez pas la gloire qui vient de l'Unique? [45] Ne pensez pas que je vous accuserai auprès de mon Père : il y a quelqu'un qui vous accuse, Moïse, en qui vous placez votre espoir. [46] En effet, si vous aviez cru Moïse, vous me croiriez, car il a écrit de moi. [47] Mais si vous ne croyez pas ce qu'il a écrit, comment croirez-vous mes paroles?

celui qui faisait les œuvres annoncées. — ἄν n'indique pas le doute, exprimé sans raison par *forsitan* (*Vg*).

47) Assurément les Juifs prétendaient croire en Moïse comme législateur; mais ils ne lui faisaient pas confiance quand il orientait leur foi vers l'avenir. Si tout était réglé à jamais, toute révélation close, pourquoi fallait-il attendre un autre prophète? Il n'y avait plus de place après Moïse que pour des exégètes comme eux. — Il semble qu'il n'y a pas opposition entre la lettre et la parole, comme s'il était impossible de croire à la parole vivante quand on ne croit pas même à la lettre, mais tout au plus entre cette lettre auguste et une parole nouvelle, ce qui revient à mettre l'opposition principale entre ἐκείνου et ἐμοῖς.

Caractère historique du discours.

Il n'y a pas à dissimuler la haute portée théologique du discours, une des bases scripturaires du traité de la Trinité. Dans la première partie, Jésus parle du Fils; dans la seconde, il dit « Je »; mais il est bien évident que c'est toujours de lui-même qu'il parle comme Fils de Dieu.

Les auditeurs ne pouvaient distinguer ses relations éternelles comme Fils de ses relations actuelles comme Fils envoyé : il n'en est pas moins vrai qu'il revendique l'égalité d'action avec son Père (19), l'identité de vie (21) et les mêmes honneurs (23) Seulement tout cela vient du Père. Et cependant il a la nature humaine (27); et l'on peut estimer aisément que c'est pour cela qu'il fait la volonté du Père, puisque c'est pour cela qu'il est juge (27) et juge comme le lui suggère le Père (30). Le soin évident de ne nommer Dieu que dans les rapports des Juifs avec Lui (42.44), tandis que pour le Fils il est simplement le Père, est une indication très claire que les rapports spéciaux du Père et du Fils consistent en ce qu'ils ont la même nature.

En regard de cette situation incomparable du Fils, le pouvoir de ressusciter des morts, qui avait été accordé aux Prophètes (III Regn. xvii, 22; IV Regn. iv, 33; Eccli. xlviii. 5) et celui de rendre le jugement selon la pensée de Dieu, ne sont point ce qu'il y a de plus relevé.

Tout cela sans préjudice de l'humilité de celui qui est un fils d'homme, ni des sentiments du Fils pour le Père. Jésus accepte l'égalité avec Dieu que les Juifs lui reprochent de s'être arrogée, sans déroger en rien à la profonde soumission due à Dieu par la nature humaine, et sans méconnaître la situation spéciale que l'incarnation fait au Fils par rapport au Père.

Or c'est précisément cette sublimité théologique que l'on allègue pour refuser à ce discours un caractère historique. Il aurait été composé par l'évangéliste pour promulguer la doctrine chrétienne et la venger des attaques des Juifs. A le prendre ainsi ce discours n'en serait pas moins un vrai miracle. Car c'est un miracle intellectuel que, quelques soixante ans après la mort de Jésus, ce qu regarde sa personne ait été non pas défini en termes techniques ou métaphysiques, mais exposé avec cette simplicité et une sûreté excluant toute retouche. Il faut de plus reconnaître que l'égalité entre le Père et le Fils, qui constitue l'idée principale de la première partie a été exprimée par Mt. (xi, 25-27) et Lc. (x, 21-22), tandis que la qualité de Fils de Dieu à un titre spécial et unique fait tout le fond de l'évangile de Mc.

Quant à la deuxième partie, M. Loisy en écrit : « Le salut n'est pas dans l'Écriture, il est dans la foi au Christ, qui est annoncé par l'Écriture. C'est la doctrine de Paul, mais dégagée de la dispute sur les observances, entièrement sûre d'elle-même, indiscutée, devenue le fondement du christianisme » (p. 219). Or c'est l'évidence en effet que la première prédication chrétienne, aussitôt après la résurrection, a roulé sur la foi au Christ, annoncé par l'Écriture. La question qui s'est posée depuis regardait seulement la valeur des observances. Rien ne prouve que le discours du ch. v en soit « dégagé »; on dira plutôt qu'il contient la solution en germe, et encore moins clairement que les paroles de Jésus dans Mc. (vii, 14-23) et Mt. (xv, 10-20) sur les aliments. Que l'Écriture ait annoncé le Messie, c'était la foi commune des Juifs, et d'après les synoptiques, Jésus lui-même leur a montré que l'Écriture témoignait de lui dans un sens qu'ils ne comprenaient pas (Mt. xxi, 42; xxii, 43 et paral.).

C'est aussi d'après Mt. (xi, 4) et Lc. (vii, 22) qu'il a fait appel au pouvoir démonstratif de ses œuvres, et si Mc. raconte tant de miracles, c'est pour prouver que Jésus est le Fils de Dieu. Le témoignage du Baptiste n'était qu'un premier indice; c'est plutôt Jésus qui a rendu témoignage à son précurseur, et dans les synoptiques (Mt. xi, 7-10; Lc. vii, 24-27) plus longuement que dans Jo.

Le fond du discours tout entier est donc déjà dans les synoptiques. Ce qu'il y a de nouveau, c'est la manière. Aussi ne prétendons-nous pas que cette manière ne dépende pas en partie de la personnalité de l'évangéliste. Mais il n'y a aucune raison de refuser le caractère historique d'un discours comme celui-là dans la circonstance indiquée. A vrai dire le miracle appelait plutôt une discussion sur le sabbat. Mais dès le début la question s'élève et change d'aspect. Le mécontentement des Juifs oblige Jésus à se justifier : il n'a en rien dépassé sa mission; c'est eux qui ont tort de ne pas reconnaître l'autorité que lui donnent ses miracles. La distribution du discours en deux parties est claire; mais la suite des idées ne l'est pas toujours. Il ressemble plutôt à une improvisation contrainte à des diversions par la résistance de l'auditoire, qu'à une composition méditée à loisir. On peut d'ailleurs estimer que Jo. a omis quelques transitions, et aussi qu'il a ajouté des pensées qui ne faisaient pas partie de ce contexte. Mais que Jésus ait eu cette explication de principe avec les Juifs, c'est ce qu'on ne saurait nier sans parti pris.

Cette explication paraîtra d'autant mieux adaptée à la circonstance qu'on l'entendra, avec saint Cyrille, plutôt de la situation qui résulte pour le Fils de sa mission dans la chair, que des rapports qui résultent pour lui dès l'éternité de sa génération comme Verbe et Fils.

Chapitre vi. Le pain de vie. Ce chapitre est consacré au pain de vie. Il débute par le récit de la multiplication des pains et se termine par la promulgation de l'Eucharistie. La déclaration centrale : « Je suis le pain de vie » (35), est amenée par l'allusion des Galiléens à la manne (31), occasionnée elle-même par le miracle des pains. Elle est reprise au v. 51, pour servir de point de départ immédiat à l'enseignement eucharistique. Tout cela forme un tout, avec le souci de préparer les esprits à l'acte de foi en la nourriture réelle et spirituelle qu'est le corps du Sauveur avec son sang. On peut cependant estimer que l'épisode de Jésus sur les eaux (16-21) n'est pas indispensable à ce cycle pour sa valeur doctrinale. Sans doute la personne de Jésus en est rehaussée, mais ce n'était pas une raison suffisante, après les miracles déjà racontés, pour introduire ici cet épisode que les Galiléens ont seulement soupçonné, si Jo. n'avait eu qu'un but théologique ou symbolique. Il a raconté le fait simplement parce qu'il s'était passé après la multiplication des pains et avant le grand entretien avec les Galiléens, qui avait eu lieu à Capharnaüm. C'est un des cas où il est clair qu'il a tenu compte des exigences de l'histoire. Tout le reste est sur le même thème; nous poserons plus loin la question de la composition du grand discours.

CHAPITRE VI

[1] Μετὰ ταῦτα ἀπῆλθεν ὁ Ἰησοῦς πέραν τῆς θαλάσσης τῆς Γαλιλαίας τῆς Τιβεριάδος. [2] ἠκολούθει δὲ αὐτῷ ὄχλος πολύς, ὅτι ἐθεώρουν τὰ σημεῖα ἃ ἐποίει ἐπὶ τῶν ἀσθενούντων. [3] ἀνῆλθεν δὲ εἰς τὸ ὄρος Ἰησοῦς, καὶ ἐκάθητο μετὰ τῶν μαθητῶν αὐτοῦ. [4] ἦν δὲ ἐγγὺς τὸ πάσχα, ἡ ἑορτὴ τῶν Ἰουδαίων.

1-13. La multiplication des pains et des poissons (Mt. xiv, 13-21; Mc. vi, 31-44; Lc. ix, 10 b-17). Le miracle et ses principaux traits sont les mêmes dans Jo. et dans les trois synoptiques; la ressemblance étant quelque peu plus étroite entre Mc. et Jo. Cependant Jo. a quelques traits particuliers qu'on trouvera indiqués; en particulier il nomme Philippe et André, un jeune garçon, la proximité de la Pâque. Comme il est impossible de trouver à tous ces traits un sens symbolique vraisemblable, on a expliqué leur présence de deux manières : ou bien Jo. les a relatés, les connaissant bien comme témoin oculaire, ou bien il les a inventés pour donner à son récit un intérêt nouveau et une fausse apparence d'exactitude. Or personne n'a le droit d'infliger une pareille disqualification à un théologien de l'élévation morale de Jean, et qui d'ailleurs se soucie assez peu de pittoresque. En présence de la ressemblance des trois synoptiques, on ne peut guère supposer une tradition courante divergente. C'est donc Jean qui raconte comme témoin, sans s'astreindre à reproduire tous les détails.

1) Si le chapitre vi est bien à sa place, Jésus serait parti de Jérusalem pour traverser le lac. Les critiques lui reprochent âprement une géographie fantaisiste. On pourrait répondre qu'il a sous-entendu un retour en Galilée : mais à la fin du ch. iv il y était. Le plus simple est donc de supposer que vi fait suite à iv. Pour traverser le lac, le point de départ est probablement Capharnaüm (cf. v. 17). Ce n'est pas une raison pour dire (*Bauer*) que ἀπῆλθεν est emprunté à Mc. (vi, 32); c'est un verbe que Jo. emploie souvent. Il est impossible d'évaluer le temps que représente μετὰ ταῦτα. — Jo. dit « la mer de Galilée » comme Mt. et Mc. (Lc. dit le lac), ce qui est sémitique, et cependant il ajoute que cette mer portait le nom de Tibériade, seule expression employée dans xxi, 1. Il y a donc là comme un raccord avec la tradition ancienne, et l'indication du nom qui avait prévalu dans l'usage grec; cf. Τιβεριέων λίμνη Jos. (*Bell.* IV, viii, 2 et Τιβεριὰς λ. *Bell.* III, iii, 5; Pausanias, V, vii, 3 λίμνην Τιβεριάδα ὀνομαζομένην. Au temps de Jésus, Tibériade, fondée en l'an 26 par Hérode Antipas, avait l'allure d'une ville de cour, quelque peu profane, et il n'est pas dit que Jésus y soit allé.

2) Jo. ne s'est pas préoccupé de dire comment la foule est venue; et même dans la circonstance actuelle la foule arrive plus tard (5). Il ne veut donc pas dire qu'elle a suivi ce jour-là, mais qu'elle suivait (imparfait) d'habitude à cause des

[1] Après cela, Jésus s'en alla de l'autre côté de la mer de Galilée [ou] de Tibériade. [2] Et une grande foule le suivait, parce qu'ils voyaient les miracles qu'il opérait sur ceux qui étaient malades. [3] Or Jésus s'éleva dans la montagne, et il se tenait assis avec ses disciples. [4] La Pâque, la fête des Juifs, était proche. [5] Ayant donc levé

miracles; non pas précisément pour en demander, mais à cause de l'admiration qu'on éprouvait en les voyant. C'est le même sentiment que Jésus a trouvé à son retour en Galilée (IV, 45), mais le mouvement est devenu beaucoup plus intense : on le recevait, maintenant on le suit. Tandis que précédemment Jo. comptait un à un (IV, 54) les miracles en Galilée, maintenant il suppose de nombreuses guérisons, ce qui coïncide avec les synoptiques (Mt. IV, 24; Mc. III, 10; Lc. VI, 19, etc.). — Pour le terme de ἀσθενέω, cf. Mt. X, 8; Mc. VI, 56; Lc. IV, 40; IX, 2.

3) Cf. Mt. XV, 29 καὶ μεταβὰς ἐκεῖθεν ὁ Ἰησοῦς ἦλθεν παρὰ τὴν θάλασσαν τῆς Γαλιλαίας, καὶ ἀναβὰς εἰς τὸ ὄρος ἐκάθητο ἐκεῖ, avant la seconde multiplication des pains. La ressemblance est très frappante, surtout à cause de ἐκάθητο. Mais dans Mt. les foules s'approchent pour être guéries, tandis que dans Jo. le Sauveur est seul avec ses disciples, et s'assied, probablement pour les instruire. Quant à la montagne, elle occupe tout le côté est du lac; il y est impossible de s'avancer de quelques pas sans monter à la montagne, ce qui ne veut pas dire au sommet de la montagne, qu'on n'atteindrait qu'après une véritable ascension; et alors on serait sur un plateau, occupé par des villes plus ou moins hostiles aux Galiléens, et où une foule partie de Capharnaüm ne pouvait guère songer à se rendre. Il faut donc de toute nécessité supposer que Jésus s'arrête quelque part sur le flanc de la montagne. Cette montagne qu'on ne pouvait se dispenser de gravir a été placée là par la nature et non point parce que « la mise en scène du discours sur la montagne a contaminé celle de la multiplication des pains » (*Loisy*, p. 222), le miracle étant « comme une révélation symbolique de la Loi nouvelle » (p. 223). On notera plutôt que l'entretien du Sauveur avec ses disciples rappelle le motif donné par Mc. VI, 31, de chercher la solitude et le repos.

4) Le texte se trouve avec des variantes insignifiantes, dans tous les mss. et toutes les versions avec la mention de la Pâque. Il a gêné van Bebber et Belser qui ne donnent qu'une année au ministère de Jésus. Mais il est inutile de reprendre la réfutation opposée à leurs arguties patristiques (cf. *Zahn*, *l'excursus* spécial, p. 717-721). Il est cependant difficile d'assigner la raison de cette note. Si Jo. avait seulement voulu fixer un repère chronologique, il l'eût placé au début de cette histoire; cf. V, 1; VII, 2; X, 22; XII, 1; XIII, 1. La proximité de la Pâque n'explique pas non plus la foule, puisque ce sont les miracles qui l'ont attirée. Il semble donc que Jo. a mis la Pâque « des Juifs » dans cette perspective pour suggérer qu'elle serait désormais remplacée par la Pâque chrétienne. L'institution de l'Eucharistie, qu'il ne raconte pas, a eu lieu à la Pâque; la multiplication des pains qui en est la figure, et le discours qui la commente, ont eu lieu aussi avant la Pâque. La coïncidence valait d'être signalée (cf. *Schanz*, *Zahn*, *Tillm.*). On ne saurait dire (*Bauer*, p. 73), d'une part que Jo. a éliminé de

[5] ἐπάρας οὖν τοὺς ὀφθαλμοὺς ὁ Ἰησοῦς καὶ θεασάμενος ὅτι πολὺς ὄχλος ἔρχεται πρὸς αὐτὸν λέγει πρὸς Φίλιππον Πόθεν ἀγοράσωμεν ἄρτους ἵνα φάγωσιν οὗτοι; [6] τοῦτο δὲ ἔλεγεν πειράζων αὐτόν, αὐτὸς γὰρ ᾔδει τί ἔμελλεν ποιεῖν. [7] ἀπεκρίθη αὐτῷ Φίλιππος Διακοσίων δηναρίων ἄρτοι οὐκ ἀρκοῦσιν αὐτοῖς ἵνα ἕκαστος βραχὺ λάβῃ. [8] λέγει αὐτῷ εἷς ἐκ τῶν μαθητῶν αὐτοῦ, Ἀνδρέας ὁ ἀδελφὸς Σίμωνος Πέτρου [9] Ἔστιν παιδάριον ὧδε ὃς ἔχει πέντε ἄρτους κριθίνους καὶ δύο ὀψάρια· ἀλλὰ ταῦτα τί ἐστιν εἰς τοσού-

7. *om.* τι α. λαβη (H) ou *add.* (TSV).

---

sa doctrine eucharistique toute idée de la Passion, d'autre part que ce trait a été ajouté pour désigner Jésus comme la vraie victime pascale. D'ailleurs Jo. n'insinue en aucune manière que ce repas ait remplacé le repas pascal; c'était tout au plus une Pâque mystique (*Loisy*), dont le sens symbolique s'appuie sur la proximité de la Pâque juive. La présence de l'herbe en quantité (10) est déjà un indice, car elle prouve que la saison des pluies avait passé.

5) Il y a ici une différence assez notable entre le récit des synoptiques et celui de Jo. D'après ce dernier on dirait que Jésus se préoccupe de nourrir la foule aussitôt qu'il la voit arriver. D'après les synoptiques, Jésus entre en contact avec la foule par une longue prédication (Mc.), par des miracles (Mt.), par la prédication et les miracles (Lc.); puis ce sont les disciples qui prennent l'initiative en priant Jésus de renvoyer cette foule; tout cela est parfaitement naturel, et c'est bien ainsi que les choses ont dû se passer. Mais Jo. pouvait supposer tout cela connu, et écrire sans même se préoccuper d'une concordance précise, en traçant le début à vol d'oiseau, sauf à donner ensuite quelques détails nouveaux. La donnée nécessaire au miracle était la présence de la foule; il la montre à son arrivée, son assiduité et l'obtention des guérisons ayant déjà été décrites (2). On reconnaît l'homme qui est au courant des lieux et qui en tient compte pour sa propre perspective. Si Jésus se propose de nourrir la foule dès son arrivée, c'est qu'elle arrive tard, ayant fait à pied le long crochet qui lui permettait de rejoindre Jésus venu en barque. D'ailleurs on peut très bien supposer une première intervention des disciples, car Jésus parle à Philippe comme si l'on était déjà d'accord qu'il fallait nourrir ces gens : mais *où* prendre du pain dans cette montagne où il n'y a pas de villages? Philippe était déjà connu comme disciple (I, 43 ss.). Il avait assisté au miracle de l'eau changée en vin à Cana. Il eût dû savoir que Jésus pouvait en faire autant pour la nourriture. Cyrille, s'appuyant sûrement sur l'incident de la cène (XIV, 8), juge Philippe « curieux d'interroger parce qu'il veut savoir, mais pas très prompt à comprendre avec chaleur les convenances divines » : ὀξὺς δὲ οὐ λίαν εἰς τὸ δύνασθαι συνιέναι θερμῶς τὰ θεοπρεπέστερα. — οὖν se rapporte à toute la situation.

6) C'est pourquoi Jésus voudrait exciter cette confiance aimante (πειράζων); il le met à l'épreuve, non pour lui tendre un piège, mais pour lui faire dire : Seigneur, vous pouvez tout, vous savez ce que vous avez à faire. Jésus le savait en

les yeux et vu qu'une foule nombreuse arrivait auprès de lui, Jésus dit à Philippe : « Où achèterons-nous des pains pour que ces gens mangent? » [6] Il disait cela pour l'éprouver, car il savait bien ce qu'il allait faire. [7] Philippe lui répondit : « Deux cents deniers de pain ne leur suffiraient pas, pour que chacun reçoive quelque petite chose. » [8] Un de ses disciples, André, le frère de Simon Pierre, lui dit : [9] « Il y a ici un jeune garçon qui a cinq pains d'orge et deux poissons :

effet; Jo. le note; cependant au v. 5 il a montré Jésus levant les yeux et apercevant la foule qui vient. Il a toujours sa conception très arrêtée du Fils de Dieu qui est un enfant des hommes.

7) Philippe répond froidement comme quelqu'un qui s'est déjà posé, ou qui a entendu agiter la question, que deux cents deniers ne suffiraient pas. C'est le chiffre de Mc. dans la bouche des disciples, lesquels insistent moins sur l'insuffisance de la somme que sur l'impossibilité de l'opération. Philippe ne prétend pas non plus que la compagnie dispose de tout cet argent, qui représente le salaire de deux cents journées de travail. La foule comprenait donc à ce moment beaucoup de monde : le chiffre sera donné plus loin (10).

8) André est « un des disciples » ce qui n'était pas dit de Philippe; peut-être parce que Jésus a pris l'initiative de lui adresser la parole comme à l'un des siens. André intervient de son propre mouvement; Jo. rappelle donc qui il est (I, 40 ss.); Simon-Pierre est encore censé le plus connu.

9) La réponse d'André, à peine moins décourageante, mais plus à propos, suppose clairement qu'il s'est préoccupé de la question, sûrement avec d'autres disciples. Ils n'ont rien trouvé que cette piteuse ressource. — παιδάριον peut signifier un jeune esclave, mais le sens le plus normal est : un jeune garçon. Loisy traduit jeune garçon, « serviteur, mais pas esclave » (p. 225), pour en faire « le diacre de cette cène typique ». Serviteur de qui? Il n'appartient sûrement pas au groupe des apôtres, puisqu'André révèle sa présence. Il semble bien plutôt (*Schanz*) que c'est un de ces petits camelots qui se trouvent toujours dans les rassemblements pour vendre des denrées. Naturellement il ne demande pas mieux que de céder ses provisions — pour de l'argent. L'orge est ordinairement l'aliment des bêtes de somme. On en faisait cependant des pains (Jud. VII, 13; Ruth III, 17), nourriture de la classe pauvre (Jos. *Ant.* V, VI, 4; *Bell.* V, X, 2). Les synoptiques n'avaient pas dit la nature des pains. Dans le miracle d'Élisée (IV Regn. IV, 42-44) ce sont aussi des pains d'orge, ἄρτους κριθίνους καὶ παλάθας. Jo. qu'on représente si soucieux de rehausser les actions du Verbe incarné qui avait changé l'eau en un vin exquis, Jo. qui voyait dans la multiplication un symbole de l'Eucharistie, laquelle se faisait avec du froment, ce même Jo. aurait-il mis ici des pains d'orge si tel n'avait pas été le cas? Noter que la multiplication n'a pas changé leur nature (v. 13). Il est bien vrai que les pains de IV Regn. IV, 42 sont des pains de prémices, mais on ne peut dire que le pain de Jo. soit là comme « pain de la saison, pain rappellant les fêtes pascales » (*Loisy*, p. 225), car la Pâque n'avait pas encore eu lieu; on ne

τους; [10] εἶπεν ὁ Ἰησοῦς Ποιήσατε τοὺς ἀνθρώπους ἀναπεσεῖν. ἦν δὲ χόρτος πολὺς ἐν τῷ τόπῳ. ἀνέπεσαν οὖν οἱ ἄνδρες τὸν ἀριθμὸν ὡς πεντακισχίλιοι. [11] ἔλαβεν οὖν τοὺς ἄρτους ὁ Ἰησοῦς καὶ εὐχαριστήσας διέδωκεν τοῖς ἀνακειμένοις, ὁμοίως καὶ ἐκ τῶν ὀψαρίων, ὅσον ἤθελον. [12] ὡς δὲ ἐνεπλήσθησαν λέγει τοῖς μαθηταῖς αὐτοῦ Συναγάγετε τὰ περισσεύσαντα κλάσματα, ἵνα μή τι ἀπόληται. [13] συνήγαγον οὖν καὶ ἐγέμισαν δώδεκα κοφίνους κλασμάτων ἐκ τῶν πέντε ἄρτων τῶν κριθίνων ἃ ἐπερίσσευσαν τοῖς βεβρωκόσιν. [14] Οἱ οὖν ἄνθρωποι ἰδόντες ὃ ἐποίησεν σημεῖον ἔλεγον ὅτι

10. *om.* δε *p.* ειπεν (TH) plutôt que *add.* (SV).
13. επερισσευσαν (TH) plutôt que επερισσευσεν (SV).
14. ο... σημειον (TSV) ou α... σημεια (H).

---

mange pas d'œufs de Pâque avant Pâque. — ὀψάριον ne se trouve dans la Bible que dans Tob. II, 2 (ms. sinaïtique) au sens général de petit mets, et dans Jo. (ici et XXI, 9. 10. 13) au sens de poissons (petit plat [ὄψον] de poisson). C'est l'équivalent des deux poissons (ἰχθύες) des synoptiques, sans dépendance verbale.

10) Même chiffre que dans les synoptiques, avec une nuance d'approximation (ὡς), comme dans Mt. et Lc. mais non dans Mc. A propos de ces cinq mille, cf. Jos. *Bell.* II, XIII, 5, où l'on voit un révolutionnaire égyptien grouper autour de lui trente mille hommes. La circonstance de l'herbe, comme dans Mc. et Mt., en ajoutant ἐν τῷ τόπῳ, comme pour dire qu'on n'eût pas trouvé facilement dans la région un endroit aussi favorable.

11) Il n'est pas dit comme dans les trois synoptiques que Jésus ait regardé vers le ciel, et il n'y a pas de fraction du pain, terme consacré pour l'Eucharistie (cf. sur Lc. XXIV, 30); si donc Jo. mentionne l'action de grâces (εὐχαριστήσας) au lieu de la bénédiction, c'est peut-être sous l'influence du rite eucharistique, mais c'était déjà le cas dans la seconde multiplication pour Mt. (XV, 36) et Mc. (VIII, 6). Loisy a donc dit très justement (p. 226) : « La forme liturgique de l'action, son rapport avec la cène chrétienne ne sont pas plus sensibles ici que dans les premiers évangiles. » Il faudrait conclure que Jo. n'a rien changé aux choses pour leur imprimer un caractère figuratif; s'il ne l'a pas fait dans l'action principale, aurait-il inventé pour cela la proximité de la Pâque, le serviteur-diacre, les pains d'orge? Même il a passé sous silence le rôle des disciples, indispensable à vrai dire dans la réalité; mais comme l'aliment est miraculeux, c'est Jésus qui est le véritable auteur de la distribution. Les poissons viennent en rejet comme dans Mc. — Quoique ὅσον ἤθελον ne soit exprimé qu'à propos des poissons, il faut l'entendre aussi du pain. Mais il est de règle qu'on ait le pain à discrétion, non pas le plat qui est ajouté par surcroît.

12) Jo. qui n'a pas parlé du rôle des disciples dans la distribution (mentionné par les synoptiques), est seul à les mettre en scène pour ramasser les fragments sur l'ordre de Jésus : ne dirait-on pas d'un complément? Il semble que les synoptiques n'ont pu avoir en vue que les disciples pour cette petite opération.

mais qu'est-ce que cela pour tant de monde? » [10] Jésus dit : « Faites-leur prendre place. » Or il y avait beaucoup d'herbe en ce lieu. Ces hommes prirent donc place au nombre d'environ cinq mille. [11] Jésus prit donc les pains, et ayant rendu grâces, il en donna à ceux qui étaient installés, et de même pour les poissons, autant qu'ils voulaient. [12] Et lorsqu'ils furent rassasiés, il dit à ses disciples : « Ramassez les morceaux qui sont de reste, afin que rien ne soit perdu. » [13] Ils les ramassèrent donc et remplirent douze corbeilles des morceaux qui étaient restés des cinq pains d'orge dont on avait mangé. [14] Les gens donc, voyant le miracle qu'il avait fait, disaient : « C'est vraiment

On croira difficilement que le détail de Jo. lui donne un sens nouveau, à ce point que « sous les apparences de ce trait de ménage se cache une instruction pour la liturgie eucharistique et sur l'importance essentielle du « pain de vie » (*Loisy*, p. 226). Le but assigné expressément par Jo., c'est « afin que rien ne se perde ». C'était un usage juif de ramasser après le repas les morceaux tombés à terre (*Wünsche*, p. 520); et s'il s'y est mêlé de la superstition, on a toujours pensé et on pense encore en Orient que c'est profaner le pain que de le donner aux bêtes. Dans le cas particulier, c'était aussi une manière de constater et la grandeur du miracle, et la libéralité du thaumaturge, comme à Cana. Il semble que l'ordre du Sauveur dut être appliqué à l'Eucharistie.

Les chrétiens eurent à cœur de préserver de toute profanation ce qui restait des saintes espèces, et cela par respect. Bauer cite Tert. *de cor.* 3 : *calicis aut panis etiam nostri aliquid decuti in terram anxie patimur*, et *Const. Apost.* VIII, 13 : ὅταν πάντες μεταλάβωσι καὶ πᾶσαι, λαβόντες οἱ διάκονοι τὰ περισσεύσαντα εἰσφερέτωσαν εἰς τὰ παστοφόρια. Ainsi l'usage chrétien dépend peut-être des termes de Jo., appliqués à une matière plus sainte, mais ces termes, généraux, et conformes aux usages, ne dépendent pas de l'usage chrétien.

13) Mc. mentionne du poisson parmi les restes, mais il le met en rejet, après les douze corbeilles. Il n'y a donc pas de contradiction entre Jo. et lui, même sur un point si léger. Jo. n'a pas parlé de la multiplication des poissons, parce que les pains seuls allaient servir de thème au grand discours de Jésus. Si les corbeilles dont le chiffre est fixé et qui ne pouvaient durer toujours, marquent « le caractère permanent du sacrement eucharistique et le caractère inépuisable du pain de vie » (*Loisy*, p. 227), c'est précisément dans la même mesure que d'après les synoptiques. — Jo. revient sur ce que les pains étaient d'orge, peut-être pour distinguer la simple multiplication de l'Eucharistie.

14-21. Jésus sur la mer (Mt. XIV, 22-33; Mc. VI, 45-52).

Même parallélisme que dans le récit précédent, mais avec Mt. et Mc. seuls. Les divergences sont plus nombreuses. Jo. seul (14-15) assigne la raison de la retraite de Jésus, et ne contient pas la tentative de Pierre propre à Mt. (28-31).

14) Les règles de la critique textuelle nous obligent à préférer ὃ... σημεῖον avec ℵ A D W, etc. à ἃ... σημεια qui n'est appuyé que par B Θ *a boh. syr. de Jér.*

Οὗτός ἐστιν ἀληθῶς ὁ προφήτης ὁ ἐρχόμενος εἰς τὸν κόσμον. [15] Ἰησοῦς οὖν γνοὺς ὅτι μέλλουσιν ἔρχεσθαι καὶ ἁρπάζειν αὐτὸν ἵνα ποιήσωσιν βασιλέα ἀνεχώρησεν πάλιν εἰς τὸ ὄρος αὐτὸς μόνος. [16] Ὡς δὲ ὀψία ἐγένετο κατέβησαν οἱ μαθηταὶ αὐτοῦ ἐπὶ τὴν θάλασσαν, [17] καὶ ἐμβάντες εἰς πλοῖον ἤρχοντο πέραν τῆς θαλάσσης εἰς Καφαρναούμ. καὶ σκοτία ἤδη

arm. D'ailleurs cette dernière variante, comme correction, était assez rationnelle. Si le miracle des pains et des poissons a donné le dernier branle, il est clair que les miracles précédents avaient fait une profonde impression, pour mettre sur pied cinq mille hommes; n'ayant pas emporté de viatique, ils se proposaient peut-être déjà de ramener rapidement Jésus chez eux. Un miracle opéré en faveur de tout un peuple leur paraît un signe décisif que Jésus a une mission relative à tout Israël. Ils se disent qu'il est vraiment — donc ils s'étaient posé la question? — le prophète, celui qui était annoncé par Dt. XVIII, 15, et qui vient, c'est-à-dire au nom du Seigneur (Ps. CXVIII, 26), dans le monde (style de Jo.). Dans I, 21, on distinguait ce prophète du Messie; mais c'était une précision de Pharisiens; le peuple saluait le prophète et pensait que c'était son devoir de le proclamer roi.

15) Jésus s'aperçoit de leur dessein, qui ne pouvait se dissimuler d'après leurs colloques; ils étaient déjà sur place, et n'avaient pas à venir (ἔρχεσθαι), mais les meneurs devaient se détacher des autres et s'approcher de lui pour le contraindre à se mettre à leur tête. Il se retira donc. — πάλιν est difficile. Bauer et Loisy font remarquer que Jésus n'a pas quitté la montagne : il n'est pas descendu vers la foule, et les disciples vont descendre. C'est parfaitement exact; d'après la nature des lieux au delà du lac, Jésus ne pouvait en effet quitter la montagne, et en effet rien n'indique qu'il ait changé de place. πάλιν répond donc plutôt (*Zahn*) à un fait que Jo. n'avait pas énoncé, mais seulement suggéré (3), qui était écrit en toutes lettres dans Mc. VI, 31, dans Mt. XIV, 13, dans Lc. IX, 10, à savoir que Jésus en allant de l'autre côté du lac cherchait la solitude, d'après Mt. à cause de la mort du Baptiste. S'il ne voulait pas faire ombrage à Hérode Antipas en demeurant en Galilée, combien plus devait-il éviter un soulèvement populaire! Cet accord tacite avec les synoptiques est beaucoup plus efficace qu'une harmonie évidente pour prouver que Jo. table sur des souvenirs et des faits. Naturellement cette nouvelle retraite du Maître, presque une fuite cette fois, et sans ses disciples, se fait dans la montagne, en un lieu plus écarté où on l'aura perdu de vue. Les anciens n'avaient eu aucun scrupule à comparer cette montagne à celle de la tentation (Mt. IV, 8), mais on ne peut pourtant pas dire que Jo. l'a prise dans Mt. ou dans Lc. au chapitre de la tentation, puisqu'elle se trouvait à la fois dans les synoptiques et dans la nature à propos du miracle des pains. Loisy estime que la royauté refusée n'a aucun caractère historique : 1° parce que l'auteur prépare la déclaration du Christ à Pilate (XVIII, 36); 2° parce que c'est tout ce qu'il pouvait retenir de la tentation diabolique pour un royaume terrestre. — Mais la déclaration à Pilate s'explique suffisamment par les circonstances, et, à supposer que la royauté refusée au peuple et à Satan ne représenterait pas deux

lui, le prophète qui doit venir dans le monde. » [15] Jésus donc, sachant qu'ils allaient venir et s'emparer de lui pour le faire roi, se retira de nouveau lui seul dans la montagne.

[16] Quand le soir fut venu, ses disciples descendirent vers la mer, [17] et, étant montés dans une barque, ils se dirigeaient de l'autre côté de la mer vers Capharnaüm.

traditions comme il est certain, quelle est d'ordinaire en pareil cas l'attitude de la critique? Ne dirait-elle pas d'une seule voix que l'épisode très plausible de l'offre de la royauté a été transformé plus tard en une tentation messianique de la part du démon?

Nous devons seulement reconnaître que nous ne pouvons rendre raison du silence de Mc. sur ce point, et que le départ furtif dans Jo. ne se concilie pas aisément avec le soin que prend Jésus dans Mc. de congédier les foules (Mc. vi, 45 s.; Mt. xiv, 22 s.). En pareil cas cependant chacun peut raconter les faits à sa manière sans altérer le fond des choses; à ceux qui se montreraient plus pointilleux on peut toujours répondre que Jésus a congédié les gens tranquilles et s'est dérobé aux plus turbulents. Dans Mc. aussi Jésus se retire seul, ce qui est souvent la meilleure manière de faire partir les gens.

16) Nouvelle difficulté : « Pour faire place au projet du peuple et à la retraite de Jésus, retraite dont on ne saurait d'ailleurs se représenter les conditions, notre auteur a mis dans la journée la multiplication des pains, que la tradition synoptique plaçait naturellement le soir » (*Loisy*, p. 228). — En fait, Jo. est parfaitement d'accord avec Mc. (vi, 47) et Mt. (xiv, 23), sur le moment qui précède l'apparition, avec cette différence que ce sont les deux synoptiques qui placent le soir au moment où Jo. (17) place déjà les ténèbres! Mt. il est vrai a employé plus tôt ὀψία (xiv, 15), terme vague, bien précisé à cet endroit par Lc. (ix, 12) : « comme le jour commençait à s'incliner », donc vers 2 ou 3 heures de l'après-midi. — Quoique la Pâque fût proche, les Galiléens ne jeûnaient pas, et devaient sentir de l'appétit à partir de 1 heure du soir. — Comment se fait-il que les disciples descendent sans plus attendre leur Maître? Cela est-il en harmonie avec son départ soudain? On dirait qu'ils l'ont attendu jusqu'au soir, n'ayant pas reçu d'instructions. Cependant on croira difficilement qu'ils se soient embarqués sans lui, s'il ne leur en avait donné l'ordre. C'est donc que Jo. suppose le récit des deux synoptiques, sans vouloir reproduire les mêmes détails. Jésus avait sûrement promis à ses disciples qu'il les rejoindrait, sans dire où ni comment. Les disciples ne se sont sans doute pas pressés d'obéir à l'ordre de s'embarquer, espérant que le Maître allait revenir : cependant, le soir venu, ils descendent à la mer, et, ne le trouvant pas, ils s'embarquent.

17a Si on lit πλοῖον sans article, avec ℵBLΔ, suivis par THSV, il n'est pas dit que cette barque soit celle qui avait amené la compagnie, mais cela n'est pas exclu non plus : ils montent en bateau, que ce soit le leur ou un autre. — ἤρχοντο ne suggère pas qu'ils longeaient le rivage pour cueillir le Maître à son arrivée sur le bord, mais simplement qu'ils avaient pris la direction de Caphar-

ἐγεγόνει καὶ οὔπω ἐληλύθει πρὸς αὐτοὺς ὁ Ἰησοῦς, [18] ἥ τε θάλασσα ἀνέμου μεγάλου πνέοντος διεγείρετο. [19] ἐληλακότες οὖν ὡς σταδίους εἴκοσι πέντε ἢ τριάκοντα θεωροῦσιν τὸν Ἰησοῦν περιπατοῦντα ἐπὶ τῆς θαλάσσης καὶ ἐγγὺς τοῦ πλοίου γινόμενον, καὶ ἐφοβήθησαν. [20] ὁ δὲ λέγει αὐτοῖς Ἐγώ εἰμι, μὴ φοβεῖσθε. [21] ἤθελον οὖν λαβεῖν αὐτὸν εἰς τὸ πλοῖον, καὶ εὐθέως ἐγένετο τὸ πλοῖον ἐπὶ τῆς γῆς εἰς ἣν ὑπῆγον.

naüm, où Jésus avait déjà séjourné avec eux (II, 12). — Quant au texte de Mc. VI, 45, aujourd'hui je traduirais volontiers : « le devancer sur la rive opposée, en face de Bethsaïda »; cf. Hérod. VI, 22 ἀκτὴ πρὸς δὲ Τυρσηνίην τετραμμένη, « qui regarde la Tyrrhénie ».

17[b] Jo. parle des ténèbres, au moment que les autres désignent par le soir : il s'est écoulé un peu de temps depuis la descente de la montagne qui avait eu lieu le soir (ὀψία). C'est une précision de son récit qui n'est pas en contradiction avec les deux synoptiques qui emploient ὀψία pour la première fois, sauf Mt. XIV, 15. — C'est seulement alors que Jo. mentionne l'absence de Jésus : il eût été plus coulant de le faire avant l'embarquement : c'est un des exemples les plus saillants de sa manière de ne noter une circonstance que lorsque cela est devenu nécessaire, et non point au début de la narration.

18) Il y a comme un *crescendo* de Mc. à Jo. par Mt. Dans Mc. le vent est contraire, ce qui exige plus d'efforts; Mt. parle de vagues; Jo. d'un grand vent qui agitait la mer. Il semble que c'est Mc. qui a le mieux analysé la situation; Jo. ne parle pas lui non plus d'une tempête, mais le tableau qu'il esquisse est plus impressionnant : la nuit est tombée, Jésus est absent, la mer soulevée.

19) ἐλαύνειν pourrait être « s'avancer », comme ont compris la plupart des versions, *processissent* (*e*). Mais il serait étonnant que Jo. ait pris ce mot dans un autre sens que Mc. auquel il est peut-être emprunté. C'est donc « avancer à la rame », sens connu depuis Homère, et usité en Attique par un peuple de marins : Vg. *remigassent*. Ce serait difficile dans l'hypothèse d'une grande tempête, car la rame alors s'abaisse sans rencontrer l'eau ou risque de se briser par sa résistance furieuse, si bien que la manœuvre devient impossible.

Josèphe (*Bell.* III, X, 7) donne au lac quarante stades de largeur, c'est-à-dire six kilomètres et demi. En réalité il a plus de dix kilomètres dans sa plus grande largeur; mais ici, le point de départ étant inconnu, on ne peut rien préciser. Mc. parle du milieu de la mer (VI, 47; cf. Mt. XIV, 24), ce qui ne fixe pas le point. Ce qui suit comme dans Mc. et Mt. mais plus brièvement; il n'est pas question d'un fantôme : les conjectures sur cette omission seraient inutiles, si l'on ne constatait la même relation entre Lc. XXIV, 37 (πνεῦμα) et Jo. XX, 19. Il semble donc que Jo. n'a pas voulu que l'hypothèse, même aussitôt réfutée, d'un fantôme ou d'un pur esprit hantât l'esprit de ses lecteurs : ce serait un trait antidocétiste.

21) Beaucoup d'anciens ont pensé que les disciples n'avaient eu qu'une velléité de prendre Jésus avec eux, « afin », dit Chrys., « que le miracle opéré soit plus grand ». Loisy estime que ce miracle n'est pas superflu, afin de montrer que le Logos-Christ « n'est pas soumis aux lois de la matière, pas plus à

Et déjà l'obscurité s'était faite, et Jésus n'était pas encore venu auprès d'eux, [18]et la mer se soulevait au souffle d'un grand vent. [19]Ayant donc ramé environ vingt-cinq ou trente stades, ils aperçoivent Jésus marchant sur la mer et s'approchant de la barque, et ils prirent peur. [20]Mais il leur dit : « C'est moi; ne craignez pas. » [21]Ils se décidaient donc à le prendre dans la barque, et aussitôt la barque fut sur la rive où ils allaient.

celle de l'étendue et de la distance qu'à celle de la pesanteur » (p. 230). Mais ce serait seulement le même miracle quelque peu prolongé. Le lecteur se demanderait pourquoi Jésus n'est pas entré dans la barque, comme il le fait si naturellement dans Mc. et dans Mt. Pour cela il n'y a pas à violenter le texte, mais à prendre ἤθελον dans le sens d'une volonté agissante, comme nous l'avons fait pour I, 43; cf. V, 35; VIII, 44 (*Zahn*). Il y a peut-être un autre miracle, la façon rapide ou même instantanée avec laquelle les disciples abordent. Mais ils étaient peut-être très près de la rive sans s'en douter; Capharnaüm en tout cas est beaucoup plus près de la rive orientale que Mejdel ou Tibériade. Ils abordent donc où le vent les avait poussés (*Zahn*) ou plus simplement où ils allaient, où ils avançaient (ὑπῆγον), c'est-à-dire près de Capharnaüm, et non dans son petit port, la ville n'étant pas désignée (cf. v. 25). Dans Mc. et Mt. la tempête s'apaise, et l'on aborde à Genésareth, qui était tout proche de Capharnaüm.

A tout prendre, il est clair que Jo. ne s'est pas soucié de suivre Mc. ou Mt., si bien que Chrys. a cru à deux événements différents. Augustin a été mieux inspiré en montrant l'accord sur toute la substance des deux récits, accord d'autant plus remarquable qu'il n'est pas cherché.

22-59. LE DISCOURS SUR LE PAIN DE VIE.

Il est précédé d'une introduction (22-24) et semble au premier abord se diviser en deux parties : 25-40 et 41-59, car au v. 41 on voit apparaître « les Juifs ». Mais à y regarder de plus près, on voit que 41-47 ne font que défendre la première partie contre les difficultés des auditeurs, en revenant sur ce qui a été déjà dit. C'est à partir du v. 51 que la doctrine de l'Eucharistie vient compléter celle du pain du ciel, les vv. 48-50 servant de transition.

22-24. *Le cadre et l'auditoire.*

La concordance avec les synoptiques cesse ici. Lc. a déjà pris une voie différente après la multiplication des pains. Mc. et Mt. mentionnent beaucoup de miracles, avec cette différence que dans Mc. c'est Jésus qui parcourt la contrée, tandis que d'après Mt. on apporte les malades. Aucun des deux ne fait allusion au grand discours sur le pain de vie, mais il va sans dire que cette occupation d'une journée aurait aisément sa place dans leur cadre. Néanmoins les deux ont surtout en vue l'effervescence populaire, que Jo. note aussi, mais pour indiquer un refroidissement dont les deux ne font pas mention, mais que suppose bien le redoublement des attaques (Mc. VII; Mt. XV).

Pour Jo. donc, il s'agit de mettre en lumière la crise du messianisme. Pour cela fallait-il placer en présence de Jésus la foule qui voulait l'acclamer

[22] Τῇ ἐπαύριον ὁ ὄχλος ὁ ἑστηκὼς πέραν τῆς θαλάσσης εἶδον ὅτι πλοιάριον ἄλλο οὐκ ἦν ἐκεῖ εἰ μὴ ἕν, καὶ ὅτι οὐ συνεισῆλθεν τοῖς μαθηταῖς αὐτοῦ ὁ Ἰησοῦς εἰς τὸ πλοῖον ἀλλὰ μόνοι οἱ μαθηταὶ αὐτοῦ ἀπῆλθον· [23] ἀλλὰ ἦλθεν πλοῖα ἐκ Τιβεριάδος ἐγγὺς τοῦ τόπου ὅπου ἔφαγον τὸν ἄρτον εὐχαριστήσαντος τοῦ κυρίου. [24] ὅτε οὖν εἶδεν ὁ ὄχλος ὅτι Ἰησοῦς οὐκ ἔστιν ἐκεῖ οὐδὲ οἱ μαθηταὶ αὐτοῦ, ἐνέβησαν αὐτοὶ εἰς τὰ πλοιάρια καὶ ἦλθον εἰς Καφαρναοὺμ

23. ηλθεν (HV) plutôt que ηλθον (TS). — πλοια (H) plutôt que πλοιαρια (TSV).

---

roi? Mais Jésus s'était dérobé à cette démonstration populaire; il ne pouvait s'expliquer avec cette foule. Puisque Jo. l'a compris, il n'a donc pas eu le dessein ridicule de transporter les cinq mille hommes sur l'autre rive pour placer à Capharnaüm l'explication dont il avait reconnu l'inopportunité. C'est pour lui faire dire des choses invraisemblables et contradictoires qu'on parle (*Wellh.*) d'une véritable flotte partie de Tibériade, des barques « aussi nombreuses qu'on le pouvait souhaiter, et qui n'avaient rien de mieux à faire que d'offrir leurs services à la foule errante » (*Loisy*, p. 231). Cette notion de foule est naturellement très vague; le récit doit être entendu dans le sens raisonnable dont il est parfaitement susceptible. On reconnaît d'ailleurs que ce petit prologue n'a pas la netteté attique, et que sa construction est même embarrassée.

Au v. 22 Zahn lit ἴδων (et non εἶδον) et ne fait qu'une phrase de 22-24, avec une anacoluthe, du v. 22 au v. 24, le v. 23 étant une incidente. Mais la leçon εἶδον (THSV) est beaucoup mieux soutenue : ABLΘ *a d f l q sah. boh. syrr.* Il faut donc admettre au v. 24 une sorte de reprise (cf. I Jo. I, 3-8). Cela a été écrit un peu gauchement, mais n'accuse pas une main différente ni un remaniement; on trouve des cas semblables dans les classiques (*Deb.* § 467).

22) On peut supposer, d'après notre typographie moderne, une parenthèse qui encadrerait le verset en commençant à εἶδον. De cette façon le sens du plus-que-parfait serait suggéré assez naturellement. En effet, ce n'est pas le lendemain, c'est le jour même que la foule avait pu faire cette constatation. « La foule » indique ici ceux qui étaient descendus près du rivage, pensant qu'ils ne manqueraient pas Jésus au moment où il viendrait pour s'embarquer; la constatation indiquée par le texte était aisée. Cependant on peut entendre εἶδον d'une information indirecte. Le lendemain, le gros de la foule s'étant naturellement dispersé dans la poursuite inutile de Jésus, quelques-uns, s'y étant acharnés, encore assez nombreux pour représenter cette foule, apprirent sur le rivage ce qui s'était passé.

23) Tibériade était, avec Capharnaüm, le port le plus important de la rive occidentale. C'est surtout après un gros temps que les pêcheurs se mettent en route, ou bien la navigation interrompue reprend. On voit dans Josèphe (*Bell.* III, x, 9) que la navigation y était très active. D'ailleurs Jo. ne dit même pas πόλλα à propos de ces bateaux. Il est clair qu'il ne facilite pas les choses en faisant venir ces barques de Tibériade : venues de Capharnaüm elles pouvaient

[22]Le lendemain, la foule qui était restée de l'autre côté de la mer se rendit compte qu'il n'y avait eu là qu'une seule petite barque, et que Jésus n'était pas entré dans la barque en même temps que ses disciples, mais que ses disciples étaient partis seuls; [23] — mais [d'autres] barques vinrent de Tibériade près de l'endroit où ils avaient mangé le pain après que le Seigneur eût rendu grâce; — [24]lors donc que la foule vit que Jésus n'était pas là, ni ses disciples, ils montèrent eux-mêmes dans les barques et vinrent à Capharnaüm,

avoir pour but d'annoncer que Jésus était arrivé, et de ramener ceux qui le cherchaient. Pourquoi est-on venu de Tibériade? Comment a-t-on accepté de revenir par Capharnaüm? Autant d'énigmes qui d'ailleurs ne sont pas insolubles. Des bateaux qui ont débarqué leurs passagers sont toujours prêts à charger, même en faisant un détour. Jo. semble voir dans ce fait une coïncidence singulière; c'est un souvenir réel à la manière de Mc. dont on ne voit pas l'intérêt pour le récit. — La fin du verset rappelle le caractère miraculeux du repas, qu'il ne faut pas perdre de vue. — Nous lisons ἀλλά « mais » avec H, plutôt que ἄλλα « d'autres » avec TSV, ce qui ne dirait rien de plus.

24) Tout étant expliqué, la phrase reprend son cours. Cette fois εἶδεν est bien un aoriste, avec οὐκ ἔστιν : on a vu, on constate définitivement que Jésus n'est pas sur la rive orientale, ni ses disciples non plus.

Il va de soi que la foule qui monte en barque n'est pas toute celle qui avait participé au repas. Après la première surexcitation, chacun s'en fut chez soi. Et probablement ceux qui font la traversée sont précisément ceux qui habitaient Capharnaüm, du moins pour la plupart. Cependant ils cherchaient encore Jésus, ayant chance de le trouver dans la ville qu'il habitait, comme Jo. le suppose connu par les synoptiques.

25-50. *Première partie du discours : Jésus est le pain de la vie; il la donne à ceux qui croient en lui.*

C'est un prélude nécessaire à la seconde partie du discours. Avant d'annoncer qu'il donnera à manger sa chair, et son sang à boire, Jésus explique comment, étant le pain descendu du ciel, il se donne en nourriture à ceux qui croient en lui et qui lui sont donnés par son Père. Cet enseignement purement spirituel avec l'image du pain, n'en exprime pas moins une réalité profonde, le don de la vie éternelle dès cette vie par celui qui est descendu du ciel. Il ne faut pas en conclure que la seconde partie du discours doit être prise au sens symbolique, mais plutôt que la première partie préparait les esprits à entendre d'une manière spirituelle la manducation d'ailleurs très réelle du corps. Elle élevait d'avance les Juifs vers des pensées si hautes qu'ils n'auraient pas dû s'abaisser au reproche de cannibalisme, tellement atroce qu'ils n'osent même pas le proférer. Prélude de ce qui suit, cet admirable morceau découle très naturellement de la situation créée par la multiplication des pains, qu'il était tout indiqué de comparer au miracle de la manne. De sorte que l'ouverture sur le mystère eucharistique qu'on s'étonne de trouver dans l'évangile avant le moment indiqué

ζητοῦντες τὸν Ἰησοῦν. [25]καὶ εὑρόντες αὐτὸν πέραν τῆς θαλάσσης εἶπον αὐτῷ Ῥαββί, πότε ὧδε γέγονας; [26]ἀπεκρίθη αὐτοῖς ὁ Ἰησοῦς καὶ εἶπεν Ἀμὴν ἀμὴν λέγω ὑμῖν, ζητεῖτέ με οὐχ ὅτι εἴδετε σημεῖα ἀλλ' ὅτι ἐφάγετε ἐκ τῶν ἄρτων καὶ ἐχορτάσθητε· [27]ἐργάζεσθε μὴ τὴν βρῶσιν τὴν ἀπολλυμένην ἀλλὰ τὴν βρῶσιν τὴν μένουσαν εἰς ζωὴν αἰώνιον, ἣν ὁ υἱὸς τοῦ ἀνθρώπου δίδωσιν ὑμῖν, τοῦτον γὰρ ὁ πατὴρ ἐσφράγισεν ὁ θεός. [28]εἶπον οὖν πρὸς

27. διδωσιν υμιν (T) plutôt que υμιν δωσει (HSV).

---

par les synoptiques pour l'institution de la Cène, est cependant placé dans une très belle perspective historique.

25-40. *Exposition du premier thème : Jésus est le pain du ciel.*

25) Si Jésus était à Capharnaüm, il était aisé de le trouver; mais pourquoi ne pas écrire : l'ayant trouvé là? Le texte semble dire : quelque part au bord du lac. Ce ne fut peut-être pas le jour même de leur arrivée. Le discours qui suit fut prononcé dans la synagogue de Capharnaüm à titre d'enseignement (59). Si ce fut à la réunion du jour du sabbat, ce ne put être le jour de l'arrivée des Juifs, qui n'auraient pas fait la traversée un jour chômé.

La question πῶς « comment » eût paru plus naturelle, mais peut-être aussi trop directe. La foule, naturellement représentée par quelques meneurs, demande seulement « quand », ce qui, avec le parfait γέγονας, signifie presque « depuis quand es-tu là? » Cela suggère un certain intervalle depuis qu'ils l'avaient vu. D'autre part γέγονα a été employé plusieurs fois dans le sens d'arriver comme un aoriste; cf. *Pap. Preisigke* **1854** ὧδε γέγονα (*MM*).

26) Jésus ne répond pas à la question, parce qu'il désapprouve cet empressement. Puisque le premier miracle n'avait pas produit sur eux un meilleur effet, il était inutile d'attirer leur attention sur le second. C'est sur leur tentative elle-même qu'il se prononce, telle qu'elle s'était produite après la multiplication. Si Jo. avait choisi librement sa mise en scène, le discours qui suit eût dû être placé plus tôt. Jésus ne reproche pas à ceux qui le cherchent de n'avoir pas compris qu'il avait fait un miracle : c'est pour cela même qu'ils avaient voulu le faire roi. Mais il ne dit pas non plus : « Il aurait fallu comprendre que Jésus est le pain de vie, il fallait voir dans la multiplication des pains le symbole de la cène et du mystère chrétien » (*Loisy*, p. 232), exigence qu'on attribue à Jo. pour le rendre ridicule; il y a seulement dans le texte qu'ils n'ont vu dans le miracle qu'une satisfaction grossière de leurs appétits. Ce n'est pas en tant que signe, appelant leur attention sur le pouvoir de Jésus et sur la doctrine qu'il leur proposait d'ordinaire, mais en tant que leur laissant entrevoir des jouissances de vie plantureuse qu'ils l'ont interprété, et ils ont cherché le Rabbi pour en faire un roi temporel. Il est sous-entendu d'après les synoptiques que Jésus prêchait le règne de Dieu et faisait des miracles (σημεῖα au pluriel) pour exciter la foi. Le titre de Rabbi qu'ils viennent de prononcer en est un indice. — Sur σημεῖον cf. II, 11.

cherchant Jésus. [25] Et l'ayant trouvé de l'autre côté de la mer, ils lui dirent : « Rabbi, quand es-tu venu ici? » [26] Jésus leur répondit et dit : « En vérité, en vérité, je vous [le] dis, vous me cherchez, non parce que vous avez vu des miracles, mais parce que vous avez mangé des pains, et que vous avez été rassasiés ; [27] procurez-vous, non la nourriture périssable, mais la nourriture qui demeure pour [la] vie éternelle, celle que le Fils de l'homme vous donne, car c'est lui que Dieu, le Père, a marqué de son sceau. » [28] Ils lui dirent donc :

27) Aussi Jésus oppose-t-il immédiatement à la nourriture périssable celle qui demeure dans l'éternité, nourriture qu'il a précisément pour mission de prêcher et même de donner, lui qui est le Fils de l'homme. — ἐργάζεσθαι, ordinairement travailler, mais ici se procurer, comme souvent. Pourquoi se remuer pour ce qui sera donné? Il n'y a pas contradiction: recourez à celui qui donne! C'est le pendant de l'eau offerte à la Samaritaine (iv, 14) : là-bas la métaphore de l'eau venait de la circonstance du puits; ici la nourriture corporelle suggère une nourriture spirituelle. Pour réaliser sa mission, Jésus n'a pas besoin qu'ils le couronnent roi; il a déjà le sceau de son Père; comme dans les synoptiques il évite le titre de Messie, et se contente de celui de Fils de l'homme qu'il avait accepté en prenant la nature humaine. Le sceau est la ratification par les miracles; c'est le témoignage du Père (v, 36) scellé par lui; à cause de l'aoriste (ἐσφράγισεν), on l'entendra surtout du pouvoir accordé de faire les miracles. Cyrille a entendu ce sceau de l'image du Père qu'est le Fils : ἐχρίσθην, καὶ κατεσφραγίσθην παρὰ τοῦ Θεοῦ καὶ Πατρὸς εἰς ἀπαράλλακτον ὁμοιότητα, τὴν ὡς πρὸς αὐτόν. — Si le Fils peut donner le pain de la terre par un miracle, il peut aussi donner le pain du ciel. — Le Père est Dieu; ce nom suffit pour le Fils; ὁ θεός est ajouté pour les Juifs. — La leçon δίδωσιν ὑμῖν (T) est peu soutenue : ℵD *syrcur d e ff*[2] *aur.*, mais elle est intrinsèquement préférable car il semble bien que ὑμῖν δώσει est une correction en vue du don *futur* de l'Eucharistie.

28) Les Galiléens répondent en vrais Juifs. L'idée d'un don de Dieu passe inaperçue pour eux. Ils ne songent qu'aux œuvres qu'ils auront à faire, et ils prennent ἐργάζεσθαι dans ce sens. Il ne s'ensuit pas cependant que les œuvres de Dieu (cf. ix, 3) soient les œuvres déjà commandées par Dieu (Bar. ii, 9) ou simplement voulues par Dieu (Jer. xlviii, 10), car ces œuvres ils croyaient les connaître par la loi et par les prophètes, et rien ne prouve qu'ils aient répondu avec suffisance et insolence (*Chrys. Cyr.*). Il y a dans leur réponse du moins une apparence de bonne volonté. Ils ont compris que Jésus avait en vue une nourriture spirituelle, une œuvre divine (cf. Apoc. ii, 26), et ils ont encore une certaine confiance dans les indications qu'il peut leur donner; ils parlent donc d'œuvres spéciales dont ils demandent le secret à Jésus (*Schanz, Loisy*, contre *Zahn, Tillm.*, *Bauer*). Le rapport avec la question du riche (Mc., x, 17 et parall.) est assez éloigné, et il n'y en a aucun avec le doute sur le principal commandement (Mc. xii, 29).

αὐτόν· Τί ποιῶμεν ἵνα ἐργαζώμεθα τὰ ἔργα τοῦ θεοῦ; [29]ἀπεκρίθη ὁ Ἰησοῦς καὶ εἶπεν αὐτοῖς· Τοῦτό ἐστιν τὸ ἔργον τοῦ θεοῦ ἵνα πιστεύητε εἰς ὃν ἀπέστειλεν ἐκεῖνος. [30]εἶπον οὖν αὐτῷ· Τί οὖν ποιεῖς σὺ σημεῖον, ἵνα ἴδωμεν καὶ πιστεύσωμέν σοι; τί ἐργάζῃ; [31]οἱ πατέρες ἡμῶν τὸ μάννα ἔφαγον ἐν τῇ ἐρήμῳ, καθώς ἐστιν γεγραμμένον· Ἄρτον ἐκ τοῦ οὐρανοῦ ἔδωκεν αὐτοῖς φαγεῖν. [32]εἶπεν οὖν αὐτοῖς ὁ Ἰησοῦς· Ἀμὴν ἀμὴν λέγω ὑμῖν, οὐ Μωυσῆς ἔδωκεν ὑμῖν τὸν ἄρτον ἐκ τοῦ οὐρανοῦ, ἀλλ' ὁ πατήρ μου δίδωσιν ὑμῖν

32. εδωκεν (H) ou δεδωκεν (TSV).

---

29) La réponse du Sauveur ramène tout à l'unité (autrement IX, 3). L'œuvre du Père c'est d'envoyer son Fils; s'associer à cette œuvre, la faire en quelque sorte, c'est croire en son envoyé (cf. I Jo. III, 23). D'après Loisy et Bauer, c'est l'état du christianisme désormais distinct du judaïsme, après la controverse paulinienne qui a remplacé les œuvres par la foi. Il faudrait même dire (cf. *Godet*) que c'est la synthèse des théories de Paul et de Jacques, puisque la foi est devenue une œuvre, l'œuvre voulue de Dieu que l'homme doit pratiquer. Aug. : *Ideo noluit discernere ab opere fidem, sed ipsam fidem dixit esse opus. Ipsa est enim fides quae per dilectionem operatur.* — Mais on peut affirmer que si l'on n'avait pas étudié Paul avec le désir de comparer les doctrines, ce que faisaient les Pères, personne ne verrait ici une allusion à la distinction des œuvres et de la foi, d'autant que les œuvres du v. 28 ne sont pas les œuvres de la Loi, et si cette distinction n'est pas exprimée, on n'a pas le droit de dire qu'elle est dépassée. En somme, aux Juifs qui le consultent sur les œuvres qu'il leur propose, Jésus demande de croire en lui. C'est la seule chose qu'il exige tellement qu'on peut la dire unique, quoique Jo. ne prétende pas assurément laisser de côté d'autres œuvres, comme l'amour du prochain, etc. Et d'autre part, on sait combien les synoptiques ajoutaient d'importance à la foi (Mc. IX, 23; XI, 22 etc.) qui est en somme l'adhésion à Jésus (Mt. IX, 28 ss.).

30) Question inattendue, dit-on. Ils ont vu un signe assez impressionnant pour les décider à offrir la royauté à Jésus; et quand il leur propose de le reconnaître comme envoyé de Dieu, ils demandent un signe. — C'est qu'ils ont très bien compris que Jésus ne veut pas de la royauté, ni satisfaire leurs aspirations temporelles, qu'il veut les entraîner plus haut dans les voies de Dieu, et que, refusant de s'accommoder à leur programme, il exige une foi qui pourrait paraître aveugle. Ils demandent donc un nouveau miracle, non plus de l'ordre temporel, mais de l'ordre divin, qui justifiât les prétentions nouvelles de Jésus. Aussi bien, le ton commence à être défiant et antipathique : σύ, toi, qui te mets en avant; — ἵνα ἴδωμεν nous tenons à bien constater avant de croire — à toi, σοί. En fin de compte, τί ἐργάζῃ, toi qui demandes aux autres d'ἐργάζεσθαι? Dans Mc. (VIII, 11) et dans Mt. (XVI, 1) la demande d'un signe du ciel suit immédiatement la seconde multiplication des pains.

« Que devons-nous faire, pour procurer les œuvres de Dieu? » [29] Jésus répondit et leur dit : « L'œuvre de Dieu, c'est que vous croyiez en celui qu'il a envoyé. » [30] Ils lui dirent donc : « Quel signe miraculeux fais-tu donc, qui nous éclaire de façon que nous croyions en toi? Que procures-tu? [31] Nos pères ont mangé la manne dans le désert, comme il est écrit : *Il leur a donné à manger un pain venu du ciel.* » [32] Jésus leur dit donc : « En vérité, en vérité, je vous [le] dis, Moïse ne vous a pas donné le pain venu du ciel; mais mon Père

31) Il ouvre des horizons nouveaux, et il n'a fait qu'un miracle inférieur à celui du temps de Moïse. Il parle d'une nourriture céleste, et leurs pères en ont déjà goûté.

La citation rappelle surtout Ps. LXXVII, 24 καὶ ἔβρεξεν αὐτοῖς μάννα φαγεῖν, καὶ ἄρτον οὐρανοῦ ἔδωκεν αὐτοῖς, cf. Ex. XVI, 4; Sap. XVI, 20. Le sujet de ἔδωκεν est évidemment Dieu, mais on savait que tous les miracles du désert avaient été accordés à la prière de Moïse; c'est lui qu'il fallait dépasser, à tout le moins, si l'on avait des prétentions si hautes.

32) Évidemment Jésus ne nie pas que Dieu ait donné par Moïse un pain qui venait du ciel-atmosphère; l'opposition directe n'est pas non plus entre Moïse et le Père, mais entre cet ancien pain et le pain qui est vraiment le pain du ciel au sens spirituel. Secondairement, le pain véritable a encore cet avantage qu'il est donné directement par le Père, tandis que l'intermédiaire de Moïse marquait la manne d'un caractère inférieur : Moïse, chef du peuple, pourvoyait à ses besoins temporels. Il est très peu vraisemblable cependant que cette insistance sur Moïse soit une allusion à l'opinion rabbinique que, si la nuée avait été donnée à cause d'Aaron, l'eau à cause de Marie, c'est à Moïse spécialement que Dieu avait donné la manne (WEBER, *Jüd. Theol.*, p. 311). — Le caractère spirituel du pain nouveau est encore accentué par l'opposition de δίδωσιν à δέδωκεν (ou ἔδωκεν, BD); si Dieu le donne déjà, c'est donc d'une manière mystérieuse, et ce n'est pas une nouvelle effusion de la manne telle qu'on l'attendait aux jours du Messie. Ce qu'on trouve dans les écrits rabbiniques est beaucoup moins glorieux pour la manne future que ce qu'on lit dans Sap. XVI, 20-29. On voit seulement que la manne devait descendre aux temps messianiques; Sib. VII, 148 s. (d'après Geffcken, judéo-chrétien du IIe s. ap. J.-C.) : ἀλλ' ἅμα πάντες | μάννην τὴν δροσερὴν λευκοῖσιν ὀδοῦσι φάγονται. Apoc. Bar. XXIX, 8 : *et erit illo tempore, descendet iterum desuper thesaurus manna, et comedent ex eo istis annis...* cf. *Mekilta* sur Ex. XVI, 25, 50b, *Cant. rabba* II, 22 : après quarante-cinq jours, le Messie est révélé à Israël et il fait descendre sur eux la manne. Je ne vois même pas qu'elle soit la nourriture des anges, comme dans Ps. LXXVII, 25 et Sap. XVI, 20; cependant le moulin où elle était préparée était au troisième ciel (WEBER, *Jüdische Theol.* p. 204). Ce qui est beaucoup plus frappant, c'est que le Logos de Philon soit assimilé à la manne, comme nourriture spirituelle des âmes (cf. *RB.* 1923, p. 348). Mais il n'est pas question d'Incarnation dans Philon, tandis qu'ici Jésus va se désigner lui-même, et s'offrir aux personnes présentes (ὑμῖν).

τὸν ἄρτον ἐκ τοῦ οὐρανοῦ τὸν ἀληθινόν· [33] ὁ γὰρ ἄρτος τοῦ θεοῦ ἐστὶν ὁ καταβαίνων ἐκ τοῦ οὐρανοῦ καὶ ζωὴν διδοὺς τῷ κόσμῳ. [34] εἶπον οὖν πρὸς αὐτόν Κύριε, πάντοτε δὸς ἡμῖν τὸν ἄρτον τοῦτον. [35] εἶπεν αὐτοῖς ὁ Ἰησοῦς Ἐγώ εἰμι ὁ ἄρτος τῆς ζωῆς· ὁ ἐρχόμενος πρὸς ἐμὲ οὐ μὴ πεινάσῃ, καὶ ὁ πιστεύων εἰς ἐμὲ οὐ μὴ διψήσει πώποτε. [36] ἀλλ' εἶπον ὑμῖν ὅτι καὶ ἑωράκατέ με καὶ οὐ πιστεύετε. [37] Πᾶν ὃ δίδωσίν μοι ὁ πατὴρ πρὸς

35. *om.* ουν p. ειπεν (H) ou *add.* (TSV). — εμε 1° (THV) ou με (S). — διψησει (THV) et non διψηση (S).

---

33) Le pain de Dieu, vraiment descendu du ciel, donne la vie au monde et une vie spirituelle; la manne ne faisait qu'entretenir la vie périssable de quelques Israélites. — ὁ ἄρτος est attribut : le pain qui descend, etc., celui-là est le pain de Dieu.

34) Ils demandent le pain comme la Samaritaine demandait l'eau (IV, 15), dans des dispositions aussi obscures, et, d'après le ton de leur dernière réplique (30), sans beaucoup de confiance, comme s'ils se disaient : nous allons bien voir (ἴδωμεν), et il sera toujours temps de croire. — πάντοτε « en tout temps », puisque celui qu'ils ont reçu n'a calmé leur faim que pour un temps. Un pain si extraordinaire et divin, quel qu'il soit, ne serait pas de refus. Attendons.

35) Avec la Samaritaine, Jésus avait rompu l'entretien (IV, 16) au moment où elle demandait l'eau vivifiante. Cette fois il s'exprime clairement, non qu'il attende beaucoup de la disposition de ces Galiléens, mais parce qu'il veut que la vérité une fois mise en marche progresse toujours. L'accent est sur ἐγώ, ce qui dut étonner les auditeurs. Mais il ne leur dit pas encore que ce pain sera leur nourriture. Il est pain parce qu'en venant à lui on apaise la faim qui cherche Dieu, c'est-à-dire la faim spirituelle, et il commente cette démarche par l'acte de foi, tandis que la soif vient naturellement comme un besoin parallèle (Is. XLIX, 10). C'est donc, par le détour du pain occasionné par leur objection, un retour à l'affirmation du v. 29. — πώποτε à la fin de la réponse répond à πάντοτε au début de la demande : il sera inutile de donner sans cesse de ce pain, puisqu'on le possédera toujours par la foi, de manière à n'avoir jamais faim ni soif. Sans doute le désir de posséder Dieu davantage ira toujours en augmentant (cf. sur IV, 13); mais du moins l'âme aura conscience d'entrer en contact avec lui et de le posséder par la foi. Cela ne fait pas suite à Gal. II, 20, comme prétend Loisy. Le Christ parle de venir à lui, de croire en lui pour apaiser la faim, ce qui est assurément très mystique et le principe sur lequel s'appuie Paul, mais la vie de l'apôtre dans le Christ *et la vie du Christ en lui* est une notion beaucoup plus explicite dans sa réciprocité.

36) Le v. 36 est un peu en dehors du thème. C'est une réflexion douloureuse en manière de parenthèse; elle semble hors de sa place primitive, qui pourrait bien être après le v. 40. Le début est difficile. A quelle parole antécédente Jésus fait-il allusion? On ne peut indiquer que le v. 26, et encore à la condition de supprimer μέ avec T (et *Zahn*) d'après ℵA *a b e q* deux mss. de *vg. syrcur* et

vous donne le vrai pain venu du ciel; [33] car le pain de Dieu est celui qui descend du ciel et qui donne [la] vie au monde ». [34] Ils lui dirent donc : « Seigneur, donne-nous toujours ce pain. » [35] Jésus leur dit : « Je suis le pain de la vie : celui qui vient à moi n'aura pas faim, et celui qui croit en moi n'aura jamais soif. [36] (Mais je vous ai dit que vous m'avez vu et que vous ne croyez pas). [37] Tout ce que le Père me donne viendra à moi, et celui qui viendra à moi je ne le

sin. De cette façon on peut dire que Jésus a rappelé aux Galiléens ce qu'ils avaient vu, c'est-à-dire le miracle de la multiplication des pains. Mais on a ainsi l'impression que la suppression de μέ est une correction adroite. Avec μέ, on a proposé d'entendre : « Je pourrais bien vous dire », comme dans Dém. 4, 44 ἤρετό τις (*Kühn.-G.* I, p. 163), en français « dira quelqu'un ». Mais cette tournure paraît un peu recherchée pour le style simple de Jo. Il reste donc à admettre un renvoi au v. 26 : vous m'avez vu, c'est-à-dire à l'œuvre, ou de supposer que Jo. renvoie à une conversation qu'il regarde comme antérieure, dont il a le souvenir, mais qu'il n'a pas rapportée, ce qui n'est pas du tout invraisemblable. — καί... καί, le second dans le sens de « et cependant » (cf. xv, 24) qu'il peut avoir en grec (Eurip. *H. f.* 509 ὀνομαστὰ πράσσων, καί μ' ἀφείλεθ' ἡ τύχη).

37-40) On a voulu établir un contexte entre cette petite section et le v. précédent. Le plus souvent, on a vu dans le v. 37 la cause dernière de l'infidélité des Juifs : s'ils ne viennent pas, c'est que le Père ne les a pas attirés. — Mais ce serait introduire ici le caractère exclusif de la prédestination qui ne paraît pas même au v. 44. Maldonat a remarqué que ce serait en apparence atténuer leur faute, à moins de se lancer dans des explications sur les rapports de la prédestination et de la liberté. D'après Schanz, Jésus affirme que leur incrédulité envers le Fils est en même temps une faute envers le Père qui a donné au Fils ceux qui croient : déduction assez indirecte. D'après Loisy (p. 237) : « Au fond de l'ensemble est la doctrine de Paul sur la prédestination et la réprobation. » Mais outre qu'il n'est pas question ici de réprobation, la prédestination était connue des Juifs (cf. *Comm. Rom.*, p. 248); elle n'est pas enseignée ici; elle est plutôt supposée dans une certaine mesure. Les Juifs savaient bien que pour avoir la vie éternelle il faut croire en Dieu, aller à Dieu : ce que Jésus leur enseigne c'est que le Père veut qu'on passe par le Fils.

Encore n'est-ce pas tout ce que ce petit morceau a en vue : c'est une invitation très tendre du Fils, qui se rattache au v. 35. Celui qui croit n'aura jamais soif. Pourquoi? Parce que le Père se propose son salut, le donne au Fils dans cette intention, et que le Fils fait tout ce que désire le Père pour le sauver, jusques, et y compris, la résurrection. — De sorte que nous voyons dans l'absence de contexte *a parte post* comme *a parte ante* une nouvelle preuve que le v. 36 n'est pas à sa place.

37) ἐμέ que nous lisons après le premier πρός est la forme accentuée qui met la personne plus en relief. — πᾶν au neutre pour « toute personne », comme

ἐμὲ ἥξει, καὶ τὸν ἐρχόμενον πρός με οὐ μὴ ἐκβάλω ἔξω, [38] ὅτι καταβέβηκα ἀπὸ τοῦ οὐρανοῦ οὐχ ἵνα ποιῶ τὸ θέλημα τὸ ἐμὸν ἀλλὰ τὸ θέλημα τοῦ πέμψαντός με· [39] τοῦτο δέ ἐστιν τὸ θέλημα τοῦ πέμψαντός με ἵνα πᾶν ὃ δέδωκέν μοι μὴ ἀπολέσω ἐξ αὐτοῦ, ἀλλὰ ἀναστήσω αὐτὸ τῇ ἐσχάτῃ ἡμέρᾳ. [40] τοῦτο γάρ ἐστιν τὸ θέλημα τοῦ πατρός μου ἵνα πᾶς ὁ θεωρῶν τὸν υἱὸν καὶ πιστεύων εἰς αὐτὸν ἔχῃ ζωὴν αἰώνιον, καὶ ἀναστήσω αὐτὸν ἐγὼ τῇ ἐσχάτῃ ἡμέρᾳ. [41] Ἐγόγγυζον οὖν οἱ Ἰουδαῖοι περὶ αὐτοῦ ὅτι

v. 39; xvii, 2; cf. iii, 6; I Jo. v, 4. — pour ἥκω, venir à une divinité, cf. ἥκω πρὸς τὴν κυρίαν Ἶσιν (Ditt. *Or. gr.*, 186, 6, cité par *Bauer*). Ce mot rappelle ἐρχόμενος du v. 35. — ἐκβάλλω ἔξω, cf. xv, 6 n'indique pas l'expulsion du royaume de Dieu de l'au-delà, car personne n'en est chassé. Cela suppose seulement que l'homme a été admis dans l'intimité du Fils, parmi les siens. Ce n'est pas lui qui prendra jamais l'initiative de le chasser; on peut bien dire : tout au contraire!

38) En effet le Fils est descendu du ciel précisément pour faire cette volonté du Père qui consiste à sauver par les soins du Fils.

39) ἀναστήσω, la première fois à l'aoriste, en parallélisme avec ἀπολέσω. — δέδωκεν au parfait parce que le don est antérieur à l'action du Fils.

— Si ce verset ne précédait le suivant, on y verrait une affirmation de la prédestination par le Père, comme cause certaine du salut, puisque le Fils ne perd aucun de ceux que le Père lui donne. Mais si l'on entendait de la même façon le v. 40, il s'ensuivrait que la foi est inamissible. Ce serait contraire à la théologie catholique, à l'expérience, et à Jo. lui-même, puisque, parmi les disciples eux-mêmes, le fils de perdition a péri (xvii, 12). Le sens est plutôt que si quelqu'un vient à se perdre, sa perte ne sera pas imputable au Fils qui ne perd personne, et par conséquent il ne s'agit pas ici de la prédestination par Dieu. Il y a donc une certaine insistance sur ce don du Père, non pas pour mettre en vedette la nécessité de la prédestination, mais pour montrer combien ces hommes doivent être chers au Fils, et combien il les aime en effet. Encore moins peut-on déduire du texte quelle est l'action de Dieu et celle de l'homme, et dans quel état se trouve celui qu'il donne avant le don. On peut dire avec Maldonat que ce sont des hommes déjà bien disposés, *idonei ut Christi discipuli fiant,* ou avec saint Thomas que Dieu leur donne de croire. Le texte fait abstraction de cela : ceux qui viennent sont un don du Père, et ils viennent par la foi, qui suppose bien leur adhésion. Peut-être étaient-ce des pécheurs, peut-être de bons Israélites, avant le moment où ils sont venus à Jésus. — πᾶν.... μή = μηδείς, tournure sémitique, avec reprise du pronom à la fin; cf. *Comm. Mt.* xcvii.

40) Insistance sur la volonté du Père : tous ceux qui voient le Fils, qui le considèrent attentivement et qui croient ont d'abord en eux la vie spirituelle qui est la vie éternelle, et ensuite le Fils les ressuscitera. Ils sont orientés par le Père vers la vie éternelle, et le Fils exécutera sa volonté. Il n'est pas dit qu'il n'arrivera à personne de perdre la foi, mais seulement quel est le résultat

rejetterai pas dehors, [38] parce que je suis descendu du ciel pour faire non pas ma volonté, mais la volonté de celui qui m'a envoyé. [39] Or la volonté de celui qui m'a envoyé est que je ne perde rien de ce qu'il m'a donné, mais que je le ressuscite au dernier jour. [40] Car telle est la volonté de mon Père, que quiconque voit le Fils et croit en lui possède [la] vie éternelle, et je le ressusciterai au dernier jour. ([36]) Mais je vous ai dit que vous m'avez vu et que vous ne croyez pas.

[41] Les Juifs murmuraient donc à son sujet, parce qu'il avait dit :

de la foi d'après les desseins du Père et sous l'action du Fils; ce qui est surtout enseigné, c'est la parfaite conformité de la volonté du Fils avec celle du Père dans l'œuvre du salut des hommes. Rien de plus propre que ces paroles si bienveillantes à décider des Juifs à confier à Jésus leurs destinées éternelles sans s'écarter d'une ligne de la foi qui les rattachait au Père. C'était une manière de leur expliquer en clair ce qu'il était comme pain descendu du ciel. Il faut convenir que le v. 36 serait beaucoup mieux placé après le v. 40; après ὁ θεωρῶν με, l'opposition ἀλλὰ... et ἑωράκατέ με κ. τ. λ. serait très naturelle.

41-47. *Défense de la doctrine.*

Cette partie est conçue dans un ordre inverse par rapport à la précédente. Jésus était parti du thème du pain pour affirmer qu'il était le pain du ciel véritable, et il avait expliqué cette image par le salut voulu par le Père et mis en action par le Fils. — Maintenant les Juifs refusent de croire à son origine céleste : il la maintient et déclare que sa doctrine prévaudra auprès de ceux qui lui sont envoyés par le Père (41-47). Au point où nous sommes arrivés, il y a une pause. Les interlocuteurs ne répondent plus à Jésus; c'est entre eux qu'ils échangent leurs propos.

41) Les adversaires sont maintenant les Juifs. D'après les uns (*Schanz, Belser*, etc.) de véritables Judéens venus de Jérusalem pour épier Jésus, et dont la présence en Galilée est signalée par Mc. (II, 16. 18. 24 et surtout III, 22). D'autres pensent que les Galiléens se transforment en Juifs sous la plume de Jo. parce que l'obstination et l'incrédulité ont pris la place de l'enthousiasme Il est vrai que cet élan était déjà tombé (30), mais l'hostilité se manifeste davantage. Ce sont donc à peu près les mêmes personnages qui maintenant dirigent la résistance; ils ont entendu le discours précédent et ils sont de Galilée (42). Jo. ne fait pas plusieurs catégories de Ἰουδαῖοι : peu importe qu'ils soient ou non de Judée, ils ont l'esprit des Pharisiens de Jérusalem. — γογγύζω est une expression qui leur convient bien (Lc. v, 30), comme à leurs pères (Num. XI, 1; XIV, 27). Le murmure a pu commencer pendant que Jésus parlait; cf. Pap. Oxy. **33** (III, 14), fin du IIe s. ap. J.-C. : lors de l'entretien d'un empereur avec un rebelle, un vétéran dit : κύριε, κάθῃ, Ῥωμαῖοι γογγύζουσι (*MM*). L'objet du murmure d'après Jo. c'est l'affirmation sur le pain descendu du ciel. C'est par là qu'avait commencé le discours et c'est une manière de ramener le pain en vue du discours qui va suivre, quoique l'attention des Juifs se soit arrêtée surtout sur l'origine céleste de Jésus.

εἶπεν Ἐγώ εἰμι ὁ ἄρτος ὁ καταβὰς ἐκ τοῦ οὐρανοῦ, [42]καὶ ἔλεγον Οὐχ οὗτός ἐστιν Ἰησοῦς ὁ υἱὸς Ἰωσήφ, οὗ ἡμεῖς οἴδαμεν τὸν πατέρα καὶ τὴν μητέρα; πῶς νῦν λέγει ὅτι Ἐκ τοῦ οὐρανοῦ καταβέβηκα; [43]ἀπεκρίθη Ἰησοῦς καὶ εἶπεν αὐτοῖς Μὴ γογγύζετε μετ' ἀλλήλων. [44]οὐδεὶς δύναται ἐλθεῖν πρός με ἐὰν μὴ ὁ πατὴρ ὁ πέμψας με ἑλκύσῃ αὐτόν, κἀγὼ ἀναστήσω αὐτὸν ἐν τῇ ἐσχάτῃ ἡμέρᾳ. [45]ἔστιν γεγραμμένον ἐν τοῖς προφήταις Καὶ ἔσονται πάντες διδακτοὶ θεοῦ. πᾶς ὁ ἀκούσας παρὰ τοῦ πατρὸς καὶ μαθὼν ἔρχεται πρὸς ἐμέ. [46]οὐχ ὅτι τὸν πατέρα ἑώρακέν τις εἰ μὴ ὁ ὢν παρὰ τοῦ

42. ουχ (TSV) plutôt que ουχι (H).

---

42) En effet, c'est le grief qu'ils allèguent, montrant qu'ils avaient compris l'explication donnée par Jésus (38) de l'image du pain. — Des Juifs de Jérusalem auraient pu s'informer; mais ils parlent comme des gens au courant depuis longtemps : ἡμεῖς, ce n'est pas à nous qu'on peut en faire accroire. Mêmes sentiments chez ceux de Nazareth (Mc. VI, 3; Mt. XIII, 55), et ce sont presque les mots de Lc. (IV, 23) οὐχὶ υἱός ἐστιν Ἰωσὴφ οὗτος; οὗτος est assez dédaigneux. — οἴδαμεν n'indique pas nécessairement que Joseph vivait encore; on savait que Jésus était le fils de Joseph qu'on avait connu; et en effet Jo. ne met en scène que la mère de Jésus (II, 1 ss., 12; XIX, 25 ss.). — Naturellement les Juifs n'ont pas connaissance de la conception virginale; d'après Loisy, Jo. non plus n'en aurait « aucun souci ». Que devons-nous penser de Lc. qui s'exprime de la même manière? — D'après Jo. les Juifs n'ont qu'une idée grossière de la naissance du Messie : en réalité il est le Fils descendu du ciel; il parle constamment de son Père céleste comme de son unique Père : n'est-ce pas se placer sur le terrain de la conception virginale?

43) Jésus répond aux murmures, mais sans en relever le motif ni l'argument; on comprend assez qu'il n'ait pas voulu mêler sa mère à cette discussion.

44) Par rapport au v. 37, il y a un *crescendo* notable. Tout d'abord c'était le simple énoncé de ceux qui viennent. Maintenant le Sauveur semble dire : il est inutile de discuter avec ceux qui ne veulent pas venir; ils ne le peuvent pas parce qu'ils ne sont pas tirés par le Père. — ἑλκύω signifie tirer et même vigoureusement : s'il s'agit d'un corps, il est évident qu'il ne résiste que par son poids, etc. Il n'est pas moins évident que les conditions de l'âme sont différentes. Mais si l'on acceptait ce sens, comme il s'agit ici de l'appel à la foi, on ne voit pas comment serait sauvegardé le dogme de la grâce suffisante. Il faut donc interpréter le v. 44 en harmonie avec le v. 45 : tous seront enseignés par Dieu, c'est-à-dire à l'intérieur, et par conséquent attirés par lui : mais il y en a qui n'écoutent pas. Le sens du v. 44 est donc : ne murmurez pas, ne raisonnez pas comme si vous étiez seuls juges de mon enseignement; vos facultés naturelles n'y suffiraient pas : il y faut le secours de Dieu, sans lequel personne ne pourrait venir à moi : c'est de lui qu'il s'agit, prenez-y garde (*Chrys. Cyr.*). Aug. *Nolite cogitare invitum trahi : trahitur animus et amore... Quomodo volun-*

Je suis le pain descendu du ciel, [42] et ils disaient : « N'est-ce pas là Jésus, le fils de Joseph, dont nous connaissons le père et la mère? Comment dit-il maintenant : Je suis descendu du ciel? » [43] Jésus répondit et leur dit : « Ne murmurez pas entre vous. [44] Personne ne peut venir à moi, si le Père qui m'a envoyé ne l'attire, et moi je le ressusciterai au dernier jour. [45] Il est écrit dans les prophètes : *Et ils seront tous enseignés par Dieu.* Quiconque a entendu le Père et a reçu son enseignement vient à moi. [46] Ce n'est pas que personne

tate credo, si trahor? Ego dico : parum est voluntate, etiam voluptate traheris... et tout le reste de ce passage incomparable : *Porro si poetae dicere licuit :* « Trahit sua quemque voluptas » (VERG. *Ecl.* II, 65); *non necessitas sed voluptas; non obligatio, sed delectatio : quanto fortius nos dicere debemus trahi hominem ad Christum, qui delectatur veritate, delectatur beatitudine, delectatur iustitia, delectatur sempiterna vita, quod totum Christus est?*

Nous voyons ici que le don du Père (37.39) n'est point un simple décret, mais un attrait par lequel il amène les âmes. Autrefois c'était tout Israël, que Dieu traînait par les liens les plus doux (Os. XI, 4), maintenant ce sont les individus qu'il amène au Christ, dont l'œuvre dernière est seule indiquée comme au v. 38. La résurrection suit l'appel à la grâce et l'adhésion au Christ, parce que la persévérance est supposée. Les Juifs pouvaient comprendre cet attrait intérieur : ἀγάπησιν αἰώνιον ἠγάπησά σε, διὰ τοῦτο εἵλκυσά σε εἰς οἰκτείρημα (Jer. XXXVIII, 3); cf. Cant. I, 4.

45) Les Juifs se croyaient suffisamment compétents, enflés qu'ils étaient de leur loi, qui contenait l'enseignement divin. Mais leurs propres prophètes avaient annoncé un enseignement plus intime. Le texte cité est d'Isaïe LIV, 13 : parmi les splendeurs de la Jérusalem nouvelle : καὶ πάντας τοὺς υἱούς σου διδακτοὺς θεοῦ, et Jérémie avait accentué le caractère intérieur de cet enseignement XXXI, 33.34). Dans διδακτοὶ θεοῦ, le génitif indique le maître : πάντες doit être pris dans le sens le plus large : dans Isaïe (et Jer.) tous les fils d'Israël; dans Jo. qui omet « tes fils », tous les hommes. Ce n'est pas à dire que tous viendront. Ce sera seulement quiconque aura entendu et de plus aura reçu l'enseignement, ce qui sera le cas des fidèles du Christ (I Jo. II, 27).

On peut dire que ἀκούσας παρὰ τοῦ πατρός indique déjà qu'on a entendu comme il faut (cf. V, 25), mais μαθών fait surtout la différence : Polybe, III, 32, 9, ὅσῳ διαφέρει τὸ μαθεῖν τοῦ μόνον ἀκοῦσαι, τοσούτῳ κτλ (*Bauer*). Sûrement une certaine bonne volonté était supposée, sinon pour entendre, du moins pour apprendre; (elle est plus clairement indiquée dans la démarche ἔρχεται. Le libre arbitre est donc en mouvement.

46) Si intime et si complet paraissait être le caractère de cet enseignement divin, que Jésus doit poser une restriction. Il n'y a qu'une personne qui ait vu le Père, et par conséquent qui possède tout son secret, évidemment Jésus lui-même. — οὐχ ὅτι comme VII, 22. Il semble qu'il y a une nuance entre ἀκούσας avec μαθών, à l'aoriste, parce qu'il a suffi d'une leçon entendue et apprise, et

θεοῦ, οὗτος ἑώρακεν τὸν πατέρα. [47] ἀμὴν ἀμὴν λέγω ὑμῖν, ὁ πιστεύων ἔχει ζωὴν αἰώνιον. [48] ἐγώ εἰμι ὁ ἄρτος τῆς ζωῆς· [49] οἱ πατέρες ὑμῶν ἔφαγον ἐν τῇ ἐρήμῳ τὸ μάννα καὶ ἀπέθανον· [50] οὗτός ἐστιν ὁ ἄρτος ὁ ἐκ τοῦ οὐρανοῦ καταβαίνων ἵνα τις ἐξ αὐτοῦ φάγῃ καὶ μὴ ἀποθάνῃ. [51] ἐγώ εἰμι ὁ ἄρτος ὁ ζῶν ὁ ἐκ τοῦ οὐρανοῦ καταβάς· ἐάν τις φάγῃ ἐκ τούτου τοῦ ἄρτου ζήσει εἰς τὸν αἰῶνα, καὶ ὁ ἄρτος δὲ ὃν ἐγὼ δώσω ἡ σάρξ μου ἐστὶν ὑπὲρ τῆς τοῦ κόσμου ζωῆς. [52] Ἐμάχοντο οὖν πρὸς ἀλλήλους οἱ Ἰουδαῖοι λέγοντες

52. αυτου *p.* σαρκα (H) ou *om.* (TSV).

d'autre part ἑώρακε, au parfait, parce que la vision conçue comme antérieure au moment où le Fils a été envoyé, était cependant et demeure permanente. — ὁ ὢν παρὰ τοῦ θεοῦ est beaucoup moins fort que l'affirmation directe de l'évangéliste (I, 18) ὁ ὢν εἰς τὸν κόλπον τοῦ πατρός. Jésus se donne seulement comme le révélateur suprême envoyé d'auprès de Dieu; à eux de comprendre quelles peuvent être les relations du Père et du Fils : il sera plus clair dans VII, 29.

47) Celui donc qui croit, sous-entendu à un tel Révélateur, a la vie éternelle; ce verset parallèle au v. 40 termine de la même façon un enseignement semblable. En même temps la formule solennelle : « en vérité », etc., et l'allusion à la foi indiquent qu'il va commencer un thème important, un mystère de foi par excellence.

48-50. *Transition* par la nécessité de manger le pain de vie pour obtenir la vie éternelle.

48) Reprise de la proposition du v. 35, mais pour servir de base à un enseignement plus complet : le Christ pain de vie, nourriture de l'âme par la foi, sera encore sa nourriture par sa chair et son sang.

49 s.) Les pères sont morts, mais ceux qui consomment le pain de vie seront-ils affranchis de la mort naturelle? Et s'il s'agit de la mort spirituelle, Moïse et d'autres ne l'ont pas encourue. Cette difficulté, exposée fortement par Aug., l'a conduit à opposer moins le pain céleste à la manne, que les bonnes dispositions aux mauvaises. Mais il suffit pour rester dans le sens littéral d'entendre la mort naturelle dans le premier cas, la mort ou plutôt la vie spirituelle dans le second. La manne était une nourriture ordinaire qui ne changeait rien aux conditions de la vie naturelle. Le pain du ciel donne la vie, une vie que la mort naturelle ne pourra détruire, et qui sera le principe de la résurrection. Même passage du sens naturel au sens spirituel dans Mt. X, 39; cf. VIII, 22. — οὗτος n'est pas attribut pour dire : ce pain est tel que, etc. mais plutôt sujet : Ce pain-ci (lequel descend du ciel) est un pain de vie, ἵνα de telle sorte que... cf. XV, 12; I Jo. III, 11; V, 3; II Jo. 6. — « qu'il en mange et qu'il ne meure pas » est une tournure sémitique, pour dire : « de façon que s'il en mange, alors il ne mourra pas »; cf. *Comm. Mt.* p. XC s. Les syrr. ont pu traduire littéralement; en latin : *ut, si quis ex ipso manducaverit, non moriatur*. La négation manque à syrcur; cf. *Moes.* 137, qui entend μή comme une interrogation.

ait vu le Père, si ce n'est celui qui est auprès de Dieu, celui-là a vu le Père. [47] En vérité, en vérité je vous [le] dis : celui qui croit possède [la] vie éternelle. [48] Je suis le pain de la vie ; [49] vos pères ont mangé la manne dans le désert et ils sont morts; [50] c'est ici le pain descendu du ciel : celui qui en mange ne meurt point. [51] C'est moi qui suis le pain vivant descendu du ciel; si quelqu'un mange de ce pain, il vivra à jamais, et le pain que je donnerai est ma chair [livrée] pour la vie du monde. » [52] Les Juifs disputaient donc

51-59. *Deuxième partie du discours : révélation de l'Eucharistie.*

51a) Ce que Jésus avait dit à la troisième personne, il se l'attribue ouvertement : καταβάς au lieu de καταβαίνων (50) parce que Jésus est descendu personnellement, tandis que le pain est un pain qui descend toujours du ciel (*Schanz*); ne pas mourir est expliqué positivement de la vie spirituelle, germe d'immortalité bienheureuse.

51b) καί avec δέ dont il est séparé par deux mots indique une reprise notable ; cf. I Jo. I, 3 et *Comm.* Mt. x, 18. C'est qu'en effet la manducation du pain de vie, considérée jusqu'à présent d'une façon abstraite, est présentée maintenant comme un don formellement promis pour l'avenir. L'allusion à l'Eucharistie est évidente, et ne peut être méconnue par personne, sauf pour les protestants à méconnaître la clarté des termes. Ce qui a pu paraître douteux, c'est de savoir si la vie du monde est rapportée au pain (*Weiss*, etc.) ou à la chair, à cause de l'extrême concision des termes. La question a été tranchée dans le premier sens par le ms. sinaïtique qui écrit... δώσω ὑπὲρ τῆς τοῦ κόσμου ζωῆς ἡ σάρξ μου ἐστίν (T, *Calmes*), mais il n'est appuyé que par Tort. et il faut y voir un arrangement pour aboutir à plus de netteté. Le texte étant ce qu'il est, le second sens en découle naturellement. Jo. a exprimé ainsi l'efficacité salutaire de la mort (XII, 32; I Jo. IV, 10). Le pain donne la vie à chacun, c'est l'immolation de la chair qui donne la vie au monde : il faut donc sous-entendre διδομένη (*Schanz*, *Bauer*), idée que beaucoup de mss. ont exprimée en lisant après σάρξ: ἣν ἐγὼ δώσω. Loisy dit très bien, avec une légère exagération : « L'idée de la passion et celle de l'eucharistie sont aussi étroitement associées dans notre évangile que dans Paul (I Cor. XI, 24-25) et dans les relations synoptiques de la dernière cène » (p. 242). On aura remarqué qu'à la différence des synoptiques et de Paul qui disent σῶμα, Jo. emploie σάρξ, ce qui est assez naturel puisqu'il a dit du Logos σάρξ ἐγένετο (I, 14).

52) Discussion des Juifs entre eux, mais beaucoup plus intrinsèque au discours que celle des vv. 41-42. Ici elle porte sur les derniers mots, et Jésus y répond directement. — ἐμάχοντο indique bien que les Juifs (cf. 41) n'étaient pas d'accord, mais ne prouve pas que quelques-uns admettaient le sens littéral, puisque Jésus le confirmera sans distinguer entre eux. Probablement les uns jugeaient la proposition simplement absurde, d'autres opinaient qu'on pouvait l'entendre d'une façon figurée (*Zahn*). Dans le Midrach du Qoheleth on admet que le manger et le boire du texte doivent s'entendre de la doctrine et

Πῶς δύναται οὗτος ἡμῖν δοῦναι τὴν σάρκα αὐτοῦ φαγεῖν; [53]εἶπεν οὖν αὐτοῖς ὁ Ἰησοῦς Ἀμὴν ἀμὴν λέγω ὑμῖν, ἐὰν μὴ φάγητε τὴν σάρκα τοῦ υἱοῦ τοῦ ἀνθρώπου καὶ πίητε αὐτοῦ τὸ αἷμα, οὐκ ἔχετε ζωὴν ἐν ἑαυτοῖς. [54]ὁ τρώγων μου τὴν σάρκα καὶ πίνων μου τὸ αἷμα ἔχει ζωὴν αἰώνιον, κἀγὼ ἀναστήσω αὐτὸν τῇ ἐσχάτῃ ἡμέρᾳ· [55]ἡ γὰρ σάρξ μου ἀληθής ἐστι βρῶσις, καὶ τὸ αἷμά μου ἀληθής ἐστι πόσις. [56]ὁ τρώγων μου τὴν σάρκα καὶ πίνων μου τὸ αἷμα ἐν ἐμοὶ μένει κἀγὼ ἐν αὐτῷ. [57]καθὼς ἀπέστειλέν με ὁ ζῶν πατὴρ κἀγὼ ζῶ διὰ τὸν πατέρα, καὶ ὁ τρώγων με κἀκεῖνος ζήσει δι' ἐμέ.

54. *om.* εν *a.* εσχατη (TH) et non *add.* (SV).

---

de la vertu (*Wünsche*). On expliquait « la ressource du pain » (Is. III, 1) des maîtres de l'enseignement, à cause de Prov. IX, 5 : « prenez et mangez de mon pain » (*Khagiga* 14ᵃ; W.). — πῶς rappelle Nicodème (III, 4). — αὐτοῦ suppléé par Hort d'après B etc. après σάρκα est inutile en grec.

53) Au lieu de retirer sa proposition ou de l'expliquer symboliquement, Jésus la maintient littéralement, en ajoutant le sang, comme condition expresse de la vie éternelle. « Le fils de l'homme », non pas comme un titre messianique glorieux, mais pour insister sur sa nature humaine. — Les termes sont absolus; l'église grecque en a conclu qu'il fallait donner l'Eucharistie aux enfants, et Augustin le juge bon. L'Église latine attend l'âge du discernement; elle peut s'appuyer sur une raison très forte : Jésus rappelle que la première démarche auprès de lui se fait par la foi (35.45.47). De cette insistance que Jo. n'a pas exprimée à propos de la régénération, on peut conclure avec Thomas que l'Eucharistie exige la révérence et la dévotion qui supposent une certaine perception intellectuelle de la nourriture surnaturelle.

54) La même chose est répétée positivement, avec le mot τρώγων, « mâcher », « croquer » non pas pour varier le style, mais pour couper court à toute échappatoire vers le sens symbolique (les catholiques, et aussi *Bauer*). D'ailleurs ce mot, qu'on employa d'abord des animaux, n'a aucun sens grossier et se disait en grec avec boire. Enfin Jésus promet dans ce cas la résurrection, comme aux vv. 39 et 40. Ce littéralisme — dans le sens d'un bienfait — est bien différent de la métaphore : « manger les chairs » pour faire du mal à un ennemi » (Ps. XXVII, 2).

55) C'est encore une nouvelle affirmation pour prévenir toute tentative de symbolisme. ἀληθής n'est pas synonyme d'ἀληθινός, encore moins si ἀληθινός avait l'article, comme pour dire la seule nourriture vraiment digne de ce nom; c'est simplement une nourriture vraie et non pas imaginaire; cf. I Jo. II, 27; Act. XII, 9; en somme l'adjectif est équivalent à ἀληθῶς introduit dans le texte par א etc. *syrr. vg.* et préféré par Zahn et Bauer : à tort, car dans ce cas les verss. ont peu d'autorité.

56) La manducation donne la vie par l'union à Jésus (cf. XV, 4-7; XVII, 23; I Jo. III, 24; IV, 16). L'ordre des mots (différent seulement dans I Jo. IV, 15) n'est

entre eux, disant : « Comment cet homme peut-il nous donner sa chair à manger? » [53]Jésus donc leur dit : « En vérité, en vérité je vous [le] dis, si vous ne mangez la chair du Fils de l'homme, et si vous ne buvez son sang, vous ne possédez pas de vie en vous-mêmes. [54]Celui qui mange ma chair et boit mon sang, possède [la] vie éternelle, et je le ressusciterai au dernier jour; [55]car ma chair est vraiment une nourriture, et mon sang est vraiment un breuvage. [56]Celui qui mange ma chair et boit mon sang demeure en moi, et moi en lui. [57]De même que le Père qui vit, m'a envoyé et que je vis

pas sans portée. On dirait que celui qui mange le corps a d'abord Jésus en soi, et cependant c'est lui qui demeure en Jésus, comme dans une plénitude infinie (cf. Mt. xxv, 21), et c'est par condescendance que Jésus demeure dans sa pauvre maison; Aug : *Manemus autem in illo, cum sumus membra eius; manet autem ipse in nobis, cum sumus templum eius.*

On lit dans D (*d*) à la suite de ce verset : καθὼς ἐν ἐμοὶ ὁ πατὴρ κἀγὼ ἐν τῷ πατρί. ἀμὴν ἀμήν λέγω ὑμῖν, ἐὰν μὴ λάβητε τὸ σῶμα τοῦ υἱοῦ τοῦ ἀνθρώπου ὡς τὸν ἄρτον τῆς ζωῆς, οὐκ ἔχετε ζωὴν ἐν αὐτῷ, *si acceperit homo corpus filii hominis quemadmodum panem vitae habebit vitam in eo*, dans *a ff*[2]; cf. Victorin (*P. L.* VIII, 1118). — Mais la partie propre à D paraît empruntée à x, 38. Le reste, négatif dans D (*d*), affirmatif en *a ff*[2] ne forme pas une tradition bien consistante et rompt la suite entre 56 et 57.

57) Quel est le résultat de l'union de l'homme au Fils de Dieu? Il est clair d'abord que l'apodose n'est pas à κἀγώ, mais à καὶ, dans le sens de « ainsi ». En soi, διά peut avoir deux sens; ou bien *propter*, « dans l'intérêt de, pour la cause de »; cf. *Épict.* IV, 1, 150 ἐγὼ μὲν οὐδὲ ζῆν ἤθελεν, εἰ διὰ Φηλικίωνα ἔδει ζῆσαι (cité par Bauer); ou bien « par la vertu de, par l'action de » : Alexandre disait δι ἐκεῖνον (en parlant de son père) μὲν ζῶν, διὰ τοῦτον (Aristote) δὲ καλῶς ζῶν (PLUT. *Alex.* VIII, p. 668 d). Augustin a proposé les deux explications : 1°) *ut ego vivam propter patrem, id est, ad illum tanquam maiorem* (selon la nature humaine du Fils incarné) *referam vitam meam, exinanitio mea fecit, in qua me misit; ut autem quisque vivat propter me, participatio facit qua manducat me;* 2°) *quia ipse de illo, non ille de ipso est; sine detrimento aequalitatis dictum est. Nec tamen dicendo,* et qui manducat me, et ipse vivet propter me, *eandem suam et nostram aequalitatem significavit; sed gratiam mediatoris ostendit.* De même Thomas. Les modernes (*Schanz, Kn., Zahn, Tillm., Bauer, Loisy*) n'admettent que le second sens, tout à fait conforme à la doctrine de ce discours; cf. aussi v, 26. Ce serait donc une redite! Mais les termes sont bien différents dans v, 26. Ici le point de départ est la mission, donc pour faire l'œuvre du Père (cf. III, 34; XVII, 8). Il y a d'ailleurs moins de disproportion entre l'intention du Fils incarné envers le Père et l'intention de celui qui communie envers le Fils, qu'entre la vie divine reçue par le Fils, et celle qu'il donne à l'homme. Le futur ζήσει indique aussi ce sens; car la communication de la vie se fait à l'instant même : cf. v. 54 ἔχει. Nous aurions ainsi une idée nouvelle, d'une haute valeur : en

[58] οὗτός ἐστιν ὁ ἄρτος ὁ ἐξ οὐρανοῦ καταβάς, οὐ καθὼς ἔφαγον οἱ πατέρες καὶ ἀπέθανον· ὁ τρώγων τοῦτον τὸν ἄρτον ζήσει εἰς τὸν αἰῶνα. [59] Ταῦτα εἶπεν ἐν συναγωγῇ διδάσκων ἐν Καφαρναούμ. [60] Πολλοὶ οὖν ἀκούσαντες ἐκ τῶν μαθητῶν αὐτοῦ εἶπαν Σκληρός ἐστιν ὁ λόγος οὗτος· τίς δύναται αὐτοῦ ἀκούειν; [61] εἰδὼς δὲ ὁ Ἰησοῦς ἐν ἑαυτῷ ὅτι γογγύζουσιν περὶ τούτου οἱ μαθηταὶ αὐτοῦ εἶπεν αὐτοῖς Τοῦτο ὑμᾶς σκανδαλίζει; [62] ἐὰν οὖν θεωρῆτε

58. εξ (THV) ου εκ του (S). — *om.* υμων *p.* πατερες (TH) et non *add.* (SV)

---

s'unissant au Fils de Dieu, l'homme apprend à lui consacrer sa vie. C'est d'ailleurs le sens des anciennes versions; en latin *propter* (sauf *per* dans *b r* Hil.), *sah. syr.* Mais il faut confesser que le choix est difficile.

58) Ce n'est pas un retour au v. 32 (*Schanz, Zahn*), car il suffit de lire les termes pour y reconnaître les vv. 49 et 50 dans l'ordre inverse, avec la conclusion du v. 51. C'est donc une *inclusio* par rapport à la partie strictement eucharistique. — καταβάς au lieu de καταβαίνων (50), probablement à cause du voisinage de ἀπέστειλεν (57). — ζήσει la vie reçue par la manducation se prolongera à jamais. La défection humaine n'est pas indiquée; elle n'est pas dans le dessein bienveillant de Jésus. On ne peut argumenter de ces derniers mots pour expliquer au v. 57 διά au sens de « par »; les deux versets se complètent plutôt. La manducation donne la vie et en même temps produit l'union : de l'union découle la consécration au service du Fils comme il fait la volonté de celui qui l'a envoyé.

59) Bauer traduit : « dans la synagogue », comme s'il y avait l'article, sans aucune insistance sur le caractère d'un discours prononcé « en synagogue »; mais XVIII, 20 et même les exemples cités Mc. II, 1 ἐν οἴκῳ; Lc. VII, 32 ἐν ἀγορᾷ prouvent qu'il ne s'agit pas de la situation dans un lieu quelconque, mais d'un ministère spécial. Cela est confirmé par διδάσκων, probablement l'enseignement du samedi, officiel, quoiqu'il n'émanât pas seulement des personnes qui administraient la synagogue. Jo. veut situer clairement un discours d'une importance suprême, et prononcé avec solennité. On ne peut savoir exactement combien de personnes pouvait contenir l'ancienne synagogue de Capharnaüm. Celle du IIe siècle, dont on connaît très bien le dessin et l'architecture intérieure, pouvait tenir environ 750 personnes, tant au rez-de-chaussée que dans les galeries, c'est-à-dire au maximum.

60-71. Dissentiment parmi les disciples; fidélité des Douze.

Jo. ne dit pas l'impression faite par le discours sur les Juifs. On savait déjà qu'elle était défavorable (52). L'enthousiasme est tout à fait tombé. La mission du Sauveur en Galilée se termine dans l'indifférence, comme d'après les synoptiques (Mt. XI, 20-24; Lc. X, 13-15). Mais plusieurs disciples eux-mêmes se retirent, tandis que les Douze restent fidèles, en attendant la trahison de l'un d'eux. C'est ce schisme et cet attachement que met en opposition cette section.

60) Nous n'avions entendu parler que de quelques disciples. On voit ici qu'il y en avait un assez grand nombre qui s'étaient prononcés pour Jésus et qui

pour le Père, ainsi celui qui me mange vivra pour moi. [58] C'est ici le pain descendu du ciel, non pas tel que celui qu'ont mangé les pères et ils sont morts : celui qui mange ce pain vivra à jamais ». [59] Il dit cela, dans une instruction de synagogue, à Capharnaüm.

[60] L'ayant donc entendu, beaucoup de ses disciples dirent : « Cette parole est dure ! Peut-on seulement l'écouter? » [61] Jésus, sachant en lui-même que ses disciples murmuraient à ce sujet, leur dit : « Cela vous scandalise? [62] [Que sera-ce] donc, si vous voyez le Fils de l'homme

volontiers lui faisaient escorte. Jamais il ne leur avait tenu pareil discours. Ils trouvent celui-ci σκληρός, « dur au toucher », au moral « morose, sévère » dans les LXX (Gen. xxi, 11; xlii, 7) et dans Sophocle (OC. 774) « pénible » « rebutant » à propos de paroles. L'énoncé même leur en est intolérable. Cette protestation énergique ne peut porter que sur la fin du discours, relative à l'Eucharistie. Ces disciples, comme les autres, y avaient trouvé une saveur d'anthropophagie.

61) Jésus connaît ἐν ἑαυτῷ, c'est-à-dire par sa science surnaturelle, qu'ils ne veulent pas le suivre jusque-là, qu'ils appréhendent de découvrir en lui un maître de doctrines inhumaines.

62) Fort difficile, parce que l'interrogation oblige le lecteur à suppléer quelque chose. Avant Maldonat tout le monde suppléait : « vous serez sans doute portés à vous calmer »; et cette opinion est encore la plus commune. D'après les uns (*Holtz.*, *Bauer*, *Loisy*) : vous comprendrez que je n'ai pas voulu parler d'une manducation charnelle, devenue impossible après l'Ascension; d'après d'autres (*Zahn*, *Tillm.*) : vous devrez bien vous résoudre à me croire. Des deux façons Jésus essaierait de ramener ses disciples en leur faisant entrevoir un événement surnaturel qui dissiperait leurs doutes, à savoir l'ascension du Fils de l'homme auprès de son Père.

Mais Maldonat (suivi par *Schanz*) a bien montré que οὖν n'est pas synonyme de ἀλλά, et que la phrase est construite à l'instar de i, 50; iii, 12 : « Vous vous étonnez? que sera-ce donc quand vous verrez »... Il en conclut que le Christ veut dire : « vous serez encore bien plus scandalisés à mon Ascension ». Cependant il est bien sûr que l'intention de Jésus n'est pas d'augmenter le scandale, mais de montrer que ce qui semblera le porter à son comble fournira précisément la solution désirée. Au premier moment on se dira : « Que nous parlait-il de manger sa chair... le voilà remonté au ciel » ! Mais par là même on comprendra qu'il s'agissait d'une manducation spirituelle. Il semble donc qu'on peut conserver le sens littéral de οὖν et l'esprit de la tournure, tout en rejoignant le sens de l'opinion commune pour l'interprétation générale. — En d'autres termes : cela vous scandalise parce que vous ne songez qu'à la nature humaine du Fils de l'homme : vous serez donc bien étonnés quand vous le verrez prendre possession de la place qui appartient à son être spirituel. Mais c'est précisément cet être spirituel qui doit vous mettre sur la voie. — ἐάν donne une apparence hypothétique qui n'empêche pas la certitude du fait (xii, 32); néanmoins la

τὸν υἱὸν τοῦ ἀνθρώπου ἀναβαίνοντα ὅπου ἦν τὸ πρότερον; [63] τὸ πνεῦμά ἐστιν τὸ ζωοποιοῦν, ἡ σὰρξ οὐκ ὠφελεῖ οὐδέν· τὰ ῥήματα ἃ ἐγὼ λελάληκα ὑμῖν πνεῦμά ἐστιν καὶ ζωή ἐστιν· [64] ἀλλὰ εἰσὶν ἐξ ὑμῶν τινὲς οἳ οὐ πιστεύουσιν. ᾔδει γὰρ ἐξ ἀρχῆς ὁ Ἰησοῦς τίνες εἰσὶν οἱ μὴ πιστεύοντες καὶ τίς ἐστιν ὁ παραδώσων αὐτόν. [65] καὶ ἔλεγεν Διὰ τοῦτο εἴρηκα ὑμῖν ὅτι οὐδεὶς δύναται ἐλθεῖν πρός με ἐὰν μὴ ᾖ δεδομένον αὐτῷ ἐκ τοῦ πατρός. [66] Ἐκ τούτου πολλοὶ ἐκ τῶν μαθητῶν αὐτοῦ ἀπῆλθον εἰς τὰ ὀπίσω καὶ οὐκέτι μετ᾽

66. εκ *p*. πολλοι (H) ou *om*. (TSV).

---

nuance n'est pas négligeable et permet de résoudre l'objection que les disciples lâcheurs n'ont pas été témoins de l'Ascension. Cet événement est d'ailleurs indiqué en termes correspondants à ceux du discours : Jésus est désigné comme Fils de l'homme, ainsi qu'au v. 53 (manger la chair du Fils de l'homme), et s'il remonte où il était, c'est qu'il en était descendu (33. 38. 51 cf. III, 13).

63[a]) Ce verset a été le point d'appui de ceux qui ont entendu la fin du discours dans un sens spiritualiste. Le Christ détromperait ici ceux qui auraient cru qu'il leur parlait de manger sa chair; ils auraient dû l'entendre symboliquement (*Caj.*). Mais, comme le disait déjà Aug., pourquoi tant insister sur la manducation? Autant vaudrait dire que Jésus avait poussé un peu vivement une allégorie; il s'expliquait maintenant en dissipant le malentendu qu'il avait créé : il ne restait plus qu'à en rire. Augustin, Cyrille d'Al., etc. avaient déjà très bien compris ce qu'entendent les modernes (*Schanz, Zahn, Tillm., Bauer, Loisy*, etc.), que la chair est toujours la chair du Christ, et que la réponse est bien un éclaircissement qui ne retire rien de la doctrine proposée, mais en découvre l'élévation à l'encontre de l'objection des auditeurs. Ils ont trouvé les paroles de Jésus intolérables, parce qu'ils imaginaient une chair (ou du sang) détachée du corps pour leur servir de nourriture. Dans cet état la chair ne servirait de rien : *Non prodest quidquam, sed quomodo illi intellexerunt; carnem quippe sic ntellexerunt, quomodo in cadavere dilaniatur, aut in macello venditur, non quoimodo spiritu vegetatur* (*Aug.*). Encore l'esprit qui anime la chair du Christ n'est point un esprit ordinaire; Jésus est descendu du ciel; s'ils ne veulent pas le croire, ceux-là le croiront qui le verront remonter où il était. C'est le Fils de Dieu, devenu Fils de l'homme, qui propose sa chair à manger pour donner aux hommes la vie éternelle; c'est son Esprit qui vivifie. Non qu'il se soit trop avancé en ordonnant la manducation de la chair; mais elle tiendra toute son efficacité vivifiante de l'Esprit, et il faut s'en rapporter à lui pour la solution du mystère. Il ne faudrait d'ailleurs pas dire que le Christ est devenu esprit par l'exaltation en alléguant II Cor. III, 17 (contre *Bauer*) ou I Cor. XV, 44-50, puisque Jo. a noté expressément qu'il ne faisait que reprendre sa place. C'est son état antérieur qui lui permet de donner à ses fidèles une chair vivifiante.

63[b]) La seconde partie du verset n'est pas un appui en faveur de l'opinion symboliste, comme si Jésus avait voulu dire : mes paroles sont à prendre dans

montant où il était d'abord? [63] C'est l'esprit qui vivifie, la chair ne sert de rien : les paroles que je vous ai dites sont esprit et elles sont vie; [64] mais il en est parmi vous quelques-uns qui ne croient pas. » Car Jésus savait dès le commencement quels étaient ceux qui ne croyaient pas et qui était celui qui le trahirait. [65] Et il disait : « C'est pour cela que je vous ai dit que personne ne peut venir à moi si cela ne lui est donné par le Père ».

[66] De ce [moment], beaucoup de ses disciples se retirèrent, et ils

un sens figuré. Il conclut seulement que tout ce qu'il a dit du pain du ciel, de la chair, bref tout cet enseignement est une effusion de l'Esprit et un don de la vie. — Ce sens fixé, on peut en déduire avec Aug. et Thomas que ces paroles doivent être entendues *spiritualiter*. Jésus est lui aussi maître de l'esprit et de la vie; cf. II Macch. XIV, 46.

64) Si les disciples trouvent dures les paroles de Jésus, c'est qu'ils manquent de foi. Ils n'ont pas fait le sacrifice de leur sens propre, ils se font juges. Jésus avait sondé leur conscience ἐξ ἀρχῆς. Ce n'est pas de toute éternité, ni depuis le premier instant de sa conception (*Caj.*); en effet Jo. ne parle pas ici de la science du Christ en elle-même, mais de son application à une circonstance donnée : cf. XVI, 4; I Jo. II, 24; III, 11; II Jo. 5. Cette circonstance ne paraît pas être le moment où ils ont perdu la foi (*Mald., Zahn*), car peut-être ne l'ont-ils jamais eue. C'est plutôt pour chacun le moment où il a commencé à suivre le maître. En effet la parenthèse a pour but d'expliquer comment certains disciples avaient été admis par Jésus, l'un même parmi les Douze, et qui cependant ne devaient pas persévérer. Ce n'était pas qu'il n'ait toujours connu leurs dispositions dans le présent (οἱ πιστεύοντες) et dans l'avenir; παραδώσων, et non παραδούς (Mt. x, 4) ou παραδιδούς (XIII, 11; XVIII, 2-5; Mt. XXVI, 25; Mc. XIV, 42), pour mieux marquer cette prescience. Ce participe futur est tellement rare que D a écrit παραδιδούς et ℵ μέλλων παραδιδόναι, comme dans XII, 4.

65) καὶ ἔλεγεν parce que le discours a été interrompu par la réflexion de l'évangéliste. Jésus rappelle qu'il a déjà indiqué (v. 44) la raison dernière de leur incrédulité. Pour venir à Jésus, non pas avec une foi humaine de nationaliste, mais avec une foi surnaturelle, la foi véritable, il y faut l'action du Père, ce qui fait que la foi est justement caractérisée comme un don; cf. Mt. XIII, 11. — διὰ τοῦτο εἴρηκα ὑμῖν, d'après Schanz : « c'est précisément pour précipiter la crise que je vous ai parlé de la sorte ». Mais εἴρηκα est plutôt un renvoi au v. 44, et διὰ τοῦτο, vaguement : « à propos de votre manque de foi », comme à propos des murmures (43) — venir à moi, de la bonne façon. — ἐκ pour ὑπό.

66) ἐκ τούτου comme *exinde* peut signifier : « à partir de ce moment », ou bien « à cause de cela » (*syrr. copt.*); c'est le même cas que dans XIX, 12. On inclinerait vers le second sens, car Jo. sait dire : « à partir de ce moment » (XIX, 27), s'il était possible d'en donner une raison. Est-ce : « à cause que le Père ne l'a pas donné? » — Ce serait ne pas tenir compte du motif principal du scandale. Si c'est : « à cause de tout ce discours », cela revient à dire : « dans cette situa-

αὐτοῦ περιεπάτουν. [67] Εἶπεν οὖν ὁ Ἰησοῦς τοῖς δώδεκα Μὴ καὶ ὑμεῖς θέλετε ὑπάγειν; [68] ἀπεκρίθη αὐτῷ Σίμων Πέτρος Κύριε, πρὸς τίνα ἀπελευσόμεθα; ῥήματα ζωῆς αἰωνίου ἔχεις, [69] καὶ ἡμεῖς πεπιστεύκαμεν καὶ ἐγνώκαμεν ὅτι σὺ εἶ ὁ ἅγιος τοῦ θεοῦ. [70] ἀπεκρίθη αὐτοῖς ὁ Ἰησοῦς Οὐκ ἐγὼ ὑμᾶς

tion, à partir de ce moment ». D'autant que Jo. semble indiquer un moment important du ministère du Sauveur. — Plusieurs disciples, et l'on dirait bien tous sauf les Douze (70). — εἰς τὰ ὀπίσω comme xviii, 6; xx, 14, mais ici au sens moral; cf. Lc. ix, 62. Ils s'en vont d'une seule fois (ἀπῆλθον aor.) et par conséquent ne marchaient plus habituellement (περιεπάτουν imparf.). Leur décision leur appartient bien. Au lieu de les absoudre, la parole de Jésus sur le don du Père les condamne. Et c'est sans doute pour les faire réfléchir qu'il n'a pas dit cette fois « ceux que mon Père entraîne », mais « ceux auxquels il est donné ». Car les Juifs connaissaient le moyen d'obtenir les dons du Père : c'était de les demander, de recourir à la prière que les exemples d'Abraham, de Moïse, de Daniel montraient être si efficace. Il faut donc croire qu'ils ne songeaient qu'à un Messie temporel et au secours qu'il était en eux de lui apporter. Ce Messie ne leur dit rien, ils le laissent. Pour une œuvre nationale, il eût suffi de quelque énergie naturelle avec la confiance dans un chef. Pour une œuvre divine, il fallait un don divin qu'ils ne demandaient pas, n'en comprenant pas la nécessité, malgré les avertissements de Jésus.

67) Sans avoir rien dit du choix des Douze, Jo. suppose qu'ils sont suffisamment connus de ses lecteurs; d'ailleurs les Douze, si souvent nommés dans les synoptiques, ne se trouvent après ce passage que dans xx, 24. Jo. ne les nomme jamais les ἀπόστολοι, quoique l'idée de mission lui soit familière (iv, 38; xiii, 16; xvii, 18; xx, 21). Ceux-là mêmes sont libres de s'en aller, quoique l'appel de Dieu leur ait été si clairement manifesté. Jésus met donc leur volonté à l'épreuve, afin de leur donner une occasion de confesser leur foi dans une crise si redoutable.

68) Simon-Pierre n'a pas reparu en personne depuis que Jésus lui a donné le nom de Pierre (i, 43). Il se trouve à la tête des apôtres, comme dans les synoptiques, puisqu'il parle avec assurance en leur nom. Sa réponse est inspirée par le discours précédent sur les paroles de Jésus qui sont esprit et vie (63), et qui avaient si souvent trait à la vie éternelle. Il n'y a aucune raison de supposer entre cette déclaration et le premier départ des disciples un intervalle de jours ou de semaines (*Zahn*). Dans la perspective de Jo., que rien n'autorise à suspecter, la crise a été aussi prompte que décisive.

69) Après sa question qui retentit presque comme un reproche affectueux, comme si leur Maître avait pu supposer qu'ils en cherchaient quelque autre! Pierre ajoute une confession de foi formelle. Les autres ne croyaient pas; les Douze ont cru et croient encore, et même ils savent : *Credidimus enim ut cognosceremus : nam si prius cognoscere, et deinde credere vellemus, nec cognoscere nec credere valeremus* (*Aug.*; de même *Chrys.*). Ce qu'Augustin condamne ici, c'est la prétention de connaître scientifiquement ce qui est proposé à la foi, car une certaine illumination, même surnaturelle, peut bien précéder

n'allaient plus avec lui. [67] Jésus donc dit aux Douze : « Vous aussi, voulez-vous vous en aller? » [68] Simon-Pierre lui répondit : « Seigneur, à qui irions-nous? Tu possèdes des paroles de vie éternelle, [69] et nous croyons, et nous savons que tu es le Saint de Dieu. » [70] Jésus leur répondit : « N'est-ce pas moi qui vous ai choisis, les Douze? et

la foi; cf. XVII, 8; I Jo. IV, 16; voir : ROUSSELOT S. J. *Les yeux de la foi.*

La leçon ὁ ἅγιος τοῦ θεοῦ n'est pas douteuse (THSV), et non pas Vg. *Christus Filius Dei,* avec quelques mss. grecs, pour se conformer à Mt. XVI, 16. — ἅγιος (I Jo. II, 20; Apoc. III, 7) en parlant de Jésus, et spécialement ὁ ἅγιος τοῦ θεοῦ est une désignation de l'élu de Dieu (x, 36), destiné à une mission spéciale et unique, associé à la sainteté de Dieu; cf. *Comm.* Mc. I, 24. — Il est assez étonnant que Pierre n'en dise pas plus, après tous les discours où Jésus a parlé comme Fils dans ses rapports avec son Père : il ne les avait donc pas pénétrés. Il faut voir là un indice très significatif de la réserve de Jo. qui a reproduit telle quelle la réponse de Pierre. Cela prouve en même temps qu'il n'a pas transposé la confession de Pierre des synoptiques (*Loisy*); car s'il avait voulu en quelque sorte la démarquer, c'eût été pour la rapprocher des conceptions qu'il met en relief, non pour l'en éloigner : or la formule de Mt. XVI, 16 est plus johannine que celle de notre verset. Au surplus l'esprit des deux incidents n'est pas le même. Ici Pierre, au nom des Douze, refuse de quitter le Christ; la confession proprement dite ne vient qu'à l'appui. A Césarée, c'est cette confession qui est provoquée par Jésus. Au lieu de n'admettre qu'un épisode, celui de Césarée, parfaitement situé par les trois synoptiques et que Jo. aurait transposé arbitrairement, il serait plus critique de reconnaître le caractère propre historique de la scène de la fidélité.

70) Jo. n'a jamais raconté le fait de l'élection des Douze, mais il le suppose constamment (XIII, 18; XV, 16. 19). S'il le rappelle ici, ce n'est point pour les inviter à l'humilité comme il le fera (XV, 16), mais pour relever le fait inouï de la trahison d'un de ceux qu'il avait choisis pour être ses intimes, *les* Douze. — On ne peut effacer τούς sur la seule autorité de ℵ, Épiph. (contre *Zahn, Loisy*). — καί « et cependant » après que moi-même (ἐγώ) j'avais fait le choix... déjà il est un diable, un démon. — διάβολος ne peut être qu'un substantif; Loisy (p. 251) : « C'est Judas, qui, par un échange qui en dit long sur la méthode du rédacteur, reçoit l'épithète de « démon » attribuée à Simon-Pierre dans les deux premiers évangiles » (Mc. VIII, 33; Mt. XVI, 23, σατανᾶς). Ce reproche est injuste, d'autant que Lc. avait usé du même procédé, taisant l'épithète de Satan à propos de Pierre, et notant que Satan entra dans Judas (XXII, 3). D'ailleurs les sentiments de Mc. et de Mt. ne sont point différents, et l'on comprend assez que le reproche de Jésus à Pierre, si vif qu'il soit, a pour but de l'amener à comprendre les voies de Dieu dont il voulait écarter son Maître. Ici le terme de démon est moins fort que la prise de possession de Judas par Satan, qui aura lieu graduellement (XIII, 2. 27); c'est une épithète comparative : un véritable démon, aussi mauvais qu'un démon, etc. Il est théologiquement peu sûr de dire avec Cyr. ὥσπερ γὰρ ὁ κολλώμενος τῷ κυρίῳ ἓν πνεῦμα ἐστιν, οὕτω δηλονότι καὶ τὸ ἐναντίον, — mais il est

τοὺς δώδεκα ἐξελεξάμην; καὶ ἐξ ὑμῶν εἷς διάβολός ἐστιν. [71] ἔλεγεν δὲ τὸν Ἰούδαν Σίμωνος Ἰσκαριώτου· οὗτος γὰρ ἔμελλεν παραδιδόναι αὐτόν, εἷς ἐκ τῶν δώδεκα.

71. *om.* ων *p.* εις (H) plutôt que *add.* (TSV).

---

encore plus éloigné de la pensée de Jo. de dire que « Judas est devenu comme une incarnation de Satan » (*Loisy*, p. 251). L'observation de Renan (*Vie de Jésus*, p. 499) sur la haine plus réfléchie, plus personnelle du quatrième évangéliste contre Judas est assez piquante comme reflet de son propre caractère, très rancunier. — La prescience de Jésus est ainsi proclamée, mais en même temps son obéissance aux desseins de son Père, sa patience, sa douceur, et son zèle. Car s'il a gardé Judas dans sa compagnie, s'il lui a adressé cet avertissement sévère sans le nommer, n'était-ce pas pour le gagner, tout en acceptant qu'il contribuât au salut du monde par sa trahison même? D'ailleurs la trahison n'est pas annoncée, ni prédite ici par Jésus. Judas est dans une mauvaise voie; à lui d'aviser!

71) Jo. est le seul à nommer le père de Judas, Simon, auquel s'applique naturellement le nom d'origine, Iscariote. C'est le cas encore XIII, 26 et probablement XII, 4; on comprend très bien qu'Iscariote se dise aussi du fils, comme dans Jo. XIV, 22 et dans les synoptiques. Sans aucune affectation, et sans la moindre invite au symbolisme, il nous met ainsi au courant d'un petit détail, lui qui ne les recherche guère. Sur Ἰσκαριώτης cf. *Comm. Mc.* sur III, 19. A noter la leçon ἀπὸ Καρυώτου pour Ἰσκαριώτου qu'on trouve ici dans ℵΘ 13. 69. 124 et sur XII, 4; XIII, 2. 26; XIV, 22 dans D seul. On comprendrait très bien que, la première fois qu'il nomme Judas, Jo. ait indiqué son père et son lieu d'origine, sauf à le nommer ensuite Iscariote, nom qui désormais était clair. Quel copiste aurait trouvé cet excellent renseignement? L'étymologie tirée de la ville ne figure pas dans les *Onom. sacra* de Wutz. Cependant Origène a constamment la leçon commune (7 cas), dont on n'ose se départir.

Note sur le sens eucharistique.

Le discours du ch. VI a été interprété de plusieurs manières.

a) Sens purement spiritualiste. Au début de tout le discours, Jésus se donne comme le pain du ciel, qu'on doit s'assimiler par la foi; si plus tard il parle de sa chair et de son sang, ces nouvelles images ne changent rien à sa pensée. C'est l'opinion de Clém. d'Al. (*Paed.* I, 6, ed. Stählin p. 118) : οὕτως πολλαχῶς ἀλληγορεῖται ὁ λόγος, καὶ βρῶμα καὶ σὰρξ καὶ τροφὴ καὶ ἄρτος καὶ αἷμα καὶ γάλα, ἃ πάντα ὁ κύριος εἰς ἀπόλαυσιν ἡμῶν τῶν εἰς αὐτὸν πεπιστευκότων. De même Eusèbe (*de Eccles. Theol.* III, 12 éd. Klostermann, p. 168) : ὥστε αὐτὰ εἶναι τὰ ῥήματα καὶ τοὺς λόγους αὐτοὺς τὴν σάρκα καὶ τὸ αἷμα ὧν ὁ μετέχων ἀεὶ ὡσανεὶ ἄρτῳ οὐρανίῳ τρεφόμενος τῆς οὐρανίου μεθέξει ζωῆς. C'était sûrement l'opinion d'Origène, dont le commentaire sur cet endroit est perdu, mais qui y fait allusion ailleurs dans le même ouvrage, cf. v, 17; XX, 41 et surtout VI, 43 : ὁ τοῦ θεοῦ λόγος οἷς μέν ἐστιν ὕδωρ,

cependant l'un de vous est un démon. » [71] Il parlait de Judas, fils de Simon Iscariote : car il devait le trahir, lui, un des Douze.

ἑτέροις δὲ οἶνος... ἄλλοις δὲ αἷμα... citation de Jo. vi, 53... ἀλλὰ καὶ τροφὴ λεγόμενος.

Le principal argument de cette opinion c'est de maintenir l'unité de tout le discours; il touche très peu les modernes qui regardent la première partie comme une préparation à la seconde.

b) La chair signifie la chair du Christ immolée pour le salut du monde : la manger c'est s'unir par la foi à la vertu du sacrifice. Augustin (*de doctrina christ.* III, 16) : *figura ergo est praecipiens passionibus Domini esse communicandum, et suaviter atque utiliter recondendum in memoria, quod pro nobis caro eius crucifixa et vulnerata est* (quoique par ailleurs Augustin tienne dans son commentaire pour une allusion à l'Eucharistie). Cajetan, les réformés, surtout les Calvinistes, se sont prononcés pour ce sens qui aurait encore quelques partisans. Il s'appuie surtout sur vi, 51, subsidiairement sur i, 29; iii, 14; I Jo. iv, 10, qui n'ont rien à faire dans la question. Zahn a réfuté longuement l'argument de vi, 51; manifestement ce n'est qu'une allusion à la mort salutaire du Christ qui rappelle précisément les circonstances de l'institution de l'Eucharistie dans les synoptiques.

c) Pour mémoire, l'opinion attribuée (*Bauer*) à Augustin (*Tractatus* xxvi, 15. 18. 19; xxvii, 6) sur l'identité de la chair avec la société des fidèles unis au Christ : ce n'est dans Aug. qu'une allégorie greffée sur le réalisme eucharistique. On trouve ce sens dans les *Excerpta ex Theodoto* de Clém. d'Al. (xiii) : ἤτοι ᾧ τρέφεται ἡ σὰρξ διὰ τῆς εὐχαριστίας<ἢ>, ὅπερ καὶ μᾶλλον, ἡ σὰρξ τὸ σῶμα αὐτοῦ ἐστιν, ὅπερ ἐστιν ἡ ἐκκλησία. Cette opinion semble avoir eu très peu d'écho.

d) Le sens eucharistique. C'est celui de presque tous les Pères. On peut citer saint Ignace, qui se sert de σάρξ et non de σῶμα pour désigner le corps du Sauveur dans l'Eucharistie : Rom. vii, 3; Philad. iv, 1; xi, 2; Smyrn. vii, 1, et de même saint Justin, I Apol. lxvi. Ensuite Cyprien, Hilaire, Chrys., Cyrille d'Al., Ich'odad, et selon nous Aug. et Thom. De nos jours les catholiques, et les protestants conservateurs (*Zahn*), ou plus ou moins radicaux ou les non confessionnels (*Bauer, Loisy, Holtz.*, etc.) sont parfaitement d'accord pour voir à partir du v. 50 un enseignement eucharistique. Les raisons se trouvent dans le commentaire. Un lecteur des synoptiques et de saint Paul, connaissant la pratique de l'eucharistie, ne pouvait comprendre le texte autrement. Aussi le dernier refuge des symbolistes impénitents est de nier l'authenticité de 50^b-58. Il est inutile de s'attarder à réfuter cette fantaisie.

On doit seulement s'abstenir de faire intervenir ici l'autorité du Concile de Trente d'une façon formelle. Dans la Session xiii, c. 2, il dit seulement en parlant de l'Eucharistie : *quo alantur et confortentur viventes vita illius, qui dixit :* Qui manducat me, et ipse vivet propter me (Jo. vi, 58). Mais on ne saurait voir dans cette allusion une exégèse qui s'impose, puisque dans la Session xxi, c. 1, le Concile a réservé les différentes opinions : *utcunque iuxta varias sanctorum Patrum et Doctorum interpretationes intelligatur* (le discours du ch. vi). Cette réserve a été acceptée après un long débat dans lequel les orateurs en faveur du sens spiritualiste, — neuf contre dix-neuf, — prétendirent s'appuyer sur l'autorité de saint Augustin, de saint Jérôme et de saint Thomas, sans parler de Cajetan (F. Cavallera, *L'interprétation du chapitre VI de saint Jean. Une controverse exégétique au Concile de Trente,* dans la *Revue d'histoire ecclés.* de Louvain, 1909, p. 687-709).

Le regain de popularité du système spiritualiste parmi les catholiques au début du XVIe siècle lui vint sûrement des attaques des Hussites, comme on le voit par le Commentaire de Cajetan. Ils déduisaient du texte la nécessité absolue de la communion sous les deux espèces, même pour les enfants. Le sens spirituel coupait court à ces prétentions, mais il se trouva faire le jeu des protestants, d'où les injures de Maldonat envers des théologiens catholiques d'une parfaite bonne foi. Le Concile a maintenu la discipline de l'Église latine, sans condamner l'usage des Grecs (*Sess.* XXI c. 2 et 4). Et en effet le texte dit de la manducation seule ce qui est dit de manger et de boire, et surtout, tout en faisant allusion au sacrement, il ne parle pas des espèces du pain et du vin.

C'est une exagération de quelques modernes (*Renan*, *Schweitzer*, *Réville*), d'avoir prétendu que la multiplication des pains était une véritable institution du sacrement; cf. Batiffol, *L'Eucharistie...* 5e éd., p. 77 ss.

Autre exagération de la plupart des modernes, protestants ou indépendants, qui appartiennent à l'école de la science des religions. Tandis que plusieurs se contentent de vagues rapprochements, qui peuvent s'expliquer par des aspirations semblables, Loisy dit nettement (p. 242) : « Cette conception de l'eucharistie, qui se rencontre déjà dans Paul, avec des nuances différentes, a ses origines dans les anciens cultes, notamment les cultes de mystères, où il y avait des repas sacrificiels de communion divine (cf. *Le Sacrifice*, 403-418). » Ces rites de mystères sont indiqués par Bauer : Ce sont les orgies dionysiaques des Thraces anciens, perpétuées chez les Orphiques par les rites et le mythe de Zagreus (cf. *RB.*, 1920, 424 ss.).

L'idée religieuse exprimée par ces rites ou plutôt le résultat qu'on en attendait était l'union à la divinité dont on s'assimilait la vertu. Mais le rite n'en était pas moins sauvage et bestial; c'est le *sensus ferinus* de l'Eucharistie rejeté par les anciens théologiens et par Jésus lui-même (VI, 63). Lui a su donner satisfaction à ce qui est l'essence même de la religion, le désir de s'unir à Dieu, mais d'une façon spirituelle. Si les rites sauvages, et regardés comme tels par les Juifs et l'immense majorité des gentils, avaient été pour quelque chose dans les origines de l'Eucharistie, on eût été conduit à regarder l'agneau pascal comme identifié avec Jésus, et l'on en aurait conservé la manducation d ns le christianisme. Aussi bien le rite chrétien ne tient aucun compte du principe de l'omophagie, qu'il faut manger la chair vive, puisqu'il est au contraire un souvenir de la passion et de la mort du Christ. Les espèces eucharistiques du pain et du vin sont la matière la plus simple d'un repas, le souvenir du dernier repas, choisies aussi pour rappeler le sang versé et séparé du corps. Nous sommes loin des rites de Zagreus. La logique de l'Incarnation n'avait besoin d'aucun emprunt étranger pour se dérouler : le Verbe fait chair pour se rapprocher des hommes, nourriture des âmes comme le pain est la nourriture du corps, a voulu associer les corps mêmes à cette union qui met en contact avec Dieu; il a donné à manger la chair même qu'il a prise mais d'une façon spirituelle; la manducation réelle sous la forme de l'aliment le plus substantiel produit l'union au Fils de Dieu, et cette union hausse la chair à l'ordre de l'esprit.

Le sens eucharistique a cependant une difficulté : comment un pareil discours pouvait-il être compris à Capharnaüm? Les critiques radicaux ne voient aucun inconvénient à rejeter le caractère historique du récit; ils s'en font même une arme contre la valeur du quatrième évangile. Leurs objections tendent à montrer que Jo. a parlé pour ses lecteurs du début du second siècle, et non Jésus pour ses contemporains. De ces difficultés, parfaitement appréciées par Mgr Ruch évêque de Strasbourg (*Dict. de théolog.* V, c. 1019 ss.), la seule qui ait quelque valeur est le caractère énigmatique des termes, qu'on ne pouvait bien comprendre qu'en connaissant l'Eucharistie, si bien que plusieurs catholiques des plus éminents s'y sont trompés. Mgr Ruch répond : « Écrivant pour des lecteurs qui connaissaient l'eucharistie et que les formules liturgiques avaient familiarisés de longue date avec les affirmations chrétiennes, l'évangéliste pouvait abréger, omettre des explications qui avaient été données aux Juifs, présenter les paroles de Jésus sous une forme qui ne compromettait pas l'exactitude de la pensée, mais qui n'était pas littéralement celle dont le Verbe avait revêtu ses idées pour les exposer à la foule de Capharnaüm » (c. 1023 s.). Le même dit encore : « Il nous serait permis d'affirmer sans invraisemblance que Jean a voulu grouper dans ce chapitre les enseignements de Jésus sur le pain, tout ce que Jésus a fait symboliser par cet élément. » (c. 995). — En usant de cette permission, nous proposons de regarder la troisième partie du discours comme prononcée dans une autre circonstance, les vv. 51 à 58 spécialement auraient été dits devant un auditoire plus intime, composé de disciples qui jusque-là paraissaient sûrs.

Cette solution jette une vive lumière sur tout le discours, tient un compte suffisant des difficultés critiques et donne une réponse appropriée à celles qui sont imaginaires. Le discours tel qu'il est avait son opportunité au temps où Jean écrivait, et formait un ensemble imposant sur la doctrine eucharistique, préparée par la multiplication des pains et par un premier discours sur Jésus regardé comme pain de vie. Les fidèles n'éprouvaient aucune peine à le comprendre. Mais il serait étrange qu'il ait été proposé tel quel à tous les Juifs de la synagogue de Capharnaüm, si mal disposés même à reconnaître en Jésus un Messie descendu du ciel, et nullement préparés, semble-t-il, à la doctrine encore plus mystérieuse de l'Eucharistie. Ce qui leur convenait, ce qui est en tout cas parfaitement en situation, c'est toute la première partie du discours jusqu'à 50 inclus. A la vue du miracle, les Galiléens sont portés à reconnaître Jésus pour le Prophète annoncé par Moïse, un second Moïse, peut-être plus grand que lui (14). S'ils ont voulu pour cela en faire un roi, le titre de Messie étant devenu celui du grand attendu, il n'en est pas moins vrai qu'ils lui demandent comme à un second législateur des règles de vie (28). Jésus répond que le premier point est de croire en lui. Ils demandent alors un signe qui dépasse ce qu'avait fait Moïse : Jésus avait bien multiplié le pain naturel, mais Moïse avait donné un pain du ciel. Jésus leur en promet, et ils acceptent; mais quand il déclare que lui-même est ce pain, descendu du ciel, ils commencent à murmurer.

Tel qu'il est ce discours est tout à fait de circonstance après la multiplication des pains, et il n'y a rien à objecter contre son caractère historique. Le second discours a aussi sa raison d'être; on ne jugerait pas prudent que Jésus ait institué l'Eucharistie sans y avoir jamais préparé ses disciples. Et c'est précisément par rapport aux disciples que le discernement se fait. Nous avons au v. 60 un indice assez clair que la dualité de l'auditoire répond à la dualité des thèmes : c'est uniquement aux disciples que Jésus a désormais affaire. Quand cet autre discours a-t-il été prononcé, nous ne saurions le dire : l'indication du lieu au v. 59 s'entend de l'ensemble du discours.

Les deux discours pouvaient d'autant plus aisément être groupés, que tous deux s'étaient terminés par des murmures et une sécession.

Si l'on admet cette partition historique, on comprendra l'hésitation de l'exégèse. Les très grands exégètes qui ont incliné à voir même dans 51-58 un pain spirituel ont toujours donné comme raison principale le contexte. Cette raison tombe dès lors qu'on a reconnu la juxtaposition de deux enseignements différents, dont le premier pouvait cependant être rapporté au second comme une figure à la réalité. On n'a plus dès lors aucune difficulté à entendre la deuxième partie comme directement et immédiatement relative à l'Eucharistie.

L'effet d'ensemble d'un seul enseignement gradué est admirable; mais l'intelligence historique du détail n'est satisfaite que lorsque chaque discours est dans sa perspective propre. On n'est plus hanté de cette objection difficile à résoudre : comment Jésus s'est-il exposé à la défection des Galiléens en leur prêchant ouvertement une doctrine si difficile à concevoir? Mais ils n'étaient pas excusables, après le miracle des pains, de se refuser à voir en Jésus l'envoyé de Dieu. Ce n'était pas Moïse, c'était Dieu qui avait donné la manne : maintenant Dieu envoyait son Messie, incomparablement supérieur à Moïse ils demandaient un pain descendu du ciel, et quand Jésus s'offre à eux en cette qualité, ils se moquent parce qu'ils connaissent ses parents!

Chapitre VII. La fête des tabernacles; état des esprits. Le ch. VI a montré quelle fut, à l'égard de Jésus, la crise des esprits en Galilée. Mais c'est à Jérusalem que sa mission devait être discutée, reconnue ou méconnue. Les positions sont prises à propos de l'enseignement de Jésus lors de la fête des Tabernacles.

Refusant de s'y montrer en thaumaturge, escorté de Galiléens dont quelques-uns peut-être tenteraient d'exploiter son succès (1-13), Jésus entend cependant enseigner dans le Temple à cette occasion, et spécialement se défendre de l'accusation portée jadis contre lui d'avoir violé le sabbat (14-24). Il insiste sur l'origine divine du Messie et ses paroles produisent des effets divers de foi ou d'hostilité (25-30). Il annonce alors sa disparition prochaine (31-36), et promet le don de l'eau vive, qui symbolise l'Esprit-Saint (37-39). Cette dernière manifestation accentue la crise; les mouvements de la foule sont toujours très variés (40-43), mais les dirigeants ont pris leur parti et le maintiennent insolemment malgré la timide observation de Nicodème (45-52).

CHAPITRE VII

[1] Καὶ μετὰ ταῦτα περιεπάτει ὁ Ἰησοῦς ἐν τῇ Γαλιλαίᾳ, οὐ γὰρ ἤθελεν ἐν τῇ Ἰουδαίᾳ περιπατεῖν, ὅτι ἐζήτουν αὐτὸν οἱ Ἰουδαῖοι ἀποκτεῖναι. [2] ἦν δὲ ἐγγὺς ἡ ἑορτὴ τῶν Ἰουδαίων ἡ σκηνοπηγία. [3] εἶπον οὖν πρὸς αὐτὸν

[1] Et après cela Jésus allait et venait dans la Galilée, car il ne voulait pas le faire en Judée, parce que les Juifs cherchaient à le faire mourir. [2] Or la fête des Juifs, la fête des Tabernacles était proche.

1-13. État des esprits en Galilée et a Jérusalem lors de la fête des Tabernacles.

Malgré l'hostilité des Juifs, les frères de Jésus veulent l'entraîner à une manifestation messianique à Jérusalem. Il refuse d'entrer dans leurs desseins qui ne paraissent pas assez purs, et s'y rend en secret. De son côté la foule de la cité sainte semble pressentir un éclat. Cette sorte d'introduction indique la fin du ministère en Galilée et prépare à la grande lutte qui va s'engager à Jérusalem.

1) Il semblerait que la fin du ch. vi eût dû mettre un terme à l'action de Jésus en Galilée : une crise s'était produite qui avait fixé la situation : le très grand nombre des disciples s'était retiré, et il paraissait malaisé de reprendre la prédication en sous-œuvre. On voit clairement dans Mc. ix, 30 et dans Mt. xvii, 22 qu'à partir d'un certain moment Jésus s'occupa surtout de former ses disciples. Jo. ne le dit pas expressément et se contente de laisser un temps assez long à l'activité du Sauveur en Galilée, activité errante, indiquée par le mot περιεπάτει, dans son sens normal d'aller et venir. Si Jésus ne veut pas parcourir la Judée de la même façon, c'est que les Juifs de Jérusalem voulaient le tuer, comme il a été dit (v, 18), parce qu'il avait violé le sabbat. On voit donc que le début du ch. vii se rattache beaucoup plus directement au ch. v qu'au ch. vi, indice assez clair de l'ordre primitif qui plaçait vi avant v. L'automne était arrivé, et c'est vers Jérusalem que la suite du récit de Jo. est orientée; nous allons quitter la Galilée pour toujours, sauf l'apparition qui suivit la Résurrection (xxi).

2) La fête des tabernacles est nommée ici σκηνοπηγία, nom qu'on trouvait déjà dans la Bible (Dt. xvi, 16; xxxi, 10; I Esd. v, 51; Zach. xiv, 16.18.19; I Macch. x, 21; II Macch. i, 9. 18), concurremment avec la traduction littérale de l'hébreu, ἑορτὴ σκηνῶν (Lev. xxiii, 34; Dt. xvi, 13; II Esd. iii, 4). C'était une ancienne fête agricole, au moment où l'on habitait sous des tentes de feuillages pour surveiller les vignes, la fête de la récolte (Ex. xxiii, 16), où l'on commémorait l'habitation sous des tentes à la sortie d'Égypte.

Cette fête très nationale et très populaire se célèbre encore à Jérusalem. Les

οἱ ἀδελφοὶ αὐτοῦ Μετάβηθι ἐντεῦθεν καὶ ὕπαγε εἰς τὴν Ἰουδαίαν, ἵνα καὶ οἱ μαθηταί σου θεωρήσουσιν τὰ ἔργα ἃ ποιεῖς· [4]οὐδεὶς γάρ τι ἐν κρυπτῷ ποιεῖ καὶ ζητεῖ αὐτὸς ἐν παρρησίᾳ εἶναι· εἰ ταῦτα ποιεῖς, φανέρωσον σεαυτὸν τῷ κόσμῳ. [5]οὐδὲ γὰρ οἱ ἀδελφοὶ αὐτοῦ ἐπίστευον εἰς αὐτόν. [6]λέγει οὖν

3. *om.* σου plutôt que σου τα εργα (H) ou τα εργα σου (TSV).

Juifs qui ont des prétentions à la culture moderne ne laissent pas de construire des cabanes ornées de feuillages et où sont suspendus tous les fruits du pays. Si une salle déjà bâtie est ornée dans ce but, il est indispensable qu'elle ne comporte aucun étage au-dessus. La fête dure du 15 au 21 Tichri, vers la fin de septembre plutôt qu'au début d'octobre, et si une pluie précoce survient, c'est un grand signe de bénédiction. Depuis les Macchabées cette fête avait plus d'une fois été l'occasion de démonstrations populaires, par exemple contre Alexandre Jannée (*Ant.* XIII, xiii, 5) et en faveur du jeune Aristobule (*Ant.* XV, iii, 3). L'habitude de porter alors des palmes et des citrons (*loulab* et *ethrog*) transformait une réunion en un cortège triomphal ou en un groupe hostile. Il est très probable que les autorités de Jérusalem venaient à la rencontre des principales caravanes, comme cela est dit à propos des prémices (*Bikkurim* iii, 3) : « Les représentants des prêtres et des lévites et les trésoriers viennent à leur rencontre... tous les ouvriers de Jérusalem se lèvent et les saluent », etc.

3) L'occasion était donc (οὖν) admirablement choisie pour une manifestation décisive. Ceux qui y poussent Jésus sont ses frères, distincts des disciples en général, et à plus forte raison des Douze, et qui ne croyaient pas (5). Il en résulte bien qu'on ne saurait ranger parmi eux Jacques, fils d'Alphée qui fut un apôtre, et qui est plus probablement cousin de Jésus (cf. *Comm. Mc.* p. 79), le même que Jacques le mineur, premier évêque de Jérusalem; une exception est toujours possible dans une qualification aussi générale. Les frères de Jésus, c'est-à-dire ses plus proches parents (cf. *Comm. Mc.* l. l.), constatent donc les œuvres de Jésus c'est-à-dire ses miracles, que personne ne pouvait nier, mais, comme nous le verrons, sans avoir la foi surnaturelle en Jésus. Ses miracles, dont Jo. parle peu (vi, 2), mais qui avaient été très nombreux en Galilée, d'après les synoptiques, Jésus devrait aller les faire à Jérusalem, afin d'entraîner les disciples, c'est-à-dire les partisans qu'il y avait. C'était le seul endroit où des miracles pouvaient recevoir une consécration officielle, après avoir été interprétés par l'autorité compétente. Rien n'empêche d'admettre qu'à un voyage précédent, par exemple à Pâque ou à la Pentecôte, ils aient entendu les réflexions qui vont suivre (12), et qui sont fondées sur la présence antérieure de Jésus en Judée où il avait fait des disciples (le mot se trouve iv, 1). Il est donc inutile de corriger avec Torrey (cf. *Intr.* p. cii) : va en Judée « afin que l'on puisse voir tes disciples et les œuvres que tu fais ».

4a) Le sens est clair : celui qui désire être en vue ne doit pas agir dans le secret; on ne saurait prendre un tel moyen pour arriver à un tel but; καί a donc le sens de « alors que », et non pas de « et cependant »; il remplace ici

[3] Ses frères donc lui dirent : « Pars d'ici et va en Judée, afin que tes disciples voient les œuvres que tu fais; [4] car personne ne fait les choses en secret, s'il cherche à être lui-même en évidence. Puisque tu fais ces choses, manifeste-toi au monde. » [5] Car ses frères eux-mêmes ne croyaient point en lui. [6] Jésus donc leur dit : « Mon temps

εἰ ou ἐάν, comme cela se trouve même chez les Attiques (*Küh.-G.* II, 2 p. 231). Cependant cette tournure est plus fréquente chez les Sémites, cf. Jud. XVI, 15, etc. KAUTZSCH, *Gram.* § 141, *e.*). — ἐν παρρησίᾳ cf. XI, 54; Col. II, 15 « au grand jour », « publiquement ». C'est avec ce sens à tout le moins rare en grec, que ce mot a été transcrit en hébreu rabbinique (*Schlatter*).

4b) Si tu fais ces miracles, c'est sans doute pour être connu; prends donc le bon moyen en te manifestant au monde. L'expression κόσμος est johannine; encore est-il que dans la pensée des frères, telle qu'elle est exprimée, κόσμος doit être pris dans un sens dérivé, que nous avons aussi en français : au monde, c'est-à-dire aux gens, bien entendu sur un grand théâtre. Aug : *Facis mirabilia, innotesce; id est, appare omnibus, ut laudari possis ab omnibus.*

5) Rien n'indique que les frères aient été de mauvaise foi, et qu'ils aient tendu un piège à Jésus pour le faire tomber dans les mains des Juifs. Assurément ils le jugent d'après leur propre esprit; ils lui imputent de l'ambition, de l'amour de la gloire, mais sans l'audace nécessaire; ils l'engagent à courir le risque, et ils semblent décidés à le courir avec lui, car ils l'invitent en somme à venir avec eux. Ils sont encore dans les sentiments de la foule après la multiplication des pains (VI, 14 s.), sans assumer cependant la responsabilité principale. Mais tout cela n'est pas la foi au sens de Jo. Pas même eux, quoique parents, et par conséquent témoins de tous les jours, ne croyaient que Jésus était l'envoyé de Dieu et qu'il fallait par conséquent s'en remettre absolument à sa conduite, s'en tenir avec lui à faire la volonté du Père.

Loisy invite a « remarquer la curieuse transposition qu'a subie la donnée synoptique des frères courant après Jésus pour le ramener à la maison (Mc. III, 21, 31-35)..... De part et d'autre il y a manque de foi, mais combien celui que dénonce notre évangile est-il différent de celui dont parle Marc! » (p. 255). Alors? Les uns retiennent, les autres poussent. Ce sont bien les mêmes personnes, mais ce n'est pas le même fait « transposé »; ce sont deux faits. Chacun d'eux a sa vraisemblance. Au début, les frères ne voient que de l'exaltation, presque de l'égarement dans le zèle de Jésus; vers la fin, ils commencent à croire que cette exaltation pourrait aboutir à quelque chose de très pratique, le pouvoir. Mais ce n'est toujours pas la foi. C'est bien ici, si l'on veut (*Loisy*), une nouvelle forme de la seconde tentation dans Mt. IV, 5-7, mais en ce sens que Jésus repoussait, l'occasion venue, la tentation que le démon avait voulu lui suggérer d'avance.

6) La réponse de Jésus est enveloppée d'une certaine obscurité (*Cyr.*), mais c'est l'augmenter que de nommer son temps le moment de sa gloire lors du jugement (*Aug.*), ou de le déterminer trop étroitement d'une façon quelconque, comme s'il parlait de sa mort (*Schanz, Loisy*). Il faut s'en tenir à ce que Loisy

αὐτοῖς ὁ Ἰησοῦς Ὁ καιρὸς ὁ ἐμὸς οὔπω πάρεστιν, ὁ δὲ καιρὸς ὁ ὑμέτερος πάντοτέ ἐστιν ἕτοιμος. [7] οὐ δύναται ὁ κόσμος μισεῖν ὑμᾶς, ἐμὲ δὲ μισεῖ, ὅτι ἐγὼ μαρτυρῶ περὶ αὐτοῦ ὅτι τὰ ἔργα αὐτοῦ πονηρά ἐστιν. [8] ὑμεῖς ἀνάβητε εἰς τὴν ἑορτήν· ἐγὼ οὐκ ἀναβαίνω εἰς τὴν ἑορτὴν ταύτην, ὅτι ὁ ἐμὸς καιρὸς οὔπω πεπλήρωται. [9] ταῦτα δὲ εἰπὼν αὐτὸς ἔμεινεν ἐν τῇ Γαλιλαίᾳ. [10] Ὡς δὲ ἀνέβησαν οἱ ἀδελφοὶ αὐτοῦ εἰς τὴν ἑορτήν, τότε καὶ αὐτὸς ἀνέβη, οὐ φανερῶς ἀλλ' ἐν κρυπτῷ. [11] οἱ οὖν Ἰουδαῖοι ἐζήτουν αὐτὸν ἐν τῇ ἑορτῇ καὶ ἔλεγον Ποῦ ἐστὶν ἐκεῖνος; [12] καὶ γογ-

8. ουκ (TS) plutôt que ουπω (HV)
9. αυτος (TS) plutôt que αυτοις (HV).
10. *om.* ως *α.* ἐν κρυπτω (T) plutôt que *add.* (HSV).
12. περι αυτου ην (HV) ou ην π. α. (TS).

---

nomme le sens littéral : « le temps n'est pas arrivé pour lui de faire ce qu'on lui demande » (p. 255). Les frères peuvent disposer librement leurs projets et agir selon ce que paraissaient suggérer les circonstances; mais tous les actes de Jésus sont subordonnés aux desseins de son Père; les frères devraient le savoir. Cette réponse générale sera quelque peu précisée plus loin (8); ici nous devons lui laisser sa portée assez ample pour résoudre tous les cas particuliers. Elle laisse d'ailleurs pressentir déjà que si Jésus refuse de s'associer au projet de ses frères, le temps viendra où il aura peut-être à prendre une décision qui aura quelque analogie avec cette démarche.

7) La phrase précédente commence par ce qui regarde Jésus, puis passe aux frères. Celle-ci part des frères et se termine par ce qui regarde Jésus. Les deux forment donc une période, et le contexte est assez étroit. Si les frères sont libres de leurs mouvements, c'est que le monde ne les hait pas.

Le monde est sans doute le même qu'au v. 4, représenté en fait par les Juifs de Jérusalem. — δύναται, cf. Sap. XI, 20 pour le sens d'être exposé à : ici; être dans la disposition de...; le monde ne saurait haïr ceux qui partagent ses sentiments; spécialement les Juifs de Jérusalem n'ont rien à reprocher aux Galiléens de la trempe des frères. Mais le monde hait Jésus parce que toute sa vie est un témoignage rendu contre le monde, ici encore surtout les Juifs de Jérusalem, auxquels il a précisément reproché de chercher la vaine gloire (v, 40 ss.). Quand Jésus se manifeste tel qu'il est, cette haine le poursuit : il ne doit pas s'y exposer avant le moment voulu.

8) ἀνάβητε n'est pas un ordre : puisqu'ils veulent aller à cette fête, libre à eux. Mais lui ne montera pas à cette fête. Il faut ici noter la reprise du mot ἀναβαίνειν : c'était une sorte d'expression consacrée pour « se rendre » à l'une des trois grandes fêtes de pèlerinage. Or ces pèlerinages étaient eux-mêmes organisés, surtout à l'arrivée, comme des processions solennelles, ainsi que nous l'avons déjà indiqué (2). Il faut aussi noter ταύτην. Jésus ne fera pas une entrée solennelle à *cette* fête, et cela parce que son temps n'est pas venu. Cette fois,

n'est pas encore venu, mais le vôtre est toujours prêt. [7] Le monde ne saurait vous haïr, mais moi il me hait, parce que je rends de lui ce témoignage que ses œuvres sont mauvaises. [8] Vous, montez à la fête; moi je ne monte pas à cette fête, parce que mon temps n'est pas encore révolu. » [9] Après avoir dit cela, lui-même resta en Galilée. [10] Mais lorsque ses frères furent montés à la fête, alors il monta lui aussi, non pas au grand jour, mais en secret. [11] Les Juifs donc le cherchaient à la fête et disaient : « Où est-il? » [12] Et il y

καιρός paraît bien désigner le temps de la Passion, causée par la haine des Juifs : le moment venu, il s'y exposera. Déjà ce temps est proche; la haine cherchera à se satisfaire, mais le temps n'est pas accompli, et Jésus ne doit pas et ne veut pas le prévenir. Il est donc très suffisamment clair que Jésus refuse de monter φανερῶς, dans l'éclat d'une procession solennelle, à cette fête-là. Ce qu'il fera en particulier et comme en secret n'est point en question. Il est bien évident que Jo. n'a entendu lui prêter ni un changement soudain de résolution, ni une restriction mentale mensongère, mais il n'avait pas à faire de confidences à des personnes mal disposées.

Nous avons lu ουκ αναβαινω (TS) et non ουπω αναβαινω (HV) soutenu par B avec 13 onciaux de Tisch. auxquels il faut joindre maintenant Θ et W, parce que ουπω est manifestement une correction provoquée par le blâme des païens, attesté pour Porphyre par Jérôme (*c. Pelag.* II, 17) : *latrat Porphyrius, inconstantiae ac mutationis accusat.* Et cette correction, satisfaisante en apparence, ne dissipe pas l'obscurité, car Jésus aurait donc consenti à se présenter à Jérusalem, mais plus tard, laissant les frères dans le doute sur le sens de sa démarche. Mieux vaut un refus net de ce qu'on lui propose, sauf le droit pour lui de poursuivre son but particulier, mais de telle façon que la haine des Juifs sera impuissante cette fois.

9) ἔμεινεν, l'aoriste; Jésus resta quand les autres partirent.

10) S'il y avait quelque chose d'énigmatique dans les paroles de Jésus, l'évangéliste explique ici quelle avait été sa pensée. Il n'avait pas voulu monter à Jérusalem avec ses frères, parce que ceux-ci faisaient partie du cortège des Galiléens; mais après ce départ officiel il y monta lui-même comme à la dérobée. Cela d'ailleurs ne l'empêchait pas d'emmener avec lui quelques disciples. L'essentiel était qu'on ne le vît pas arriver, qu'il n'y eût pas de démonstration; et en effet Jésus vint si discrètement qu'on ne se douta pas d'abord de sa présence. — ὡς avant ἐν κρυπτῷ adoucit un peu, et évite de dire que Jésus se cachait, lui qui n'avait rien à cacher. Nous omettons cet ὡς avec ℵD, trois mss., les versions *a b d e r sah syrsin* et *cur.*

11) Cette recherche des Juifs indique bien qu'ils avaient craint quelque machination. Tant qu'ils n'ont pas trouvé Jésus, ils éprouvent une certaine inquiétude. Les Juifs sont donc, comme d'ordinaire, des adversaires. — οὖν « donc », parce qu'ils ne l'avaient pas vu avec les autres.

12 s.) γογγυσμός « murmure » mais non pas nécessairement contre quelqu'un,

γυσμὸς περὶ αὐτοῦ ἦν πολὺς ἐν τοῖς ὄχλοις· οἱ μὲν ἔλεγον ὅτι Ἀγαθός ἐστιν, ἄλλοι δὲ ἔλεγον Οὔ, ἀλλὰ πλανᾷ τὸν ὄχλον. [13] οὐδεὶς μέντοι παρρησίᾳ ἐλάλει περὶ αὐτοῦ διὰ τὸν φόβον τῶν Ἰουδαίων.

[14] Ἤδη δὲ τῆς ἑορτῆς μεσούσης ἀνέβη Ἰησοῦς εἰς τὸ ἱερὸν καὶ ἐδίδασκεν. [15] ἐθαύμαζον οὖν οἱ Ἰουδαῖοι λέγοντες Πῶς οὗτος γράμματα οἶδεν μὴ μεμαθηκώς; [16] ἀπεκρίθη οὖν αὐτοῖς Ἰησοῦς καὶ εἶπεν Ἡ ἐμὴ διδαχὴ οὐκ

puisque c'est un équivalent ionique de l'attique τονθρυσμός (*Phrynichus*). C'est un bruit confus dans la foule parce qu'on ne s'entend pas, et qu'on ne veut pas avoir l'air de critiquer l'autorité, ou comme trop indulgente, ou comme trop hostile. Tandis que les Pharisiens avaient pris parti contre Jésus, dans la foule, peut-être surtout parmi les Galiléens, il avait encore des partisans. — Il n'y a aucune raison de ne pas prendre παρρησίᾳ dans son sens grec de « franc-parler ».

Le départ pour la fête des Tabernacles et les noces de Cana.

Bauer et Loisy y voient une grande ressemblance. A Cana la Mère de Jésus, cette fois ses frères, font une demande qui est d'abord repoussée, puis Jésus cède. On en conclut que « Mère et frères représentent le messianisme juif pressé de voir des signes » etc. (*Loisy*, p. 256). Et en effet le schéma de l'entretien a quelque analogie. Mais cette ressemblance dans le cadre peut avoir au contraire pour but de mieux faire ressortir les différences de fond. La Mère de Jésus demande un miracle et fait précisément l'acte de foi que Jésus exige, l'adhésion de l'esprit et du cœur à lui et à son œuvre. Et après un premier refus qui provoque cet abandon, Jésus fait en réalité le miracle. D'ailleurs la Mère était poussée par la compassion, nullement parce qu'elle était pressée de voir des signes messianiques. Ce sont bien ces signes et leur publicité que souhaitent les frères, qui essuyent un refus complet, car Jésus ne se prête nullement à leur dessein. La Mère de Jésus si elle représente le Judaïsme, c'est celui qui croit et qui obtient; les frères ne croient pas et n'obtiennent rien. On conviendra que la ressemblance est plus que superficielle : c'est une opposition antistrophique, sur le même rythme tout au plus, ce qui marque simplement le procédé littéraire du même auteur. S'il y a un symbolisme, il va de soi qu'il a pour base la réalité des personnes et des circonstances. Dans le cas présent il n'y a même pas ici « l'invraisemblance » d'un miracle, et la personne de Jésus y est exposée aux attaques des myopes comme Porphyre; Bauer et Loisy ne sont pas de ceux-là, mais le sens figuré qu'ils ont cru voir dans Jo. n'exige nullement le sacrifice de la réalité.

14-24. DÉFENSE DE JÉSUS AU SUJET DU SABBAT CONTRE LE PARTI PRIS MEURTRIER DES JUIFS.

Si les Juifs ont résolu de tuer Jésus, c'est qu'ils le regardent comme un novateur, imbu d'idées subversives, ennemi de la Loi et spécialement du sabbat. En quoi ils se trompent, car Jésus n'enseigne rien que la doctrine de son Père. Ce sont eux qui poursuivent des visées homicides sans tenir compte de la Loi, qu'il n'avait pas violée en guérissant un malade le jour du sabbat.

14) La fête durait sept jours : un huitième jour y était ajouté comme clôture

avait beaucoup de chuchotements à son sujet dans les foules : Les uns disaient : « Il est bon. » D'autres disaient : « Non, mais il séduit la foule. » [13] Cependant personne ne parlait de lui librement, par crainte des Juifs.

[14] Comme on était déjà au milieu de la fête, Jésus monta au Temple, et il enseignait. [15] Les Juifs s'en étonnaient, disant : « Comment sait-il les lettres, sans avoir suivi de leçons? » [16] Jésus leur répondit et dit : « Ma doctrine n'est pas de moi, mais de celui qui m'a envoyé;

(Lev. xxiii, 34-36; Num. xxix, 35); si bien que l'on comptait huit jours (II Macch. x, 6; Jos. *Ant.* III, x, 4). La moitié était donc le quatrième ou le cinquième jour. Ce jour-là Jésus monta au Temple : il était donc à Jérusalem auparavant, mais avait évité de se montrer, surtout dans le Temple, où il était plus facile de le reconnaître. S'il y parut alors pour enseigner, c'est peut-être parce que c'était un jour de sabbat. Les Juifs qui l'accusaient de l'avoir violé auraient-ils osé le faire arrêter ce jour-là? On « montait » au Temple (Lc. xviii, 10), dominé il est vrai par quelques parties de la ville, parce que les entrées principales étaient du côté de la ville basse.

15) C'était la première fois que Jésus « enseignait » à Jérusalem, et sans enseigner à la façon des scribes, il montrait cependant une maîtrise incontestable, prouvant qu'il connaissait bien les Écritures, et probablement en prenant pour base leur texte, comme il avait fait en Galilée (Lc. iv, 17). Les Juifs, c'est-à-dire les chefs, gens du métier, sont étonnés. Littéralement leur réflexion signifie : comment sait-il lire, sans avoir appris? En effet γράμματα ne signifie pas ici les saintes Lettres, mais les caractères qui servent à écrire. A la documentation très abondante de Bauer, on peut ajouter Plat. *Prot.* 325 *e* avec μανθάνειν. Mais comment à Jérusalem savait-on que Jésus n'avait pas appris à lire, reproche que les gens de Nazareth, seuls bien informés, n'ont pas articulé (Mc. vi, 2; Mt. xiii, 55)? D'autre part on ne voit pas que les Juifs aient accusé Jésus de sortilège. Il faut donc admettre que leur expression est quelque peu exagérée et tenir compte pour l'expliquer de la situation de fait. En fait, on apprenait les lettres d'après la sainte Écriture; apprendre à lire, c'était être déjà un élève des Rabbins. Ce n'était pas le cas de Jésus. On pouvait savoir à Jérusalem qu'il n'était qu'un artisan. Comment donc faisait-il l'office d'un Maître, et d'une façon à forcer l'admiration? Il suffit aujourd'hui encore à un rabbin de faire lire quelques lignes d'hébreu à un philologue peut-être très docte, pour se rendre compte qu'il n'est pas au courant de la tradition de l'école. Donc : « Comment sait-il si bien lire sans avoir été longtemps sur nos bancs? »

16) L'étonnement des Juifs contenait une suspicion très grave. Puisqu'il n'avait pas été à l'école des Rabbins, Jésus avait donc acquis lui-même sa doctrine : n'était-ce pas un novateur, et comme on le disait déjà un séducteur (12)? C'est à ce grief secret que Jésus répond en se donnant comme l'envoyé de Dieu dans la nature humaine, quoique les termes conservent leur vérité et aient même une portée plus grande si celui qui parle fait allusion à ses

ἔστιν ἐμὴ ἀλλὰ τοῦ πέμψαντός με· [17] ἐάν τις θέλῃ τὸ θέλημα αὐτοῦ ποιεῖν, γνώσεται περὶ τῆς διδαχῆς πότερον ἐκ τοῦ θεοῦ ἐστὶν ἢ ἐγὼ ἀπ' ἐμαυτοῦ λαλῶ. [18] ὁ ἀφ' ἑαυτοῦ λαλῶν τὴν δόξαν τὴν ἰδίαν ζητεῖ· ὁ δὲ ζητῶν τὴν δόξαν τοῦ πέμψαντος αὐτὸν οὗτος ἀληθής ἐστιν καὶ ἀδικία ἐν αὐτῷ οὐκ ἔστιν. [19] οὐ Μωυσῆς ἔδωκεν ὑμῖν τὸν νόμον; καὶ οὐδεὶς ἐξ ὑμῶν ποιεῖ τὸν νόμον. τί με ζητεῖτε ἀποκτεῖναι; [20] ἀπεκρίθη ὁ ὄχλος Δαιμόνιον ἔχεις·

19. εδωκεν (H) ου δεδωκεν (TSV).

---

relations avec le Père dont il est le Verbe. Mais les Juifs n'auraient pu comprendre ce sens : *et suam doctrinam dixit, seipsum; et non suam quia Patris est verbum* (*Aug.*). — Ma doctrine, celle que je propose, n'est pas une doctrine de mon invention, mais celle de Dieu qui m'a envoyé.

17) Comment s'en rendre compte? Jésus n'exclut pas une comparaison intellectuelle entre les bases de la révélation biblique et sa doctrine. Mais cette étude n'est pas à la portée de tout le monde, tandis que tout le monde est appelé à cette perfection morale qui consiste à faire la volonté de Dieu. Si quelqu'un en prend généreusement le parti, il reconnaîtra que la doctrine de Jésus n'est point une doctrine personnelle à un homme, en dehors de la doctrine divine et peut-être en contradiction avec elle, mais qu'elle est au contraire venue de Dieu. C'est le fondement de la connaissance mystique qui procède moins par le raisonnement que par un instinct qui allie le semblable au semblable. La bonne volonté n'est donc nullement envisagée ici comme une disposition à la grâce, mais comme une bonne volonté entière, animée par la charité, se mouvant dans l'ordre de la charité; elle va droit à Dieu et reconnaît par une perception diffuse, mais véritable, ce qui est de Dieu. La nécessité de la grâce pour cela n'est pas en question (VI, 44).

La bonne volonté pour les Juifs n'était pas seulement l'observance de la Loi, mais aussi la confiance en Dieu et en ses promesses, spécialement messianiques, le désir de son règne.

— πότερον... ἤ, double question; seul cas du N. T., cf. Barn. XIX, 6. La phrase n'est pas sans analogie avec Num. XVI, 28 ἐν τούτῳ γνώσεσθε ὅτι Κύριος ἀπέστειλέν με ποιῆσαι πάντα τὰ ἔργα ταῦτα, ὅτι οὐκ ἀπ' ἐμαυτοῦ, mais Moïse donne aussitôt un signe dont les âmes de bonne volonté n'ont pas besoin en présence de la doctrine évangélique (cf. III, 21; V, 23. 38-47; et plus loin VIII, 47; XIV, 1; XVIII, 37).

18) C'est un fait d'expérience que celui qui croit avoir trouvé la vérité par ses propres moyens aime à s'en faire honneur. Comment les protestants qui le rappellent n'auraient-ils pas à la mémoire les vanteries du Dr Martin Luther? Jésus ne prend pas la peine de dire que tel n'est pas son cas (V, 41). Il vient justement d'abdiquer tout mérite d'invention personnelle. Alors qu'on lui laisse le bénéfice de cette situation! Rien n'autorise à mettre en doute sa fidélité à reproduire son message; il est ἀληθής et il n'y a point en lui de prévarication (ἀδικία) soit envers celui qui l'envoie, soit envers les hommes, dans le dessein

[17] si quelqu'un veut faire sa volonté, il saura si cet enseignement vient de Dieu, ou si je parle de moi-même. [18] Celui qui parle de lui-même recherche sa propre gloire; mais celui qui recherche la gloire de qui l'a envoyé, celui-là est véridique, et il n'y a point en lui d'injustice. [19] Moïse ne vous a-t-il pas donné la Loi? Et aucun de vous ne met la Loi en pratique. Pourquoi cherchez-vous à me faire mourir? » [20] La foule répondit : « Tu es possédé du démon! Qui

de les séduire. Cette considération de l'attitude de l'envoyé est moins décisive que celle de l'harmonie de sa doctrine avec la pratique du bien; aussi est-elle proposée en second lieu, et seulement parce que Jésus veut se défendre contre des attaques injustes.

19a) Le contexte est difficile. En général on rattache ce verset à ce qui suit. La phrase : « aucun de vous ne pratique la Loi » est entendue soit d'une façon générale, de telle sorte que les Juifs infidèles à la Loi n'ont plus le droit de se poser en défenseurs et en vengeurs de cette Loi (*Schanz*), soit de la défense de mettre à mort sans jugement (*Bauer, Loisy*), soit de ce qui sera expliqué au v. 22 (*Zahn*). Mais le fait qu'aucun homme ne peut pratiquer la Loi dans sa perfection n'enlève pas aux magistrats le droit de punir; d'autre part οὐδεὶς ἐξ ὑμῶν est une négation trop universelle pour viser les projets de mort des chefs, ou le rite de la circoncision. Il nous semble donc que 19a se rattache plutôt à ce qui précède. Si les Juifs pratiquaient la Loi qui leur a été donnée par Moïse, mais de la part de Dieu, ils seraient mieux disposés envers la doctrine de Jésus (*Aug.*), mais en fait aucun d'eux ne la pratique comme elle devrait l'être. En même temps 19a sert de transition. L'objection contre le principe du v. 17, c'est que Jésus, ayant violé le sabbat, ne pouvait prétendre que sa doctrine était celle du Père. Il accepte ce terrain de discussion, et même il attaque. La loi de Moïse, c'est bien à vous *aussi* (ὑμῖν) qu'elle a été donnée? Et cependant vous ne la pratiquez pas.

19b) Venons donc à votre grief. Pourquoi voulez-vous me tuer? — On est un peu surpris de cette brusque apostrophe, qui se rattache à v, 18, c'est-à-dire à un temps écoulé depuis plus d'un an. Mais si l'on transpose V après VI, l'intervalle n'est plus que de trois à quatre mois, d'une fête à l'autre. Jésus connaissait son monde. Dès la Galilée il savait qu'il serait guetté par des ennemis mortels (1). Ayant résolu d'affronter la lutte, non pas dans le cortège d'entrée, mais comme enseignant au nom de Dieu, il ne craint pas de démasquer ses adversaires, ce qui en somme pouvait provoquer une réaction en sa faveur.

20) La foule s'étonne, elle est même ahurie, et fait retomber son impression sur celui qui se disait poursuivi : c'est une illusion de sa part, si lourde, qu'il faut y voir un cas de possession démoniaque. On voit que la foule, tout en connaissant les mauvaises intentions des chefs, n'était pas au courant de leurs desseins homicides. Le reproche d'être possédé avait été fait à Jean-Baptiste, d'après Mt. XI, 18; Lc. VII, 33; mais les Pharisiens alléguaient contre Jésus

τίς σε ζητεῖ ἀποκτεῖναι; [21] ἀπεκρίθη Ἰησοῦς καὶ εἶπεν αὐτοῖς Ἓν ἔργον ἐποίησα καὶ πάντες θαυμάζετε [22] διὰ τοῦτο. Μωυσῆς δέδωκεν ὑμῖν τὴν περιτομήν, — οὐχ ὅτι ἐκ τοῦ Μωυσέως ἐστὶν ἀλλ' ἐκ τῶν πατέρων, — καὶ ἐν σαββάτῳ περιτέμνετε ἄνθρωπον. [23] εἰ περιτομὴν λαμβάνει ἄνθρωπος ἐν σαββάτῳ ἵνα μὴ λυθῇ ὁ νόμος Μωυσέως, ἐμοὶ χολᾶτε ὅτι ὅλον ἄνθρωπον

23. *om.* ο *a.* ανθρωπος (TSV) plutôt que *add.* (H).

---

lui-même qu'il avait Beelzeboul et qu'il agissait en vertu de son pouvoir (Mc. III, 22; cf. Mt. XII, 24; Lc. XI, 15) ce qui est beaucoup plus venimeux que la boutade de la foule, car on peut être possédé malgré soi sans être un démon (cf. X, 20).

21) Jésus ne tient aucun compte de la réflexion malséante; cependant il s'adresse à tous, chefs et foules, et met à jour leur grief, la guérison du malade de la piscine. Parmi d'autres miracles de Jésus, celui-là seul est retenu par eux, parce qu'ils y ont vu une dérogation à la loi du sabbat. — θαυμάζω dans le sens d'une surprise qui mécontente (Pap. Ox. I, 123, 5 : « je m'étonne fort de n'avoir pas encore reçu de lettre »; *MM.*), presque d'un scandale (Sir. XI, 21). Ce verbe est très rarement accompagné de διά comme sujet de l'étonnement; mais cf. Apoc. XVII, 7; Mc. VI, 6. On peut donc mettre à la fin de ce verset διὰ τοῦτο (*Schanz, Zahn, Bauer*) qui a donné tant d'ennui aux exégètes qui l'ont placé en tête du v. 22 avec *latt. syrr. vg. sah. boh* (*mss.*) contre *q boh* (en plus grand nombre). L'omission dans א seul et le déplacement s'expliquent par la rareté de l'expression θαυμάζειν διὰ et la fréquence des phrases qui commencent dans Jo. par διὰ τοῦτο.

22) Au v. 19 Jésus a dit aux Juifs qu'aucun d'eux ne pratique vraiment la loi comme il faudrait, mais il n'a pas nié, contrairement à ce qu'il avait reconnu (V, 39), qu'ils attachassent beaucoup d'importance à la suivre à la lettre. C'est par fidélité à cette loi qu'ils pratiquent la circoncision même le jour du sabbat, parce qu'elle était fixée au huitième jour après la naissance de l'enfant (Lev. XII, 3). Une sorte de parenthèse rappelle que la circoncision remonte plus haut que Moïse, aux patriarches eux-mêmes (Gen. XVII, 12). Si on la plaçait dans la bouche du Sauveur, ce serait pour donner plus d'importance à la circoncision qu'au sabbat (*Schanz*), ou pour mieux faire entendre que la valeur obligatoire date de Moïse (*Zahn*); mais ces deux modes auxquels on pourrait en ajouter d'autres non moins subtils sont en dehors de l'argumentation. Il faut simplement voir ici une note de l'évangéliste, écrivant pour tout le monde, particulièrement pour des gentils, et tenant à préciser ce point d'histoire (*Calmes*).

— La jurisprudence à laquelle Jésus fait allusion est bien celle qui fut admise sans difficulté. Le principe est formulé clairement : « Tout ce qui est nécessaire à la circoncision se fait le jour du sabbat » (*Michnah Chabbat*, XIX, 1); mais il ne put prévaloir à propos des prosélytes (contre *Schanz*) que rien n'obligeait à circoncire un jour plutôt qu'un autre. — Sur λύειν cf. *Comm.*

cherche à te faire mourir? » [21] Jésus répondit et leur dit : « J'ai fait une œuvre, et vous en êtes tous étonnés. [22] Moïse vous a donné la circoncision », — non qu'elle date de Moïse, puisqu'elle vient des pères — « et vous la pratiquez sur un homme un jour de sabbat. [23] Si un homme reçoit la circoncision un jour de sabbat, afin que la Loi de Moïse ne soit pas violée, vous vous irritez contre moi parce

Mt. p. 328. — Justin (*c. Tryph.* xxvii, 5) s'appuie probablement sur notre texte.

23) Un argument semblable est attribué (*Mekilta,* sur Ex. xxxi, 13; p. 103b = *Tosefta Chabb.* 15, 16. 134, 13, cité par Schlatter) à Éléazar b. Azaria (jusqu'à environ 130 ap. J.-C.), lorsqu'il s'agit de sauver une vie : « si la circoncision qui ne touche qu'un membre de l'homme l'emporte sur le sabbat, combien plus tout le reste du corps »! Comme il est dit expressément ici l'argument procède selon la règle du קל וחומר, non pas dans ce sens que la permission du moindre comporte la licéité du plus grand, mais dans ce sens que si l'on peut enfreindre le sabbat pour un petit avantage, à plus forte raison le pourra-t-on pour un plus grand. Des deux côtés il s'agit d'assainissement, la circoncision étant regardée comme une sorte de purification très opportune sinon nécessaire. Mais avec son apparence de bon sens, l'argument d'Éléazar n'était pas en réalité très rigoureux. La vraie raison pour les Juifs de pratiquer la circoncision le jour du sabbat n'était pas l'intérêt du patient, qui ne risquait rien à attendre, mais la nécessité de satisfaire un article de Loi très formel. De plus, l'argumentation rabbinique parlant de sauver une vie suppose que dans ce cas on ne pouvait attendre. Jésus ne pouvait raisonner de la sorte, puisque son malade attendait déjà depuis si longtemps. On aurait pu objecter à Éléazar que le sabbat, loi divine, devait être observé, sauf une loi contraire, même au risque de la vie. Il n'avait pas résolu ce point.

Aussi Jésus prend-il les choses beaucoup plus directement et à fond. L'avantage à pratiquer la circoncision, c'est d'éviter d'enfreindre une loi de Moïse (qui d'ailleurs porte sur une seule partie du corps); l'avantage que lui-même a eu en vue, c'est la guérison d'un homme (portant sur tout son corps). Il reste bien une opposition entre les objets assainis, mais elle est implicite et tout à fait secondaire; ce qui est grand dans le miracle, c'est une guérison totale, et c'est cet acte de charité qui l'emporte sur l'observation du sabbat, plus encore qu'une loi particulière. C'est toute la raison d'être du sabbat qui est en question, dans le même esprit que dans Mc. iii, 4 et parall. : est-il permis de faire le bien le jour du sabbat?

Le cas est complètement résolu par Jésus : le sabbat est une loi divine qui cède à une autre loi positive : combien plus à la loi divine de la charité! A ces hauteurs on n'a pas à s'inquiéter de savoir si Jésus n'aurait pas dû se contenter de guérir, sans faire emporter le grabat. L'acte principal comprend tout ce qui en dépend, comme le pansement du circoncis suivait la circoncision elle-même. On remarquera que dans Mt. xii, 5 la personnalité du Sauveur est plus en vedette.

ὑγιῆ ἐποίησα ἐν σαββάτῳ; [24] μὴ κρίνετε κατ' ὄψιν, ἀλλὰ τὴν δικαίαν κρίσιν κρίνετε. [25] Ἔλεγον οὖν τινες ἐκ τῶν Ἱεροσολυμιτῶν Οὐχ οὗτός ἐστιν ὃν ζητοῦσιν ἀποκτεῖναι; [26] καὶ ἴδε παρρησίᾳ λαλεῖ καὶ οὐδὲν αὐτῷ λέγουσιν· μή ποτε ἀληθῶς ἔγνωσαν οἱ ἄρχοντες ὅτι οὗτός ἐστιν ὁ χριστός; [27] ἀλλὰ τοῦτον οἴδαμεν πόθεν ἐστίν· ὁ δὲ χριστὸς ὅταν ἔρχηται οὐδεὶς γινώσκει πόθεν ἐστίν. [28] Ἔκραξεν οὖν ἐν τῷ ἱερῷ διδάσκων ὁ Ἰησοῦς καὶ λέγων Κἀμὲ οἴδατε καὶ οἴδατε πόθεν εἰμί· καὶ ἀπ' ἐμαυτοῦ οὐκ ἐλήλυθα,

24. κρινετε (H) ou κρινατε (TSV).

---

24) καθ' ὄψιν non pas « en faisant acception de personnes » (*Mald. Calm.*), mais : d'après l'apparence. Cela peut s'entendre de deux manières : dans l'ordre humain on oppose une apparence trompeuse à la réalité des faits, comme dans Lysias *Orat.* xvi, 19 p. 147 ὥστε οὐκ ἄξιον ἀπ' ὄψεως... οὔτε φιλεῖν οὔτε μισεῖν οὐδένα, ἀλλ' ἐκ τῶν ἔργων σκοπεῖν. Mais de plus le jugement moral apprécie diversement les mêmes actes, selon qu'ils n'ont que leur portée ordinaire ou qu'ils sont animés d'un esprit supérieur et divin. Il faut tenir compte de cet élément pour porter un jugement juste (cf. Tob. iii, 2).

25-30. L'ORIGINE DIVINE DU MESSIE.

Jésus met à profit ce qu'il y a de juste dans l'attente du Messie pour révéler son origine divine.

25) C'est à dessein que Jo. distingue quelques personnes habitant Jérusalem et mieux informées, de la foule, venue de toute part, et qui ne savait rien des projets des adversaires de Jésus. Elles se rappellent alors le complot, toujours en vigueur. On voit ici que le passage vii, 15-24 n'a pas été transporté dans cet endroit par un copiste qui l'aurait emprunté au ch. v. C'est bien l'auteur qui suppose un certain intervalle entre les faits, intervalle dont la portée devait être peu sensible à ses lecteurs, surtout s'il ne contenait pas pour eux le ch. vi, d'autant que l'auteur a pris soin de rappeler la haine des Juifs (vii, 1). Que cette haine n'ait pas perdu de vue son but, cela est d'autant plus vraisemblable qu'elle était alimentée par les nouvelles venues de Galilée. — Le présent ζητοῦσιν, parce que jusqu'à nouvel ordre rien ne prouve qu'ils ont renoncé à leur dessein. Le sujet est vague, mais se réfère aux adversaires de Jésus lesquels sont en contact plus ou moins immédiat avec les chefs. Cette réflexion, telle qu'elle est continuée au v. suivant, indique que les premiers interlocuteurs ont vidé la place sans répliquer, comme on le voit aussi dans les synoptiques (Mc. iii, 6; xii, 12 et parall.).

26) Ces personnes, qui paraissent assez loyales, constatent d'abord le mutisme des opposants. S'ils n'étaient pas d'accord avec Jésus, pourquoi ne pas lui répliquer ou lui imposer silence? La pensée ne leur vient pas que la résolution des chefs est prise et qu'ils préfèrent réduire leur adversaire par un coup de force soigneusement dissimulé. Ils en viennent donc à énoncer l'hypothèse, invraisemblable cependant (μή ποτε), où les chefs auraient changé d'avis. L'aoriste

que j'ai guéri un homme en son entier un jour de sabbat? [24] Ne jugez pas d'après l'apparence, mais que le jugement que vous portez soit selon la justice. »

[25] Quelques-uns de ceux de Jérusalem disaient alors : « N'est-ce pas là celui qu'ils cherchent à faire mourir? [26] Et voici qu'il parle librement, et on ne lui dit rien. Serait-ce que vraiment les chefs auraient reconnu qu'il est le Christ? [27] Mais pour celui-ci, nous savons d'où il est; quand le Christ viendra, personne ne saura d'où il est. » [28] Jésus donc, enseignant dans le Temple, s'écria et dit : « Vous me connaissez et vous savez d'où je suis; et cependant je ne suis pas

ἔγνωσαν (cf. VIII, 27; X, 6) et non le parfait (VI, 69; VIII, 52. 55; XIV, 9) indique en effet l'impression produite dans une certaine circonstance. L'apologie de Jésus autorisant son miracle par la pratique des Juifs était assurément très modeste et respectueuse de la Loi. — ἀληθῶς indique un effort pour connaître la vérité; ces braves gens supposent quelque chose comme une enquête poursuivie de bonne foi.

— La formule οὐδὲν αὐτῷ λέγουσιν est bien dans le style rabbinique (*Schlatter*) et suppose une sorte d'approbation ou du moins de tolérance tacite, de la part de ceux qui s'étaient fait une habitude de critiquer sans ménagement ce qui paraissait contraire à la tradition. Ainsi quand les anciens virent que la reine d'Adiabène avait fait une tente rituelle de 20 pieds de haut : « ils ne lui dirent rien : » ולא אמרו לה דבר (*Tos. soucca,* I, 1. 192, 10. *Schl.*).

27) Mais ils se font à eux-mêmes une objection qu'ils jugent décisive et qui a dû frapper les chefs. Le Messie devait apparaître soudainement, sans qu'on sût d'où il venait (cf. *Le Messianisme...* p. 222 s.). Jo. se montre ici parfaitement au courant de l'opinion juive, attestée d'une manière indépendante par saint Justin (*Dial.* VIII), sur l'existence cachée du Messie, laquelle n'impliquait pas nécessairement une préexistence auprès de Dieu. Or Jésus était connu depuis longtemps, on savait où il habitait avant que la question de son messianisme ait été soulevée; l'opinion publique de Galilée (I, 45; VI, 42) avait sûrement pénétré à Jérusalem, où d'ailleurs il était connu depuis longtemps.

28) La réflexion des hiérosolymitains n'avait guère été qu'un chuchotement entre eux. Mais il n'avait pas échappé à Jésus; en venant au Temple pour enseigner, il était résolu à se donner comme l'envoyé de son Père. Il attire donc l'attention de tous sur l'objection qui vient de lui être faite; « Crier » (cf. I, 15; VII, 37; XII, 44) se dit d'un enseignement prophétique important et solennel (Is. LVIII, 1 ἀναβόησον), et suppose une certaine émotion (IV Mach. VI, 16).

La réponse concède que les Juifs connaissent les origines humaines de Jésus; mais il est un envoyé, et s'ils ne connaissent pas celui qui l'a envoyé, ils ne peuvent pas prétendre connaître sa véritable origine. Ils attachent trop d'importance à un point secondaire, l'apparition soudaine d'un Messie inconnu, point

ἀλλ' ἔστιν ἀληθινὸς ὁ πέμψας με, ὃν ὑμεῖς οὐκ οἴδατε. [29] ἐγὼ οἶδα αὐτόν, ὅτι παρ' αὐτοῦ εἰμι κἀκεῖνός με ἀπέστειλεν. [30] Ἐζήτουν οὖν αὐτὸν πιάσαι, καὶ οὐδεὶς ἐπέβαλεν ἐπ' αὐτὸν τὴν χεῖρα, ὅτι οὔπω ἐληλύθει ἡ ὥρα αὐτοῦ.

[31] Ἐκ τοῦ ὄχλου δὲ πολλοὶ ἐπίστευσαν εἰς αὐτόν, καὶ ἔλεγον Ὁ χριστὸς ὅταν ἔλθῃ μὴ πλείονα σημεῖα ποιήσει ὧν οὗτος ἐποίησεν; [32] Ἤκουσαν οἱ Φαρισαῖοι τοῦ ὄχλου γογγύζοντος περὶ αὐτοῦ ταῦτα, καὶ ἀπέστειλαν

qu'ils ne sauraient d'ailleurs établir solidement, et ils ne portent pas leur attention sur leur devoir principal, s'assurer que le Messie est vraiment venu de Dieu. Puisqu'il devait être homme, et descendant de David, pourquoi ne l'aurait-on pas connu avant sa manifestation? Ses origines humaines faisaient même partie de ses titres. Mais on n'était pas autorisé à le reconnaître tant qu'on ne saurait pas s'il était bien l'envoyé de Dieu. — Les deux premiers καί expriment donc une concession, mais le troisième est presque une opposition : si Jésus n'est pas venu de lui-même se donnant à lui-même sa mission, il faudrait connaître celui qui l'a envoyé; ἀληθινός (prédicat de ὁ πέμψας με) n'est pas synonyme d'ἀληθής, « véridique », mais comme d'ordinaire dans Jo. « digne du nom de », quelqu'un dont on peut dire vraiment qu'il envoie. Et c'est Dieu, que les Juifs ne connaissent pas (cf. v, 37), surtout en cette qualité, car ils en ont une connaissance quelconque (iv, 22). Il est donc vrai que les origines du Messie échappent à une vérification humaine; ils n'ont pas le tort de le penser, mais ils devraient croire (à cause de ses miracles) en celui qui sait à quoi s'en tenir.

29) La connaissance de Jésus est immédiate; Aug. avait parfaitement raison de renvoyer pour cette connaissance à Mt. xi, 27 (et Lc. parall.). De plus cette connaissance est fondée comme dans vi, 46, sur un rapport d'origine, παρ' αὐτοῦ, mais en insistant sur l'existence ancienne et encore actuelle du Christ auprès de son Père. Aug. développe la notion de Filiation éternelle : *quia Filius de Patre, et quidquid est Filius, de illo cuius est Filius... Quod autem videtis me in carne, « ipse me misit »*.

Jésus n'avait pas encore parlé aussi ouvertement de sa préexistence continuée; il le fait à propos de l'objection des Juifs, alléguant que l'origine du Messie devait être mystérieuse : c'était plus vrai qu'ils ne le pensaient eux-mêmes, dans ce sens que le Fils de Dieu était venu dans la chair pour vivre parmi eux, non dans le sens de la manifestation théâtrale d'un inconnu. Combien la réalité dépassait en inconnaissable le prélude à la mise en scène révélatrice qu'ils avaient imaginée!

30) Une déclaration aussi hardie déchaîne une tentative pour s'emparer de Jésus, dont les auteurs ne peuvent être que les Juifs. Mais l'heure de la Passion n'était pas venue, Dieu ne permettait pas qu'ils l'anticipassent. L'intention de Jo. est de mettre cet obstacle en pleine lumière, mais non point de dire que Dieu l'a réalisé par un miracle. De ce qu'il n'assigne pas une cause seconde, on ne doit pas conclure qu'elle soit exclue. Les circonstances comptent peu pour lui à côté de la volonté du Père; cf. vii, 45 s.; viii, 59; x, 39, (mais non xviii, 6, qui est différent). On peut bien dire que les récits de Jo. sont peu circons-

venu de moi-même, mais il est dans la vérité [de son acte] celui qui m'a envoyé, que vous ne connaissez pas. [29] Je le connais parce que je suis d'auprès de lui, et c'est lui qui m'a envoyé. » [30] Ils cherchaient donc à le saisir, et personne ne mit la main sur lui, parce que son heure n'était pas encore venue.

[31] Parmi la foule, beaucoup crurent en lui, et ils disaient : « Le Christ, lorsqu'il viendra, fera-t-il plus de miracles que celui-ci n'en a fait? » [32] Les Pharisiens apprirent que la foule chuchotait de la

tanciés; on n'a pas le droit de lui attribuer le portrait d'un Christ qui se serait plus d'une fois et comme *ad libitum*, rendu invisible à ses ennemis ou intangible (*Loisy*) : s'il en avait été ainsi, il n'eût pas eu de précautions à prendre comme cela est indiqué (VII, 1).

31-36. La disparition du Christ, mystérieuse comme son origine : en vain le cherchera-t-on plus tard.

L'adhésion de plusieurs ne fait qu'exciter davantage la haine des Pharisiens. A cette occasion Jésus donne à la foule un grave avertissement. Le temps presse. Bientôt l'envoyé de Dieu retournera à celui qui l'a envoyé, là où les Juifs ne pourront le suivre. Leurs conjectures sur son départ ne seront pas moins vaines que celles qu'ils ont formées sur son apparition.

31) Ceux de Jérusalem croyaient bien connaître les conditions de l'apparition du Messie (27). La foule avait interpellé Jésus très irrévérencieusement. Mais une foule n'a pas qu'une voix. Il s'y trouva des personnes assez nombreuses pour croire en Jésus à cause de ses miracles. Celui de Bezatha avait seul été incriminé à Jérusalem (21). La défense de Jésus étant solide, les autres, opérés à Jérusalem (II, 23) et en Galilée (VII, 3), devaient exercer leur séduction. L'accent n'est pas celui d'une conviction bien arrêtée, mais tout bien considéré, les miracles de Jésus le désignent comme Messie d'une façon plausible. ὅταν ἔλθῃ fait partie d'une phrase toute faite : quand le Christ viendra, il fera beaucoup de miracles; la seconde partie est remplacée par une interrogation qui suppose une réponse négative, laquelle ne laisse plus subsister la possibilité d'un Christ futur. — ὧν, attraction du relatif.

32) Les Pharisiens, toujours en contact avec la foule, s'aperçoivent que ses dispositions deviennent plus favorables à Jésus. Au lieu d'employer une violence brusquée comme ceux du v. 30, ils complotent avec les grands prêtres une arrestation en règle. C'est le Sanhédrin qui entre en scène (cf. VII, 45; XI, 47. 57; XVIII, 3); aussi les grands prêtres sont-ils nommés les premiers, quoique l'initiative soit venue des Pharisiens. D'après Loisy : « il est clair surtout que le rédacteur ne sait pas très bien ce qu'étaient les pharisiens » (p. 268); il serait plus juste de dire qu'il est moins précis quand il parle des Juifs; les Pharisiens sont bien dans leur rôle. Nous n'avons pas ici (*Loisy*, p. 268) « un doublet de la mesure de police qui vient d'être signalée » (VII, 30), car c'est maintenant seulement que la police apparaît, mise en mouvement par l'autorité des principaux membres du Conseil. — γογγύζω, comme γογγυσμός (12) d'un murmure confus

οἱ ἀρχιερεῖς καὶ οἱ Φαρισαῖοι ὑπηρέτας ἵνα πιάσωσιν αὐτόν. [33] εἶπεν οὖν ὁ Ἰησοῦς Ἔτι χρόνον μικρὸν μεθ' ὑμῶν εἰμὶ καὶ ὑπάγω πρὸς τὸν πέμψαντά με. [34] ζητήσετέ με καὶ οὐχ εὑρήσετέ με, καὶ ὅπου εἰμὶ ἐγὼ ὑμεῖς οὐ δύνασθε ἐλθεῖν. [35] εἶπον οὖν οἱ Ἰουδαῖοι πρὸς ἑαυτούς Ποῦ οὗτος μέλλει πορεύεσθαι ὅτι ἡμεῖς οὐχ εὑρήσομεν αὐτόν; μὴ εἰς τὴν διασπορὰν τῶν Ἑλλήνων μέλλει πορεύεσθαι καὶ διδάσκειν τοὺς Ἕλληνας; [36] τίς ἐστιν ὁ λόγος οὗτος ὃν εἶπε Ζητήσετέ με καὶ οὐχ εὑρήσετέ με καὶ ὅπου εἰμὶ ἐγὼ ὑμεῖς οὐ δύνασθε ἐλθεῖν;

34. με *p.* ευρησετε (H) plutôt que *om.* (TSV).
36. cf. 34.

---

qui cette fois en fait est favorable. — τοῦ ὄχλου régime de ἤκουσαν plutôt que génitif absolu.

33) L'auditoire est le même que précédemment : nous savons maintenant expressément que les Pharisiens en faisaient partie et qu'ils y ont fait dépêcher des sbires. Il est donc très mêlé, et les paroles pourront éveiller des sentiments différents, selon les dispositions de chacun. Ce que Jésus affirme pour tout le monde, c'est qu'il ne demeurera pas longtemps parmi eux. Les présents εἰμί et surtout ὑπάγω marquent une certitude qui défie toute mesure hostile. D'ailleurs pourquoi sont-ils si pressés de le faire disparaître, puisqu'il lui reste peu de temps avant de retourner à celui qui l'a envoyé? Ces dernières paroles sont si claires pour désigner Dieu, qu'on s'étonne de les voir mal comprises (36). Il faut supposer que les Juifs ont entendu le v. 34 d'une période intermédiaire, appartenant au rôle messianique que Jésus s'était attribué, et que leur attention s'est fixée uniquement sur ce point.

34) En effet, ils se disaient peut-être : s'il parlait de sa mort, il n'imaginerait pas que nous le chercherions, avec cette circonstance qu'il *est* en un lieu où nous ne pourrions pas venir. — καί indique la raison pour laquelle ils ne trouveront pas : εἰμί au présent et non pas εἶμι « je vais » indique normalement le moment futur où se fera la recherche, mais suggère aussi, surtout après le v. 29, que déjà Jésus est dans cette sphère inaccessible. Aug : *nec dixit, ubi ero; sed ubi sum. Semper enim ibi erat Christus, quo fuerat rediturus; sic enim venit, ut non recederet.* Jésus dira encore (VIII, 21) quelque chose de semblable, où l'on voit bien que la recherche des Juifs ne sera pas inspirée par la pénitence. Mais il n'est pas dit non plus que ce soit une recherche hostile. Il semble donc que dans un temps d'angoisse ils cherchent un Sauveur (Os. V, 6), comme ce fut le cas lors du siège de Jérusalem. Mais on ne voit pas qu'alors ils aient eu du remords d'avoir crucifié Jésus, et qu'ils l'aient invoqué. Il faut donc entendre « moi » dans un sens vague : les Juifs chercheront celui qu'est Jésus, c'est-à-dire le Messie, mais ils ne le trouveront pas parce qu'il n'est plus sur la terre, et qu'ils ne sont pas disposés à le chercher par la foi, auprès de Dieu où ils n'ont pas d'accès (*Loisy, Bauer*). — με après εὑρήσετε (leçon de B) marque bien

sorte à son sujet, et les grands prêtres et les Pharisiens envoyèrent des satellites pour le saisir. [33] Jésus dit alors : « Je suis encore avec vous pour un peu de temps, et je m'en vais vers celui qui m'a envoyé. [34] Vous me chercherez et ne me trouverez point, et vous ne pouvez venir où je suis. » [35] Les Juifs se dirent donc entre eux : « Où celui-ci prétend-il s'en aller, de façon que nous ne le trouvions pas? Doit-il aller vers ceux qui sont dispersés parmi les gentils, et enseigner les gentils? [36] Que signifie cette parole qu'il a dite : « Vous me chercherez et ne me trouverez point, et vous ne pouvez pas venir où je suis? »

que s'ils ont cherché Jésus vaguement comme Sauveur, ils ne l'ont pas trouvé, lui.

35) Sans s'arrêter à la raison qu'ils pourront avoir de chercher Jésus, les Juifs, c'est-à-dire la partie hostile de l'auditoire, ne voient d'abord que ce qu'il y avait d'irritant pour eux dans ses paroles, ce défi de le trouver. Où pourrait-il aller pour se soustraire à leurs recherches, qui, d'après leurs dispositions actuelles, ne devaient pas être bienveillantes? S'il persiste à se poser en Messie, serait-ce qu'il va transporter son apostolat chez les gentils, comme on pouvait le déduire des prophéties (Is. XI, 11 ss.; XLIX, 1. 6, etc.)? La *diaspora* désigne normalement les Juifs répandus chez les non juifs, qu'on désignait sous le nom de Grecs (Rom. I, 14). Le génitif τῶν Ἑλλήνων (cf. I Pet. I, 1 Πόντου) indique les peuples parmi lesquels se trouvent les Juifs (cf. ὁδὸς ἐθνῶν Mt. x, 5). Le retour des Juifs dispersés était un thème important du Messianisme. Mais les gentils eux-mêmes devaient être invités aux biens messianiques; pour cela il fallait les instruire (cf. *Le Messianisme*... p. 198. 268 s.). — ὅτι = δι' ὅ τι comme XIV, 22, dans l'esprit sémitique de Mc. IV, 41; cf. Gen. XX, 9; Jud. XIV, 3; Ps. VIII, 5 et *RB*. 1922, p. 615.

36) Pour être plus sûrs de pénétrer la pensée de Jésus, ils répètent toutes ses paroles, sans mieux les comprendre. Ils oublient toujours le principal, la clef fournie dès le début : « je retourne vers celui qui m'a envoyé » (33). Le phénomène de Jésus leur demeure obscur parce qu'ils ne veulent pas envisager sa relation essentielle avec Dieu.

37-39. PROMESSE DE L'EAU VIVE.

C'est le dernier enseignement de Jésus à l'occasion de la fête des Tabernacles; il se distingue des précédents par son objet comme par l'indication du jour.

37) Nous pensons (avec *Zahn*) que ce jour fut le septième. Bauer objecte que le huitième était un jour d'assemblée (Lev. XXIII, 36; Num. XXIX, 35; Jos. *Ant.* III, x, 4); mais précisément cela lui donnait un caractère particulier, tandis que le septième appartenait plus étroitement à la fête des Tabernacles, et il était très solennel, signalé par des processions répétées où l'on portait des branches de saule et où l'on récitait des prières spéciales, d'où son nom de Jour d'Hosannah (ELBOGEN, *Der jüdische Gottesdienst*... p. 138 s.). D'après la Michna (*Soucca* IV, 6), on faisait des libations chaque jour avec de l'eau qu'on allait chercher à Siloé dans un tube d'or; on doit supposer que le septième jour ce rite avait plus

[37] Ἐν δὲ τῇ ἐσχάτῃ ἡμέρᾳ τῇ μεγάλῃ τῆς ἑορτῆς εἱστήκει ὁ Ἰησοῦς, καὶ ἔκραξεν λέγων Ἐάν τις διψᾷ ἐρχέσθω πρός με καὶ πινέτω [38] ὁ πιστεύων εἰς ἐμέ. καθὼς εἶπεν ἡ γραφή, ποταμοὶ ἐκ τῆς κοιλίας αὐτοῦ ῥεύσουσιν

d'importance, de même que les processions. Il n'est pas signalé avant la Michna, mais rien ne prouve qu'il ait été inventé après la ruine du Temple. Il est très naturel qu'il ait servi de thème à l'enseignement de Jésus.

Le Sauveur ne s'assied pas pour enseigner, parce qu'il ne lance qu'une parole de circonstance, et comme un cri au milieu des acclamations : c'était par excellence un jour de joie.

37 s.) Le sens de ce verset et du suivant dépend de la ponctuation, ou plutôt on ponctuera d'après le sens qu'on déduit des termes. A) Si l'eau vive sort du Christ, on mettra un point après εἰς ἐμέ. B) Si elle sort de celui qui croit, ὁ πιστεύων commence une nouvelle phrase comme nominatif absolu. La grammaire ne peut trancher le cas, car cette dernière solution est possible, ὁ πιστεύων demeurant en surplus comme une anacoluthe, et cette tournure, sémitique et grecque, n'est pas tellement rare; cf. Apoc. II, 26; III, 12. 21; Mc. IX, 20 (cf. *Deb.* § 466, 4; *K.-G.* II, 106 s.). Cette seconde ponctuation passe même pour traditionnelle. C'est l'opinion d'Origène, et, semble-t-il de tout l'Orient, qui a réagi sur l'Occident dès le temps de Jérôme et d'Augustin : depuis elle ne semble pas avoir été contestée. Le sens est très riche et l'enseignement a une grande portée : celui qui s'est désaltéré auprès du Christ devient lui-même une source d'eau vive.

On pourrait donc regarder comme étrange l'opinion de Loisy (dans les deux éditions) et de Grill (p. 16 n. 1) qui appliquent la citation de l'Écriture à Jésus lui-même et rattachent ὁ πιστεύων à ce qui précède, quoiqu'ils aient cité d'anciennes autorités. Le sujet a été repris par M. Turner (*The Journal of Theological Studies*, octobre 1922, p. 66-70), que M. Armitage Robinson (*Texts and Studies*, I, 3 (1891), p. 98) avait précédé dans cette voie. Il semble que cette ponctuation, quoique défigurée dans certaines éditions par suite du préjugé courant, était la plus répandue dans tout l'Occident. Irénée n'est pas douteux, surtout si l'on joint ses deux textes : V, XVIII, 1 (trad. de l'arménien) : *In omnibus autem nobis Spiritus et ipse est aqua viva quam praestat Dominus recte in se credentibus* (de même le latin) et III, XXIV, 1 : *et in eo disposita est communicatio Christi, id est Spiritus sanctus... quapropter qui non participant eum, neque a mamillis matris nutriuntur in vitam, neque percipiunt de corpore Christi procedentem nitidissimum fontem.* A la même époque l'église de Vienne (Eus. *H. E.* V, 1) écrivait (§ 22) ὑπὸ τῆς οὐρανίου πηγῆς τοῦ ὕδατος τῆς ζωῆς τοῦ ἐξιόντος ἐκ τῆς νηδύος τοῦ Χριστοῦ... ce qui est une allusion à Apoc. XXI, 6, mais aussi à Jo. VII, 37. 38, νηδύος remplaçant κοιλίας probablement sous l'influence d'une version latine; et en effet *d* (comme D) et *e* présentent la même coupure.

M. Turner cite encore Hippolyte *in Dan.* I, 17, d'après l'ancien slavon (éd. Bonwetsch et Achelis, *Hipp. Werke*, I, p. 29).

Cyprien est très formel, soit dans le texte authentique des *Testimonia*, I, 22 (éd. *Hartel*, p. 58), soit surtout dans l'ép. LXIII, 8 (Hartel, p. 706) où il voit dans Jo. une allusion à Is. XLVIII, 21, et ép. LXXIII, 11 (p. 786) : *Clamat Dominus*

[37]Or le dernier jour, le plus solennel, de la fête, Jésus se tenait debout et il s'écria : « Si quelqu'un a soif, qu'il vienne vers moi et qu'il boive, [38]celui qui croit en moi. Comme a dit l'Écriture : *des*

ut qui sitit veniat et bibat de fluminibus aquae vivae quae de eius ventre fluxerunt. De même dans l'anonyme *de Rebaptismate* (vers 256, en Italie ou même à Rome), § 14 et dans l'anonyme *de montibus Sina et Sion* (romain de la première moitié du IIIe s.) 9 (p. 87) : *dicente ipso : qui sitit veniat, et bibat qui credit in me : flumina de ventre eius fluebant aquae vivae* (contre la ponctuation de Hartel p. 115). Le dernier cité est Ambroise, qui a pratiqué l'autre coupure, mais qui est clair dans *de Spiritu sancto*, III, xx § 153.154, malgré la fausse ponctuation dans Migne, comme le prouvent les mots : *Hic est utique fluvius de Dei sede procedens, hoc est Spiritus sanctus, quem bibit qui credit in Christum,* où l'on retrouve, comme dans la lettre de Vienne, une allusion à Apoc. XXI, 6.

L'opinion qui ne met ici en scène que le Christ et le croyant est donc la plus ancienne, du moins en Occident. Il ne faut pas confondre cette ponctuation avec celle de Chrysostome (suivi par Ich'odad), qui commence la phrase avec ὁ πιστεύων, mais y joint étroitement : « comme dit l'Écriture » c'est-à-dire « celui qui croit en le Christ comme il convient de croire en lui d'après l'Écriture ». Cette coupure n'est qu'une échappatoire pour n'avoir pas à chercher dans l'Écriture le passage cité ensuite.

Les odes de Salomon citées par Wetter (p. 56) en faveur de la ponctuation A ne sont pas décisives, car si certains passages regardent le Verbe comme une source de vérité, on y lit aussi (VI, 12) : « heureux donc les ministres de cette boisson, ceux à qui a été confiée son eau » (Trad. *Labourt*).

La tradition étant incertaine, il faut recourir au contexte. On peut objecter à la ponctuation A que dans la citation αὐτοῦ ne semble guère pouvoir s'appliquer à celui qui parle; c'est sans doute ce qui a déterminé les modernes. Cependant, dans une citation, quand elle ne serait pas formelle, on conçoit que le texte soit donné tel quel.

En faveur de A il y a le parallélisme entre le mot de Jésus et son explication. Au v. 39 il sera dit que l'eau signifie l'esprit que recevront les croyants : ce sont donc aussi les croyants qui viennent se désaltérer auprès du Christ. Si nous perdons ainsi la vérité supposée par l'interprétation B et qui garde sa valeur traditionnelle, de la fécondité des disciples du Christ comme dispensateurs de l'Esprit qu'ils ont reçu de lui, nous avons en revanche un texte précieux pour prouver que l'Esprit procède aussi du Fils, et c'est peut-être ce qui a mal disposé certains Orientaux pour la ponctuation A.

Aussi bien, si nous donnons la préférence à la ponctuation A, nous reconnaissons la probabilité de l'autre opinion.

De toute façon la parole de Jésus dépasse ce qu'il a dit à la Samaritaine (IV, 10), parce qu'on voit mieux ici que l'eau vive que Jésus donnera viendra de lui-même comme d'une source.

38) ἡ γραφή (11 fois dans Jo.) toujours dans le sens d'un texte particulier, indiqué par le contexte, sauf dans XX, 9, où il y a un vague renvoi à la doctrine de l'Écriture. Ici c'est bien une citation, quoique peut-être elle vise le

ὕδατος ζῶντος. [39] Τοῦτο δὲ εἶπεν περὶ τοῦ πνεύματος οὗ ἔμελλον λαμβάνειν οἱ πιστεύσαντες εἰς αὐτόν· οὔπω γὰρ ἦν πνεῦμα, ὅτι Ἰησοῦς οὔπω ἐδοξάσθη. [40] Ἐκ τοῦ ὄχλου οὖν ἀκούσαντες τῶν λόγων τούτων ἔλεγον ὅτι

39. εμελλον (HV) ou ημελλον (TS). — *om.* αγιον *p.* πνευμα (TH) plutôt que *add.* (SV). — ουπω 2° (H) et non ουδεπω (TSV).
40. οτι *p.* ελεγον (H) ou *om.* (TSV).

---

sens plutôt que les mots. Et en effet il est impossible de la rencontrer dans ces termes précis. Si elle s'applique à celui qui croit (ponctuation B), il est même très difficile de trouver un véritable équivalent. On peut citer Is. LVIII, 11 : « Tu seras comme un jardin bien arrosé, comme une source dont les eaux ne tarissent pas »; cf. Is. XLIV, 3; Ez. XLVII, 1-12. Peut-être aussi pourrait-on rappeler la doctrine de R. Aqiba (*Sifrê* sur Dt. XI, 22 § 18, dans BACHER, *Die Agada der Tannaiten*, I, 297). Il comparait le disciple qui commence à la citerne (*bôr*) qui ne peut donner que l'eau qu'elle a reçue, tandis que le disciple plus avancé devient à son tour une source (*beêr*), qui répand partout les eaux vives, comme il est dit dans Prov. V, 15 s. : « Bois l'eau de ta source, les ruisseaux qui sortent de ton puits. Que tes sources se répandent au dehors. » Mais c'est là une exégèse forcée, et il demeure que la doctrine du disciple devenu une source d'eau vive paraît étrangère à l'A. T.

Si au contraire le Christ est la source, cela est indiqué par des textes nombreux, sans parler de ceux qui comparent Dieu à une source d'eau vive. Loisy s'arrête à Zach. XII, 10 : « Et je répandrai sur la maison de David et sur les habitants de Jérusalem un esprit de grâce et de prière », combiné avec Zach. XIII, 1 : « En ce jour-là il y aura une source ouverte à la maison de David », etc. — Je croirais que saint Cyprien a vu très juste en indiquant Is. XLVIII, 21 : καὶ ἐὰν διψήσωσιν, δι' ἐρήμου ἄξει αὐτοῖς ὕδωρ, ἐκ πέτρας ἐξάξει αὐτοῖς, σχισθήσεται πέτρα καὶ ῥυήσεται ὕδωρ, καὶ πίεται ὁ λαός μου. Jésus qui s'est comparé au serpent exalté dans le désert (III, 14) a pu se comparer au rocher, devenu source d'eau vive. Il n'est pas nécessaire de penser à son flanc, percé d'une lance (XIX, 34) d'où il est sorti de l'eau, car cette eau pour Jo. ne symbolise pas le don de l'Esprit. — κοιλία est ordinairement l'intérieur de l'homme : ce peut être son ventre, ce peut être le sein maternel. Mais l'image ne doit pas être serrée de trop près. On a écrit en français : « Du sein des montagnes naissent des fleuves » (*Bonnet*, cité par *Littré*). Et Justin a précisément parlé du sein du Christ dont les chrétiens sont détachés comme d'une carrière (*c. Tryph.* CXXXV, 3) : οὕτως καὶ ἡμεῖς ἐκ τῆς κοιλίας τοῦ χριστοῦ λατομηθέντες...

La citation est placée dans la bouche du Christ. Mais Jo. a pu remplacer la pierre par celui dont elle était la figure : I Cor. X, 4 ἔπινον γὰρ ἐκ πνευματικῆς ἀκολουθούσης πέτρας· ἡ πέτρα δὲ ἦν ὁ χριστός. Ce n'est pas une raison pour dire que Jo. a emprunté ce symbolisme à Paul; il était sûrement connu des Juifs avant lui.

Tout en admettant la ponctuation A, M. Burney a eu recours à l'araméen pour corriger le texte grec de Jo. avant de lui trouver un répondant. Il sup-

fleuves d'eau vive couleront de son sein. » [39] Il dit cela de l'esprit que devaient recevoir ceux qui croiraient en lui; car il n'y avait pas encore d'esprit, parce que Jésus n'avait pas encore été glorifié.

[40] Parmi la foule, quelques-uns de ceux qui avaient entendu ces

pose (*Original aramaic...* p. 109) que κοιλία est la traduction de מְעַיִן « entrailles », lu par erreur au lieu de מַעְיָן, « source », qui a les mêmes consonnes « des fleuves couleront de la source des eaux vives ». Parmi les nombreux textes qui annoncent des eaux miraculeuses pour l'époque messianique, on peut songer à Joël III, 18 (heb. IV, 18), Ez. XLVII, 1-12, etc. — Mais c'est remplacer par une banalité l'allusion caractéristique à Jésus lui-même. — Torrey (cf. *Intr.* p. CII) suppose αὐτῆς après κοιλίας, c'est-à-dire Jérusalem (mêmes consonnes en araméen מגוה), et cite Zach. XIV, 8; mais Jérusalem n'a rien à faire ici.

39) La parole de Jésus exprimait assez clairement un don fait à l'âme en vertu de la foi. En pratiquant le rite de l'eau, les Juifs songeaient à l'Esprit-Saint (Lightfoot, citant *Berech. rabba*, 70, 1), et en effet l'Écriture comparait volontiers la diffusion de l'Esprit à celle d'une eau vive répandue : Is. XLIV, 3; Ez. XXXVI, 25; cf. Is. LV, 1 ss.; Joel, II, 28. L'évangéliste a jugé à propos de donner cette explication : plus tard, les croyants recevraient l'Esprit-Saint. Dans l'Église primitive, des manifestations extérieures de l'Esprit attestaient qu'il était reçu avec le baptême. Au moment où Jésus parlait, il n'y avait pas encore d'Esprit dans ce sens. Manifestement Jo. ne prétend pas nier l'action de l'Esprit-Saint dans l'A. T., et il ne se fait pas l'écho d'une opinion juive que l'Esprit avait quitté Israël depuis Zacharie et Malachie, puisqu'il ne parle nullement de son retour. Ce qui est opposé, ce sont deux grandes économies. Dans l'ancien ordre, la grâce de l'Esprit-Saint était pour ainsi dire sporadique, comme un secours fourni par Dieu dans les grandes circonstances. Après que Jésus aura été glorifié, c'est-à-dire après sa Résurrection et son Ascension, il y aura Esprit; les croyants en seront animés, il sera répandu partout et avec abondance; ce sera un état normal de grâces, que l'Église reconnaît dans l'action des sacrements. Cette doctrine sera développée par Jésus lui-même (XVI, 7). A la Pentecôte, les Apôtres eurent conscience que l'Esprit venait d'être donné comme les prophéties l'avaient annoncé (Act. II, 17, citant Joel II, 28), et comme Jésus l'avait promis (Act. II, 33).

40-52. INCERTITUDE GÉNÉRALE; DISSENSIONS DANS LE PEUPLE, ENTRE LA FOULE ET LES CHEFS, MÊME AU SEIN DU PARTI PHARISIEN.

Le sujet de la discorde est surtout l'origine galiléenne de Jésus. L'hostilité des Pharisiens ne désarme pas, mais elle est tenue en échec par le conflit des opinions contradictoires. — Il est d'abord question de la foule, 40-44; puis des Pharisiens 45-52.

40). Jo. ayant déjà indiqué diverses impressions (25. 31) à propos de paroles antérieures, τῶν λόγων τούτων ne doit s'entendre que des dernières paroles, mais en tant qu'elles confirment les déductions que la situation générale avait fait naître. Il y a quatre sentiments principaux : Les uns parlent comme les

Οὗτός ἐστιν ἀληθῶς ὁ προφήτης· [41] ἄλλοι ἔλεγον Οὗτός ἐστιν ὁ χριστός· οἱ δὲ ἔλεγον Μὴ γὰρ ἐκ τῆς Γαλιλαίας ὁ χριστὸς ἔρχεται; [42] οὐχὶ ἡ γραφὴ εἶπεν ὅτι ἐκ τοῦ σπέρματος Δαυίδ, καὶ ἀπὸ Βηθλεὲμ τῆς κώμης ὅπου ἦν Δαυίδ, ἔρχεται ὁ χριστός; [43] σχίσμα οὖν ἐγένετο ἐν τῷ ὄχλῳ δι' αὐτόν. [44] τινὲς δὲ ἤθελον ἐξ αὐτῶν πιάσαι αὐτόν, ἀλλ' οὐδεὶς ἐπέβαλεν ἐπ' αὐτὸν τὰς χεῖρας. [45] Ἦλθον οὖν οἱ ὑπηρέται πρὸς τοὺς ἀρχιερεῖς καὶ Φαρισαίους, καὶ εἶπον αὐτοῖς ἐκεῖνοι Διὰ τί οὐκ ἠγάγετε αὐτόν; [46] ἀπεκρίθησαν οἱ ὑπηρέται Οὐδέποτε ἐλάλησεν οὕτως ἄνθρωπος, ὡς οὗτος ὁ ἄνθρωπος. [47] ἀπεκρίθησαν οὖν αὐτοῖς οἱ Φαρισαῖοι Μὴ καὶ ὑμεῖς πεπλάνησθε; [48] μή τις ἐκ τῶν

42. ουχι (TSV) et non ουχ (H).
44. επεβαλεν (SV) plutôt que εβαλεν (TH).
46. ως ουτος ο ανθρωπος (SVT), T *add.* λαλει p. ουτος, plutôt que *om.* (H).

Galiléens (vi, 14) qui disent « le prophète », mais ceux-ci admettent que ce prophète se manifeste ensuite comme Messie, tandis qu'à Jérusalem on distingue le prophète (i, 21). — ἐκ τοῦ ὄχλου, génitif partitif beaucoup plus commun chez les Sémites qu'en grec (*Deb.* § 164, 2); cf. xvi, 17.

41) D'autres tiennent pour le Messie, mais un troisième groupe objecte que le Messie ne doit pas venir de Galilée : μή attend une réponse négative.

42) La race de David équivalait à placer les origines premières du Messie à Bethléem (I Regn. xvii, 12). Mais après la dispersion des tribus des descendants de David avaient quitté la petite cité de Juda. On croyait d'après Michée (v, 1) que le Messie, outre (καί) qu'il devait être un descendant de David, devait réellement naître à Bethléem (cf. *Comm. Mt.* ii, 5 s.), le bourg d'où était sortie toute la race, comme pour lui donner une nouvelle et plus brillante consécration. En fait Jésus était né à Bethléem, mais en vertu d'un concours de circonstances (Lc. ii, 1 ss.) qu'on ignorait. — Ces diverses opinions formaient une dissention doctrinale (σχίσμα); cf. ix, 16; x, 19; I Cor. i, 10.

43 s.) Enfin il y avait des gens qui sans tant discuter, soit par tempérament, soit parce que leur opinion était faite, voulaient s'emparer de Jésus pour lui faire un mauvais parti et extirper par l'action la cause de ces controverses. C'est sans doute la même catégorie que ceux du v. 30, et ils n'aboutissent non plus à aucun résultat.

45) Ceux qui viennent d'être nommés auraient agi pour leur compte sous une impulsion personnelle, et quoique πιάζω signifie seulement prendre, ils se seraient probablement débarrassés de Jésus sans forme de procès. Ceux qui figurent maintenant sont les serviteurs du Sanhédrin, c'est-à-dire les gens de police chargés d'exécuter ses ordres, et qui avaient été envoyés tout exprès (32). Ils reviennent bredouilles. — οἱ, un seul article avant les grands prêtres et les Pharisiens, pris collectivement; cf. Lc. xiv, 3. 21. — ἐκεῖνοι tous les susdits, ceux qui avaient donné la commission.

46) Les synoptiques (Mc. i, 22; Mt. vii, 28 s.) avaient déjà constaté l'impression

paroles disaient : « C'est vraiment le prophète. » [41] D'autres disaient : « C'est le Christ! » mais d'autres disaient : « Est-ce que le Christ peut venir de Galilée? [42] L'Écriture n'a-t-elle pas dit que le Christ doit venir de la race de David et de Bethléem le bourg d'où était David? [43] Il y eut donc à son sujet un grave désaccord parmi la foule. [44] Quelques-uns d'entre eux voulaient le saisir, mais personne ne mit la main sur lui. [45] Les satellites vinrent donc auprès des grands prêtres et Pharisiens, et ceux-ci leur dirent : « Pourquoi ne l'avez-vous pas amené? » [46] Les satellites répondirent : « Jamais homme n'a parlé comme cet homme. » [47] Les Pharisiens leur répondirent donc : « Vous aussi, vous seriez-vous laissés séduire? [48] Est-ce qu'un [seul] des chefs ou des Pharisiens a cru en lui?

profonde qu'exerçait la parole de Jésus. Dans cette circonstance, où il est dit deux fois (28. 37) que Jésus cria, on dut être spécialement fasciné par l'énergie de sa parole, l'accent convaincu d'un prophète, d'un homme de Dieu. Les gens de police sentent peut-être mieux que d'autres sa supériorité extraordinaire sur les agitateurs, leur clientèle ordinaire; la comparaison qu'ils font de cet homme avec tout autre homme n'est pas un soupçon de sa divinité, mais tout de même l'indice qu'ils le classent hors rang. Bauer compare l'attitude des soldats envoyés pour mettre à mort l'orateur Marc Antoine (PLUTARQUE, *Marius*, XLIV) : « telle était, semble-t-il, la séduction et le charme des paroles de cet homme, que lorsqu'il eut commencé à leur parler et à les implorer pour sa vie, personne n'osa le toucher ni le regarder, et tous s'inclinèrent en pleurant. » On voit ici la différence entre une scène purement humaine, et une appréhension de l'ordre religieux.

47) Les Pharisiens, instigateurs de la mesure (32) en leur qualité de dénonciateurs, ne peuvent se contenir. Ils comprennent que les « serviteurs » ne cherchent pas un vain prétexte, et qu'ils ont subi l'influence de la parole de Jésus. Cependant ils ne veulent pas croire qu'ils soient déjà séduits (μή). D'ailleurs ils n'ont pas le droit d'avoir une opinion. Ils sont des exécuteurs, comme le serviteur des Onze qui porta la ciguë à Socrate. Et s'ils se mêlent de juger, qu'ils suivent au moins l'opinion des chefs.

48 s.) L'émotion des Pharisiens se reflète dans leur style. Ils se croient assurés qu'aucun de ceux qui ont à se prononcer sur les questions religieuses ne pense autrement qu'eux. Instinctivement ils se mettent parmi ces arbitres, après les ἄρχοντες, juges officiels, mais sans dire : nous, les Pharisiens. Puis, répugnant à enregistrer l'opinion contraire qui s'est fait jour dans la foule, ils la confondent toute dans le même mépris. Peu importe ce qu'elle pense, puisqu'elle n'a pas le droit de penser. C'est une expression saisissante de l'attitude des docteurs (*Aboth*, II, 5) envers « le peuple du pays » (עם הארץ). La distinction entre ceux qui ne connaissaient pas la Loi et ceux qui y concentraient toute leur vie intellectuelle et morale aboutissait à creuser une démar-

ἀρχόντων ἐπίστευσεν εἰς αὐτὸν ἢ ἐκ τῶν Φαρισαίων; [49] ἀλλὰ ὁ ὄχλος οὗτος ὁ μὴ γινώσκων τὸν νόμον ἐπάρατοί εἰσιν. [50] λέγει Νικόδημος πρὸς αὐτούς, ὁ ἐλθὼν πρὸς αὐτὸν πρότερον, εἷς ὢν ἐξ αὐτῶν [51] Μὴ ὁ νόμος ἡμῶν κρίνει τὸν ἄνθρωπον ἐὰν μὴ ἀκούσῃ πρῶτον παρ' αὐτοῦ καὶ γνῷ τί ποιεῖ; [52] ἀπεκρίθησαν καὶ εἶπαν αὐτῷ Μὴ καὶ σὺ ἐκ τῆς Γαλιλαίας εἶ; ἐραύνησον καὶ ἴδε ὅτι ἐκ τῆς Γαλιλαίας προφήτης οὐκ ἐγείρεται.

[53] Καὶ ἐπορεύθησαν ἕκαστος εἰς τὸν οἶκον αὐτοῦ,

50. *om.* το α. προτερον (HV) plutôt que *add.* (S).
53. οικον (THV) et non τοπον (S).

---

cation aussi tranchée que celle qui séparait l'aristocratie romaine ancienne de la plèbe ignorante des formules sacrées, au point que les docteurs évitaient le mariage avec ces ignorants (*Pesakhim* 49[a]). De plus, comme la cause de leur répugnance était religieuse, la plèbe ne se souciant pas de la Loi tombait sous la malédiction de la Loi. — ἐπάρατος *hapax* dans la Bible (LXX ἐπικατάρατος) cf. DITT. *Syll.* 366 l. 23 (ὡ)ς κοινὸν τῆς πόλεως λυμεῶνα ἐπάρατον εἶναι ζημιοῦσθαί τε ὑπὸ τῶν (ἀρχόν)των (env. 38 ap. J.-C.).

50) Après leur question ironique, équivalant à une négation (48), les Pharisiens furent sans doute assez mortifiés de l'intervention de l'un d'entre eux, ce Nicodème, qui, lui, avait tenu à se former personnellement la conscience en interrogeant Jésus. — ὁ ἐλθὼν πρὸς αὐτὸν πρότερον est omis par T d'après l'autorité du seul א, autorité peu considérable en pareil cas, car cet excellent ms. est coupable de plusieurs omissions non justifiées. — νυκτός a été ajouté par quelques mss. d'après XIX, 39.

51) Timide et hésitant, mais très consciencieux, Nicodème ne se range pas parmi les disciples de Jésus, mais il ne saurait approuver qu'on le condamne sans l'entendre. Sa réflexion, avec une modération voulue, n'en est pas moins un coup droit contre le parti pris des autres. Ils n'ont pas osé répondre : nous le coffrons d'abord, nous l'interrogerons ensuite à fond, parce qu'ils avaient laissé voir que rien ne changerait leur conviction, et qu'ils ne chercheraient qu'un prétexte pour justifier une condamnation déjà prononcée dans leurs conciliabules. D'ailleurs on ne doit arrêter personne sans un indice caractérisé. La cause de Jésus n'était point de l'ordre des crimes et délits vulgaires : c'était lui aussi un docteur à sa façon; il se fallait informer auprès de lui. La loi est ici personnifiée comme étant le juge qui écoute et s'informe avant de juger. C'est l'esprit des textes : Dt. I, 16 s.; XVII, 4 ss.

52) L'emportement est mauvais conseiller. Au parti pris dont Nicodème les détourne en magistrat avisé, les Pharisiens opposent la partialité dont il ne se rend sans doute coupable que comme compatriote de Jésus. « Plaisanterie facile » (*Loisy*), qui trahit leur préoccupation et qui amène l'argument qu'on croit décisif : un prophète ne surgit pas en Galilée, ni en droit ni en fait. C'est cette double impossibilité qu'exprime très bien le présent ἐγείρεται. On a supposé qu'il avait remplacé la leçon ἐγήγερται (uniquement antiochienne), pour

[49] Mais cette foule qui ne connaît pas la Loi, ce sont des maudits! » [50] Nicodème, qui était venu naguère auprès de lui, leur dit — [et cependant] il était l'un d'entre eux : — [51] « Est-ce que notre loi juge quelqu'un avant de l'entendre et de savoir ce qu'il fait? » [52] Ils répondirent et lui dirent : « Es-tu, toi aussi, originaire de Galilée? Examine et tu constateras qu'il ne surgit pas de prophète de la Galilée. »

[53] Et ils s'en allèrent, chacun dans sa maison,

ne pas donner un démenti à l'origine galiléenne du prophète Jonas (IV Regn. XIV, 25). Mais si Jo. ou des copistes ont eu conscience de l'erreur des Pharisiens, ils n'avaient aucun motif de la redresser. Il est plus probable que les copistes antiochiens ont voulu réserver la mission de Jésus, né à Bethléem, mais dont la prédication officielle avait commencé en Galilée. D'après les Écritures — auxquelles doit se référer ἐραύνησον —, aucun prophète notable n'avait encore surgi en Galilée, mais on ne pouvait rien en conclure contre Jésus. La leçon ἐγείρεται, la seule plausible d'après les autorités manuscrites, est aussi la meilleure pour le fond : les Pharisiens, qui méprisent la foule, partagent son erreur sur la véritable origine de Jésus (41).

VII, 53-VIII, 11. LA FEMME ADULTÈRE.

Note préliminaire.

Sur la question vivement débattue de l'origine de cette péricope, on pourra consulter : pour l'origine johannine, LEPIN, La valeur historique du quatrième évangile, II, p. 62-89; contre, TISCHENDORF, *ed. oct. maior ad h. l.* : v. SODEN, *Die Schr. des N. T.* I, 486-524; WESTCOTT-HORT, *Appendix*, 82-88; ZAHN, *Comm. excursus*, V, p. 721-727. Ce dernier, protestant très conservateur, exclut même la péricope de son commentaire. Parmi les catholiques, Knabenbauer (p. 272) note : *eam* (pericopen) *autem ab ipso Ioanne esse scriptam non est ullo modo definitum,* et semble pencher (comme *Calmes* et *Tillmann*) vers la négation de l'authenticité johannine. Belser (p. 274) admet l'origine johannine première, la rédaction étant d'une autre main. Vogels la met entre doubles crochets. Dans la *RB.* 1911, p. 96-102, le R. P. van Kasteren S. J. croit qu'elle a appartenu d'abord à l'évangile araméen de saint Matthieu.

Sans traiter la question à fond, nous dirons quelques mots : *a*) de la canonicité; *b*) de l'authenticité littéraire; *c*) de l'origine de la péricope; *d*) du caractère historique de l'épisode.

a) La canonicité de la péricope et par conséquent son caractère inspiré ne sont pas douteux. A Trente elle figurait dans le schéma proposé aux Pères, où on leur demandait : *an quia de quibusdam particulis evangeliorum... et Ioannis 8 a quibusdam est dubitatum ideo in decreto de libris evangeliorum recipiendis sit nominatim habenda ratio harum partium.* Si la réponse avait été affirmative, la canonicité eût été définie expressément. Dans le vote du 1er avril 1546, il y eut dix-sept voix dans ce sens, mais trente-quatre (ou trente-cinq) contre. La majorité n'entendait pas rejeter ces parties, mais les reconnaître canoniques d'après la pratique de l'Église, sans déclaration spéciale. On le voit en particulier par le vote de l'évêque de Sinigaglia (*Senagaliensis*) : *Particulas nominatim in decreto exprimi non placet, sed in actis concilii, insinuari tamen et indicari in decreto, placet hoc modo : Accipimus quatuor evangelistas cum omnibus suis partibus, ut nunc leguntur in ecclesia, secundum veterem et vulgatam editionem.* On sait que le décret définitif ne se contenta pas de la lecture actuellement constatée par la Vulgate, mais exigea deux conditions, dont la première suppose une lecture traditionnelle : *Si quis autem libros ipsos integros cum omnibus suis partibus, prout in ecclesia catholica legi consueverunt et in veteri vulgata latina editione habentur, pro sacris et canonicis non susceperit* a. s. (Ehses, *Conc. Trid. Act.* t. V, p. 41, 52. 55). Or il est constant que la péricope a vraiment et depuis longtemps le droit d'être lue dans l'Église catholique. Les modalités de cette histoire ne sont connues que par la critique, tandis que la réception s'appuie sur l'autorité des prélats et l'assistance de l'Esprit-Saint, constituant le magistère de l'Église, seule en état de prononcer sur le fait ecclésiastique de la canonicité qui correspond au fait divin de l'inspiration.

b) Le jugement indirect ou implicite de l'Église sur le fait de la canonicité et de l'inspiration n'emporte pas une décision sur l'auteur inspiré de la péricope, qui pourrait avoir été insérée dans l'évangile de saint Jean sans appartenir à sa trame primitive. Les raisons de penser qu'il en est ainsi sont : 1° l'aspect de corps étranger qu'offre la péricope, soit parce qu'elle dérange le contexte, soit parce qu'elle n'a pas le même style que le reste; 2° l'état de la tradition dont une très grande partie ne suppose pas son existence en cet endroit.

La première raison sera examinée dans le commentaire. Nous résumons rapidement la situation extrinsèque de la péricope, beaucoup moins favorable que celle de la finale de Marc.

1. Manuscrits grecs : La péricope est omise par ℵBACLTXΔ et par les deux mss. très importants récemment découverts, W et Θ (qui cependant est parent de D), aussi par de nombreux cursifs. Elle est munie d'astérisques dans EMΛΠ et 15 cursifs; placée à la fin de Jo. dans 1 et d'autres; après Lc. xxi, 38 dans le groupe Ferrar (13 69 124 346) après Jo. vii, 36 dans le cursif 225. Elle est à sa place ordinaire dans DFGHKUΓ, de très nombreux cursifs. Le ms. D du vi^e siècle et latinisant, est le seul témoin vraiment ancien parmi les mss. grecs.

2. Versions : *Anc. latt.* om. *a f l q* — add. *b c d e ff²*. — Vg. *add.* tous les mss. — Syriaque; om. toutes les versions et mss. même la version hiérosolymitaine, sauf le ms. A après une rubrique indiquant que l'évangile est terminé; om. le *Diatess. arabe;* — les premiers suppléments de traduction syrienne datent du vi^e s. (*Zahn*). — Coptes : om. sah. — Boh., sauf quelques mss. récents de boh. — Arm. om. sauf quelques mss. — Géorgien ancien om.

3. Pères. La péricope est ignorée de tous les commentateurs grecs : Origène (*Preuschen*, p. 317 où Origène xix, 17 passe de Jo. vii, 52 à Jo. viii, 12), Chrys. Théod. de Mopsueste, Cyrille d'Alexandrie, jusqu'à Théophylacte (xie s.). Aucun autre auteur n'en parle que la synopse faussement attribuée à Athanase, et un Nicon (xe siècle).

En Occident, elle est ignorée de Tert. (*de pudicitia*) de Cyprien (*ep.* lv), qui avaient l'occasion de la citer, et ne figure pas dans les controverses avec les

Montanistes ou les Novatiens. Rien dans Irénée, Hippolyte, Juvencus, Hilaire. Mais elle apparaît dans saint Pacien de Barcelone († avant 392 à un âge très avancé) dans *Ep. ad Sympronianum*, III, 20; Ambroise y fait allusion dans *Apol. David altera* (II, 5, *Schenkl* p. 361) et dans *Ep.* I, 26,2 *ac semper quidem decantata quaestio, et celebris absolutio fuit mulieris eius, quae in libro Evangelii, quod secundum Ioannem scribitur, adulterii rea oblata est Christo* (*P. L.* XVI, 1042). — Jérôme (c. *Pel.* II, 17) : *in evangelio secundum Iohannem in multis graecis et latinis codicibus invenitur de adultera muliere quae accusata est apud dominum*, ce qui ressemble à la constatation d'un fait curieux et en tout cas le moins normal. D'après l'état de la tradition, Jérôme a probablement vu beaucoup de mss. latins, mais peu de grecs. Aug. commente la péricope dans son commentaire, et il a écrit (*De adult. coniugiis*, II, VII, 6 éd. *Zycha* p. 387 s.) : *Sed hoc videlicet infidelium sensus exhorret, ita ut nonnulli modicae fidei vel potius inimici verae fidei, credo, metuentes peccandi inpunitatem dari mulieribus suis, illud quod de adulterae indulgentia dominus fecit, aufferrent de codicibus suis, quasi permissionem peccandi tribuerit qui dixit : iam deinceps noli peccare.* Ensuite les latins sont unanimes pour l'acceptation.

Chez les Syriens anciens, personne ne parle de la péricope à propos de saint Jean; elle est encore ignorée dans le commentaire d'Icho'dad (vers 850).

Ainsi, s'il s'agit de la présence de la péricope dans le texte de Jo., le plus ancien témoin est saint Pacien ou saint Ambroise, et c'est dans le monde latin que la péricope prend pied, longtemps avant qu'elle ait pénétré dans les mss. grecs, syriaques, coptes ou arméniens, de nous connus. On ne saurait donc contester ce fait évident qu'elle a gagné du terrain partout. Dans ces conditions, il n'est pas téméraire de se demander si ce progrès n'est pas la suite d'une addition reconnue légitime, plutôt qu'une revanche sur une expulsion momentanée. En effet, ou bien la péricope a été retranchée délibérément, ou elle a été introduite après coup, quoique très anciennement.

Nous ne pensons pas qu'elle ait été retranchée. Et d'abord parce qu'en cas d'expulsion, les témoins de la présence devraient être les plus nombreux, tandis qu'à l'époque ancienne il ne s'en trouve que parmi les latins. Secondement : s'il y a eu retranchement, c'est pour le motif assigné par Augustin, qu'on aura craint de favoriser l'adultère. Mais lui-même fait aussitôt la preuve que cette crainte eût été vaine, puisque l'adultère y est traité comme un péché. Si l'on en croit Augustin, ce ne sont donc pas des évêques ou des hommes pieux, mais des maris jaloux, de peu de foi, ou ennemis de la foi qui ont effacé l'épisode. On voit quelles conséquences aurait un pareil fait pour le thème même de la canonicité, si le texte sacré pouvait subir aussi largement de telles atteintes de personnes dépourvues de toute autorité. Ni Chrysostome ni Théodore, ni Cyrille qui leur était si hostile n'auraient rien soupçonné d'un si grave attentat! Pas la moindre protestation ne se serait fait jour avant Augustin et même longtemps après lui!

On objectera que l'insertion n'est pas moins invraisemblable. Nous ne discuterons pas les raisons de convenance pour ou contre. C'est un fait que dans la transmission des mss. les omissions involontaires sont plus fréquentes que les additions involontaires, mais les additions délibérées sont beaucoup plus fréquentes que les omissions voulues, *si l'on estimait ajouter à un texte sacré un texte qui ait le même caractère*. Ainsi la principale cause reconnue par Jérôme du trouble des copies, c'est qu'on mettait dans un évangile ce qu'on lisait dans un autre. On a pu, on a dû faire l'insertion sans aucun scrupule, si l'on tenait la péricope pour une partie intégrante de la tradition apostolique.

c) *Origine de la péricope*. Son caractère traditionnel est reconnu, semble-t-il, par tout le monde, même par ceux qui déclarent qu'elle n'a jamais fait partie de l'évangile de Jo. — Mais Soden en particulier a constaté — nouvel indice de l'insertion — que les variantes sont très nombreuses dans ce petit morceau. Tischendorf a même pris le parti d'imprimer simultanément le texte de D et le texte reçu. Celui que nous retenons est en substance celui de Hort que Soden suit d'assez près, beaucoup moins conforme à D qu'à la vulgate latine dont il pourrait presque passer pour l'original. Mais comme les anciens latins sont souvent appuyés par le grec reçu, on ne saurait conclure à deux types primitifs du texte, D étant connu pour ses singularités, et le texte reçu pour ses prétendues améliorations dans le sens de la clarté et de l'élégance. Il y eut donc un type grec qui se répandit en Occident, où il trouva d'abord plus de crédit qu'en Orient.

D'où venait ce texte? On s'accorde à reconnaître que la péricope est beaucoup plus dans la manière des synoptiques que dans celle de Jo. Mais ce n'est pas une raison pour affirmer qu'elle a été empruntée à l'un des synoptiques, par exemple à Lc., car elle n'est pas mieux placée après Lc. XXI, 38. « Caractère synoptique » doit s'entendre ici de la tradition ancienne de la catéchèse. Trouve-t-on quelque trace de cet épisode? Il y est fait allusion, sans rien dire de l'évangile, dans la *Didascalia*, composée vers 250 et qui nous est parvenue en syriaque et en latin (*Zahn*, p. 724) : il est dit à l'évêque qui ne voudrait pas admettre un pécheur au repentir : *peccabis in dominum deum, quoniam non es persuasus nec credidisti salvatori deo nostro, ut faceres, sicut ille fecit in ea muliere, quae peccaverat, quam statuerunt presbyteri ante eum et in eo ponentes iudicium exierunt. Scrutator autem cordis interrogabat eam, si condemnassent eam presbyteri* (Syr. *num condamnaverunt te presbyteri, filia mea*). *Cum autem dixisset* « *non* », *dixit ad eam :* « *Vade, nec ego te condemno*. Ce trait est reproduit dans les *Const. apost.* II, 24 (vers l'an 400), d'après la *Didascalia*. Mais où celle-ci a-t-elle puisé? Elle a avec Jo. cette différence que les accusateurs sont des anciens, οἱ πρεσβύτεροι qu'on ne trouve dans aucune des variantes des mss. Serait-ce l'indice d'un autre original, ou une manière d'appliquer plus directement la leçon à la hiérarchie chrétienne, qui ne comprenait ni γραμματεῖς ni Φαρισαῖοι, ni ἱερεῖς mais bien des πρεσβύτεροι? Quoi qu'il en soit, la *Didascalia* regarde le trait comme authentique et faisant pleinement autorité. Il semble que nous puissions remonter à Papias dont Eusèbe a écrit (*H. E.* III, 39, 17) : ἐκτέθειται δὲ καὶ ἄλλην ἱστορίαν περὶ γυναικὸς ἐπὶ πολλαῖς ἁμαρτίαις διαβληθείσης ἐπὶ τοῦ κυρίου, ἣν τὸ καθ' Ἑβραίους εὐαγγέλιον περιέχει. Rufin a traduit : *simul et historiam quandam subiungit de muliere adultera, quae accusata est a Iudaeis apud Dominum. habetur autem in evangelio, quod dicitur secundum Hebraeos, scripta ista parabola*, c'est-à-dire qu'il voit ici la femme adultère de Jo., dénoncée par les Juifs, ce qui est le texte de D. Le traducteur syrien (d'après *Nestle*, TU, XXI, 2 p. 119) : « Mais il a aussi écrit encore une histoire sur une femme qu'on accusait de beaucoup de fautes, au temps où Notre-Seigneur était dans le monde, histoire écrite dans l'évangile des Hébreux », c'est-à-dire que ce traducteur ne connaissait rien de semblable dans les évangiles, puisqu'il croit nécessaire de dater la scène au temps du Christ. Pour nous le mot le plus important est ἄλλη. Pourquoi une *autre* histoire de femme? Dans les Constitutions apostoliques (II, 24; *Funk,* p. 93), c'est après avoir ajouté à la Didascalia l'exemple de la pécheresse (Lc. VII, 47) que l'auteur ajoute : ἑτέραν δέ τινα ἡμαρτηκυῖαν ἔστησαν οἱ πρεσβύτεροι κ. τ. λ. Il semble qu'Eusèbe procède de la même façon : Outre l'histoire bien connue de la pécheresse, Papias en raconte une autre qui est dans l'évangile selon les Hébreux. Il est bien clair qu'Eusèbe ne lisait pas cette autre histoire dans les évangiles canoniques, du moins dans les mêmes termes, mais nous ne savons pas encore en quoi elle consistait, car la première pourrait être aussi bien celle de Jo. que celle de Lc., si Eusèbe avait connu celle de Jo. Mais enfin cela est très peu probable d'après l'état de la tradition grecque de son temps, et d'après la traduction de Rufin qui identifie la seconde histoire avec celle de Jo. La seule difficulté pour Eusèbe, c'est qu'il parle de beaucoup de péchés, tandis que la femme de Jo. n'est accusée que d'un adultère, mais le flagrant délit n'incluait-il pas des fautes antérieures? Le plus vraisemblable est donc que la femme de Papias est bien celle de Jo. Mais Eusèbe ne dit pas que Papias l'ait empruntée à l'évangile des Hébreux, et d'après ce que nous savons de ses informations, elle lui est venue plutôt de témoignages oraux de la tradition apostolique. Si Papias a pris soin dans ce cas de citer son auteur, et si c'était l'apôtre Jean, peut-être par le canal d'un autre, on comprendrait que cette histoire ait été annexée à l'évangile de Jo. non point comme appartenant à l'évangile des Hébreux, mais comme un fragment incontestable et précieux de la tradition johannine : une addition ainsi justifiée est plus vraisemblable qu'une audacieuse mutilation sur un si large champ.

d) Parmi ceux-là mêmes qui reconnaissent à la péricope de la femme adultère une haute antiquité dans la tradition, il en est, comme Loisy, qui lui refusent toute réalité historique. Cependant elle ne contient rien contre la vraisemblance, et le rationalisme n'a pas même la ressource d'y trouver un miracle. Ce qui serait invraisemblable, ce serait une délégation du sanhédrin auprès de Jésus. Ce haut tribunal, une fois saisi d'une affaire aussi grave, n'aurait pas pu, même dans l'intention de perdre Jésus, le charger de juger à sa place, ou même venir en corps lui demander son avis sur un point de droit aussi clair. Mais les « grands prêtres » qui donneraient au groupe l'apparence de représenter le grand conseil, ne figurent que dans des variantes sans autorité. Ce sont des scribes et des Pharisiens qui viennent d'acquérir la preuve d'un crime d'adultère. L'homme a probablement échappé (Dan. XIII, 39), et c'est peut-être en le voyant fuir qu'on s'est convaincu du flagrant délit qui n'exigeait pas un constat trop positif; la femme a été prise, et on va la livrer à la justice. Les Pharisiens jugent l'occasion bonne de mettre Jésus dans un mauvais cas. On connaissait, cela est évident par la tradition synoptique, son indulgence pour les pécheurs; on espérait donc qu'il trouverait quelque biais pour éviter que la femme fût lapidée. S'il prenait parti contre elle, ce serait partie remise. Wünsche (p. 329) a rappelé qu'il était interdit sous des peines graves (la mort!) à un jeune maître de donner une décision de droit en présence des personnes plus autorisées; mais cette fois le grief n'eût pas été sérieux; Jésus aurait pu s'excuser aisément sur les instances réitérées qui lui avaient été faites. On ne peut guère objecter non plus que les Juifs n'avaient plus le droit de vie et de mort. Pour des cas de pur droit intérieur et de flagrant délit, rien ne les empêchait de procéder sommairement. C'est ce que Jésus leur propose de faire, puisqu'ils sont si assurés du fait et du droit, mais à une condition! En les invitant à sonder leur conscience, il ne prétend pas exclure des tribunaux ceux qui ont des fautes à se reprocher; il rappelle seulement un principe de droit naturel : il n'est pas admissible qu'on poursuive si rigoureusement chez les autres des fautes dont on s'est rendu coupable. D'ailleurs il ne faut pas faire dire au texte que Jésus a écrit par terre les péchés des accusateurs. Il refuse seulement de s'ériger en juge (Lc. XII, 13 s.), et il met ses adversaires dans un embarras d'où ils ne sortent qu'en se dérobant par le silence et par la fuite, comme dans le cas du denier (Mt. XXII, 21 et parall.). L'accord de l'indulgence pour le pécheur et de la réprobation du péché ressort très simplement de ses paroles à la femme, sans la moindre apparence d'emphase de part ni d'autre. Les Pharisiens ont manqué leur coup; on voit qu'ils tenaient moins à faire exécuter la Loi qu'à satisfaire leur haine. Tout cela est parfaitement naturel. On ne voit pas comment M. Loisy a pu écrire : « A y bien regarder, le cas est théorique et abstrait, comme un thème de discussion scolastique » (p. 282). Ce n'est point ainsi que sont bâtis les *casus* de théologie morale. Personne ici ne se demande *quid iuris?* Il n'y a pas à discuter. On admire comment Jésus s'est soustrait à la nécessité de prononcer selon la loi qui est claire, pour confondre ses adversaires et ouvrir la voie au pardon. Soden a noté (I, 523) la concision, la clarté, la pointe aiguisée de ce passage qui ne le cède à aucune des narrations de Marc.

CHAPITRE VIII

[1] Ἰησοῦς δὲ ἐπορεύθη εἰς τὸ Ὄρος τῶν Ἐλαιῶν. [2] Ὄρθρου δὲ πάλιν παρεγένετο εἰς τὸ ἱερόν, καὶ πᾶς ὁ λαὸς ἤρχετο πρὸς αὐτόν, καὶ καθίσας ἐδίδασκεν αὐτούς. [3] Ἄγουσιν δὲ οἱ γραμματεῖς καὶ οἱ Φαρισαῖοι γυναῖκα

2. εδιδασκεν (HV) et non εδιδαξεν (S).

---

[1] **Jésus s'en alla au mont des Oliviers.** [2] **Or dès le point du jour il se trouvait de nouveau dans le Temple, et tout le peuple venait auprès de lui, et s'asseyant il les enseignait.** [3] **Les scribes et les Pha-**

VII, 53-VIII, 1). Ces deux versets ne forment qu'une seule phrase, qui montre une séparation entre Jésus et ses auditeurs : ces derniers rentrent chacun chez soi, Jésus se rend au mont des Oliviers, ce qu'il faisait chaque soir durant la semaine qui précéda la Passion, revenant le matin pour enseigner dans le Temple (Lc. XXI, 37). C'est même pour cela que le groupe Ferrar a mis la femme adultère après Lc. XXI, 38; la soudure y est mal faite, et trop évidente, mais c'est bien la situation, qu'il y avait intérêt à esquisser alors (cf. Mc. XI, 11; Mt. XXI, 17), tandis que dans Jo. elle ne marquerait qu'un va-et-vient sans portée, peu conforme à sa manière. Pour la même raison cette indication ne saurait être une transition inventée par un rédacteur pour insérer l'épisode de la femme adultère : Jésus étant dans le Temple, il n'y avait qu'à l'y laisser. Nos deux versets ont donc été insérés comme faisant partie d'un contexte déjà acquis. — Dans VII, 53 τόπον (S. d'après 1. 25) se recommande au lieu de οἶκον comme plus sémitique, mais *contra* D et la masse. — Jo. ne parle nulle part ailleurs du mont des Oliviers.

2) D a παραγείνεται et om. καὶ καθίσας ἐδίδασκεν αὐτούς. Au lieu de ὁ λαός, dans G S U et 20 cursifs ὁ ὄχλος, sûrement pour se rapprocher du style de Jean plus ou moins consciemment; car Jo. ne dit λαός que dans XI, 50 répété XVIII, 14, où c'est le mot propre et nécessaire. Au contraire πᾶς ὁ λαός dans Lc. VII, 29; XVIII, 43. Dans Jo. ὄχλος une vingtaine de fois. — ὄρθρου cf. Lc. XXIV, 1, Act. V, 21; Jo. dit πρωί; XVIII, 28; XX, 1. — Pour la tournure cf. Mc. II, 13 : καὶ πᾶς ὁ ὄχλος ἤρχετο πρὸς αὐτόν, καὶ ἐδίδασκεν αὐτούς. — pour καθίσας cf. Lc. V, 3. Le Christ de Jo. n'enseigne pas assis.

3) Les mss. 1.25.254 ont οἱ ἀρχιερεῖς au lieu de οἱ γραμματεῖς, leçon mal soutenue et empruntée à VII, 32; mais si elle est vraisemblable dans un complot où le Sanhédrin agit sans se montrer, on ne concevrait pas qu'il ait pu,

ἐπὶ μοιχείᾳ κατειλημμένην, καὶ στήσαντες αὐτὴν ἐν μέσῳ [4]λέγουσιν αὐτῷ Διδάσκαλε, αὕτη ἡ γυνὴ κατείληπται ἐπ' αὐτοφώρῳ μοιχευομένη· [5]ἐν δὲ τῷ νόμῳ ἡμῖν Μωυσῆς ἐνετείλατο τὰς τοιαύτας λιθάζειν· σὺ οὖν τί λέγεις; [6]τοῦτο δὲ ἔλεγον πειράζοντες αὐτόν, ἵνα ἔχωσιν κατηγορεῖν αὐτοῦ. ὁ δὲ Ἰησοῦς κάτω κύψας τῷ δακτύλῳ κατέγραφεν εἰς τὴν γῆν. [7]ὡς δὲ ἐπέμενον ἐρωτῶντες αὐτόν, ἀνέκυψεν καὶ εἶπεν αὐτοῖς Ὁ ἀναμάρτητος ὑμῶν πρῶτος ἐπ' αὐτὴν βαλέτω λίθον· [8]καὶ πάλιν κατακύψας ἔγραφεν εἰς τὴν γῆν. [9]οἱ

4. κατειληπται (HV) et non ειληπται (S).
5. ενετειλατο (HV) et non διακελευει (S).
6. εχωσιν (HV) et non σχωσι (S).
8. κατακυψας (HV) plutôt que κατω κυψας (S).

---

même pour tendre un piège à Jésus, le charger de juger à sa place. La leçon οἱ γραμματεῖς est donc certaine; avec οἱ φαρισαῖοι elle est fréquente dans les synoptiques (cf. Mt. v, 20; xii, 38; xv, 1; xxiii, 2. 13. 14; Mc. vii, 5; Lc. v, 21, etc.) tandis que Jo. ne nomme même pas les γραμματεῖς. — Au lieu de ἐν μοιχείᾳ, D lit ἐπὶ ἁμαρτείᾳ, qui se rapproche plus du texte d'Eusèbe (*H.E*, III, 39, 17), et qui ménage l'intérêt; mais précisément D aura voulu éviter une répétition. Pour le texte admis, cf. Épict. II, 4, 1 : κατείληπτό ποτε μοιχὸς ἐν τῇ πόλει.

4) Placer quelqu'un en évidence, pour poser une question de principe; cf. Lc. vi, 8; ix, 47 = Mt. xviii, 2 et Mc. ix, 36. — ἐπ' αὐτοφώρῳ, très usité pour un flagrant délit quelconque, quoique l'étymologie n'indique que le vol (φώρ voleur). — διδάσκαλε au vocatif, fréquent dans les trois synoptiques; dans Jo. comme explication de Ῥαββί (i, 38) et de Ῥαββουνί (xx, 16). — D écrit : λέγουσιν αὐτῷ ἐκπειράζοντες αὐτὸν οἱ ἱερεῖς ἵνα ἔχωσιν κατηγορίαν αὐτοῦ, avant διδάσκαλε. — ἱερεῖς n'est soutenu par personne (sauf *d*), et n'a aucune raison d'être; mais peut-être le dessein tentateur était-il énoncé avant comme dans E G, etc.

5) Dans D ἐκέλευσεν τ. τ. λιθάζειν. ἐκέλευσεν n'est pas soutenu et est invraisemblable, d'autant que dans le N. T. κελεύω se dit d'un ordre positif dans une circonstance donnée, mais cf. ἐνετείλατο de Moïse Mc. x, 3; Mt. xix, 7. — λιθάζειν (deux fois dans les LXX, et λιθοβολεῖν près de 30 fois) est bien soutenu et peut être préféré comme plus rare. — D σὺ δὲ νῦν (au lieu de σὺ οὖν) avec *c ff*[2] *r; tu autem*. Ambr. *tu vero*. Les deux sont dans le contexte; si on lit οὖν ce n'est pas ici un cas de la manière large de Jo.

— La Loi prononçait la peine de mort en cas d'adultère (Lev. xx, 10), et la lapidation était nommée à propos d'une fiancée (Dt. xxii, 23 s.). Ce cas n'étant pas le plus grave, il est probable que la peine pour l'adultère n'était pas moindre que la lapidation. Lorsque les Rabbins s'efforcèrent d'adoucir les pénalités en faveur d'Israël, n'osant toucher au cas de la fiancée réglé expressément, ils admirent la strangulation pour la femme mariée (*Sanhedrin*. 51[a]).

risiens lui amènent une femme surprise en adultère, et la plaçant au milieu, [4]ils lui disent : « Maître, cette femme a été surprise en flagrant délit d'adultère; [5]dans la loi, Moïse nous a prescrit de lapider de telles personnes. Toi donc, que dis-tu? » [6]Ils disaient cela dans le dessein de le sonder, pour avoir à l'accuser. Or Jésus, s'étant incliné, écrivait du doigt sur la terre. [7]Et comme ils ne cessaient de l'interroger, il se releva et leur dit : « Que celui de vous qui est sans péché lui jette le premier une pierre. » [8]Et s'étant incliné de

Mais cette distinction plus que bizarre n'était sans doute pas encore reçue (Ez. xvi, 38.40) et ne dut jamais être mise en pratique dans les exécutions sommaires; quand le peuple intervient, il lapide (Act. vii, 58).

6a). Cf. Jo. vi, 6 τοῦτο δὲ ἔλεγεν πειράζων αὐτόν et Lc. vi, 7 ἵνα εὕρωσιν (ici dans le ms. 1 etc.) κατηγορεῖν αὐτοῦ. Le caractère composite de ce v. 6a incline à préférer la leçon de D placée au v. 4.

6b) Jésus qui était assis pour enseigner, non point sur une chaire comme aujourd'hui, mais tout au plus sur un escabeau ou un coussin placé sur la terre, se penche pour dessiner quelque chose (plutôt κατέγραφεν D, etc. que ἔγραφεν). Ce pouvait être l'acte d'un désœuvré comme dans Aristophane (*Acharn.* 31) où γράφω est glosé καταγράφω ἢ ζωγραφῶ ἐπὶ τῆς γῆς, ξύων τῷ δακτύλῳ ἤ τινι τοιούτῳ παιδίας τινας, ou au contraire le geste d'un homme très absorbé qui fixe sa pensée en écrivant, la terre servant de tablette provisoire. Jérôme (adv. Pelag. ii, 17) imagine, probablement d'après une opinion commune, que Jésus écrivait : *eorum videlicet qui accusabant, et omnia peccata mortalium, secundum quod scriptum est in Propheta* : Relinquentes autem te, in terra scribentur (Jer. xvii, 13), ce qui a même pénétré dans une vingtaine de mss. ἑνὸς ἑκάστου αὐτῶν τὰς ἁμαρτίας. — Tout récemment le texte de Jérémie a été cité comme une découverte par M. Eisler de Feldafing (*ZnTW*, 1923, p. 305) : Jésus aurait écrit sur la terre précisément : ἀφεστηκότες ἐπὶ τῆς γῆς γραφήτωσαν, ὅτι ἐγκατέλιπον πηγὴν ζωῆς τὸν Κύριον (Jér. xvii, 13). Le peuple, et surtout ses chefs, s'étant rendus coupables envers Dieu de l'adultère spirituel, si souvent repris par les prophètes, personne n'était qualifié pour dénoncer l'adultère en question. — Ce n'est qu'une conjecture ingénieuse.

7) ἐπέμενον cf. Act. xii, 16.

ἀναμάρτητος par opposition à ἁμαρτωλός (Lc. vii, 37), « irréprochable » dans l'espèce. Il n'est pas question d'une innocence absolue, et Jésus n'aurait pas sans doute empêché un magistrat coupable d'une faute grave de prononcer une sentence, mais ici ce sont des dénonciateurs qui affectent le zèle; on peut raisonner comme Cicéron (Verr. iii, 4) *non modo accusator sed ne obiurgator ferendus est is, qui, quod in altero vitium reprehendit, in eo ipse deprehenditur* (*Bauer*).

8) En reprenant son attitude, Jésus marque son dessein arrêté de s'en tenir là, et de ne pas se mêler autrement de cette affaire. A eux de s'arranger avec leur conscience et peut-être aussi avec leur réputation.

δὲ ἀκούσαντες ἐξήρχοντο εἷς καθ' εἷς ἀρξάμενοι ἀπὸ τῶν πρεσβυτέρων, καὶ κατελείφθη μόνος, καὶ ἡ γυνὴ ἐν μέσῳ οὖσα. [10] ἀνακύψας δὲ ὁ Ἰησοῦς εἶπεν αὐτῇ Γύναι, ποῦ εἰσίν; οὐδείς σε κατέκρινεν; [11] ἡ δὲ εἶπεν Οὐδείς, κύριε. εἶπεν δὲ ὁ Ἰησοῦς Οὐδὲ ἐγώ σε κατακρίνω· πορεύου, ἀπὸ τοῦ νῦν μηκέτι ἁμάρτανε.

[12] Πάλιν οὖν αὐτοῖς ἐλάλησεν ὁ Ἰησοῦς λέγων Ἐγώ εἰμι τὸ φῶς τοῦ κόσμου· ὁ ἀκολουθῶν ἐμοὶ οὐ μὴ περιπατήσῃ ἐν τῇ σκοτίᾳ, ἀλλ' ἕξει τὸ

9. *om.* εως των εσχατων *p.* πρεσβυτερων (HV) et non *add.* (S).
11. ειπεν δε ο Ιησους (HV) et non ο δε ειπεν (S).
12. εμοι (TSV) plutôt que μοι (H).

---

9) Après ἀκούσαντες, quelques mss. ont ajouté : καὶ ὑπὸ τῆς συνειδήσεως ἐλεγχόμενοι qu'il faut omettre avec D etc. *c e ff² vg*, et on omettra aussi ἕως τῶν ἐσχάτων après πρεσβυτέρων, qui ne s'accorde guère avec ἀρξάμενοι. — εἷς ἕκαστος (de 1) semble une correction de εἷς καθ' εἷς, plus sémitique que grec, cf. Mc. XIV, 19 et Mt. XXVI, 22, qui ne peut guère s'appuyer sur le grec moderne καθεἰς καθένας (*Deb.* § 305). Au texte de H s'oppose D ἕκαστος δὲ τῶν ἰουδαίων ἐξήρχετο, ἀρ. ἀπὸ τ. πρεσ., ὥστε πάντας ἐξελθεῖν, cf. *c d ff² unusquisque autem iudaeorum exiebant incipientes a presbyteris uti omnes exire,* qui dépendent servilement de D (*uti* = ὥστε). On a noté ces Juifs pour rapprocher le morceau du style de Jo., mais ἕκαστος τῶν Ἰουδαίων doit être une autre manière d'éviter εἷς καθ' εἷς, qui a obligé D à reprendre gauchement ὥστε πάντας ἐξελθεῖν. — Les plus âgés sortent les premiers parce qu'ils voient plus tôt que les choses prennent une tournure fâcheuse, sans doute aussi parce que dans le cours d'une carrière plus longue ils ont plus à se reprocher. D'ailleurs il semble être dans la nature des choses que les accusateurs seuls se soient retirés; même dans D « tous » ne doit s'entendre que des Juifs, c'est-à-dire des adversaires de Jésus. Ses disciples ont pu demeurer, ainsi que des témoins curieux; d'autant que la femme est toujours ἐν μέσῳ.

10) Aussi y a-t-il lieu d'omettre καὶ μηδένα θεασάμενος πλὴν τῆς γυναικός avec D, etc. *c e ff² g vg*. — γύναι est de la manière de Jo. (II, 4; IV, 21; XIX, 26; XX, 13. 15), mais cf. Mt. XV, 28 ὦ γύναι et Lc. XIII, 12; XXII, 57. D'ailleurs cette leçon a peut-être prévalu précisément à cause de la manière de Jo., car γύναι est om. par D E P G H K, et environ 60 minusc. *e*, Jér., et remplacé par ἡ γυνή dans le texte reçu. — omettre ἐκεῖνοι οἱ κατήγοροί σου avec D etc. et la *Vg.* de WW.

11) Les latins ont le plus souvent compris κατακρινῶ au futur (*Amb. Jer. Vg.*) avec quelques mss. grecs accentués; mais le sens le plus naturel est le présent (*e : iudico,* mais précédemment *iudicavit.*) — ἀπὸ τοῦ νῦν omis par le texte reçu doit être admis d'après D etc. *c ff²* et *vg.*, mais serait mieux rendu par *amodo* (*Jér.*) ou *deinceps iam* (*Aug*) que par *amplius iam* (*WW*) ou *iam amplius* (*Vg.-Clém.*). — La femme n'a donné aucun signe de repentir; elle est demeurée stupide, muette ou ne disant que le nécessaire, étant sans doute dans le saisis-

nouveau, il écrivait sur la terre. [9]A ces paroles, ils sortirent l'un après l'autre, à commencer par les plus âgés, et il demeura seul, la femme étant [toujours] au milieu. [10]Jésus alors se releva et lui dit : « Femme, où sont-ils? personne ne t'a condamnée? » [11]Elle dit : « Personne, Seigneur. » Et Jésus dit : « Je ne te condamne pas non plus; va, désormais ne pèche plus. »

[12]Jésus leur parla donc de nouveau, disant : « Je suis la lumière du monde; celui qui me suit ne marchera pas dans les ténèbres, mais

sement de l'effroi. Aussi Jésus ne lui dit-il pas d'aller en paix, mais seulement un : « Je ne te condamne pas non plus », tout imprégné de miséricorde. Lui, aurait pu condamner; il ne le fait pas, se réservant de pardonner : *Relicti sunt duo, misera et misericordia* (*Aug.*). S'il dit à cette femme de ne plus pécher, c'est pour montrer qu'il réprouve le péché, mais n'est-ce pas aussi un signe qu'il a quelque confiance dans l'ordre qu'il lui donne et dans sa bonne volonté? — μηκέτι ἁμάρτανε comme v, 14.

12-20. La lumière se rend un témoignage complété par le témoignage du Père.

Ce thème du témoignage a déjà été touché (v, 31 ss.). Ce qui est nouveau ici, c'est que Jésus déclare qu'il est la lumière, dont le propre est de se montrer par son propre éclat. — La péricope est nettement encadrée par ἐλάλησεν (12-20) et terminée par l'indication du lieu.

12) La foule nommée huit fois dans le chapitre précédent ne reparaît pas avant xi, 42, en parlant de la foule restreinte des spectateurs. Il semble donc qu'elle a disparu, c'est-à-dire que, la fête terminée, ceux qui étaient venus de loin sont rentrés chez eux. Mais Jésus continue à enseigner dans le Temple, n'ayant plus guère en face de lui que les adversaires (sauf aux v. 30 et 31). Les Pharisiens ne prennent la parole qu'au v. suivant, mais ce sont bien eux qui ont entendu le v. 12. Ce sont donc ceux de vii, 47, dont l'entretien avait été privé, mais qui sont assez présents dans la perspective pour que Jo. puisse écrire αὐτοῖς. Ce mot ne saurait au contraire convenir aux scribes et Pharisiens de viii, 1-11, qui se sont éclipsés. — πάλιν ne prouve pas que la circonstance soit la même. — On a pensé que Jésus avait emprunté l'image de la lumière à un rite de circonstance. A la fête des Tabernacles, dans la nuit du 1er au 2e jour on illuminait brillamment le parvis intérieur (*Soucca* v, 2-4). Mais rien ne prouve que cette illumination ait été renouvelée le dernier jour, et, si brillante qu'elle fût, cette clarté, sans doute fort exagérée dans les descriptions juives, ne dépassait pas l'horizon de Jérusalem. La lumière du monde répond plutôt dans l'ordre matériel au soleil (Mal. iv, 2). Le Messie devait être une lumière; Mt. (iv, 14 s.) avait déjà appliqué à Jésus l'oracle d'Isaïe (ix, 1) sur la Galilée, comme le vieillard Siméon (Lc. ii, 32) ce qu'Isaïe avait dit (xlii, 6; xlix, 6) de la lumière des nations. Le messianisme devait être une marche dans la lumière pour les Israélites (Baruch v, 9); Jésus est la Lumière pour le monde entier. — Il semble que l'image du soleil qui éclaire le monde se transforme et s'atténue ensuite, comme s'il s'agissait d'un homme qui porte un flambeau

φῶς τῆς ζωῆς. [13]εἶπον οὖν αὐτῷ οἱ Φαρισαῖοι Σὺ περὶ σεαυτοῦ μαρτυρεῖς· ἡ μαρτυρία σου οὐκ ἔστιν ἀληθής. [14]ἀπεκρίθη Ἰησοῦς καὶ εἶπεν αὐτοῖς Κἂν ἐγὼ μαρτυρῶ περὶ ἐμαυτοῦ, ἀληθής ἐστιν ἡ μαρτυρία μου, ὅτι οἶδα πόθεν ἦλθον καὶ ποῦ ὑπάγω· ὑμεῖς δὲ οὐκ οἴδατε πόθεν ἔρχομαι ἢ ποῦ ὑπάγω. [15]ὑμεῖς κατὰ τὴν σάρκα κρίνετε, ἐγὼ οὐ κρίνω οὐδένα. [16]καὶ ἐὰν κρίνω δὲ ἐγώ, ἡ κρίσις ἡ ἐμὴ ἀληθινή ἐστιν, ὅτι μόνος οὐκ εἰμί, ἀλλ'

pour éclairer celui qui marche après lui; mais il faudrait à la fin recourir à une troisième image. Donc ὁ ἀκολουθῶν ne doit pas être pris à la lettre; c'est simplement le disciple qui s'attache à une lumière spirituelle, et qui par conséquent peut l'avoir en lui par la transmission de la pensée. Si grandiose que soit cette affirmation, elle ne dépasse pas Mt. v, 14 : « Vous êtes la lumière du monde », car les disciples ne pouvaient l'être que comme un reflet de leur Maître. — Jésus indique en plus que cette lumière est une participation de vie, ce que Jo. avait déjà annoncé dans I, 4. La vie se communique aux hommes à l'état de lumière, mais de lumière vivante, et qui conduit à la vie. — Les indications bibliques ci-dessus, que l'on pourrait multiplier en y joignant les apocryphes et les rabbins sur le rôle illuminateur du Messie comme docteur (*Le Messianisme...* p. 74 et *passim*) nous dispensent de supposer (avec *Bauer*) que Jo. a voulu mettre le Christ au-dessus de Mithra, auquel Loisy joint Attis, qui sûrement n'était pas encore un dieu de lumière. Cf. *Attis et le christianisme*, *RB.*, 1919, p. 419 ss. La tradition chrétienne (III, 19. 20. 21; Act. XIII, 47; Eph. v, 8; Col. I, 12; I Pet. II, 9) se rattache à l'A. T. et à l'enseignement de Jésus (ici et IX, 5; XII, 35. 46).

13) Les Pharisiens tournent contre Jésus le dicton qu'il a reconnu comme exprimant le bon sens commun (v, 31). Il ne suffit pas qu'on s'attribue une qualité pour que les autres y rendent hommage. Mais, comme l'a bien vu Augustin, il faut faire une exception pour la lumière : *lucerna quippe ardens idonea est et alia quae tenebris operiebantur nudare, et seipsam tuis oculis demonstrare.* Les affirmations du Christ dans Jo. ne doivent pas être isolées de ses manifestations telles qu'elles sont connues d'après les synoptiques. Même dans Jo. Jésus avait fait appel au témoignage de ses œuvres (v, 36). Elles établissaient qu'il venait de Dieu. La métaphore de la lumière n'était qu'un aspect de son rôle, celui du docteur qui enseigne une foi vivifiante. Celui qui avait prononcé tant de paroles admirables, telles qu'elles sont contenues par exemple dans le sermon sur la montagne, était vraiment la Lumière attendue. Lorsque l'autorité d'un prophète s'impose par ses actes, le mieux n'est-il pas de l'interroger lui-même sur ce qu'il est? C'est bien ce que les Juifs avaient fait avec Jean-Baptiste, τί λέγεις περὶ σεαυτοῦ; (I, 22).

14) Jésus, qui n'avait pas d'abord voulu paraître se glorifier (v, 31; VII, 18), n'hésite pas à se rendre témoignage à lui-même. Aujourd'hui encore, c'est ce qui nous importe le plus. Cependant il n'ajoute rien de précis à ce qu'il a dit, se contentant d'établir le droit de sa connaissance personnelle, en contraste avec leur ignorance. Il sait qu'il vient de Dieu et qu'il retourne à Dieu comment? Il est le seul à le savoir. Ses paroles insinuent cela clairement,

il aura la lumière de la vie. » [13]Les Pharisiens lui dirent donc : « Tu te rends témoignage à toi-même; ton témoignage n'est pas vrai. » [14]Jésus répondit et leur dit : « Bien que je me rende témoignage à moi-même, mon témoignage est vrai, parce que je sais d'où je suis venu et où je vais, tandis que vous ne savez pas d'où je viens ni où je vais. [15]Vous jugez selon la chair; moi, je ne juge personne. [16]Et si je juge, mon jugement à moi est véritable, parce que je ne suis pas seul, ayant avec moi le Père qui m'a envoyé.

mais je ne vois pas qu'elles signifient : « Je suis de Dieu et Dieu, et le Fils de Dieu : Dieu est le seul qui puisse se rendre témoignage » (*Chrys.*), ou comme dit Cajetan que ces mots embrassent le mystère de l'Incarnation et son résultat. On peut, d'après ce que nous avons déjà lu (cf. III, 13 ss.; VI, 33 ss.; VII, 29. 33) entendre ces mots au sens propre de son origine divine comme Fils de Dieu, mais en eux-mêmes ils affirmaient simplement aux Juifs la claire perception de celui qui est venu de la part de Dieu; πόθεν ἦλθον est moins net que παρ' αὐτοῦ εἰμι (VII, 29). En d'autres termes Jésus ne déclare pas qui il est, d'après son origine et sa destinée future, mais que sa connaissance de ces points l'autorise à dire qui il est. C'est une réponse précise à l'objection des Pharisiens. Dans les cas ordinaires, l'entourage est mieux informé que celui qui prétendrait parler de son origine d'après une connaissance personnelle. Il n'en est pas ainsi de Jésus qui vient de Dieu. Tandis que les Juifs ne savent rien et ne peuvent rien savoir par eux-mêmes.

15ᵃ) Ne sachant rien de plus, ou ne voulant rien savoir de plus sur Jésus que ce qu'indique sa nature humaine, les Pharisiens ne peuvent juger que d'après les apparences. κατὰ τὴν σάρκα (le seul cas dans Jo.) paraît presque équivalent de κατ' ὄψιν (VII, 24). Mais dans la pensée de Jo., ce doit être aussi une allusion à la chair qu'a prise le *logos* (I, 14), allusion qui a un caractère mystérieux, comme il arrive si souvent. Au lieu de scruter ce que Jésus a dit de son origine divine, on déclare sans rien entendre qu'il n'est qu'un homme comme un autre.

15ᵇ s.) Jésus reprendra au v. 17 le thème du témoignage; donc 15ᵇ et 16 sont comme une parenthèse, ou plutôt un de ces cas d'enchaînement sémitique où les mots s'accrochent aux mots sans répondre à une structure logique (cf. Mc. IX, 42, 43, etc.). Ici le verbe κρίνω, en parlant du jugement que les Juifs portent sur Jésus, amène l'opposition avec Jésus qui, lui, ne juge personne. Le verbe n'est pas pris dans deux sens différents, car les Pharisiens prétendent bien porter un jugement défavorable, une condamnation morale sur Jésus qui s'arroge fallacieusement un droit qu'il n'a pas, mais il évoque l'idée d'un jugement formel, d'où Jésus reviendra à la question du témoignage, exactement comme de V, 30 à 31. L'affirmation qu'il ne juge personne est déjà connue d'après III, 17, et reviendra XII, 47; dans ces deux cas elle est expliquée parce que Jésus est venu pour sauver le monde. Ici sa modération condamne l'outrecuidance des Pharisiens. Il ne faut donc pas sous-entendre : je ne juge

ἐγὼ καὶ ὁ πέμψας με πατήρ. [17]καὶ ἐν τῷ νόμῳ δὲ τῷ ὑμετέρῳ γέγραπται ὅτι δύο ἀνθρώπων ἡ μαρτυρία ἀληθής ἐστιν. [18]ἐγώ εἰμι ὁ μαρτυρῶν περὶ ἐμαυτοῦ καὶ μαρτυρεῖ περὶ ἐμοῦ ὁ πέμψας με πατήρ. [19]ἔλεγον οὖν αὐτῷ Ποῦ ἐστὶν ὁ πατήρ σου; ἀπεκρίθη Ἰησοῦς Οὔτε ἐμὲ οἴδατε οὔτε τὸν πατέρα μου· εἰ ἐμὲ ᾔδειτε, καὶ τὸν πατέρα μου ἂν ᾔδειτε. [20]Ταῦτα τὰ ῥήματα ἐλάλησεν ἐν τῷ γαζοφυλακίῳ διδάσκων ἐν τῷ ἱερῷ. καὶ οὐδεὶς ἐπίασεν αὐτόν, ὅτι οὔπω ἐληλύθει ἡ ὥρα αὐτοῦ.

[21]Εἶπεν οὖν πάλιν αὐτοῖς Ἐγὼ ὑπάγω καὶ ζητήσετέ με, καὶ ἐν τῇ ἁμαρτίᾳ ὑμῶν ἀποθανεῖσθε· ὅπου ἐγὼ ὑπάγω ὑμεῖς οὐ δύνασθε ἐλθεῖν.

personne *selon la chair,* mais entendre simplement qu'au cours de sa vie mortelle sa fonction n'est pas de juger. Il est évident qu'il pouvait le dire sans une allusion à la femme adultère, à laquelle Augustin lui-même n'a pas songé, quoique peut-être on ait choisi d'insérer cet épisode avant le v. 15, avec beaucoup d'ingéniosité. Cependant le point de vue de v, 22. 30 ne pouvait être oublié. Le jour viendra où Jésus devra exercer la fonction de juge. Au v. 16 καὶ ἐὰν κρίνω δὲ ἐγώ pourrait signifier : « mais s'il m'arrivait de juger », pourtant il peut aussi se traduire : « mais s'il m'arrive de juger, comme ce sera le cas », etc. et ce dernier sens est suggéré par v, 30. L'abstention actuelle du Christ n'en marque que plus d'indulgence, car il a tout ce qu'il faut pour bien juger. A la différence de v, 30, il ne marque pas sa dépendance du Père, et prouve que son jugement est ἀληθινός, digne de ce nom, un véritable jugement selon les règles de la justice, parce qu'il agit conjointement avec son Père, auquel il rend cependant hommage comme à celui qui l'a envoyé.

17 s.) Après cette vue sur le jugement, Jésus revient au témoignage (cf. v, 31). Son propre témoignage suffit. Mais enfin, s'il fallait se mettre en règle avec la loi de Moïse, ils n'auraient rien à dire, puisque la loi se contente de deux témoins dans le cas fort grave d'une condamnation (Dt. XIX, 15), et que dans le cas de Jésus il y a lui et son Père. Un chicaneur pourrait objecter que l'intéressé ne peut être témoin dans sa propre cause. Aussi l'argument ne vise-t-il pas une preuve juridique rigoureuse selon le cours normal. En fait, aucun homme ne peut par lui-même expliquer qui est Jésus. Il est le seul qui puisse parler de lui-même; il faut donc l'en croire, et ses œuvres l'autorisent; mais si l'on exige absolument un second témoignage, il ne fait pas défaut, et à lui seul aussi il serait suffisant; c'est celui du Père. L'argument étant *ad hominem,* Jésus dit « votre » loi, mais puisqu'il se préoccupe de lui donner satisfaction, il n'en rejette donc pas l'autorité. Cependant si désormais il dit votre loi (x, 34) ce n'est pas sans ironie, parce que les Pharisiens affectent d'en faire leur chose. — « deux hommes » suffisent d'après la Loi; combien plus le Fils et le Père qui l'a envoyé! Comment le Père rend témoignage par les œuvres qu'il donne au Fils et par les prophètes, c'est ce que nous savons déjà (v, 36. 37-39).

19) D'après Loisy « les pharisiens demandent platement que Jésus fasse venir Joseph, si c'est de ce père-là qu'il allègue le témoignage » (p. 289). Mais ils ne sont pas si obtus. Il était évident que Jésus se disait dès le début envoyé par

[17]Et il est écrit dans votre propre loi que le témoignage de deux hommes est vrai. [18]C'est moi qui me rends témoignage à moi-même, et [mon] Père qui m'a envoyé me rend témoignage. » [19]Ils lui disaient donc : « Où est ton père? » Jésus répondit : « Vous ne connaissez ni moi ni mon Père ; si vous me connaissiez, vous connaîtriez aussi mon Père. » [20]Il leur tenait ce langage au Trésor, en enseignant dans le Temple. Et personne ne le saisit, parce que son heure n'était pas encore venue.

[21]Il leur dit donc encore : « Je m'en vais et vous me chercherez, et vous mourrez dans votre péché; où je vais, vous ne pouvez pas

Dieu, qu'il nomme son Père. Les Juifs n'en croient rien, et comme il a prétendu n'être pas seul et a avancé que le Père rendait actuellement témoignage en sa faveur, ils demandent ironiquement : Où donc est-il? On ne l'entend guère. — Jésus répond qu'ils ne le connaissent pas et ne se rendent pas compte de son action, précisément parce qu'ils ne connaissent pas le Fils lui-même, ce qui avait été indiqué déjà (v, 38, 46 s.); puis il ajoute d'une façon positive, que si on connaissait le Fils on connaîtrait le Père (cf. xiv, 7). Le *forsitan* de la Vg. sur lequel Aug. a tant insisté, ne répond pas au texte, car ἂν n'est pas dubitatif.

20) Indication du lieu, comme vi, 59. Sur le γαζοφυλάκιον, cf. *Comm. Mc.* xii, 41. Cet enseignement, plus clair que les précédents, ne calma pas les Pharisiens. Jo. suggère qu'ils persévéraient dans leurs intentions homicides, sans être à même de les réaliser encore (cf. vii, 30). La préposition ἐν étonne, car le Trésor n'était naturellement pas un lieu public; elle doit probablement s'entendre dans le sens de « auprès de ». Sur l'emplacement du Trésor dans le Hiéron, cf. Vincent et Abel, *Jérusalem*.

21-30. Péril pour les Juifs a méconnaître l'envoyé de Dieu.

Ce passage rappelle vii, 31-36, avec cette différence dans la forme que la foi qui était au début (vii, 31) se trouve maintenant à la fin (30). Dans les deux cas le Christ prévoit son départ et ce qui s'ensuivra pour les Juifs; mais ses prophéties sont plus claires, à la fois plus menaçantes et plus consolantes, et les dispositions des opposants plus aggressives.

21) L'indication du lieu au v. précédent suggère qu'il y a une interruption entre les deux discours. Les auditeurs sont pratiquement les mêmes (αὐτοῖς), et πάλιν indique bien que Jo. a conscience d'insister sur des choses déjà indiquées (vii, 34), comme οὖν est amené par l' « heure » qui sera celle de la séparation. Jésus l'annonce, et dit de nouveau que plus tard les Juifs le chercheront, sans doute comme Sauveur, et au lieu d'ajouter simplement : « vous ne me trouverez pas », sa monition se fait plus claire : ils mourront dans le péché dont ils se rendent coupables dès maintenant, en refusant de croire à l'envoyé de Dieu. Pour eux en effet il ne peut être question de le suivre dans le royaume de Dieu où il va. La même vue de la séparation dans un mode adouci en faveur des disciples se trouve plus tard, xiii, 33. — Dt. xxiv, 16 ἕκαστος ἐν τῇ ἑαυτοῦ ἁμαρτίᾳ ἀποθανεῖται (cf. Ez. iii, 19; xviii, 24. 26) accentue la responsabilité personnelle.

[22] ἔλεγον οὖν οἱ Ἰουδαῖοι Μήτι ἀποκτενεῖ ἑαυτὸν ὅτι λέγει Ὅπου ἐγὼ ὑπάγω ὑμεῖς οὐ δύνασθε ἐλθεῖν; [23] καὶ ἔλεγεν αὐτοῖς Ὑμεῖς ἐκ τῶν κάτω ἐστέ, ἐγὼ ἐκ τῶν ἄνω εἰμί· ὑμεῖς ἐκ τούτου τοῦ κόσμου ἐστέ, ἐγὼ οὐκ εἰμὶ ἐκ τοῦ κόσμου τούτου. [24] εἶπον οὖν ὑμῖν ὅτι ἀποθανεῖσθε ἐν ταῖς ἁμαρτίαις ὑμῶν· ἐὰν γὰρ μὴ πιστεύσητε ὅτι ἐγώ εἰμι, ἀποθανεῖσθε ἐν ταῖς ἁμαρτίαις ὑμῶν. [25] ἔλεγον οὖν αὐτῷ Σὺ τίς εἶ; εἶπεν αὐτοῖς ὁ Ἰησοῦς Τὴν ἀρχὴν

23. εκ τουτου του κοσμου 1° (H) ου εκ του κ. τουτου (TSV).

---

22) Supposition plus malveillante que dans VII, 35, d'autant que le suicide est un crime très grave. Mais il est assez vraisemblable que ce sont les mêmes auditeurs : Voilà qu'il répète encore que nous ne pourrons le suivre : serait-ce donc à la fin qu'il va se tuer? Assurément nous n'avons aucun désir de le retrouver dans la Géhenne : cf. Jos. *Bell.* III, VIII, 5 : ἀλλὰ μὴν ἡ αὐτοχειρία καὶ τῆς κοινῆς ἁπάντων ζῴων φύσεως ἀλλότριον καὶ πρὸς τὸν κτίσαντα θεὸν ἡμᾶς ἐστιν ἀσέβεια... ὅσοις δὲ καθ' ἑαυτῶν ἐμάνησαν αἱ χεῖρες, τούτων ᾅδης μὲν δέχεται τὰς ψυχὰς σκοτεινότερος. Si Jésus parlait du ciel, les Juifs ne seraient pas embarrassés de le suivre; c'est donc qu'il veut aller à l'abîme, le seul lieu qui ne soit pas fait pour eux. A un avertissement sévère, mais qui les invite au repentir, ils répondent en retournant les termes au gré de leur orgueil.

23) Les Juifs ont parlé sans s'adresser directement à Jésus : il ne leur répond pas, et continue plutôt ce qu'il avait à leur dire (καὶ ἔλεγεν et non pas ἔλεγεν οὖν). Pourquoi ne peuvent-ils pas aller où ira le Christ? Parce qu'étant d'en haut il remontera en haut, tandis qu'ils sont d'en bas; cf. III, 31. Ils sont d'en bas par leurs idées, leurs aspirations, leurs pratiques, et non pas seulement par leur nature humaine (contre *Zahn*); ce qui est expliqué d'une autre manière : appartenir à ce monde, y être comme engagé sans tendre en haut (VII, 7); de cette façon Jésus n'est pas de ce monde, quoiqu'il y soit venu pour le sauver (III, 17; VI, 51).

24) Ayant ainsi montré comment les Juifs étaient sur le chemin de la mort, il répète donc (οὖν) sa menace, mais en y insérant l'espérance du salut, à savoir s'ils croient en lui, qui seul peut les préserver de leur perte (III, 16). Ils doivent croire ὅτι ἐγὼ εἰμι (cf. 28; XIII, 19), c'est-à-dire celui qu'on attendait (Mc. XIII, 6), qui est en situation, ici de préserver de la mort, de sauver. Ce n'est pas sans raison que Jésus ne dit pas : « que je suis le Messie ». Il évite, dans Jo. comme dans les synoptiques, un titre qui avait des inconvénients dans la disposition des esprits, trop attirés en bas, et vers ce monde. Mais peut-être a-t-il voulu faire allusion à : « Je suis celui qui suis » (Ex. III, 14).

25) La première partie est claire. Jésus n'ayant pas dit qui il était, les Juifs pouvaient assez naturellement lui poser la question; cf. *Épict.* III, 1, 22 σὺ οὖν τίς εἶ; ce qui ne va pas sans une certaine impatience, surtout avec σύ en vedette. Au contraire la réponse de Jésus offre une difficulté célèbre et a donné lieu à bien des interprétations. Les versions ne sont d'aucun secours; l'ancienne latine, *syrsin.*, *boh. sah.* ont traduit littéralement sans suggérer un sens clair. La *pes.*

venir. » [22]Les Juifs [se] disaient donc : « Est-ce qu'il veut se tuer, qu'il dit : Où je vais, vous ne pouvez pas venir? » [23]Et il leur disait : « Vous êtes d'en bas, je suis d'en haut; vous êtes de ce monde, je ne suis pas de ce monde. [24]Donc je vous ai dit que vous mourrez dans vos péchés; car si vous ne croyez pas que je suis, vous mourrez dans vos péchés. » [25]Ils lui disaient donc : « Qui es-tu? » Jésus leur dit : « Faut-il même seulement que je vous

a bloqué avec ce qui suit : « quoique j'aie commencé à parler avec vous », etc... ce qui est un contresens. La Vulgate-Clémentine : *principium, qui et loquor vobis* offre un sens très clair; la réponse est positive : « je suis le principe, moi qui vous parle ». Mais *qui* n'a pas de répondant en grec, et la vraie leçon de la Vg. hiéron. est *quia* (WW), ce qui n'a rien d'intelligible.

Parmi les Pères, on ne trouve rien chez les plus anciens; Origène devient lacuneux à ce verset même. Les Latins ont tablé sur la traduction latine. Si Augustin s'est aperçu que *principium* représentait un accusatif, ne voulant pas renoncer à la réponse positive : « je suis le principe », il a eu recours à une tournure forcée : (je déclare être) le principe.

Au contraire les Grecs sont assez unanimes sur la traduction à laquelle nous donnerons la préférence.

Si l'on élimine la réponse positive : « je suis le principe », il reste à discuter plusieurs points.

Les premiers mots, τὴν ἀρχήν, peuvent signifier : au commencement, et même depuis le commencement, ou bien « absolument ». On peut lire ὅτι conjonction ou ὅ τι (de ὅστις), soit comme régime, soit même adverbialement. Enfin λαλῶ « parler » peut être employé comme λέγω « dire » dans le style de Jo. et spécialement dans cette péricope. En partant de cette dernière supposition, plusieurs combinaisons sont possibles.

a) Je suis absolument ce que je vous ai toujours dit (*Schanz*).

b) Je vous le dis depuis le commencement (*Mald., Field*).

Entre ces deux modes il n'y a guère de différence pour le sens, si ce n'est que le premier est plus affirmatif. De toute façon Jésus se réfère à ce qu'il a déjà dit; s'il refuse de le répéter expressément, il le maintient cependant. On a cité l'analogie de Plaute, *Captiv.* III, 4, 91 : « *Quis igitur ille est* »? « *Quem dudum dixi a principio tibi.* » Ce sens est plus satisfaisant sous le mode *b*), car cette manière voilée de parler s'entend mieux d'un refus de s'expliquer davantage que d'une réponse qui réitère ce qui a été dit. Mais on ne voit pas que dès le début Jésus se soit exprimé clairement. Le R. P. Condamin (*RB.* 1899, p. 409 ss.) propose de traduire : « Et d'abord, qu'est-ce que je vous dis? » — Vous demandez qui je suis? Il faut avant tout me demander quelle est ma doctrine, car ce sont mes paroles qui rendent témoignage pour moi, etc. — Ce serait une autre manière, plus subtile, de renvoyer les auditeurs à ce que Jésus leur a dit; mais pour aboutir à ce sens il suffirait de τί, sans ὅ et surtout sans καί qui est gênant.

Nous passons aux systèmes qui entendent λάλω dans son sens plus normal de

ὅτι καὶ λαλῶ ὑμῖν; [26] πολλὰ ἔχω περὶ ὑμῶν λαλεῖν καὶ κρίνειν· ἀλλ' ὁ πέμψας με ἀληθής ἐστιν, κἀγὼ ἃ ἤκουσα παρ' αὐτοῦ ταῦτα λαλῶ εἰς τὸν κόσμον. [27] οὐκ ἔγνωσαν ὅτι τὸν πατέρα αὐτοῖς ἔλεγεν. [28] εἶπεν οὖν ὁ Ἰησοῦς Ὅταν ὑψώσητε τὸν υἱὸν τοῦ ἀνθρώπου, τότε γνώσεσθε ὅτι ἐγώ εἰμι, καὶ ἀπ' ἐμαυτοῦ ποιῶ οὐδέν, ἀλλὰ καθὼς ἐδίδαξέν με ὁ πατὴρ ταῦτα

parler, s'entretenir. On pourrait entendre : « Depuis si longtemps que je parle avec vous ! » ou en interrogeant : « Depuis si longtemps que je parle avec vous ? » — C'est-à-dire : Avez-vous sujet de m'interroger encore? Cela paraît être le sens de Nonnus : ὅττιπερ ὑμῖν ἐξ ἀρχῆς ὀάριζον; « alors que je converse avec vous depuis le commencement? » (et non pas *quod vobis ab initio dixi*). Mais si τὴν ἀρχήν peut en effet signifier « au commencement » (Gen. XLIII, 18; Dan. VIII, 1 [Théod.]; IX, 21 [LXX]), ou même « depuis le commencement », avec ce sens τὴν ἀρχήν serait mieux placé à la fin, outre que καί devrait signifier « pourtant » et ὅ τι pris adverbialement devrait signifier « alors que », deux significations peu naturelles avec cet arrangement des mots.

c) Le mieux est donc de s'en tenir à l'opinion des Grecs. Non seulement Jésus ne répondra pas, mais il s'étonne même qu'il ait pu parler peu ou prou avec de pareils gens, τὴν ἀρχήν signifiant ὅλως. Chrys. τοῦ ὅλως ἀκούειν τῶν λόγων τῶν παρ' ἐμοῦ ἀνάξιοί ἐστε, μήτιγε καὶ μαθεῖν ὅστις ἐγώ εἰμι. Théod. de Mops., en syriaque (et cela après que le texte a été donné d'après la *peschitto*) : « il est juste que je ne daigne même pas parler avec vous ».

Cyr : ἔδει γάρ με, φησίν, οὐχ ὑμῖν ὅλως προσλαλῆσαι κατὰ τὴν ἀρχήν. De même les disciples de Chrys. Le sens d' ὅλως pour τὴν ἀρχήν remonte à Xénophon (*Thes.*) et il suffit de citer *Hom. Clém.* VI, 11 : τὸν λόγον ἐγκόψας ἔφη μοι· εἰ μὴ παρακολουθεῖς οἷς λέγω, τί καὶ τὴν ἀρχὴν διαλέγομαι, tellement semblable que c'est peut-être une imitation. Pour l'idée, cf. *Epict.* I, 5, 7 : ἔτι τούτῳ διαλέγομαι; « Vais-je encore m'entretenir avec un pareil homme », et Ach. Tat. VI, 20 : οὐκ ἀγαπᾷς ὅτι σοι καὶ λαλῶ; « n'es-tu pas ravie que je veuille bien parler avec toi »? où le καί répond très bien à celui de Jo. C'est le sens de Zahn, Bauer, Calmes, la marge de la version anglaise révisée : *How is it that I even speak to you at all?* etc.).

26) Jésus en était à regretter d'être engagé dans des entretiens si mal écoutés; c'est tout à fait la pensée de Lc. IX, 41. Il devait cependant enseigner selon les intentions de celui qui l'avait envoyé. Aussi, quoiqu'il ait largement à parler sur les Juifs, paroles qui aboutiraient à un jugement, c'est-à-dire à une condamnation, il s'abstient cependant de suivre cette voie, pour s'en tenir aux instructions de son Père. C'est le sens des Grecs (*Chrys. Cyr.*), qui tient compte de l'opposition, ἀλλά, portant sur ce que Jésus dit de la part de son Père, lequel est véridique : puisqu'il enseigne la vérité, c'est cela qu'il faut dire. Cette idée d'un enseignement qu'il y a lieu de tenir en réserve est bien de Jo. (cf. XVI, 12; II Jo. 12; III Jo. 13). La seule difficulté est que l'épithète ἀληθής est un peu vague; que Jésus juge ou qu'il parle d'autre chose, il dirait toujours la vérité, parce que son inspirateur est véridique. Il faut donc entendre ici véridique de l'intelligence de la situation, perçue dans la lumière de la vérité (cf. VII, 18). Et en

parle? [26] J'ai beaucoup à dire à votre sujet, et à juger : mais celui qui m'a envoyé est véridique, et ce que j'ai entendu de lui, c'est de cela que je parle dans le monde. » [27] Ils ne comprirent pas qu'il leur désignait [son] Père. [28] Jésus donc leur dit : « Quand vous aurez dressé en haut le Fils de l'homme, alors vous comprendrez que je suis, et que je ne fais rien de moi-même, mais que je parle là-dessus

somme la véracité du discours tenu en réserve n'avait pas à être affirmée aussi nettement que la véracité du discours que Jésus refuse d'interrompre. On pourrait aussi entendre ἀληθής « fidèle à ses promesses » (Rom. III, 4) : quel que soit le résultat de la prédication, Dieu veut que Jésus poursuive son thème (*Bauer*). On s'étonne que Loisy ait approuvé la correction de Wellhausen : « J'ai beaucoup à parler *de moi* », sous prétexte qu'il ne s'agissait pas des Juifs, mais de Jésus. En effet, c'est bien des Juifs qu'il s'agit dès le début; ils ont essayé de détourner la conversation sur lui-même. Mais lui ne veut ni satisfaire leur curiosité, ni se laisser aller à des représailles; il continue de dire ce qui leur est utile, puisqu'il n'est pas venu pour juger, mais pour sauver; Cyr : τὸν εἰς σωτηρίαν καλοῦντα πάλιν ἀναμηρυσάμενος (reprendre le fil) λόγον, ἐπιτείνει τὴν παραίνεσιν.

27) La Vg.-Clém. a bien rendu le sens : *et non cognoverunt quia Patrem eius dicebat Deum*, en ajoutant *eius* (pour *eis*) et *Deum* (om. WW). ἔλεγεν comme dans VI, 71, « désigner»; cf. I, 15; Mc. XIV, 71. Donc ils n'ont pas compris que celui qui avait envoyé Jésus était son Père, c'est-à-dire que lui était proprement le Fils de Dieu. Plus haut (18) Jésus avait ajouté ὁ... πατήρ, aussi semble-t-il qu'alors on avait compris. Nous devons donc supposer que l'auditoire n'est pas le même, et que Jésus n'a pas voulu jusqu'à présent s'expliquer avec lui aussi clairement à cause de l'insolence de ses interlocuteurs (22). Il va le faire, et alors il obtiendra du moins partiellement un bon résultat. Il est impossible d'attribuer de pareilles modalités à un parti pris de composition didactique. Ce sont des traits de la physionomie variée de ces entretiens.

28) Plus haut (VII, 34) Jésus a dit aux Juifs : « Vous me chercherez et vous ne me trouverez pas ». Il serait assez étonnant qu'il ait annoncé ici leur conversion, sans parler du sentiment de Jo. qui regarde le judaïsme comme l'ennemi invétéré des chrétiens. Je croirais donc (avec *Cyrille*, contre *Aug.*, *Chrys.*, *Schanz*) que γνώσεσθε ne s'entend guère que de l'expérience douloureuse des Juifs. Après qu'ils auront élevé le Christ sur la Croix, ce qui sera pour lui une élévation glorieuse et le signal de son retour en haut (III, 14), ils comprendront qu'il est celui qui est, non pas absolument et par essence, mais Celui que Dieu avait envoyé pour les sauver (cf. 24). Il faudra bien qu'ils le comprennent lorsqu'ils se verront anéantis comme peuple, dispersés parmi des gentils empressés à croire en Jésus (*Cyr.*). — On a raison de faire dépendre aussi de ὅτι les mots καὶ ἀπ' ἐμαυτοῦ ποιῶ κ. τ. λ.; cependant il faut bien reconnaître qu'au v. 29 commence une phrase qui ne dépend pas de 28ᵃ, et elle fait suite immédiatement à 28ᵇ. Il y a donc une transition insensible de l'expérience future des Juifs à leur situation actuelle. Ils reconnaîtront que Jésus ne fait rien de lui-

λαλῶ. [29] καὶ ὁ πέμψας με μετ' ἐμοῦ ἐστίν· οὐκ ἀφῆκέν με μόνον, ὅτι ἐγὼ τὰ ἀρεστὰ αὐτῷ ποιῶ πάντοτε. [30] Ταῦτα αὐτοῦ λαλοῦντος πολλοί ἐπίστευσαν εἰς αὐτόν. [31] Ἔλεγεν οὖν ὁ Ἰησοῦς πρὸς τοὺς πεπιστευκότας αὐτῷ Ἰουδαίους Ἐὰν ὑμεῖς μείνητε ἐν τῷ λόγῳ τῷ ἐμῷ, ἀληθῶς μαθηταί μού ἐστε, [32] καὶ γνώσεσθε τὴν ἀλήθειαν, καὶ ἡ ἀλήθεια ἐλευθερώσει ὑμᾶς.

même (v, 19. 30). Même lorsqu'il remonte en haut, ce n'est pas comme ils l'ont insinué odieusement (22) en disposant de sa vie, puisqu'eux-mêmes en le crucifiant l'exalteront, et déjà maintenant, lorsqu'il énonce ces choses (ταῦτα) c'est-à-dire toute cette allusion à ses destinées et à celles d'Israël, il dit la leçon du Père.

29) A la dépendance du Fils répond l'assistance du Père qui l'a envoyé; elle consiste en ce que le Père est toujours avec lui. Et en fait, à regarder sa carrière parmi les hommes, il ne l'a jamais laissé seul (16). Nous savons déjà pourquoi : mais Jésus nous dit encore que son action consiste à faire et toujours ce qui plaît au Père. Tout ce verset est construit selon un parallélisme déductif : l'attitude du Père, ὁ πέμψας... οὐκ ἀφῆκεν... est expliquée par celle du Fils : ἐγώ... ποιῶ. Faire ce qui plaisait au Seigneur τὸ ἀρεστόν (ou au pluriel) était déjà l'idéal d'un juste de l'A. T. : καὶ τὰ ἀρεστὰ ἐνώπιόν σου ἐποίησα (Is. XXXVIII, 3 cf. Dan. IV, 34 [LXX] etc.); c'est un idéal plus large que la simple observation de la Loi, mais irréprochable aux yeux des Juifs, puisque le Père de Jésus est leur Dieu, si mal qu'ils le connaissent. Assurément, même dans ce miracle qu'on lui a tant reproché, le point de départ de tant de haine, Jésus n'a voulu que plaire à Dieu : il est clair que le Fils de Dieu parle ici comme envoyé, c'est-à-dire de sa volonté humaine. — Bauer (cf. Loisy) voit dans cette déclaration de Jésus une protestation sinon contre l'abandon sur la Croix (Mc. XV, 34; Mt. XXVII, 46), du moins contre l'exploitation de ces textes par les ennemis du christianisme. Il faudrait alors que οὐκ ἀφῆκεν pût s'entendre de ce moment, c'est-à-dire qu'il devrait être au futur, non à l'aoriste.

30) C'est peut-être surtout cette déclaration rassurante qui a conduit quelques personnes à la foi : elles constatent que les tentatives des chefs ont été vaines, et ce ne peut être que par une protection de Dieu. C'est à cette protection que Jésus a fait allusion, et ne serait-elle pas la preuve qu'il cherche en tout son bon plaisir? Encore est-il que cette foi ne fut pas très solide; comme dit Schanz : « des Juifs croyants sont dans notre évangile une sorte de *contradictio in adiecto* ». Il était naturel que les discours de Jésus, comme ses miracles (II, 11. 23; III, 2; IV, 53; VI, 26), fissent une grande impression (VII, 46) qui pouvait aller jusqu'à la foi (VII, 31); mais on n'était pas pour cela de vrais disciples. C'est le thème de Jo., et il serait malavisé de conclure à des retouches contradictoires parce que les nouveaux convertis vont se confondre parmi les Juifs incrédules.

31-59. LES FILS CHARNELS D'ABRAHAM, FILS DU DIABLE PLUTÔT QU'ENFANTS DE DIEU, REFUSENT DE RECONNAITRE LE FILS DE DIEU.

Ce discours du Sauveur roule sur les rapports des Juifs avec Dieu et avec Abraham, comme aussi sur les rapports de Jésus avec Abraham et avec Dieu :

comme mon Père m'a enseigné. [29] Et celui qui m'a envoyé est avec moi ; il ne m'a pas laissé seul, car je fais toujours ce qui lui plaît. » [30] Comme il parlait ainsi, beaucoup crurent en lui.

[31] Jésus disait donc aux Juifs qui avaient cru en lui : « Si vous demeurez en ma parole, vous êtes vraiment mes disciples, [32] et vous

ils sont vraiment les fils du diable, et retournant le reproche contre Jésus, ils veulent le lapider. En apparence, tout est adressé à ceux qui ont cru (30), et c'est bien eux que vise la première phrase (31-32). Mais aussitôt après (37) Jésus reproche à ses auditeurs leurs intentions homicides, et jamais il ne s'est élevé avec autant de véhémence contre leurs mauvaises dispositions. Comme cette intention homicide existait déjà parmi les Juifs (VII, 19) et qu'il n'y a aucune raison de l'attribuer spécialement aux nouveaux convertis qui n'ont pas eu le temps de passer aux extrémités de l'apostasie, il faut reconnaître que Jo. n'a vu dans leur conversion imparfaite qu'un incident, dont il se détourne aussitôt sans avertir pour exposer l'entretien de Jésus avec ses pires ennemis.

Le discours est sur un seul sujet, mais il a comme deux degrés. D'abord (31-47), les Juifs ne font que des objections modérées, presque en forme de réserves de leurs privilèges, et sur la défensive. Mais lorsque Jésus leur a révélé le fond de leur cœur esclave de l'esprit du mensonge, ils l'attaquent violemment et finissent par essayer de le lapider (48-59).

31-47. *Les Juifs qui se disent fils d'Abraham et enfants de Dieu ont en réalité le diable pour père, puisqu'ils ne veulent pas croire à la vérité.*

31 s.) Ces premiers mots s'adressent à ceux des Juifs, c'est-à-dire de ceux qui d'ordinaire représentent l'opposition, et qui cependant ont fait acte d'adhésion à la parole de Jésus. Il ne les repousse pas, ne les décourage pas, mais leur pose une condition (ἐάν) moyennant laquelle ils ne seront pas seulement des disciples se réclamant de son nom, mais de vrais adhérents à sa doctrine. — μένειν ἐν peut signifier conserver ce qu'on a déjà acquis d'une doctrine (II Tim. III, 14); mais ce sens n'est pas assez fort ici : c'est s'installer dans la parole, en recevoir la sève, en vivre; cf. XV, 7; I Jo. II, 6. 24. 27; III, 6; IV, 15; surtout II Jo. 9 : ὁ μένων ἐν τῇ διδαχῇ, οὗτος καὶ τὸν πατέρα καὶ τὸν υἱὸν ἔχει, passage qui est la transcription ecclésiastique des paroles de Jésus.

Rien n'autorise Bauer à supposer au contraire que ces paroles sont une transposition de la confession ecclésiastique, puisque la phrase de Jésus avec cette mention de ses paroles et de ses disciples est bien telle qu'il a dû la prononcer. — ἐστε et non le futur, parce qu'il n'est pas nécessaire d'escompter une longue persévérance; il suffirait d'une volonté résolue, — ensuite de quoi (32) ils connaîtront mieux la vérité qu'ils acceptent déjà, cf. VII, 17; en effet, la pratique de la vérité conduit à plus de lumière (III, 21); — la vérité à son tour, une vérité qui est perçue et qui entraîne l'adhésion de l'âme entière, donne la liberté, c'est-à-dire que la foi en Jésus affranchit de la servitude du péché. Jésus expliquera plus loin sa pensée. Doctrine nouvelle pour les Juifs? Autant que je vois, la délivrance du péché par la vérité ne se trouve nulle part dans l'A. T. ni dans les écrits juifs du temps. Pourtant ils avaient le sens d'une

[33] ἀπεκρίθησαν πρὸς αὐτόν Σπέρμα Ἀβραάμ ἐσμεν καὶ οὐδενὶ δεδουλεύκαμεν πώποτε· πῶς σὺ λέγεις ὅτι Ἐλεύθεροι γενήσεσθε; [34] ἀπεκρίθη αὐτοῖς ὁ Ἰησοῦς Ἀμὴν ἀμὴν λέγω ὑμῖν ὅτι πᾶς ὁ ποιῶν τὴν ἁμαρτίαν δοῦλός ἐστιν (τῆς ἁμαρτίας). [35] ὁ δὲ δοῦλος οὐ μένει ἐν τῇ οἰκίᾳ εἰς τὸν

libération spirituelle : χάρις καὶ φιλία ἐλευθεροῖ (Prov. xxv, 10ª, d'après LXX, Vg., mais sans texte hébreu). La victoire de la vérité est célébrée dans I Esdr. ainsi que sa connexion avec la justice : ἄδικοι πάντες οἱ υἱοὶ τῶν ἀνθρώπων... καὶ οὐκ ἔστιν ἐν αὐτοῖς ἀλήθεια... καὶ ἡ ἀλήθεια μένει καὶ ἰσχύει εἰς τὸν αἰῶνα, καὶ ζῇ καὶ κρατεῖ (I Esdr. iv, 37 s.). Les Juifs ont donc dû comprendre que Jésus parlait d'une délivrance spirituelle, sinon du péché, du moins de l'erreur qui est opposée à la vérité. — Bauer a rapproché les textes stoïciens; on sait que d'après eux, seul le sage est libre, il est même roi : τοῦτο δ' ἐστὶ τὸ δογματικώτατον, ὅτι ὁ σοφὸς μόνος ἐλεύθερός τε καὶ ἄρχων (Philon, *De post. Caïn.* § 138; M. i, 252). Cette liberté vient de la vérité qui a fait connaître au sage qu'il doit être dégagé de tout ce qui n'est pas lui-même : τοῦτο γάρ ἐστιν ἡ ταῖς ἀληθείαις ἐλευθερία (*Épict.* iv, 1, 113). Mais cette liberté stoïcienne conduisait à la glorification du moi, indépendant de toute contrainte extérieure et de toute passion. Épictète le premier lui a donné un caractère religieux : ἠλευθέρωμαι ὑπὸ τοῦ Θεοῦ, ἔγνωκα αὐτοῦ τὰς ἐντολάς, οὐκέτ οὐδεὶς δουλαγωγῆσαί με δύναται (iv, 7, 17), où l'on verra plutôt une influence religieuse du dehors qu'une déduction rigoureuse du Portique.

33) Sans attendre, ni demander une explication, les interlocuteurs se buttent à ce mot. Si Jo. composait avec une régularité parfaite, il faudrait dire que ce sont les nouveaux convertis, mais on devrait expliquer non seulement leur volte-face, mais leurs désirs meurtriers (37). Mieux vaut dire avec Aug. : *non illi qui iam crediderant, sed illi qui in turba erant nondum credentes.* Les Pères se sont complu à relever la sottise, le mensonge impudent des Juifs (encore *Schanz,* etc.) qui se méprendraient lourdement et oublieraient tous les démentis que l'histoire donne à leur prétention (Égypte, Babylone, Perses, Lagides, Séleucides), aussi bien que leur situation actuelle qu'ils avoueront très bien (xix, 15). Loisy concède tout cela pour conclure que c'est là « une de ces méprises grossières qui constituent presque tout l'artifice des dialogues dans notre évangile » (p. 294). — Mais d'abord il est évident que les Juifs ne peuvent donner un démenti aussi effronté à toute leur histoire. A Masada, Éléazar, le plus ardent des zélotes, dit seulement que ses braves compagnons se sont résolus depuis longtemps à ne servir personne, ni les Romains ni d'autres, mais Dieu seulement (Jos. *Bell.* VII, viii, 6). Encore, ce n'était pas l'esprit du parti pharisien au temps de Jésus. Quand ils disent : « Nous sommes la race d'Abraham », ils ne font pas nécessairement allusion aux promesses de domination universelle (Gen. xvii, 16; xxii, 17). Dans Lc. iii, 8 (Mt. iii, 9), quand le Baptiste leur interdit de se réclamer de leur père Abraham, ils entendaient seulement se croire à l'abri du châtiment, étant meilleurs que les autres. Dans Isaïe (li, 2) les Juifs sont renvoyés à leur père Abraham comme à un modèle de justice. Assurément les Israélites n'avaient pas toujours été fidèles à Dieu, mais il y avait toujours eu une élite croyante que les Juifs contem-

connaîtrez la vérité, et la vérité vous libérera. » [33]Ils lui répondirent : « Nous sommes la postérité d'Abraham, et nous n'avons jamais été esclaves de personne; comment peux-tu dire : vous deviendrez libres? » [34]Jésus leur répondit : « En vérité, en vérité je vous [le] dis, quiconque commet le péché est esclave (du péché). [35]Or l'esclave ne demeure pas dans la maison à jamais : le fils [y]

porains prétendaient bien représenter. Ils ne peuvent pas nier qu'ils ont été conquis et assujettis, mais sans cesser d'être attachés au Dieu d'Abraham qui ne les a pas abandonnés non plus. Lorsque la souveraineté étrangère a tenté de leur imposer l'apostasie avec Antiochus Épiphane, ils ont secoué le joug politique pour sauvegarder l'indépendance religieuse. Le sens est qu'ils n'ont jamais été esclaves de personne : *au point de perdre leur liberté spirituelle*. Leur réponse n'est point le mensonge historique évident que leur ont reproché les Pères, mais une exaspération de leur nationalisme religieux, comme fils d'Abraham, chef religieux, avec une formule paradoxale (cf. *Zahn*, *Tillmann*, *Bauer*). Le stoïcien disait de l'individu : le sage est toujours libre; le simple nationaliste dit : *Britons are no slaves* (*Tillmann*); chez les Juifs il faut sous-entendre de plus l'idée religieuse, toujours présente à leur esprit, et suggérée par le principe de la liberté promise, résultat de la vérité. Il est clair que la vérité ne brise pas le joug étranger à elle seule. Sur la servitude spirituelle, cf. *Épict.* II, 1, 24; 2, 12; III, 24, 67; IV, 4, 33.

34) L'entretien se poursuit, non pas comme dans un dialogue étudié, mais en relevant dans le dernier mot ce qui paraît répréhensible. Les Juifs ont été choqués qu'on leur promette une liberté qu'ils croyaient avoir toujours possédée. C'est cette prétention que Jésus conteste pour les ramener au sens profond de sa parole. Ils commettent sûrement le péché; ils sont donc des esclaves. C'est tout ce qu'exige le raisonnement. Aussi nous doutons de τῆς ἁμαρτίας (avec *Bauer*, *Loisy*) om. par D *b syrsin* (*cur* manque) Clém.-Al. (*Strom.* II, v, 22; cf. *Strom.* III, IV, 30). L'omission est peu soutenue, mais le sens est beaucoup plus fin, et l'addition s'explique par Rom. VI, 17. 20. De toute façon c'est aussi une maxime du stoïcisme ou plutôt de la sagesse populaire, car Horace même se laisse chapitrer par un esclave (II Sat. VII, 81 s.) : *Tu mihi qui imperitas, alii servis miser atque Duceris ut nervis alienis mobile lignum.* Il y a peut-être cette nuance que les stoïciens craignaient surtout la contrainte des passions; ici le péché consommé est regardé comme un maître (surtout avec τῆς ἁμαρτίας), tandis que même Épictète (II, 1, 23; IV, 1, 3) y voit surtout un obstacle à la liberté. Toute l'ancienne histoire d'Israël oscillait entre ces deux termes : servir Dieu ou les faux dieux souvent représentés par les idoles; désormais ils prétendent ne servir que Dieu; mais s'ils commettent le péché, ils sont esclaves, et ce n'est pas de Dieu.

35) On a trouvé ici un peu d'incohérence. Le verset est au contraire essentiel à l'argumentation, qui, avec des Juifs, ne pouvait s'en tenir à un propos de morale courante. Leur fidélité à leur Loi était d'après eux une raison qui leur assurait le pardon. Les fils d'Abraham étaient aimés de Dieu dans ce monde

αἰῶνα· ὁ υἱὸς μένει εἰς τὸν αἰῶνα. [36] ἐὰν οὖν ὁ υἱὸς ὑμᾶς ἐλευθερώσῃ ὄντως ἐλεύθεροι ἔσεσθε. [37] οἶδα ὅτι σπέρμα Ἀβραάμ ἐστε· ἀλλὰ ζητεῖτέ με ἀποκτεῖναι, ὅτι ὁ λόγος ὁ ἐμὸς οὐ χωρεῖ ἐν ὑμῖν. [38] ἃ ἐγὼ ἑώρακα παρὰ τῷ πατρὶ λαλῶ· καὶ ὑμεῖς οὖν ἃ ἠκούσατε παρὰ τοῦ πατρὸς ποιεῖτε. [39] ἀπεκρίθησαν καὶ εἶπαν αὐτῷ Ὁ πατὴρ ἡμῶν Ἀβραάμ ἐστιν. λέγει αὐτοῖς ὁ Ἰησοῦς Εἰ τέκνα τοῦ Ἀβραάμ ἐστε, τὰ ἔργα τοῦ Ἀβραὰμ ποιεῖτε.

38. *om.* υμων *p.* πατρος (TH) plutôt que *add.* (SV).
39. ποιειτε (H) plutôt que εποιειτε (T) ou εποιειτε αν (SV).

---

et dans l'autre; cf. *Le Messianisme*..., p. 169. Aussi le Christ leur remontre-t-il que l'esclave n'est jamais sûr de demeurer dans la maison de son Maître; il peut toujours en être chassé. Le fils, lui, demeure toujours dans la maison, et il est sous-entendu qu'il l'administre.

36) Ils n'ont maintenant qu'à faire l'application. Étant esclaves, il faut qu'ils soient délivrés : ils ne peuvent l'être que par le Fils; alors seulement ils seront vraiment libres. Ce qui est exigé (VIII, 24), c'est la foi au Fils de Dieu, qui seul peut effacer les conséquences du péché. Cela est dit clairement; c'était la mission de Jésus de le dire. On doit certes en conclure que la Loi était impuissante à donner cette liberté. C'est ce que Paul déduira explicitement, même en retournant la Loi, entendue au sens spirituel, contre les fausses assurances des Juifs (Gal. IV, 22. 23. 26. 30. 31). Loisy : « On est bien tenté d'admettre que, pour ce développement, notre évangile dépend, quant au fond, de l'épître aux Galates (IV, 21-31), et quant à la forme, de l'épître aux Hébreux (III, 1-16) » (p. 296). Il suffit de jeter les yeux sur ces textes pour voir où est le principe qui jaillit de la dispute, et où sont les développements. Jo. aurait pu serrer ces développements dans une phrase, mais la sienne répond si naturellement à la prétention bien connue des fils d'Abraham! Que l'on compare l'opposition érudite entre Moïse, le serviteur, et le Christ, fils de la maison, dans Héb. III, 2-5!

D'ailleurs la conclusion n'envisage que le côté lumineux des choses; Jésus ne réitère pas sa menace du v. 24; il se contente d'avoir donné l'explication du v. 32 : il est cette vérité qui les délivrera, s'ils le veulent.

37) Il revient maintenant à ce dont les Juifs sont si fiers. Ils sont fils d'Abraham, soit! mais ils n'ont pas sa valeur morale, et ne sont donc pas ses vrais enfants. Pourquoi? Parce qu'ils veulent tuer Jésus. Ce reproche a déjà été formulé par Jésus (VII, 19); il semble donc qu'il ne s'adresse pas spécialement à de nouveaux convertis qui auraient bien vite passé à un autre extrême pour une parole désagréable! Du moins les autres alléguaient une violation du sabbat. Au fond d'ailleurs, la vraie raison, c'est que la doctrine de Jésus ne pénètre pas en eux. Pour qui ne croyait pas en lui, il devait paraître un novateur, sinon un blasphémateur. — χωρεῖ a été expliqué « faire des progrès », ce qui est possible en grec, et qu'on juge plus approprié aux nouveaux convertis : ils avaient accueilli sa parole, mais elle ne fait pas de

demeure à jamais. [36]Si donc le Fils vous libère, vous serez réellement libres. [37]Je sais que vous êtes la postérité d'Abraham; mais vous cherchez à me faire mourir, parce que ma parole ne pénètre pas en vous. [38]Ce que j'ai vu auprès de [mon] Père, je le dis; vous donc aussi vous faites ce que vous entendîtes auprès de [votre] père. » [39]Ils répondirent et lui dirent : « Notre père c'est Abraham. » Jésus leur dit : « Si vous êtes des enfants d'Abraham,

progrès en eux, et ils veulent le tuer pour cela : conséquence qui suffit à prouver l'invraisemblance du point de départ. Si ce sont simplement de vieux adversaires, χωρεῖν conserve son sens naturel de pénétrer, avoir accès (*Orig. Aug. Cyr.*); il faudra seulement entendre ἐν au sens de εἰς (*Orig.* εἰς αὐτοὺς... χωρεῖν); ou encore entendre « avoir place » « être contenu » (*Field,* citant ALCIPHRON, *Ep.* III, 7).

38) Zahn lit ποιεῖτε, à l'impératif, à cause de οὖν, qui s'explique mieux de la sorte. Mais les Juifs ont très bien compris que Jésus leur parle d'un père qui n'est ni Dieu, ni Abraham, et qu'il nommera le diable (*Schanz, Bauer, Loisy, Calmes,* etc.). Le contraste est parfait : Jésus écoute sans doute ce que dit son Père (26), mais il voit aussi, dans une vision continue (ἑώρακα); les Juifs entendent (ἠκούσατε, l'aor. comme au v. 26) de temps à autre; l'audition est subordonnée à la parole, qui n'a pas le caractère permanent des objets exposés à la vue. — Ils font donc (c'est-à-dire puisqu'ils veulent le tuer), ce qui leur est suggéré par leur père. πατρί et πατρός n'ont pas besoin du pronom possessif pour signifier en grec le père respectif; et cependant μου est ajouté au premier par ℵD, etc. et υμων par ℵCD, etc.

39) Loin de piétiner sur place (*Loisy*), la discussion rebondit : les Juifs sentent où Jésus les mène; ils ne répètent pas ce qu'ils ont dit (33) qu'ils sont la race d'Abraham, car Jésus le leur a concédé au sens populaire, mais ils répliquent séchement et l'on peut dire rageusement, qu'ils n'ont d'autre père qu'Abraham, c'est-à-dire, dans le cas, que c'est lui dont ils suivent les leçons. — La riposte ne se fait pas attendre : elle est topique, quel que soit le texte, ποιεῖτε (H), ou ἐποιεῖτε (T) qui est possible grammaticalement sans ἄν (que S. et V. n'ont pas le droit d'ajouter, à s'en tenir aux mss.) et ἐποιεῖτε n'exige pas absolument ἦτε au lieu de ἐστε. — ἐποιεῖτε, avec ℵDC, etc. ou ποιεῖτε avec B Or. Chrys. Aug. *vg. ff*² *r*² *syrsin,* qui nous paraît préférable, surtout si l'on accepte ἐστε (H T S) au lieu de ἦτε (V). On dirait que le texte a été retouché trois fois, d'abord par ἐποιεῖτε, auquel quelques-uns ont ajouté ἄν, puis en changeant ἐστε en ἦτε. Le dernier état est le plus coulant, mais le plus banal; il faudrait d'emblée prendre τέκνα au sens spirituel (Rom. IX, 8; Gal. IV, 28.31), tandis que Jésus prend le fait réel de la filiation pour mettre en demeure les Juifs d'être aussi les fils d'Abraham dans la vie morale : on comprendrait très bien : « si vous imitez Abraham, vous serez vraiment ses enfants » : cf. Sénèque, *Epist.* XLIV; *omnes hi maiores tui sunt, si te illis geris dignum,* mais la déduction est moins nécessaire en disant : « si vous étiez fils, vous imiteriez »;

[40] νῦν δὲ ζητεῖτέ με ἀποκτεῖναι, ἄνθρωπον ὃς τὴν ἀλήθειαν ὑμῖν λελάληκα ἣν ἤκουσα παρὰ τοῦ θεοῦ· τοῦτο Ἀβραὰμ οὐκ ἐποίησεν. [41] ὑμεῖς ποιεῖτε τὰ ἔργα τοῦ πατρὸς ὑμῶν. εἶπαν αὐτῷ Ἡμεῖς ἐκ πορνείας οὐκ ἐγεννήθημεν· ἕνα πατέρα ἔχομεν τὸν θεόν. [42] εἶπεν αὐτοῖς ὁ Ἰησοῦς Εἰ ὁ θεὸς πατὴρ ὑμῶν ἦν ἠγαπᾶτε ἂν ἐμέ, ἐγὼ γὰρ ἐκ τοῦ θεοῦ ἐξῆλθον καὶ ἥκω· οὐδὲ γὰρ ἀπ' ἐμαυτοῦ ἐλήλυθα, ἀλλ' ἐκεῖνός με ἀπέστειλεν. [43] διὰ τί τὴν λαλιὰν τὴν ἐμὴν οὐ γινώσκετε; ὅτι οὐ δύνασθε ἀκούειν τὸν λόγον τὸν ἐμόν. [44] ὑμεῖς ἐκ τοῦ πατρὸς τοῦ διαβόλου ἐστὲ καὶ τὰς ἐπιθυμίας τοῦ πατρὸς ὑμῶν

41. εγεννηθημεν (H) ou γεγεννημεθα (T V). — Soden γεγενηθημεν (?).

---

l'avertissement est péremptoire : « si vous êtes ses fils, imitez-le » (avec *Belser*, *Tillmann*, contre *Schanz*, *Zahn*, *Bauer*, *Loisy*, *Calmes*).

40) Il faut reconnaître que νῦν δέ s'accommoderait très bien d'une condition dans la phrase antécédente, et c'est probablement pour cela qu'on lui a fait prendre ce pli. Mais on peut tout de même l'entendre avec un impératif précédent : Faites... Mais en réalité vous ne faites pas, vous faites ce qu'Abraham n'eût pas fait : vous cherchez à me tuer (37), moi qui vous ai dit cette vérité qui délivre, que j'ai entendue auprès de Dieu (26), et cela est bien étranger à l'esprit du père des croyants. L'accent est sur l'humanité, comme il convenait à propos du meurtre (*Cyr.*).

41) Ce père n'est pas Dieu, évidemment, ni Abraham... le sombre pressentiment du v. 38 n'est pas éclairci. Néanmoins les Juifs comprennent bien qu'il n'est plus besoin d'affirmer une descendance naturelle légitime d'Abraham, qu'on ne leur conteste pas. Si Bauer le prétend (*Loisy* 2e éd.), c'est pour accuser d'incohérence un texte qui se suit bien. Les Juifs n'écoutent pas ce qui vient de Dieu parce qu'ils sont attachés aux œuvres de leur père. Leur père est donc à tout le moins une puissance spirituelle autre que Dieu. Dans le style des prophètes, la prostitution d'Israël c'était l'idolâtrie. Il en résultait, quand des Fils servaient un dieu étranger, qu'ils étaient des fils de prostitution, τέκνα πορνείας, c'est le terme des Septante dans Osée (I, 2; II, 4). C'est ce qu'ils déclarent ne pas être, parce que leurs hommages ne sont pas partagés : ils n'ont donc qu'un (ἕνα très en relief) père qui est Dieu. — ἡμεῖς est fortement opposé à ὑμεῖς, mais non pas à Jésus lui-même, comme s'ils entendaient lui reprocher sournoisement une origine illégitime. C'est ce qu'a pensé Origène qui connaissait sans doute les basses suggestions des Juifs (*c. Cels.* I, 28); mais rien ne prouve qu'elles aient pris jour durant la vie du Sauveur et que Jo. y ait fait allusion. — Elles se sont reproduites de nos jours dans la presse sioniste de Jérusalem!

42) La proposition est nettement conditionnelle, mais aussi Jo. a-t-il employé ἦν et ἄν, ce qui a servi à « corriger » le texte primitif au v. 39, et cette fois en effet la conditionnelle conclut très logiquement : si vous aviez Dieu pour père (dans l'ordre de l'esprit, comme il est nécessaire de le prendre ici), vous aimeriez celui qu'il a envoyé, car cet envoi ne peut être qu'une faveur

faites les œuvres d'Abraham. [40]Mais maintenant vous cherchez à me faire mourir, [moi] un homme qui vous ai dit la vérité que j'entendis auprès de Dieu : cela Abraham ne l'eût point fait. [41]Vous faites les œuvres de votre père. » Ils lui dirent : « Nous ne sommes point nés de la prostitution; nous n'avons qu'un Père qui est Dieu. » [42]Jésus leur dit : « Si Dieu était votre père, vous m'aimeriez, car c'est de Dieu que je suis sorti et que je suis venu; car je ne suis pas venu de moi-même, mais c'est lui qui m'a envoyé. [43]Pourquoi ne comprenez-vous point mon langage? C'est parce que vous ne pouvez entendre ma parole. [44]Vous avez pour père le

de ce Père, et son envoyé doit être digne de lui; or tel est bien le cas. — ἐξῆλθον, non pas de la génération éternelle; mais le Fils qui était auprès de Dieu en est sorti en quelque sorte par l'incarnation, sans le quitter (VII, 29); ἥκω au sens du parfait, « je suis venu »; cf. II, 4; IV, 47; Lc. XV, 27. — On admet que οὐδὲ γάρ équivaut à οὐ γάρ, dont s'est contenté D. Cependant il y a sans doute une nuance (cf. Rom. VIII, 7) : vous ne pouvez *même pas* dire que je suis venu de moi-même : tout ce que je suis et fais vient de Dieu. C'est toujours cette subordination du Verbe incarné à Dieu qui devait convaincre les plus obstinés que Jésus n'entendait pas rompre avec la religion révélée ancienne. Il a fourni les preuves de son pouvoir; ce qu'il affirme surtout ici comme plus haut (V, 19 ss.), c'est sa dépendance vis-à-vis de Dieu, en tant qu'il est son envoyé et devenu homme.

43) Et cependant les Juifs affectent de ne pas l'entendre mieux que s'il employait une langue étrangère. Il leur parle de Dieu, qu'ils disent être leur Dieu; il leur parle donc leur langue. Pourquoi ne la comprennent-ils pas? Parce qu'ils ne peuvent se résoudre à écouter sa doctrine, faire l'effort nécessaire pour la pénétrer, à cause de leurs mauvaises dispositions. Quand on entend exposer même dans sa langue des idées auxquelles on est absolument réfractaire, on dit volontiers : c'est comme si vous parliez en chinois! Ce sens nous paraît résulter : *a*) de la distinction voulue entre λαλιά (non pas comme dans IV, 42) dialecte (cf. Mt. XXVI, 73), et λόγος la parole proposée, l'ensemble de la doctrine; *b*) du verbe γινώσκειν, comprendre un dialecte ou une langue (Act. XXI, 37; cf. Neh. XIII, 24); *c*) de la comparaison avec VI, 60 : τίς δύναται αὐτοῦ (τοῦ λόγου) ἀκούειν; qui peut prendre sur lui d'entendre dire une pareille chose? Quoique δύνασθε indique bien une non-receptivité, la comparaison avec VI, 60 montre bien qu'elle tient à des dispositions volontaires. Même Aug. : *Sed unde audire non poterant, nisi quia corrigi credendo nolebant?* — Nous entendons donc ὅτι comme répondant à la question, non comme une explication du fait de la question : je vous le demande puisque, par le fait, vous ne pouvez écouter, ce qui est tout naturel quand on entend une langue étrangère (*Zahn*).

44) Les modernes (même *Bauer*, *Loisy*) sont d'accord pour ne pas voir ici le

θέλετε ποιεῖν. ἐκεῖνος ἀνθρωποκτόνος ἦν ἀπ' ἀρχῆς, καὶ ἐν τῇ ἀληθείᾳ οὐκ ἔστηκεν, ὅτι οὐκ ἔστιν ἀλήθεια ἐν αὐτῷ. ὅταν λαλῇ τὸ ψεῦδος, ἐκ τῶν ἰδίων λαλεῖ, ὅτι ψεύστης ἐστὶν καὶ ὁ πατὴρ αὐτοῦ. [45] ἐγὼ δὲ ὅτι τὴν ἀλήθειαν λέγω, οὐ πιστεύετέ μοι. [46] τίς ἐξ ὑμῶν ἐλέγχει με περὶ ἁμαρτίας; εἰ ἀλήθειαν λέγω, διὰ τί ὑμεῖς οὐ πιστεύετέ μοι; [47] ὁ ὢν ἐκ τοῦ θεοῦ τὰ

père du diable, mais le diable lui-même. On doit reconnaître qu'il eût été plus grammatical de ne pas mettre l'article (τοῦ) διαβόλου ni (ὁ) πατήρ, puisque διαβόλου et πατήρ sont des prédicats par rapport à ce qui précède. Mais si l'on traduisait : « du père du diable », et « menteur comme aussi son père », on aboutirait à une construction absurde. L'objet de tout le discours serait le père du diable, et il se trouverait à la fin qu'il n'était autre que le diable. D'ailleurs la conception d'un père du diable, qui serait comme un second dieu, est complètement étrangère à l'A. T. et au quatrième évangile. Ce sont les gnostiques qui ont déduit leur démiurge de ce texte ou qui l'y ont trouvé après coup; cf. Hipp. *Ref.* v, 17 (les Pérates); Epiph. *Haer.* xl, 5 s.; *Aug. : In his verbis quidam patrem diabolum habere putaverunt, et quaesierunt quis esset diaboli pater. Hic vero detestabilis error Manichaeorum invenit adhuc qua deciperet imperitos.* Nous entendons donc le verset du diable. C'est le mot de la fin. N'étant pas des fils spirituels de Dieu, qui obéiraient comme Jésus à sa volonté (iv, 34 etc.), il reste qu'ils soient les fils du diable, au sens métaphorique, cela s'entend. Le raisonnement se rattache donc au v. 42, mais il tient compte de la raison donnée au v. 43; le caractère volontaire non exprimé dans δύνασθε apparaît ici clairement dans θέλετε. — Le diable a des désirs, ce qui est d'un ordre inférieur, et en les réalisant l'homme suit aussi sa propre convoitise (cf. I Jo. I, 16.17). — ἀνθρωποκτόνος (+ N. T. I Jo. iii, 15) n'indique pas nécessairement un homicide sanglant tel que le meurtre d'Abel, qui ne serait pas ἀπ' ἀρχῆς : le commencement indique plutôt la chute du premier homme à l'instigation du serpent; cf. Sap. ii, 24 : φθόνῳ δὲ διαβόλου θάνατος εἰσῆλθεν εἰς τὸν κόσμον. Ce sont deux paroles assez mystérieuses, celle de Jésus surtout, tandis que le développement de Paul (Rom. v, 12 ss.) insiste sur la causalité du premier homme. — La forme οὐκ, dans les meilleurs mss. (H T S V) prouve bien qu'il faut lire ἔστηκεν et non ἕστηκεν, ce qui suppose un verbe στήκω. Dès lors au lieu de supposer un parfait de ce verbe, puisque Jo. emploie très bien ἕστηκεν, il faut s'en tenir à un imparfait, d'ailleurs parallèle à ἦν. Dès le commencement, aussitôt qu'il apparaît dans l'histoire religieuse, le diable ne se tenait pas dans la vérité. Les Pères ont vu là une allusion à la chute du diable; mais il y faudrait un plus-que-parfait, et la raison qui suit s'appliquerait mal : si le diable est tombé, ce n'est pas parce que la vérité n'était pas en lui, ce serait plutôt parce qu'il n'y est pas resté fidèle (*Zahn*). Nous entendons donc qu'il *n'était* pas au début de l'histoire dans la vérité, parce qu'elle *n'est* pas en lui d'une manière normale. Pourquoi? Jésus ne parle ici ni de l'origine du diable, ni de sa chute, mais de ce qu'il est dans son action et dans sa situation *morale et religieuse*, car la vérité a ici son plein sens johannique. Le mensonge plutôt est son fond : quand il ment, il n'a besoin d'emprunter à personne : ἐκ τῶν ἰδίων,

diable, et vous voulez réaliser les désirs de votre père. Il était homicide dès le commencement, et il ne se tenait pas dans la vérité, parce qu'il n'est pas de vérité en lui. Lorsqu'il profère le mensonge, il parle de son fond, parce qu'il est menteur et il en est le père. [45]Et moi, parce que je dis la vérité, vous ne me croyez pas. [46]Qui d'entre vous me convainc de péché? Si je dis la vérité, pourquoi ne me croyez-vous pas? [47]Celui qui est de Dieu entend les

« avec ses propres ressources », dans plusieurs inscriptions de Syrie, etc. πατὴρ αὐτοῦ, construction *ad sensum*, d'autant moins étrange que ψεῦδος n'est pas très éloigné.

Plusieurs ont pensé que Caïn était l'homicide : Aphraate (*Patrol. or.* I, 785) : « Et le Sauveur leur dit : vous êtes fils de Caïn, non pas fils d'Abraham »; cf. *Ambrosiaster* (*P. L.* XXXV, c. 2897, parmi les œuvres d'*Aug.*) et Cyrille ici, probablement en songeant aussi à 1 Jo. III, 12; mais ce n'est pas une raison pour substituer Caïn au diable dans un prétendu texte primitif comme l'a fait Wellhausen, réfuté par Bauer et Loisy.

— Il ne saurait être question de nier l'importance attribuée ici au rôle du diable, mais c'est une méprise d'y voir avec Bauer « un véritable dualisme », venu de Perse. Le diable ne dispute pas l'empire du monde à Dieu quasi sur le pied de l'égalité, à la façon d'Ahriman. Il n'est pas divinisé et ne peut exercer son action que par le mensonge, grâce à la complicité des hommes qui se font les serviteurs de ses désirs, misérable en somme et méprisable, tant il est facile de se soustraire à son empire en passant par la foi dans le camp de la vérité.

45 s.) Il y a une double difficulté sur laquelle passent les commentateurs. *a*) dans le v. 45, Jésus dit nettement aux Juifs que s'ils ne croient pas en lui, c'est précisément (ὅτι) parce qu'il dit la vérité, lui (ἐγὼ δέ), ce qui ne leur va pas, habitués qu'ils sont à s'attacher au mensonge comme le diable. Mais dans 46[b], il suppose que les Juifs sont d'accord avec lui qu'on doit suivre la vérité. *b*) De plus, le v. 46[a] transporte la question du terrain de la vérité dans celui de la perfection morale. — Il faut donc admettre, comme nous l'avons déjà dit (III, 7), une protestation sous-entendue des Juifs, qui s'est manifestée au moins par des gestes. Nous, refuser de croire à la vérité parce que c'est la vérité? c'est trop fort! Et cependant, répond Jésus : jusqu'à présent personne de vous ne me convainc de péché. Cette perfection morale, dont la nature humaine n'est guère capable, est en tout cas une preuve que je ne mens pas. Alors je dis la vérité, et si vous prétendez croire à la vérité, pourquoi ne croyez-vous pas? — ἐλέγχει au présent (*arguit*, et non *arguet*) : les Juifs l'ont bien accusé, mais non convaincu; le verbe a les deux sens, mais très souvent le second; cf. III, 20; XVI, 8; classiques et papyrus. — On notera ce double οὐ πιστεύετε qui prouve bien que le discours sauf la première phrase (31 s.), ne s'adresse pas spécialement aux nouveaux convertis.

47) L'argument contient implicitement un syllogisme, dont la mineure serait niée en ce qui regarde les Juifs : Qui est de Dieu écoute... or, vous n'écoutez

ῥήματα τοῦ θεοῦ ἀκούει· διὰ τοῦτο ὑμεῖς οὐκ ἀκούετε ὅτι ἐκ τοῦ θεοῦ οὐκ ἐστέ. [48] ἀπεκρίθησαν οἱ Ἰουδαῖοι καὶ εἶπαν αὐτῷ Οὐ καλῶς λέγομεν ἡμεῖς ὅτι Σαμαρείτης εἶ σὺ καὶ δαιμόνιον ἔχεις; [49] ἀπεκρίθη Ἰησοῦς Ἐγὼ δαιμόνιον οὐκ ἔχω, ἀλλὰ τιμῶ τὸν πατέρα μου, καὶ ὑμεῖς ἀτιμάζετέ με. [50] ἐγὼ δὲ οὐ ζητῶ τὴν δόξαν μου· ἔστιν ὁ ζητῶν καὶ κρίνων. [51] Ἀμὴν ἀμὴν λέγω ὑμῖν, ἐάν τις τὸν ἐμὸν λόγον τηρήσῃ, θάνατον οὐ μὴ θεωρήσῃ εἰς τὸν

pas... donc vous n'êtes pas... Mais la phrase est construite pour donner la raison dernière de leur refus d'écouter (cf. 43) comme il faudrait pour croire, — être ἐκ τοῦ Θεοῦ, cf. I, 13; I Jo. IV, 4. 6. Il va de soi dans le dogme du judaïsme que ceux qui ne sont pas de Dieu n'ont à accuser que leur résistance aux appels de Dieu. — Toutes ces paroles de Jésus sont assurément très graves, et peuvent paraître dures. Elles ne le sont pas plus que celles où il nomme les Pharisiens zélés pour la propagande des fils de la géhenne (Mt. XXIII, 15). Les chefs spirituels du judaïsme étaient en train de rompre par leur obstination orgueilleuse tous les desseins miséricordieux de Dieu sur son peuple, d'entraîner ce peuple au meurtre du Fils envoyé par le Père (Mc. XII, 6 et parall.). Ne fallait-il pas les avertir?

48-59. *Aux insultes des Juifs Jésus répond seulement en confirmant ses déclarations sur sa mission et en révélant qui il est.*

Il y a cette différence d'aspect entre ce morceau et le précédent que Jésus ne fait plus guère que se défendre. Il a voulu dire aux Juifs toute la vérité, une vérité qui ne pouvait leur être agréable, car elle comprenait la condamnation de tout leur système religieux : eux, les seuls serviteurs de Dieu, devraient confesser qu'ils suivent plutôt, dans leur haine homicide, les inspirations du diable! Ils sont exaspérés; ils s'emportent en injures. Jésus ne les leur rend pas, et semble plutôt les incliner à la foi par la grandeur de ses promesses ; s'excusant en quelque sorte de paraître se glorifier, parce qu'il doit dire la vérité au sujet de son Père. Ici seulement un mot pénible pour les assaillants (55). Mais puisqu'ils ont toujours à la bouche Abraham, il lui plaît de le ranger parmi ceux qui lui ont rendu hommage. A l'affirmation de sa propre préexistence, les Juifs n'ont pas la patience d'attendre le résultat de leurs manœuvres et prennent des pierres pour une exécution sommaire, comme leur histoire en connaissait (III Regn. XIX, 40; Dan. XIII, 61). — Dans cet échange de propos offensants et de vérités salutaires, on devait nécessairement revenir sur des choses déjà dites, et même les Juifs se répètent (48. 52). Mais pour dire que « le tout commence à devenir fastidieux » (*Loisy*, p. 304), il faut ne pas sentir la gradation constante dans la révélation, à laquelle répond une fureur croissante, qui fait explosion quand la lumière a paru avec le plus d'éclat.

L'unité avec la première partie se fait surtout sur le nom et la personne d'Abraham, qui encadre le tout (33 et 58).

48) Jésus avait contesté aux Juifs la parenté spirituelle avec Abraham et avec Dieu. Ils retournent le reproche à la manière des personnes qui n'ont pas la réplique spirituelle. Parmi les peuples étrangers à la communauté juive, nul ne leur était plus odieux que les Samaritains (cf. sur Lc. X, 33). C'est à peine s'il

paroles de Dieu; si vous n'entendez point, c'est que vous n'êtes pas de Dieu. » [48]Les Juifs répondirent et lui dirent : « N'avons-nous pas raison de dire que tu es un Samaritain et possédé d'un démon? » [49]Jésus répondit : « Je ne suis pas possédé d'un démon, mais j'honore mon Père, et vous me traitez avec mépris. [50]Pour moi, je ne cherche pas ma gloire ; il est quelqu'un qui [la] cherche et qui juge. [51]En vérité, en vérité je vous [le] dis : Si quelqu'un garde ma

était plus triste d'être possédé du démon; cela avait déjà été dit, mais un peu en l'air (VII, 20); maintenant ils le confirment. καλῶς a très souvent le sens de ὀρθῶς, *recte*, mais beaucoup plus avec ποιεῖν qu'avec λέγειν, comme IV, 17; XIII, 13 ; cependant cf. POLYBE, *Hist.* XXI, 5, 10 (*Bauer*). — Comme précédemment Jo. a fait allusion à la haine nationale bien connue des Juifs pour les Samaritains (IV, 9), il faut beaucoup de parti pris pour voir ici une allusion aux faux prophètes et fils de Dieu venus plus tard de Samarie (*Loisy*, p. 302); tout le sel de cette conjecture est de prendre Samaritain dans le sens où des chrétiens ont pu employer ce mot.

49) Jésus ne relève pas le reproche de Samaritain, peut-être pour ne pas faire un affront à ce peuple, peut-être pour ne pas se targuer de sa descendance d'Abraham. Il se contente de protester qu'il n'est pas possédé. Ce qu'ils prennent pour des blasphèmes suggérés par le démon lui est inspiré au contraire par le désir d'honorer son Père, auteur de sa mission (42). — ἐγώ est opposé à leur grief; ὑμεῖς contraste avec ἐγώ.

50) D'ailleurs Jésus n'ajoutera rien à cette protestation qu'il devait à la vérité, car il ne cherche pas sa gloire (cf. V, 41). Il semble à *Bauer* (contre *Schanz*, *Zahn*, *Belser*, *Loisy*, *Tillmann*) qu'il y a ici une nuance très délicate entre les deux ζητεῖν : avec le second il n'y a pas à sous-entendre : « ma gloire »; mais, étant avec κρίνων, il aurait le sens d'enquêter : « Il y a quelqu'un qui fait une enquête et qui juge. » Ce serait presque un jeu de mots. Pour l'alliance de l'enquête et du jugement, d'ailleurs très naturelle, on pourrait comparer Is. XVI, 5 κρίνων καὶ ἐκζητῶν κρίμα. — Cependant, à tout prendre, l'opinion commune est plus probable, car dans les LXX ζητεῖν n'est guère pris dans le sens de ἐκζητεῖν. — κρίνων n'en a pas moins le sens de juger; précisément parce qu'il poursuit la gloire de Jésus, Dieu jugera en sa faveur. Il va sans dire que ce n'est point en opposition avec V, 22 : l'acte de conférer le pouvoir de juger au Fils équivaut à chercher sa gloire et à la proclamer.

51) Le contexte n'est pas très clair. On dirait que Jésus reprend la pensée du v. 31, car observer ou pratiquer sa parole, c'est y demeurer (31). On peut estimer aussi que le jugement du v. précédent, quoiqu'il soit avant tout à l'honneur de Jésus, est par là même une condamnation de ses adversaires qui l'ont voulu déshonorer. L'idée du jugement amènerait celle de la vie éternelle, comme dans V, 24, où l'on trouve la même association avec l'ordre inverse. Dans les deux cas, l'affirmation est solennelle, et Jésus insiste souvent sur la nécessité de pratiquer sa parole (XIV, 23; XV, 20; XVII, 6) et ses commandements (XIV, 15. 21). Il profite

αἰῶνα. [52] εἶπαν αὐτῷ οἱ Ἰουδαῖοι Νῦν ἐγνώκαμεν ὅτι δαιμόνιον ἔχεις. Ἀβραὰμ ἀπέθανεν καὶ οἱ προφῆται, καὶ σὺ λέγεις Ἐάν τις τὸν λόγον μου τηρήσῃ, οὐ μὴ γεύσηται θανάτου εἰς τὸν αἰῶνα· [53] μὴ σὺ μείζων εἶ τοῦ πατρὸς ἡμῶν Ἀβραάμ, ὅστις ἀπέθανεν; καὶ οἱ προφῆται ἀπέθανον· τίνα σεαυτὸν ποιεῖς; [54] ἀπεκρίθη Ἰησοῦς Ἐὰν ἐγὼ δοξάσω ἐμαυτόν, ἡ δόξα μου οὐδέν ἐστιν· ἔστιν ὁ πατήρ μου ὁ δοξάζων με, ὃν ὑμεῖς λέγετε ὅτι θεὸς ἡμῶν ἐστίν, [55] καὶ οὐκ ἐγνώκατε αὐτόν, ἐγὼ δὲ οἶδα αὐτόν· κἂν εἴπω ὅτι οὐκ οἶδα αὐτόν, ἔσομαι ὅμοιος ὑμῖν ψεύστης· ἀλλὰ οἶδα αὐτὸν καὶ τὸν λόγον αὐτοῦ τηρῶ. [56] Ἀβραὰμ ὁ πατὴρ ὑμῶν ἠγαλλιάσατο ἵνα ἴδῃ τὴν ἡμέραν

54. ημων (TV) ou υμων (HS).
55. καν (TH) ou και εαν (SV). — υμιν (H) ou υμων (TSV).

---

d'un moment de répit pour l'inculquer. Avec lui on avait la liberté dès ce monde, de plus on ne verra pas la mort (Lc. II, 26); à jamais, ce qui dirigeait les esprits vers l'éternité (V, 24; VI, 50).

52) Assurément ce perpétuel malentendu avec les Juifs est étrange. Mais avant d'y voir un pur artifice littéraire, il faut se demander s'il n'était pas dans la nature des choses. Ici on touche du doigt leur parti pris à la fois obstiné et précipité, qui brouille tout. Les Juifs ne relèvent le mot de non-mourir qu'après avoir laissé libre cours à leur joie de tenir leur adversaire, étant sûrs de mettre son affirmation en contradiction avec le fait d'Abraham, qu'il leur avait donné comme modèle. — « goûter » la mort est une autre métaphore que voir la mort, avec une nuance légèrement plus accusée, comme si l'on pouvait échapper à cette amertume! — γεύεσθαι peut indiquer un contact agréable (Heb. VI, 4; I Pet. II. 3), mais avec la mort (Mt. XVI, 28; Mc. IX, 1; Lc. IX, 27; Heb. II, 9) il est âcre (I Regn. XV, 32).

53) Jésus se met-il donc au-dessus des anciens? C'est surtout par rapport à Abraham que cette prétention serait étrange. Les Juifs raisonnent comme si Jésus s'était flatté d'échapper à la mort; il fait bien plus en promettant ce privilège à ses disciples, seulement dans un sens spirituel. Abraham était cependant l'ami et le confident de Dieu : *Et dilexisti eum, et demonstrasti ei temporum finem solo secrete noctu* (IV Esd. III, 14). — σεαυτόν, « ta propre personnalité », plus accentué que σε.

54) L'idée du témoignage rendu et de la glorification alternent dans les paroles de Jésus. Il a revendiqué le droit de se rendre témoignage (14), mais, parlant comme Fils de Dieu incarné, il laisse plus exclusivement à son Père le soin de le glorifier. Il y a quelque chose de plus choquant à se rendre gloire à soi-même qu'à se rendre témoignage; la gloire n'est pas tout à fait synonyme de l'honneur auquel chacun a droit; de plus, quand il s'agit de Jésus, il faut tenir compte du dessein formé dès à présent (δοξάζων) par son Père de le glorifier. Cette gloire future entrevue remplace peu à peu le témoignage qui convenait à la carrière mortelle de Jésus. μαρτυρεῖν en parlant du témoignage surnaturel

parole, il ne verra jamais la mort. » [52]Les Juifs lui dirent : « Maintenant nous voyons bien que tu es possédé d'un démon. Abraham est mort, et [aussi] les prophètes, et tu dis : Si quelqu'un garde ma parole, il ne goûtera jamais la mort! [53]Es-tu plus grand que notre père Abraham, qui est mort? et les prophètes [aussi] sont morts. Qui prétends-tu être? » [54]Jésus répondit : « Si je me glorifie moi-même, ma gloire n'est rien; c'est mon Père qui me glorifie, dont vous dites qu'il est notre Dieu, [55]et vous ne le connaissez pas, mais moi je le connais; et si je disais que je ne le connais pas, je serais semblable à vous, un menteur; mais je le connais et je garde sa parole. [56]Abraham votre père a tressailli de joie [à la pensée] de

rendu à Jésus, si fréquent dans les premiers chapitres, se retrouvera x, 25; xv, 26, mais δοξάζειν, réservé à l'avenir dans vii, 39, reviendra très souvent : xi, 4; xii, 16. 23. 28 (*ter*); xiii, 31. 32; xvi, 14; xvii, 1. 5. 10. On voit donc bien nettement ici un progrès sur v, 32. 36. 37, où il s'agit seulement du témoignage. — ὃν ὑμεῖς λέγετε, non pas par erreur, comme le prétendaient les Marcionites et les Manichéens (*Aug.*), mais pour bien marquer qu'en parlant de son Père il désigne celui que les Juifs reconnaissent pour leur Dieu. Comment Jésus est glorifié, Jo. l'a déjà dit (ii, 11), et l'avenir le montrera bien autrement. — Après Θεός nous préférons ἡμῶν (malgré l'autorité de ℵ BD etc.) qui a l'accent primitif du style direct, à ὑμῶν, plus naturel et plus élégant, mais que personne n'aurait été tenté de changer.

55) A vrai dire, les Juifs ne connaissent pas Dieu (cf. v, 37; vii, 28; viii, 19), quoiqu'ils se fassent une gloire de le connaître eux seuls. La connaissance que Jésus a de son Père autorise sa mission, et nous devons lui être reconnaissants de l'avoir dit si clairement. D'ailleurs pourrait-il dire qu'il ne connaît pas son Père? Ce serait nier ce qui est sa joie, et l'on peut dire, sa raison d'être, ce serait une atteinte à l'honneur de Dieu. Aussi bien ce qu'il en dit est moins pour se glorifier que pour glorifier le Père, puisqu'il met son honneur à observer la parole que Dieu lui fait entendre comme un ordre. Aug. conclut par rapport à nous : *Ergo arrogantia non ita caveatur, ut veritas relinquatur.*

— Le verset est mal coupé : καὶ οὐκ ἐγνώκατε αὐτόν doit se joindre très étroitement à ce qui précède; cf. Tert. *adv. Praxeam* 22, éd. Kroymann : *quem vos dicitis deum esse vestrum nec nostis illum; et ego,* etc. καί ayant presque le sens de « alors que » (*Cyr. Aug.*); contre quelques modernes Schanz, Bauer, Tillmann, qui mettent un point après le v. 54. Cette coupure admise, ψευστής pourrait encore se rapporter au v. 44 : « menteurs comme le diable votre père » : (*Mald. Schanz*), mais il se rapporte plutôt à ce qui précède (*Chrys. Cyr. Thom. Loisy*) : les Juifs mentent en nommant « notre » Dieu celui qu'ils ne connaissent pas. D'ailleurs le mensonge des Juifs dans ce cas peut être plus ou moins inconscient.

56) Deux questions : *a*) Abraham a-t-il vu de son vivant ou après sa mort? *b*) que signifie « mon jour »?

τὴν ἐμήν, καὶ εἶδεν καὶ ἐχάρη. [57] εἶπαν οὖν οἱ Ἰουδαῖοι πρὸς αὐτόν Πεν-

a) Sur le premier point il y avait unanimité avant Maldonat. Du moins il dit : *Omnes auctores, quos legere memini, etiam qui diem Christi tempus incarnationis eius vocari putant, existimant aut sola fide, et figura, aut prophetica revelatione vidisse;* donc du vivant d'Abraham, et ces auteurs sont Irénée (IV, VII, 1), Aug. Chrys. Cyr. Thom. etc.; Mald. prend la liberté de dire qu'Abraham a vu depuis sa mort, et cette opinion est devenue dominante parmi les catholiques (*Schanz, Kn., Calmes, Till., Belser*, etc.) de même Bauer. La raison qu'ils donnent, c'est que ce sens est plus littéral. C'est ce qui ne paraît pas exact, car Abraham, dans les limbes ou dans un paradis quelconque, a pu entendre parler du Christ; il ne l'a pas vu, et l'audition elle-même ne saurait être littérale à propos des âmes. S'il faut recourir à une métaphore, autant vaut-il admettre une vue par révélation. Raisonnant avec les Juifs, s'appropriant l'hommage à lui rendu par leur Abraham qu'ils viennent de relever si fort, Jésus argumentait naturellement de ce qu'enseignait l'Écriture. La joie d'Abraham dans le paradis eût été impossible à contrôler. Quand Jésus s'appuie sur le témoignage du Père, il renvoie à ses œuvres et à l'Écriture (V, 36. 39. 46). Enfin, ce qui paraît décisif, c'est l'analogie de ce passage avec la vue d'Isaïe (cf. XII, 41), qui était bien vivant (cf. *Holtz., Zahn, Loisy*). On peut donc très bien admettre qu'après un acte de foi Abraham a désiré une lumière plus complète qui lui a été accordée par révélation. Quand? C'est la difficulté, qu'on a cru éviter en recourant aux limbes. La réponse dépend peut-être du second point.

b) Le jour du Christ d'après Chrys. et Ammonius (*Catena*) est le jour de la Passion; d'après Cyr., l'Incarnation mais aussi la Passion; d'après Aug., l'Incarnation et la Trinité. Rien n'autorise à le restreindre à un seul moment donné : ce qu'Abraham a désiré voir, c'est sans doute ce qu'ont désiré voir les rois et les prophètes et que les disciples ont vu (Lc. X, 24), à savoir l'action du Messie; *Cyr.* οὐχ' ἕτερόν τί φῆσι παρὰ τὸν τῆς ἐπιδημίας καιρόν. Le singulier ἡμέρα peut indiquer une époque; cf. Lc. XVII, 22.

Si l'objet est aussi général, on ne doit pas non plus chercher dans la vie d'Abraham une circonstance particulière. Jésus n'argumente pas le livre à la main et ne cite ici aucun texte. Ce que tout le monde savait, c'est que la révélation avait été faite à Abraham d'un descendant en qui toutes les nations de la terre seraient bénies. Il allait de soi qu'Abraham devait tressaillir de joie à cette pensée. De là le désir de contempler d'avance cet heureux avènement, désir qui fut en partie comblé par les autres révélations prophétiques diverses racontées par la Genèse. C'est la raison générale donnée par Cyrille ὅτι καθάπερ ἑνὶ τῶν ἁγίων προφητῶν ἀπεκάλυψεν ὁ θεὸς τὸ ἑαυτοῦ μυστήριον.

Que si cependant il fallait avec certains Pères indiquer une révélation particulière, comme dit Cyrille dans l'intérêt des φιλομαθέστεροι, ce ne serait pas le jour du sacrifice d'Isaac qui figurait le Christ, car la joie n'y paraît ni dans le texte ni dans la tradition. Il en est autrement de la naissance d'Isaac, dont le nom signifiait rire. Nous voyons par le livre des Jubilés que ce rire fut interprété d'une grande joie, qu'Abraham partagea avec Sara (Jub. XVI, 19). De même dans Philon, où ce rire devient même un équivalent du fils intime de

voir mon jour ; et il [l'] a vu, et s'est réjoui. » [57]Les Juifs lui dirent alors : « Tu n'as pas encore cinquante ans, et tu as vu Abraham ? »

Dieu. Sur ce passage : « Je te donnerai un enfant » (Gen. xvii, 16), Philon commente : « Celui qui est par excellence le donateur, donne assurément quelque chose de spécial qui vienne de lui. Si cela est incontestable, Isaac ne sera pas un homme, mais le rire, synonyme de la meilleure des bonnes passions, de la joie, lui, le fils intime de Dieu qui le donne comme un adoucissement et un confort aux âmes les plus pacifiques » (*De mutatione nominum*, § 130 s. ; i, 598). Selon une exégèse moins philosophique et plus messianique, le jour d'Isaac, celui de sa naissance, figurait donc le jour du fils de Dieu, c'est-à-dire que dans la figure d'Isaac Abraham a vu le Messie, sa joie à la naissance d'Isaac devenant ainsi une joie pour la naissance du Messie. En d'autres termes, Jésus fixerait ici le sens spirituel de la Bible, déjà entrevu, mais qu'il appliquerait à sa personne.

Quoi qu'il en soit, ἵνα n'est pas final, mais « de », « dans l'espérance de » ; cf. ἐχάρην ἵνα σὲ ἀσπάζομαι (BU iv 1081 l. 3, cité par *Deb.* § 392). εἶδεν et ἐχάρη s'entendent plus naturellement d'une circonstance passée que de la vision actuelle dans les limbes. — Il va sans dire que « Abraham *désira* » serait plus naturel que « Abraham *se réjouit* ». Torrey (cf. *Intr.*, p. cii) aboutit à ce sens en supposant que l'araméen בְּעָא a été lu בָּע (בּוּעַ) « il a jubilé ». Mais si la forme בָּע a existé, il faudrait toujours s'étonner qu'elle ait supplanté dans l'esprit du traducteur une forme très commune et en situation.

57) Les Juifs ne comprennent pas que Jésus parle d'une vue prophétique en figure ; Jésus prétend-il donc avoir déjà vécu au temps d'Abraham ? Si Jésus avait voulu leur dire qu'Abraham voyait en ce moment son jour, le malentendu serait encore plus lourd, et il n'est pas nécessaire de leur prêter la méprise la plus grossière. De plus, le moyen de la dissiper eût été de dire : Abraham vit encore. — Plutôt que de supposer tout d'abord que Jésus s'attribue une préexistence surnaturelle, les Juifs, suivant leur pensée, imaginent qu'étant possédé il n'est pas dans son bon sens, et dit une chose absurde. — Le chiffre de cinquante a créé une difficulté célèbre. Irénée (ii, 22, 5 s.) a conclu de ce passage que Jésus avait alors plus de quarante ans, mais ce qui est plus grave, il assure tenir ce point des anciens, qui eux-mêmes l'auraient appris de Jean de vive voix ; mais ces anciens sont sûrement ceux de Papias (cf. *Introduction*, p. xxxvi). D'autre part il ne discute pas l'âge de trente ans au baptême, et sans faire naître Jésus plus tôt que Lc., il prolonge son existence jusque sous le règne de Claude, dont Ponce Pilate aurait été le procurateur : *Nam Herodes rex Iudaeorum et Pontius Pilatus Claudii Caesaris procurator uniti damnaverunt eum* (*Demonstratio ap. praed.* trad. Weber, p. 100). En quoi il est logique, mais contraire à l'histoire. Il n'y a donc pas à tenir compte de son opinion. D'autre part il serait bien étonnant que Jésus ait eu l'apparence d'avoir passé la quarantaine. Mais, quand on parle d'Abraham, on compte par siècles, ce qui, dans le cas présent devait se réduire à un demi-siècle. Les Juifs, raisonnant avec un homme qui n'a pas sa

τήκοντα ἔτη οὔπω ἔχεις καὶ Ἀβραὰμ ἑώρακας; [58] εἶπεν αὐτοῖς Ἰησοῦς Ἀμὴν ἀμὴν λέγω ὑμῖν, πρὶν Ἀβραὰμ γενέσθαι ἐγώ εἰμι. [59] ἦραν οὖν λίθους ἵνα βάλωσιν ἐπ' αὐτόν· Ἰησοῦς δὲ ἐκρύβη καὶ ἐξῆλθεν ἐκ τοῦ ἱεροῦ.

tête, ne veulent pas s'exposer à une discussion sur son âge; ils font bonne mesure. — « Et Abraham t'a vu » eût été plus logique, mais moins coulant.

58) Ils ne sont pas pour cela à l'abri d'une réplique. Au lieu de répondre : Abraham est encore existant dans les limbes, Jésus affirme qu'Abraham a pu le voir durant sa vie, parce que lui existait déjà, puisqu'il existe : ἐγώ εἰμι ne marque pas seulement la préexistence, pour laquelle ἦν eût suffi; c'est l'existence sans modalité de temps, de celui qui dès le commencement est (I, 1.2.15. 30), opposée à l'existence acquise de celui qui est devenu; c'est la même opposition qu'entre le Logos οὗτος ἦν et Jean : ἐγένετο ἄνθρωπος (I, 2.6). γένεσθαι pourrait très bien signifier « naître », mais il semble que l'opposition est voulue entre « être » et « devenir ».

L'idée que Dieu « est » était familière aux Juifs (cf. Ex. III, 14; Ps. XC, 2; Jer. I, 6; Prov. VIII, 25). — Cette déclaration répondait bien à la difficulté. Existant avant Abraham, sinon dans la chair, du moins en Dieu, le Fils avait pu se montrer à Abraham assez pour éclairer les figures; mais de plus l'affirmation dépassait singulièrement l'horizon où les Juifs s'étaient cantonnés. Il leur faut bien reconnaître que Jésus s'attribue les attributs divins plus clairement qu'il n'avait fait jusqu'alors.

59) Si ce n'était une vérité, c'était un blasphème, qu'il fallait punir par la lapidation (Lev. XXIV, 16). En pareil cas le peuple prenait le parti de Dieu et se déchargeait de la responsabilité collective de l'offense, ce qui l'autorisait à agir par zèle, sans suivre les voies de droit. Les pierres ne manquaient pas dans l'enceinte du Temple, et le peuple savait s'en servir (Jos. *Ant.* XVII, IX, 3 = *Bell.* II, XII, 1) même contre des soldats romains. — Jésus échappe à leurs coups, sinon par un miracle, du moins par un effet très signalé de la Providence qui s'est déjà exercée (VII, 30.44; VIII, 20), parce que son heure n'était pas encore venue. Le conflit est entré dans sa phase la plus aiguë : de la part de Jésus, la lumière; l'aveuglement en vient aux voies de fait.

Chapitre IX. LA GUÉRISON DE L'AVEUGLE-NÉ. — Tout le chapitre IX est rempli par la guérison de l'aveugle-né et ses suites.

a) Circonstance du temps. On s'étonne qu'après que Jésus a dû se cacher pour échapper à la lapidation, il semble circuler librement, et se trouver même à la fin avec des Pharisiens. Pour échapper à la fois à cette difficulté et à celle que présente VII, 21, si loin du miracle de la piscine de Bezatha, Tillmann a imaginé que l'épisode de l'aveugle-né devait se placer avant VII, 21 : mais ce dernier miracle n'a pas, comme le premier, mis au premier plan la question du sabbat. Il est possible en effet qu'il ait eu lieu avant l'explosion de haine de VIII, 59; mais peut-être aussi bien après un peu de temps : une tentative violente et spontanée ne se recommence pas aisément : ce qui est étrange, c'est que le mandat d'amener (VII, 32) n'ait pas eu plus de conséquences; mais Jo. nous en a avertis (VII, 45 ss.). Tout ce qu'on peut dire c'est que Jo. ne s'est pas soucié de dissiper la difficulté du rapprochement littéraire entre VIII,

[58] Jésus leur dit : « En vérité, en vérité je vous [le] dis : avant qu'Abraham fût, je suis. » [59] Ils prirent donc des pierres pour les lui jeter ; mais Jésus se déroba et sortit du Temple.

59 et IX, 1, ce qui n'est certainement pas une objection sérieuse contre la réalité du fait.

D'ailleurs on voit très bien pourquoi il a placé ici ce miracle, ou plutôt comment cet épisode est parfaitement en situation dans la suite de l'histoire. On l'a comparé avec la guérison du malade de la piscine de Bezatha, mais les analogies sont purement extérieures : un miracle offert par Jésus, une piscine, un entretien avec le miraculé, l'irritation des Juifs. Ce qui est caractéristique, c'est que dans le premier cas les Juifs ne voient dans le miracle que la transgression du sabbat qu'ils poursuivent avec acharnement. Dans le cas de l'aveugle-né, c'est tout au plus si les Juifs concluent de la circonstance du sabbat que Jésus est un pécheur : ils sont tout autrement et uniquement préoccupés de nier le miracle lui-même. La cause de Jésus a fait des progrès, et les Pharisiens sentent que, si le miracle est prouvé, il en résultera seulement que Jésus comprend le sabbat mieux qu'eux, étant l'envoyé de Dieu. Ainsi Jo. insiste sur les circonstances, moins pour prouver le miracle à ses contemporains que pour mettre dans tout son jour l'aveuglement des Pharisiens.

Si l'on avait été tenté de trouver durs les reproches du ch. VIII, et la menace que les Juifs mourraient dans leur péché, on comprend maintenant l'obstination diabolique de ce péché qui demeure (41).

b) Caractère symbolique. Mais si les Pharisiens s'obstinent, le miraculé croit. Il est impossible de ne pas voir en lui le type de ceux qui seront guéris du péché et sauvés par la foi en Jésus, en fait par le baptême. Ce miracle est un fait symbolique, comme d'autres signes : *opera, quia facta sunt; verba, quia signa sunt... genus humanum est iste caecus... si enim caecitas est infidelitas, et illuminatio fides... lavit ergo oculos in ea piscina quae interpretatur Missus, baptizatus est in Christo* (*Aug.*). Ces traits s'appuient sur le texte (5. 7. 39). Il n'y a pas lieu de les nier par crainte du système des allégoristes. Ceux-ci prétendent que le récit a été composé de toutes pièces par Jo. en vue d'un enseignement allégorique. Rien de plus contraire à l'intention de l'auteur, qui insiste si fortement sur la réalité des faits. On a même regardé la précision des détails comme une preuve *directe* de cette réalité. Il doit être permis de rappeler que dès l'antiquité on excellait à composer des récits fictifs avec toutes les circonstances les plus menues. Tout dépend de l'intention de l'auteur, qui n'est pas douteuse ici, où il n'y a pas seulement précision des détails, mais contrôle, d'autant que l'enquête des Pharisiens ne saurait avoir aucun sens allégorique. Il reste donc que Jo. a raconté un fait dont il était aisé d'extraire un sens symbolique qu'il n'a pas hésité à mettre en lumière. Et pourquoi Jésus lui-même n'aurait-il pas fait un miracle pour montrer qu'il est la lumière spirituelle des âmes, qu'il est venu la donner dans la foi aux hommes de bonne volonté, conditionnant le résultat de son action à un acte où était symbolisé le baptême?

Le morceau a une unité parfaite. Nous distinguerons cependant :

CHAPITRE IX

[1] Καὶ παράγων εἶδεν ἄνθρωπον τυφλὸν ἐκ γενετῆς. [2] καὶ ἠρώτησαν αὐτὸν οἱ μαθηταὶ αὐτοῦ λέγοντες Ῥαββί, τίς ἥμαρτεν, οὗτος ἢ οἱ γονεῖς αὐτοῦ, ἵνα τυφλὸς γεννηθῇ; [3] ἀπεκρίθη Ἰησοῦς Οὔτε οὗτος ἥμαρτεν οὔτε οἱ γονεῖς αὐτοῦ, ἀλλ' ἵνα φανερωθῇ τὰ ἔργα τοῦ θεοῦ ἐν αὐτῷ. [4] ἡμᾶς δεῖ ἐργάζεσθαι τὰ ἔργα τοῦ πέμψαντός με ἕως ἡμέρα ἐστίν. ἔρχεται νὺξ ὅτε οὐδεὶς

1) Le fait miraculeux, et les premières impressions qu'il cause (1-12); 2) l'enquête des Pharisiens (13-34); 3) l'action du miracle et des paroles de Jésus auprès de l'aveugle guéri et des Pharisiens (35-41).

1-12. Guérison de l'aveugle-né. Premières impressions.

1) παράγων n'empêcherait pas de supposer un certain intervalle (cf. Mc. i, 16; ii, 14; Mt. ix, 9. 27). Dans la perspective de Jo., on dirait que Jésus rencontre l'aveugle en dehors du Temple, où se tenaient les miséreux (Act. iii, 2), l'effervescence populaire ne s'étant pas répandue au dehors. Les synoptiques n'ont aucune guérison d'un aveugle de naissance. Ce trait marque seulement la gravité du mal. Le symbolisme du péché originel (*Aug.*) n'est indiqué par rien de particulier.

2) On est assez surpris de voir ici les disciples dont il n'était plus question depuis le ch. vi, car vii, 3 fait allusion à ceux de la Judée. Leur question ne leur fait pas grand honneur; raison de plus pour y voir une donnée de fait. Les disciples n'avaient garde de s'immiscer dans les controverses; loin de la foule ils retrouvent un peu d'initiative dans l'intimité. S'ils ont su que l'aveugle était né tel, c'est sans doute qu'il le criait à tue-tête pour exciter la compassion, et que l'opinion publique ne le démentait pas. Sur quoi les disciples, convaincus que cette infirmité était un châtiment, se trouvent dans un grand embarras (ἀποροῦντες *Chrys.*). Jésus a semblé attribuer la maladie du miraculé de Bezatha à ses péchés. Mais cette fois que croire? De même, dit Chrys., lorsqu'un enfant souffre, nous demandons avec anxiété : « Qu'a donc fait cet enfant »? selon cette idée si profondément ancrée dans les esprits que Dieu n'inflige pas une souffrance à qui ne l'a pas méritée. Les disciples ne savent donc que penser : lui coupable? Mais on sait bien qu'avant la naissance les enfants n'ont fait ni bien ni mal (Rom. ix, 11). Les parents coupables? Mais pourquoi porterait-il la responsabilité? C'est d'un bon sens un peu court, tel que pouvait être le ressort mental de ces Galiléens peu cultivés. — Les exégètes peu satisfaits de cette admirable exégèse de Chrysostome veulent qu'ils aient eu en vue des systèmes définis, sur lesquels ils veulent obtenir l'avis du Christ. Alors on a recours pour la première hypothèse soit à la préexistence des âmes, connue des Esséniens (Jos. *Bell.* II, viii, 11,) et de Philon (*De gigantibus*, § 6 ss.; i, 263; *De somniis*, I, § 161;

[1] Et en passant il vit un homme aveugle de naissance. [2] Et ses disciples l'interrogèrent, disant : « Rabbi, qui a péché, lui ou ses parents, pour qu'il soit né aveugle ? » [3] Jésus répondit : « Ni lui n'a péché, ni ses parents, mais c'est afin que les œuvres de Dieu soient manifestées en lui. [4] Nous avons à accomplir les œuvres de celui qui m'a envoyé, tant qu'il fait jour; vient la nuit où personne ne peut

I, 648), soit à la prédominance du mauvais penchant dans le sein de la mère, d'après *Sanh.* 91 b (*Wünsche*, p. 537); mais cette prédominance (שולט) indique que la nature est inclinée au mal, elle n'est pas un acte de péché. Pour la seconde hypothèse, les disciples pouvaient hésiter entre les textes qui parlent de la responsabilité jusqu'à la quatrième génération (Ex. xx, 5; Dt. v, 9) et le principe de la responsabilité personnelle posé par Ezéchiel (xviii, 2 ss.; cf. Jer. xxxi, 29 s. Dt. xxiv, 16). — Mais il est peu probable que ces braves gens aient pesé toutes ces considérations!

— ἵνα : c'est un des cas les plus clairs d'un ἵνα consécutif ou métabatique; cas d'autant plus étrange que l'action qui suit ἵνα n'est pas envisagée comme à venir, mais comme réalisée; on peut citer cependant Lc. ix, 45 et Épictète iii, 1, 12 : τί εἶδεν ἐν ἐμοὶ ὁ 'Επίκτητος, ἵνα βλέπων με τοιοῦτον... περιίδῃ <καὶ> μηδέποτε μηδὲ ῥῆμα εἴπῃ; (*Deb.* § 391, 5).

3) Jésus ne résout pas des hypothèses qui n'étaient pas d'ailleurs posées clairement en théorie; il s'en tient au cas qui a mis les disciples dans l'embarras. Ni cet homme n'a péché, comme il est évident, ni ses parents ne sont coupables dans le cas présent et Jésus n'allègue pas non plus le péché originel. La souffrance ne doit donc pas être envisagée dans ses causes, qui échappent assez souvent, mais dans le dessein de Dieu; il apparaît ici plein de miséricorde pour cet homme que son infirmité guérie mettra sur la voie du salut, tandis que les Juifs demeureront aveugles (*Chrys.*). — ἐν αὐτῷ se lie à φανερωθῇ : les œuvres ne sont pas directement la guérison et la conversion qui paraîtront dans l'aveugle, mais dans son cas particulier on verra resplendir les œuvres de Dieu, c'est-à-dire cette action surnaturelle où l'on doit reconnaître à la fois le pouvoir de Jésus et de celui qui l'a envoyé (v, 36; x, 37; xiv, 10). Le pluriel s'explique parce qu'il y a une série dont chaque acte a le même but. Si l'on tient compte du v. 5, il semble que la manifestation montre en Jésus la lumière du monde; la guérison de l'aveugle entre dans ce plan divin, si bien que déjà elle apparaît comme la figure de l'illumination spirituelle. Dès le début le caractère symbolique du miracle est indiqué (*Zahn*, *Loisy*, *Bauer*).

4) ἡμᾶς avec THS (ℵBWDL *sah. boh.* Or. Cyr.) et non εμε avec V (la masse); mais με avec HSV (la masse) et non ημας avec T(ℵWL *sah.*). La leçon difficile qui unit le pluriel et le singulier a été corrigée soit en mettant deux singuliers, ce qui plaçait mieux le Christ en vedette, soit en mettant deux pluriels, ce qui prouve bien l'autorité de ἡμᾶς au début, car ἡμᾶς est tout à fait impossible avec πέμψαντος, qui se dit singulièrement du Christ. ἡμᾶς du début ne signifie pas les contemporains de Jo., comme l'imaginent Bauer et Loisy et n'est pas non plus un pluriel de majesté (iii, 11), puisqu'il est isolé. Il s'applique donc aux dis-

δύναται ἐργάζεσθαι. [5]ὅταν ἐν τῷ κόσμῳ ὦ, φῶς εἰμὶ τοῦ κόσμου. [6]ταῦτα εἰπὼν ἔπτυσεν χαμαὶ καὶ ἐποίησεν πηλὸν ἐκ τοῦ πτύσματος, καὶ ἐπέχρισεν αὐτοῦ τὸν πηλὸν ἐπὶ τοὺς ὀφθαλμούς, [7]καὶ εἶπεν αὐτῷ Ὕπαγε νίψαι εἰς τὴν κολυμβήθραν τοῦ Σιλωάμ (ὃ ἑρμηνεύεται Ἀπεσταλμένος). ἀπῆλθεν οὖν καὶ

6. επεχρισεν (TSV) plutôt que επεθηκεν (H).

---

ciples, mis en scène dès le début et que Jésus associe ici à son œuvre (IV, 38), en conformité avec la tradition synoptique (Mc. VI, 7 ss. et parall.). Le devoir pour l'envoyé de Dieu et pour ses disciples est de travailler tant qu'il fait jour. C'est comparer leur activité à celle des bons ouvriers qui ne s'arrêtent qu'à la nuit; car dans les civilisations anciennes, spécialement en Judée, tout travail cessait à la nuit. Cependant ἔρχεται νύξ introduit la nuit comme une personne, si bien que le sens allégorique se présente naturellement : c'est la mort qui arrête même les plus ardents. Mais ce n'est ni uniquement la mort du Christ, ni le jugement dernier; c'est un terme propre à chacun quoique le même pour tous.

5) Jésus suppose que son activité à lui-même sera interrompue d'une certaine manière, et on entend bien que ce sera par la mort qui le fera sortir de ce monde; mais tant qu'il y agit comme homme, il est sa lumière. Ce n'est pas précisément parce que cette lumière ne peut supporter la cécité comme une sorte de résistance à ses bienfaits qu'il guérira un aveugle, puisqu'il ne les guérit pas tous; mais parce que cette guérison sera la figure de la lumière qu'il est venu répandre (cf. I, 8 s.; III, 19; VIII, 12; XII, 35). — ὅταν *quandiu* (Vg) cf. Lc. XI, 34 et non *quandoquidem*, car si le Verbe est toujours la lumière du monde (I, 4), il s'est manifesté cependant d'une manière spéciale durant sa vie mortelle (VIII, 12). — Il faut se garder de rattacher trop étroitement ce v. au précédent, comme si le Christ était la lumière nécessaire à son propre travail, ce qui serait une image étrange. Le dessein de travailler aux œuvres de son Père étant pris, Jésus s'approche de l'aveugle, et fait cette réflexion qu'il est la lumière du monde. La leçon ἡμᾶς au v. 4 n'est donc nullement impossible (contre *Loisy*).

6 s.) Jésus qui est la lumière, se dispose donc à donner la vue à l'aveugle. Il prend très nettement l'initiative, comme les Pères l'ont remarqué, et procède sans demander son avis à l'infirme dont il se réserve d'éprouver la foi d'une autre façon. Ce qui suit est très mystérieux et a été interprété de bien des manières, selon de multiples combinaisons. Il faut partir de ce point reconnu de tous, semble-t-il, que le miracle ne s'est fait que lorsque l'aveugle s'est lavé dans la piscine. Nous en concluons qu'on peut très bien n'attribuer au premier acte aucune vertu efficiente. Jésus s'est servi de sa salive comme moyen de guérison (Mc. VII, 33; VIII, 23), mais ici ce qu'il se propose d'employer, c'est de la boue; s'il crache à terre pour cela, c'est sans doute qu'il n'a pas d'eau sous la main. Il fait donc de la boue, et il en oint les yeux de l'aveugle. C'eût été le condamner à ne pas voir, s'il n'avait déjà été aveugle : c'est cécité sur cécité. L'idée ne pouvait venir à personne que cette boue avait le pouvoir de

travailler. [5]Durant que je suis dans le monde, je suis la lumière du monde. » [6]Ayant ainsi parlé, il cracha à terre et fit de la boue avec la salive, et enduisit ses yeux de cette boue, [7]et il lui dit : « Va, lave-toi à la piscine de Siloé », [mot] qui signifie *envoyé*. Il alla

guérir. C'était donc une manière de rendre la cécité encore plus évidente avant de la guérir (*Chrys.*). Le miracle, opéré au moment voulu, n'en serait que plus extraordinaire. Mais n'est-ce pas là une action symbolique à la façon des anciens prophètes (III Regn. xxii, 11; Is. viii, 1-4.18; Jer. xix, 1 ss., xxvii, 2 ss.)? Plusieurs Pères l'ont pensé. Irénée (V, xv, 2) a cru que Jésus symbolisait l'acte de la création de l'homme et se mettait donc sur le même rang que le Créateur, mais ne voyait pas là comme Loisy l'indice d'une création spirituelle. Des deux façons l'analogie est trop éloignée, car la boue appliquée sur les yeux ne peut être censée réparer la lacune laissée par le Créateur à l'enfant dans le sein de sa mère, puisque c'est l'eau qui fera le miracle. Si elle ne fait, comme nous l'avons dit, qu'extérioriser la cécité, on pourra croire avec Érasme qu'elle marque le renoncement à la lumière propre : *plus quam caecus fiat oportet, qui velit accipere lucem a Christo* (cité par *Schanz*). L'aveugle, avec ses yeux ouverts, avait l'apparence de la vue ; il lui faut renoncer à une connaissance d'apparence pour recevoir la vraie lumière du Christ (*Zahn*), ou, comme dit Augustin, il entre d'abord dans les rangs des catéchumènes, ce qui suppose l'humilité et la disposition à accepter les ordres du Christ.

L'ordre du Christ c'est d'aller se laver à une piscine, épreuve pour la foi plus sérieuse que celle de Naaman le syrien (IV Regn. v, 1 ss.), puisque Jésus a commencé la cure d'une si étrange façon. Si son remède ne pouvait rien, qu'ajouterait l'ablution qui le ferait disparaître? Cette piscine est celle de Siloé, récemment découverte par M. Fr. Bliss (*Jérusalem*... par les PP. Vincent et Abel, t. II, ch. xxxiv, § 2). Le nom de שִׁלֹחַ (Is. viii, 6) a été rendu Σιλωαμ par le ms. sinaïtique. C'était un nom propre qui désignait d'abord le canal amenant l'eau de la source intermittente nommée aujourd'hui *'Aïn Sitti Mariam*, et qui par conséquent signifiait quelque chose comme l'envoyeur, celui qui transmet l'eau. De ce nom vulgaire, Jo. fait un nom symbolique, qui signifiera l'envoyé, comme si la forme était passive, c'est-à-dire l'envoyé par excellence (cf. iii, 17; iv, 25; v, 24.30.36; vi, 29.38.44.57; vii, 16.18.28.29.33; viii, 16.18.26.29.42; ix, 4), Jésus lui-même. Comment donc Jésus envoie-t-il l'aveugle à Jésus? Il l'envoie plutôt à la piscine qui porte son nom, et où son action se fera sentir par le baptême. Il n'y a aucune discordance à attribuer à Jésus lui-même ce symbolisme après les déclarations à Nicodème (iii, 5 ss.). L'aveugle obéit ponctuellement, et s'en va ayant acquis la vue.

— Nous lisons ἐπέχρισεν car ἐπέθηκεν n'est soutenu que par B et un autre ms., et peut-être C; ils ont pu l'emprunter au v. 15. — αὐτοῦ ne peut se rapporter à Jésus; c'est le complément de τοὺς ὀφθαλμούς, placé en avant pour mettre l'aveugle en relief, et corrigé en αὐτῷ par quelques mss. — νίψαι εἰς cf. Mc. i, 9; non pas en entrant dans la piscine, mais simplement en se penchant pour y laver ses yeux.

ἐνίψατο, καὶ ἦλθεν βλέπων. [8] Οἱ οὖν γείτονες καὶ οἱ θεωροῦντες αὐτὸν τὸ πρότερον ὅτι προσαίτης ἦν ἔλεγον Οὐχ οὗτός ἐστιν ὁ καθήμενος καὶ προσαιτῶν; [9] ἄλλοι ἔλεγον ὅτι οὗτός ἐστιν· ἄλλοι ἔλεγον Οὐχί, ἀλλὰ ὅμοιος αὐτῷ ἐστιν. ἐκεῖνος ἔλεγεν ὅτι Ἐγώ εἰμι. [10] ἔλεγον οὖν αὐτῷ Πῶς οὖν ἠνεῴχθησάν σου οἱ ὀφθαλμοί; [11] ἀπεκρίθη ἐκεῖνος Ὁ ἄνθρωπος ὁ λεγόμενος Ἰησοῦς πηλὸν ἐποίησεν καὶ ἐπέχρισέν μου τοὺς ὀφθαλμοὺς καὶ εἶπέν μοι ὅτι Ὕπαγε εἰς τὸν Σιλωάμ καὶ νίψαι· ἀπελθὼν οὖν καὶ νιψάμενος ἀνέβλεψα. [12] καὶ εἶπαν αὐτῷ Ποῦ ἐστιν ἐκεῖνος; λέγει Οὐκ οἶδα. [13] Ἄγουσιν αὐτὸν πρὸς τοὺς Φαρισαίους τόν ποτε τυφλόν. [14] ἦν δὲ σάββατον ἐν ᾗ ἡμέρᾳ τὸν πηλὸν ἐποίησεν ὁ Ἰησοῦς καὶ ἀνέῳξεν αὐτοῦ τοὺς ὀφθαλμούς. [15] πάλιν οὖν ἠρώτων αὐτὸν καὶ οἱ Φαρισαῖοι πῶς ἀνέβλεψεν. ὁ δὲ εἶπεν αὐτοῖς

9. *om.* δε *p.* αλλοι 2° (TH) plutôt que *add.* (SV). — *om.* δε *p.* εκεινος (THV) et non *add.* (S).
14. εν η ημερα (THV) plutôt que οτε (S).

8-12) Circonstances qu'on regarde ordinairement comme destinées à prouver aux lecteurs la réalité du miracle. Mais Jo. ne s'en préoccupe pas ordinairement; il veut assurément être cru, mais surtout montrer comment l'événement avait *dès lors* toute l'authenticité désirable. Ceux mêmes qui avaient d'abord répugné à croire au miracle se sont bien vite rendus à l'évidence et ont seulement interrogé sur les circonstances. Il n'en sera pas de même des Pharisiens.

8) On suppose l'aveugle rentré chez lui, où il était connu des voisins; d'autres s'étaient accoutumés à le voir assis à une place fixe, suivant l'usage des mendiants, qui ont chacun leur quartier. — ὅτι : on le connaissait pour cette raison.

10) οὖν, car ils ne pouvaient raisonnablement refuser de le reconnaître quoique le don de la vue ait changé sa physionomie.

11) L'aveugle guéri n'a pas encore bien réfléchi sur son cas. Jésus n'est d'abord qu'un homme quelconque. Le nom pouvait être assez commun, mais Jésus était déjà assez célèbre pour que ce nom seul le désignât. — ἀναβλέπειν signifie ordinairement recouvrer la vue. Pour un cas soi-disant miraculeux, cf. Ditt. *Syll.* 807 (après 138 ap. J.-C.) : deux aveugles sont guéris par Esculape, dont l'un, soldat, n'était pas aveugle de naissance, mais cela n'est pas dit non plus du premier. On a donc prétendu que ce mot est emprunté aux synoptiques (Mt. xx, 34; Mc. x, 52). En fait Jo. semble l'avoir évité à dessein, en employant βλέπω (7.15.19.21.25), mais il a pu se servir sans scrupule du mot admis couramment à propos des aveugles; c'est aussi le cas dans Pausanias, IV, xii, 7, cité depuis longtemps : συνέβη τὸν Ὀφιονέα... τὸν ἐκ γενετῆς τυφλὸν ἀναβλέψαι : la vue est naturelle; l'aveugle-né guéri rentre dans son droit.

donc, et se lava, et s'en alla voyant clair. [8] Les voisins donc et ceux qui avaient accoutumé de le voir auparavant, car il était mendiant, disaient : « N'est-ce pas celui qui était assis et mendiait ? » [9] D'autres disaient : « C'est lui ! » D'autres disaient : « Non, mais il lui ressemble. » Lui dit : « C'est moi. » [10] Ils lui disaient donc : « Comment tes yeux ont-ils été ouverts ? » [11] Il répondit : « L'homme qu'on appelle Jésus a fait de la boue et m'a enduit les yeux et m'a dit : Va à Siloé et lave-toi ; je suis donc allé, je me suis lavé et j'ai recouvré la vue. » [12] Et ils lui dirent : « Où est-il ? » Il dit : « Je ne sais. »

[13] On l'amène aux Pharisiens, celui qui avait été aveugle. [14] C'était dans un jour de sabbat que Jésus avait fait la boue et lui avait ouvert les yeux. [15] De nouveau donc les Pharisiens aussi lui demandaient comment il avait recouvré la vue. Il leur dit : « Il a mis

12) Il faut convenir que le miraculé lui-même ne montre pas beaucoup d'empressement envers son bienfaiteur. Ceux qui sont en cause ne sont pas tous des gens très bien élevés, de sentiments délicats; mais enfin ils n'affectent pas de fermer les yeux à l'évidence.

13-34. L'ENQUÊTE DES PHARISIENS. LEUR OBSTINATION.

13) D'après Loisy : « Dans la perspective du récit, l'on est toujours au sabbat, qui est en même temps, dans la perspective actuelle de l'évangile, le dernier jour de la fête des tabernacles » (p. 312). — Mais Bauer remarque avec raison que Jo. ne se soucie nullement de ces prétendues perspectives chronologiques, et Zahn que le présent ἄγουσι, sans lien avec les passés qui précèdent, suggère plutôt qu'un certain temps s'est écoulé; il n'est même pas clair que les personnes mises en scène soient le sujet du verbe; ce peut être : « on amène »... Il n'est pas indiqué non plus que l'intention ait été mauvaise, comme si l'on avait voulu poursuivre une violation du sabbat.

14) Si c'était formellement pour dénoncer Jésus qu'ils sont venus, il eût fallu écrire ἦν γάρ. — δέ au lieu de γάρ indique que ce trait n'est utile à connaître que pour ce qui suit, pour expliquer d'une certaine façon l'attitude des Pharisiens. En elle-même la guérison de l'aveugle était un fait extraordinaire sur lequel on désirait avoir l'avis des Pharisiens, chefs spirituels auxquels on en référait pour tout ce qui avait un côté religieux. Il n'est pas question du Sanhédrin. — Cyrille a bien vu que la proposition incidente a quelque chose d'ironique : n'était-il pas ridicule qu'on pût prendre feu pour si peu ! ἐπισημαίνεται τὴν τοῦ πράγματος γελοιότητα. — ἐν ᾗ ἡμέρᾳ est certainement plus probable que ὅτε. Ce jour est déjà passé.

15) οὖν se rapporte à πάλιν, qui se rapporte au v. 10 : ce n'est pas à cause du sabbat qu'il se fait une *seconde* interrogation, mais parce qu'il y en a eu une première. — De nouveau l'aveugle ne parle pas de la salive (11); peut-être parce qu'il n'avait pas vu l'opération (*Catena*); c'est cependant un indice que Jo. n'y attache pas une portée spéciale miraculeuse.

Πηλὸν ἐπέθηκέν μου ἐπὶ τοὺς ὀφθαλμούς, καὶ ἐνιψάμην, καὶ βλέπω. [16] ἔλεγον οὖν ἐκ τῶν Φαρισαίων τινές Οὐκ ἔστιν οὗτος παρὰ θεοῦ ὁ ἄνθρωπος, ὅτι τὸ σάββατον οὐ τηρεῖ. ἄλλοι δὲ ἔλεγον Πῶς δύναται ἄνθρωπος ἁμαρτωλὸς τοιαῦτα σημεῖα ποιεῖν; καὶ σχίσμα ἦν ἐν αὐτοῖς. [17] λέγουσιν οὖν τῷ τυφλῷ πάλιν Τί σὺ λέγεις περὶ αὐτοῦ, ὅτι ἤνοιξέν σου τοὺς ὀφθαλμούς; ὁ δὲ εἶπεν ὅτι Προφήτης ἐστίν. [18] Οὐκ ἐπίστευσαν οὖν οἱ Ἰουδαῖοι περὶ αὐτοῦ ὅτι ἦν τυφλὸς καὶ ἀνέβλεψεν, ἕως ὅτου ἐφώνησαν τοὺς γονεῖς αὐτοῦ τοῦ ἀναβλέψαντος [19] καὶ ἠρώτησαν αὐτοὺς λέγοντες Οὗτός ἐστιν ὁ υἱὸς ὑμῶν, ὃν ὑμεῖς λέγετε ὅτι τυφλὸς ἐγεννήθη; πῶς οὖν βλέπει ἄρτι; [20] ἀπεκρίθησαν οὖν οἱ γονεῖς αὐτοῦ καὶ εἶπαν Οἴδαμεν ὅτι οὗτός ἐστιν ὁ υἱὸς ἡμῶν καὶ ὅτι τυφλὸς ἐγεννήθη· [21] πῶς δὲ νῦν βλέπει οὐκ οἴδαμεν, ἢ τίς ἤνοιξεν αὐτοῦ τοὺς ὀφθαλμοὺς ἡμεῖς οὐκ οἴδαμεν· αὐτὸν ἐρωτήσατε, ἡλικίαν ἔχει, αὐτὸς περὶ ἑαυτοῦ λαλήσει. [22] ταῦτα εἶπαν οἱ γονεῖς αὐτοῦ ὅτι ἐφοβοῦντο τοὺς Ἰου-

17. ηνοιξεν (TV) ou ηνεωξεν (H) plutôt que ανεωξεν (S).
20. ουν (TH) plutôt que δε (S) ou *om.* (V).

---

16) Au premier moment le fait paraît avéré; mais une partie des Pharisiens y veut voir la preuve que Jésus n'a pas agi en envoyé de Dieu, puisqu'il a violé le sabbat. D'autres leur demandaient si l'on pouvait regarder comme pécheur quelqu'un qui faisait des prodiges non pas quelconques, mais aussi extraordinaires. Grave sujet de discussion et de division (cf. VII, 43).

17) On dirait qu'ils se sont mis d'accord pour avoir là-dessus l'avis de l'aveugle, mais on ne peut les croire disposés à se rendre à son avis, la suite le montrera bien. Ceux ou plutôt celui qui interroge au nom de tous escompte donc une réponse défavorable à Jésus. — L'aveugle a sans doute réfléchi aux circonstances de sa guérison, et il ne manque pas de courage, car il a pu se rendre compte des sentiments hostiles d'une bonne partie des enquêteurs. Il parle comme la Samaritaine (IV, 19). ὅτι est cité par Burney (p. 76) comme représentant le pronom relatif araméen *de* : « *qui* t'a ouvert », mais ce peut être en grec une expression concise; cf. II, 18. — ἤνοιξεν est beaucoup plus soutenu que ἠνέῳξεν (avec trois augments) de B W et une dizaine de mss. L'auteur qui vient d'écrire ἀνέῳξεν, a peut-être voulu varier; cf. v. 32.

18) Les adversaires de Jésus — et tous ces Pharisiens en étaient — ne songent pas un instant à conclure comme l'aveugle; mais sa réponse a du moins le résultat de les convaincre que l'opinion des dissidents est irréfutable, si le fait est authentique. Peut-être ces dissidents n'avaient-ils soulevé leur difficulté que pour montrer le danger d'accepter trop facilement le fait. Jo. ne parle plus d'eux. L'accord se rétablit sans doute, car nier le fait était une manière commode de résoudre la difficulté spéculative. On pouvait d'ailleurs retenir l'accusation de violer le sabbat, sauf à nier le résultat miraculeux. C'est sur ce point que se concentrent tous les efforts des Juifs, nouveau nom donné aux

de la boue sur mes yeux, et je me suis lavé, et je vois clair. » [16]Quelques-uns donc des Pharisiens disaient : « Cet homme n'est pas de Dieu, puisqu'il ne garde pas le sabbat. » D'autres disaient : « Comment un homme pécheur pourrait-il faire de tels miracles? » Et ils étaient en désaccord. [17]Ils disent donc de nouveau à l'aveugle : « Toi, que dis-tu de lui, après qu'il t'a ouvert les yeux? » Lui dit : « C'est un prophète. » [18]Les Juifs ne crurent donc point qu'il eût été aveugle et qu'il eût recouvré la vue, jusqu'à ce qu'ils eussent fait appeler les parents de celui qui avait recouvré la vue, [19]et ils les interrogèrent, disant : « Est-ce ici votre fils, dont vous dites qu'il est né aveugle? Comment donc voit-il clair à présent? » [20]Ses parents répondirent donc et dirent : « Nous savons que c'est bien notre fils et qu'il est né aveugle; [21] mais comment voit-il clair maintenant, nous ne le savons pas, ni qui lui a ouvert les yeux; interrogez-le; il a l'âge; il parlera pour soi. » [22]Ses parents parlèrent ainsi parce qu'ils craignaient les Juifs, car déjà les Juifs étaient

mêmes personnes, pour désigner les puissants adversaires de Jésus. — Noter l'élégance du changement des temps : il était alors et habituellement (ἦν), mais il a, à un moment donné, acquis la vue (ἀνέβλεψεν). — ἕως ὅτου « pas avant d'avoir appelé », ce qui n'indique pas qu'ils ont cru après. Ils commencent par différer leur assentiment, comme s'ils étaient prêts à se rendre.

19) Les Juifs ne mettent pas en doute qu'il voie, ni qu'il soit leur fils, mais ils cherchent à les embarrasser : s'il était né aveugle comme ils le prétendent, et comme cela paraît impossible, alors qu'ils fournissent une explication de ce changement invraisemblable. La première question comprend deux points : identité de la personne; sa situation avant le moment critique.

20 s.) Les parents fixent les deux premiers points et se dérobent sur le point scabreux, mais avec la maladresse de témoins laissant voir qu'ils en savent long tout en refusant de répondre, et d'autant plus gauchement que leur réticence dissimule mal leur soupçon : Jésus était la vraie raison d'être de l'enquête et l'objet de la haine des Juifs. S'ils ne parlent pas, c'est pour ne pas se compromettre; quant à leur fils, il s'est déjà compromis, qu'il s'arrange. ἡλικία a certainement eu en Égypte le sens de majorité (Papyrus cités par *MM.*, par exemple P. Ryland II, 256 [1er s. av. J.-C.] ἐμοῦ ἐν ἡλικίᾳ γεγονότος, etc.), mais on ne saurait dire si Jo. a visé ce sens technique.

22) La crainte des parents se comprend très bien. Reconnaître que le miracle avait été fait par Jésus, ce n'était pas le confesser comme Christ, mais c'était tout de même lui rendre un hommage éclatant que les malintentionnés pouvaient interpréter comme une adhésion au Messie. Il n'y a aucune raison de révoquer en doute l'affirmation de Jo. Dès le retour de la captivité les Juifs pratiquèrent l'exclusion de la communauté; cf. II Esdr. x, 8 καὶ αὐτὸς διασταλή-

δαίους, ἤδη γὰρ συνετέθειντο οἱ Ἰουδαῖοι ἵνα ἐάν τις αὐτὸν ὁμολογήσῃ Χριστόν, ἀποσυνάγωγος γένηται. [23] διὰ τοῦτο οἱ γονεῖς αὐτοῦ εἶπαν ὅτι Ἡλικίαν ἔχει, αὐτὸν ἐπερωτήσατε. [24] Ἐφώνησαν οὖν τὸν ἄνθρωπον ἐκ δευτέρου ὃς ἦν τυφλὸς καὶ εἶπαν αὐτῷ Δὸς δόξαν τῷ θεῷ· ἡμεῖς οἴδαμεν ὅτι οὗτος ὁ ἄνθρωπος ἁμαρτωλός ἐστιν. [25] ἀπεκρίθη οὖν ἐκεῖνος Εἰ ἁμαρτωλός ἐστιν οὐκ οἶδα· ἓν οἶδα ὅτι τυφλὸς ὢν ἄρτι βλέπω. [26] εἶπαν οὖν αὐτῷ Τί ἐποίησέν σοι; πῶς ἤνοιξέν σου τοὺς ὀφθαλμούς; [27] ἀπεκρίθη αὐτοῖς Εἶπον ὑμῖν ἤδη καὶ οὐκ ἠκούσατε· τί πάλιν θέλετε ἀκούειν; μὴ καὶ ὑμεῖς θέλετε αὐτοῦ μαθηταὶ γενέσθαι; [28] καὶ ἐλοιδόρησαν αὐτὸν καὶ εἶπαν Σὺ μαθητὴς εἶ ἐκείνου, ἡμεῖς δὲ τοῦ Μωυσέως ἐσμὲν μαθηταί· [29] ἡμεῖς οἴδαμεν ὅτι Μωυσεῖ λελάληκεν ὁ θεός, τοῦτον δὲ οὐκ οἴδαμεν πόθεν

26. *om.* παλιν *p.* αυτω (TH) et non *add.* (SV).
27. αυτου μαθηται (THV) ou μ. α. (S).
28. και 1° (H) ou *om.* (TV) mais non οι δε (S).

σεται ἀπὸ ἐκκλησίας τῆς ἀποικίας. Dans Lc. VI, 22, le mot employé est ἀφορίζειν dans Jo. ἀποσυνάγωγος, XII, 42; XVI, 2. C'était une mesure individuelle, qui se perpétua dans les communautés chrétiennes (I Cor. V, 2. 5), et qu'il ne faut pas confondre avec la malédiction prononcée contre les chrétiens par les Juifs (cf. *Le Messianisme...* p. 294). D'ailleurs nous ne sommes pas informés pour cette époque sur le détail de cette excommunication, sa durée, les pénalités secondaires qu'elle comportait (défense de se couper les cheveux, *Moed Qatôn*, III, 1-2) etc. Il est très vraisemblable que les chefs des Juifs s'en soient servis contre ceux qui adhéraient à Jésus. D'après VII, 52, ils avaient nettement pris parti contre ce qu'ils regardaient comme des prétentions messianiques. Entre eux et Jésus le désaccord était des plus graves : il était un Messie qui se disait proprement Fils de Dieu. Mais le public n'avait pas à pénétrer dans cette sphère; il suffisait de le mettre en garde contre les séductions qui étaient à sa portée. On pourra comparer la parole de Chime'ôn ben Chetakh qui envoya dire à R. Khoni : Je t'excommunierais (à cause de la témérité de sa prière) si tu n'étais Khoni... tu es comme un fils auprès de Dieu; il fait ce qu'il te plaît, etc. (*Taanith*, III, 8). — On s'étonne de l'assurance de M. Loisy : « Une telle excommunication existait certainement au temps où fut écrit notre évangile; elle n'existait certainement pas encore aux premiers temps de la prédication chrétienne, à plus forte raison au temps de Jésus » (p. 314). N'aurait-il pas confondu la menace d'excommunication au temps de Jésus que nous connaissons par Jo. et la malédiction du *Chemoné-esré*? Évidemment l'excommunication des chrétiens comme tels n'existait pas au temps de Jésus; mais l'excommunication existait, et les Juifs durent l'employer pour arrêter le progrès de la doctrine de Jésus de son vivant aussi bien qu'après sa mort.

23) Répétition qui ne serait pas sans redondance, si Jo. n'avait voulu insister

convenus que quiconque reconnaîtrait [Jésus] pour le Messie serait exclu de la synagogue. [23] C'est pourquoi ses parents dirent : « Il a l'âge, questionnez-le. » [24] Ils firent donc appeler une seconde fois l'homme qui avait été aveugle, et ils lui dirent : « Rends gloire à Dieu ! nous savons, nous, que cet homme est un pécheur. » [25] Celui-ci donc répondit : « S'il est un pécheur, je ne sais; je sais seulement que j'étais aveugle et que je vois clair à présent. » [26] Ils lui dirent donc : « Que t'a-t-il fait? Comment t'a-t-il ouvert les yeux? » [27] Il leur répondit : « Je vous l'ai déjà dit, et vous n'avez pas écouté. Pourquoi voulez-vous [l']entendre encore? Est-ce que vous aussi vous voulez devenir ses disciples? » [28] Et ils l'injurièrent et dirent : « C'est toi qui es son disciple ! nous, nous sommes disciples de Moïse; [29] nous savons que Dieu a parlé à Moïse,

sur la peur qu'inspiraient les Juifs, et sur les obstacles qu'ils mettaient à la foi.

24) Bien plus ils essayent de peser sur le miraculé lui-même, au nom de leur compétence dans l'appréciation des valeurs morales et religieuses. Au besoin ils reconnaîtraient le miracle, pourvu qu'il n'ait pas été fait par Jésus : cela seul leur importe. Cependant la formule « rends gloire à Dieu » ne signifie pas : « rapporte à Dieu seul l'honneur du miracle »; c'est une adjuration de dire la vérité (Jos. VII, 19; cf. I (III) Esdr. IX, 8; Esdr. X, 11), et cela pour arracher un mensonge !

25) Réponse plus courageuse qu'elle ne paraît, car elle est ironique : vous savez ce que vous savez; je sais ce que je sais. A vous de faire une conciliation, qui a déjà été jugée impossible (16). — ὤν, participe présent pour le passé; cf. Mt. XXVII, 40; Apoc. XX, 10.

26) Alors comment faire? retour aux vv. 10 et 15. C'est bien ici qu'on piétine, indice évident de l'embarras de la hiérarchie.

27) Cette fois l'ironie est flagrante, et devait passer auprès des Pharisiens pour de l'insolence. — Ordinairement θέλειν est suivi de l'infinitif de l'aoriste; mais ici : « Voulez-vous toujours entendre la même chose (*Deb.* § 338), devenir peu à peu ses disciples »? — μή suppose une réponse négative. Le trop charitable Augustin, et qui aime l'antithèse, fait dire à l'aveugle qu'il serait bien aise de leur conversion *iam vides, sed non invides;* alors qu'il n'est même pas encore dit que l'aveugle se soit rangé parmi les disciples.

28) Ces Pharisiens bien élevés descendent à l'insulte, et estiment insulter encore en conseillant à l'aveugle de se faire disciple de Jésus. Ils lui rejettent son ironie, et lui laissent entendre qu'il n'est plus disciple de Moïse s'il fait ce pas, car on ne peut être avec le législateur et avec celui qui viole la Loi.

29) S'ils s'en étaient tenus au premier point ! Mais le parallélisme par contraste les engage à dire qu'ils ne savent pas si Jésus a un mandat de Dieu.

ἐστίν. [30] ἀπεκρίθη ὁ ἄνθρωπος καὶ εἶπεν αὐτοῖς Ἐν τούτῳ γὰρ τὸ θαυμαστόν ἐστιν ὅτι ὑμεῖς οὐκ οἴδατε πόθεν ἐστίν, καὶ ἤνοιξέν μου τοὺς ὀφθαλμούς. [31] οἴδαμεν ὅτι ὁ θεὸς ἁμαρτωλῶν οὐκ ἀκούει, ἀλλ' ἐάν τις θεοσεβὴς ᾖ καὶ τὸ θέλημα αὐτοῦ ποιῇ τούτου ἀκούει. [32] ἐκ τοῦ αἰῶνος οὐκ ἠκούσθη ὅτι ἤνοιξέν τις ὀφθαλμοὺς τυφλοῦ γεγεννημένου· [33] εἰ μὴ ἦν οὗτος παρὰ θεοῦ, οὐκ ἠδύνατο ποιεῖν οὐδέν. [34] ἀπεκρίθησαν καὶ εἶπαν αὐτῷ Ἐν ἁμαρτίαις σὺ ἐγεννήθης ὅλος, καὶ σὺ διδάσκεις ἡμᾶς; καὶ ἐξέβαλον αὐτὸν ἔξω. [35] Ἤκουσεν Ἰησοῦς ὅτι ἐξέβαλον αὐτὸν ἔξω, καὶ

31. ο θεος αμαρτωλων (H) ou αμ. ο. θ. (STV).
32. ηνοιξεν (TSV) ou ηνεωξεν (H).
35. *om.* αυτω *p.* ειπεν (TH) plutôt que *add.* (SV). — του ανθρωπου (TH) plutôt que του θεου (SV).

---

30) Ils ont prêté le flanc, l'homme enfonce le trait. — γάρ au sens de « certes » dans une réplique vive qui sonne comme un défi; cf. Aristophane, *Ranae* 262, τούτῳ γὰρ οὐ νικήσετε.

31) οἴδαμεν : « nous savons » après « je sais » et « vous ne savez pas », qui est lui-même après « nous savons ». Décidément l'aveugle avait prêté l'ouïe au cliquetis des mots. Cette fois, dit-il, nous voilà d'accord sur un point qui est en effet enseigné à chaque page de la Bible (Ps. xviii, 41 s., Prov. i, 27 ss.; xv, 29; Is. i, 11. 15, etc. sans parler de Job). Dieu est toujours prêt à accorder le pardon aux pécheurs; mais, tant qu'ils ne changent pas de dispositions, on ne conçoit pas qu'il fasse en leur faveur des miracles. Il en est autrement de ceux qui ajoutent à la piété la pratique de la volonté de Dieu, ce qui était bien l'enseignement et le fait de Jésus (iv, 34; vi, 38). Dans la rigueur des termes la proposition est trop générale (Aug. : *adhuc inunctus loquitur*), mais elle est limitée par le sujet.

32) Le procédé employé n'avait rien de comparable aux interventions chirurgicales. — Pour la forme de ἀνοίγω cf. sur v. 17; ἠνέῳξεν est encore moins soutenu cette fois, mais toujours par B W; cette forme aurait-elle été plus usitée en Égypte?

33) Cette fois le miraculé conclut ouvertement, comme entraîné par son propre syllogisme; il n'emploie pas cependant le mot de Messie, comme pour s'arrêter au point où il se sent irréfutable.

34) D'après Tillmann, les Pharisiens tranchent contre l'aveugle la question posée au v. 2; sa cécité serait la suite et le châtiment de ses péchés. C'est se décider sans raison à leur attribuer une opinion étrangère à la foi d'Israël. Il était écrit de tout homme qu'il naissait dans le péché (cf. Ps. l, 7; lvii, 4), mais lui est né tout entier (ὅλος) dans le péché, contaminé même dans son corps, comme le prouvait sa cécité. On pouvait soupçonner que la cécité était le résultat physique d'un désordre moral antérieur de ses parents. Mais il était injuste d'en rendre l'aveugle responsable et de lui en faire un reproche : σύ

mais celui-là, nous ne savons d'où il est. » [30]L'homme répondit et leur dit : « C'est cela certes qui est étonnant, que vous ne sachiez pas d'où il est, alors qu'il m'a ouvert les yeux. [31]Nous savons que Dieu n'écoute pas les pécheurs; mais si quelqu'un est pieux et fait sa volonté, c'est celui-là qu'il écoute. [32]Au grand jamais on n'a entendu dire que quelqu'un ait ouvert les yeux d'un aveugle-né. [33]Si celui-ci n'était de Dieu, il ne pourrait rien faire. » [34] Ils répondirent et lui dirent : « Tu es né tout entier dans les péchés, et tu nous fais la leçon? » Et ils le chassèrent dehors.

[35]Jésus apprit qu'ils l'avaient chassé dehors et l'ayant trouvé,

et ἡμᾶς : lui avec l'impureté corporelle résultat du péché et cause nécessaire d'ignorance; — eux les purs, les justes, qui ont usé leurs yeux dans l'étude de la Loi! — Ils le chassèrent du lieu où ils étaient; le texte ne dit rien de plus (avec *Schanz* contre *Bauer*, *Loisy*, *Till.*; III Jo. 10 ajoute ἐκ τῆς ἐκκλησίας); on peut seulement conjecturer que l'excommunication s'ensuivit. — Cette brutalité était plus facile qu'une réponse.

35-41. Foi et aveuglement.

L'opposition est frappante entre cet aveugle amené à la lumière spirituelle et ces Pharisiens qui se croient clairvoyants et ne savent pas reconnaître celui qui est la lumière. On est étonné qu'il se trouve là des Pharisiens n'entrant en scène que pour recevoir leur condamnation; Jo. aura fait mention d'eux en cet endroit pour dégager le dernier mot de tout cet épisode.

35) Sur cette manière providentielle de trouver, cf. I, 42. 45, et surtout V, 14. Cette fois on dirait bien que Jésus a désiré la rencontre pour récompenser le miraculé de sa confesssion courageuse et le consoler du mauvais traitement qu'il a subi. — ἐξέβαλον... ἔξω ne fait que répéter les termes du v. 34; rien n'indique une application du v. 22, conçu dans des termes différents. — Dans les paroles de Jésus υἱὸν] τοῦ ἀνθρώπου est la leçon de ℵBDW *sah syrsin* et très certainement Origène (dans *Preuschen*, p. 539). Tout le reste est pour τοῦ θεοῦ, avec Tert. *Praxeas* 22, etc. On peut juger que la première leçon est trop exclusivement égyptienne (dans notre opinion sur l'origine première de D et *syrsin*), mais τοῦ θεοῦ est plus vraisemblable comme correction que τοῦ ἀν., étant plus aisé et plus noble, allant plus vite au fond de la démonstration proposée par Jésus, tandis que le miraculé semble avoir eu besoin de commencer par une notion imparfaite (*Or.*) : d'après ses réponses précédentes il suit une marche ascendante et ne sait rien des discussions antérieures. Suivant l'usage de Jo. (I, 51; III, 13; VI, 27. 53. 62; VIII, 28) « le fils de l'homme » est un titre que Jésus aime à prendre, lui qui est Fils de Dieu parmi les hommes, mais on n'y voyait pas une désignation expresse du Messie (XII, 34). Il faut donc reconnaître que l'expression n'était point complètement révélatrice. L'aveugle pouvait ne pas comprendre très bien; il n'avait qu'à demander une explication, ce qu'il fait d'ailleurs.

εὑρὼν αὐτὸν εἶπεν Σὺ πιστεύεις εἰς τὸν υἱὸν τοῦ ἀνθρώπου; [36] ἀπεκρίθη ἐκεῖνος καὶ εἶπεν Καὶ τίς ἐστιν, κύριε, ἵνα πιστεύσω εἰς αὐτόν; [37] εἶπεν αὐτῷ ὁ Ἰησοῦς Καὶ ἑώρακας αὐτὸν καὶ ὁ λαλῶν μετὰ σοῦ ἐκεῖνός ἐστιν. [38] ὁ δὲ ἔφη Πιστεύω, κύριε· καὶ προσεκύνησεν αὐτῷ. [39] καὶ εἶπεν ὁ Ἰησοῦς Εἰς κρίμα ἐγὼ εἰς τὸν κόσμον τοῦτον ἦλθον, ἵνα οἱ μὴ βλέποντες βλέπωσιν καὶ οἱ βλέποντες τυφλοὶ γένωνται. [40] Ἤκουσαν ἐκ τῶν Φαρισαίων ταῦτα οἱ μετ' αὐτοῦ ὄντες, καὶ εἶπαν αὐτῷ Μὴ καὶ ἡμεῖς τυφλοί ἐσμεν; [41] εἶπεν αὐτοῖς ὁ Ἰησοῦς Εἰ τυφλοὶ ἦτε, οὐκ ἂν εἴχετε ἁμαρτίαν· νῦν δὲ λέγετε ὅτι Βλέπομεν· ἡ ἁμαρτία ὑμῶν μένει.

37. *om.* δε *p.* ειπεν (TH) et non *add.* (SV).

---

36) Le plus simple est de penser avec Théodore que l'aveugle a reconnu Jésus à sa voix. D'ailleurs des explications ont pu être échangées; Jo. raconte toujours sommairement, même quand il fournit des détails. Ayant reconnu et confessé que Jésus est un prophète envoyé de Dieu, il est tout prêt à suivre ses indications, ce que paraît indiquer καί : mais il faut qu'il sache qui est ce fils de l'homme, envers lequel il est décidé à faire un acte de foi, et qu'il considère donc comme un être surnaturel. — Le vague du terme de Fils de l'homme est sans doute la raison qui l'a fait remplacer par « Fils de Dieu », car on ne voit nulle part un acte de foi envers le Fils de l'homme, et en effet il est difficile d'en analyser la valeur théologique précise. Mais elle n'était pas en question : l'acte de foi en Jésus comprend tout. — ἵνα après une question comme I, 22 : « dis-le moi » sous-entendu.

37) La vue et l'ouïe sont deux manières de percevoir; la mention de la vue a plus d'intérêt ici : désormais tu peux le voir; ἐκεῖνός ἐστιν à la fin est très saisissant.

38) Lorsque l'aveugle dit : « *je* crois », on peut estimer qu'une lumière plus complète encore s'est faite dans son esprit et qu'il adora le Fils de Dieu; Or. καὶ τάχα ὁ μὲν ἀρχόμενος πιστεύει εἰς τὸν υἱὸν τοῦ ἀνθρώπου, ὁ δὲ διαβαίνων ἀναβαίνει καὶ ἐπὶ τὸ πιστεῦσαι εἰς τὸν υἱὸν τοῦ θεοῦ. Dans Jo. (IV, 20 ss., XII, 20; cf. Apoc. IV, 10; VII, 11, etc.) προσκυνεῖν n'indique pas seulement se prosterner, mais adorer (*Schanz, Bauer, Loisy*).

39) Jésus a dit qu'il n'était pas venu pour juger, mais pour sauver (III, 17; VIII, 15; XII, 47); il n'en est pas moins vrai que c'est à son sujet que se fait le discernement (κρίμα), comme il a été déjà dit en d'autres termes (V, 24; III, 17 s.); c'est d'ailleurs une idée enregistrée par Lc. II, 34. — Et c'est aussi l'affirmation solennelle de Jésus dans Mt. XI, 25, et Lc. X, 21, que des choses cachées aux sages et aux habiles ont été révélées aux petits. Ici on comprend aussitôt quels sont ceux qui voyaient ou croyaient voir et sont devenus aveugles : ce sont les Pharisiens. Les autres sont représentés par l'aveugle devenu voyant, que ce miracle désignait pour en être le type. En effet cet homme, sans instruction,

il lui dit : « Crois-tu au Fils de l'homme? » [36] Il répondit et dit : « Et qui est-il, Seigneur, pour que je croie en lui? » [37] Jésus lui dit : « Et tu le vois, et celui qui te parle c'est lui-même. » [38] Il dit : « Je crois, Seigneur »; et il se prosterna devant lui. [39] Et Jésus dit : « Je suis venu en ce monde pour que se produise le discernement; afin que ceux qui ne voient pas voient, et que ceux qui voient deviennent aveugles. » [40] Quelques Pharisiens qui étaient avec lui entendirent ces paroles et ils lui dirent : « Serions-nous aussi des aveugles? » [41] Jésus leur dit : « Si vous étiez aveugles, vous n'auriez pas de péché; maintenant vous dites : Nous voyons clair! Votre péché demeure. »

méprisé par les sages, a été élevé peu à peu à la lumière de la foi. C'était aussi le cas des disciples. Cette pensée n'est pas moins en situation durant la vie de Jésus sous la plume de Jo. que dans les synoptiques. Il est tout à fait arbitraire de dire avec Loisy que Jésus vise ici directement les Juifs et les Gentils; tout au plus sont-ils figurés en seconde ligne. Le sens symbolique du miracle est dévoilé sans allusion aux destinées ultérieures de l'évangile; c'est le passage de la cécité à la lumière (cf. Is. XLII, 16), se détachant sur le sombre fond de l'aveuglement persistant (cf. Is. VI, 9; LVI, 10).

40) Il se trouve là des Pharisiens, non plus la coterie dirigeante qui a figuré précédemment, mais des curieux comme il pouvait toujours y en avoir autour de Jésus. — μετ' αὐτοῦ n'indique nullement qu'ils soient ou aient été disciples, comme on ne pourrait même pas le conclure de III, 26, mais simplement leur présence (XII, 17; XX, 24. 26). Ils paraissent plutôt embarrassés que malveillants. Jésus a fait deux catégories; ils ne sont pas tentés de se ranger dans la seconde, menacée de cécité : mais ils ne supposent pas (μή) que Jésus osera les mettre eux aussi (καὶ ἡμεῖς) parmi les non-voyants μὴ βλέποντες (39) qu'ils nomment aveugles, pour accentuer l'énormité de l'hypothèse envers des gens instruits.

41) Jésus adopte leur mot : aveugles... même cela vaudrait mieux, dans l'hypothèse d'une ignorance comme celle des gens du peuple, du miraculé par exemple, qui ne demandent qu'à être instruits de la vérité religieuse. Le péché sur ce point ne commence que lorsqu'on prétend n'avoir pas besoin de lumière. λέγετε doit s'entendre de la réflexion des Pharisiens, car elle prouvait bien qu'ils se mettaient parmi les voyants, et à cause de νῦν; mais cette réflexion ils l'ont faite souvent, du moins intérieurement, et c'est ainsi que le péché d'aveuglement volontaire a pénétré en eux et qu'il demeure, parce qu'il détruit la racine même du salut, le désir d'être instruit et corrigé, de recevoir la lumière et d'en user. — Il est sous-entendu qu'il sera effacé s'ils passent dans la catégorie de ceux qui ont le sentiment de leur cécité et désirent la guérir. On ne voit pas un rapprochement étroit entre cette parole et celle sur le péché irrémissible dans Mc. III, 22-30 et Mt. XII, 22-37, encore moins peut-on écrire : « Notre évangile ne fait que transposer et interpréter les données des synoptiques » (*Loisy*, p. 79).

CHAPITRE X

[1] Ἀμὴν ἀμὴν λέγω ὑμῖν, ὁ μὴ εἰσερχόμενος διὰ τῆς θύρας εἰς τὴν αὐλὴν τῶν προβάτων ἀλλὰ ἀναβαίνων ἀλλαχόθεν ἐκεῖνος κλέπτης ἐστὶν καὶ λῃστής·

x, 1-21. Le pasteur et le troupeau.

Cette page admirable reçoit encore des interprétations très différentes, soit pour son rapport avec ce qui précède (d'où dépend souvent le sens qu'on lui donne), soit pour sa structure littéraire, soit pour le sens et l'origine des images : nous ne toucherons ce dernier point qu'après l'explication du texte; mais il est nécessaire pour la clarté d'indiquer d'avance quelques opinions et d'y ajouter une vue générale.

a) *Contexte*. On convient que cette péricope se termine au v. 21, le morceau suivant étant complètement distinct. Mais que penser de son rapport avec ce qui précède? — Il y a incontestablement une soudure extérieure; c'est le même discours, en ce sens qu'il s'adresse au même public (αὐτοῖς, v. 6), et il se termine par une allusion à la guérison de l'aveugle-né (21). Cependant le chap. commence par : « en vérité », etc. et si ce n'est jamais le début d'un discours dans Jo., du moins cela indique une modification dans le thème. De quelle portée est cette modification? C'est toute la question. D'après Godet, l'union est si étroite que le ch. x, 1-21 n'est que la reproduction des faits du chap. précédent sous forme de parabole : intolérance des mauvais pasteurs (ix, 22, 34), charité du bon pasteur pour l'aveugle (35-38). Holtzmann fait une péricope de ix, 35-x, 21, intitulée « le bon et les mauvais pasteurs ». Maldonat commencerait volontiers une péricope à ix, 39. De même plus ou moins Schanz, Tillmann, etc. Il en résulte qu'on donne au discours un caractère accentué de polémique contre les Pharisiens; Schanz : loin que l'adhésion à Jésus soit un juste motif d'excommunication (ix, 22), elle conduit au salut; Tillmann : la condamnation contre les Pharisiens est poussée plus loin et motivée; Loisy : c'est un morceau de polémique dirigé contre le culte des fils de Dieu; Knabenbauer : le lien est étroit avec ce qui précède : *hoc sermone Jesus demonstrat eos non esse pastores gregis domini, verum corruptores ac deceptores*, etc.

Mais déjà Cyrille avait compris qu'il n'y a pas en réalité de lien logique entre les énoncés du ch. ix et ceux-ci, et il devait recourir pour trouver un lien à l'hypothèse que Jésus répondait aux pensées des Pharisiens plutôt qu'à leurs paroles.

Saint Thomas a vu très clairement qu'en somme le sujet est nouveau : après la *virtus illuminativa*, Jésus traiterait de la *virtus vivificativa*. Loisy : « L'instruction se rattache apparemment à la parole sur les non-voyants et les voyants qui deviennent aveugles (ix, 24 [lis. 39]); elle ne tient pas pourtant si étroitement à cette introduction qu'elle n'eût pu être aussi bien logée ailleurs » (p. 320).

[1] « En vérité, en vérité je vous [le] dis : Celui qui n'entre pas par la porte dans le bercail des brebis, mais qui y monte par ailleurs,

Nous pensons que s'il y a dans la situation antécédente une amorce, l'instruction porte sur un sujet spécial que nous aurons à déterminer.

b) *La structure littéraire.* D'après Godet, ce sont trois paraboles, ou plutôt trois allégories : le berger (1-6), la porte (7-10), le bon berger (11-18). C'est encore l'avis de Tillmann, si ce n'est que la première comparaison se rapproche plus de la parabole synoptique. D'après Loisy, ce qui regarde la porte est une surcharge rédactionnelle comme l'a bien vu Wellhausen (cf. *Bauer*). D'après Zahn, il y a une allégorie qui n'est pas expliquée par Jésus, et deux nouvelles instructions qui y font suite. Holtzmann n'admet qu'une seule allégorie qui se développe. Calmes : « Jésus retrace d'abord une scène de la vie pastorale (1-6), puis il s'applique à lui-même les deux traits les plus saillants du tableau » (7-10; 11-18). C'est précisément ce qu'il fallait voir. Mais au lieu de classer le tableau dans le genre de l'allégorie, nous montrerons que c'est plutôt une parabole, semblable à celles des synoptiques pour le fond.

c) *Sujet de l'instruction.* Nous avons déjà vu comment la superstition du contexte avait porté à exagérer le caractère polémique de l'instruction, qu'on croit dirigée contre les mauvais pasteurs avant même qu'elle ne soit le portrait du bon pasteur.

L'étude la plus fouillée, celle de Zahn, consiste à tout expliquer en allégorie (1-6). Jésus y donne les caractères du vrai pasteur : il vient par le bon endroit, il est reconnu par le portier, il est en intimité avec ses brebis. C'est bien le cas de Jésus qui est venu par le chemin régulier, le baptême de Jean, l'assistance aux fêtes, la participation à l'enseignement des synagogues; comme on n'avait rien à lui reprocher, on n'a pu lui refuser l'accès auprès des foules, on a dû renoncer aux mesures de rigueur; son influence sur la foule n'est pas douteuse, surtout sur son petit troupeau. Il est donc le vrai pasteur, c'est-à-dire le Christ : les voleurs et les brigands sont les princes de la maison d'Hérode et même les Asmonéens, Judas le Galiléen, les Zélotes, etc. L'allégorie est donc apologétique et confirmée par les deux instructions sur la porte et le pasteur légitime et excellent.

Or, il nous paraît clair que si le Christ se donne pour le bon pasteur, ce n'est pas précisément pour revendiquer un titre messianique, mais pour expliquer comment il comprend et pratique son rôle : on le jugera à son œuvre qui est la formation d'un nouveau troupeau, composé de l'ancien troupeau et d'autres brebis qui déjà lui appartiennent. Il faut le dire : il fait pressentir la fondation de l'Église, formée par sa mort, dont il sera néanmoins toujours le chef, car il reprendra la vie qu'il aura donnée pour son troupeau. On comprend même très bien (9) qu'il agréera d'autres pasteurs, qui tiendront de lui leur investiture. Dans l'ordre historique, cette idée aurait dû venir à la fin : elle précède (7-10 avant 11-16) parce que tel était l'ordre dans le récit parabolique fondé sur la nature des choses. Tout cet enseignement spécial est terminé au v. 16. Les vv. 17 et 18 sont une explication sur le point particulier de la mort volontaire de Jésus.

[2] ὁ δὲ εἰσερχόμενος διὰ τῆς θύρας ποιμήν ἐστιν τῶν προβάτων. [3] τούτῳ ὁ θυρωρὸς ἀνοίγει, καὶ τὰ πρόβατα τῆς φωνῆς αὐτοῦ ἀκούει, καὶ τὰ ἴδια πρόβατα

Nous avons donc dans cette page un enseignement de la plus haute importance sur l'œuvre que Jésus a faite par sa mort volontaire, une instruction prophétique, dont la valeur apologétique ne se dégagera que plus tard, et où la polémique ne sert qu'à rehausser par l'opposition des traits la figure et le rôle du Pasteur.

Vient ensuite, comme tout le monde en convient, une note sur l'impression causée par tous ces discours et le fait qui y a donné lieu (19-21).

1-6. Le pasteur et ses brebis.

Nous anticipons sur l'explication du v. 6 pour déterminer le caractère littéraire du morceau dans l'intention de Jo. — παροιμία vient de παρά et οἶμος, non pas au sens de *chemin* (encore *Bauer*), mais au sens de *chant, mélodie.* De même que προοίμιον est un prélude, παροιμία est un discours à côté. En grec le sens normal est proverbe (II Pet. ii, 22), le proverbe insinuant souvent autre chose que ce qu'il dit (à bon chat, bon rat, etc.). Jo. avait donc le droit d'entendre par là un discours un peu énigmatique : c'est une catachrèse, mais dont la portée est claire : Cyr. κατεχρήσατο τοίνυν τῷ τῆς παροιμίας ὀνόματι· καλεῖ γὰρ οὕτω τὴν παραβολήν. L'intention de Jo. est encore plus clairement déterminée dans un autre passage (xvi, 25. 29) où la παροιμία est employée absolument dans le même but que παραβολή par les synoptiques (Mc. iv, 11. 12 et parall.). La seule différence est que les synoptiques se conforment le plus souvent à la technique de ce récit chez les Juifs : telle chose est semblable à telle autre, etc., introduction omise par Jo., mais qui ne change rien au fond des choses. Il veut donc indiquer le *mâchâl* sémitique, traduit le plus souvent chez les Septante par παραβολή, mais aussi par παροιμία (Prov. i. 1 ; xxv, 1 sauf dans ℵ B παιδεῖαι). Dans le Siracide, παροιμία (moins fréquent) a aussi bien que παραβολή le sens d'énigme (xlvii, 17) : ἐν ᾠδαῖς καὶ παροιμίαις καὶ παραβολαῖς καὶ ἐν ἑρμηνίᾳ ἀπεθαύμασάν σε χῶραι, cf. xlvii, 15. L'intention de Jo. n'est donc pas douteuse.

Mais cette assimilation de la παροιμία à la παραβολή ne tranche pas la question de savoir si nous avons ici une parabole pure ou une allégorie pure. En général on voit plutôt ici une allégorie (même Buzy, *Intr. aux parab. év.*, p. 432), mais Lepin a dit plus justement que nous avons affaire « essentiellement à un petit tableau parabolique, en partie susceptible d'applications allégoriques » (*Le quatrième év.* p. 109). La différence vaut d'être notée, car si le morceau est une allégorie, on y verra autant de figures qu'il sera raisonnable d'en trouver, au lieu de se contenter de l'esquisse de la vie pastorale. Dira-t-on que le récit est une allégorie parce que le pasteur est manifestement la figure de Jésus, tandis que dans la parabole on compare une situation à une situation? Ce serait essayer de faire entrer la parabole sémitique dans le lit de Procuste des genres littéraires grecs. Nous croyons que celle-ci peut être comparée à la parabole du semeur, où il y a quatre situations et des traits allégoriques (*Comm.* Mc. p. 105 ss.).

Le principe fondamental de l'allégorie, c'est qu'une chose n'en figure qu'une autre. Si la même personne était représentée par deux choses, tout le sens de

est un voleur et un larron; [2] mais celui qui entre par la porte est pasteur des brebis. [3] C'est à lui que le portier ouvre, et les brebis

l'allégorie serait altéré. Et c'est bien pour cela que Wellhausen (suivi par Loisy) a regardé les vv. 7-9 comme surajoutés : si Jésus est le bon pasteur, il ne peut être la porte par laquelle il passe lui-même. Dans l'hypothèse de l'allégorie, l'argument est irréfutable. Comme il est certain par ailleurs que 7-9 ont toutes les marques de l'authenticité, il faut donc conclure que la comparaison roule sur deux situations : dans un bercail on doit entrer par la porte : de même dans la société de l'avenir, où Jésus est la porte; — entre un pasteur et le troupeau il y a des rapports d'intimité : de même entre Jésus et ses disciples, et il est de la sorte le bon pasteur. La différence des situations permet deux comparaisons successives. Cependant il est des éléments allégoriques qui se dégagent de l'ensemble : les voleurs qui sont d'autres que Jésus ou ses mandataires, le parc qui est le régime où se développe le peuple d'Israël, et il sera même question de mercenaires et de brebis en dehors du bercail dont il n'était rien dit dans la parabole. Nous concluons donc que ce tableau doit être expliqué simplement comme exprimant une réalité pastorale, et nous nous en tiendrons comme sens allégoriques aux traits que Jésus a expliqués ou même ajoutés.

1-2. *La porte du bercail.* Au début du petit tableau, l'opposition est entre ceux qui entrent par la porte et ceux qui escaladent. Ces derniers sont nommés les premiers, moins pour faire allusion aux Pharisiens auxquels Jésus vient de dire leur fait, que pour continuer ensuite par ce qui regarde le vrai pasteur : son entrée en scène est préparée par ce contraste.

1) ἀμήν κ. τ. λ. ne se trouve jamais, dit-on, au début d'un discours, mais peut très bien indiquer une modification dans le thème; c'est presque un début dans v, 19. — αὐλή désigne déjà dans Homère (Il., IV, 433) un parc pour les brebis. On est sûrement à la campagne (contre *Belser* qui parle de l'enclos de Bethesda!) puisqu'il sera question du loup (12), comme dans Num. XXXII, 16. 24. 36; Soph. II, 6, quoique les LXX n'aient pas traduit par αὐλή (dans Jos. *Ant.* I, XI, 2 c'est la tente d'Abraham qui devient un palais). Sur la disparition d'une brebis dans un parc, cf. Pap. Hib. XXXVI (228 av. J.-C.) : Satacos dénonce au garde municipal ἀπολωλεκέναι ἐκ τῆς αὐλῆς νυκτὸς πρόβατον θῆλυ. — ἀλλαχόθεν *hapax* dans la Bible (IV Mach. I, 7) et condamné par les atticistes. — κλέπτης et λῃστής joints dans Abd. 5; ep. Jer. 56, presque synonymes, quoique le premier ait plutôt la nuance d'un adroit filou, le second étant presque un brigand. — ἐκεῖνος marque une sorte d'apodose, cf. Mc. VII, 20.

2) Ποιμήν non pas le bon pasteur, ni le propriétaire, mais simplement celui qui a la charge des brebis; la distinction du propriétaire et du mercenaire ne viendra que plus tard.

3) Même à la campagne les pasteurs ne couchent pas tous dans le parc des brebis; chacun se rend à son campement, ou, comme ils appartiennent au même campement, sous sa tente où il rejoint sa famille. On laisse seulement un ou plusieurs gardiens; le gardien reçoit ici le nom de portier à cause de l'importance de la porte dans la parabole. Les allégoristes ont pensé à Moïse (*Chrys.*, d'autant que la porte figurait l'Écriture) à Jean-Baptiste (encore *Zahn*),

φωνεῖ κατ' ὄνομα καὶ ἐξάγει αὐτά. [4]ὅταν τὰ ἴδια πάντα ἐκβάλῃ, ἔμπροσθεν αὐτῶν πορεύεται, καὶ τὰ πρόβατα αὐτῷ ἀκολουθεῖ, ὅτι οἴδασιν τὴν φωνὴν αὐτοῦ· [5]ἀλλοτρίῳ δὲ οὐ μὴ ἀκολουθήσουσιν ἀλλὰ φεύξονται ἀπ' αὐτοῦ, ὅτι οὐκ οἴδασι τῶν ἀλλοτρίων τὴν φωνήν. [6]Ταύτην τὴν παροιμίαν εἶπεν αὐτοῖς ὁ Ἰησοῦς· ἐκεῖνοι δὲ οὐκ ἔγνωσαν τίνα ἦν ἃ ἐλάλει αὐτοῖς. [7]Εἶπεν οὖν πάλιν ὁ Ἰησοῦς Ἀμὴν ἀμὴν λέγω ὑμῖν, ἐγώ εἰμι ἡ θύρα τῶν προβάτων. [8]πάντες ὅσοι ἦλθον κλέπται εἰσὶν καὶ λῃσταί· ἀλλ' οὐκ ἤκουσαν

5. ακολουθησουσιν (THV) plutôt que — σωσιν (S).
7. *om.* αυτοις *p.* παλιν (TH) ou *add.* (SV). — T *om.* même παλιν.
8. *om.* προ εμου *a.* ηλθον (T) et non *add.* (HSV).

à Jésus lui-même (*Aug.*). Quand un pasteur est entré, il donne le coup de langue qui le fera reconnaître de ses brebis, car plusieurs troupeaux sont mêlés dans le parc; τὰ πρόβατα sont toutes les brebis indistinctement qui entendent cette « voix ». Celles qui lui appartiennent se groupent naturellement auprès de lui. — κατ' ὄνομα semble dire qu'il les appelle l'une après l'autre par leur nom, ce qui indique une sollicitude plus qu'ordinaire. Les bergers de Théocrite donnent des noms à quelques bêtes (*Théoc.* IV, 45. 46; V, 102. 103) mais pas à chacune; cf. LONGUS *Past.* IV, 26 καὶ τοὺς τράγους ἐκάλεσεν ὀνομαστί, IV, 38 καὶ ἐκάλεσέ τινας αὐτῶν ὀνομαστί. C'est encore l'usage des pasteurs de Palestine, comme nous l'avons souvent constaté.

4) ἐκβάλῃ ne comporte aucune idée de violence, comme de les faire sortir en les empoignant (*Schanz*); mais ce n'est pas une simple variante de ἐξάγει. Pour faire sortir les brebis, le pasteur les pousse devant lui; c'est seulement alors, quand il est sûr qu'elles y sont toutes (πάντα), qu'il se met à leur tête. C'est encore l'usage en Palestine où l'on peut dire : « Tandis que pas à pas son long troupeau le suit » (*Musset*). Il suffit que le pasteur donne constamment son coup de langue pour que les brebis ne s'écartent pas. Il est vrai qu'il y a souvent un autre berger en queue, sans parler des chiens; mais Jésus fait ressortir l'ascendant du pasteur.

5) A la sollicitude extrême du pasteur répond un attachement peu commun des brebis : non seulement elles n'en suivraient pas un autre, ce qui est très naturel; mais elles le fuiraient même, ce qui arrive surtout quand leur propre berger les appelle.

6) C'est donc bien une parabole, c'est-à-dire un tableau de la vie ordinaire, tracé d'une main très sûre. Mais à quoi Jésus veut-il le comparer? Toute parabole, même la meilleure parabole aristotélicienne, est obscure tant qu'on ne connaît pas le point qu'elle doit mettre en lumière. On pouvait soupçonner que Jésus se donnait comme le pasteur; mais qui eût pensé qu'il était la porte?

7-10. JÉSUS EST LA PORTE DU BERCAIL.

Si la parabole était avant tout une allégorie, on attendrait ici : Je suis le bon pasteur. Aussi Wellhausen, Schwartz, Heitmüller, Loisy croient le texte altéré;

entendent sa voix, et il appelle ses brebis à lui par leur nom et il les emmène. [4] Quand il a fait sortir toutes ses brebis, il marche devant elles, et les brebis le suivent, parce qu'elles connaissent sa voix; [5] mais elles ne suivront pas un étranger, elles le fuiront plutôt, parce qu'elles ne connaissent pas la voix des étrangers. » [6] Jésus leur dit cette parabole, mais eux ne comprirent pas de quoi il leur parlait.

[7] Jésus dit donc de nouveau : « En vérité, en vérité je vous [le] dis : C'est moi qui suis la porte des brebis. [8] Tous ceux qui sont venus sont des voleurs et des larrons : mais les brebis ne les ont

déjà la version sahidique a corrigé en lisant « pasteur » au lieu de « porte ». Correction trop facile! C'est la première partie de la parabole qui est expliquée ici, et c'est le passage par la porte qui en est l'élément significatif. Mais quelle porte?

La porte par où passent les brebis (*Aug. Loisy*), ou la porte par où l'on va vers les brebis (*Chrys.*, opinion commune)? C'est la même en fait, mais non point pour l'intelligence de cette petite péricope. Pour la première opinion on allègue σωθήσεται au v. 9, mais le contexte est en faveur de la seconde. Au début de la parabole il n'est pas question de la porte à propos des brebis, mais à propos du pasteur, par opposition aux voleurs, opposition qui revient ici, au début (8) et à la fin (10), de façon à encadrer le morceau et à lui donner son sens. Il y a des voleurs qui escaladent et des pasteurs qui passent par la porte; ces derniers doivent passer par Jésus, c'est-à-dire recevoir de lui leur mission. Toute la difficulté c'est que ces pasteurs devront en réalité succéder au bon pasteur : il y a là un ὕστερον πρότερον occasionné par la structure de la parabole qui ne pouvait guère procéder autrement.

7) ἡ θύρα τῶν προβάτων peut signifier la porte où passent les brebis, c'est aussi celle par laquelle on accède au bercail; cf. Ignace, Philad. IX, 1, αὐτὸς ὢν θύρα τοῦ πατρός.

8) Nous nous décidons à omettre πρὸ ἐμοῦ : *a*) autorité de la tradition. Omettent : ℵ avec plusieurs onciaux antiochiens et une centaine de cursifs, la tradition latine (*anc. lat.* et *vg.*) sauf *d. gat. foss*; les Pères sauf Lucif. Jér., la tradition syriaque, la *sah*. L'addition est presque uniquement égyptienne (avec D), Clém. Or. Did. Nonnus. De plus la place de πρὸ ἐμοῦ varie, c'est avant ἦλθον dans Θ et quatre ou cinq mss., les Valentiniens οἱ πρὸ ἐμοῦ ἐληλυθότες (Hipp. *Ref.* VI, 35);

b) Y a-t-il une addition des Valentiniens et des Manichéens pour condamner l'A. T., ou une radiation des catholiques pour éviter l'objection? — La radiation n'eût pas été efficace à cause de ἦλθον dont les Manichéens se sont contentés (*Théophylacte*), mais πρὸ ἐμοῦ les aidait beaucoup.

c) Critique rationnelle : ἦλθον est déjà difficile à concilier avec εἰσι, avec πρὸ ἐμοῦ cela est plus difficile encore : Jésus pouvait-il reprocher à ceux qui étaient venus avant lui de n'être pas entrés par lui?

Même avec la leçon πρὸ ἐμοῦ, il est clair que Jésus n'a pas voulu faire allusion

αὐτῶν τὰ πρόβατα. [9] ἐγώ εἰμι ἡ θύρα· δι' ἐμοῦ ἐάν τις εἰσέλθῃ σωθήσεται καὶ εἰσελεύσεται καὶ ἐξελεύσεται καὶ νομὴν εὑρήσει. [10] ὁ κλέπτης οὐκ ἔρχεται εἰ μὴ ἵνα κλέψῃ καὶ θύσῃ καὶ ἀπολέσῃ· ἐγὼ ἦλθον ἵνα ζωὴν ἔχωσιν καὶ περισσὸν ἔχωσιν. [11] Ἐγώ εἰμι ὁ ποιμὴν ὁ καλός. ὁ ποιμὴν ὁ καλὸς τὴν

à Moïse et aux prophètes dont il se réclame plutôt (IV, 22; V, 46; VI, 45, cf. XII, 38). On pourrait penser avec Zahn aux princes de la maison d'Hérode et même aux Asmonéens. Mais si l'on supprime πρὸ ἐμοῦ, ce peut être des personnages presque contemporains, et Chrys. a très bien vu en indiquant Judas le Galiléen. Ces voleurs qui veulent s'emparer des brebis ne sont pas les Pharisiens qui sont plutôt dans le bercail, où ils font la loi, mais des révolutionnaires à prétentions messianiques. S'ils ont eu d'abord quelque succès, on ne peut pas dire que les brebis, c'est-à-dire les foules simples et dociles, se soient attachées à eux, tandis que l'autorité des Pharisiens n'était guère contestée. Ces prétendants étaient-ils de pure souche israélite? On peut bien se le demander pour Simon, esclave d'Hérode, Athrongès (cf. *Le Messianisme*... p. 18), sans parler de l'égyptien des Actes (XXI, 38) qui, lui, venait bien ἀλλαχόθεν — mot qui d'ailleurs ne reparaît pas dans l'application.

9) Jésus insiste sur la porte. Le portier n'a aucun rôle dans l'explication, et on l'entend assez d'après ce qu'il en a coûté à Augustin pour lui trouver un répondant qui ne fût pas inférieur à cette Porte divine : le Christ lui-même? le Saint-Esprit? — σωθήσεται, si l'on interprète « sera sauvé, fera son salut », devrait s'entendre des brebis représentant les simples fidèles. Mais comme le contexte indique les pasteurs, il faut le prendre avec Chrys. au sens sémitique d'aller sain et sauf, οἷον, ἐν ἀσφαλείᾳ ἔσται καὶ ἀδείᾳ; cf. XÉN. *An.* VI, V, 20. Entrer et sortir, non pas littéralement avec deux sens distincts (entrer dans l'église, en sortir pour aller au paradis, *Aug.*), mais aller et venir librement, selon le sens de la locution hébraïque (I Regn. XXIX, 6, etc.). — νομὴν εὑρεῖν non pas les brebis pour elles, mais les pasteurs pour les brebis, cf. I Paral. IV, 39 ss.; Ez. XXXIV, 14; Jer. XXIII, 3. Pour des chefs qui sortent et entrent, comparés à des pasteurs, cf. Num. XXVII, 17 : ὅστις ἐξελεύσεται πρὸ προσώπου αὐτῶν καὶ ὅστις εἰσελεύσεται, καὶ ὅστις ἐξάξει αὐτοὺς καὶ ὅστις εἰσάξει, καὶ οὐκ ἔσται ἡ συναγωγὴ κυρίου ὡσεὶ πρόβατα οἷς οὐκ ἔστι ποιμήν. Nouvel indice qu'ici il n'est pas question de brebis mais de pasteurs.

10) Les pasteurs qui entreront par la porte, c'est-à-dire qui seront choisis par Jésus, appartiennent à un avenir encore voilé. Si le voleur reparaît ici, c'est pour préparer par contraste l'apparition radieuse du bon pasteur. — ἀπολέσῃ paraît inutile après θύσῃ; s'il ne s'agissait que de la brebis, son compte est réglé : mais c'est une note du voleur : quand il ne peut tirer utilité de son vol, il détruit pour détruire. — L'opposition étant relative aux brebis porte sur θύσῃ, aussi n'est-il pas dit que Jésus donnera la vie et quelque chose de plus (περισσότερον, *abundantius*) une vie plus abondante, la vie éternelle, mais simplement une vie spirituelle très abondante, περισσόν (cf. II Cor. IX, 1).

11-16. LE BON PASTEUR.

Les rois dans Homère sont les pasteurs des peuples; ce titre devait être

pas écoutés. [9] Je suis la porte; si quelqu'un entre par moi, il sera en sûreté, et il entrera et sortira et il trouvera des pâturages. [10] Le voleur ne vient que pour voler et pour égorger et détruire : Je suis venu pour que [les hommes] aient la vie, et une vie abondante. [11] Je suis le bon pasteur. Le bon pasteur offre sa vie pour les

encore mieux compris par des nomades. Aussi dans la Bible si Dieu est très souvent le roi, il est aussi le pasteur d'Israël : les psaumes aiment à le rappeler (Ps. XXIII; LXXIV, 1; LXXVIII, 52; LXXIX, 13; LXXX, 2; XCV, 7) et les prophètes quand ils annoncent l'œuvre future de Dieu parmi son peuple la comparent aux soins les plus attentifs d'un bon pasteur (Is. XL, 11; Jer. XXXI, 10; Ez. XXXIV, 11-16). Comme David avait été pasteur, et qu'il était le type du Messie, il était naturel de se représenter le Messie comme un pasteur. Dans Jérémie (XXIII, 4), les bons pasteurs succédant aux mauvais précèdent le germe de David, mais dans Ezéchiel (XXXIV, 23) on lit expressément : « Je leur susciterai un seul pasteur qui les fera paître, mon serviteur David; c'est lui qui les paîtra, c'est lui qui sera leur pasteur. » Le Messie de Ps.-Sal. XVII, 45 sera ποιμαίνων τὸ ποιμνίον κυρίου... ἐν τῇ νομῇ αὐτῶν. La fonction de pasteur est donc bien une fonction messianique en tant que le Messie est roi, en tant qu'il représente David, plus encore en tant qu'il est le représentant de Dieu, pasteur d'Israël. Dans les synoptiques on voit bien que Jésus propose la parabole de la brebis perdue (Mt. XVIII, 12-14; Lc. XV, 3-7), il se regarde comme chargé du salut des brebis dispersées d'Israël (Mt. IX, 36; X, 6.16; XV, 24) et même il exercera le jugement suprême à la façon d'un pasteur (Mt. XXV, 32 s.). Mais il ne dit nulle part aussi nettement qu'il est le pasteur. Est-ce donc ici une claire revendication messianique? Il ne semble pas, parce qu'il appuie moins sur les droits du Messie comme roi-pasteur, que sur les devoirs d'un *bon* berger, tels qu'il les a décrits dans la parabole, montrant maintenant qu'il ira jusqu'à donner sa vie pour son troupeau. Si donc il est Messie, ce n'est pas le Messie national et vainqueur, c'est un Messie du dévouement et du sacrifice, comme celui des synoptiques (Mc. X, 45; Mt. XX, 28). C'est bien le ton qui convenait avant la passion de Jésus. Après on relèvera ce que le titre avait de glorieux (Apoc. II, 27; XII, 5; XIX, 15; Heb. XIII, 20; I Pet. II, 25; V, 4).

11) L'article redoublé ὁ ποιμὴν ὁ καλός n'est pas une allusion au bon pasteur connu par l'Écriture, mais à celui que chacun considère comme étant vraiment le modèle des pasteurs : καλός n'indique pas la bonté débonnaire, mais la possession avec un certain éclat des qualités voulues. Tandis que les synoptiques disent δοῦναι τὴν ψυχήν (Mc. X, 45; Mt. XX, 28). Jo. dit τιθέναι (15.17.18; XIII, 37. 38; XV, 13; I Jo. III, 16); il semble donc que la leçon δίδωσι (ici א D *c d ff*² *vg.*) et δίδωμι (au v. 15, א D W) est une assimilation aux synoptiques ou une explication d'une locution peu commune. Ce n'est pas précisément שׂום נפשׁ, comme dans Jud. XII, 3; I Sam. XIX, 5; XXVIII, 21; Job. XIII, 14, car dans ces cas il y a de plus בכף, « placer sa vie dans sa main », l'exposer, la risquer, mais avec l'espérance de s'en sauver, cf. *Euripide*, Fragm. d'Alcmène : ψυχὴν γὰρ ἆθλα τιθεμένην ἐμὴν ὁρῶ (*Stob.* VIII, 12); tandis qu'ici la vie est offerte et toujours pour quel-

ψυχὴν αὐτοῦ τίθησιν ὑπὲρ τῶν προβάτων· [12] ὁ μισθωτὸς καὶ οὐκ ὢν ποιμήν, οὗ οὐκ ἔστιν τὰ πρόβατα ἴδια, θεωρεῖ τὸν λύκον ἐρχόμενον καὶ ἀφίησιν τὰ πρόβατα καὶ φεύγει, — καὶ ὁ λύκος ἁρπάζει αὐτὰ καὶ σκορπίζει, — [13] ὅτι μισθωτός ἐστιν καὶ οὐ μέλει αὐτῷ περὶ τῶν προβάτων. [14] ἐγώ εἰμι ὁ ποιμὴν ὁ καλός, καὶ γινώσκω τὰ ἐμὰ καὶ γινώσκουσί με τὰ ἐμά, [15] καθὼς γινώσκει με ὁ πατὴρ κἀγὼ γινώσκω τὸν πατέρα· καὶ τὴν ψυχήν μου τίθημι ὑπὲρ τῶν προβάτων. [16] καὶ ἄλλα πρόβατα ἔχω ἃ οὐκ ἔστιν ἐκ τῆς αὐλῆς ταύτης·

14. γινωσκουσι με τα εμα (TH) et non γινωσκομαι υπο των εμων (SV).
15. τιθημι (THSV) et non διδωμι.
16. ακουσουσιν (THV) plutôt que — σωσιν (S).

---

qu'un (sauf 17.18). Dans ce cas les rabbins disent נתן (exemples dans Schlatter). Avec שום on ne peut citer qu'Isaïe LIII, 10, qui serait tout à fait parallèle si on lit ישים (Vg. *si posuerit*), en supprimant le sacrifice pour le péché, notion trop spéciale, et qui eût été déplacée à propos du pasteur.

12 s.) A ce bon pasteur Jésus oppose le mercenaire qui fuit quand il voit le loup. Les mercenaires sont d'après Aug. les Pharisiens, d'après Loisy : « l'auteur pense à certains chefs de communautés chrétiennes ou plutôt encore aux sectaires peu courageux », etc. (p. 325). Le loup serait le diable (*Aug. Chrys.* encore *Schanz*). Mais c'est supposer que Jésus propose une allégorie complète, tandis qu'il explique plutôt la parabole, en développant le sens qu'elle renferme. Le loup n'est sans doute pas plus allégorique ici que le lion ou l'ours dans I Sam. XVII, 34-36. Le mercenaire figure moins ici pour son rôle propre que pour faire ressortir le bon pasteur par contraste; il n'est pas démasqué comme les voleurs du v. 8. — En qualité de serviteur à gages, il ne mérite pas le nom de pasteur (οὐκ au lieu de μή qui avait prévalu, peut-être pour nier plus énergiquement). Cf. Themistios (IVe s.) αὐτὸς δὲ ἔσται μισθωτὸς ἀντὶ βουκόλου (*Bauer*). Philon distingue, du moins dans l'ordre métaphorique du gouvernement de l'âme, celui qui entretient les sensations et celui qui les corrige (*de poster. Caini*, 98 ; I, 243) : φαῦλος μὲν γὰρ ὢν ὁ ἀγελάρχης οὗτος καλεῖται κτηνοτρόφος, ἀγαθὸς δὲ καὶ σπουδαῖος ὀνομάζεται ποιμήν (*de Agricult.* 29; I, 304). On saisit la différence entre l'allégorie philosophique qui joue sur l'étymologie des mots et la simple manière parabolique du Sauveur. Dans tel cas concret, un salarié défendrait bien les brebis contre le loup, ne fût-ce que dans son intérêt personnel; mais comme tel il ne s'intéresse pas aux brebis ; elles ne sont pas à lui, et par sa négligence les brebis sont perdues. Le loup est l'ennemi traditionnel des brebis (Sir. XIII, 16; Is. XI, 6; Mt. X, 16; Lc. X, 3).

14) Deuxième affirmation que Jésus est le bon pasteur, pour introduire les rapports entre lui et *ses brebis*, que l'on doit entendre ici comme une métaphore pour dire *ses disciples*. Les vraies brebis se guident à la voix (4-5), les disciples sont connus et connaissent, de cette connaissance qui n'est pas spéculative, mais qui suppose une pénétration affectueuse (cf. Gal. IV, 9; I Cor. VIII, 3;

brebis; [12] celui qui est mercenaire et n'est pas pasteur, auquel les brebis n'appartiennent pas en propre, voit venir le loup, et il laisse là les brebis et prend la fuite, — et le loup les ravit et les disperse, — [13] parce qu'il est mercenaire et ne se soucie pas des brebis. [14] Je suis le bon pasteur, et je connais mes brebis et mes brebis me connaissent, [15] comme [mon] Père me connaît, moi aussi je connais [mon] Père; et j'offre ma vie pour les brebis. [16] Et j'ai d'autres brebis qui ne sont pas de ce bercail; il faut aussi que je les conduise, et

II Tim. II, 19). Jésus a commencé par sa prescience (I, 42) qui lui a permis de donner à Céphas le nom de Pierre, et Pierre a répondu par sa confession (VI, 68 s.). — La leçon γινώσκουσί με τὰ ἐμά est solidement fondée sur ℵ B D L W *latt. vg. boh. sah.*; γινώσκομαι ὑπὸ τῶν ἐμῶν ne peut être qu'une élégance voulue.

15) La première partie se rattache à ce qui précède plus intimement qu'à la seconde, qui se soude à 11. La connaissance que le Christ a de ses brebis est à l'instar de la connaissance qu'a de lui le Père, et les brebis connaissent leur pasteur à l'instar de la connaissance que le Fils a du Père. En tout cela le Fils figure non pas dans ses rapports métaphysiques avec le Père comme personne distincte de la très sainte Trinité, mais comme incarné (avec *Mald.* contre *Schanz*), d'autant que c'est bien comme incarné qu'il donnera sa vie, qu'il la donne déjà par sa résolution bien arrêtée. De ses rapports avec ses brebis Jésus est remonté à ceux qu'il a avec son Père, lien d'une connaissance amoureuse, qui lui fait pénétrer son dessein, si bien qu'en donnant sa vie pour ses brebis il sait qu'il accomplit la volonté du Père, comme il le dira plus clairement (17 s.). La connaissance réciproque du Père et du Fils comme dans Mt. XI, 27 et Lc. parall., dans l'ordre de l'incarnation.

16) Dans la perspective du discours, ce qui va être indiqué suit le moment où Jésus a donné sa vie (XI, 52). Cependant il possède déjà d'autres brebis, non par la prédestination, qui est dans un autre ordre, mais parce qu'il connaît déjà celles qui se mettront sous sa houlette, ce qui l'autorise à parler par prolepse. — « Ce bercail » est manifestement le peuple d'Israël, qui forme un groupement séparé, le seul qui ait été jusqu'à ce moment sous la conduite du pasteur divin. Il n'y a donc pas d'autre bercail, car les peuples des gentils ont chacun leur dieu et leur religion; l'opposition ne porte pas sur ταύτης mais sur αὐλῆς (avec *Schanz* contre *Mald.*) : les uns sont dans un bercail, les autres sont dispersés. — ἀγαγεῖν ne signifie pas amener au bercail (*perducere*, *adducere*), mais conduire comme un troupeau (4.5). Dans la parabole l'essentiel n'est pas d'être au bercail, mais d'être conduit par le vrai pasteur — et à vrai dire, au sortir du bercail. — Celles-là jointes au troupeau, toutes entendront la voix de Jésus, c'est-à-dire embrasseront sa doctrine (IV, 23) et il n'y aura qu'un troupeau, c'est-à-dire une société de fidèles dont le caractère visible et l'unité se manifestent assez puisqu'ils forment un troupeau conduit par un seul pasteur. — Évidemment l'image du bercail est plus expressive pour marquer une société strictement délimitée, mais elle n'a pas été employée ici, car on ne peut douter

κἀκεῖνα δεῖ με ἀγαγεῖν, καὶ τῆς φωνῆς μου ἀκούσουσιν, καὶ γενήσονται μία ποίμνη, εἷς ποιμήν. [17] διὰ τοῦτό με ὁ πατὴρ ἀγαπᾷ ὅτι ἐγὼ τίθημι τὴν ψυχήν μου, ἵνα πάλιν λάβω αὐτήν. [18] οὐδεὶς ἦρεν αὐτὴν ἀπ' ἐμοῦ, ἀλλ ἐγὼ τίθημι αὐτὴν ἀπ' ἐμαυτοῦ. ἐξουσίαν ἔχω θεῖναι αὐτήν, καὶ ἐξουσίαν ἔχω πάλιν λαβεῖν αὐτήν· ταύτην τὴν ἐντολὴν ἔλαβον παρὰ τοῦ πατρός μου. [19] Σχίσμα πάλιν ἐγένετο ἐν τοῖς Ἰουδαίοις διὰ τοὺς λόγους τούτους. [20] ἔλεγον δὲ πολλοὶ ἐξ αὐτῶν Δαιμόνιον ἔχει καὶ μαίνεται· τί

18. ηρεν (H) plutôt que αιρει (TSV).

---

que la leçon soit bien ποίμνη et non αὐλή. Aucun texte grec ne donne αὐλή, et il n'est pas sûr que Jérôme en ait connu un, car c'est probablement par distraction qu'il a écrit (sur Ezech. xiv, 46) : *et alias oves habeo quae non sunt ex hoc atrio... et fiet unum atrium et unus pastor : hoc enim graece* αὐλή *significat, quod latina simplicitas in ovile transtulit.* En effet la *latina simplicitas* avait bien *ovile* (*i*) pour αὐλή aux vv. 1 et 16 (αὐλῆς) et Jérôme a dû imaginer par la pensée un second αὐλή au v. 16.

Mais en fait la tradition latine avait là *grex* comme toutes les autres, à en juger par *a b c d e f ff² aur.* Cypr. *bis*, Aug. *Serm.* 137, 138 et *in psalm.* LXXVIII, Jérôme sur Is. LX, 22, sur Ephes. II, 2. — *ovile* n'apparaît que dans *Aug. in Ioh.* et les mss. de la vg. — en dépit de la préférence de Jérôme pour *atrium*. Il serait donc urgent de remplacer *ovile* par *grex*.

Le cosmopolitisme des Stoïciens et de Philon allait à concevoir une sorte d'empire des sages régis par la même loi rationnelle, mais ne prévoyait pas un seul pasteur dans l'ordre spirituel. Une pareille prophétie serait déjà un pur miracle au temps de Jo., mais rien n'indique qu'elle ne remonte pas au Sauveur. Elle demeure tout à fait dans le vague quant à l'abrogation des privilèges d'Israël et ne suppose donc pas le triomphe de la polémique paulinienne (contre *Bauer*). Wellhausen (suivi par Loisy) a vu dans ce passage une addition rédactionnelle.

Sur le troupeau du Christ, cf. I Clém. XVI, 1; XLIV, 3; LIV, 2; LVII, 2.

17-18. LA MORT DE JÉSUS ET LE DESSEIN DU PÈRE.

Jamais encore Jésus n'avait parlé aussi clairement de sa mort pour les siens. De la parabole du pasteur on pouvait conclure que cette mort était offerte librement, puisque le mercenaire savait se dérober par la fuite. Et il semblait aussi qu'il devait triompher de la mort pour remplir tout son office de pasteur, même envers des brebis qui n'étaient pas encore dans son champ d'action. C'est ce qu'il suppose maintenant en se référant au dessein de son Père. S'il renonce à la vie, s'il la donne, il le fait librement, mais pour obéir à un précepte. Telle est la mission qu'il a reçue de son Père. et c'est parce qu'il la remplit que son Père l'aime. Le Père aime donc en même temps et son obéissance et la charité qui l'anime. On voit l'étonnante richesse dogmatique de ces deux versets. La mort acceptée par le Christ librement, par amour pour les

elles entendront ma voix, et il y aura un seul troupeau, un seul pasteur.

[17] Mon Père m'aime pour ce motif que j'offre ma vie, pour la prendre de nouveau. [18] Personne ne me l'a enlevée, mais je l'offre de moi-même. J'ai le pouvoir de l'offrir, et j'ai le pouvoir de la reprendre : tel est le commandement que j'ai reçu de mon Père. »

[19] Il y eut de nouveau un désaccord parmi les Juifs à l'occasion de ces discours. [20] Beaucoup d'entre eux disaient : « Il est possédé

hommes, et cependant par obéissance envers son Père : le pouvoir qu'il a, non moins certain, de la reprendre. Et si le premier acte ne dépasse pas la générosité d'un cœur d'homme, le second correspond à sa qualité de Fils de Dieu. L'œuvre du salut est consommée par la mort et poursuivie par la vie nouvelle du Christ.

17) διὰ τοῦτο ne se rapporte pas à ce qui précède, mais à ce qui suit, comme d'ordinaire dans Jo.; cf. v, 16. — Dans ce v. comme dans le suivant τιθέναι n'est pas accompagné de ὑπέρ (cf. 11), car l'idée du dévouement pour d'autres ayant été suffisamment exprimée, ce qui est en lumière ici c'est l'opposition d'abandonner, de quitter, et de reprendre; cf. XIII, 4.12 τιθέναι et λαμβάνειν avec τὰ ἱμάτια.

« Quitter afin de reprendre » ne marquerait pas tant un sacrifice qu'un calcul; ἵνα ne marque donc pas un but exclusivement visé, mais une circonstance qui suivra. Jésus fait l'un comme l'autre dans une vue de charité qui lui vaut comme homme l'amour du Père.

18) Au début, liberté absolue du Christ, parce qu'il a reçu la vie de son Père en plénitude (v, 26). ἐξουσία indique non seulement le droit, mais encore le pouvoir, même pour donner sa vie, car sans son consentement personne ne pourrait la lui enlever.

Et cependant il existe sur ces deux points un commandement fait au Christ : c'est sa mission. — La leçon ἦρεν de ℵ B seuls semble viser les tentatives inutiles des Juifs pour tuer Jésus : peut-être αἴρει est-il une correction pour harmoniser avec τίθημι dans une considération absolue. En pareil cas la leçon concrète ne mérite-t-elle pas la préférence?

19-21. Impressions diverses.

19) Nous avons déjà rencontré σχίσμα dans deux circonstances : après les discours à la fête des Tabernacles (VII, 43) et à propos de l'aveugle-né (IX, 16) : πάλιν peut se rapporter à la dernière dissension ou à toutes deux, mais plutôt à la première, car on dirait de deux conclusions d'une activité de Jésus, le second cas étant spécial aux Pharisiens. Ici ce sont les Juifs, ses adversaires ordinaires.

20) Il y a *crescendo* : la possession est caractérisée comme causant une véritable folie. Et les adversaires, craignant néanmoins l'influence de Jésus, ne veulent même pas qu'on l'écoute.

αὐτοῦ ἀκούετε; [21] ἄλλοι ἔλεγον Ταῦτα τὰ ῥήματα οὐκ ἔστιν δαιμονιζομένου· μὴ δαιμόνιον δύναται τυφλῶν ὀφθαλμοὺς ἀνοῖξαι;

[22] Ἐγένετο τότε τὰ ἐνκαίνια ἐν τοῖς Ἱεροσολύμοις· χειμὼν ἦν, [23] καὶ

21) L'adhésion est aussi mieux appuyée : les paroles n'ont rien d'insensé, tant s'en faut; et il y a un miracle du tout premier ordre : la tendance représentée par Nicodème (III, 2) a donc gagné du terrain.

Sur l'origine de la parabole du pasteur. Bauer (cf. *Loisy*) reconnaît que ce qui est dit du pasteur *peut* s'expliquer d'après l'A. T. d'une façon parfaitement satisfaisante. Il éprouve cependant le besoin de faire des rapprochements avec le monde païen, et cite Anubis chez les Égyptiens, Attis chez les Phrygiens, Yima chez les Perses. Il a eu le bon esprit de ne pas nous renvoyer à l'Hermès criophore, si souvent comparé au bon pasteur qui porte sa brebis sur ses épaules, et en effet M. Perdrizet (*Bull. de corresp. hellén.* XXVII, p. 311 ss.) a montré que le bélier était à l'origine une victime expiatoire portée par un éphèbe (*Paus.* IX, 22, 2); cf. *RB.;* 1905, p. 311. Le renvoi à Anubis, Attis, etc. n'est qu'une ostentation d'érudition puérile, alors que l'Ancien Testament est une source plus prochaine, dont la dérivation est claire. Il n'y a pas à chercher une dépendance des phénomènes secondaires entre eux quand l'importance de la vie pastorale chez les anciens explique suffisamment la pénétration du thème du pasteur dans la religion comme dans la politique.

Pour la comparaison avec les écrits hermétiques, spécialement le Poimandrès on peut voir *RB.*, 1911, p. 391-407 : *le Pasteur d'Hermas et les livres hermétiques,* par G. Bardy. Restent les textes de Philon. De Philon aussi il faut dire que sa comparaison du Logos avec un berger lui est inspirée par l'A. T. Dans *De mutatione nomin.* 116; I, 596, il cite Ps. XXII, 1, et compare le logos divin à un pasteur et roi de l'esprit; dans *De poster. Caini* 68; I, 238, ce n'est pas le logos divin, mais la droite raison qui gouverne les facultés inférieures, avec renvoi à Num. XXVII, 16.17; dans *De agricult.* 51; I, 308, Dieu, pasteur d'après Ps. XXII, 1, confie le gouvernement des éléments du Cosmos à son Logos. Dans tout cela on voit l'emploi à l'allégorie psychologique ou cosmologique de notions très vagues sur le pasteur, absolument rien des relations intimes du pasteur et des brebis, ni de son dévouement; il ne pouvait être question de sa mort. Nous entrons volontiers dans la voie de ces rapprochements, car ils éclairent d'un jour merveilleux ce qui est le propre des paraboles évangéliques : l'union d'une vue attentive des choses les plus simples et d'une conception profonde sur les rapports de l'homme avec Dieu.

22-39. Déclaration solennelle a la fête de la Dédicace.

Tout ce qui précède, depuis VII, 1, se rattache à la fête des Tabernacles et aux jours qui ont suivi. Il n'y a aucune raison de supposer que VIII, 12 ss. aient été séparés de cette fête par un long intervalle. Or la fête des Tabernacles avait lieu en septembre, celle de la Dédicace en décembre. Il y a donc environ trois mois entre le discours sur le bon pasteur et l'allusion qui y est faite ici (26 s.). On en a conclu (*Wellh. Loisy*) que c'est le même discours, l'intervalle marqué par la distinction des fêtes étant une addition rédactionnelle. Mais nous avons déjà vu dans VII, 19-24 une allusion au miracle du

d'un démon et déraisonne ; pourquoi l'écoutez-vous? » [21] D'autres disaient : « Ces paroles ne sont pas d'un possédé ; un démon peut-il ouvrir les yeux des aveugles? »

[22] On célébra alors la Dédicace à Jérusalem : c'était l'hiver, [23] et Jésus allait et venait dans le Temple, sous le portique de Salomon.

ch. v, après un intervalle encore plus long. Il est vrai qu'on tire de ces deux cas la même difficulté. Le P. Calmes y a très bien répondu (p. 320) : « Si l'on veut tenir un compte rigoureux [quant à l'ordre] de tous les détails que présentent les propos du Sauveur dans le IVe évang., on se heurtera à des difficultés insurmontables. Mais le vrai point de vue est celui où se plaçait l'Évangéliste en rapportant les discours et les discussions de Jésus. Pour l'écrivain sacré, il s'agit d'une même doctrine s'affirmant à l'occasion de différentes circonstances historiques. Il a soin de nous indiquer avec précision ces circonstances, mais les intervalles de temps qu'elles supposent n'ont pas pour effet d'interrompre le développement de sa pensée. » Au surplus si l'on ne lisait pas au début du chap. la parabole du bon pasteur, on n'en comprendrait pas moins assez bien les vv. 26 ss. Dans le contexte actuel c'est incontestablement une allusion à un discours antérieur. Elle serait étonnante si beaucoup d'autres sujets avaient été abordés depuis entre les mêmes personnes; mais il est vraisemblable que Jésus a quitté Jérusalem dans l'intervalle (cf. Lc. x, 17-xiii, 21). Dans cette perspective Jo. reprend la discussion où il l'a laissée, ou plutôt les Juifs poursuivent l'éclaircissement qu'ils avaient à cœur, tandis que Jésus tenait pour acquis ce qu'il avait déjà enseigné.

C'est par là que cette page a une très grande importance ; on touche au point brûlant qui n'avait pas encore été abordé ni résolu d'une manière aussi franche.

22-31. Jésus est un avec son Père.

Situation précise quant au temps et au lieu. Question précise des Juifs. Malgré leur manque de foi, Jésus donne la réponse décisive.

22) τὰ ἐνκαίνια. L'hébreu ou araméen biblique *Hanoucca* (Dan. iii, 2 s.; Esd. vi, 16 s.) signifiait consécration ; ce nom fut donné à la rénovation de l'autel et du Temple profanés par Antiochus Épiphane, et qui eut lieu le 25 Kislev de l'an 148 des Séleucides (décembre 165 av. J.-C.). Cette fête durait huit jours (I Macch. iv, 36-59); plus tard on y faisait de grandes illuminations; cf. Jos. *Ant.* XII, vii, 7 : καὶ ἐξ ἐκείνου μέχρι δεῦρο τὴν ἑορτὴν ἄγομεν καλοῦντες αὐτὴν φῶτα. C'était comme une seconde fête des Souccoth ou des Tabernacles (II Macch. i, 9) qu'on nomma en grec ἐνκαίνια, nom qui ne s'est pas encore rencontré en dehors de la Bible (cf. S. Krauss, *La fête de Hanoucca* (*Revue des études juives*, t. XXX, 1895, p. 24-43; 204-219).

Cette fête arriva alors, ἐγένετο, *facta sunt*. — La fête se fit à Jérusalem; elle se célébrait aussi ailleurs, mais il fallait indiquer le lieu où se trouvait Jésus.

23) La circonstance de l'hiver explique probablement pourquoi on se tenait sous un portique : en fait c'était celui de Salomon, situé à l'est, plus ancien que les autres, ce qui lui avait fait attribuer le nom du fondateur de l'ancien Temple; cf. Jos. *Ant.* XX, ix, 7.

περιεπάτει ὁ Ἰησοῦς ἐν τῷ ἱερῷ ἐν τῇ στοᾷ τοῦ Σολομῶνος. [24] ἐκύκλωσαν οὖν αὐτὸν οἱ Ἰουδαῖοι καὶ ἔλεγον αὐτῷ Ἕως πότε τὴν ψυχὴν ἡμῶν αἴρεις; εἰ σὺ εἶ ὁ χριστός, εἰπὲ ἡμῖν παρρησίᾳ. [25] ἀπεκρίθη αὐτοῖς ὁ Ἰησοῦς Εἶπον ὑμῖν καὶ οὐ πιστεύετε· τὰ ἔργα ἃ ἐγὼ ποιῶ ἐν τῷ ὀνόματι τοῦ πατρός μου ταῦτα μαρτυρεῖ περὶ ἐμοῦ· [26] ἀλλὰ ὑμεῖς οὐ πιστεύετε, ὅτι οὐκ ἐστὲ ἐκ

24. ειπε (SV) plutôt que ειπον (TH).

---

24) Les Juifs, eux, toujours eux, environnent Jésus comme pour ne pas le laisser aller avant qu'il ait répondu à leur question, dans le but de le saisir, si la réponse leur paraissait suspecte. — αἴρω littéralement « élever » cf. Jos. *Ant.* III, II, 3 : âmes élevées à la hauteur d'un péril. Ce n'est pas tenir la seule curiosité de l'esprit dans l'incertitude. Jésus a excité une grande espérance, surexcité l'âme nationale; il faut passer à l'action ou y renoncer. Dans les deux hypothèses on a besoin d'être éclairé. Or il n'avait jamais dit qu'il fût le Christ, si ce n'est à la Samaritaine (IV, 26) et moins clairement à l'aveugle-né (IX, 36 s.). Jo. est donc ici parfaitement d'accord avec les synoptiques sur le secret messianique, si remarquable surtout dans Mc.; Jésus ne prenait le titre de Messie qu'avec ses disciples, auxquels il pouvait expliquer le véritable esprit de sa mission. Les Juifs n'ont dans la pensée que le Messie national qu'ils attendaient alors, et s'étonnent que Jésus ne se pose pas plus nettement en cette qualité. — παρρησίᾳ non seulement franchement, mais ouvertement, par une déclaration publique (VII, 13.26; XVIII, 20). — εἰ σὺ εἶ « si tu prétends être », et si peut-être tu es en effet. Prendre la qualité de Messie n'était pas un blasphème. — εἰπόν serait beaucoup mieux que εἰπέ : « dis-le nous une bonne fois »; mais n'est-ce pas une correction élégante de א?

25) Jésus ne refuse pas de les éclairer, quoique leur incrédulité eût mérité qu'il ne répondît pas, puisque toutes ses déclarations sont pour eux non avenues. Cependant il n'emploie pas directement le mot de Messie, se référant à ses affirmations précédentes, d'où il ressortait clairement qu'il était l'envoyé de Dieu et le vrai Fils de Dieu. Et pour condamner leur incrédulité, il allègue de nouveau (V, 36) le témoignage de ses œuvres, œuvres faites au nom du Père, c'est-à-dire comme son envoyé (cf. V, 43), et contenant ses lettres de créance en même temps qu'elles atteignent le but qu'il leur a assigné.

26) Allusion à la parabole du bon pasteur. Pour l'idée cf. VI, 44, mais ici il n'est renvoyé à aucune action divine, de sorte que si *comparaison était raison*, il faudrait dire que les hommes appartiennent à des catégories d'où dépendent leurs actions. Si au contraire la comparaison doit s'entendre *mutatis mutandis*, les hommes ne sont pas dépouillés de leur libre arbitre pour être comparés à un troupeau. Parmi les chefs spirituels qui se disputent l'empire des esprits ou des âmes, chacun a son troupeau qui se donne à lui à la manière humaine, les uns par réflexion, les autres par entraînement, d'autres par imitation et par habitude : Jésus demande la foi, qui est un acte du libre arbitre; il ne dit pas précisément *estote oves* comme Aug. le disait à ses audi-

[24] Les Juifs donc l'entourèrent et ils lui disaient : « Jusques à quand tiendras-tu notre âme en suspens? Si tu es le Christ, dis-le nous franchement. » [25] Jésus leur répondit : « Je vous l'ai dit, et vous ne croyez pas : les œuvres que je fais au nom de mon Père me rendent témoignage; [26] mais vous ne croyez pas, parce que vous n'êtes pas de

teurs, mais il suppose bien que s'ils avaient voulu ils en auraient été, et alors ils auraient entendu sa voix, c'est-à-dire adhéré à sa doctrine. Bien noter οὐ πιστεύετε et non pas οὐκ ἐπιστεύσατε; c'est maintenant encore qu'ils ne croient pas, parce qu'ils opposent leur parti pris (cf. III, 19 ss.) de ne pas entendre à la bonne volonté de ceux qui écoutent. — La vraie leçon est bien ὅτι οὐκ et non pas οὐ γάρ avec A etc. *a e boh sah* qui a du moins la valeur d'une exégèse refusant de donner à la phrase le sens d'une prédétermination naturelle.

27 s.) Deux actes des brebis auxquels répondent deux actes de Jésus (*Thomas*) : le libre arbitre est si peu nié qu'on dirait que ce sont les brebis qui commencent si l'on ne se rappelait l'action de Dieu (VI, 44), exprimée ici par l'appel ou la voix de Jésus. Les brebis entendent, reconnaissent leur pasteur (3), et alors il constate que ce sont bien les siennes; elles suivent leur pasteur (4), et lui, ce qui n'avait pas encore été dit, leur donne non seulement une vie très abondante (10), mais une vie qui est le commencement de la vie éternelle. Désormais elles sont dans sa main (Is. XLIII, 13) à l'abri de tout danger (VI, 39). Aug. l'entend des prédestinés; Mald., Schanz, Kn. des dangers extérieurs. Des deux façons c'est introduire dans le texte des idées, justes en elles-mêmes, mais qui n'y sont pas exprimées. Dans ce passage, comme précédemment (VI, 40.44), Jésus indique la conséquence pour ainsi dire naturelle de la grâce : c'est la vie éternelle. Ce n'est pas Dieu qui détruira l'ordre qu'il a voulu, et personne ne peut prévaloir contre lui. Le danger ne peut donc venir que de l'homme lui-même, contretemps fâcheux possible, mais qui n'est pas exprimé. — Un bon pasteur, voilà donc ce qu'est le Messie et quel est son rôle. C'est ce que les adversaires ne veulent pas comprendre : *Vos calumnias propterea quaeritis, quia de vita praesenti cogitatis* (*Aug.*).

29 s.) L'enchaînement des idées est assez clair : personne ne ravira les brebis au Fils parce que personne ne peut les ravir au Père; et la raison de dire du Fils ce que tout le monde concède du Père, c'est qu'ils sont une même chose.

Mais le détail offre des difficultés considérables, d'autant que le texte n'est pas sûr.

Il y a deux leçons (car la leçon hybride de Soden est un non-sens) : *a*) ὃ δέδωκέν μοι πάντων μεῖζόν ἐστιν, dont l'élément principal est ὅ, car si μεῖζον est très peu représenté, ce peut être par la négligence qui ne distingue pas ο et ω. Donc ο d'après ℵ B L W 15[ev]. boh tous les latins anc. et vg. (sauf *d*), Hil. Aug. On ajoute Tert. *adv. Prax.* 22, cependant le ms. F lit *pater enim qui maior est omnibus mihi dedit,* qui ne peut être une variante latine, et qui serait donc une correction d'après le grec, si ce n'est la leçon originale. Cette leçon a été

τῶν προβάτων τῶν ἐμῶν. [27] τὰ πρόβατα τὰ ἐμὰ τῆς φωνῆς μου ἀκούουσιν, κἀγὼ γινώσκω αὐτά, καὶ ἀκολουθοῦσίν μοι, [28] κἀγὼ δίδωμι αὐτοῖς ζωὴν αἰώνιον, καὶ οὐ μὴ ἀπόλωνται εἰς τὸν αἰῶνα, καὶ οὐχ ἁρπάσει τις αὐτὰ ἐκ τῆς χειρός μου. [29] ὁ πατήρ μου ὃ δέδωκέν μοι πάντων μεῖζόν ἐστιν, καὶ οὐδεὶς δύναται ἁρπάζειν ἐκ τῆς χειρὸς τοῦ πατρός. [30] ἐγὼ καὶ ὁ πατὴρ ἕν ἐσμεν. [31] Ἐβάστασαν πάλιν λίθους οἱ Ἰουδαῖοι ἵνα λιθάσωσιν αὐτόν. [32] ἀπεκρίθη αὐτοῖς ὁ Ἰησοῦς Πολλὰ ἔργα καλὰ ἔδειξα ὑμῖν ἐκ τοῦ πατρός· διὰ ποῖον αὐτῶν ἔργον ἐμὲ λιθάζετε; [33] ἀπεκρίθησαν αὐτῷ οἱ Ἰουδαῖοι Περὶ καλοῦ

28. διδωμι αυτοις ζωην αιωνιον (THV) plutôt que ζ. α. δ. α. (S).
29. ο δεδωκεν μοι παντων μειζον (TH) et non ο δεδωκεν μοι, παντων μειζων (S) plutôt que ος δ. μ. μειζων παντων (V). — *om.* μου *p.* πατρος (TH) plutôt que *add.* (SV).
32. καλα εδειξα υμιν (TSV) et non ε. υ. κ. (H).

---

entendue de deux manières : Ce que le Père a donné au Fils c'est sa nature (*Aug. Thom. Kn.* cf. *Conc. Later.* IV dans *Denz.* 432) ou encore sa puissance (*Schanz, Belser*), et cela est en effet plus grand que tout. Mais qui songerait à enlever nature ou puissance du Fils des mains du Père?

Le contexte exige impérieusement que le don soit celui des brebis (opinion commune); alors il faudrait entendre : « le plus précieux des dons »; on comprend que ce soit une raison pour le Fils de le garder, et en faisant au Fils un don si rare, le Père ne s'en désintéresse pas; pour μεῖζον dans le sens de précieux, on peut alléguer Mt. XXIII, 17.19.

b) ὃς δέδωκέν μοι πάντων μείζων ἐστιν (tous les autres, même א et W pour μειζων). Le sens est plus facile : mon Père qui m'a donné ces brebis est plus grand que tous et par conséquent... Il les met dans ma main sans cesser de les avoir dans la sienne, car la main signifie ici la puissance, qui leur est commune. — Mais la plupart des critiques objectent précisément à cette leçon d'être une correction dans l'intérêt de la clarté, plus simple que celle de D (ο δεδοκως, préférée par Blass). Dire que le Père est au-dessus de tout est une vérité qui paraît trop courante pour être relevée ici.

Quoi qu'il en soit, ce qui nous frappe c'est que la main du Fils soit mise sur le même rang que la main du Père, ou plutôt qu'elles constituent une même sauvegarde. Jésus avait paru s'attribuer à lui seul de donner la vie aux âmes et de les garder dans sa main. Selon sa coutume (V, 19 ss.; VI, 37; VII, 16; VIII, 49; X, 18), il se hâte d'associer son Père à son œuvre, comme celui d'où émane tout don : le Père confie un dépôt au Fils, et il le garde par sa vertu, comme le Fils garde ce qu'il a reçu du Père.

30) L'unité au neutre ne peut être l'unité de deux personnes qui n'en feraient qu'une : le pluriel des personnes distinctes est d'ailleurs sauvegardé par ἐσμεν. D'autre part l'unité de sentiments et d'affection ne suffit évidemment pas à épuiser le contenu d'une formule si énergique et... si mal reçue. On pourrait songer à la puissance, suggérée par le v. précédent : Chrys : κατὰ τὴν

mes brebis. [27] Mes brebis entendent ma voix, et je les connais, et elles me suivent, [28] et je leur donne une vie éternelle, et elles ne périront jamais, et personne ne les ravira de ma main. [29] Mon Père, ce qu'il m'a donné est plus précieux que tout, et personne ne peut [rien] ravir de la main de mon Père. [30] Mon Père et moi ne sommes qu'un ». [31] Les Juifs apportèrent de nouveau des pierres pour le lapider. [32] Jésus leur répondit : « Je vous ai fait voir beaucoup d'œuvres bonnes [venant] de mon Père; pour laquelle de ces œuvres me lapidez-vous? » [33] Les Juifs lui répondirent : « Ce n'est pas pour une

δύναμιν ἐνταῦθα λέγων καὶ γὰρ περὶ ταύτης ἦν ὁ λόγος ἅπας αὐτῷ. Εἰ δὲ ἡ δύναμις ἡ αὐτή, εὔδηλον ὅτι καὶ ἡ οὐσία.

Mais il semble que si l'idée de puissance commune domine au v. 29, la conclusion dont parle Chrys. est expressément tirée au v. 30, car l'unité de deux personnes en une seule chose s'entend plus exactement du principe même de leurs facultés que d'une faculté spéciale. Cette déclaration est donc plus claire que les précédentes (v, 17.19.20; vii, 29; x, 15) où l'unité de nature pouvait se déduire de l'unité de connaissance et d'action, mais où le terme du raisonnement n'était pas aussi nettement atteint. Les Juifs ne s'y méprirent pas.

31 βαστάζω, peut-être « lever », mais plus communément « porter ». Les pierres ne se trouvant pas sous le portique, on va les chercher dans les espaces à ciel ouvert.

— πάλιν, cf. viii, 59.

32-39. Jésus expose sa proposition par sa filiation divine.

Cette fois Jésus ne disparaît pas, même il se défend contre ceux qui l'accusent de blasphème. Pour s'en étonner, il faut n'avoir jamais vu de ces scènes où la violence paraît devoir tout emporter et qui se terminent en palabres. Rien de plus commun en Orient où l'on s'efforce d'intimider un adversaire par des cris et des gestes, mais où l'on est très lent à passer aux voies de fait. Il n'y a pas à s'imaginer « que les bras se paralysent et que les pierres s'attachent aux mains » (*Loisy*, p. 332); il n'y avait eu aucune sentence. L'émotion avait été vive sur une parole hardie : Jésus l'explique; on l'écoute. Mais comme il ne rétracte rien, l'hostilité ne désarme pas. — Il est inutile d'insister sur le cachet historique de ce morceau, qui ne doit rien aux synoptiques et qui est si complètement dans le ton de la controverse avec les docteurs de la Loi.

32) ἀπεκρίθη comme ii, 18. — Il y a incontestablement une certaine ironie dans cette apostrophe (*Mald.*, *Schanz*, *Holtz.*, *Loisy*, etc.), mais Jésus n'affecte point de ne pas comprendre le motif de leur irritation. S'ils s'attaquent à son dire, c'est sans doute qu'ils ont à critiquer aussi les preuves qu'il en a données : or, ce sont à la fois des signes prouvant qu'il agit par la puissance de son Père, comme il vient de le dire (δείκνυμι cf. ii, 18; v, 20), et des actes irréprochables, des actes même de bienfaisance, par ses miracles et son enseignement. Y a-t-il là un motif de le lapider (λιθάζετε présent *de conatu*)? C'est en cela qu'apparaît l'ironie.

33) Les Juifs la relèvent vivement. Que Jésus ait fait des bonnes œuvres, ils

ἔργου οὐ λιθάζομέν σε ἀλλὰ περὶ βλασφημίας, καὶ ὅτι σὺ ἄνθρωπος ὢν ποιεῖς σεαυτὸν θεόν. [34]ἀπεκρίθη αὐτοῖς ὁ Ἰησοῦς Οὐκ ἔστιν γεγραμμένον ἐν τῷ νόμῳ ὑμῶν ὅτι Ἐγὼ εἶπα Θεοί ἐστε; [35]εἰ ἐκείνους εἶπεν θεοὺς πρὸς οὓς ὁ λόγος τοῦ θεοῦ ἐγένετο, καὶ οὐ δύναται λυθῆναι ἡ γραφή, [36]ὃν ὁ πατὴρ ἡγίασεν καὶ ἀπέστειλεν εἰς τὸν κόσμον ὑμεῖς λέγετε ὅτι Βλασφημεῖς, ὅτι

ne le concèdent pas et ne le nient pas non plus; en tout cas un blasphème n'est pas une bonne œuvre. L'accusation est plus nette que celle de v, 18. On pouvait se faire dieu comme Caligula, qui prétendait être un dieu quelconque : prétention insensée, puisqu'il n'y a qu'un seul Dieu. Mais il était encore plus inouï qu'un homme déclarât qu'il était ce Dieu unique. Proposée de cette manière la formule devait nécessairement faire naître le scandale; aussi n'est-ce pas ainsi qu'a procédé Jésus. La seule manière d'aborder ce mystère était de distinguer le Fils et le Père, sans rompre leur union. A cette condition on pouvait admettre que quelqu'un se présentât comme envoyé de son Père, et un avec lui, sans prétendre le remplacer, à la façon d'un dieu nouveau, d'un Zeus, qui aurai détrôné son père Kronos. Aussi Jésus ne conclura pas directement : je suis Dieu, mais je suis le Fils de Dieu qui demeure en mon Père. Toutefois, pour préparer les esprits à aborder ce point si difficile, il montre d'abord qu'il ne faut pas trop vite se scandaliser pour des expressions que peut-être on a mal comprises.

34) νόμος de toute l'Écriture, envisagée comme une règle dont on ne peut s'écarter; ὑμῶν comme dans VIII, 17, pour que les Juifs ne puissent pas se dérober à l'argumentation. Le texte est emprunté au Ps. LXXXII, 6 : les magistrats déjà nommés dieux au v. 1 sont interpellés par Dieu même, qui tout en les jugeant leur donne ce titre à cause de leur charge. Peu importe qu'ils aient été prévaricateurs, et ils ne doivent pas se faire illusion sur une qualification qui ne les préservera pas de la mort : pour le moment ils avaient droit à ce titre sans doute comme représentants de Dieu; cf. Ex. VII, 1 δέδωκά σε θεὸν Φαραώ. Mais je n'oserais citer dans le même sens comme on le fait Ex. XXI, 6 où Elohim est traduit dans les Septante πρὸς τὸ κριτήριον τοῦ θεοῦ, car il n'est pas assuré qu'Elohim signifie ici le magistrat. Dans Ex. XXII, 8, il y a ἐνώπιον τοῦ θεοῦ, et dans Ex. XXII, 28 il faudrait plutôt traduire Dieu au singulier : θεοὺς οὐ κακολογήσεις, καὶ ἄρχοντας κ. τ. λ. prouve précisément que les chefs ne sont pas appelés Elohim. D'ailleurs cet emploi métaphorique ou par catachrèse du nom de Dieu était bien connu de Philon qui s'en servait pour son Logos; cf. *de Somniis*, I, 229; I, 655 ὁ μὲν ἀληθείᾳ θεὸς εἷς ἐστιν, οἱ δ' ἐν καταχρήσει λεγόμενοι πλείους.

35) Plusieurs opinions sur le sens de πρὸς οὓς ὁ λόγος τοῦ θεοῦ ἐγένετο. Cela ne veut pas dire : tous ceux auxquels Dieu a adressé la parole, patriarches, prophètes, etc. (*Aug. Thom.*) parce qu'on ne voit nulle part qu'ils aient tous été appelés dieux; ce n'est pas ceux que la parole divine a installés dans leurs fonctions de magistrats (*Zahn, Schanz, Till.*) parce que cette conjecture ingénieuse n'a aucun appui sur le texte; c'est donc simplement : ceux à qui parle le Seigneur dans le passage cité (cf. *Calmet, Holtz.*). Toute parole de l'Écriture fait autorité, mais encore faut-il savoir dans certains cas quelle est la personne

bonne œuvre que nous te lapidons, mais pour un blasphème, et parce que, étant homme, tu te fais Dieu. » [34] Jésus leur répondit : « N'est-il pas écrit dans votre loi : *J'ai dit : vous êtes des dieux?* [35] Si elle a donné le nom de dieux à ceux auxquels fut adressée la parole de Dieu, et [si] l'Écriture ne peut être récusée, — [36] à celui que le Père a consacré et a envoyé dans le monde, vous dites : Tu blas-

qui parle, un prophète, ou un adversaire, etc. Ici c'est Dieu lui-même ἐγὼ εἶπα : la remarque n'est donc pas du remplissage. — La Loi, sujet de εἶπεν, est ici remplacée par l'Écriture, terme synonyme en fait. — οὐ δύναται pourrait être une parenthèse, mais dépend plutôt de εἰ, qui n'est conditionnel qu'en apparence : les deux choses sont certaines : que l'Écriture s'exprime de la sorte et qu'on ne puisse rejeter son autorité. — λύειν, cf. v, 18; vii, 23; Mt. v, 19, et καταλῦσαι dans Mt. v, 17; cf. Eurip. *Iph. Aulis,* 1268, θέσφατ' εἰ λύσω θεᾶς. Jésus reconnaît donc nettement l'autorité des Écritures, ce qui prouve qu'en disant ἐν τῷ νόμῳ ὑμῶν (34) il n'a pas entendu raisonner simplement *ad hominem.*

36) Que va conclure le Sauveur? D'après Loisy : « Cette preuve biblique n'est... pas très loin de ressembler à un jeu de mots » (p. 335). On peut attaquer la preuve de deux manières. Elle est bonne si du sens métaphorique biblique on conclut à un sens métaphorique; mais alors Jésus réduirait son affirmation à une simple catachrèse. Elle est caduque, si on prétendait conclure de la légitimité d'une appellation métaphorique à celle d'une appellation réelle.

Mais aussi le Sauveur ne conclut-il pas : « J'ai donc le droit de m'appeler Dieu d'après l'usage même de la Loi », mais bien : « Vous ne pouvez donc pas m'accuser de blasphème, puisque l'Écriture reconnaît que l'on peut avoir droit au titre de Dieu »... Le sens en est à déterminer, et il faut *par ailleurs* faire la preuve de ses prétentions : prouver pour le sens métaphorique qu'on est de la catégorie de ceux auxquels s'adressait le psaume, ou, si l'on se dit Fils de Dieu au sens propre, le prouver par ses œuvres. C'est un raisonnement *a minori ad maius* très usité par les rabbins, et irréprochable dans ce cas, car la preuve qu'on a le droit *au plus* est fournie par les œuvres. Avant de crier au blasphème et de prendre des pierres, veuillez examiner. Vous n'avez pas le droit d'aller si vite pour un mot, qui pourrait s'expliquer; et si mes prétentions sont plus hautes, je les justifie.

Le v. 36 dit donc en propres termes que le titre de Fils de Dieu, celui que Jésus a pris constamment en réservant toujours l'honneur de son Père, n'est point trop élevé pour celui qu'il a sanctifié et envoyé. — ἁγιάζειν ne désigne ni la génération éternelle (*Aug.*), ni la consécration proprement messianique (*Schanz,* etc.), puisque Jésus préfère ne pas appeler l'attention sur ce côté de sa mission. Enfin ce n'est pas non plus en soi une sanctification (cf. Ex. xix, 23, etc.), un don de la grâce, mais plutôt (comme dans Jer. i, 5; Sir. xlv, 4; xlix, 7 et même dans Jo. xvii, 17-19, où l'acte de ἁγιάζειν précède la mission) une désignation, une consécration à un emploi divin qui suppose les dons nécessaires ou qui les confère. Or, l'envoi dans le monde, selon la pensée de Jo., n'est pas la mission donnée à un homme comme Jérémie d'aller prêcher, mais l'envoi

εἶπον Υἱὸς τοῦ θεοῦ εἰμί; [37] εἰ οὐ ποιῶ τὰ ἔργα τοῦ πατρός μου, μὴ πιστεύητέ μοι· [38] εἰ δὲ ποιῶ, κἂν ἐμοὶ μὴ πιστεύητε τοῖς ἔργοις πιστεύετε, ἵνα γνῶτε καὶ γινώσκητε ὅτι ἐν ἐμοὶ ὁ πατὴρ κἀγὼ ἐν τῷ πατρί. [39] Ἐζήτουν οὖν αὐτὸν πάλιν πιάσαι· καὶ ἐξῆλθεν ἐκ τῆς χειρὸς αὐτῶν.

[40] Καὶ ἀπῆλθεν πάλιν πέραν τοῦ Ἰορδάνου εἰς τὸν τόπον ὅπου ἦν Ἰωάννης τὸ πρῶτον βαπτίζων, καὶ ἔμενεν ἐκεῖ. [41] καὶ πολλοὶ ἦλθον πρὸς αὐτὸν καὶ ἔλεγον ὅτι Ἰωάννης μὲν σημεῖον ἐποίησεν οὐδέν, πάντα δὲ ὅσα εἶπεν Ἰωάννης περὶ τούτου ἀληθῆ ἦν. [42] καὶ πολλοὶ ἐπίστευσαν εἰς αὐτὸν ἐκεῖ.

38. πιστευετε (THV) et non πιστευσατε (S) — γινωσκητε (THSV) plutôt que πιστευσητε.
40. εμενεν (H) ou εμεινεν (TSV).
41. σημειον εποιησεν (THV) et non ε. σ. (S).
42. πολλοι επιστευσαν (TH) et non ε. π. (SV).

---

du Fils de Dieu qui était auprès du Père; cf. Jo. III, 13-17; VI, 33. 62; VIII, 23.29.42.58. La « sanctification » doit donc être conçue comme logiquement antérieure à cet acte : le Père fait choix de son Fils pour l'envoyer dans le monde (ὡς προχειρισθέντα, *Cyr.*). Ce que nous nommons la sanctification n'est qu'une conséquence. Le Père n'avait pas à communiquer au Fils la sainteté qu'il possédait, mais bien à la nature humaine qu'il allait prendre et avec laquelle il sera reconnu comme le saint de Dieu (VI, 69). — Dans ces conditions, ne pouvait-il pas faire appel à la foi?

37 s.) Sur le témoignage des œuvres, cf. V, 36; X, 25; XIV, 10. 11. Ce ne sont pas seulement les miracles, ou la doctrine isolément, c'est toute l'œuvre de Jésus qui est une œuvre divine, l'œuvre du Père. Si l'on refusait d'en croire simplement à son affirmation, il faudrait bien reconnaître à ses œuvres l'unité du Père et du Fils, telle que Jésus l'a proclamée, dans l'égalité de la puissance et de la nature. Il n'a donc rien retiré de sa proposition (30), mais il la prouve par ses actes, non par l'Écriture, avancée seulement pour leur montrer combien leur scandale était de parti pris. S'il a conclu qu'il était Fils de Dieu et non pas directement qu'il était Dieu, ce n'était pas précisément pour calmer des furieux, mais parce que c'était l'élan spontané de son amour pour son Père et la voie vraiment divine pour préparer les esprits à l'intelligence quelconque du mystère nécessaire à l'acte de foi. — Pour la leçon καὶ γινώσκητε (et non καὶ πιστεύσητε), à BLX quatre ou cinq cursifs *sah. boh.* Ath. Hil. sont venus se joindre Θ et W. C'est le type d'une leçon très fine : γνῶτε indique un premier acte qui se continue par le présent. La foi précède la connaissance qui va toujours en augmentant. La difficulté de rendre la nuance des deux temps grecs (Hil. *ut sciatis et cognoscatis*) est peut-être la cause de l'omission de καὶ γινώσκητε dans *a b c e ff² l* Tert. Cyp. et D (latinisant) *syrsin.* qu'il faudrait dans ce cas ranger avec B, etc., comme témoins de cette leçon. — La leçon καὶ πιστεύσητε semble une correction qui serait théologiquement excellente, et l'on s'explique sa diffusion si générale : on croit aux œuvres, d'où une première notion du mystère; mais comme on

phèmes, parce que j'ai dit : Je suis Fils de Dieu? [37] Si je ne fais pas les œuvres de mon Père, ne me croyez pas; [38] mais si je les fais, si vous ne me croyez pas, croyez-en ces œuvres, afin que vous sachiez et connaissiez que mon Père est en moi et que je suis dans mon Père. » [39] Ils cherchèrent donc de nouveau à le saisir, et il échappa à leurs mains.

[40] Et il s'en alla de nouveau au delà du Jourdain dans le lieu où Jean avait d'abord baptisé, et il demeurait là. [41] Et beaucoup vinrent à lui et ils disaient : « Jean n'a fait aucun miracle, mais tout ce que Jean a dit de celui-ci était vrai. » [42] Et beaucoup crurent en lui dans cet endroit.

ne peut le pénétrer, il est l'objet d'un acte de foi sur un point déterminé.

39) Jésus n'ayant rien retiré, les Juifs essaient encore de s'emparer de lui; cf. vii, 30.32.45. Peut-être Jo. a-t-il voulu nous faire entendre que les Juifs, s'ils ne sont pas convaincus, se sont cependant un peu calmés, et se sont rendu compte qu'en somme il y avait là un problème à examiner; l'Écriture étant en jeu, il importait de prendre Jésus pour le faire comparaître devant un tribunal compétent. Jésus leur échappe; cf. viii, 59; Lc. iv, 30.

40-42. Jésus au delà du Jourdain (cf. Mc. x, 1; Mt. xix, 1. 2).

Ce petit passage passe pour une introduction à la résurrection de Lazare. Il a cependant sa valeur propre, et il est encadré par l'indication du lieu πέραν τ. Ἰ. et ἐκεῖ. C'est donc l'indication d'une sorte de diversion aux controverses ardentes de Jérusalem, dans le repos d'une oasis. Avant de terminer sa mission, Jésus revient aux lieux où il l'a commencée. La foi qu'il y rencontre le console de l'hostilité des Juifs avant la lutte suprême. Si le lieu indiqué n'avait été que le point de départ pour Béthanie, il eût été presque inévitable de signaler qu'il se nommait aussi Béthanie (i, 28).

40) πάλιν n'indique pas que Jésus était déjà dans la Pérée avant de venir à la dédicace (*Zahn*), mais se rapporte au premier séjour de Jean-Baptiste (i, 28), distinct de celui de son second témoignage (iii, 23 ss.) plus confidentiel en vue de ses disciples.

— ἔμενεν n'a que B *a b c e ff² l* mais est très séduisant comme le seul cas dans Jo. d'un imparfait de ce verbe. Ce serait une nuance pour indiquer un séjour assez long.

41) Loin d'avoir une intention polémique contre Jean, comme s'il y avait : « Jean (μέν) n'a pas fait de miracles, mais Jésus (δέ) en a fait », ces gens sont très préoccupés de l'honneur de Jean : s'il n'a pas fait de miracles, du moins il a fait une prophétie! En somme c'était reconnaître que Jésus était le Christ, mais de façon à rappeler, par affection pour Jean, que celui-ci avait ouvert l'ère du salut par son témoignage.

42) ἐκεῖ là, dans cet endroit perdu au delà du Jourdain : quel contraste avec les dispositions de ceux de Jérusalem! cf. iv, 42, et i, 11.

Chap. XI. La résurrection de Lazare. La résolution des Sanhédrites. — Ce chapitre contient le récit de la résurrection de Lazare (1-44) et l'impression que ce miracle a produite, aboutissant à la résolution arrêtée des Sanhédrites de faire périr Jésus (45-57). Jamais miracle plus extraordinaire n'avait été raconté dans Israël; jamais la bonté de Jésus ne s'était manifestée d'une manière plus sensible. C'est un sommet où sa figure rayonne de tout son éclat divin. En face de cette lumière, par un prodige de l'ordre moral perverti, l'obscurité se fait plus épaisse, la haine arrête froidement son dessein, cette fois définitif. L'intention de l'évangéliste est manifestement de coordonner en les opposant le prélude du suprême miracle de la résurrection glorieuse de ceux qui auront cru en Jésus, et le refus caractérisé de croire en lui. C'est précisément ce comble de lumière et de miséricorde qui a été la cause de cet aveuglement et de cette obstination. On peut toujours dire — avec plus ou moins de raison ou d'injustice, — qu'un écrivain a inventé le point sur lequel il fait reposer sa construction, mais on ne peut lui attribuer d'avoir affirmé ce point de toute sa force, et de l'avoir dépouillé de toute valeur probante en le proposant comme une allégorie. C'est à cause de l'importance spéciale de ce miracle que le système de l'allégorie pure en prêtant une telle contradiction à l'auteur étale son sans-gêne et son parti pris. Quant à la réalité du fait, nous ne la défendrons pas (après le v. 44) par l'abondance des détails, mais par leur caractère précis qui permettait de les contrôler et par les raisons générales qui donnent tant de valeur au témoignage de Jo., spécialement sur un point placé tellement en relief qu'on eût réduit à peu de choses son évangile si on avait pu le convaincre de mensonge sur le fait qui en est comme le signe abrégé.

CHAPITRE XI

[1] Ἦν δέ τις ἀσθενῶν, Λάζαρος ἀπὸ Βηθανίας ἐκ τῆς κώμης Μαρίας καὶ

[1] Or il était un malade, Lazare de Béthanie, du village de Marie

1-16. Jésus vient a Béthanie avec ses disciples.

1) Assurément on eût pu écrire, — et pour des lecteurs qui ne sauraient rien ce serait le plus naturel : — il y avait un homme de Béthanie, nommé Lazare, il avait deux sœurs, Marie et Marthe. Cet homme tomba malade... (cf. *syrsin*). Si Jo., après avoir dit que Lazare était de Béthanie, nous dit que c'est le bourg de Marie et de Marthe et non le sien, c'est donc qu'il suppose qu'on connaissait déjà ces deux personnes. Elles pouvaient être connues par la tradition, mais elles figuraient dans Lc. x, 38. 39 à propos d'une κώμη. Il est donc assez clair que Jo. fait ici un rapprochement. On connaissait les deux sœurs, mais Lc. avait évité de dire le nom de leur bourg, et qu'elles avaient un frère. Jo. s'arrange pour greffer son récit sur un souvenir précis. Ce serait une démission de l'intelligence que de voir dans cette manière d'écrire une surcharge de rédacteur échappatoire facile, qui ne résout rien.

Le récit commence comme iii, 1 et v, 5; le nom propre est indiqué comme pour Nicodème, à cause de l'importance du personnage, probablement connu de nombreux chrétiens, mais surtout à cause de ses deux sœurs. Marie est nommée la première à cause du trait du v. 2 qui lui a donné une gloire incomparable ; mais dans le reste du récit Marthe se met plus en avant, comme c'est le cas dans Luc. Renan a imaginé et Loisy ne désapprouve pas que le nom de Lazare ait été emprunté à la parabole de Lc. xvi, 19-31, dans laquelle Lazare n'est pas autorisé à ressusciter : *lucus a non lucendo*, un λῆρος d'après Origène. Le nom était très commun : Josèphe connaît vingt-trois Ἐλεάζαρος d'après la table de Niese, et aussi un Λάζαρος (*Bell.* V, xiii, 7), forme apocopée, comme en hébreu אֱלְעָזָר (Dieu a secouru) avait donné aussi לַעְזָר. — βηθανία doit représenter en hébreu בית ענוה (cf. *Comm. Mc.* p. 269); d'après Loisy : « maison de douleur » ou « maison d'exaucement », ce qui conduirait à une signification symbolique. On pourrait avec Albright (*Bulletin of the American School of Oriental Researches*, Feb. 1923, p. 8 ss.) reconnaître ici la עֲנָנְיָה de Neh. xi, 32, dans la tribu de Benjamin ce qui conviendrait bien. La contraction du nom s'expliquerait d'autant mieux que Néhémie connaît comme noms d'hommes ענוה (viii, 4 ; x, 23) aussi bien que עננוה (iii, 23). Quant à la situation du village, le P. Vincent (*RB.* 1914, p. 438 ss.) conclut que dès le milieu du deuxième millénaire il existait un village qui s'est perpétué jusqu'au premier siècle de notre ère à quelques centaines de mètres à l'ouest du village actuel d'el-ʿAzarieh, allant du couvent des Passion-

Μάρθας τῆς ἀδελφῆς αὐτῆς. [2] ἦν δὲ Μαριὰμ ἡ ἀλείψασα τὸν κύριον μύρῳ καὶ ἐκμάξασα τοὺς πόδας αὐτοῦ ταῖς θριξὶν αὐτῆς, ἧς ὁ ἀδελφὸς Λάζαρος ἠσθένει. [3] ἀπέστειλαν οὖν αἱ ἀδελφαὶ πρὸς αὐτὸν λέγουσαι Κύριε, ἴδε ὃν φιλεῖς ἀσθενεῖ. [4] ἀκούσας δὲ ὁ Ἰησοῦς εἶπεν Αὕτη ἡ ἀσθένεια οὐκ ἔστιν πρὸς θάνατον ἀλλ' ὑπὲρ τῆς δόξης τοῦ θεοῦ ἵνα δοξασθῇ ὁ υἱὸς τοῦ θεοῦ δι' αὐτῆς. [5] ἠγάπα δὲ ὁ Ἰησοῦς τὴν Μάρθαν καὶ τὴν ἀδελφὴν αὐτῆς καὶ τὸν Λάζαρον. [6] ὡς οὖν ἤκουσεν ὅτι ἀσθενεῖ, τότε μὲν ἔμεινεν ἐν ᾧ ἦν τόπῳ δύο ἡμέρας· [7] ἔπειτα μετὰ τοῦτο λέγει τοῖς μαθηταῖς Ἄγωμεν εἰς τὴν Ἰουδαίαν πάλιν. [8] λέγουσιν αὐτῷ οἱ μαθηταί Ῥαββί νῦν ἐζήτουν σε λιθάσαι οἱ Ἰουδαῖοι, καὶ πάλιν ὑπάγεις ἐκεῖ; [9] ἀπεκρίθη Ἰησοῦς Οὐχὶ

nistes aux ruines du couvent de Mélisende, et que ce village n'était autre que Béthanie au temps de Jésus.

2) Explique pourquoi Marie a été nommée la première : elle est célèbre par son onction. Pour soutenir l'unité de Marie et de la pécheresse de Lc., inconnue aux anciens (sauf Origène, p. 544), on a vu ici un renvoi à Lc. VII, 38, où il y a bien une onction des pieds, mais après que les pieds mouillés de larmes ont été essuyés par les cheveux, tandis que l'ordre du v. 2 est exactement celui de XII, 3. Ce n'est pas non plus une allusion littéraire au récit de Mt. XXVI, 6-13 = Mc. XIV,3-9, où l'onction se fait sur la tête. D'autre part, quoique la concordance soit parfaite avec Jo. XII, 3, on objecte les participes aoristes indiquant une action antécédente plutôt que future, d'autant que Jo. sait très bien faire allusion à des faits de l'avenir (VI, 71 ; VII, 39 ; XI, 51 ; XII, 4. 33 ; XVIII, 32). A la rigueur cependant on s'explique que Jo. ayant écrit ἦν (et non ἐστι) à cause de ἠσθένει ait pris le parti de mettre à l'aoriste des participes qualificatifs d'un acte passé au moment où il écrivait, se réservant de placer le fait dans son cadre historique. Il le pouvait d'autant plus que l'histoire de cette femme que ni Mt. ni Mc. n'avaient nommée était très connue et sans cesse répétée (Mt. XXVI, 13 = Mc. XIV, 9). Ce serait une manière de dire : la femme si célèbre par son onction se nommait Marie et c'était la sœur de Lazare et de Marthe, sauf à qualifier l'onction non par la tête, mais de la manière qu'il allait raconter. — Ou bien on pourrait supposer une glose très ancienne, de ἦν à αὐτῆς, d'autant que Jo. n'emploie presque jamais ὁ κύριος de Jésus (cf. IV, 1 ; VI, 23 ; XIII, 13. 14. 16 ; XV, 15. 20 ; XX, 2. 13. 18. 20. 25. 28 ; XXI, 7. 15). Le syrsin., d'après la révision de Mrs. Lewis, porte : « Il y avait un infirme, Lazare de Béthanie, frère de Marie et de Marthe ; Marie était celle qui avait lavé les pieds ; son frère était ce Lazare qui était malade. »

3) Les deux sœurs étaient donc au courant des mouvements de Jésus. Elles prient comme la mère de Jésus (II, 3) simplement en indiquant le fait : *Sufficit ut noveris ; non enim amas, et deseris* (*Aug.*).

4) C'est bien une réponse aux deux sœurs. Sans doute la réflexion rappelle celle de IX, 3 ; mais de même que celle-ci s'adressait aux disciples, la réflexion présente est une réponse prononcée en présence du messager et destinée à être

et de Marthe sa sœur. [2] C'était Marie, qui oignit le Seigneur d'huile parfumée et qui essuya ses pieds de ses cheveux, dont le frère Lazare était malade. [3] Les [deux] sœurs envoyèrent donc auprès de lui, pour lui dire : « Seigneur, celui que tu aimes est malade. » [4] Ce qu'ayant entendu, Jésus dit : « Cette maladie ne va pas à la mort, mais elle est pour la gloire de Dieu, afin que le Fils de Dieu en soit glorifié. » [5] Or Jésus aimait Marthe et sa sœur et Lazare. [6] Lors donc qu'il eut appris qu'il était malade, il demeura au lieu où il était deux jours encore; [7] ensuite il dit aux disciples : « Allons de nouveau en Judée. » [8] Les disciples lui disent : « Rabbi, tout à l'heure les Juifs voulaient te lapider, et tu vas de nouveau là-bas? » [9] Jésus

rapportée. D'ailleurs elle n'est pas claire, et était apparemment destinée à mettre à l'épreuve la foi des deux sœurs : πρὸς θάνατον (cf. I Jo. v, 16. 17) pouvait signifier que Lazare ne mourrait pas de cette maladie, c'était même le sens le plus naturel; l'autre sens : tout cela ne se terminera pas par la mort, car je puis le délivrer même de la mort, ne devait apparaître qu'après. Cependant Jésus l'entendait ainsi dans la pensée de Jo. (contre *Zahn* : Jésus ne savait pas encore comment cela finirait!). — La gloire de Dieu indique en tout cas un miracle, de guérison ou de résurrection — ἵνα n'a pas le sens final (Chrys. ἐκβάσεώς ἐστι), et coordonne la gloire du Fils, acquise par le miracle, à la gloire du Père (xiii, 31), étant entendu que le Fils agit par la vertu du Père (v, 21-23; vii, 18; viii, 54; ix, 3). Même si l'on admet le sens final de ἵνα, il faudrait encore voir dans la phrase qu'il gouverne une explication de la gloire de Dieu, c'est-à-dire qu'elle résulte de la glorification du Fils (*Schanz, Holtz.* etc.).

5) Un narrateur logique aurait mis ce v. avant le v. 3; après il a l'air d'une explication renvoyée. Mais Jo. a sa manière (cf. *Intr.* p. xciv). Jésus va rester et cependant il aimait ces trois personnes : *ille languens, illae tristes, omnes dilecti* (*Aug.*). La gloire de Dieu avant tout, mais on se dit que ces personnes aimées auront leur tour; elles ne seront pas sacrifiées.

6) οὖν se rattache au v. 4. Jésus attend, parce qu'il ne fait rien sans l'ordre réglé par son Père (v, 19. 30), qui veut que ce miracle s'accomplisse avec plus d'éclat.

7) En Judée : donc il ne s'agit pas seulement d'une fugue à Béthanie, mais d'une nouvelle mission, avec tous les risques qu'elle comporte. — Pour le pléonasme, cf. PLAT. *Eutyphr.* 2, d : ἔπειτα μετὰ ταῦτα, et des locutions analogues chez les classiques. — ἄγωμεν comme v. 15. 16; xiv, 31; Mc. i, 38.

8) Les disciples ne parlent que du danger de leur maître et ne proposent pas de le partager (ὑπάγεις); sans doute n'étaient-ils pas très résolus avant d'être entraînés par Thomas (16); même situation dans Mc. x, 32. — νῦν peut s'entendre d'un moment passé, d'où l'imparfait qui suit. On ne peut rien en conclure sur le temps qu'a duré le séjour en Pérée.

9 s.) Ces deux versets forment les deux aspects d'une même comparaison : de

δώδεκα ὧραί εἰσιν τῆς ἡμέρας; ἐάν τις περιπατῇ ἐν τῇ ἡμέρᾳ, οὐ προσκόπτει, ὅτι τὸ φῶς τοῦ κόσμου τούτου βλέπει· [10]ἐὰν δέ τις περιπατῇ ἐν τῇ νυκτί, προσκόπτει, ὅτι τὸ φῶς οὐκ ἔστιν ἐν αὐτῷ. [11]ταῦτα εἶπεν, καὶ μετὰ τοῦτο λέγει αὐτοῖς Λάζαρος ὁ φίλος ἡμῶν κεκοίμηται ἀλλὰ πορεύομαι ἵνα ἐξυπνίσω αὐτόν. [12]εἶπαν οὖν οἱ μαθηταὶ αὐτῷ Κύριε, εἰ κεκοίμηται σωθήσεται. [13]εἰρήκει δὲ ὁ Ἰησοῦς περὶ τοῦ θανάτου αὐτοῦ· ἐκεῖνοι δὲ ἔδοξαν ὅτι περὶ τῆς κοιμήσεως τοῦ ὕπνου λέγει. [14]τότε οὖν εἶπεν αὐτοῖς ὁ Ἰησοῦς παρρησίᾳ Λάζαρος ἀπέθανεν, [15]καὶ χαίρω δι' ὑμᾶς, ἵνα πιστεύσητε, ὅτι οὐκ ἤμην ἐκεῖ· ἀλλὰ ἄγωμεν πρὸς αὐτόν. [16]εἶπεν οὖν Θωμᾶς ὁ λεγόμενος Δίδυμος τοῖς συνμαθηταῖς Ἄγωμεν καὶ ἡμεῖς ἵνα ἀποθάνωμεν μετ' αὐ-

même qu'on ne se heurte pas à des obstacles durant le jour, parce qu'il y a de la lumière, et qu'au contraire on se heurte durant la nuit faute de lumière... les termes sont parfaitement clairs et la vérité du fait incontestable. Ce qui demeure en suspens, c'est le point qui doit être éclairé par cette comparaison; mais il n'est pas douteux d'après la situation. Tant que l'heure de Jésus ne sera pas venue dans les desseins de Dieu, il n'a rien à craindre de ses ennemis; il en sera autrement lorsque sera venu le moment qu'on peut comparer aux ténèbres (cf. Lc. xxii, 53). Nous avons donc là une véritable parabole (*Cyr.*). L'idée très juste et déjà exprimée que Jésus est la lumière des âmes (viii, 12; ix, 5) n'est nullement énoncée ici; on a pu croire (*Zahn*) que, par opposition à la lumière du monde, Dieu est la lumière intérieure qui luit dans l'homme (ἐν αὐτῷ), de sorte que la pure comparaison tournerait à l'allégorie au v. 10, mais cette subtilité nuirait à l'effet simple et droit de la parabole. Il suffit de rappeler que la lumière du dehors n'est censée utile que lorsqu'elle est reçue dans l'œil; cf. Lc. xi, 34; Mt. vi, 23. Au début les douze heures ne sont pas absolument nécessaires à la parabole; elles servent cependant à suggérer qu'on peut user jusqu'au bout du délai accordé par la nature, et de même pour le dessein de Dieu : quoique son exécution soit proche (vii, 33), cependant il ne faut pas cesser d'agir tant qu'on le peut (ix, 4). — προσκόπτει, cf. Rom. xiv, 21.

11) Les disciples demeurent muets. Jésus leur donne une raison décisive de profiter du temps qui reste, après une pause qui leur permettait un bon mouvement. — κοιμᾶσθαι signifie dormir, mais cette expression est souvent employée comme un euphémisme pour le sommeil de la mort (cf. Mt. xxvii, 52; Act. vii, 60; xiii, 36; I Cor. vii, 39, etc.). Dormir était surtout bien choisi pour désigner une mort qui n'était que pour un temps (cf. Mc. v, 39 et parall.), sans parler de la répulsion naturelle qui évite les mots trop durs pour des êtres chéris, par rapport à soi et par rapport à ceux auxquels on donne la nouvelle. — Le réveil dont parle Jésus ne suffisait pas à écarter l'idée de mort, mais la suggérait plutôt. En effet il eût été bien peu naturel de faire un voyage d'une journée pour aller réveiller un malade. Et même quel besoin de le réveiller?

Noter ὁ φίλος ἡμῶν et πορεύομαι pour faire honte aux disciples. L'hospitalité à Béthanie avant la Passion suppose d'anciennes relations.

12 s.) Il n'est pire sourd que celui qui ne veut pas entendre. Jésus a proposé à

répondit : « N'y a-t-il pas douze heures de jour? Si quelqu'un marche durant le jour, il ne se heurte pas, parce qu'il voit la lumière de ce monde; [10] mais si quelqu'un marche durant la nuit, il se heurte, parce que la lumière n'est pas en lui. » [11] Il parla ainsi, et après cela il leur dit : « Lazare notre ami s'est endormi, mais je vais aller le réveiller. » [12] Les disciples lui dirent donc : « Seigneur, s'il dort, il guérira. » [13] Or Jésus avait parlé de sa mort, mais eux se figurèrent qu'il parlait du repos du sommeil. [14] Jésus leur dit donc alors ouvertement : « Lazare est mort, [15] et je me réjouis à cause de vous, afin que vous croyiez, de n'avoir pas été là : mais allons vers lui. » [16] Thomas, nommé Didyme, dit donc aux autres disciples : « Allons, nous aussi, pour mourir avec lui. »

ses disciples de monter en Judée : ils ont fait une objection. Il y a répondu. Silence. Il allègue leur commune amitié pour Lazare, et il fouette leur inertie en ne disant plus « allons », mais seulement « j'irai ». Tout cela est inutile. Leur peur exploite le premier mot : le sommeil est si bon pour les malades! Et ils sous-entendent : à quoi bon aller le réveiller? — S'ils ont compris de la sorte, c'est parce qu'ils avaient l'esprit voilé par la crainte; ils ne se décidaient ni à laisser Jésus partir seul, ni à s'exposer avec lui. C'est sûrement ce que Jo. a voulu nous donner à entendre (*Chrys. Cyr.* etc.) plutôt que de mettre en jeu « le malentendu coutumier ».

14 s.) Cette fois Jésus enlève ses disciples : Lazare est mort, formule brève et saisissante; ἀλλά « finissons-en », et ἄγωμεν comme au v. 7, sans plus hésiter. Jésus se réjouit de n'avoir pas été là, et cela à cause de ses disciples, parce que le miracle sera dans l'intérêt de leur foi. Ils croient déjà en lui, mais ils feront un acte de foi plus ferme qui les armera contre les périls de la Passion. Si au contraire Jésus avait été là, il n'aurait pas laissé mourir son ami sous ses yeux (*Cyr.*) et la foi, moins éprouvée, n'aurait pas eu l'occasion de s'exercer autant, ni avant, ni après.

16) Sur le nom de Thomas, cf. *Comm. Mc.* p. 60. Ce nom n'est pas connu avant le N. T., tandis que Δίδυμος se trouve en Égypte environ III s. av. J.-C. (*MM*). Il se pourrait donc que le sémitique ait été formé d'après le grec, ou par suite de la même idée comme *Geminus* et *Gemellus*. Aussi bien λεγόμενος ne signifie pas « traduit », ni « surnommé », mais nommé, à savoir parmi les Grecs, du nom équivalent de Didyme. — On ne saurait trop louer cette courageuse initiative; peut-être Thomas n'a-t-il pas tenu assez compte de la parabole du Christ, ou n'a-t-il pas compris ce qu'elle voulait dire, à savoir que le danger n'était pas tout à fait imminent. On dirait de quelqu'un qui prend son parti : Puisqu'il ne veut pas nous écouter, soit, ce n'est pas notre propre danger qui nous retiendra. C'est une fantaisie de Bauer (cf. Loisy) que ce verset remplace Mc. XIV, 31 = Mt. XXVI, 35; et c'est une autre fantaisie de Zahn de soutenir que Thomas veut mourir avec Lazare.

τοῦ. [17] Ἐλθὼν οὖν ὁ Ἰησοῦς εὗρεν αὐτὸν τέσσαρας ἤδη ἡμέρας ἔχοντα ἐν τῷ μνημείῳ. [18] ἦν δὲ Βηθανία ἐγγὺς τῶν Ἱεροσολύμων ὡς ἀπὸ σταδίων δεκαπέντε. [19] πολλοὶ δὲ ἐκ τῶν Ἰουδαίων ἐληλύθεισαν πρὸς τὴν Μάρθαν καὶ Μαριὰμ ἵνα παραμυθήσωνται αὐτὰς περὶ τοῦ ἀδελφοῦ. [20] ἡ οὖν Μάρθα ὡς ἤκουσεν ὅτι Ἰησοῦς ἔρχεται ὑπήντησεν αὐτῷ· Μαριὰμ δὲ ἐν τῷ οἴκῳ ἐκαθέζετο. [21] εἶπεν οὖν ἡ Μάρθα πρὸς Ἰησοῦν Κύριε, εἰ ἦς ὧδε οὐκ ἂν ἀπέθανεν ὁ ἀδελφός μου· [22] καὶ νῦν οἶδα ὅτι ὅσα ἂν αἰτήσῃ τὸν θεὸν δώσει σοι ὁ θεός. [23] λέγει αὐτῇ ὁ Ἰησοῦς Ἀναστήσεται ὁ ἀδελφός σου.

18. *om.* η *α.* βηθανια (TH) ou *add.* (SV).
19. την (H) plutôt que τας περι (TSV). — *om.* αυτων *p.* αδελφου (TH) plutôt que *add.* (SV).
21. ουκ αν απεθανεν ο αδελφος μου (TH) et non ο α. μου ουκ αν ετεθνηκει (SV).

17-32. Entretiens de Jésus avec Marthe et Marie.

17) Quand Jésus arriva à Béthanie, Lazare (εὗρεν αὐτόν) était (ἔχοντα, cf. v, 5) dans le tombeau depuis quatre jours. Les funérailles se faisaient ordinairement le jour de la mort (cf. Act. v, 6. 10); il y avait donc quatre jours que Lazare était mort, probablement sans compter ces jours pleins, c'est-à-dire qu'on était au quatrième jour depuis le décès. Si Béthanie au delà du Jourdain était comme nous pensons (cf. i, 28) à trois ou quatre heures de Jéricho, le messager, parti peu avant la mort de Lazare, a dû y arriver en un jour : il a fallu autant à Jésus pour en venir, après avoir attendu deux jours. Comme rien n'indique qu'il en ait su plus long après les deux jours d'attente, Jésus a dû connaître surnaturellement la mort au moment où on lui annonçait la maladie. C'est par un dessein prémédité qu'il a différé de l'annoncer; autrement il eût été convenable de partir aussitôt. Les paroles du v. 4 dans la pensée de Jo. doivent nous faire comprendre suffisamment, par leur analogie avec le v. 11, que Jésus a connu dès le début tout le plan divin.

18) ἦν ne prouve pas que la bourgade était détruite (cf. xviii, 1; xix 41); c'est la perspective de faits anciens. La distance est indiquée pour expliquer le concours des Juifs; c'est environ 2775 mètres; Éthérie : *forsitan secundo miliario a civitate.* Pour la tournure ἀπό avec la distance, cf. xxi, 8; Apoc. xiv, 20, Josèphe *passim;* ἀπό « à partir de », à propos du lieu, comme à propos du temps Act. x, 30. Sur les milliaires, après l'inscription latine, la distance du point de départ était souvent marquée en Palestine par ἀπό (cf. *RB.* 1895, p. 399).

19) Cette fois les Juifs n'apparaissent pas comme des adversaires, mais ils peuvent le devenir. La pensée de Jo. est que ce ne sont pas des gens du village, mais des personnes marquantes de Jérusalem. Les anciens mss. ℵBCL (de plus W), ont seulement πρὸς τήν : la leçon πρὸς τὰς περί est une pseudo-élégance du temps où cette tournure ne signifiait rien de plus que la personne désignée. Marthe reprend ici la première place, avec le rôle actif, comme dans Lc. x, 38-40. — Les condoléances sont bien connues des rabbins : « ses compagnons se réunirent

[17]Jésus vint donc, et trouva qu'il était dans le tombeau depuis quatre jours. [18]Or Béthanie était près de Jérusalem, à quinze stades environ. [19]Beaucoup de Juifs étaient venus auprès de Marthe et de Marie, pour les consoler au sujet de leur frère. [20]Marthe donc, lorsqu'elle eut appris que Jésus venait, alla à sa rencontre, tandis que Marie restait assise à la maison. [21]Marthe dit donc à Jésus : « Seigneur, si tu avais été ici, mon frère ne serait point mort; [22]maintenant encore je sais que tout ce que tu demanderas à Dieu, Dieu te l'accordera. » [23]Jésus lui dit : « Ton frère ressuscitera. »

pour le consoler » (*Pes.* 30, 140b, cité par *Schlatter*). C'est d'ailleurs un très ancien usage oriental; cf. II Sam. x, 2.

20) Nous voyons au v. 31 que le secret de l'arrivée du Sauveur avait été bien gardé. Il est donc vraisemblable que Marthe fut seule prévenue, et avec son initiative empressée, elle courut seule au-devant de Jésus, laissant Marie avec les visiteurs. Le dessin de leurs caractères est conforme à ce que nous savons par Lc., mais surtout pour Marthe, car l'immobilité de Marie tient ici aux circonstances, non à son goût pour la parole de Dieu. — ἐκαθέζετο; aujourd'hui encore nous avons vu une famille juive distinguée recevoir les visites de condoléance, le fils de la maison assis par terre, les femmes sur des escabeaux. A chaque entrée, explosion de sanglots. Chrys. qui connaissait cet usage félicite les deux sœurs de ne pas l'avoir suivi.

21) Marthe exprime à la fois sa confiance dans l'affection de Jésus, sa conviction de son pouvoir surnaturel. Marie dira les mêmes paroles : ce sont comme deux échos de leurs pensées souvent échangées : s'Il était là! Il n'y a pas là de reproche, car elle ne dit pas : si tu étais venu; mais : si tu avais été (ἦς au sens de l'aoriste) ici, ce dont Jésus était empêché par la distance. Sa foi cependant n'est pas parfaite, car aucun obstacle, même l'éloignement, n'aurait pu entraver la volonté du Maître (cf. IV, 46-54).

22) Plus par une conséquence théorique de sa foi qu'ayant en vue un dessein bien net, Marthe sait que même à ce moment, si Jésus demandait quelque chose — et dans sa pensée ce serait de rendre la vie à Lazare, — Dieu le lui accorderait.

Mais sont-ce des choses que l'on demande, et Jésus y songe-t-il? Ce n'est donc même pas cette prière qui se contente d'exposer le cas (II, 3; XI, 3), mais une suggestion vague que Jésus pourrait faire plus qu'on n'a le droit d'espérer et qu'on ne peut comprendre (*Holtz.*; tandis que Loisy lourdement : « Marthe a demandé la résurrection d'un cadavre en voie de décomposition », etc.). Marthe suppose que Jésus aura recours à la prière : ce n'est pas l'indice certain d'une foi imparfaite, puisque Jésus fera allusion à sa propre prière (41).

23) Jésus ne répond pas : Je prierai Dieu de ressusciter ton frère, ou : Je le ressusciterai, mais simplement : Il ressuscitera, ce que Marthe pouvait très bien entendre de la résurrection générale, dogme reconnu de tous les Juifs orthodoxes (Lc. XIV, 14; XX, 35); dans le moment c'était décliner sa suggestion

[24]λέγει αὐτῷ ἡ Μάρθα Οἶδα ὅτι ἀναστήσεται ἐν τῇ ἀναστάσει ἐν τῇ ἐσχάτῃ ἡμέρᾳ. [25]εἶπεν αὐτῇ ὁ Ἰησοῦς Ἐγώ εἰμι ἡ ἀνάστασις καὶ ἡ ζωή· ὁ πιστεύων εἰς ἐμὲ κἂν ἀποθάνῃ ζήσεται, [26]καὶ πᾶς ὁ ζῶν καὶ πιστεύων εἰς ἐμὲ οὐ μὴ ἀποθάνῃ εἰς τὸν αἰῶνα· πιστεύεις τοῦτο; [27]λέγει αὐτῷ Ναί, κύριε· ἐγὼ πεπίστευκα ὅτι σὺ εἶ ὁ χριστὸς ὁ υἱὸς τοῦ θεοῦ ὁ εἰς τὸν κόσμον ἐρχόμενος. [28]καὶ τοῦτο εἰποῦσα ἀπῆλθεν καὶ ἐφώνησεν Μαριὰμ τὴν ἀδελφὴν αὐτῆς λάθρᾳ εἰποῦσα Ὁ διδάσκαλος πάρεστιν καὶ φωνεῖ σε. [29]ἐκείνη δὲ ὡς ἤκουσεν ἠγέρθη ταχὺ καὶ ἤρχετο πρὸς αὐτόν· [30]οὔπω δὲ ἐληλύθει ὁ Ἰησοῦς εἰς τὴν κώμην, ἀλλ' ἦν ἔτι ἐν τῷ τόπῳ ὅπου ὑπήντησεν αὐτῷ ἡ Μάρθα. [31]οἱ οὖν Ἰουδαῖοι οἱ ὄντες μετ' αὐτῆς ἐν τῇ οἰκίᾳ καὶ παραμυθούμενοι αὐτήν, ἰδόντες τὴν Μαριὰμ ὅτι ταχέως ἀνέστη καὶ ἐξῆλθεν, ἠκολούθησαν αὐτῇ δόξαντες ὅτι ὑπάγει εἰς τὸ μνημεῖον ἵνα κλαύσῃ ἐκεῖ. [32]ἡ οὖν Μαριὰμ ὡς ἦλθεν ὅπου ἦν Ἰησοῦς ἰδοῦσα αὐτὸν ἔπεσεν αὐτοῦ πρὸς τοὺς πόδας, λέγουσα αὐτῷ Κύριε, εἰ ἦς ὧδε οὐκ ἄν μου ἀπέθανεν ὁ ἀδελφός. [33]Ἰησοῦς οὖν ὡς εἶδεν αὐτὴν κλαίουσαν καὶ τοὺς συνελθόντας αὐτῇ Ἰου-

25. *om.* δε *p.* ειπεν (**THV**) **et non** *add.* (**S**).
28. ειπουσα 2° (**TSV**) **plutôt que** ειπασα (**H**).
32. προς (**THV**) **et non** εις (**S**).

---

en lui offrant une consolation affectueuse, telle que nous en faisons encore.

24) Marthe montre qu'elle n'est pas étrangère à cette pensée de foi ; mais c'est pour un temps bien éloigné !

25 s.) Les Juifs croyaient à la résurrection, mais ils ne savaient pas que le Messie serait l'agent de cette résurrection (*Le Messianisme...* p. 170 ss.), ni que Jésus fût ce Messie. C'est ce que Jésus demande à Marthe de croire. Elle eût dû en conclure que son frère pouvait être dès à présent ressuscité : *per quem tunc resurget, potest et modo* (*Aug.*) Mais la vérité générale était beaucoup plus importante que le fait miraculeux qui en devait être le signe. Elle avait déjà été enseignée par le Maître (v, 24 ss. ; viii, 51); elle repose sur ce fait que Jésus est la résurrection, ce qui était le thème actuel, et la vie (i, 4), source de la résurrection : *Ideo resurrectio, quia vita* (*Aug.*). L'homme prend possession de cette vie par la foi en Jésus : s'il vient à mourir d'une mort naturelle, il vivra par cette vie surnaturelle et par la résurrection ; et celui qui vit de sa vie physique, — quoi qu'il en soit de la mort naturelle — il ne mourra pas d'une mort qui le priverait de la vie qu'il possède déjà en Jésus par la foi (*Aug.*, *Schanz*, etc.). Que cette vie éternelle comporte la résurrection, à la différence de celle dont parle Philon (*de fuga*, 55 ; I, 554), cela résulte de la profession de foi de Marthe, confirmée par ἐγώ εἰμι ἡ ἀνάστασις : l'acte de foi demandé à Marthe porte sur tout ce dogme, mais envisagé en Jésus, auteur de la vie.

27) Aussi est-ce sur lui qu'elle fait son acte de foi, comportant adhésion à ce

[24]Marthe lui dit : « Je sais qu'il ressuscitera lors de la résurrection, au dernier jour. » [25]Jésus lui dit : « Je suis la résurrection et la vie : celui qui croit en moi, fût-il mort, vivra, [26]et quiconque vit et croit en moi ne mourra point pour toujours. Le crois-tu ? » [27]Elle lui dit : « Oui, Seigneur, je crois que tu es le Christ, le Fils de Dieu qui viens dans le monde. » [28]Ayant ainsi parlé elle s'en alla et appela Marie sa sœur en secret, disant : « Le maître est là et il t'appelle. » [29]Lorsque celle-ci l'eut appris, elle se leva aussitôt et alla auprès de lui. [30]Jésus n'était pas encore entré dans le village, mais il était encore au lieu où Marthe l'avait rencontré. [31]Les Juifs donc qui étaient avec elle dans la maison et la consolaient, voyant que Marie s'était levée promptement et était sortie, la suivirent, conjecturant qu'elle allait au tombeau pour s'y lamenter. [32]Lors donc que Marie fut arrivée au lieu où était Jésus, le voyant elle tomba à ses pieds, en lui disant : « Seigneur, si tu avais été ici, mon frère ne serait pas mort. » [33]Jésus donc, quand il la vit se lamenter, et les Juifs venus

qu'il vient de dire de la résurrection, qui n'était point comprise jusqu'à présent dans l'espérance messianique (*Le Messianisme*... p. 176 ss.). Cette confession de foi est plus haute que celle de Nathanaël (I, 49) et au moins égale à celle de Pierre (VI, 69) ; le Fils de Dieu qui vient dans le monde est donc proprement dans la sphère divine ; il est et sera à jamais la vie. Marthe paraît absorbée dans ces hauteurs et apaisée ; elle ne semble pas en avoir rien conclu quant à la résurrection actuelle de Lazare.

28) « Artifice et remplissage » dit Loisy (p. 349). — Pourtant c'est bien ce qui se passera toujours en pareil cas. Une personne vraiment amie arrive dans une scène banale de condoléances ; on désire l'entretenir en particulier. Ainsi, Marthe essaye de débarrasser Marie des fâcheux, discrètement. Elle sait bien qu'elle interprète le désir de sa sœur et celui de Jésus (*Cyr.*), même s'il ne l'a pas exprimé.

31) Il est difficile d'écarter des importuns, surtout bénévoles ; mais Marthe avait gagné un peu de temps. Le mouvement rapide de Marie, son départ en silence ont dû leur causer quelque étonnement. Ils ont cru à une émotion subite qui voulait se laisser libre cours près du tombeau ; cf. Sap. XIX, 3 : προσοδυρόμενοι τάφοις νεκρῶν.

32) Ce sont les paroles de Marthe, mais l'attitude est plus suppliante, et les larmes coulent.

Bauer cite Cic. *in Verrem* v, 49 *mihi obviam venit et ita me suam salutem appellans... filii nomen implorans mihi ad pedes misera iacuit, quasi ego eius excitare ab inferis filium possem.*

33-44. Le miracle.

33) Ce verset a été compris de bien des manières. On accorde que le début

δαίους κλαίοντας ἐνεβριμήσατο τῷ πνεύματι καὶ ἐτάραξεν ἑαυτόν, [34] καὶ εἶπεν Ποῦ τεθείκατε αὐτόν; λέγουσιν αὐτῷ Κύριε, ἔρχου καὶ ἴδε. [35] ἐδάκρυσεν

doit expliquer de quelque façon le sentiment de Jésus dans la seconde partie Mais quel est ce sentiment, exprimé par ἐμβριμάομαι? Les anciens Grecs (*Or. Chrys. Cyr. Théod.*, suivi par *Icho'dad*) l'entendent de la colère, et c'est l'opinion des modernes, comme s'il ne pouvait y avoir de doute sur le sens du mot (*Holtz.*, *Bauer*, *Loisy*, *Calmes*, *Schanz*, *Zahn*, *Belser*, etc. sauf, à ma connaissance, *Tillm.*). En colère contre qui? *a*) Plusieurs anciens l'entendent d'un reproche fait par l'Esprit à la nature sensible du Christ, à son πάθος pour réprimer une émotion trop vive : ἐπιτιμᾷ τῷ πάθει (*Or.* cf. *Chrys.*); Cyr. τῇ δυνάμει τοῦ ἁγίου πνεύματος ἐπιπλήττει τρόπον τινὰ τῇ ἰδίᾳ σαρκί, et le trouble provient ensuite d'une sorte de protestation de la chair contre cette monition de la nature divine. Quoi qu'il en soit de cette opinion sur les conséquences de l'Incarnation, que Schanz juge inacceptable, on ne comprendrait pas comment ensuite Jésus aurait cédé à l'émotion en pleurant.

b) D'après d'autres, Jésus « est révolté intérieurement de voir tout ce monde pleurer sur un mort devant celui qui est le principe de la vie » (*Loisy*, p. 350); ce serait une offense contre sa majesté (*Bauer*). On a noté aussi que si Jésus va pleurer (δακρύω), il ne se lamente pas (κλαίω); dans cette douleur excessive il a vu une demi-incrédulité (*Belser*). Mais alors il faut englober Marie parmi ceux qui ont excité la colère du Christ.

La lamentation, à supposer que ce soit ici, par opposition à δακρύω, le sens de κλαίω qui signifie aussi pleurer, était absolument dans les usages, et rien n'indique qu'ils aient été dépassés. Cette douleur s'expliquait assez et le Christ qui va la partager, moins bruyamment si l'on veut, ne pouvait s'en irriter, lui qui avait eu sans se mettre en colère tant d'occasions de s'irriter de l'incrédulité des Juifs. Il n'a déclaré qu'il était la Vie et la Résurrection qu'à Marthe, qui précisément n'est pas en scène.

c) D'après Schanz, Zahn, etc. Jésus s'irrite contre la mort suite du péché, ou plutôt contre celui qui se sert de la mort pour dominer... Cette explication est pieuse et la plus plausible, mais on ne peut pas dire qu'elle soit suggérée directement par le texte.

Quel que soit l'objet qu'on assigne à la colère, on sort du texte, parce qu'il n'en assigne aucun.

Le verbe ἐμβριμάομαι signifie exactement *gronder*, au propre « faire entendre un bruit sourd », au figuré, lorsqu'il y a un régime, gronder quelqu'un, le blâmer vivement, ce qui suppose de l'irritation ou au moins du mécontentement : Mt. IX, 30; Mc. I, 43; XIV, 5; Dan. XI, 30 (LXX); Is. XVII, 13 (*Sym.*); Num. XXIII, 8 (Hexaples); Pseudo-Libanius *Declam.* XL (éd. *Foerster* VII p. 336) : τῇ μὲν πάλιν ἐνεβριμώμην. Mais lorsqu'il n'y a pas de régime, le motif du grondement doit être cherché dans le contexte; et si ce peut être la colère, ce peut aussi être autre chose. Au propre, des cavales grondent d'impatience de voler au combat (Esch. *Sept.* 461); au figuré un philosophe s'échauffe pour son système et crie : ὁ δὲ Ἐμπεδοκλῆς ἄντικρυς ἕστηκεν ἐμβριμώμενος καὶ ἀπὸ τῆς Αἴτνης μέγα βοῶν (Hermias, *Irrisio gent. phil.*, dans Diels, *Dox. graeci* p. 653). Ici manifestement le contexte indique

avec elle se lamenter, frémit en [son] esprit et se troubla, [34] et il dit : « Où l'avez-vous mis? » Ils lui disent : « Seigneur, viens et

une sorte de contagion de la douleur, qui excite d'abord dans l'âme de Jésus comme une émotion puissante, une horreur sacrée. Il sait qu'il peut vaincre la mort, mais son œuvre n'en est pas moins là, hideuse, et infligeant à ceux qu'il aime, à son propre cœur, une blessure sensible. C'est sortir quelque peu du contexte que d'introduire ici la perspective de la Passion (*Calmes, Tillm.*). Les anciennes versions n'ont pas vu là de la colère : latt. *fremuit*, *infremuit* (sauf *d ira plenus*); syrr. « il s'émut fortement »; Sah. « il fut troublé dans l'esprit comme ceux qui grondent »; boh. « il fut tourmenté dans l'esprit ». Torrey (cf. *Intr.* p.CII) suppose un original araméen רגז qui peut signifier « s'irriter » mais aussi « trembler, être ému ». Il faudrait que l'erreur se soit produite deux fois dans le même contexte, qui suggérait plutôt l'émotion.

— τῷ πνεύματι est parallèle à ἐν ἑαυτῷ (38) pour indiquer d'abord que ce grondement n'est pas extérieur, mais se passe dans l'âme, et dans la partie haute de l'âme; cf. XIII, 21 et Mc. VIII, 12. — καὶ ἐτάραξεν ἑαυτόν indique bien (à cause de καί) une nuance complémentaire, mais ce trouble peut être la conséquence du frémissement intérieur qui s'est élevé fortement dans le Christ à la manière d'un instinct. Que ce trouble ait été volontaire, comme toutes les émotions du Christ, la théologie l'enseigne, mais Jo. ne l'exprime pas ici à dessein par l'emploi du pronom réfléchi, puisqu'il a employé le passif du même Christ (XII, 27; XIII, 21).

Les radicaux insistent sur cette maîtrise du Christ étalée par Jo. pour mettre entre lui et les synoptiques plus de différence qu'il n'y en a. Holtz. (approuvé par *Bauer*) conjecture même que ce trouble défend Jésus contre les Stoïciens qui prônaient l'*ataraxie*, ou contre ceux qui niaient sa divinité. — Ne dirait-on pas simplement qu'il manifeste son humanité?

34) Jésus interroge. C'est aussi le fait de Dieu dans la Genèse (III, 9; IV, 9, etc.). On ne peut donc rien en conclure contre sa science comme Verbe, ni même comme homme, uni au Verbe, éclairé par lui. On doit cependant constater que Jo. n'appréhende pas de s'exprimer comme les synoptiques, et nous pouvons l'entendre ici comme chez eux d'une notion qui se complète dans l'ordre de la science acquise. Jésus s'adresse aux deux sœurs, et ce sont elles qui répondent. De part et d'autre les paroles sont naturelles, brèves comme lorsqu'on craint d'être interrompu par un sanglot.

35) Le trouble qui a accompagné le frémissement prépare à cette effusion de larmes, douleur muette, peut-être par opposition avec κλαίω (v. 33); mais ce ne serait qu'une nuance. L'explication de ces larmes sera aussitôt donnée : Jésus aimait Lazare. Il allait le ressusciter, mais il éprouvait un sentiment de compassion plus intense en approchant du lieu où il gisait. Quoi de plus humain? Il n'y a pas à se préoccuper des inquiétudes théologiques de quelques anciens, comme si un sentiment humain faisait tort à la divinité de Jésus, — ni de l'embarras des critiques qui ne peuvent concilier ces larmes avec la colère contre les assistants : il leur est aisé d'enlever cette colère du récit primitif (?), et quant au contexte actuel, « les pleurs doivent être une manifestation de colère » (*Bauer*)!

ὁ Ἰησοῦς. [36] ἔλεγον οὖν οἱ Ἰουδαῖοι Ἴδε πῶς ἐφίλει αὐτόν. [37] τινὲς δὲ ἐξ αὐτῶν εἶπαν Οὐκ ἐδύνατο οὗτος ὁ ἀνοίξας τοὺς ὀφθαλμοὺς τοῦ τυφλοῦ ποιῆσαι ἵνα καὶ οὗτος μὴ ἀποθάνῃ; [38] Ἰησοῦς οὖν πάλιν ἐμβριμώμενος ἐν ἑαυτῷ ἔρχεται εἰς τὸ μνημεῖον· ἦν δὲ σπήλαιον, καὶ λίθος ἐπέκειτο ἐπ' αὐτῷ. [39] λέγει ὁ Ἰησοῦς Ἄρατε τὸν λίθον. λέγει αὐτῷ ἡ ἀδελφὴ τοῦ τετελευτηκότος Μάρθα Κύριε, ἤδη ὄζει, τεταρταῖος γάρ ἐστιν. [40] λέγει αὐτῇ ὁ Ἰησοῦς Οὐκ εἶπόν σοι ὅτι ἐὰν πιστεύσῃς ὄψῃ τὴν δόξαν τοῦ θεοῦ; [41] ἦραν οὖν τὸν λίθον. ὁ δὲ Ἰησοῦς ἦρεν τοὺς ὀφθαλμοὺς ἄνω καὶ εἶπεν Πάτερ,

36) Les larmes d'un homme, qui coulent moins aisément, et d'un étranger, qui ne se contente pas de la lamentation rituelle, sont le témoignage sûr de l'amitié.

37) Dans ce milieu de Juifs relativement sympathiques, c'est la minorité qu exprime une discordance. Cela ne va pas jusqu'à mettre en doute à la fois le pouvoir et l'affection de Jésus (*Chrys.*, *Holtz.*, etc.) mais ce n'est pas seulement l'expression d'un regret analogue à celui des deux sœurs (*Mald., Schanz*, etc.), car τινὲς δέ indique par opposition des gens qui ne se contentent pas d'une interprétation bienveillante des larmes. Ceux-ci admettent la réalité de la guérison de l'aveugle-né. Mais alors Jésus aurait pu guérir Lazare : pourquoi ne l'a-t-il pas fait s'il l'aimait autant que ses larmes le donnent à penser? Cela ne va pas jusqu'à dire : larmes hypocrites, mais bien : larmes de complaisance! — Il était naturel que l'évangéliste s'arrêtât au miracle de l'aveugle-né dont il avait parlé longuement (IX).

38) Nouvelle émotion bien humaine quand Jésus arrive au tombeau, frémissement de tout l'être que les assistants purent remarquer. La chambre mortuaire était une caverne, c'est-à-dire creusée dans le roc. Ce trait est commun à tous les tombeaux notables de Jérusalem, mais leur disposition affecte deux formes principales. Les uns sont des chambres, auxquelles on accède par une étroite ouverture fermée par une pierre en forme de meule (type du tombeau dit des Rois), et sont précédés d'un vestibule : on comprendrait mieux ainsi que Jésus ait dit à Lazare de sortir, de venir dehors. Les autres sont des caveaux en contre-bas, auxquels on accède par un puits muni quelquefois d'un escalier, le puits étant obturé par une pierre placée dessus : ἐπέκειτο ἐπ' αὐτῷ pourrait à la rigueur s'entendre : « placée contre », mais « placée sur » est plus naturel, comme aussi il n'est pas ordonné de rouler la pierre mais de l'enlever.

Le tombeau qu'on dit être celui de Lazare est vénéré depuis le IVe siècle, et a donc les meilleures garanties d'authenticité, mais précisément à cause de ce culte il a été trop transformé pour qu'on puisse se rendre compte de l'état primitif. Au jugement du P. Vincent, l'arrangement actuel qui remonte au moyen âge suggérerait plutôt la seconde sorte de sépultures, à la fois la plus ancienne et la plus commune pour les tombes privées.

39) Jésus fait enlever la pierre, puisque cet acte ne demande pas un pouvoir surnaturel. D'ailleurs ces préparatifs dont l'assistance ne comprend pas le but durent exciter vivement la curiosité et causer de l'angoisse. Jésus voulait-il

vois. » [35]Jésus pleura. [36]Les Juifs disaient donc : « Voyez comme il l'aimait. » [37]Mais quelques-uns d'entre eux dirent : « Ne pouvait-il pas, lui qui a ouvert les yeux de l'aveugle, faire aussi que celui-ci ne mourût point? » [38]Jésus donc frémissant de nouveau en lui-même vient vers le tombeau : c'était un caveau, et une pierre était placée dessus. [39]Jésus dit : « Otez la pierre. » Marthe, la sœur du mort, lui dit : « Seigneur, il sent déjà, car il est [mort] depuis quatre jours. » [40]Jésus lui dit : « Ne t'ai-je pas dit que si tu croyais tu verrais la gloire de Dieu? » [41]On ôta donc la pierre. Alors Jésus leva les yeux en haut et dit : « Père, je te rends grâce de ce que tu

revoir son ami, au risque de blesser profondément le respect dû aux morts et la délicatesse des deux sœurs? On dirait d'un écho de cette préoccupation dans les deux mots qui paraissent inutiles : « la sœur du mort »; c'était bien à elle d'intervenir! Elle redoute le pénible spectacle qui va s'offrir à la vue, l'offense à l'odorat, inévitable après quatre jours. Car si Lazare a été embaumé, ce ne fut pas à la manière savante et efficace des Égyptiens, mais au moyen d'aromates et d'huile qui étaient à peine propres à combattre la mauvaise odeur, nullement à empêcher la décomposition. Loisy met la pauvre Marthe en contradiction avec elle-même : n'a-t-elle pas demandé la résurrection de son frère? Hélas! quelle âme simple ne s'est flattée de loin par l'espérance d'un miracle, qui n'y songe même plus en présence de l'affreuse réalité! D'ailleurs le Christ n'avait-il pas paru la réconforter seulement par l'espérance de la résurrection générale? Les Juifs, et seulement ceux de Palestine d'après M. Scheftelowitz (*Die altpersische Religion und das Judentum*, p. 178), s'imaginaient que l'âme demeurait trois jours au-dessus du cadavre et ne le quittait qu'en voyant commencer la corruption, mais on ne sait si cette croyance connue du Talmud de Jérusalem (*Mo'ed Qatôn*, 82[b], etc.) existait déjà au temps de N. S., et elle n'est visée ici par rien. Le délai de quatre jours était déjà indiqué (17) comme un simple fait réel. — τεταρταῖος « qui en est au quatrième jour » (cf. Diod. Sic. XVII, 67; Platon (*Rep.* 614B), ἀναιρεθέντων δεκαταίων τῶν νεκρῶν ἤδη διεφθαρμένων, et Hérodote, II, 89.

40) Jésus avait dit devant le messager (4), lequel le rapporta sûrement aux deux sœurs, que la maladie de Lazare ne se terminerait pas par la mort, mais avait pour but la gloire de Dieu. Il avait demandé à Marthe (23-26) de croire qu'il est la résurrection et la vie. Cette foi devait donc la préparer à voir la gloire de Dieu, c'est-à-dire la manifestation de sa puissance. S'il y a là un reproche, il est très léger, et il est sous-entendu que Marthe fait encore l'acte de foi que le Christ lui demande. Sur cette invitation à la foi, cf. les synoptiques (Mc. IX, 23; X, 52; VI, 5 *Comm.*, etc.).

41) Pour répondre à certains hérétiques qui profitaient de cette prière pour rabaisser le Verbe, Chrys. a nié que ce fût bien une prière (cf. *Schanz*) : le Christ n'aurait prié que pour l'édification du public. Les critiques radicaux

εὐχαριστῶ σοι ὅτι ἤκουσάς μου, [42]ἐγὼ δὲ ᾔδειν ὅτι πάντοτέ μου ἀκούεις· ἀλλὰ διὰ τὸν ὄχλον τὸν περιεστῶτα εἶπον ἵνα πιστεύσωσιν ὅτι σύ με ἀπέστειλας. [43]καὶ ταῦτα εἰπὼν φωνῇ μεγάλῃ ἐκραύγασεν Λάζαρε, δεῦρο ἔξω. [44]ἐξῆλθεν ὁ τεθνηκὼς δεδεμένος τοὺς πόδας καὶ τὰς χεῖρας κειρίαις, καὶ ἡ ὄψις αὐτοῦ σουδαρίῳ περιεδέδετο. λέγει αὐτοῖς ὁ Ἰησοῦς Λύσατε αὐτὸν καὶ ἄφετε αὐτὸν ὑπάγειν.

44. *om.* και *a.* εξηλθεν (TH) ou *add.* (SV). — αυτοις ο Ιησους (TSV) ou ο Ι. α. (H).

---

ont encore enchéri, parlant même d'une grimace; Bauer opine que le Christ johannique ne peut pas prier (cf. *Loisy*). Mais il n'y a qu'à prendre les termes tels qu'ils sont. A la vérité Jésus ne demande pas le pouvoir de ressusciter Lazare, il ne dit même pas qu'il l'ait demandé, mais cependant que Dieu l'a écouté, c'est-à-dire qu'il a exaucé sa prière, ce qui, du chef de la nature humaine, n'a aucune difficulté (*Thom.*). Jo. n'oublie jamais que celui qui parle est le Fils de Dieu, mais il sait aussi qu'il a accepté une mission dans laquelle il doit toujours faire la volonté de son Père, et il l'interroge, il le prie lorsqu'il s'agit d'un signe qui appartient à son dessein. Il n'y a pas d'ailleurs à se représenter cette prière comme une sollicitation pressante et inquiète. S'il a suffi à Marie d'exposer la situation (ii, 3 cf. xi, 3), la prière de l'envoyé de Dieu est la disposition très humble de son âme s'inclinant devant la volonté du Père; il a en lui le pouvoir des miracles, mais il attend que Dieu lui donne le signal. A quel moment et comment a-t-il prié cette fois? peut-être simplement par ses larmes : *nam lacrymae quas Christus pro morte Lazari fuderat, vicem* (ou *vocem*) *orationis habuerunt* (*Thom.*).

42) Cette assurance d'être exaucé, parce qu'il demande toujours ce qu'il sait être la volonté du Père, n'empêche pas qu'il prie réellement, comme il nous a appris à le faire : *Fiat voluntas tua.* — La fin du v. ne veut pas dire que Jésus, qui n'avait pas besoin de prier, n'a prié que pour la foule et par conséquent pour la forme, mais qu'il fait connaître à la foule sa prière, ses rapports avec Dieu, le parfait accord de sa volonté avec la sienne, pour qu'ils reconnaissent dans la résurrection de Lazare un signe voulu de Dieu, qui leur est donné d'accord avec lui, de façon à les décider à croire que le Père l'a envoyé. Ce qui est exprimé ici nettement, c'est la mission de Jésus, non pas sa divinité (*Thom. quasi* obumbrate *Dominus suam divinitatem ostendit*), qui est seulement suggérée par sa qualité de Fils envoyé. L'action de grâce avant le miracle montrait à quel point Jésus pénétrait dans le secret de Dieu, et si l'on peut dire, était sûr de lui, sûr d'agir en union avec lui.

43) La voix forte est en parfaite harmonie avec toutes les circonstances : Lazare revenait de loin! Son corps était dans une chambre où la voix n'arrivait que par une ouverture; les assistants étaient nombreux, l'ordre lui-même était émouvant : il sort de la poitrine frémissante de Jésus comme un cri.

44) Jésus est obéi. Il n'est pas dit que Lazare se soit levé dans son sépulcre,

m'as exaucé; [42]pour moi je savais que tu m'exauces toujours; mais je l'ai dit à cause de la foule qui est à l'entour, afin qu'ils croient que tu m'as envoyé. » [43]Ayant ainsi parlé il cria d'une voix forte : « Lazare, viens dehors. » [44]Le mort sortit lié de bandelettes aux pieds et aux mains, et son visage était enveloppé d'un suaire. Jésus leur dit : « Déliez-le et laissez-le aller. »

mais seulement ce qui dut frapper les assistants de stupeur, comment le mort sortit de la chambre intérieure et apparut encore enveloppé comme un mort. Si Lazare fût venu détaché de ses entraves, c'eût été un second miracle; il semble que c'en est un aussi qu'il puisse s'avancer ainsi ligoté. Mais cette attitude avait sa raison d'être : montrer dans quel état était Lazare et confirmer le fait de la résurrection par celui de cette marche prodigieuse (contre *Schanz* qui atténue le plus possible la difficulté de cette marche). — κειρία d'après le scholiaste d'Aristophane (*Aves*, 816) ἐστὶν εἶδος ζώνης ἐκ σχοινίων, παρεοικυῖα ἱμάντι, ᾗ δεσμοῦσι τὰς κλίνας (cf. Prov. VII, 16); d'après Moschopoulos (cité par *Field*) : ὁ τῶν νηπίων δεσμός, ἤγουν ἡ κοινῶς φασκία (*fascia*) καὶ ᾗ δεσμοῦσι τοὺς νεκρούς. Il ne faut donc pas entendre (*Schanz*) que les pieds et les mains spécialement étaient liés, et comme séparément, mais que les bras étaient serrés au corps comme on fait aux enfants, de façon que Lazare ne pouvait même pas détacher son suaire. — Laissez-le aller, ce n'est pas un fantôme à regarder les yeux grands ouverts; il est rendu à la vie commune.

LE CARACTÈRE HISTORIQUE DE LA RÉSURRECTION DE LAZARE.

On se rend compte aisément de l'extrême importance de ce récit dans la structure du quatrième évangile. Les critiques radicaux l'ont fait ressortir à l'envi, presque avec exagération, s'il était possible d'exagérer en ce cas. Ce que toute religion demande à son Dieu, c'est d'abord le soulagement de ses misères physiques (le malade de la piscine); c'est aussi la lumière sur ses doutes et ses obscurités (l'aveugle-né); c'est surtout la vie après la tombe.

La foi renferme l'espérance qui délivre des horreurs de la mort, et c'est pour prouver qu'il est bien la résurrection et la vie que Jésus a ressuscité Lazare. En même temps, ce point suprême de la foi est aussi la crise décisive de la carrière mortelle de Jésus : désormais ses ennemis n'hésitent plus à le faire mourir sans tant tergiverser sur les griefs et sur la légalité.

Ayant établi ces points avec nous, les critiques radicaux se retournent contre nous. Où voyons-nous dans les évangiles synoptiques la moindre trace de cet événement capital? Où découvrons-nous ce sommet qui est aussi un précipice? Où placer ce miracle dans le thème évangélique ancien, et comment l'aurait-on passé sous silence s'il eût été historique? Il ne l'était donc pas. Ou bien préférons-nous ne voir qu'un arrangement artificiel dans la trame des synoptiques? Puisque nous tenons à les regarder comme bien informés, et Matthieu comme témoin oculaire, comment se fait-il qu'ils n'aient rien vu?

Il y a là, il faut l'avouer, une difficulté fort grave. Voyons bien cependant sur quoi elle porte. Si le miracle avait été relaté par les synoptiques eux aussi, en reconnaîtrait-on la réalité? — Nullement, pas plus que pour la multiplication des pains. Ce qu'on prétend conclure, c'est donc seulement ceci : que le miracle de Lazare ne faisait pas partie de la première tradition chrétienne, et qu'il a été inventé par l'auteur du quatrième évangile comme base de son théorème sur Jésus — Vie — Résurrection.

Et en effet, si Jo. avait dit en deux ou trois lignes : Jésus ressuscita dans ce temps un homme mort depuis quatre jours, etc. ; c'est à peine si l'on nous ferait remarquer que ce fait ne se trouve pas dans la tradition des synoptiques : car c'est ainsi que la tradition de Mc. et de Mt. ne contient pas la résurrection du jeune homme de Naïn.

Dès lors il est aisé de voir ce qu'il y a d'artificiel dans l'objection. Ce n'est pas le silence des synoptiques sur le fait lui-même qui est inexplicable ; il serait seulement inexplicable qu'ils n'en aient pas tenu compte s'ils l'avaient lu tel que l'a raconté Jo. et avec le relief et la portée qu'il lui a donnés... mais on sait qu'ils ont écrit avant Jo.

Ne songeons donc qu'au miracle de Béthanie, antérieur d'au moins plusieurs jours, d'après Jo. lui-même, au moment où Jésus quitte Jéricho pour monter à Jérusalem. Les synoptiques ne pouvaient-ils pas se dispenser d'en parler ?

D'après leur plan, qui contient beaucoup de miracles en Galilée, l'opinion de la foule s'était faite, et elle allait éclater. Le triomphe de Jésus est l'œuvre de ses disciples, auxquels le Maître semble donner le signal. Dans leur perspective, c'est la première fois qu'il va entrer à Jérusalem. Comment se seraient-ils résolus, même pour un miracle aussi extraordinaire, à changer tout le plan de la catéchèse qui distinguait deux périodes, une pour la Galilée et une pour la Judée? D'autant qu'un pareil miracle, précisément parce qu'il était extraordinaire, ne pouvait être raconté d'un mot. Le fait de la résurrection de morts par Jésus étant censé connu par Mt. (XI, 5) et Lc. (VII, 22), les trois synoptiques ont donné le détail de la résurrection de la fille de Jaïre ; Lc. a dit assez précisément ce qui regarde le jeune homme de Naïn. En pareil cas il faut tout dire pour être cru, ou il vaut mieux ne rien dire.

Il nous semble aussi que les modernes prêtent aux synoptiques leurs conceptions sur l'importance d'un pareil miracle. Pour eux c'est la question du surnaturel qui est en jeu. Ce fait, avec tous les détails historiques que lui a donnés Jo., oblige à conclure au miracle, avec toutes les conséquences que l'on sait. Mais les Juifs ne niaient pas qu'un prophète pût ressusciter un mort, et ils attendaient la résurrection générale. Il s'agissait donc seulement de savoir si Jésus avait eu le pouvoir de ressusciter un mort. Cela était déjà établi pour les synoptiques. C'est un fait, quoiqu'il nous paraisse étrange, que l'apologétique chrétienne ancienne, à notre connaissance, n'a tiré aucun parti de la résurrection de Lazare. Origène paraît presque embarrassé des miracles de résurrections : il donne comme preuve de leur réalité qu'en somme il n'y en a que trois dans l'évangile (*Contra Cels.* II, 48). Les synoptiques ont pu penser qu'il n'y avait même pas intérêt à atteindre ce nombre par un récit détaillé. On sait que sauf le figuier stérile de Mt. et Mc. (Mc. XI, 12-14 ; 20-25 et parall.) et quelques vagues guérisons de Mt. (XXI, 14), ils n'ont pas raconté de miracles entre l'aveugle de Jéricho et la Passion.

Qui sait même si la résurrection de Lazare n'a pas paru de nature à diminuer l'impression que devait produire sur l'esprit la résurrection de Jésus? Celle-ci est le grand et décisif miracle qui désormais absorbe toute l'attention de la catéchèse.

Concluons donc que le fait de Lazare ne s'imposait pas au choix des synoptiques, et que le récit détaillé eût troublé l'économie de leur composition.

Est-ce à dire que les deux structures, parfaitement logiques en elles-mêmes, se heurtent au point que celle des synoptiques exclue la réalité du miracle de Jo. en ne lui laissant aucune place dans l'ordre des faits? On l'a dit, mais l'objection tombe par le simple rapprochement des récits. Avant le moment décisif où Jésus monte vers Jérusalem (Mc. x, 32; Mt. xx, 17; Lc. xviii, 31), qui correspond à Jo. xii, 1, personne ne peut dire d'après les synoptiques quel fut l'itinéraire de Jésus. Il est très raisonnable de supposer que l'arrivée à Jérusalem ne fut pas de Jéricho à Jérusalem d'une traite, mais, comme Jo. le suggère, avec un arrêt à Béthanie. De même on peut placer auparavant un premier voyage à Béthanie, suivi d'une retraite à Ephraïm, d'où Jésus pouvait revenir à Jéricho par Aïn-Douq.

La seule difficulté, la vraie, n'est pas dans l'attitude négative des synoptiques, encore moins dans une prétendue contradiction, c'est que, lorsqu'ils coïncident avec Jo. sur l'onction (du moins Mc. et Mt.), ils ne nomment pas la femme qui l'a faite et ne disent pas que c'était Marie, la sœur de Lazare le ressuscité. Il y a là un mystère : nous allons y revenir.

A-t-on même le droit d'affirmer que Jo., tablant sur un fait réel, l'aurait complètement créé littérairement en inventant toutes les circonstances, pour les coordonner à un enseignement dogmatique?

Nullement. Et d'abord quel est cet enseignement? Nous l'avons déjà dit : ce n'est pas que Dieu puisse donner à un prophète le pouvoir de ressusciter. Cet enseignement, c'est que Jésus lui-même avait ce pouvoir, indice et preuve, étant donnée son affirmation, de son pouvoir plus haut et plus général de conférer à ses fidèles une vie qui à la fin triompherait de la mort. C'est donc le thème johannique par excellence (vi, 40, etc.). Le prouver par un récit symbolique eût été un pur enfantillage; il fallait un fait réel. Aussi bien aucune des circonstances de ce récit, beaucoup plus détaillé que les autres, n'offre un caractère symbolique particulier. L'auteur du symbolisme n'a donc point écrit les détails pour servir à son dessein. Il a plutôt eu conscience qu'il devait établir solidement la réalité du fait. Il a donc accumulé les précisions : le lieu du miracle, la distance de Jérusalem, la forme du tombeau, le nom du mort, ceux de ses sœurs, le temps écoulé depuis la mort, la crainte de la mauvaise odeur, la présence des Juifs, la constatation d'un mort qui marche enveloppé de bandelettes. Nous savons comme tout le monde que l'écriture de pareils détails ne prouve nullement par elle-même la réalité d'un fait. Mais si l'on en affirme la réalité, ils deviennent aisément des critères de vérité ou de mensonge. Accumuler les détails, si ce n'est accumuler les attestations du fait, c'est multiplier les occasions de démentis formels et faciles. Y avait-il seulement à Béthanie un Lazare, une Marthe et une Marie qui fussent ses sœurs, et les sœurs d'un ressuscité, etc.?

On prétend que Jo. a mis quelques chances de son côté en nommant Marthe et Marie, deux personnes connues par l'évangile de Luc (x, 38-42), dont il a d'ailleurs conservé les caractères particuliers. Un pareil démarcage n'est pas

[45] Πολλοὶ οὖν ἐκ τῶν Ἰουδαίων, οἱ ἐλθόντες πρὸς τὴν Μαριὰμ καὶ θεασάμενοι ὃ ἐποίησεν, ἐπίστευσαν εἰς αὐτόν· [46] τινὲς δὲ ἐξ αὐτῶν ἀπῆλθον πρὸς τοὺς Φαρισαίους καὶ εἶπαν αὐτοῖς ἃ ἐποίησεν Ἰησοῦς. [47] Συνήγαγον οὖν οἱ ἀρχιερεῖς καὶ οἱ Φαρισαῖοι συνέδριον, καὶ ἔλεγον Τί ποιοῦμεν ὅτι οὗτος ὁ ἄνθρωπος πολλὰ ποιεῖ σημεῖα; [48] ἐὰν ἀφῶμεν αὐτὸν οὕτως, πάντες πιστεύσουσιν εἰς αὐτόν,

impossible en soi. Mais alors pourquoi nommer Béthanie qui permettait le contrôle et qui ne figurait pas dans Luc? — On ajoute que Lc. a encore fourni le personnage de Lazare (XVI, 20-31), ce pauvre de la parabole que le riche voulait renvoyer dans le monde pour avertir ses frères. Cette fois, ce ne serait plus un emprunt à Lc., mais une contradiction, puisque Jésus aurait passé outre au refus d'Abraham : aussi bien Lazare n'a rien dit de ce qui se passait dans l'au-delà, et sa résurrection a procuré tant de conversions que l'obstination du Sanhédrin n'en est que le contre-coup.

Au lieu de se servir de Lc., Jo. a bien plutôt complété ce qu'il avait laissé entrevoir de cette famille de Béthanie, de ces amis que les synoptiques ont connus sans les nommer (Mc. XI, 11; Mt. XXI, 17). Pourquoi leur silence? Il paraît bien intentionnel, et les exégètes catholiques en assignent une solide raison en alléguant la haine du Sanhédrin (Jo. XII, 10) qui voulait se débarrasser de Lazare. Toute la famille était à sa portée et dans sa main. Elle ne devait donc pas être nommée dans la catéchèse. Plus tard Jo. a levé le voile. Il est chez lui à Béthanie comme nulle part ailleurs; tout son récit est d'un familier, connaissant les personnes et les aîtres, surtout les sentiments de Jésus. Si le miracle a nettement un but didactique, c'est en même temps un miracle que l'affection aurait produit à elle seule. Jésus se contient, il diffère dans l'intérêt de la gloire de Dieu : mais dès le début il a résolu d'exaucer la prière des deux sœurs. En présence du tombeau, sa tendresse se fait jour. Il pleure. Ce ne sont point là des traits de théologien en quête d'un schéma dogmatique. Bossuet : « Voilà les grands mystères de cet évangile. Mais à ne rien regarder que l'histoire, elle est ravissante. » Elle est divine, elle est humaine aussi.

45-53. L'INTERVENTION DE CAÏPHE.

45 s.) Le sens des deux versets a paru douteux à Origène, et les interprètes sont encore partagés. D'après les uns (*Schanz, Zahn, Tillm.*), tous ceux qui étaient présents ont cru; et si quelques-uns sont allés raconter le fait aux Pharisiens, c'était dans l'intention de les éclairer; il n'y avait pas matière à dénonciation, puisque le miracle n'avait violé aucune loi. D'autres (*Orig., Bauer, Loisy*, etc.) pensent que ces messagers avaient mauvaise intention. Cela résulte de la conséquence immédiate, qui est une convocation hostile (*Orig.*). Si les τινές avaient agi par zèle, pourquoi s'adresser seulement aux Pharisiens? C'est bien aussi une opposition d'attitude que marque δέ après τινές. La difficulté c'est que la première phrase est universelle; οἱ ἐλθόντες « à savoir ceux qui étaient venus » et non pas τῶν ἐλθόντων (correction de D!); donc les τινές en faisaient partie; avaient-ils si vite perdu la foi? — Mais Origène a très bien vu que ces

[45]Ainsi beaucoup de Juifs, [de] ceux qui étaient venus auprès de Marie et avaient vu ce qu'il avait fait, crurent en lui; [46]cependant quelques-uns d'entre eux se rendirent auprès des Pharisiens et leur dirent ce qu'avait fait Jésus. [47]Les grands prêtres et les Pharisiens réunirent donc une assemblée, et ils disaient : « Que faisons-nous, alors que cet homme fait beaucoup de miracles? [48]Si nous le laissons

τινές n'étaient pas des témoins oculaires. Parmi les Juifs, ceux qui étaient venus et avaient vu crurent; quelques-uns, non pas des témoins, mais des Juifs en général, ayant appris ce bruit allèrent le faire connaître. Ils savaient la haine des Pharisiens; le miracle n'était pas l'objet d'un grief, mais par son succès même une menace : il fallait aviser; ce qu'on fit. — Pourquoi Marie seule (car la *Vg.-Clém.* est sûrement fautive)? Probablement à cause du rôle de Marie dans l'onction (XII, 3), qui l'avait déjà fait mettre en vedette (XI, 1. 2).

47) Les Pharisiens sont saisis les premiers, comme plus intéressés dans la question, mais quand il faut agir officiellement les grands prêtres prennent le premier rang, exactement comme dans VII, 32. Notez συνέδριον sans article, que les synoptiques mettent toujours quand il s'agit du Sanhédrin officiel. Ce n'est donc pas un terme technique, mais simplement une assemblée, une réunion, comme souvent en grec. En fait on dirait bien d'une réunion des principaux membres du Sanhédrin; les anciens ne sont pas nommés, car ce n'est pas eux qui menaient le jeu : peut-être quelques-uns étaient-ils présents. Ceux qui parlent ne se placent pas sur un terrain étroit de controverse religieuse. Ce n'est pas une réunion de rabbins discutant la licéité de tels actes, mais une assemblée de l'élite de la nation, et il importe de gagner la partie laïque en montrant la portée politique des faits. Il n'est pas étonnant que les orateurs aient reconnu la réalité des miracles; ils étaient constatés. L'orateur ne se demande pas ce qu'il faut faire, mais se plaint qu'on ne fasse rien; τί ποιοῦμεν n'est donc pas délibératif, ce qui exigerait normalement le subjonctif ou le futur. C'est une question oratoire qui invite à réfléchir sur l'attitude prise pour voir si elle ne serait pas blâmable; cf. PLAT. *Symp.* 214 A (mais non B) πῶς ποιοῦμεν; ÉPICT. II, 4, 2 τί ποιοῦμεν; (*Bauer*, ABBOTT, *Jo. Gr.* p. 358 s., *Deb.* § 366). — ὅτι dans le sens de « alors que »; cf. II, 18; VII, 35; VIII, 22; IX, 17. — Dans notre cas la réunion de ce τί ποιοῦμεν et de ὅτι décèle une tournure sémitique; cf. les exemples cités par Schlatter; מה אעשה שהרי אמרה תורה (*Mekil.* sur Ex. XXIII, 7, 100 a) : « Que dois-je faire, du moment que la Loi a dit »... etc.

48) Loisy : Cette crainte n'a aucune raison d'être « dans notre évangile, où la foi au Christ lumière du monde, résurrection et vie, ne saurait, en se répandant, prendre la forme d'un soulèvement politique » (p. 356). — Mauvaise chicane : l'homme politique qui parlait n'ignorait pas que les idées les plus hautes, quand elles se répandent dans la foule, y éveillent des passions qui le sont moins. Si l'on croyait au Christ ce n'était pas pour sa doctrine, mais, comme il est dit ici, pour ses miracles : Jésus une fois reconnu comme

καὶ ἐλεύσονται οἱ Ῥωμαῖοι καὶ ἀροῦσιν ἡμῶν καὶ τὸν τόπον καὶ τὸ ἔθνος. [49] εἷς δέ τις ἐξ αὐτῶν Καιάφας, ἀρχιερεὺς ὢν τοῦ ἐνιαυτοῦ ἐκείνου, εἶπεν αὐτοῖς Ὑμεῖς οὐκ οἴδατε οὐδέν, [50] οὐδὲ λογίζεσθε ὅτι συμφέρει ὑμῖν ἵνα εἷς ἄνθρωπος ἀποθάνῃ ὑπὲρ τοῦ λαοῦ καὶ μὴ ὅλον τὸ ἔθνος ἀπόληται. [51] Τοῦτο δὲ ἀφ' ἑαυτοῦ οὐκ εἶπεν, ἀλλὰ ἀρχιερεὺς ὢν τοῦ ἐνιαυτοῦ ἐκείνου ἐπροφήτευσεν ὅτι ἔμελλεν Ἰησοῦς ἀποθνήσκειν ὑπὲρ

Christ ne pouvait être pour la masse que le Christ héros national que l'on attendait. — L'avenir est entrevu en raccourci : après un soulèvement d'autant plus dangereux qu'il aura paru d'abord réussir, les Romains viendront en force. Il n'y a pas dans ces craintes, du moins en apparence, d'autre égoïsme que l'égoïsme national : l'indépendance est le bien de tous; l'orateur ne déplore pas uniquement l'échec d'une caste. Le τόπος pourrait être Jérusalem, ou même tout le pays juif, mais à côté d'ἔθνος qui est très général, c'est, semble-t-il, le foyer religieux de la nation, le Temple; cf. II Macch. v, 19 οὐ διὰ τὸν τόπον τὸ ἔθνος, ἀλλὰ διὰ τὸ ἔθνος τὸν τόπον... ἐξελέξατο, en hébreu המקום, le lieu par excellence.

49) « L'un d'eux », et non pas comme président du sanhédrin, nouvel indice d'une réunion non officielle, car le grand prêtre était sans conteste président. Sur Caïphe, cf. *Comm. Lc.* p. 153. Il fut grand prêtre de 18 à 36 ap. J.-C. Il est incontestable que : ἀρχιερεὺς ὢν τοῦ ἐνιαυτοῦ ἐκείνου (répété v. 51 et xviii, 13 ὃς ἦν) peut en soi signifier que Caïphe exerçait un sacerdoce annuel, et c'est pour justifier Jo. que Jérôme (sur Mt. xxvi, 57) a imaginé : *Refert Josephus istum Caïpham unius tantum anni Pontificatum ab Herode pretio redemisse,* ce qui ne peut être qu'une confusion de mémoire; cf. Chrys., Théod., Aug., etc. Mais cette interprétation n'est pas nécessaire. On peut penser, avec Origène, au grand prêtre de cette année exceptionnelle entre toutes de la mort du Sauveur : ὃς ἦν ἀρχιερεὺς τοῦ ἐνιαυτοῦ ἐκείνου ὅτε ὁ σωτὴρ ἡμῶν τὴν ἐν τῷ πάσχειν ὑπὲρ ἀνθρώπων ἐπιτελεῖ οἰκονομίαν. Le premier sens serait tout indiqué, s'il était de notoriété publique que la charge était annuelle, comme le consulat, mais Jo. aurait-il conçu le souverain sacerdoce des Juifs à la manière du grand prêtre de l'Asie ou d'un asiarque, plutôt que d'après la Bible, qui le supposait à vie? Le caprice d'Hérode ou des Romains en avait abrégé la durée, mais Jo. eût été le seul à s'imaginer le sacerdoce comme une magistrature annuelle, plus ou moins élective, lui qui n'ignore pas qu'il était encore fixé dans certaines familles (xviii, 13). Tout israélite sachant bien que le sacerdoce n'était pas annuel, il faudrait supposer que Jo., imbu de cette erreur, aurait tenu à l'enseigner en notant que Caïphe n'était prêtre que précisément cette année-là. Il est beaucoup plus simple d'entendre que Jo., indifférent au temps qu'a duré le pontificat de Caïphe, a seulement voulu associer son nom à celui de l'année de la mort de Jésus : dans ce sens il est l'éponyme, et c'est pour cela que Jo. le dit trois fois. D'ailleurs Zahn a noté non sans raison que pour indiquer un sacerdoce annuel il eût été plus naturel d'écrire ὁ ἀρχιερεὺς τοῦ ἐνιαυτοῦ ἐκείνου : en mettant trois fois ὢν ou ἦν, Jo. insiste sur le synchronisme, non sur la limite du pontificat.

[faire] ainsi, tous croiront en lui, et les Romains viendront et ils détruiront et notre lieu [sacré] et notre nation. » [49] Or un d'entre eux, Caïphe, étant grand-prêtre cette année, leur dit : « Vous n'y entendez rien, [50] et vous ne réfléchissez pas qu'il est de votre intérêt qu'un seul homme meure pour le peuple, et que toute la nation ne périsse pas. » [51] Or il ne dit pas cela de lui-même, mais étant grand prêtre cette année-là, il prophétisa que Jésus devait mourir pour sa

50) On était d'accord pour mettre un terme à un messianisme dangereux. Les Pharisiens qui se seraient peut-être risqués avec un autre Messie, — comme l'a fait R. Aqiba pour Bar-Cochébas, — ne voulaient pas de celui-là. La raison d'État était en jeu. Caïphe dit tout haut et avec un certain emportement qu'il faut alors procéder par voie de salut public. Que Jésus soit un novateur, un blasphémateur, ou un pieux halluciné, ou même un patriote sincère, il n'importe, le salut de la nation exige sa mort. Les partisans de Jésus eux-mêmes doivent le sacrifier. C'était éviter les discussions antérieures (vii, 50; ix, 16). Mirabeau n'est qu'un écho dans son discours sur la banqueroute : « immolez sans pitié ces tristes victimes », etc. Si la mort de celui qu'on sacrifie sauve la nation, on peut dire d'une certaine façon qu'il meurt pour le peuple, quand ce ne serait pas son intention : λαός et ἔθνος sont ici synonymes.

51) Cette pensée sortait bien de l'âme basse de Caïphe, mais les termes renfermaient un sens plus haut dont il n'avait pas conscience. Plusieurs exemples analogues dans Schlatter : les Pères, Pharaon, la fille de Pharaon (*Sota* 12b) ont prophétisé sans le savoir. Ce n'est pas le cas de Balaam, contraint à prophétiser autre chose que ce qu'il voulait, mais l'explication typique d'une parole qui avait son sens historique : Caïphe ne visait que ce dernier, Dieu avait en vue le sens plus haut. Cyr : ἐξ ἀνόμου μὲν οὖν εἶπε γνώμης ὁ Καιάφας ὃ εἶπεν, ὅμως ὁ λόγος γέγονε πράγματος ἀληθοῦς ἑρμηνευτικός, ὡς ἐν τάξει προσενεχθεὶς προφητείας. Donc, d'après Cyrille, ce n'est point là proprement un charisme prophétique, et il n'y pas à supposer une action spéciale de l'Esprit-Saint, quoique la malice de Caïphe ait été ordonnée par Dieu à l'expression d'une vérité surnaturelle. C'est sous ce rapport seulement qu'il n'a pas parlé ἀφ' ἑαυτοῦ, et non dans le sens de personnes subornées (Andocide, *Or.* II, 4 οὗτοι οὐκ ἀφ' αὑτῶν ταῦτα πράττουσιν) ou qui ont reçu une inspiration divine élevant leurs facultés ordinaires, comme le croyaient les juifs des prophètes, et aussi les païens : θεοῦ τινος, ὡς ἔοικεν, εἰς νοῦν ἐμβαλόντος τῷ ἀνθρώπῳ (Plut. *Timol.* III, p. 237). — Ce qui est ici particulier, c'est que cette prophétie inconsciente est attribuée à Caïphe comme grand prêtre. Il ne peut être question de l'Ourim et Toummim (Ex. xxviii, 30; Num. xxvii, 21 ; cf. I Regn. xiv, 41 hébreu supposé par les LXX), qui avaient disparu depuis la captivité (Esdr. ii, 63; Neh. vii, 65) et non pas seulement deux cents ans avant Josèphe (*Ant.* VI, vi, 3), mais le grand prêtre était en quelque façon l'organe de Dieu, et Philon, qui attribuait d'ailleurs assez aisément l'inspiration divine, lui reconnaît le don de prophétie, du moins s'il était digne de son titre par sa vertu (*de spec. leg.* IV, 192; II, 367 s.) ἐπειδὴ καὶ ὁ πρὸς ἀλήθειαν ἱερεὺς εὐθύς ἐστι προφήτης, οὐ γένει

τοῦ ἔθνους, [52] καὶ οὐχ ὑπὲρ τοῦ ἔθνους μόνον, ἀλλ' ἵνα καὶ τὰ τέκνα τοῦ θεοῦ τὰ διεσκορπισμένα συναγάγῃ εἰς ἕν. [53] Ἀπ' ἐκείνης οὖν τῆς ἡμέρας ἐβουλεύσαντο ἵνα ἀποκτείνωσιν αὐτόν.

[54] Ὁ οὖν Ἰησοῦς οὐκέτι παρρησίᾳ περιεπάτει ἐν τοῖς Ἰουδαίοις, ἀλλὰ ἀπῆλθεν ἐκεῖθεν εἰς τὴν χώραν ἐγγὺς τῆς ἐρήμου, εἰς Ἐφραὶμ λεγομένην πόλιν, κἀκεῖ διέτριβεν μετὰ τῶν μαθητῶν. [55] Ἦν δὲ ἐγγὺς τὸ πάσχα τῶν Ἰουδαίων, καὶ ἀνέβησαν πολλοὶ εἰς Ἱεροσόλυμα ἐκ τῆς χώρας πρὸ τοῦ πάσχα ἵνα ἁγνίσωσιν ἑαυτούς. [56] ἐζήτουν οὖν τὸν Ἰησοῦν καὶ ἔλεγον μετ' ἀλλήλων ἐν τῷ ἱερῷ ἑστηκότες Τί δοκεῖ ὑμῖν; ὅτι οὐ μὴ ἔλθῃ εἰς τὴν ἑορτήν; [57] δεδώκεισαν δὲ οἱ ἀρχιερεῖς καὶ οἱ Φαρισαῖοι ἐντολὰς ἵνα ἐάν τις γνῷ ποῦ ἐστὶν μηνύσῃ, ὅπως πιάσωσιν αὐτόν.

52. *om.* δε *p.* εθνους (THV) et non *add.* (S).
53. εβουλευσαντο (TH) plutôt que συνεβουλευσαντο (SV).
54. διετριβεν (TSV) ou εμεινεν (H).

μᾶλλον ἢ ἀρετῇ παρεληλυθὼς ἐπὶ τὴν τοῦ ὄντως ὄντος θεραπείαν... Jo., lui, ne fait aucune théorie, il constate seulement que le grand prêtre de cette année unique qui causa le salut du monde, croyant donner comme grand prêtre un conseil utile à sa nation, se trouva sans le vouloir, et par un dessein de Dieu, avoir employé des termes qui annonçaient le salut spirituel d'un nouveau peuple.

Au moment où l'ancien sacerdoce va disparaître, il se manifeste à la fois comme une institution qui ne servait plus au bien et qui, parce qu'elle est encore au service de Dieu, annonce un nouvel ordre de choses.

52) Étant acquis que Caïphe ne savait même pas dans quel sens Jésus devait mourir pour sa nation, Jo. pouvait développer librement le sens de sa prophétie involontaire. Quoique mort il réunira en un seul troupeau ceux d'Israël qui le voudront, et ceux, dispersés partout, qui choisiront d'être enfants de Dieu : allusion à x, 16 et aussi à I, 13. συνάγειν, cf. *Den. Hal.* II, 45 συνάξειν εἰς ἓν τὰ ἔθνη καὶ ποιήσειν φιλίαν.

53) On a beaucoup trop insisté (même *Schanz*, mais non *Zahn*) sur le caractère formel et définitif de cette décision. Loisy va jusqu'à dire que Jo. aurait anticipé « même la séance de condamnation » de Mc. XIV, 64; Mt. XXVI, 66, « notre évangile ne faisant suivre d'aucune sentence l'interrogatoire de Jésus par le grand prêtre » (p. 359). Ainsi la condamnation aurait précédé l'interrogatoire. C'est bien ce que Jo. veut dire quant à l'intention; mais elle ne dispensera pas d'une apparence de voies de droit; on affectera même de les suivre avec d'autant plus de ponctualité. Seulement Jo. ne s'est pas arrêté à ces détails. Il a voulu frapper d'avance de nullité toute cette procédure, en montrant que les meneurs n'envisageaient que l'opportunité, une opportunité que Dieu rendrait actuelle d'une autre manière. Sans aller jusqu'à dire (*Holtz.*) que désormais il se tiendra presque une session permanente, on reconnaîtra dans ἀπ' ἐκείνης κ. τ. λ. l'inten-

nation, [52] et non pas seulement pour sa nation, mais aussi afin d'amener à l'unité les enfants de Dieu qui sont dispersés. [53] C'est donc de ce jour que fut prise leur résolution de le faire mourir.

[54] Jésus donc s'abstenait d'aller et venir en public parmi les Juifs, mais il s'en alla dans la contrée voisine du désert, dans une ville nommée Éphraïm, et il y passait quelques jours avec ses disciples. [55] Cependant la Pâque des Juifs était proche, et beaucoup montèrent de la campagne à Jérusalem avant la Pâque, afin de se purifier. [56] Ils cherchaient donc Jésus, et se disaient les uns aux autres, étant dans le Temple : « Que vous en semble? Qu'il ne viendra pas à la fête? » [57] Car les grands prêtres et les Pharisiens avaient donné des ordres, afin que si quelqu'un savait où il était il le dénonçât afin qu'ils se saisissent de lui.

tion de laisser du jour pour les séances officielles et les procédures légales. — οὖν, convaincus par Caïphe, et suivant un plan divin. — ἵνα finalité très atténuée. — La leçon ἐβουλεύσαντο (א B D W) est moins favorable que συνεβουλεύσαντο à une réunion formelle. Ce verbe peut signifier non seulement délibérer, mais s'arrêter à un parti; cf. les exemples cités dans MM.

54-57. Jésus se retire a Éphraïm.

Son heure n'étant pas encore venue, Jésus se retire de nouveau (x, 40), laissant ses ennemis à eux-mêmes. Le signe le plus extraordinaire n'avait abouti qu'à les fixer dans la résolution de le faire mourir : il évite de les exaspérer, et il donne à ses disciples l'exemple de ne pas s'exposer à la persécution sans un devoir précis.

54) οὖν, parce que Jésus connaît leur dessein : il ne se montre *donc* plus *en public*, παρρησίᾳ cf. vii, 4. — Ἐφραίμ était bien connue d'Eusèbe qui l'identifie avec Ἐφρών : (*Onom.* ed. *Klost.* p. 90) ἐγγὺς τῆς ἐρήμου, ἔνθα ἦλθεν ὁ χριστὸς μετὰ τῶν μαθητῶν. κεῖται καὶ ἀνωτέρω Ἐφρών — et à Ἐφρών (p. 86) : καὶ ἔστι νῦν κώμη Ἐφραὶμ μεγίστη περὶ τὰ βόρεια Αἰλίας ὡς ἀπὸ σημείων κ'. Jérôme a reproduit ces deux notices. Le bourg d'Αἰφραίμ (Jér. *Efraim*) (p. 28), à cinq milles à l'orient de Béthel, doit être le même, car les points cardinaux valent aussi pour les points intermédiaires, ici le nord-est. La mosaïque de Mâdaba a Ἐφρὼν ἡ Ἐφραθά ἔνθα ἦλθεν ὁ κύριος le long de la montagne qui surplombe la vallée du Jourdain à l'ouest. Les vingt milles au nord de Jérusalem conduisent au gros village moderne de eṭ-Ṭayebeh, qui domine le désert et d'où l'on descend facilement à Jéricho par ʿAïn Douq.

Cet Ephraïm donnait son nom à un district, rattaché à la Judée sous les Asmonéens (I Macch. xi, 20-37; Jos. *Ant.* XIII, iv, 9; *Bell.* IV, ix, 9).

La leçon de D εἰς τὴν χώραν Σαμφουρὶν ἐγγὺς τῆς ἐρήμου, εἰς Ἐφραὶμ λεγομένην πόλιν est préférée par Blass, mais il n'interprète pas Sépphoris; il songe à Σεπφαρουαιμ (IV Regn. xvii, 31) dont les habitants babyloniens seraient venus près de Béthel. Mais comment échaffauder toute une topographie sur le texte de D?

55) Sur la proximité de la Pâque, exprimée de la même façon, cf. II, 13; VI, 4. Cette Pâque est donc la troisième. Le séjour à Éphraïm dura probablement autant que celui de l'au delà du Jourdain (X, 40). Les synoptiques ne mentionnent ni l'un ni l'autre.

Au lieu de rentrer à Jérusalem directement, le Sauveur pouvait descendre à Jéricho et remonter à Béthanie où nous le trouverons (XII, 1).

Les gens commencent à monter à Jérusalem pour se purifier avant la Pâque, ce qui était bien nécessaire pour ceux qui vivaient parmi les gentils. La purification était exigée pour manger la Pâque (XVIII, 28; cf. Num. IX, 13); on ne pouvait alors tolérer un sans-gêne tel que celui du temps d'Ézéchias (II Par. XXX, 1-3). Jo. est toujours bien au courant des usages juifs.

56) Curiosité assez semblable à celle de VII, 11, mais cette fois les Juifs ne sont pas nommés; il n'y a donc aucune raison de la croire malveillante. On avait entendu Jésus à la fête de la Dédicace, on s'attendait à le revoir; ce serait sûrement un événement. Il y a deux questions (H S V), l'une générale, l'autre qui appelle l'attention sur un point particulier. Une seule question (T Vg.) signifierait : que pensez-vous de ce fait qu'il ne vient pas? Or il n'était pas encore acquis qu'il ne viendrait pas. En ce cas d'ailleurs le grec serait plutôt (*Blass*) : δοκεῖτε ὅτι οὐ μὴ ἔλθῃ...

57) ὅπως seul cas dans Jo., sûrement pour ne pas répéter ἵνα (*Deb.* § 369). Déjà les grands prêtres et les Pharisiens avaient donné l'ordre de saisir Jésus, mais il n'avait pas été exécuté (VII, 32.45). Cette fois ils donnent des ordres de divers côtés afin d'être avertis; ils aviseront ensuite.

Chapitre XII. Jésus a Béthanie. Entrée triomphale. Discours de Jésus a cette occasion. Conclusion sur le ministère de Jésus auprès des Juifs. Tout ce chapitre, sauf la conclusion générale (37-50), est relatif à l'entrée messianique de Jésus à Jérusalem. L'arrivée à Béthanie, où a lieu l'onction, et où viennent déjà beaucoup de Juifs, n'en est que le prélude, avec le pressentiment de la mort de Jésus (1-11). Après la description du modeste triomphe, assez écourtée dans Jo. pour ne point reprendre le récit détaillé des synoptiques (12-19), se trouve la démarche des Grecs qui n'est, selon nous, qu'un des traits de cette acclamation universelle (20-22). Jésus fait alors connaître les sentiments que lui inspirent ces honneurs, ces palmes, qui dissimulent mal le supplice préparé. Il accepte généreusement la mort, et son Père ratifie son sacrifice, qui doit être le véritable point de départ de sa gloire et du salut du monde (23-33). Encore un malentendu de la foule, et un dernier avertissement de la Lumière (34-36).

Après quoi, le ministère de Jésus auprès des Juifs étant terminé, Jo. expose la raison providentielle de leur incrédulité et résume en quelques traits l'enseignement qu'ils n'ont pas voulu accepter, malgré tant de miracles destinés à le confirmer.

CHAPITRE XII

[1] Ὁ οὖν Ἰησοῦς πρὸ ἓξ ἡμερῶν τοῦ πάσχα ἦλθεν εἰς Βηθανίαν, ὅπου ἦν

1. *om.* ο τεθνηκως *p.* Λαζαρος (TH) et non *add.* (SV).

---

[1] Jésus vint donc, six jours avant la Pâque, à **Béthanie, où était**

1-8 L'ONCTION A BÉTHANIE (Mc. XIV, 3-9; Mt, XXVI, 6-13).

1) οὖν ne se rattache pas à ce qui précède. Ce n'est pas parce qu'on doit saisir Jésus qu'il vient, mais simplement parce que son heure est venue; le sens est donc très vague, comme souvent dans Jo. — L'indication de la date est parfaitement dans la tradition grecque, ionique (*Hippocrate*) et dorique : πρὸ ἁμερᾶν δέκα τῶν μυστηρίων (Inscr. d'Andania, Ier s. av. J.-C.) : dans ce cas le génitif indique le point de départ comme ferait un ablatif (MOULTON, *Prol.*, p. 101). Ici il faut donc compter six jours à partir du vendredi soir (Jo. XVIII, 28) 14 Nisan. On était donc au samedi soir 8 nisan, mais on peut supposer que la date porte plutôt sur le repas que sur le moment précis de l'arrivée. Il serait étonnant que Jésus ait marché tout le jour du sabbat. Mais peut-être avait-il passé la nuit à la belle étoile, comme font si souvent les caravanes, pour achever une dernière et très courte étape le matin, et arriver en ville avec le jour.

Cette date ne paraît pas concorder avec celle qui est insinuée par Mc. XIV, 1 et Mt. XXVI, 2; mais il nous a semblé que Mc. et Mt. ont comme enchâssé le festin de Béthanie entre l'embarras des prêtres et la trahison de Judas parce qu'on avait le sentiment que le mécontentement de Judas, quoiqu'il n'ait pas été nommé à propos du festin, avait eu quelque influence sur sa résolution. C'est un des cas où Jo. semble avoir à dessein précisé et mis en meilleure lumière la tradition synoptique, et il n'y a aucune raison de récuser son autorité. Loisy prétend qu'il a changé la date pour aboutir à un sabbat qui fit pendant au sabbat de la Sépulture. Alors pourquoi ne pas noter plus clairement ce symbolisme, en nommant ici au moins l'un des deux sabbats? On dirait aussi bien avec Bauer que Jo. n'a pas pris garde au jour de la semaine. — D'ailleurs rien n'empêchait de faire un repas même assez soigné le jour du sabbat (cf. Lc. XIV, 1-5). A la nuit du samedi le sabbat était terminé.

Jésus arrive donc à Béthanie; en venant d'Éphraïm il a pu passer par Jéricho; Jo. ne dit pas qu'il est descendu chez Lazare : il rattache seulement ce nouveau récit au précédent. — ὁ τεθνηκώς pourrait être authentique, quoique ce mot soit ici redondant, car Ἰησοῦς à la fin de la phrase l'est encore davantage.

Λάζαρος, ὃν ἤγειρεν ἐκ νεκρῶν Ἰησοῦς. [2] ἐποίησαν οὖν αὐτῷ δεῖπνον ἐκεῖ, καὶ ἡ Μάρθα διηκόνει, ὁ δὲ Λάζαρος εἷς ἦν ἐκ τῶν ἀνακειμένων σὺν αὐτῷ. [3] ἡ οὖν Μαριὰμ λαβοῦσα λίτραν μύρου νάρδου πιστικῆς πολυτίμου ἤλειψεν τοὺς πόδας τοῦ Ἰησοῦ καὶ ἐξέμαξεν ταῖς θριξὶν αὐτῆς τοὺς πόδας αὐτοῦ· ἡ δὲ οἰκία ἐπληρώθη ἐκ τῆς ὀσμῆς τοῦ μύρου. [4] λέγει δὲ Ἰούδας ὁ Ἰσκαριώτης εἷς τῶν μαθητῶν αὐτοῦ, ὁ μέλλων αὐτὸν παραδιδόναι [5] Διὰ τί τοῦτο

4. δε (TH) plutôt que ουν (SV). — Ιουδας ... αυτου (THV) plutôt que εις εκ των μ. α. Ι. ο. Ι. (S).

---

2) Qui a donné le dîner? Jo. ne le dit pas, car toute son attention se porte sur la famille de Lazare. Il est du moins très clair que le festin n'a pas lieu chez Lazare. Dans ce cas on eût pu dire que Marthe servait (Lc. x, 40), mais nullement que Lazare était un de ceux qui prenaient part au repas. Il eût pu céder la présidence au Maître, mais il n'en eût pas moins été chez lui. D'après Mc. et Mt. le repas était chez Simon le lépreux, où Lazare pouvait figurer comme hôte. Il semble seulement dans Jo. que Lazare a été invité à cause de Jésus, et que l'on comptait sur les bons offices de ses sœurs.

3) Marie est nommée, tandis que Mc. et Mt. avaient tu son nom. Et cependant ils avaient fait dire à Jésus — ce que Jo. n'a pas — que son action serait racontée dans le monde entier en mémoire d'elle. Ils savaient donc qui elle était et avaient sans doute des raisons de ne pas la nommer, ce que Jo. fait sans difficulté. Il semble avoir emprunté à Mc. μύρου νάρδου πιστικῆς, remplaçant πολυτελοῦς par πολυτίμου (qui se rapporte à μύρου plutôt qu'à νάρδου), sans avoir besoin pour cela de recourir à Mt. (qui lit plutôt βαρυτίμου), et lui-même avait des souvenirs précis puisqu'il donne le poids du parfum, λίτρα, soit le latin *libra*, pesant 327 grammes 1/2. — L'action de Marie est regardée par Loisy comme un compromis assez maladroit entre le récit de Lc. (vii) et celui de Mt. et de Mc. Et il faut reconnaître que chacune de ces deux manières est plus facile à comprendre que celle de Jo. D'après Mc. et Mt., la femme répand le parfum sur la tête, et n'a donc rien à essuyer. D'après Lc. (vii, 38), la pécheresse arrose les pieds de Jésus de ses larmes et les essuie de ses cheveux avant de les oindre. Tout est dans l'ordre. Mais pourquoi essuyer l'huile répandue sur les pieds? C'est à se demander si Jo. n'a pas voulu dire qu'elle a oint les pieds qu'elle avait essuyés avec ses cheveux après les avoir lavés. Mais ce serait une inversion étrange et l'action n'aurait pas déjà été formulée (xi, 2) dans cet ordre contraire aux faits. Il faut donc reconnaître que l'acte de Marie est peu naturel, qu'il a paru extraordinaire, si bien qu'il la désignait déjà suffisamment (xi, 2). Passant sous silence l'onction de la tête, qui allait de soi, Jo. note l'onction des pieds, hommage plus extraordinaire, et, la quantité du parfum étant considérable, il coule en telle abondance sur les pieds sacrés, que Marie aussitôt dénoue sa chevelure pour l'essuyer, ce qui la parfume elle-même et contribue à répandre l'odeur dans toute la maison. Quand on lit les textes en synopse,

Lazare, que Jésus avait ressuscité d'entre les morts. [2]On lui donna donc à dîner en cet endroit, et Marthe servait, Lazare était un de ceux qui étaient à table avec lui. [3]Marie donc prit une livre d'un parfum de nard authentique d'une grande valeur et oignit les pieds de Jésus et essuya ses pieds avec ses cheveux; la maison fut remplie de l'odeur du parfum. [4]Judas Iscariote, l'un de ses disciples, celui qui allait le livrer, dit alors : [5]« Pourquoi ce parfum n'a-t-il pas été vendu trois cents deniers, qui auraient été donnés

on est porté à voir dans le dernier une combinaison; mais Jo. n'en avait sûrement pas à son usage.

Si son texte était isolé, on ne le trouverait pas si étrange; en somme Marie a pu songer à préserver les tapis et les coussins. Mais c'est surtout la pensée de Jo. qui nous importe ici : il a voulu montrer la prodigalité du don, et l'ardeur de l'hommage qui oblige Marie à un geste peu ordinaire et dont le souvenir était resté attaché à sa personne. Cela explique suffisamment la réflexion sur la bonne odeur répandue, dernier trait caractéristique, qu'on retrouve ailleurs, cf. Plut. *Alex.* xx : ὠδώδει δὲ θεσπέσιον οἷον, ὑπ' ἀρωμάτων καὶ μύρων ὁ οἶκος, où il n'a rien de symbolique. Paul ayant dit (II Cor. ii, 15) Χριστοῦ εὐωδία ἐσμὲν τῷ θεῷ, il était assez naturel de voir dans l'odeur répandue le symbole de la foi prêchée dans le monde (*Théodore d'Héraclée, Cyr., Aug.*). Pour l'attribuer à l'auteur, il faudrait admettre, comme semble le faire Origène (*Comm.* I, xi, *Pr.*, p. 16), que Jo. a mis en forme de symbole la réflexion de Mc. Mt. sur la prédication de l'onction dans le monde entier, ce qui serait vraiment bien subtil. On voit dans Aug. comment le passage a dû se faire du texte de Paul au sens symbolique pour Jo. D'abord : *mundus impletus est fama bona,* puis : *nomen Christi annuntietur, odore optimo mundus impleatur*. Il faut encore être plus féru d'allégorie pour voir ici « comment Marie, l'Église de la gentilité, a recueilli aux pieds de Jésus le parfum de l'Évangile » (*Loisy*, p. 362), car c'est Marie qui a donné le parfum avant de l'essuyer!

4) Dans Mc. quelques personnes s'indignent intérieurement; elles n'avaient pas besoin d'un porte-parole. Mt. avec son pluriel vague met en scène les disciples, ce qui suppose bien qu'un d'eux a parlé au nom de tous : celui-là fut Judas, dont Jo. prononce ici le nom. Le texte de D ἀπὸ Καρυώτου semble une explication de 'Ισκαριώτης, cf. vi, 71. Opposition frappante : un des disciples, et la trahison.

5) La trahison de Judas vendant son maître, d'après les synoptiques, prouve assez qu'il aimait l'argent. Sa réflexion a cependant les apparences de la charité; ce ne pouvait être que la dissimulation d'un avare, contrastant avec la prodigalité de Marie et sa manière ingénue de dénouer ses cheveux sans se préoccuper du qu'en dira-t-on. Au lieu de dire : on aurait pu vendre (Mt. Mc.), Judas blâme plus nettement : pourquoi n'a-t-on pas vendu? Avec cette tournure il ne pouvait guère dire comme Mc. « plus de » trois cents deniers. Jo. s'en tient à ce chiffre, environ 225 francs.

τὸ μύρον οὐκ ἐπράθη τριακοσίων δηναρίων καὶ ἐδόθη πτωχοῖς; [6]εἶπεν δὲ τοῦτο οὐχ ὅτι περὶ τῶν πτωχῶν ἔμελεν αὐτῷ ἀλλ' ὅτι κλέπτης ἦν καὶ τὸ γλωσσόκομον ἔχων τὰ βαλλόμενα ἐβάσταζεν. [7]εἶπεν οὖν ὁ Ἰησοῦς Ἄφες αὐτήν, ἵνα εἰς τὴν ἡμέραν τοῦ ἐνταφιασμοῦ μου τηρήσῃ αὐτό· [8]τοὺς πτωχοὺς γὰρ πάντοτε ἔχετε μεθ' ἑαυτῶν, ἐμὲ δὲ οὐ πάντοτε ἔχετε. [9]Ἔγνω οὖν ὁ ὄχλος πολὺς ἐκ τῶν Ἰουδαίων ὅτι ἐκεῖ ἐστίν, καὶ ἦλθον οὐ διὰ τὸν

6) « Ainsi que la vertu, le vice a ses degrés »; Judas n'aurait pas vendu son Maître s'il n'avait été déjà entraîné par son amour de l'argent à des crimes moindres. Il semble donc que Jo. nous explique ainsi, par un vice invétéré, le fait inouï de la trahison. Loisy tient à noter « que cette imputation de vol remplace l'histoire de la trahison pour argent dans les synoptiques; sans doute répugnait-il à l'évangéliste de dire que le Christ avait été vendu », etc. (p. 363). C'est-à-dire que Jo. qui ne nie pas la trahison, aurait refusé de lui donner pour explication un marché, tout en soulignant que Judas était un voleur. Comment pouvait-il espérer remplacer de cette façon sournoise le fait acquis dans la tradition, et qu'il rendait plus vraisemblable? Judas se dit qu'il vient de manquer une bonne occasion de voler la caisse; il prendra sa revanche. On dirait d'une petite communauté dont Judas aurait été l'économe ou le procureur. Pourquoi Jésus abandonnait-il le soin de la bourse à un voleur? Cela paraît plus contraire à sa dignité que le fait d'être vendu; mais il tolérait bien ce malhonnête homme parmi les apôtres. Si la première communauté était un début du règne de Dieu, il n'y eut pas à s'étonner plus tard que le règne de Dieu, fondé par la mort du Christ, comprît des indignes (*Aug.*). — γλωσσόκομον ici et XIII, 29, seuls cas du N. T.; originairement un étui pour les *languettes* de flûte, et ensuite un coffre où l'on mettait l'argent, II Par. XXIV, 8. 10 et *Pap. Ryl.* II, 127, 25 (29 ap. J.-C.) où il est question de 150 drachmes ἃς εἶχον ἐν γλοσσοκόμωι (*MM*). Je ne vois pas qu'on soit autorisé à traduire « sac »; ce coffre, d'après l'étymologie même, pouvait être très petit et en tout cas portatif : une cassette. — βαστάζω, porter, emporter, ensuite dérober, cf. Jos. *Ant.* VIII, X, 3, etc. et papyrus (*Bauer*, *MM.*), surtout Diog. Laërce, IV, 59, où l'on voit des serviteurs se servir frauduleusement d'un sceau, καὶ ὅσα ἐβούλετο ἐβάσταζεν.

7) Réponse difficile, et qui a été expliquée de deux manières : *a*) Laisse-la, afin qu'elle conserve quelque chose pour le jour de ma sépulture (*Zahn*). Il reste du parfum; Marie aura, sans qu'elle s'en doute encore, l'occasion de l'employer; qu'on ne l'empêche pas de le mettre de côté. C'est admettre que l'emploi du tout eût été une prodigalité reprochable. — Mais cette sagesse étroite et banale ne répond nullement à l'esprit du récit, dans Jo. pas plus que dans Mc. où la femme a brisé le vase : Marie a versé largement, tout ce qu'elle avait, dont Judas évalue le prix. C'est cette prodigalité, qui, en d'autres temps, eût paru excessive, et que Jésus n'aurait pas acceptée pour sa personne, n'était la circonstance de sa mort prochaine. C'est le sens des synoptiques, mais c'est aussi le sens de Jo., qu'on accuse (*Bauer*) d'avoir corrigé leur onction sépulcrale symbolique pour renvoyer à une onction réelle qui d'ailleurs n'a pas eu lieu! Ce qui est décisif, c'est que Jésus veut que Marie ne soit pas ou blâmée ou

aux pauvres? » [6]Il dit cela, non qu'il se souciât des pauvres, mais parce qu'il était voleur, et qu'ayant la cassette, il dérobait ce qu'on y mettait. [7]Jésus dit donc : « Laisse-la; [c'était] afin de le garder en vue du jour de ma sépulture; [8]vous avez toujours les pauvres parmi vous; mais moi vous ne m'avez pas toujours. »

[9]La foule entière des Juifs apprit donc qu'il était là, et ils

interrompue : il faut la laisser faire : or elle ne met pas le parfum de côté, elle le prodigue.

b) Ce premier point étant acquis, il faut expliquer les termes : ἄφες αὐτήν peut s'entendre séparément : laisse-la tranquille, cf. Mc. XIV, 6; Mt. XV, 14; IV Regn. IV, 27, ou en joignant à ce qui suit : laissez-la continuer de faire ce qu'elle fait (II Regn. XVI, 11), même avec ἵνα et le subj. (cf. Mc. XI, 16) au lieu de l'infinitif plus commun. Des deux façons ce n'est qu'une nuance peu importante. Mais que signifie τηρέω? Si c'est observer, célébrer, il faut que αὐτό signifie cela, cet acte ce qui paraît bien difficile; il eût fallu τοῦτο. Le sens n'est donc pas : laisse-la pratiquer cette observance (*Schanz*, *Till.?*).

Il faut plutôt séparer ἄφες αὐτήν de ce qui suit, et supposer une idée intermédiaire, comme dans IX, 3 (cf. I, 8; VI, 30. 50; Eph. V, 33) : laisse-la tranquille; [cela est arrivé] afin qu'elle gardât ce parfum en vue du jour de ma sépulture, rite qu'elle accomplit dès maintenant. La réponse donne le même sens que celui des synoptiques, et s'adapte exactement à l'objection de Judas: Pourquoi n'a-t-on pas vendu ce parfum? — Parce qu'il était réservé à l'usage qu'elle en fait.

Nous avons supposé la leçon certainement authentique, appuyée maintenant par W et Θ. Le texte reçu a τετήρηκεν au lieu de ἵνα... τηρήσῃ. C'est incontestablement une correction en vue de la clarté, mais une correction qui a parfaitement saisi le sens (*Cyr.*, *Euth.* 2°, peut-être *Nonnus*). — Comment Judas a-t-il supposé que ce parfum était en la possession de Marie qui eût pu le vendre, au lieu de supposer qu'elle venait de l'acheter pour l'usage qu'elle en a fait? Peut-être est-ce que le parfum avait été acheté pour la sépulture de Lazare, et qu'il était demeuré en plus (*Field*).

8) La réflexion n'a pas moins de portée dans Jo. que dans les synoptiques, quoique l'ordre des deux parties de la réponse soit interverti. Dans Jo. la justification précède, et c'est seulement ensuite que l'objection est écartée : ordre qu'on peut estimer plus logique. Le Sauveur ne veut pas démasquer le traître; mais, comme ses paroles ont pu faire quelque impression sur de bonnes âmes, il maintient pour le cours ordinaire l'intérêt des pauvres, qui doit céder dans ce cas à la convenance de l'heure. Désormais les amis de Jésus ne pourront plus lui rendre leurs bons offices. On ne saurait condamner celle qui a si royalement fait les choses pour la dernière fois.

9-11. Affluence a Béthanie.

9) Cette foule doit être composée de ceux qui cherchaient Jésus (XI, 55 s.). Ils apprennent enfin où il se trouve, et comme c'est à Béthanie, et qu'ils ont entendu parler de la résurrection de Lazare, leur curiosité a un double objet. — ὁ avant ὄχλος d'après ℵ BL et aussi W, étonne et c'est sans doute pour cela qu'il

Ἰησοῦν μόνον ἀλλ' ἵνα καὶ τὸν Λάζαρον ἴδωσιν ὃν ἤγειρεν ἐκ νεκρῶν. [10]ἐβουλεύσαντο δὲ οἱ ἀρχιερεῖς ἵνα καὶ τὸν Λάζαρον ἀποκτείνωσιν, [11]ὅτι πολλοὶ δι' αὐτὸν ὑπῆγον τῶν Ἰουδαίων καὶ ἐπίστευον εἰς τὸν Ἰησοῦν.

[12]Τῇ ἐπαύριον ὁ ὄχλος πολὺς ὁ ἐλθὼν εἰς τὴν ἑορτήν, ἀκούσαντες ὅτι ἔρχεται Ἰησοῦς εἰς Ἱεροσόλυμα, [13]ἔλαβον τὰ βαία τῶν φοινίκων καὶ ἐξῆλθον εἰς ὑπάντησιν αὐτῷ, καὶ ἐκραύγαζον

Ὡσαννά,
εὐλογημένος ὁ ἐρχόμενος ἐν ὀνόματι Κυρίου,
καὶ ὁ βασιλεὺς τοῦ Ἰσραήλ.

12. ο *a*. οχλος (H) plutôt que *om*. (TSV).

---

a été supprimé. Peut-être Jo. regarde-t-il comme déterminée cette foule dont il a souvent parlé, ou bien πολύς remplaçait-il dans sa pensée πᾶς, qui admettrait l'article? De toute façon πολύς sans article serait attribut. — Pourquoi ἐκ τῶν Ἰουδαίων? Ordinairement ce sont des adversaires, ce qui n'est pas le cas cette fois. Il semble que Jo. a voulu désigner simplement des gens du pays, par opposition aux pèlerins (12). On se demande comment ils sont venus un samedi : peut-être habitaient-ils près de Béthanie, ou estimaient-ils qu'ils ne dépassaient pas la limite sabbatique (cf. Act. I, 12, du mont des Oliviers).

10 s.) Les Pharisiens ne sont pas nommés avec les grands prêtres. C'est la première fois : depuis l'intervention de Caïphe (XI, 49), les prêtres ont assumé la direction. La résolution de tuer Lazare fut prise aussitôt que fut constatée l'affluence des Juifs à Béthanie, et l'influence du miracle sur leur moral; celle-ci est marquée d'abord par ὑπῆγον, ils quittent le parti de la hiérarchie, n'obéissent plus, ils croient en Jésus.

12-19. Entrée messianique a Jérusalem (Mc. XI, 1-11; Mt. XXI, 1-11; Lc. XIX, 29-45). C'est bien le même événement que dans les synoptiques, mais on dirait que Jo. n'a pas voulu l'écrire de nouveau, ce qu'il avait fait pour la multiplication des pains et l'onction de Béthanie : il se contente de rappeler le trait de l'ânon (14) et il ajoute un trait à la description en notant la part qu'y ont prise les Juifs venus en pèlerinage, émus de la résurrection de Lazare. On dirait, si l'on tenait les deux manières pour des récits complets, que les disciples sont ici remplacés par une foule venue de Jérusalem. Mais d'une part Jo. relève le rôle des disciples (16), et d'autre part on entrevoit dans Mt. qu'une autre troupe que celle qui venait de Jéricho a pris part à la fête (*Comm. Mt.*, p. 401).

12) La résolution du v. 10 est presque dans une parenthèse et le temps précis n'en est pas indiqué; τῇ ἐπαύριον ne peut donc se dater que du repas (*Zahn*). Ceux qui entrent en scène ne sont pas de Jérusalem ou des environs; ils sont donc moins bien informés que les Juifs du v. 9, et apprennent seulement dans la matinée que Jésus va faire son entrée à Jérusalem. Cependant ils ont entendu parler du fait de Lazare, qui déchaîne leur enthousiasme. — Cette fois ὁ devant

vinrent non pas seulement à cause de Jésus, mais afin de voir aussi Lazare qu'il avait ressuscité d'entre les morts. [10] Or les grands prêtres résolurent de tuer aussi Lazare, [11] parce que beaucoup de Juifs, à cause de lui, se retiraient et croyaient en Jésus.

[12] Le lendemain, la foule considérable qui était venue à la fête, apprenant que Jésus vient à Jérusalem, [13] prit les rameaux des palmiers, et ils sortirent à sa rencontre et ils criaient :

« Hosanna, béni soit celui qui vient au nom du Seigneur,
et le roi d'Israël. »

ὄχλος est tout naturel, puisque l'article reparaît devant ἐλθών : Jo. l'a omis devant πολύς pour ne pas le multiplier outre mesure.

13) On trouve des βαΐα lors de l'entrée de Simon à Jérusalem (I Mach. XIII, 51); il devait y avoir des palmiers surtout dans la vallée orientale plus chaude. Tous n'avaient pas leur touffe très élevée, et en tout cas c'eût été un jeu de grimper aux arbres pour couper des palmes. βαΐον seul signifiait palme; le mot est probablement d'origine égyptienne; porter des palmes (βαιοφορεῖν *Tebt.* 294, 10; βαιοφορία 295, 11 de 146 ap. J.-C.) était un office des temples égyptiens. Pour dissiper toute équivoque, Jo. a ajouté τῶν φοινίκων, comme βαΐα φοινίκων *Test. XII patr.* Nepht. v, 4, peut-être parce que le mot avait été adopté par les Juifs dans un sens moins précis.

— ὡσαννά est complètement détaché, comme dans Mc , et ne paraît qu'une fois, comme une exclamation; Aug. *Vox obsecrantis est. Hosanna, sicut nonnulli dicunt qui hebraeam linguam noverunt, magis affectum indicans, quam rem aliquam significans,* et en effet, le sens primitif du mot, encore perçu par Mt., s'était transformé en une acclamation joyeuse. — εὐλογημένος — κυρίου, comme dans Mc. Mt. d'après le ps. CXVII, 26. — καὶ ὁ βασιλεὺς τ. 'I, prélude à la prophétie et à l'emploi du titre de roi dans la Passion (XVIII, 33. 37; XIX, 3. 12 ss. 19), mais cette fois ce n'est pas le roi des Juifs, tel que les Romains pouvaien l'imaginer, c'est le roi d'Israël, héritier des droits de David sur Israël, maintenant dispersé; cf. I, 49 et Mc. XV, 32 = Mt. XXVII, 42 — καί, au sens de « qui est aussi » le roi; parallélisme hébraïque (*Schanz*).

14 s.) Les synoptiques ont raconté en détail comment Jésus s'est procuré l'ânon : Jo. s'en tient à sa formule pour les rencontres providentielles; c'est ainsi qu'André, appelé par Jésus (I, 38) a pu dire : « nous avons trouvé » (I, 41; cf. V, 14; IX, 35). Il n'est question que de l'ânon, comme dans Mc. et Lc (pour Mt. Cf. *Comm.*), et si Jo. cite Zach. IX, 9 ainsi que Mt., c'est avec quelques différences. Comme Mt. il a pensé qu'il n'y avait pas lieu de reproduire : « Tressaille de joie, fille de Sion, pousse des cris d'allégresse, fille de Jérusalem », ce qu'il a remplacé par : « Ne crains pas, fille de Sion », pour montrer le caractère pacifique du monarque si humblement monté. μὴ φοβοῦ est très fréquent lorsqu'il s'agit d'une manifestation divine (Gen. XV, 1; XXI, 17, etc.) et de toute manière, de sorte que ces mots ont dû se présenter à Jo. sans réminiscence érudite. Ce qui suit ἰδοὺ ὁ βασ. σου ἔρχεται est comme dans les LXX

[14] εὑρὼν δὲ ὁ Ἰησοῦς ὀνάριον ἐκάθισεν ἐπ' αὐτό, καθώς ἐστιν γεγραμμένον

[15] Μὴ φοβοῦ, θυγάτηρ Σιών·
ἰδοὺ ὁ βασιλεύς σου ἔρχεται,
καθήμενος ἐπὶ πῶλον ὄνου.

[16] Ταῦτα οὐκ ἔγνωσαν αὐτοῦ οἱ μαθηταὶ τὸ πρῶτον, ἀλλ' ὅτε ἐδοξάσθη Ἰησοῦς τότε ἐμνήσθησαν ὅτι ταῦτα ἦν ἐπ' αὐτῷ γεγραμμένα καὶ ταῦτα ἐποίησαν αὐτῷ. [17] Ἐμαρτύρει οὖν ὁ ὄχλος ὁ ὢν μετ' αὐτοῦ ὅτε τὸν Λάζαρον ἐφώνησεν ἐκ τοῦ μνημείου καὶ ἤγειρεν αὐτὸν ἐκ νεκρῶν. [18] διὰ τοῦτο καὶ ὑπήντησεν αὐτῷ ὁ ὄχλος ὅτι ἤκουσαν τοῦτο αὐτὸν πεποιηκέναι τὸ σημεῖον. [19] οἱ οὖν Φαρισαῖοι εἶπαν πρὸς ἑαυτούς Θεωρεῖτε ὅτι οὐκ ὠφελεῖτε οὐδέν· ἴδε ὁ κόσμος ὀπίσω αὐτοῦ ἀπῆλθεν.

16. αυτου οι μαθηται (TH) plutôt que ο. μ. α. (SV).
17. οτε (HSV) plutôt que οτι (T).

---

de Zach. et dans Mt.; puis Jo. ne dit que le nécessaire, mais πῶλον ὄνου est plutôt d'après l'hébreu : « poulain, fils des ânesses » que d'après les LXX πῶλον νέον, à moins que ce ne soit d'après Mt. lui-même!

16) Le premier ταῦτα ne se rapporte pas seulement à l'épisode de l'âne, mais, à cause de βασιλεύς dans la prophétie, doit s'entendre de tout ce modeste triomphe, modeste par l'attitude de Jésus, mais notable comme aveu de son droit royal et divin. Les disciples ne comprirent pas alors que c'était là un accomplissement voulu de Dieu des prophéties messianiques, spécialement bien exprimées pour cette circonstance par Zacharie : plus tard ils se souvinrent et de la prophétie et de la part qu'ils y avaient prise et comprirent la relation providentielle des deux ordres de prophétie et de réalité : ταῦτα exprime cette identité, dans un style de parataxe sémitique, au lieu d'une subordination par le relatif : « que ce qu'ils avaient fait était écrit. » La tournure de Jo. marque bien que l'accomplissement était une dépendance de la prophétie. — Sur l'intelligence des disciples après la résurrection, cf. II, 22; VII, 39; XX, 9.

17) Le sens dépend de la leçon οτε (HSV) ou οτι (T Zahn). Nous préférons ὅτε avec ℵBAWΘ, etc. *f g vg*, contre DE, etc. *a b c e ff sah boh pes syrsin.* (litt. πῶς), à cause de l'autorité des mss., et parce que la valeur du témoignage allégué est beaucoup plus grande s'il émane de ceux qui étaient alors avec Jésus, que de la foule en général. C'est pour cela que Jo. s'est étendu sur le détail du miracle. D'ailleurs les témoins oculaires étaient vraiment une foule (XI, 42). Le sens est donc que ces personnes en très grand nombre ont rendu à Jésus un témoignage tel qu'on l'attendait dans la circonstance, comme au Messie, et non pas seulement sur le fait particulier de la résurrection de Lazare.

18) Si on lisait ὅτι au v. 17, 18ᵇ serait inutile, ou du moins bien redondant. Le verset s'explique mieux avec ὅτε, car dans ce cas le témoignage direct portait sur le messianisme de Jésus, supposant d'ailleurs un témoignage sur le fait

[14]Or Jésus ayant trouvé un ânon, monta sur lui, comme il est écrit :

> [15]Ne crains pas, fille de Sion;
> Voici que ton roi vient,
> monté sur un poulain d'ânesse.

[16]C'est ce que ses disciples ne comprirent pas tout d'abord, mais lorsque Jésus fut glorifié, ils se souvinrent que cela avait été écrit à son sujet, et qu'ils le lui avaient fait. [17]La foule donc lui rendait témoignage, [celle] qui était avec lui lorsqu'il appela Lazare du tombeau et qu'il le ressuscita d'entre les morts. [18]C'est aussi pour cela que la foule vint à sa rencontre, car ils avaient appris qu'il avait fait ce miracle. [19]Les Pharisiens donc se dirent les uns aux autres : « Vous voyez que vous ne gagnez rien ; voilà que le monde s'en est allé après lui. »

de Lazare. C'est l'importance de ce dernier point que Jo. relève ici pour expliquer l'enthousiasme non pas de ceux qui accompagnaient Jésus, dont il ne parle pas, mais de la foule du v. 13. Elle avait été mise en mouvement par ce qui avait été dit (ἤκουσαν au sens du plus-que-parfait) par suite des allées et venues à Béthanie (9). — διὰ τοῦτο se rapporte à ce qui suit, c'est-à-dire ὅτι. — καί est plutôt au sens de précisément, qu'au sens de aussi comme si la résurrection n'était qu'une raison secondaire de l'empressement de la foule. « Précisément » pourrait être le sens de Lc. XI, 49, cf. Heb. VII, 26. — Sur l'influence des miracles dans le triomphe, cf. Lc. XIX, 37.

19) Les Pharisiens disputent entre eux. Ceux qui prennent la parole paraissent impressionnés du succès de Jésus, mais ne sont pas sympathiques. Ce sont les mêmes qui ne pouvaient supporter qu'on laissât faire, sous prétexte qu'une agitation populaire sans point d'appui tomberait d'elle-même (XI, 48) ; or, malgré le conseil de Caïphe, on n'a rien fait. Qu'attend-on pour recourir à la violence qui seule serait efficace (*Cyr.*)? — ὅλος (après κόσμος) d'après DLΘ, *latt. vg. boh. syrr.* doit être maintenu selon Zahn à cause de I Jo. V, 19, et parce que κόσμος traduit ici l'hébreu עוֹלָם qui prend toujours כֹּל au sens de « tout le monde ». Mais cela relève la valeur de la leçon des meilleurs mss. qui n'était donc pas suggérée comme une locution toute faite. — Même mauvaise humeur des Pharisiens dans Lc. XIX, 39 s., des sanhédrites dans Mt. XXI, 15 ss. — Jo. a peut-être regardé l'expression employée par les Pharisiens comme une prophétie involontaire de ce qui se passait de son temps, mais son intention de s'en tenir au cadre historique est bien marquée par l'aor. ἀπῆλθεν.

20-22. DES GRECS DÉSIRENT VOIR JÉSUS.

Le rapport de cette petite péricope, que nous distinguons comme telle, avec ce qui précède et ce qui suit a été compris de plusieurs manières fort différentes. — Tandis que la plupart la placent avec raison dans la perspective de l'entrée triomphale, Schanz la recule jusqu'à la fin de l'enseignement de Jésus

[20] Ἦσαν δὲ Ἕλληνές τινες ἐκ τῶν ἀναβαινόντων ἵνα προσκυνήσωσιν ἐν τῇ ἑορτῇ· [21] οὗτοι οὖν προσῆλθον Φιλίππῳ τῷ ἀπὸ Βηθσαιδὰ τῆς Γαλιλαίας, καὶ ἠρώτων αὐτὸν λέγοντες Κύριε, θέλομεν τὸν Ἰησοῦν ἰδεῖν. [22] ἔρχεται Φίλιππος καὶ λέγει τῷ Ἀνδρέᾳ· ἔρχεται Ἀνδρέας καὶ Φίλιππος καὶ

22. *om.* ο *a.* Φιλιππος (TSV) plutôt que *add.* (H). — *om.* παλιν *a.* ερχεται 2° (TH) plutôt que *add.* (S). V : και παλιν l. ερχεται, puis *om.* και *a.* λεγουσιν.

---

dans le Temple. D'autre part la grande majorité des Commentateurs anciens et modernes rattachent très étroitement ces trois versets à ce qui suit : Bauer et Zahn intitulent 20-36 : Jésus et les Grecs; d'après Tillmann la démarche des Grecs est pour Jésus comme le premier coup de son heure; puisque les Gentils désirent être admis dans l'Église, il est temps qu'il meure pour qu'ils puissent entrer. D'après la tendance des Pères à l'allégorie, on comprend qu'ils aient vu ici un symbole de la conversion des Gentils : *Ex occasione igitur istorum Gentilium qui eum videre cupiebant, annuntiat futuram plenitudinem Gentium, et promittit iam iamque adesse horam glorificationis suae, qua facta in coelis Gentes fuerant crediturae* (*Aug.*). Du moins les Pères admettaient la réalité du fait, tandis que pour Loisy, « la scène est toute symbolique », et « figure la conversion des païens » (p. 371. 370). Parmi ceux qui soutiennent ainsi que le discours a en vue les Grecs, on n'est même pas d'accord sur le point de savoir si Jésus a agréé ou refusé leur demande.

C'est qu'en effet « ils disparaissent comme un fantôme » (*Schwartz*). Aussi Renan, Wellhausen, Spitta, ne voient pas de lien réel entre leur intervention et le discours, si bien que Spitta regarde 20-22 comme une interpolation (p. 272 s.). Ces deux opinions nous paraissent exagérées.

Il faut d'abord noter que rien absolument ne suggère une solution de continuité entre le v. 19 et le v. 20. L'épisode des Grecs n'est qu'un des traits du triomphe. Qu'il soit parfaitement dans les vraisemblances de l'histoire, nous le verrons en l'expliquant. Jésus loin d'attribuer à cette démarche la valeur d'un point décisif dans sa mission n'y répond même pas, et ne s'adresse pas spécialement aux Grecs dans son discours. Ce qui l'engage à exprimer sa pensée suprême, c'est tout ce modeste triomphe. Il n'a pas besoin, comme le triomphateur antique, qu'on lui dise : *memento mori*. Il sait que c'est à peine une apparence de triomphe, mais qui indique bien le moment où il va être glorifié, après avoir passé par la mort; et comme une foule enthousiaste fait mine de vouloir le suivre, il lui rappelle sous quelles conditions cela se doit envisager. A une explosion de messianisme national, qui ne fait qu'éperonner la haine des Pharisiens dirigeants, et qui provoque chez les Grecs une curiosité plus ou moins sympathique, le Messie répond en exposant sa vraie mission, où le triomphe était attaché à l'élévation sur la croix pour le salut de tout le monde. C'est comme une effusion de l'âme de Jésus, un adieu à la foule avant son adieu à ses disciples, et déjà presque un dialogue avec son Père, enfin une suprême exhortation.

[20] Or il y avait quelques Grecs, de ceux qui étaient montés pour adorer pendant la fête. [21] Ils s'approchèrent donc de Philippe, qui était de Bethsaïda de Galilée, et lui firent cette demande : « Seigneur, nous voulons voir Jésus. » [22] Philippe vient et [le] dit à André; André

20) On est d'accord que ces Ἕλληνες ne sont ni des Juifs dispersés dans le monde romain, ni de purs païens, mais des personnes parlant le grec, c'est-à-dire n'appartenant pas par la naissance au judaïsme, mais cependant rattachées au culte du Dieu d'Israël, considéré comme le Dieu unique. Ces hommes craignant Dieu (Act. XIII, 43, etc.) comme le centurion de Capharnaüm (Lc. VII, 2-10) ou le centurion Cornelius (Act. X, 1 ss.) venaient volontiers à la fête de Pâque par dévotion, sans cependant prendre part au sacrifice pascal : οὔτε γὰρ λεπροῖς... ἀλλ' οὐδὲ τοῖς ἀλλοφύλοις, ὅσοι κατὰ θρησκείαν παρῆσαν (Jos. *Bell.* VI, IX, 3).

21) Ces braves gens n'osent se présenter eux-mêmes; il ont vu Jésus comme tout le monde, monté sur le petit âne, mais ils voudraient l'entretenir (cf. Lc. VIII, 20; IX, 9). Nés dans le paganisme, ils ont acquis la foi en Dieu ensuite du travail personnel de leur esprit et de l'impulsion de leur cœur; ils devaient plus que d'autres se sentir pressés de demander à Jésus plus de lumière. Et enfin, ce sont des Grecs, c'est-à-dire qu'ils sont imbus de l'esprit grec, animés d'une curiosité universelle toujours en éveil. Nous savions déjà que Philippe était de Bethsaïda (I, 44); Jo. ajoute cette fois « de Galilée », ce qui n'est vrai qu'au sens large, car Bethsaïda, à l'est du Jourdain, n'était pas dans le domaine d'Antipas, mais de Philippe. Dans cette région les Grecs étaient plus nombreux, et ceux-ci connaissaient peut-être Philippe, dont le nom grec suggère aussi certaines relations avec l'hellénisme.

22) Philippe, d'un caractère posé, peu pressé de tout résoudre par lui-même (I, 46; VI, 7; XIV, 8), consulte André, un compatriote (I, 44), dont le nom aussi est purement grec, et qui savait s'informer (VI, 9); tous deux transmettent la demande à Jésus. Mais il ne semble pas y avoir donné suite. Pour le moment il n'a plus qu'à mourir : c'est plus tard qu'il attirera tout le monde (32), donc même les Grecs. Et en effet les Hellènes disparaissent complètement de l'horizon. Il n'en sera plus question.

D'après Loisy : « La venue des Grecs, qui figure la conversion des païens, est un autre élément du triomphe et symbolise avec lui la glorification du Christ ressuscité » (p. 370).

Mais on ne voit pas que ces Grecs qui ne montrent en somme que de la curiosité (Lc. IX, 9) soient plus près de la conversion que les Juifs qui acclament celui qui vient au nom du Seigneur. Et pourquoi choisir des prosélytes pour figurer la conversion des gentils? Jo. pensait-il que le christianisme ne se recruterait parmi les gentils que par la voie du prosélytisme juif? Si les Pères ont été surtout frappés de l'événement capital de la conversion des gentils, les modernes devraient savoir apprécier des notes historiques précises. Renan (*Vie de Jésus*, appendice, p. 516) : « Or voici des versets (XII, 20 et suiv.) qui ont un cachet historique indubitable... Remarquez surtout combien tout ce passage est exempt

λέγουσιν τῷ Ἰησοῦ. [23] ὁ δὲ Ἰησοῦς ἀποκρίνεται αὐτοῖς λέγων Ἐλήλυθεν ἡ ὥρα ἵνα δοξασθῇ ὁ υἱὸς τοῦ ἀνθρώπου. [24] ἀμὴν ἀμὴν λέγω ὑμῖν, ἐὰν μὴ ὁ κόκκος τοῦ σίτου πεσὼν εἰς τὴν γῆν ἀποθάνῃ, αὐτὸς μόνος μένει· ἐὰν δὲ ἀποθάνῃ, πολὺν καρπὸν φέρει. [25] ὁ φιλῶν τὴν ψυχὴν αὐτοῦ ἀπολλύει αὐτήν, καὶ ὁ μισῶν τὴν ψυχὴν αὐτοῦ ἐν τῷ κόσμῳ τούτῳ εἰς ζωὴν αἰώνιον φυλάξει αὐτήν. [26] ἐάν ἐμοί τις διακονῇ ἐμοὶ ἀκολουθείτω, καὶ ὅπου εἰμὶ ἐγὼ ἐκεῖ

23. αποκρινεται (THV) plutôt que απεκρινατο (S).
26. τις διακονη (TH) plutôt que διακονη τις (SV).

---

d'intention dogmatique ou symbolique. » Il faut seulement noter l'heureux présage que la recherche de ces Grecs était pour l'avenir.

23-33 LE VRAI TRIOMPHE DE JÉSUS SERA LE FRUIT DE SA MORT.

Jésus accepte la mort, et instruit ceux qui veulent le suivre de la voie qui mène à la gloire (23-26); cependant son âme est troublée mais une voix du ciel lui rend témoignage (27-29); il indique quel sera son genre de mort (30-33); et comme la foule ne comprend pas, il l'exhorte à profiter du temps qui lui reste (34-36). Dans tout cela il n'y a rien qui s'adresse spécialement aux Grecs, mais Jésus ne parle pas non plus aux Pharisiens (contre *Spitta*); le ton confidentiel s'explique au début parce qu'il répond à André et à Philippe; mais ce n'est qu'une entrée en scène, et c'est la foule avec ses sentiments divers qui est l'auditoire réel (cf. VIII, 31 ss.).

23) αὐτοῖς, donc à Philippe et à André, mais l'horizon n'est pas restreint à eux, pas plus que dans VIII, 31, et ἀποκρίνεται n'indique pas une réponse précise à la démarche des deux intermédiaires obligeants. Pour ce qui regarde ce point spécial, il y a une réponse négative implicite dans l'affirmation de la solennité de l'heure; ce n'est pas le temps des interviews. L'heure qui était à l'horizon (VII, 6.30; VIII, 20) est enfin venue. Désormais on pourra prendre Jésus et le mettre à mort. Cependant, sans doute à cause du triomphe passager du moment, et par opposition, il la caractérise comme l'heure de sa vraie gloire, la mort n'étant d'ailleurs qu'une condition pour arriver à la gloire de la résurrection et de l'hommage des peuples. Il se peut que Jésus ait déduit l'approche de l'heure d'après la situation; mais s'il sait, c'est sûrement d'une façon surnaturelle, cf. XIII, 1; XVI, 2.32.

24) On a vu dans ce grain de blé un rapprochement avec la langue des mystères d'Éleusis (*Holtz.*), mais on ignore quel était dans ces mystères le sens de l'épi moissonné en silence (*RB.*, 1919, p. 204); le symbolisme du grain semé pour renaître, figure de la résurrection, paraît bien représenté sur ces sarcophages du musée du Caire où du grain a été semé en forme d'Osiris. Mais un fait naturel si commun était de nature à suggérer diverses comparaisons; Épictète y a vu la nécessité de suivre lentement le cours de la nature : κατορυγῆναι δεῖ χρόνον τὸ σπέρμα, κρυφθῆναι, κατὰ μικρὸν αὐξηθῆναι, ἵνα τελεσφορήσῃ (IV, 8, 36). Paul (I Cor. XV, 36) a pensé au grain qui meurt pour revivre : οὐ ζωοποιεῖται ἐὰν μὴ ἀποθάνῃ. La pensée de Jésus se porte sur la multiplication du grain, ce qui

et Philippe viennent et [le] disent à Jésus. [23] Jésus leur répond en disant : « L'heure est venue, que le Fils de l'homme doit être glorifié. [24] En vérité, en vérité je vous [le] dis, si le grain de froment tombé dans la terre ne meurt pas, il demeure seul ; mais s'il meurt, il porte beaucoup de fruit. [25] Celui qui aime sa vie la perd, et celui qui hait sa vie dans ce monde la gardera pour une vie éternelle. [26] Si quelqu'un veut me servir, qu'il me suive, et où je suis, mon

rappelle quelque peu la parabole du semeur (Mc. IV, 8 et parall.). Il envisage donc maintenant sa mort moins comme une condition de sa glorification personnelle, que comme la condition du succès de son œuvre : καρπὸς γὰρ τῶν τοῦ Χριστοῦ παθημάτων, ἡ πάντων ζωή, νεκρῶν τε καὶ ζώντων· σπέρμα γὰρ γέγονε ζωῆς, ὁ Χριστοῦ θάνατος (*Cyr.*). Loisy voudrait rendre la comparaison ridicule : « on ne dit pas d'un grain de blé qui ne lève pas, qu'il reste seul » (p. 371). — Mais qui pose ce cas absurde, comme si la comparaison était entre deux grains semés dont l'un lève et l'autre ne lève pas ? S'il est semé, il meurt, lève et produit ; s'il n'est pas semé, il ne meurt pas, mais il reste seul ; aucun cultivateur ne se trompera sur le sens de l'hypothèse. Il y a donc une comparaison, tirée de la nature, dont l'application se fait aisément à l'œuvre du Christ ; mais il est si peu désigné expressément par le grain en manière d'allégorie, qu'aussitôt après la pensée s'étend à d'autres, dont on pourrait dire la même chose, proportion gardée.

25) En effet, l'annonce voilée de la passion est suivie d'un avertissement très austère à ceux qui se proposeraient de participer à sa gloire ; même contexte dans Mc. VIII, 31-35 ; Mt. XVI, 21-25 ; Lc. IX, 22-24 ; et pour le texte cf. encore Mt. X, 39 et Lc. XVII, 33. Tous ces textes des synoptiques ont plus de rapport entre eux qu'avec le texte de Jo. Dans ce dernier, l'opposition est plus absolue entre aimer et haïr ; mais elle est moins stricte entre aimer et perdre, haïr et conserver ; en d'autres termes, elle est plus variée qu'entre sauver et perdre, perdre et sauver. De plus Jo. explique qu'il faut haïr son âme *dans ce monde*, pour la garder *en vue de la vie éternelle*. Il serait difficile de soutenir que sa formule est primitive par rapport aux autres et que Jésus lui-même a varié ses termes de cette façon, lorsque cinq formules des synoptiques se ressemblent si étroitement. C'était donc sous leur forme que la tradition avait retenu cette importante sentence, à laquelle Jo. avait certes le droit de donner plus de précision et de clarté en faveur de ses lecteurs.

Il y a d'ailleurs le même contraste ingénieux et frappant de la vie temporelle qu'il ne faut pas aimer au point de risquer le salut de l'âme, de la vie avec ses attraits sensibles qu'il faut haïr si l'on veut préparer son âme à la vie éternelle : c'est en somme la vie future qui doit passer avant l'intérêt de l'homme naturel et cela au péril du corps : τῆς ψυχῆς φιλίαν καλεῖ, τὸ δοκεῖν αὐτὴν κατέχειν, οὐ προδιδόντας εἰς κινδύνους τὸ σῶμα (*Cyr.*). L'esprit du logion sémitique est parfaitement conservé.

26) Dans les cinq passages des synoptiques cités au v. 25 l'idée de suivre Jésus accompagne aussi, mais toujours en la précédant, l'allusion à la vie sauvée et

καὶ ὁ διάκονος ὁ ἐμὸς ἔσται· ἐάν τις ἐμοὶ διακονῇ τιμήσει αὐτὸν ὁ πατήρ. [27]νῦν ἡ ψυχή μου τετάρακται, καὶ τί εἴπω; πάτερ, σῶσόν με ἐκ τῆς ὥρας ταύτης; ἀλλὰ διὰ τοῦτο ἦλθον εἰς τὴν ὥραν ταύτην. [28]πάτερ, δόξασόν σου τὸ ὄνομα. ἦλθεν οὖν φωνὴ ἐκ τοῦ οὐρανοῦ Καὶ ἐδόξασα καὶ πάλιν δοξάσω. [29]ὁ οὖν ὄχλος ὁ ἑστὼς καὶ ἀκούσας ἔλεγεν βροντὴν γεγονέναι·

perdue, destinée à avertir ceux qui veulent suivre Jésus des dispositions généreuses qu'il exige d'eux. Dans Jo. l'ordre est interverti et la nuance n'est pas la même. La nécessité qui s'impose de renoncer même à la vie pour sauver son âme, est comme adoucie par la pensée qu'on se trouvera au service du Maître, et qu'en le suivant on arrivera auprès de lui, pour recevoir du Père un honneur qui soit comme une participation de sa gloire : δοξασθῇ (23) — τιμήσει. — Il ne semble pas que Jésus s'adresse spécialement ou exclusivement à ses Apôtres (contre *Zahn*). Il est vrai que διάκονος marque mieux que δοῦλος une participation au travail du maître : tel un apprenti διακονοῦντα καὶ ποιοῦντα πάντα τὰ ἐπιτασσόμενα αὐτῷ (*Ox*, II, 275, 10 en 66 ap. J.-C.); mais ce n'est pas là un terme technique pour le ministère comme dans II Cor. XI, 23; Col. I, 7; I Tim. IV, 6. L'invitation s'adresse à tout le monde. Dans la circonstance présente on peut songer à ceux qui venaient d'acclamer Jésus comme roi. S'ils veulent s'engager à le servir, qu'ils le suivent donc, aux conditions déjà indiquées, et alors ils auront leur récompense : ὅπου εἰμί... cf. XIV, 3; XVII, 24. Sur la récompense de ceux qui suivent Jésus et le servent, cf. Mt. X, 32 s.; Mc. VIII, 35; Lc. XII, 37. — τιμάω s'entendrait aisément κατὰ τὴν ἀξίαν, « selon qu'on le mérite », mais dans le N. T. le sens est « honorer », non « récompenser ».

27) Jésus, étant vraiment homme, a éprouvé l'angoisse que cause l'approche de la mort. Quand elle apparaît de loin, il n'est pas rare qu'on l'accepte sans frémir. Mais quand elle est présente, ce n'est pas seulement la chair qui s'émeut, c'est encore l'âme raisonnable qui l'envisage comme un mal Ce moment est venu pour le Christ (νῦν), et c'est bien son âme (ψυχὴ λογική, *Cyr.*). qui est troublée, c'est-à-dire agitée d'un pressentiment qui la remue (cf. Ps. VI, 4 s., etc.). Jo. le dit parce qu'il en fut ainsi (*Cyr.*) non pour suggérer que Jésus parle ici en notre nom (*Aug.*), ni pour répondre à une objection tacite des disciples : vous en parlez bien à votre aise, vous qui êtes par votre divinité au-dessus de la douleur. Il est certain d'ailleurs que rien n'est mieux fait que cette réalité pour engager les disciples de Jésus à souffrir en union avec lui, auquel la crainte de la mort n'a pas été épargnée. D'ailleurs les théologiens expliquent qu'en Jésus la raison n'était jamais positivement troublée, ce qui est supérieur aux lois ordinaires de la nature humaine, mais non pas à son essence, puisque chez les hommes il en est parfois ainsi, malgré l'émotion et le désarroi de la partie inférieure de l'âme. Dans ce trouble Jésus se demande ce qu'il doit dire, c'est-à-dire ce qu'il doit demander à son Père, comme l'indique ce qui suit. D'après plusieurs auteurs (*Mald.*, *Schanz*, *Fillion*, *Kn.*, *Vogels*, *Lepin*, p. 463, etc.) il faut mettre un point après ταύτης. Jésus demanderait positivement à son Père de le sauver de cette heure (c'est-à-dire de lui épargner la mort qui est en vue). Puis il se reprendrait pour s'en remettre

serviteur sera lui aussi; si quelqu'un me sert, mon Père l'honorera. [27]Maintenant mon âme est troublée; et que dirai-je? Père, sauve-moi de cette heure? Mais c'est pour cela que je suis arrivé à cette heure! [28]Père, glorifie ton nom. » Il vint donc une voix du ciel : « Et je [l'] ai glorifié, et je [le] glorifierai de nouveau. » [29]La foule donc qui se tenait là et avait entendu disait que c'était le tonnerre;

à la volonté du Père. D'autres (*Chrys.*, *Ich'odad, Zahn, Bauer, Loisy, Calmes, Till.*), mettent une seconde interrogation après ταύτης. Le sens est : que dirai-je?.. sauvez-moi? mais non, je ne le dirai pas... puisque... je dirai donc plutôt. Nous préférons la double interrogation, dont il y a bien des exemples (xi, 56 et τί ἐροῦμεν Rom. vi, 1; vii, 7; ix, 14, cf. Rom. iv, 10; Mt. xi, 7), car si la prière σῶσον était positive, elle sortait si naturellement de la situation qu'il eût été inutile de dire τί εἴπω, mots très naturels s'il y a en effet deux alternatives. — Il va sans dire que διὰ τοῦτο ne doit pas s'entendre de ce qui suit, c'est-à-dire de la glorification, mais de la mort elle-même, qui vient d'être entrevue, et dont le trouble est comme la première touche.

28) Étant donné que Jésus est venu pour souffrir, et que sa mort est nécessaire pour l'œuvre que lui a assignée son Père, et qui doit procurer la gloire du Père, il ne reste plus qu'à dire : Père, glorifie ton nom (τὸ ὄνομα avec l'immense majorité et non τὸν υἱόν avec les mss. LX, etc. *boh.*), en parachevant tes desseins éternels.

La voix du ciel. — οὖν, parce que la prière du Fils au Père était exaucée. Après ἐδόξασα on ne peut sous-entendre « toi », mais seulement : « lui », c'est-à-dire mon nom. Mais il va de soi que c'est par l'œuvre du Fils, c'est-à-dire par les miracles qui ont procuré la gloire de Dieu; cf. xi, 4. Puisque le Fils accepte la mort et demande de glorifier son Père, le Père poursuivra cette gloire par le Fils, c'est-à-dire par sa résurrection et sa gloire définitive. — Cette voix n'est pas sans analogie avec celle de la Transfiguration, d'autant plus, comme le remarque finement Bauer, que dans le récit de Lc. (ix, 31), il était aussi question de la Passion. Mais on ne peut ajouter avec Loisy que « la voix céleste remplace aussi, très probablement, l'ange consolateur » de Lc. xxii, 43 à Gethsémani. — Sur une voix du ciel, cf. Dan. iv, 28; Mc. i, 11 et parall.; Act. ix, 4; xi, 9; de la nuée (Mc. ix, 7 et parall.); d'en haut (Apoc. Bar. xiii, 1; xxii, 1). — Dès le temps des Tannaïtes on emploie le mot *bath qôl* (fille de la voix) pour signifier une voix venue du ciel; son autorité n'était pas irréfragable, du moins d'après R. Josua (vers 90-130 ap. J.-C.); cf. Fiebig, *Jüdische Wundergeschichten*... p. 32.

29) Il semble que la voix ne fut entendue distinctement que par Jésus, et sans doute aussi par ses disciples. Il y avait toujours là une certaine foule — ce qui ne prouve pas du tout qu'on fût dans le Temple (contre *Schanz, Till.* etc.) — qui entendit bien quelque chose, mais probablement d'une façon assez confuse, et qui interpréta ce bruit selon ses dispositions. Après l'invocation au Père, il était évident que c'était un signe céleste. Si Jo. pensait toujours aux Grecs du v. 20, il a pu les ranger parmi ceux qui ont cru en-

ἄλλοι ἔλεγον Ἄγγελος αὐτῷ λελάληκεν. [30] ἀπεκρίθη Ἰησοῦς καὶ εἶπεν Οὐ δι' ἐμὲ ἡ φωνὴ αὕτη γέγονεν ἀλλὰ δι' ὑμᾶς. [31] νῦν κρίσις ἐστὶν τοῦ κόσμου τούτου, νῦν ὁ ἄρχων τοῦ κόσμου τούτου ἐκβληθήσεται ἔξω· [32] κἀγὼ ἐὰν ὑψωθῶ ἐκ τῆς γῆς, πάντας ἑλκύσω πρὸς ἐμαυτόν. [33] τοῦτο δὲ ἔλεγεν σημαίνων ποίῳ θανάτῳ ἤμελλεν ἀποθνήσκειν. [34] ἀπεκρίθη οὖν αὐτῷ ὁ ὄχλος Ἡμεῖς ἠκούσαμεν ἐκ τοῦ νόμου ὅτι ὁ χριστὸς μένει εἰς τὸν αἰῶνα,

30. απεκριθη Ιησους και ειπεν (TSV) plutôt que α. κ. ε. I. (H).
32. εαν (TSV) plutôt que αν (H). — παντας (THSV) ou παντα.

---

tendre le tonnerre, car c'était un signe favorable s'il tonnait à gauche (Virgile, *Én.* II, 692 s.); mais c'est l'opinion de la plus grande partie de la foule, donc avant tout des Juifs, qui nommaient le tonnerre : la voix de Dieu (Ps. xxviii, 3-9; Job xxxvii, 4; I Regn. xii, 18). D'autres, familiers avec les révélations angéliques dans la Bible, pensent qu'un ange a parlé (cf. Act. xxiii, 9). Des deux façons c'était méconnaître la portée du témoignage émanant de celui que Jésus avait invoqué, c'est-à-dire du Père; mais la foule devait du moins comprendre que Dieu approuvait sa résolution par un intermédiaire.

30) Jésus ne répond pas directement à ces conjectures; il prend simplement la parole de nouveau, et note d'abord que lui-même étant sûr d'avance de l'approbation de son Père, la voix s'adressait à eux, non pas à lui. S'ils n'ont pas compris, ils n'avaient qu'à solliciter une explication que d'ailleurs il leur donne pour confirmer ce qu'il a dit de l'imminence de l'heure et de la signification de l'œuvre.

31) En disant deux fois νῦν, Jésus rappelle que l'heure est venue; il semble donc reprendre son discours du v. 23 pour en révéler le sens caché; en même temps cependant il s'attache à expliquer à la foule l'urgence de prendre garde à la voix du ciel (*Chrys.*) qui parle, elle aussi, de glorification — κρίσις n'est pas le discernement des bons et des mauvais, ni la punition (ἐκδίκησις, *Cyr. Chrys.*) des mauvais, mais simplement le jugement prononcé sur le monde ancien, jugement de condamnation, qui porte avant tout sur celui qui en était jusqu'à présent le chef, c'est-à-dire sur le diable. C'est ce que Jésus avait déjà inauguré en expulsant les démons (Mt. xii, 28 s.; Lc. xi, 20 ss.); désormais Satan perdra son empire sur les hommes, en d'autres termes sera expulsé du monde. On peut estimer que Dieu le punira ainsi d'avoir osé porter la main sur Jésus qui ne relevait pas de son empire (*Or. Chrys. Cyr.* etc.) mais cette idée n'est pas même indiquée ici implicitement. — ὁ ἄρχων τοῦ κόσμου τούτου cf. xiv, 30; xvi, 11 † N. T; cependant cf. Act. xxvi, 18; II Cor. iv, 4; Eph. ii, 2; vi, 12; Mt. iv, 8 s.; Lc. iv, 6. L'empire du diable ou de Satan lui vient de son pouvoir de suggérer le mal aux hommes qui ne lui résistent pas. Désormais la situation sera changée : *aliud est intrinsecus regnare aliud forinsecus oppugnare.. et si aliqua tela eius missa perveniunt, admonet Apostolus unde non laedant... et si aliquando vulnerat, adest qui sanat* (*Aug.*). Pour nous, c'est encore la lutte, mais par rapport au Christ la victoire est complète, et

d'autres disaient : « Un ange lui a parlé. » [30] Jésus répondit et dit : « Ce n'est pas pour moi que cette voix s'est fait entendre, mais pour vous. [31] Maintenant a lieu le jugement de ce monde; maintenant le prince de ce monde va être jeté dehors; [32] et moi, quand j'aurai été élevé de terre, je tirerai tous [les hommes] à moi. » [33] Il disait cela pour indiquer de quelle mort il allait mourir. [34] La foule lui répondit donc : « Nous avons appris de la Loi que le Christ demeure à

c'est ce que Jésus enseigne ici (Col. II, 15). — Le terme que Jo. donne au démon est le même qu'on trouve chez les rabbins, שַׂר הָעוֹלָם dans un sens mal défini traduit ἄρχων τοῦ αἰῶνος τούτου dans IGN. *Eph.* XVII, 1; XIX, 1; Magn. I, 3, etc.; cf. au pluriel οἱ ἄρχοντες τ. α. τ. I Cor. II, 6 ss. — La leçon κάτω (Θ 22ev. *e b ff*[2] *l r syrsin sah* Chrys.) au lieu de ἔξω est influencée par l'idée de l'enfer souterrain.

32) κἀγώ, par opposition à Satan; tandis qu'il impose son autorité, Jésus attirera tous les hommes à lui, soit Juifs, soit païens, après qu'il aura été élevé, c'est-à-dire sur la Croix (33). C'est donc bien sa mort, et la pensée de cette mort, qui ne cessera d'exercer une attraction puissante sur les hommes pour les sauver, les conduire où sera le vainqueur.

ὑψοῦν cf. III, 14; VIII, 28; ἑλκειν comme VI, 44, et pour l'idée X, 16; XI, 52.

33) On aurait pu croire que par ὑψοῦν Jésus n'entendait que son exaltation glorieuse; aussi l'évangéliste a-t-il soin de dire que ce terme devait s'entendre de la mort de la croix; cf. XVIII, 32. — σημαίνων, mot employé pour indiquer ce qu'on doit faire ou ce qui doit arriver dans l'avenir, mais d'une manière un peu voilée, soit par des oracles, soit par des prophéties, soit par des présages : Héraclite (*Diels* Fr. 93) : « le prince dont l'oracle est à Delphes οὔτε λέγει οὔτε κρύπτει, ἀλλὰ σημαίνει. Très usité dans le paganisme, et aussi dans Jos. Ant. VII, IX, 5; X, XI, 3; cf. Dan. II, 45 Sept., Jo. XVIII, 32; XXI, 19; Apoc. I, 1; Act. XI, 28 (*Bauer*).

34-36. CONFUSION DANS LA FOULE. SUPRÊME AVERTISSEMENT.

34) La foule a très bien compris que Jésus se désignait comme Fils de l'homme (23), dès le premier mot qui posait le thème de son discours. Maintenant il parle d'être élevé ἐκ τῆς γῆς, comme s'il ne devait pas rester sur la terre, et cependant le Christ doit demeurer, c'est-à-dire régner toujours. Alors, que signifie cette destinée éphémère du Fils de l'homme? et qu'est-ce enfin que ce Fils de l'homme? prétend-il être un précurseur du Christ ou quelque autre? On voit que la foule est encore sous l'impression de ses acclamations. Elle vient de saluer le roi d'Israël, estimant que Jésus se donnait comme tel. Mais ses paroles à lui semblent poursuivre un autre objet.

— ὁ νόμος de toute l'Écriture, comme dans X, 34; XV, 25; il n y a donc pas lieu d'insister sur les prophéties messianiques du seul Pentateuque; pour le règne du Messie, on citera plutôt II Regn. VII, 16; Ps. CIX, 4; Is. IX, 6; Dan. VII, 13 s. Sur la durée du règne du Messie d'après les apocalypse et les rabbins cf. *Le Messianisme*... pp. 92 ss.; 108 ss.; 150; 205 ss. Pour les opinions sur le Fils de

καὶ πῶς λέγεις σὺ ὅτι δεῖ ὑψωθῆναι τὸν υἱὸν τοῦ ἀνθρώπου; τίς ἐστιν οὗτος ὁ υἱὸς τοῦ ἀνθρώπου; [35]εἶπεν οὖν αὐτοῖς ὁ Ἰησοῦς Ἔτι μικρὸν χρόνον τὸ φῶς ἐν ὑμῖν ἐστίν. περιπατεῖτε ὡς τὸ φῶς ἔχετε, ἵνα μὴ σκοτία ὑμᾶς καταλάβῃ, καὶ ὁ περιπατῶν ἐν τῇ σκοτίᾳ οὐκ οἶδεν ποῦ ὑπάγει. [36]ὡς τὸ φῶς ἔχετε, πιστεύετε εἰς τὸ φῶς, ἵνα υἱοὶ φωτὸς γένησθε. Ταῦτα

l'homme, cf. *eod. loc.* p. 224 ss. — La réflexion témoigne de plus d'impatience que de docilité; elle émane de ceux qui se croient versés dans les Écritures; manifestement le Fils de l'homme n'était pas pour eux un terme courant pour « Messie ».

35) Aussi Jésus les invite à mieux profiter de sa présence, sans répondre directement à des gens mal disposés. Il semble donc qu'on est plutôt au début du dernier séjour à Jérusalem qu'à la fin. C'est un temps court, mais appréciable. La lumière est Jésus lui-même (I, 4. 9; III, 19; VIII, 12; IX, 5), donc ἐν ὑμῖν signifie « parmi vous ». — ὡς se trouve pour ἕως, néanmoins on serait tenté de lire ἕως au v. 35 « aussi longtemps que » et ὡς au v. 36 « durant que », avec ℵ qui écrit ainsi, tandis que B D W etc. ont les deux fois ὡς (*Deb.* § 455.3). — καὶ « et alors » (cf. *Introd.* p. CVII). — Ne pas ponctuer la vg. *modicum lumen*, mais *modicum*, *lumen*, ou plutôt insérer *tempus* après *modicum* (avec *anc. latt.*) pour éviter l'amphibologie.

Sur l'avantage qu'il y a à marcher de jour, cf. XI, 9; IX, 4; I Jo. II, 11. — καταλαμβάνω, non pas comme dans I, 5, mais au sens normal de surprendre, en parlant de la nuit, ce qui se comprend mieux dans un pays où le crépuscule est relativement court. De même le jour pourrait surprendre (I Thess. V, 4).

36) Marcher dans la lumière, c'est croire en celui qui est la lumière, et de la sorte on devient fils de lumière; cf. Lc. XVI, 8; I Thess. V, 5; Eph. V. 8. Il ne semble pas que Jésus demande ici un acte de foi en Lui, lumière essentielle, mais plutôt d'adhésion à sa doctrine, en tant que lumière des nations; Cyrille: Ὅσον γὰρ ἀπὸ τῆς Γραφῆς, ὡς φῶς προσεδόκων τὸν Μεσσίαν. Cela résulte de ce qu'il ne parle pas de lui-même comme brillant éternellement, mais comme d'une clarté qui leur est manifestée pour un peu de temps, à la manière du jour; cf. IX, 4 s.

Sur ce dernier avertissement, qui est en même temps un encouragement, Jésus met fin à ce discours; cf. VIII, 59. C'est le dernier à la foule dans la perspective de Jo., ce qui ne veut pas dire qu'il ne laisse pas le temps nécessaire à l'enseignement tel qu'il est raconté par les synoptiques (Mc. XI, 27-XIII, et parall.).

Caractère historique du dernier discours de Jésus à la foule.

Le dernier discours de Jésus peut être regardé comme un cas type de la difficulté de concilier Jo. avec les synoptiques, et l'un de ceux où l'on doit prendre parti pour ou contre le caractère historique de sa composition. D'après Holtzmann qui a très nettement dessiné l'argument de Strauss que Réville, Loisy, Bauer, etc. regardent comme décisif, le récit de Jo. est une image ingénieuse, composée avec art (*ein kunstreiches Bild*) d'après le matériel des synoptiques. Au fond c'est la scène de Gethsémani, car le sens du v. 27 est identique à Mc.

jamais, et comment dis-tu qu'il faut que le Fils de l'homme soit élevé? Quel est ce Fils de l'homme? » [35] Jésus leur dit donc : « Encore un peu de temps est auprès de vous la lumière. Marchez tandis que vous avez la lumière, afin que les ténèbres ne vous surprennent pas, car celui qui marche dans les ténèbres ne sait pas où il va. [36] Tandis que vous avez la lumière, croyez en la lumière, afin d'être des fils de lumière. » Voilà ce que dit Jésus, et s'éloignant il se déroba à eux.

XIV, 35 ἵνα παρέλθῃ ἀπ' αὐτοῦ ἡ ὥρα, et la restriction que Jésus apporte à sa prière est aussi dans Mc. XIV, 36 ἀλλ' οὐ τί ἐγὼ θέλω. L'angoisse du jardin a donc été anticipée, parce qu'elle n'eût plus été à sa place après la prière sacerdotale qui suit la Cène. De plus, au v. 23 nous trouvons aussi la Transfiguration comme motif inspirateur. Les vv. 25 et 26 répondent à l'annonce de la Passion qui précède la Transfiguration (Mc. VIII, 34.35.38 = Mt. XVI, 24. 25) et la voix du ciel (28) n'est pas seulement analogue à celle du Père à ce moment, elle en contient la pensée dominante. Puis l'ange que le peuple croit entendre (29) nous ramène à Gethsémani où un ange remplit le même office (Lc. XXII, 43) de changer un sentiment d'angoisse en une assurance triomphale. Ainsi l'agonie de Gethsémani n'est plus qu'un nuage passager d'où sort victorieux le sentiment héroïque de Jésus. De sorte que, par cet arrangement purement artificiel, Jo. aurait eu l'intention de voiler la faiblesse montrée par Jésus au jardin, et indigne du Verbe incarné.

Il y a dans cette analyse habile une conception toute moderne, érudite et livresque, de la façon dont Jo. aurait composé, comme s'il s'était proposé de transformer — et de dénaturer — la pensée des synoptiques, et cela au moyen d'un centon de traits empruntés à divers textes. Tout d'abord il est tout à fait fantaisiste de rapprocher la voix du ciel des paroles du Père à la Transfiguration : les mots n'ont aucune ressemblance; il n'y a de commun que la voix du ciel, connue par la Bible de tous les Israélites. S'il s'était astreint à s'inspirer seulement des évangiles, Jo. aurait mis à profit plutôt le Baptême, pour que la carrière publique de Jésus se terminât comme elle avait commencé. De même pour l'ange consolateur de Luc. Il ne manquait pas de révélations angéliques dans l'A. T. pour expliquer suffisamment l'erreur des Juifs, erreur que Jo. donne comme telle, car dans sa pensée c'est le Père qui parle, et nullement dans l'intention de consoler un affligé. Ces jeux de l'érudition pourraient bien passer pour puérils aux yeux de la critique future.

Il n'en demeure pas moins une difficulté. Quelques exégètes catholiques disent sans hésiter que Jésus exprime ici les mêmes sentiments qu'à Gethsémani. Pour réfuter M. Loisy, M. Lepin a insisté beaucoup sur les ressemblances : « Le quatrième évangéliste ne donne donc pas, de l'attitude de Jésus en face de la mort, une idée autre que ses devanciers » (*La valeur histor...* I, p. 465). Or, plus on assimilera l'un des épisodes à l'autre, plus il deviendra difficile d'en faire deux épisodes distincts, et l'on devrait alors poser la question de savoir si Jo.

ἐλάλησεν Ἰησοῦς, καὶ ἀπελθὼν ἐκρύβη ἀπ' αὐτῶν. [37] Τοσαῦτα δὲ αὐτοῦ

n'a pas en effet anticipé l'agonie intime du Sauveur, comme il aurait anticipé (ou comme les synoptiques ont reculé) l'expulsion des vendeurs du Temple. Aucun catholique, que je sache, n'a abordé nettement ce problème qui s'impose cependant à tous les esprits, depuis qu'il a été exposé par la critique indépendante. En soi, un changement dans l'ordre chronologique, un déplacement, ne répugne pas au dogme de l'inspiration tel qu'on l'entend dans maint autre cas. Ici cependant il ne semble pas vraisemblable, d'abord parce que les circonstances sont tout à fait différentes, et précisément parce que le *ton* des sentiments n'est pas le même. Que ces sentiments procèdent du même fond, cela est certain, mais il est tout à fait clair que dans Jo. le ton héroïque domine, tandis que dans les synoptiques c'est la tristesse et l'accablement, sauf la même résolution de faire la volonté du Père.

Toute la question est donc de savoir si Jo. a modifié le ton par respect pour le Verbe incarné, ou si le ton héroïque est parfaitement conforme aux circonstances qu'il suppose. Dans l'ignorance où nous serons toujours de ses intentions subjectives, la première hypothèse ne deviendrait probable que si la seconde était elle-même dépourvue de probabilité. Or, dans un discours public, où Jésus entrevoit la mort comme la condition nécessaire du succès de son œuvre, de sa gloire et de celle de son Père, alors qu'il excite les autres à suivre cette voie sublime, son évangéliste est parfaitement dans les convenances du sujet lorsqu'il fait exprimer à Jésus les sentiments d'un héros n'envisageant que pour l'écarter une prière qui lui épargnerait la mort. Ce qui détonne ici, c'est plutôt le trouble, comme Augustin l'a très bien compris : *Quis hoc de anima Domini audeat affirmare?* Lorsqu'un chef annonce à ses soldats qu'il trouvera la mort dans une bataille et qu'il les excite à le suivre, parce qu'ainsi la patrie sera sauvée, la moindre faiblesse serait déplacée et dissipée à ce moment. Mais plus tard, si la mort lui apparaît avec l'ignominie de la trahison et de l'abandon, quand il est seul, dans la nuit qui voile l'approche du traître, peut-être faiblira-t-il, éprouvera-t-il de la tristesse et de l'accablement. C'est dire que les deux situations sont parfaitement vraisemblables dans la vie d'un même héros, et si Jésus a éprouvé les sentiments de l'âme humaine, on ne voit pas pourquoi il n'aurait pas passé par ces deux phases. Il faudrait seulement noter que Jo., loin d'accentuer l'héroïsme dans la première situation, l'a légèrement teinté de trouble, ou simplement que l'âme de Jésus qui avait plus présente que toute autre les modalités de l'avenir, a déjà éprouvé quelque trouble, exprimé dans les termes de la tradition de Gethsémani, où d'ailleurs « l'heure » est bien une expression johannique plus que synoptique, et que Jésus a dû sûrement employer plus d'une fois (cf. sur XVI, 2). On pourrait donc dire, du moins *ad hominem*, que s'il y a du Gethsémani dans notre récit, c'est uniquement par ce trouble dont Jo. a tenu à garder le souvenir, loin de vouloir le dissimuler. Car, s'il jugeait l'angoisse indécente pour le Verbe incarné, pourquoi ne pas rayer ce terme?

Il ne reste donc plus qu'un point : l'épisode lui-même, raconté par Jo., avec un sentiment si juste de la situation le jour du triomphe, est-il invraisemblable

[37] Quoiqu'il eût fait tant de miracles en leur présence, ils ne

en soi? Or, sans même recourir à la science surnaturelle de Jésus, un homme vraiment grand n'aurait-il pas eu alors le pressentiment que l'enthousiasme gagnant le peuple et allant jusqu'à mettre en branle des gentils, n'était qu'une effervescence passagère? Pleinement confiant dans le succès de ses idées, un homme mortel peut se rendre compte qu'elles ne domineront qu'après sa mort, et par sa mort. En pareil cas un triomphe momentané ne peut exciter dans l'âme que la mélancolie, ce qui n'exclut pas la fermeté. Pourquoi Jésus n'aurait-il pas dit ouvertement à tous que son vrai triomphe n'aurait lieu que plus tard, et par la vertu de sa mort, tel étant le dessein de son Père? On ne saurait en tout cas prétendre que cette donnée soit contraire au schéma des synoptiques; elle répond bien aux pleurs que Jésus versa sur Jérusalem avant d'y entrer (Lc. XIX, 41 ss.), et à l'espérance d'un véritable triomphe dans l'avenir, exprimée par Mt. XXIII, 39 : « Car je vous le dis, vous ne me verrez plus désormais, jusqu'à ce que vous disiez : Béni soit celui qui vient au nom du Seigneur! »

On pourrait dire sans exagération que la façon dont Jo. présente les choses étonne moins que la scène de Gethsémani, même un lecteur qui ne croirait pas que Jésus est le Verbe incarné. Le seul trait miraculeux est la voix du ciel. Mais les critiques radicaux n'y croient pas davantage quand elle figure dans les synoptiques, et celle de Jo., même sous sa forme authentique, telle que Jésus l'a comprise, ne dit rien de lui qui soit comparable aux déclarations des synoptiques sur le Fils de Dieu lors du baptême et de la Transfiguration.

Que d'ailleurs Jo. ait *pu* placer dans un discours réellement prononcé alors par Jésus une phrase (25) qui ne serait qu'une réminiscence d'un autre discours, suivie (26) d'un complément nécessaire dans le style johannique, c'est ce qu'on ne saurait nier; et la ressemblance de ces traits avec ceux des synoptiques suggère que tel est bien le cas.

Coup d'œil rétrospectif sur le ministère de Jésus, XII, 37-50.

Avant d'aborder l'histoire de la Passion, Jo. revient sur le passé. Ce sont deux péricopes bien distinctes : d'abord l'explication providentielle et humaine de l'incrédulité et de la froideur du parti dirigeant (37-43); puis un résumé de la prédication de Jésus (44-50),

37-43. L'INCRÉDULITÉ DES CHEFS DANS LES DESSEINS DE DIEU. PRUDENCE HUMAINE.

Il y a ici deux catégories : la première comprend les Juifs qui n'ont pas cru en Jésus : d'après le v. 42, il s'agit surtout des chefs, de ceux qui avaient le devoir d'amener la nation à Jésus, et qui au contraire l'ont détournée. Ce fait inouï que les Juifs ont rejeté leur Messie ne doit point être un objet de scandale, parce que Dieu l'avait prophétisé (38); il l'avait donc prévu, et néanmoins il avait poursuivi son œuvre comme il l'entendait, même il avait tout décrété (39-41). Cependant quelques-uns des chefs ont cru, mais ont reculé devant une confession publique par crainte des Pharisiens (42-43).

37) Le fait, tel qu'il était assez constaté, non pas seulement au temps où Jo. écrivait, mais par la Passion elle-même, c'était l'incrédulité des Juifs, du moins de leurs chefs, qui vont monter la cabale et les manœuvres qui conduiront Jésus à la mort. Jo. note : malgré tant de miracles. Il n'en a raconté en détail qu'un

σημεῖα πεποιηκότος ἔμπροσθεν αὐτῶν οὐκ ἐπίστευον εἰς αὐτόν, [38] ἵνα ὁ λόγος Ἠσαίου τοῦ προφήτου πληρωθῇ ὃν εἶπεν

Κύριε τίς ἐπίστευσεν τῇ ἀκοῇ ἡμῶν;
καὶ ὁ βραχίων Κυρίου τίνι ἀπεκαλύφθη;

[39] διὰ τοῦτο οὐκ ἠδύναντο πιστεύειν ὅτι πάλιν εἶπεν Ἠσαίας

[40] Τετύφλωκεν αὐτῶν τοὺς ὀφθαλμοὺς καὶ ἐπώρωσεν αὐτῶν τὴν καρδίαν,
ἵνα μὴ ἴδωσιν τοῖς ὀφθαλμοῖς καὶ νοήσωσιν τῇ καρδίᾳ καὶ στραφῶσιν,
καὶ ἰάσομαι αὐτούς.

très petit nombre, mais il avait indiqué qu'il y en avait eu beaucoup d'autres (II, 23; III, 2; VII, 31; XI, 47; cf. XX, 30).

38) Ce fait avait été prédit par le prophète Isaïe. Il est de la nature des choses qu'une prédiction ne cause pas l'avènement de ce qu'elle a annoncé : c'est le fait qui est le principal, la prédiction indique non pas la causalité de Dieu, mais sa science et sa connaissance de l'avenir : ἵνα... πληρωθῇ, si fréquent dans Mt. n'indique rien de plus; cf. *Comm. Mt.*, p. 15. C'est ce qu'Aug. a très bien vu pour ce premier texte; si l'on prétend qu'il supprime la responsabilité des Juifs : *Quibus respondemus, Dominum praescium futurorum, per Prophetam praedixisse infidelitatem Iudaeorum; praedixisse tamen, non fecisse.* Le texte cité est Is. LIII, 1 (cité aussi Rom. x, 16 pour la première partie). Le prophète annonçait que son message, relatif au serviteur de Iahvé souffrant et expiant pour le peuple, ne trouvait aucune créance, quoique Dieu y dût engager la puissance de son bras. Il est donc particulièrement bien choisi pour prouver que l'incrédulité des contemporains de Jésus avait été prédite, dans ce sens que le fait lui-même devait recevoir le même accueil que la prophétie : or, c'était bien la pensée du prophète qui parlait comme un contemporain des faits contemplés dans une vision avec leurs suites. Il n'y a donc aucune raison de mettre ces paroles dans la bouche de Jésus (*West.*, *Loisy*, *Bauer*) qui n'aurait pas dit Κύριε (ajouté par les Septante) en parlant de Dieu; ἡμῶν ne s'entend pas des apôtres, mais de ceux au nom de qui parle le Prophète. D'après Duhm : « Ce qu'il veut dire est presque incroyable, ne peut proprement être cru que de ceux auxquels s'est manifestée la puissance miraculeuse de Iahvé elle-même, ceux qui possèdent la capacité de la vue et de l'audition des prophètes. »

Dans Paul, qui ne cite que la première partie du v. d'Isaïe, ἀκοή semble pris au sens de prédication, mais, en parallélisme avec βραχίων dans le texte d'Isaïe, c'est plutôt un fait extraordinaire en tant qu'annoncé : le fait divin annoncé n'a pas été cru, les miracles n'ont pas été compris comme l'œuvre du Seigneur.

39 s.) C'est ici vraiment que se pose la difficulté sur la culpabilité des Juifs : *sed et quae sequuntur evangelii verba plus urgent, et profundiorem faciunt quaestionem* (*Aug.*). Pour résoudre cette question, les Grecs, Chrys. et même Cyrille, sont tout près de traduire « ils ne pouvaient pas », par « ils ne voulaient pas ». Les théologiens latins, persuadés comme Augustin de l'efficacité de la grâce, ont cependant eu soin avec saint Thomas d'admettre des secours de Dieu *remote sufficientia*, de sorte que l'impossibilité de croire était morale, mais non

croyaient point en lui, [38] afin que fût accomplie la parole qu'a dite le prophète Isaïe :

Seigneur, qui a ajouté foi à ce que nous avons entendu?
Et le bras du Seigneur, à qui a-t-il été révélé?

[39] S'ils ne pouvaient pas croire, c'est parce qu'Isaïe a dit encore :

[40] Il a aveuglé leurs yeux, et il a endurci leur cœur, afin qu'ils ne voient pas de leurs yeux, et que leur cœur ne comprenne pas, et qu'ils ne se convertissent pas, et que je ne les guérisse pas.

pas *physica et omnimoda*. Cependant on doit à tout le moins estimer que dans sa bonté Dieu n'en vient à cet abandon presque total du pécheur que lorsqu'il s'est mis par sa faute dans une situation très fâcheuse : à la fin Dieu le laisse à lui-même. Or, cette explication ne paraît pas convenir à notre texte, où l'endurcissement n'est pas donné comme un châtiment des Pharisiens après une longue résistance. Jo. entend bien plutôt porter un jugement total sur le ministère de Jésus. Cela équivaut à dire qu'il ne pose pas et ne résout pas le problème de la liberté humaine et de la volonté de Dieu dans l'ordre psychologique, mais qu'il expose une vue historique religieuse sur l'insuccès des miracles de Jésus. Cette explication il la trouve dans un second (πάλιν) texte d'Isaïe (VI, 9-10). De même qu'Isaïe a été envoyé par Dieu au peuple avec la mission de prêcher avec plus de force qu'aucun prophète pour avertir ce peuple; ainsi en fut-il de Jésus. On peut même avancer (41) que c'est proprement de Jésus que parlait Isaïe, tant la mission de Jésus était supérieure à la sienne, contenant l'appel suprême de Dieu à son peuple. Et cependant Dieu avait prévu qu'une plus vive lumière ne ferait qu'aveugler les Israélites contemporains d'Isaïe; il l'avait prévu et voulu. A plus forte raison au temps de Jésus : Dieu a voulu cette mission, sachant qu'ils n'en profiteraient pas, au contraire, parce que dans la situation où ils étaient ils ne pouvaient pas, ils n'étaient pas moralement en état de l'accueillir avec la docilité qui les eût sauvés. Il n'y a donc pas à s'étonner que le Messie envoyé aux Juifs, qui n'avait prêché qu'aux Juifs, n'avait fait des miracles que pour eux seuls, n'ait pas été reconnu par eux : les desseins de Dieu ne sont pas anéantis par cette résistance, mais plutôt accomplis. Que cette résistance elle-même ait été le propre fait des Juifs, spécialement de la hiérarchie, c'est ce que Jo. suppose absolument certain et d'une évidence historique qu'il n'avait plus à relever après les tableaux qu'il a tracés. Car les miracles avaient pour but d'exciter la foi, c'était un clair témoignage du Père, joint à celui des Écritures, et Jésus par toutes ses paroles s'était proposé de faire naître la foi dans les cœurs. Tout cela on le savait assez. Mais il était opportun de noter que par leur obstination les Juifs avaient cependant réalisé un dessein divin, et c'est cette pensée que d'autres avaient mise en lumière (Mc. IV, 12; Mt. XIII, 14 s.; Lc. VIII, 10; Act. XXVIII, 26 s.) précisément en faisant allusion au même texte d'Isaïe.

Nous avons maintenant à étudier la forme spéciale du texte dans Jo. — D'après l'hébreu : « Développe la graisse autour du cœur de ce peuple, et rends-le dur

[41] ταῦτα εἶπεν Ἠσαίας ὅτι εἶδεν τὴν δόξαν αὐτοῦ, καὶ ἐλάλησεν περὶ αὐτοῦ. [42] Ὅμως μέντοι καὶ ἐκ τῶν ἀρχόντων πολλοὶ ἐπίστευσαν εἰς αὐτόν, ἀλλὰ διὰ τοὺς Φαρισαίους οὐχ ὡμολόγουν ἵνα μὴ ἀποσυνάγωγοι γένωνται, [43] ἠγάπησαν γὰρ τὴν δόξαν τῶν ἀνθρώπων μᾶλλον ἤπερ τὴν δόξαν τοῦ

d'oreilles, et colle ses yeux, en sorte qu'il ne voie point de ses yeux, et n'entende pas de ses oreilles, et qu'il ne se convertisse pas et qu'Il ne le guérisse pas. » D'après les LXX : ἐπαχύνθη γὰρ ἡ καρδία τοῦ λαοῦ τούτου, καὶ τοῖς ὠσὶν αὐτῶν βαρέως ἤκουσαν καὶ τοὺς ὀφθαλμοὺς ἐκάμμυσαν, μή ποτε ἴδωσιν τοῖς ὀφθαλμοῖς καὶ τοῖς ὠσὶν ἀκούσωσιν, καὶ τῇ καρδίᾳ συνῶσιν καὶ ἰάσομαι αὐτούς. Tandis que Mt. a simplement reproduit les Septante, c'est tout au plus si Jo. les a suivis dans καὶ ἰάσομαι αὐτούς, pour « et qu'il soit guéri ». Le reste peut très bien être une traduction de l'hébreu. Il n'est pas question des oreilles (héb. et Sept.) parce que les miracles s'adressent surtout à la vue. De plus, Jo. ne pouvait employer les impératifs de l'hébreu : « Endurcis le cœur de ce peuple, et bouche ses oreilles, et colle ses yeux », puisqu'il citait Isaïe pour une situation qui était au passé par rapport à lui. C'était aussi ce qu'avaient fait les Septante, mais en attribuant aux Israélites, comme pour leur en laisser la responsabilité, de s'être aveuglés et endurcis. Jo. au contraire remplace l'action du prophète par celle de Dieu, ce qui était une autre manière de traduire les mêmes consonnes, l'impératif étant pris pour un infinitif, entendu au sens d'un passé. Les yeux devaient passer avant le cœur, parce que le miracle atteint les yeux avant de toucher le cœur. Le texte ainsi rédigé, il reste cependant cette grave difficulté que celui qui a aveuglé et qui ne peut être que Dieu, n'est plus, comme en hébreu, celui qui aurait pu guérir. Mais Jo. n'y a vu sans doute aucun inconvénient, parce que si la guérison ne pouvait guère être le fait d'Isaïe, elle convenait bien dans la bouche de Jésus dont il était la figure; il voudrait dire : Dieu les a endurcis, pour que je ne les sauve pas. On ne peut guère tenir compte d'une des deux solutions d'Augustin : Dieu les a endurcis, pour qu'ils ne se convertissent pas... mais cependant cette conversion n'est pas impossible; si elle se présente, je les guérirai : *An forte et hoc de supernae medicinae misericordia factum intelligendum est, ut. . ita humiliati quaererent nomen domini? Hoc enim multis eorum profecit in bonum, qui de suo scelere compuncti, in Christum postea crediderunt, pro quibus et ipse oraverat dicens :* Pater, ignosce illis, quia nesciunt quid faciunt. — Mais rien dans le texte de Jo. n'indique qu'il se soit écarté ici du sens d'Isaïe. En tout cas la réprobation de la nation n'empêcha pas des milliers de Juifs de se convertir, ce qui prouve bien que la doctrine n'est pas de l'ordre psychologique individuel, mais une vue de la Providence de Dieu sur le peuple juif, sujet si longuement traité par saint Paul (Rom. IX-XI) en tenant compte des motifs humains chez les Juifs. Jo. ne les mentionne pas ici, mais d'après l'esprit dans lequel ils engageaient les discussions, on avait dû reconnaître chez eux un parti pris et arrêté de s'en tenir à la Loi, comme ne comportant aucune amélioration, ni même la pratique d'une justice meilleure que la leur, par suite, un refus de constater même les miracles, pour n'avoir pas à s'incliner devant l'envoyé du Père. Leur confiance dans leurs lumières était telle que quiconque pré-

[41] Voilà ce que dit Isaïe parce qu'il vit sa gloire, et qu'il parla de lui. [42] Toutefois même parmi les chefs beaucoup crurent en lui, mais à cause des Pharisiens ils ne l'avouaient pas, de peur d'être exclus de la synagogue, [43] car ils préfèrèrent les honneurs rendus par les hommes à l'honneur qui vient de Dieu.

tendait, au nom de Dieu, entendre autrement l'Écriture, ne pouvait être qu'un novateur méritant la mort. Dans ces conditions, ils ne pouvaient pas croire en Jésus; plus il augmentait la lumière, plus ils étaient aveuglés, endurcis, jusqu'à prendre la résolution de mettre à mort un innocent. Fallait-il que Dieu renonçât à sauver le monde, parce qu'ils devaient être aveuglés par la révélation? Il voulut au contraire ce résultat qui équivalait à consentir à l'aveuglement d'Israël, du moins dans ses chefs responsables. — L'aoristo ἐπώρωσεν ne peut guère signifier autre chose que le parfait; peut-être le parfait n'était-il guère employé.

41) Pour dire que les paroles d'Isaïe ont été réalisées au temps de Jésus, Jo. dit qu'il les a prononcées en contemplant sa gloire, c'est-à-dire la gloire de Jésus, dans la vision qui a précédé sa propre mission. Dans cette vision, le Temple était rempli τῆς δόξης αὐτοῦ (Is. vi, 1), c'est-à-dire de la gloire de Dieu, et c'est de Dieu qu'a parlé le prophète. On voit ici que Jo. ne fait aucune difficulté pour parler de Jésus comme de Dieu. Il n'entend pas, par ce seul mot, le confondre complètement avec son Père, ce qui serait contraire à tout son évangile, mais on ne voit pas non plus que le Logos figure ici comme Fils manifestant le Père inaccessible et absolument invisible. Étant auprès de Dieu avant l'origine des choses (i, 1), il a apparu à Isaïe dans la forme de Dieu avant de devenir chair.

42 s.). Il y eut cependant quelques conversions, même parmi les chefs. Cette remarque a-t-elle pour but principal de montrer qu'il ne dépendait que des Juifs de croire, s'ils l'avaient voulu? Jo. ne paraît pas se préoccuper de l'aspect psychologique de l'accord de la liberté avec les décrets divins, mais plutôt de montrer que, même dans ce cas, le dessein de Dieu s'accomplit. Il fallait que Jésus mourût pour sauver le monde, et la conversion de quelques-uns des chefs aurait pu entraver la résolution des autres, si eux-mêmes n'avaient eu une foi trop timide pour confesser leur adhésion à Jésus (*Zahn*). C'est donc bien tout le judaïsme dirigeant qui a fait fausse route; cependant on voit ici secondairement que l'endurcissement collectif n'empêchait personne de croire.

42) ὅμως μέντοι (seul cas du N. T.), indique une forte opposition qui réserve la possibilité de croire, en raison du fait même qui fut celui d'un grand nombre, aussi parmi les ἄρχοντες, cf. vii, 26. 48; et Act. iii, 17; iv, 5. Mais ceux-là eurent peur des Pharisiens, qui s'étaient toujours montrés les plus hostiles, et ils craignirent l'excommunication, cf. ix, 22; xvi, 2. On voit ici que Nicodème et Joseph d'Arimathie n'étaient que des personnalités plus marquantes dans un groupe assez nombreux. Il y eut un moment où ces hommes firent un acte de foi intérieur (ἐπίστευσαν); mais dans la pratique ordinaire et dans les occasions ils ne confessaient pas (ὡμολόγουν) leur croyance.

43) En confessant Jésus, ces timides se seraient fait honneur auprès de Dieu : ils préférèrent ne pas heurter l'opinion des hommes. ἤπερ n'est plus à cette

θεοῦ. [44] Ἰησοῦς δὲ ἔκραξεν καὶ εἶπεν Ὁ πιστεύων εἰς ἐμὲ οὐ πιστεύει εἰς ἐμὲ ἀλλὰ εἰς τὸν πέμψαντά με, [45] καὶ ὁ θεωρῶν ἐμὲ θεωρεῖ τὸν πέμψαντά με. [46] ἐγὼ φῶς εἰς τὸν κόσμον ἐλήλυθα, ἵνα πᾶς ὁ πιστεύων εἰς ἐμὲ ἐν τῇ σκοτίᾳ μὴ μείνῃ. [47] καὶ ἐάν τίς μου ἀκούσῃ τῶν ῥημάτων καὶ μὴ φυλάξῃ, ἐγὼ οὐ κρίνω αὐτόν, οὐ γὰρ ἦλθον ἵνα κρίνω τὸν κόσμον ἀλλ' ἵνα σώσω τὸν κόσμον. [48] ὁ ἀθετῶν ἐμὲ καὶ μὴ λαμβάνων τὰ ῥήματά μου ἔχει τὸν κρίνοντα αὐτόν· ὁ λόγος ὃν ἐλάλησα ἐκεῖνος κρινεῖ αὐτὸν ἐν τῇ ἐσχάτῃ ἡμέρᾳ· [49] ὅτι ἐγὼ ἐξ ἐμαυτοῦ οὐκ ἐλάλησα, ἀλλ' ὁ πέμψας με

époque qu'une variante de ἤ. Il n'est pas dit qu'ils n'aient fait aucun cas du suffrage de Dieu (v, 44), qui ne leur eût pas manqué s'ils avaient reconnu publiquement celui qu'il avait envoyé; mais enfin ils ont préféré le suffrage de ceux qui représentaient le pouvoir religieux. — Il ne paraît pas possible d'entendre « l'opinion des hommes et la gloire rendue à Dieu » en changeant le sens du génitif (*Till.*).

44-50. Il faut croire en Jésus et pratiquer sa parole.

Cette péricope est un discours de Jésus, que tous les anciens ont regardé comme un discours distinct (encore *Zahn*). Mais des catholiques récents (*Schanz*, *Calmes*, *Till.*, même et très énergiquement *Kn.*) sont d'accord pour y voir une sorte de synthèse des discours prononcés par Jésus, que Jo. lui attribue ici comme un aperçu des points les plus essentiels de sa doctrine. En effet ce discours ne fait pas suite au précédent, terminé au v. 36, et présenté comme le dernier, soit par le v. 37, soit par la réflexion de l'auteur (37-43) sur les résultats des miracles de Jésus. Pourquoi donc ajouter encore ces quelques mots? — Pour dire rapidement quel avait été ce message, plus important certes que celui d'Isaïe, et qui avait amené l'aveuglement du peuple juif. Si Jésus n'était pas venu, les Juifs n'auraient été ni endurcis ni aveuglés; ils auraient continué, vaille que vaille, à pratiquer la Loi. S'il leur avait parlé selon leurs goûts, il eût obtenu un succès éphémère, mais ce n'eût pas été la pleine lumière qui seule pouvait sauver le monde. Il fallait montrer que Jésus, lui, n'avait pas failli à sa mission, qu'il avait dit toute la vérité, et que c'était là l'ordre de son Père. Peut-être aussi Jo. a-t-il voulu mettre en opposition le silence calculé des convertis timides et la proclamation à haute voix de la vérité par Jésus.

Ce résumé contient un enseignement soit sur la personne de Jésus, en qui il faut croire (44-46), soit sur la doctrine, qu'il faut mettre en pratique (47-48), parce que c'est la parole que le Père a voulu qui fût dite (49-50).

44 s.) δέ, par opposition à ces muets. Jésus, lui, crie comme Dieu l'avait ordonné au prophète (Is. lviii, 1), cf. i, 15; vii, 28, 37. Plus d'une fois Jésus a demandé qu'on crût en lui (iii, 15; v, 38. 46; vi, 29. 35. 40; vii, 38; viii, 24. 45. 46, etc.) et ce fut la faute du judaïsme de n'avoir pas cru en lui (37; xvi, 9). — Serait-ce donc la coutume qu'un envoyé demande qu'on croie en lui et non en la parole de son maître? Les disciples de Jésus devaient-ils à leur tour exiger qu'on eût cette foi en eux? — C'est un de ces cas où toute vérité diminuée ou voilée

[44] Or Jésus s'écria et dit : « Celui qui croit en moi ne croit pas en moi, mais en celui qui m'a envoyé, [45] et celui qui me voit, voit celui qui m'a envoyé. [46] Moi, lumière, je suis venu dans le monde, afin que quiconque croit en moi ne demeure pas dans les ténèbres. [47] Et si quelqu'un a entendu mes paroles et ne les garde pas, je ne le juge pas, car je ne suis pas venu pour juger le monde, mais pour sauver le monde. [48] Celui qui me rejette et ne reçoit pas mes paroles aura qui le juge : la parole que j'ai prononcée, c'est elle qui le jugera au dernier jour ; [49] car je n'ai pas parlé de moi-même,

deviendrait dangereuse. Jésus a exigé la foi, mais il y avait droit, parce que croire en lui, ce n'était pas croire en lui à l'exclusion de celui qui l'avait envoyé, mais c'était croire en celui-là même, ce qui marque déjà leur unité, et cette unité est confirmée par le v. 45 : qui voit Jésus, même sous la forme humaine qu'il avait alors, mais avec la foi, ou qui le contemple par la foi seule, par une connaissance mystique, celui-là voit aussi celui qui l'a envoyé. Il y a donc unité, quoique la distinction demeure; cf. VIII, 42; X, 38; XIV, 7. 9.

46) Cette foi est d'ailleurs dans l'intérêt des hommes. Si Jésus est venu dans le monde, c'est en qualité de lumière, une lumière perçue par la foi, et qui chasse les ténèbres pour celui qui croit; cf. I, 4 s.; VIII, 12; IX, 5; XII, 35, 36.

47) Jo. n'a point insisté comme les synoptiques sur la nécessité de pratiquer un enseignement auquel on adhère plus ou moins. Non qu'il attache peu d'importance à la pratique (cf. VIII, 31-51), mais parce qu'au contraire la vraie foi est un principe de vie et d'action (V, 24). Il ne vise donc pas ici des hommes qui croiraient et ne pratiqueraient pas, mais des auditeurs plus ou moins sympathiques, qui cependant n'adhéreraient pas à la parole, ne la garderaient pas, n'y resteraient pas (VIII, 31) : ceux-là seront jugés précisément par la parole qu'ils auront entendue sans s'y donner. — Avant de prononcer cette sentence, Jésus complète ce qu'il veut qu'on sache de sa personne, qu'il est venu pour sauver, non pour juger. Tandis que certaines apocalypses juives ne voyaient dans le Messie qu'un juge qui prenait le monde tel qu'il le trouvait pour fixer ses destinées, lui est venu faire appel à la bonne volonté en apportant la lumière; cf. III, 17; V, 24. 45; VIII, 15.

48) Reprise du début du v. 47 dans des termes qui en précisent le sens. — ἀθετεῖν (cf. Lc. X, 16; I Thess. IV, 8), en parlant de la personne indique qu'on ne tient pas un employé comme muni de pouvoirs réguliers, ensuite de quoi on ne reçoit pas ses instructions. Mais c'est la parole même, proposée à chacun pour son salut, qui le jugera, car elle est règle de vie. La parole est personnifiée, un peu comme la Loi qui est Moïse dans V, 45. Celui qui aura contrevenu à la parole de Jésus est jugé par là même, c'est même la parole qui le jugera au moment où le jugement sera prononcé. Jo. n'a vu aucune répugnance entre cette manière de voir et V, 27, qu'il entendait sans doute du prononcé de la sentence par le Fils de l'homme; cf. III, 18.

49) Nous avons souvent noté le soin pris par Jésus de ne pas rompre avec la

πατὴρ αὐτός μοι ἐντολὴν δέδωκεν τί εἴπω καὶ τί λαλήσω. [50]καὶ οἶδα ὅτι ἡ ἐντολὴ αὐτοῦ ζωὴ αἰώνιός ἐστιν. ἃ οὖν ἐγὼ λαλῶ, καθὼς εἴρηκέν μοι ὁ πατήρ, οὕτως λαλῶ.

50. εγω λαλω (THV) et non λ. ε. (S).

---

révélation ancienne, de ne pas se présenter en novateur, ni surtout en novateur qui tirerait sa doctrine de sa propre pensée et la substituerait à la parole de Dieu.

Car la Loi elle-même avait annoncé un complément de révélation divine (Dt. XVIII, 18) : προφήτην ἀναστήσω... καὶ δώσω τὰ ῥήματά μου ἐν τῷ στόματι αὐτοῦ, καὶ λαλήσει αὐτοῖς καθότι ἂν ἐντείλωμαι αὐτῷ (cité par *Cyr.*). Jésus qui tout à l'heure s'égalait à Dieu, ne se donne même pas ici comme muni de pleins pouvoirs; tout ce qu'il devait dire lui était indiqué et il avait ordre de le dire. Cyrille a vu avec raison dans cet endroit l'obéissance du Fils de Dieu incarné, chargé d'un message, quoiqu'il n'ait pas refusé de l'entendre de la communication au Fils de la nature divine (*Aug.*), ce qui est moins naturel. La réalité de l'Incarnation et le rôle du révélateur incarné devaient être manifestés sous les deux aspects, divin et humain; cf. V, 30; VI, 38; VII, 16 s.; VIII, 26. 28, 38; X, 18.

— εἴπω et λαλήσω ne sont guère que des synonymes, comme pour montrer qu'on ne saurait s'exprimer plus fortement.

50) Évidemment Jésus ne veut pas dire que d'avoir accompli le commandement de son Père lui vaut la vie éternelle. Il y a une certaine transition sur le mot ἐντολή : ce que Jésus avait commandement de dire était une règle à garder, un commandement pour les hommes, commandement qui est pour eux la condition de la vie éternelle. En le promulguant, Jésus faisait donc encore son office de Sauveur. — Enfin, dernière affirmation : Jésus n'est que l'interprète de son Père, montrant une fois de plus son désir de ne pas scandaliser ceux qui lui refusaient créance sous prétexte d'attachement à la Parole de Dieu.

DEUXIÈME PARTIE : LA PASSION ET LA GLORIFICATION DE JÉSUS (XIII-XXI).

L'appel de Jésus au peuple juif n'a pas été entendu. Il ne lui reste qu'à aborder ce qu'il y a d'essentiel dans son œuvre et dont les Juifs ne pourront empêcher le résultat : la passion et la mort, puis le triomphe. Mais avant de s'abandonner à leur haine, Jésus tient à exposer à ses disciples le mystère de son amour, à les prémunir contre le scandale de sa mort, à leur promettre qu'ils seront unis à Lui comme il est uni à son Père, à leur en donner le gage dans sa prière toute-puissante (XIII-XVII). Puis viendront la Passion et la Résurrection (XVIII-XXI).

Cette seconde partie commence donc par une série d'enseignements que Jésus donne aux disciples. Mais parmi eux il en est un qui est déjà un traître,

mais mon Père qui m'a envoyé m'a prescrit lui-même ce que j'ai à proférer et à dire. [50] Et je sais que son commandement est vie éternelle. Donc, ce que je dis, je le dis comme mon Père me l'a transmis. »

qui va consommer la trahison. Le Sauveur consent encore qu'il soit présent à la leçon de choses qu'il va donner dans le lavement des pieds (XIII, 1-20), tout en montrant qu'il n'est pas dupe ; puis il démasque le misérable (XIII, 21-30), et, lui sorti, il commence la série de ses dernières paroles (XIII, 31-XVI), terminées par sa prière (XVII). Sur le caractère littéraire du dernier discours, voir l'analyse de chaque morceau et le résumé après le ch. XVI.

CHAPITRE XIII

[1] Πρὸ δὲ τῆς ἑορτῆς τοῦ πάσχα εἰδὼς ὁ Ἰησοῦς ὅτι ἦλθεν αὐτοῦ ἡ ὥρα ἵνα μεταβῇ ἐκ τοῦ κόσμου τούτου πρὸς τὸν πατέρα ἀγαπήσας τοὺς

1-20. Le lavement des pieds. Cette péricope, qui commence par une introduction générale à tout ce qui va suivre, a été très diversement interprétée. Tout le monde convient que Jésus a voulu donner à ses disciples un exemple d'humilité et de charité, en poussant jusqu'à l'extrême l'abnégation dans ce service, rendu même à un traître. Lui, le Maître de doctrine et le Seigneur, a voulu témoigner de son amour en s'abaissant à remplir l'office le plus infime des serviteurs. Cela est dit clairement (12-15), et personne ne peut y contredire. Mais si quelques-uns s'en tiennent là (*Chrys.* et chez les modernes *Till.*), — avec raison selon nous, — l'immense majorité des commentateurs, à commencer par Origène, a regardé cette lotion comme un symbole de purification, et même comme ayant opéré la pureté chez les disciples. Le second point découlerait très naturellement du premier; car si Jésus a lavé les pieds des disciples parce qu'ils n'étaient pas spirituellement assez purs, son acte a dû leur conférer cette pureté. Aussi l'Église de Milan avait-elle coutume, au temps de saint Ambroise, de laver les pieds des nouveaux baptisés pour achever d'effacer en eux les traces ou les conséquences du péché originel (?) (*de Mysteriis, P.L.* XVI, 398), et saint Bernard a qualifié le lavement des pieds de sacrement pour la rémission des péchés véniels (*P.L.* CLXXXIII, 272-274). Sans aller jusque là, Kn. écrit (p. 405) : *itaque ut efficiantur prorsus mundi, Christus hac sua actione iis meretur et confert.* D'ailleurs les anciens n'étaient pas d'accord sur cette purification. Origène et Jérôme, qui lisaient encore la leçon courte et authentique du v. 10, la réduisaient presque à une préparation des pieds des apôtres en vue de la prédication de l'évangile (citant Rom. x, 15; Is. lii, 7). Depuis Augustin c'était la purification des fautes inévitables et communes, légères de leur nature. Toutefois Mald. reprenant l'opinion de Cyprien voyait dans le lavement des pieds le symbole de la pénitence qui efface même les péchés graves commis après le baptême. Malgré cette autorité, la rémission des fautes légères a paru généralement mieux en situation et plus conforme au texte reçu du v. 10. On y voyait cet avantage que le récit de Jo. semblait ainsi s'emboîter dans celui des synoptiques : cette pureté plus parfaite était (*Bossuet*) la préparation à la réception de l'Eucharistie. Les critiques modernes indépendants sont allés plus loin. Avec Holtz., Bauer, etc., Loisy voit ici un symbole de l'Eucharistie : « cette action signifie la communion eucharistique et la pratique de l'amour parfait... Tout cela ne fait qu'un grand symbole, un grand devoir, une réalité mystique, l'*agapé*,

[1] Or, avant la fête de Pâques, Jésus, sachant que son heure était venue de passer de ce monde vers son Père, ayant aimé les siens

qui donne perpétuellement Jésus aux siens et les fidèles les uns aux autres » (p. 388).

Cette assimilation du lavement des pieds à l'eucharistie est une construction tout artificielle. Loisy : « C'est le choix défectueux du symbole qui en rend l'intelligence difficile » (p. 389) ; c'est-à-dire que rien n'est intelligible avec la supposition d'un symbole dont les traits ne coïncident en rien avec son objet prétendu. Il serait plus franc de dire avec Renan que, pour le quatrième évangile, « le rite de la Cène, c'est le lavement des pieds » (*Vie de Jésus*, p. 401) ; mais il est impossible d'admettre que Jo. ait osé remplacer un rite par un autre.

En réalité d'ailleurs il n'y a pas là d'institution, ni le symbole d'une institution, eucharistie ou pénitence, mais seulement un exemple. Le texte ne dit pas autre chose. Alors pourquoi Jésus a-t-il lavé spécialement les pieds de ses disciples? On doit répondre simplement avec Chrysostome : « parce que c'était la partie la moins digne du corps ». C'est en vertu d'un parti pris de voir partout dans Jo. du symbolisme qu'on a entendu la lotion comme le symbole d'un rite ou un rite efficace : tout le symbole est dans l'exemple donné. On s'en convaincra par l'explication du texte.

1) Ce verset forme une phrase isolée, d'après l'opinion de beaucoup la plus commune. Mais on se demande s'il sert d'introduction à tout ce qui suit, y compris la mort de Jésus, ou seulement au lavement des pieds. La première opinion nous paraît plus probable (*Wout. Till.* etc.) à cause de la force et de l'étendue des termes. — Néanmoins le verset sert en même temps d'introduction au lavement des pieds, puisqu'il n'en a pas d'autre. — Le δέ au début de la phrase est peut-être en opposition avec XII, 36. Il y eut comme un moment d'arrêt après lequel Jésus, pleinement conscient que l'heure était venue, commença une nouvelle série d'actes d'amour — les derniers. Il s'est caché des Juifs auprès desquels sa mission était terminée ; il va se consacrer aux siens. Ce nouveau point de départ est mis en vedette par une date placée en tête de tout le morceau, et qu'il ne faut lier étroitement ni à εἰδώς ni à ἠγάπησεν.

C'est avant la fête de Pâque, et, par opposition avec XII, 1, le dernier soir qui précéda la Pâque, que les Juifs ne devaient manger qu'après la mort de Jésus (XVIII, 28). La Pâque était immolée le 14 nisan avant la nuit. On était donc au 13 nisan, que les Juifs auraient déjà nommé le 14 si la nuit avait été commencée (cf. 30). — εἰδώς indique comment Jésus est en réalité le seul acteur vraiment conscient du grand drame ; l'heure qu'il devait attendre (II, 4 ; VII, 6) était venue, et c'était l'heure qui annonçait sa gloire (XII, 23), par son passage vers son père. Toutefois ce passage devait continuer son œuvre en la couronnant : il avait aimé les siens (cf. I, 11), il les aime εἰς τέλος, non pas seulement jusqu'au dernier moment au sens chronologique, mais jusqu'à l'acte suprême qui devait tout consommer. — εἰς τέλος peut signifier « complètement », εἰς τέλος τουτέστι παντελῶς (*Diodore* sur Ps. LI, 7, et textes dans *Bauer*) ; mais ici l'opposition avec

ἰδίους τοὺς ἐν τῷ κόσμῳ εἰς τέλος ἠγάπησεν αὐτούς. [2] Καὶ δείπνου γινομένου, τοῦ διαβόλου ἤδη βεβληκότος εἰς τὴν καρδίαν ἵνα παραδοῖ αὐτὸν Ἰούδας Σίμωνος Ἰσκαριώτης, [3] εἰδὼς ὅτι πάντα ἔδωκεν αὐτῷ ὁ πατὴρ εἰς τὰς χεῖρας, καὶ ὅτι ἀπὸ θεοῦ ἐξῆλθεν καὶ πρὸς τὸν θεὸν ὑπάγει, [4] ἐγείρεται ἐκ τοῦ δείπνου καὶ τίθησιν τὰ ἱμάτια, καὶ λαβὼν λέντιον διέζωσεν ἑαυτόν· [5] εἶτα βάλλει ὕδωρ εἰς τὸν νιπτῆρα, καὶ ἤρξατο νίπτειν τοὺς πόδας

2. παραδοι (TH) plutôt que παραδω (SV).

---

le temps écoulé jusqu'alors exige que la notion du temps soit contenue dans l'idée totale de perfection.

2) Il est très difficile de choisir entre γινομένου (T H S V), d'après ℵBLX *d syrsin.* Orig. et γενομένου (*Loisy*, etc.), d'après la masse. — De toute façon il y eut interruption du repas, qui reprend au v. 12. La leçon γενομένου semble avoir pour but de bien marquer que cette interruption fut complète, et en effet il est peu vraisemblable que le Sauveur seul ait quitté la table pour laver les pieds de ses disciples qui auraient continué à manger. Mais cela même lui donne le caractère d'une correction. D'ailleurs, même avec γινομένου on doit supposer cette interruption au moment voulu.

Il y eut donc une pause, et elle serait assez naturelle s'il y eut en réalité deux repas, la manducation pascale et le souper qui suivait. Loin de protester tacitement contre le repas pascal des synoptiques (*Bauer*, etc.), Jo. laisserait au contraire entendre qu'il y eut deux moments distincts dans le repas, Jésus ayant alors anticipé la Pâque que, d'après Jo. (XVIII, 28), les Juifs ne devaient manger que le lendemain. L'invraisemblance de laver les pieds après et non avant le repas, qui a tant choqué Origène, est ainsi bien diminuée. D'ailleurs, que le texte soit γινομένου ou γενομένου, il y a comme une intention de souligner le caractère insolite de l'acte de Jésus, et de ne point le confondre avec la manie des purifications qui obsédait les Juifs. Jésus n'entend pas du tout accomplir une formalité de politesse avant le repas ou un rite de pureté pharisaïque, mais un acte d'humilité, d'autant plus inouï que déjà le traître a pris place à table. — Sur le lavage des pieds avant le repas, cf. Lc. VII, 44.

— Il est clair que le texte reçu τοῦ διαβόλου ἤδη βεβληκότος εἰς τὴν καρδίαν Ἰούδα κ.τ.λ. n'est qu'une correction du texte que nous avons imprimé avec les éditeurs critiques, correction qui le rend plus clair et en dégage bien le sens. On a voulu prévenir une traduction possible à la rigueur mais tout à fait déplacée ici : « Le diable ayant déjà mis dans son propre cœur que Judas trahirait Jésus », traduction à laquelle Origène n'a pas songé tout en lisant le texte critique. C'est comme un premier degré de la prise de possession de Judas par le diable au v. 27. La trahison est déjà arrêtée et convenue, Jo. le suppose connu d'après les synoptiques (Lc. XXII, 3; cf. Mc. XIV, 10; Mt. XXVI, 14 et ss.) et il va nous dire que Jésus ne l'ignorait pas (11); si cette image se présente dès à présent, c'est qu'elle inaugure vraiment l'histoire de la Passion; elle met en meilleure lumière l'amour de Jésus qui n'exclura pas le traître de

qui étaient dans le monde, il les aima jusqu'à la fin. [2] Et comme on avait commencé de souper, le diable ayant déjà mis dans le cœur de Judas Iscariote, fils de Simon, le dessein de le livrer, [3] sachant que son Père lui avait tout mis entre les mains, et qu'il était sorti de Dieu et qu'il s'en allait vers Dieu, [4] il se lève de table, et quitte ses habits, et prenant un linge il s'en ceignit; [5] ensuite il jeta de l'eau dans le bassin et il se mit en devoir de laver les pieds de ses disci-

son office de charité. — παραδοῖ subjonctif hellénistique (*Deb.* § 95, 2), plutôt que παραδῷ, classique.

3) C'est parce que Jésus a conscience de son pouvoir souverain qu'il entend l'exercer comme un service; c'est parce qu'il vient de Dieu et remonte à Dieu qu'il veut une fois encore et avec plus d'humilité que jamais se montrer un serviteur. Au moment de raconter un acte d'abaissement qui ne se trouve pas dans les synoptiques, Jo. nous rappelle qu'il n'a pas oublié qui est Jésus. Il ne semble pas cependant qu'il fasse allusion au don par le Père de la nature divine, car elle n'a pas été mise « dans les mains » du Fils, mais du pouvoir souverain conféré à celui qui est sorti de Dieu pour prendre la nature humaine, et qui va la ramener glorieuse auprès de lui. On peut aussi admettre avec Maldonat que la grandeur de Jésus est exprimée ici en termes qui marquent son départ, pour donner à son acte un caractère plus touchant. N'ayant plus le temps de prodiguer de bons offices ordinaires, étant à son terme, il va jusqu'au bout dans l'humilité.

4) Aucune occasion n'est indiquée qui aurait suggéré au Sauveur cette initiative. Évidemment le souper a été commencé, mais peut-être est-il terminé, ou du moins arrivé à un temps d'arrêt. Le pluriel τὰ ἱμάτια étonne. Au singulier, l'*himation* est le manteau placé par-dessus la tunique, et dont on se débarrasse pour avoir une action plus libre (Mc. x, 50). Jo. a-t-il voulu dire que Jésus a quitté même sa tunique? Il semble plutôt qu'il a désigné vaguement les vêtements d'apparat par opposition à la tenue des serviteurs réduite au strict nécessaire. Jésus y ajoute un λέντιον, c'est-à-dire un *linteum*, mot d'un sens très vague, et qui ne peut désigner ici qu'une serviette (*sudarium*) assez longue pour qu'on puisse la nouer autour du corps, et assez large pour qu'on puisse s'en servir pour essuyer; cf. Suétone (*Calig.* 26) : *cenanti modo ad pluteum* (dossier du lit) *modo ad pedes stare succinctos linteo passus est*. Jésus prend librement cette attitude que Caligula imposa à des sénateurs comme une injure atroce : il se dispose par là à l'acte le moins noble. Origène a noté que si Abraham offrit à ses hôtes qu'on leur lavât les pieds (Gen. xviii, 4), il n'eût pas rempli lui-même cet office, abandonné aux serviteurs (I Regn. xxv, 41).

5) Le νιπτήρ n'était pas réservé aux bains de pieds puisque ce n'était pas même le cas du ποδανιπτήρ. C'était une cuve peu profonde et largement ouverte qui pouvait aussi servir à rincer le linge, etc. et qui devait se trouver dans chaque maison. — ἤρξατο expression très familière aux synoptiques (cf. *Comm. Mc.* p. lxxxvii) qui ne se trouve qu'ici dans Jo.

τῶν μαθητῶν καὶ ἐκμάσσειν τῷ λεντίῳ ᾧ ἦν διεζωσμένος. [6] ἔρχεται οὖν πρὸς Σίμωνα Πέτρον. λέγει αὐτῷ Κύριε, σύ μου νίπτεις τοὺς πόδας; [7] ἀπεκρίθη Ἰησοῦς καὶ εἶπεν αὐτῷ Ὃ ἐγὼ ποιῶ σὺ οὐκ οἶδας ἄρτι, γνώσῃ δὲ μετὰ ταῦτα. [8] λέγει αὐτῷ Πέτρος Οὐ μὴ νίψῃς μου τοὺς πόδας εἰς τὸν αἰῶνα. ἀπεκρίθη Ἰησοῦς αὐτῷ Ἐὰν μὴ νίψω σε, οὐκ ἔχεις μέρος μετ' ἐμοῦ. [9] λέγει αὐτῷ Σίμων Πέτρος Κύριε, μὴ τοὺς πόδας μου μόνον ἀλλὰ καὶ τὰς χεῖρας καὶ τὴν κεφαλήν. [10] λέγει αὐτῷ Ἰησοῦς Ὁ λελου-

6. λεγει αυτω (TH) plutôt que και λεγει αυτω εκεινος (SV).
10. *om.* ει μη τους ποδας *p.* χρειαν (T) plutôt que *add.* (HSV).

---

6) On se demande si Jésus a réellement commencé par quelques disciples avant d'en venir à Pierre (*Orig.*, *Chrys.*, *Bauer*, *Till.*) ou s'il a commencé par Pierre (*Aug.*, *Mald.*, *Loisy*, *West.*). Les raisons de convenance sont peu décisives, car la primauté de Pierre n'obligeait pas Jésus à commencer par lui : Origène a pensé que Jésus a fini par Pierre parce qu'il était le plus pur, et Chrys. a opiné qu'il était allé d'abord à Judas : Pierre aurait éclaté par suite de son tempérament prime-sautier, quand bien même d'autres se seraient tus avant lui. Tout dépend donc de la valeur des termes. Si ἤρξατο signifiait un commencement d'exécution, il semble que Jo. eût dû écrire καὶ ἐξέμασσεν comme Lc. dans VII, 38; l'infinitif ἐκμάσσειν sur le même plan que νίπτειν permet de donner à ἤρξατο le sens qu'il a souvent de « se mettre à faire quelque chose » non sans quelque redondance, même chez les classiques (*Journ. of theol. St.* 1924, p. 400). Si le v. 6 commençait par δέ il faudrait quand même admettre que Jésus a pratiqué avec quelques-uns ce qui n'a pas réussi avec Pierre; mais οὖν après ἔρχεται indique plutôt que seulement alors commença l'exécution, expliquée par ce qui suit. Nous croyons donc plus probable que Jésus a commencé par Pierre, ce qui était à tout prendre le plus naturel, puisque dans Jo. aussi il était le chef et le porte-parole des autres (VI, 68).

— La protestation de Pierre est conçue en termes très naturels et énergiques; chaque mot porte : « Seigneur », indique la révérence du disciple (VI, 68); σύ est accentué en contraste avec μου. Un service rendu par le maître au serviteur, et quel service !

7) Les symbolistes, après Origène (διδάσκων ὅτι μυστήριον τοῦτο ἦν), commencent à voir ici du mystère. Pierre ne comprendrait pas le mystère de purification intérieure (ou le symbole eucharistique) que Jésus veut insinuer. — Mais la réponse n'est pas moins simple que la protestation : Jésus entend que Pierre le laisse continuer et le renvoie à l'explication qu'il donnera tout à l'heure (μετὰ ταῦτα), au v. 12 ss. S'il avait dit déjà qu'il agissait pour donner un exemple d'humilité, Pierre n'eût-il pas protesté encore plus fort qu'il n'était pas besoin d'en venir là (*Chrys.*)?

8) Pierre ne prétend pas sans doute empêcher son Maître d'enseigner par

ples et de les essuyer avec le linge dont il était ceint. [6] Il vient donc auprès de Simon-Pierre, [qui] lui dit : « Seigneur, c'est toi qui me laves les pieds? » [7] Jésus répondit et lui dit : « Ce que je fais, tu ne le sais pas maintenant, mais tu le comprendras après. » [8] Pierre lui dit : « Non, tu ne me laveras pas les pieds, jamais ! » Jésus lui répondit : « Si je ne te lave pas, tu n'as point de part avec moi. » [9] Simon-Pierre lui dit : « Seigneur, non seulement mes pieds, mais encore les mains et la tête. » [10] Jésus lui dit : « Celui qui a pris un bain n'a

telle action qu'il lui plaira; mais lui, personnellement, éprouve une répugnance extrême à se voir l'objet d'un tel office. Qu'il ait manqué quelque peu de soumission, cela est assez clair; mais c'était par un sentiment profond du respect qu'il devait à Jésus. On lui dit qu'il ne comprend pas; il ne prétend pas comprendre; il sait seulement qu'il ne veut pas recevoir un pareil service dans la réalité qui le choque. Loisy suppose dans Pierre un certain discernement que ce service est celui de sa mort figurée dans l'Eucharistie (p. 387) !

Jésus insiste. Le sens le plus naturel de sa réponse est que, si Pierre ne cède pas, il s'exclut lui-même de la société de son Maître qu'il prétend honorer à sa façon. Avoir part « dans » ou « avec » quelqu'un, c'était être de son parti (μερίς ἐν, III Regn. XII, 16: μετά Ps. XLIX, 18; II Cor. VI, 15), partager son sort (Mt. XXIV, 51; Lc. XII, 46). Il est vrai que Jésus n'a pas dit : « Si tu refuses d'obéir ». Mais s'il eût pu employer cette formule, il était cependant plus naturel de rester dans le thème concret : « Si je ne te lave pas », c'est-à-dire les pieds, comme a compris Aug., puisque cela seul était en situation. Les symbolistes relèvent ici l'omission des pieds et y voient l'indice (quelques-uns dans *Mald.*, *Zahn*, *Loisy*) que Jésus met Pierre sur la voie d'un sens mystique, à savoir que nul ne peut être sauvé s'il n'est lavé dans le sang du Christ, par le bain spirituel du baptême. Alors qu'on soit logique, et qu'on entende la lotion de celle qui remet les péchés graves puisque les péchés légers n'empêcheraient pas d'avoir part avec le Christ. Mais on voit que nous sortirions ainsi complètement du thème. De ce que Jo. a souvent des sens profonds, on ne doit pas conclure qu'il ne s'exprime jamais d'une manière naturelle et sans symbolisme. Avouons seulement qu'on pouvait s'y tromper, et croire que la lotion par elle-même et dans la circonstance présente, avait sa raison d'être et une efficacité mystérieuse.

9) C'est l'erreur de Pierre, et, selon son tempérament, une fois qu'il s'est aiguillé dans ce sens, il va jusqu'au bout. Il aime, et parce qu'il aime, il craint d'être séparé de Jésus : il est prêt à la volte-face la plus complète, *amore turbatus et timore* (*Thom.*). En d'autres temps, le Maître eût souri sans doute. Fidèle à son dessein d'obtenir de Pierre une obéissance aveugle, il se contente de lui montrer ce qu'il y a d'excessif et de malavisé dans son nouveau zèle.

10) Nous admettons avec Tischendorf la leçon courte qui omet εἰ μή (ou ἤ) τοὺς πόδας. L'omission est soutenue par ℵ *c* et plusieurs mss. de la Vg. qui ont paru à WW représenter le texte de Jérôme, d'autant qu'il cite ce passage

μένος οὐκ ἔχει χρείαν νίψασθαι, ἀλλ' ἔστιν καθαρὸς ὅλος· καὶ ὑμεῖς καθαροί ἐστε, ἀλλ' οὐχὶ πάντες. [11] ᾔδει γὰρ τὸν παραδιδόντα αὐτόν· διὰ τοῦτο εἶπεν ὅτι Οὐχὶ πάντες καθαροί ἐστε. [12] Ὅτε οὖν ἔνιψεν τοὺς πόδας αὐτῶν καὶ ἔλαβεν τὰ ἱμάτια αὐτοῦ καὶ ἀνέπεσεν πάλιν, εἶπεν αὐτοῖς Γινώσκετε τί πεποίηκα ὑμῖν; [13] ὑμεῖς φωνεῖτέ με ὁ διδάσκαλος καὶ ὁ κύριος, καὶ καλῶς λέγετε, εἰμὶ γάρ. [14] εἰ οὖν ἐγὼ ἔνιψα ὑμῶν τοὺς

(*c. Jovin.* II, 3) sans l'incise. De même Tert. (*de baptismo* 12), Optat (IV, 4; V, 3); Aug. (*epist.* XLIV, 10, mais contre le Commentaire de Jo.). On ne peut dire avec Zahn que ces latins ont changé le texte pour argumenter en faveur du baptême unique, car ils veulent surtout prouver que les Apôtres avaient été baptisés : le plus fort est le témoignage d'Origène qui cite quatre fois la leçon courte, se débat pour l'expliquer, alors qu'il lui eût suffi de préférer la leçon longue, insérée plus tard dans le texte qui sert de thème à son explication. Si cette attestation est moins imposante que celle de la leçon longue, la supériorité intrinsèque nous paraît certaine :

a) Il n'y avait aucune raison de changer la leçon longue, car l'opposition entre ὅλος et εἰ μὴ τοὺς πόδας peut à la rigueur se résoudre avec Aug. : on pouvait toujours supposer une exception pour les pieds qui se salissent plus facilement. Au contraire, la leçon courte est intolérable pour tous ceux qui, comme Origène, admettent que la lotion des pieds est un symbole de la purification complète nécessaire aux Apôtres. Si les Apôtres n'avaient pas besoin de cette lotion, pourquoi l'administrer? On répondait qu'ils avaient tout de même besoin d'un bain de pieds. En déclarant l'addition indispensable, les symbolistes expliquent comment elle devait fatalement se produire. Mais cette préoccupation était étrangère au narrateur, comme on le voit par l'unique raison qu'il allègue (v. 12 ss.).

b) En elle-même l'exception des pieds ne se justifie pas plus que celle des mains. Pierre eût pu parfaitement insister. Celui qui a pris un bain a besoin de se laver les mains, surtout avant de se mettre à table, encore plus que de se laver les pieds.

c) Le sens de la réponse courte est extrêmement fin, et c'est pourquoi il n'a pas été compris. Il roule sur l'opposition entre λούεσθαι, prendre un bain, et νίπτεσθαι, se laver (ou se faire laver) une partie du corps, les mains ou les pieds. Souvent, en se présentant à table, on se faisait laver les pieds ou surtout les mains. Mais si l'on sortait de la salle de bains, cette précaution eût été vraiment superflue. La réponse est donc tout à fait topique et directe. Pierre offre à Jésus de lui laver encore les mains et la tête. Répondre qu'il n'avait pas besoin de se laver les mains, mais seulement les pieds, c'eût été poser une nouvelle énigme. En réalité Pierre n'a pas besoin d'une lotion, il est suffisamment pur, les autres aussi (sauf un). Alors pourquoi la lotion? Pierre n'a pas compris, il continue à ne pas comprendre; Jésus exige qu'il se soumette, sauf à l'éclairer plus tard.

d) La leçon longue exigerait une glose : vous êtes purs : mais non pas complètement, on peut toujours l'être davantage, etc., enfin quelque indice

pas besoin de se laver, mais il est pur tout entier. Vous aussi vous êtes purs, mais non pas tous. » [11] Car il savait qui était le traître ; c'est pourquoi il dit vous n'êtes pas tous purs.

[12] Lors donc qu'il eut lavé leurs pieds et qu'il eut repris ses habits et se fut mis à table de nouveau, il leur dit : « Comprenez-vous ce que je vous ai fait? [13] Vous m'appelez Maître et Seigneur, et vous dites bien; car je le suis. [14] Si donc je vous ai lavé

de ces raisons qu'Origène a multipliées, n'en trouvant point qui le satisfît.

Nous avons supposé une différence entre λούεθαι « prendre un bain » et νίπτεσθαι « se laver une partie du corps ». Elle n'est pas observée toujours en grec, en particulier dans le fragment non canonique Ox. 840 (*RB.* 1908, p. 538 ss.). C'est cependant de la même façon que Varron (*De ling. lat.* IX, 107) distinguait : in toto corpore potius utitur *lavamur,* in partibus *lavamus,* quod dicimus lavo manus, sic pedes et caetera. C'est la distinction que Jér. a eue en vue (WW). D'ailleurs en grec le moyen est plus usité que le passif, et ce doit être le cas ici, surtout si l'on adopte la leçon courte. De toute façon il s'agit d'une simple comparaison (*Cyr.*): si Jésus affirme que les disciples sont purs, il ne dit pas qu'ils ont été lavés, c'est-à-dire baptisés. On peut seulement raisonner d'eux relativement à la situation actuelle, comme d'un individu qui aurait pris un bain et qui n'a pas besoin de se laver les mains ou les pieds. Il y a là esquisse de parabole, non une allégorie.

11) Jésus avait déjà dit plus clairement que l'un de ses disciples était un démon (VI, 70), le dernier mot du v. 10 était beaucoup plus vague. On eût pu croire que plusieurs n'étaient pas purs. L'évangéliste a donc soin de restreindre l'application à un seul, en attendant que Jésus ait précisé sa pensée.

12) Jésus ayant fait ce qu'il voulait faire, quitte l'attitude du serviteur et reprend sa place. Ces détails marquent bien que toute l'importance de l'acte est dans la leçon qu'il contient. La question suppose qu'il n'a donné jusqu'à présent aucune explication, pas même à Pierre; car il est sous-entendu que la réponse est négative. Vous n'avez pas compris? Je vais vous instruire.

13) Le maître n'avait pas perdu un instant le sentiment de sa dignité : autorité et humilité ne sont pas incompatibles. On peut entendre (*Zahn*) : vous m'adressez la parole en disant : « Maître » et « Seigneur », ces mots étant au vocatif (cf. Mt. XI, 26), en conservant à φωνεῖν son sens propre, ou plutôt (à cause de la suite) l'entendre au sens large d'appeler d'un nom (cas unique?) et supposer ou une construction qui n'est pas sans analogies; cf. XEN. Écon. VI, 14 : τοὺς ἔχοντας τὸ σεμνὸν ὄνομα τοῦτο τὸ καλός τε κἀγαθός, ou encore que φωνεῖν est l'équivalent de קרא : « pour être nommé Rabbi » (בשביל שאקרא רבי, dans *Sifré,* deut. 41, *Schlatter*). On nommait Jésus διδάσκαλος, c'est-à-dire Rabbi, docteur : Jo. I, 38; III, 2; XI, 8. 28. κύριε était une appellation ordinaire, mais qui prend une importance spéciale sous la forme ὁ κύριος, surtout avec l'affirmation qui suit : « je le suis », c'est-à-dire le Maître dont vous êtes les serviteurs.

14) ὁ κύριος de nouveau très en vedette et cette fois placé avant ὁ διδάσκαλος

πόδας ὁ κύριος καὶ ὁ διδάσκαλος, καὶ ὑμεῖς ὀφείλετε ἀλλήλων νίπτειν τοὺς πόδας· [15] ὑπόδειγμα γὰρ ἔδωκα ὑμῖν ἵνα καθὼς ἐγὼ ἐποίησα ὑμῖν καὶ ὑμεῖς ποιῆτε. [16] ἀμὴν ἀμὴν λέγω ὑμῖν, οὐκ ἔστιν δοῦλος μείζων τοῦ κυρίου αὐτοῦ οὐδὲ ἀπόστολος μείζων τοῦ πέμψαντος αὐτόν. [17] εἰ ταῦτα οἴδατε, μακάριοί ἐστε ἐὰν ποιῆτε αὐτά. [18] οὐ περὶ πάντων ὑμῶν λέγω· ἐγὼ οἶδα τίνας ἐξελεξάμην· ἀλλ' ἵνα ἡ γραφὴ πληρωθῇ Ὁ τρώγων μου τὸν ἄρτον ἐπῆρεν ἐπ' ἐμὲ τὴν πτέρναν αὐτοῦ. [19] ἀπ' ἄρτι λέγω ὑμῖν πρὸ

18. μου p. τρωγων (ou μετ' εμου (TV) et non εμου (S).
19. πιστευητε (H) plutôt que πιστευσητε (TSV).

Les disciples ne pourront refuser de suivre un pareil exemple. Il est dans la situation que la leçon s'applique surtout aux chefs. Ce sont eux qui pourraient se croire dispensés de l'humilité envers leurs inférieurs; c'est parce qu'il s'adresse à eux que Jésus revendique si nettement ses propres prérogatives. A prendre les choses très à la lettre, les disciples auraient pu voir là un commandement spécial. Et il est de fait que la pieuse coutume de laver les pieds se perpétua parmi les chrétiens (I Tim. v, 10; *Orig*. *Aug*.). On sait qu'elle se pratique encore le jeudi saint, où le célébrant lave les pieds des pauvres. Depuis le moyen âge les rois de France s'en faisaient un devoir. Cependant l'Église n'impose cette pratique à aucun fidèle, pas même une fois dans sa vie, parce que, investie du droit d'interpréter l'Écriture, elle entend l'acte du Maître comme une leçon dont il faut surtout retenir l'esprit, en l'appliquant à des cas divers.

15) ὑπόδειγμα « signe », condamné par Phrynichus dans le sens de παράδειγμα « exemple », était donc l'équivalent hellénistique de ce mot. C'est un acte qui peut et doit servir de modèle et de leçon. Il faudra agir à l'instar (καθώς) selon les circonstances données. On peut insister avec Aug. Zahn, etc., sur l'opportunité d'aider un frère à se purifier complètement, mais ce symbolisme n'est plus l'explication littérale de la pensée de Jo.

16) Quand le moment sera venu de pratiquer l'humilité, celui qui peut-être sera le dépositaire de l'autorité de Jésus, comme c'est le cas de certains serviteurs placés à la tête des autres, et surtout des envoyés qui parlent au nom de leur prince, ceux-là donc, si haut qu'ils soient, devront se souvenir qu'ils ne sont que des serviteurs et des envoyés, lesquels sont naturellement inférieurs à celui qui se sert d'eux. — Le dicton, en lui-même, pouvait avoir diverses applications : le serviteur étant inférieur à son maître ne devait pas s'attendre à être mieux traité que lui : c'est le sens de Jo. xv, 20, coïncidant avec Mt. x, 24; cf. Lc. vi, 40. — ἀπόστολος n'est employé que cette fois par Jo., dans le sens général d'envoyé. L'envoyé doit le prendre de très haut comme représentant de son maître; mais vis-à-vis de lui il s'efface. A plus forte raison les simples disciples par rapport à leur Maître.

17) Indice significatif de ce que le fait de Jésus n'est qu'un exemple entre plusieurs. Ce qui importe, c'est l'enseignement (ταῦτα), et c'est cet enseignement

les pieds, moi le Seigneur et le Maître, vous devez aussi vous laver les pieds les uns aux autres. [15]Car je vous ai donné un exemple, afin que vous agissiez vous aussi comme j'ai agi envers vous. [16]En vérité, en vérité je vous [le] dis : un serviteur n'est pas plus grand que son seigneur, ni un envoyé plus grand que celui qui l'a envoyé. [17]Si vous savez cela, heureux êtes-vous si vous le faites. [18]Je ne dis pas [cela] de vous tous; je sais quels ils sont, ceux que j'ai choisis : d'ailleurs c'est pour que l'Écriture soit accomplie : « *Celui qui mange mon pain a levé contre moi son talon.* » [19]Je vous

qu'il faudra appliquer à l'occasion (αὐτά). C'est quelque chose de comprendre cette leçon, mais on n'en retire le fruit qu'en la mettant en pratique. On rapproche, pour l'expression de cette maxime chère à tous les maîtres de la morale, Hésiode (*Opera*... 826 s.) : εὐδαίμων τε καὶ ὄλϐος, ὃς τάδε πάντα εἰδὼς ἐργάζηται. — εἰ avec le présent, en tablant sur la connaissance; ἐάν avec le subjonctif, dans l'hypothèse de la pratique; cf. I Cor. VII, 36.

18) Jésus n'a pas exclu Judas de son office charitable; mais le traître s'exclura lui-même de sa société — il n'en est déjà plus par le cœur — et par conséquent la leçon qui regarde l'avenir ne s'adresse pas à lui. L'expression est toujours très vague : v. 10 οὐχὶ πάντες, ici οὐ περὶ πάντων. Mais elle va se préciser sur une seule personne. Le style est extrêmement concis, et a fait difficulté. Il ne faut pas ajouter γάρ après ἐγώ comme א A... *syr.*, ni le sous-entendre, ni mettre (*Zahn*) ἐγώ-ἐξελεξάμην entre parenthèses, mais regarder ἐγώ κ. τ. λ. comme une réponse à l'objection tacite : alors pourquoi tous ceux qui sont ici ont-ils été choisis par le Maître? Il sait très bien quels ils sont, et quels il les a choisis, mais s'il a passé par-dessus le scandale possible, c'est qu'il a voulu laisser place à l'accomplissement d'une Écriture. Lire τίνας et non οὕς, et dans le sens indiqué par Origène : τίς ἐστιν ἕκαστος ὧν ἐξελεξάμην. Cette écriture est le v. 10 du Ps. XL (heb. XLI), entendu de David, lequel y confessa son péché : ce n'est donc pas une prophétie directe sur le Messie : mais la trahison est la même, et en cela comme en d'autres traits, David figure le Messie. La prophétie est donc accomplie spirituellement. Le texte des LXX est ὁ ἐσθίων ἄρτους μου, ἐμεγάλυνεν ἐπ' ἐμὲ πτερνισμόν (m'a donné un grand croc-en-jambe ou un coup de talon). On peut toujours supposer que Jo. a connu une autre version, mais l'hypothèse la plus naturelle est qu'il a traduit plus littéralement l'hébreu הגדיל עלי עקב, « il a levé le talon contre moi », comme ferait un cheval. La leçon μου, d'après l'hébreu et les Septante, quoique peu appuyée (BCL), doit être préférée à μετ' ἐμοῦ qui vient probablement de la tradition synoptique (Mc. XIV, 18; cf. Lc. XXII, 21).

— Quoique Jo. n'ait pas dit que les disciples présents étaient les Douze, on le conclut aisément de la comparaison de ce verset avec VI, 70.

19) ἀπ' ἄρτι, non pas « désormais », mais « dès maintenant », comme νῦν (XIV, 29) dans une tournure toute semblable; cf. Apoc. XIV, 13. La prophétie, lorsqu'elle se réalise, s'il s'agit d'un fait qu'aucune prévision humaine ne permettait d'affirmer, ne peut émaner que de Dieu (Is. XLIII, 10 : « afin que vous com-

τοῦ γενέσθαι, ἵνα πιστεύητε ὅταν γένηται ὅτι ἐγώ εἰμι. [20]ἀμὴν ἀμὴν λέγω ὑμῖν, ὁ λαμβάνων ἄν τινα πέμψω ἐμὲ λαμβάνει, ὁ δὲ ἐμὲ λαμβάνων λαμβάνει τὸν πέμψαντά με. [21]Ταῦτα εἰπὼν Ἰησοῦς ἐταράχθη τῷ

preniez que c'est moi. ») Mais Jésus ne pouvait-il pressentir la trahison ou être informé des desseins du traître? Il n'entend donc pas fournir à ses disciples une preuve de sa divinité; d'autant que les disciples croyaient déjà en lui (VI, 68); mais plutôt leur permettre de reconnaître que l'Écriture parlait de lui (*Aug.*). Les mots ὅτι ἐγώ εἰμι (VIII, 24. 28, cf. VIII, 58), vagues en eux-mêmes, doivent être interprétés d'après la situation. Au moment de la trahison — venant d'un disciple choisi et mis au rang des Douze, — la foi des autres sera mise à l'épreuve touchant l'omniscience de Jésus; mais prévenus par lui que ce choix était nécessaire dans l'ordre de la Providence souligné par l'Écriture, et qu'il avait donc été fait en pleine lumière, les disciples conserveront leur foi, la renouvelleront en lui, tel qu'il est pour eux, Maître, Seigneur, Messie, Fils de Dieu.

20) On a vainement multiplié les tentatives pour rattacher logiquement ce verset à ce qui précède ou à ce qui suit. Il serait mieux placé après le v. 16, si l'on se contente d'un pur appel de mots sans lien logique dans la pensée.

Faut-il donc conclure à une interpolation d'après Mt. x, 40? Mieux vaudrait supposer que Jésus allait commencer un discours sur l'apostolat et sur sa dignité. Nous avons déjà estimé (x, 1) que ἀμὴν ἀμήν κ. τ. λ. pouvait introduire une idée nouvelle, quoique non pas étrangère au thème qui précède. Mais ce nouveau discours fut interrompu par l'émotion qui s'empara de Jésus à la pensée de la trahison d'un de ses apôtres, et ses recommandations comme ses consolations prirent un autre cours.

Loisy voit dans ce verset une précieuse conformation de son symbole eucharistique : « Le symbole du lavement des pieds finit ainsi par s'expliquer en termes suffisamment clairs (?!) Recevoir l'envoyé de Jésus, tout fidèle du Christ (cf. Mt. x, 40) est recevoir le Christ, c'est communier avec tous les chrétiens au Christ lui-même et à Dieu dans et par l'*agapé*, amour-eucharistie » (p. 394). La première édition ajoutait : « Un peu de confusion se produit dans l'esprit du lecteur » (p. 722). Certes!

CARACTÈRE HISTORIQUE DU LAVEMENT DES PIEDS. Nous ne revenons pas sur la question posée au début sur le sens de ce morceau. Si l'on y voit un symbole de l'eucharistie, une manière différente de celle des synoptiques d'inculquer l'*agapè*, c'est afin d'attaquer de cette autre façon le caractère réel de l'Eucharistie. Il serait beaucoup moins fantaisiste d'y voir un symbole de la pénitence parfaite, mais ce ne serait qu'une interprétation pieuse, sans fondement dans le récit, et non sans l'inconvénient d'ouvrir la porte à un symbolisme factice. La réalité du fait n'en serait d'ailleurs pas atteinte. On l'a attaquée seulement parce que ce récit a paru une mise en action des paroles de Jésus dans Lc. XXII, 27 τίς γὰρ μείζων, ὁ ἀνακείμενος ἢ ὁ διακονῶν; οὐχὶ ὁ ἀνακείμενος; ἐγὼ δὲ ἐν μέσῳ ὑμῶν εἰμὶ ὡς ὁ διακονῶν. C'est bien le même thème, comme Origène l'avait déjà vu, mais il en avait seulement conclu que Jésus a réellement donné alors cette leçon en l'accompagnant d'un exemple. Il n'y a rien à opposer au témoignage de Jo., que l'on prétend peu enclin à insister sur les humiliations du Christ.

le dis dès maintenant, avant que cela n'arrive, afin que vous croyiez, lorsque cela sera arrivé, qui Je suis.

[20]En vérité, en vérité je vous [le] dis : quiconque reçoit celui que j'aurai envoyé me reçoit, et quiconque me reçoit reçoit celui qui m'a envoyé. »

[21]Ayant dit ces choses, Jésus fut troublé en esprit, et il

Le récit est d'ailleurs extrêmement naturel. Le calme de Jésus, persistant dans son dessein charitable sans aucune ostentation, et la vivacité de Pierre, impressionnable et changeant, forment un contraste saisissant, mais qui répond bien au caractère des deux personnes. Le dialogue se déroule sans obscurité, à moins qu'on n'y sous-entende des mystères. Il n'y a rien dans Jo. qui ressemble plus à une page de Mc.

Le rapprochement avec Lc. XXII, 27 n'oblige pas à placer le lavement des pieds après l'institution de l'Eucharistie. Nous avons noté à propos de Luc (p. 547) qu'il a probablement rattaché aux discours de Jésus l'annonce de la trahison, ne séparant pas les deux repas qu'il a pourtant distingués. On peut très bien (cf. sur v. 2) supposer une première partie du repas qui fut le repas pascal, puis une seconde partie qui suivit le lavement des pieds. Cette seconde partie a pu commencer par la dénonciation du traître, suivie de l'institution de l'Eucharistie, d'après l'ordre de Mc. et de Mt. Alors Judas était sorti. L'intention de Jo. paraît assez nette de l'exclure des discours confidentiels relatifs à l'avenir; qu'avait-il à faire dans l'institution du rite qui devait être l'instrument de l'union de Jésus ressuscité avec les siens demeurés sur la terre? Ce qui d'ailleurs est positif, c'est que Judas sortit aussitôt qu'il eut pris la bouchée (30) qui n'était pas l'Eucharistie. Or l'Eucharistie suivit le repas; en particulier, d'après Paul et Lc., la coupe fut distribuée *après*.

Les Pères qui ont admis que Judas avait communié : Éphrem, Chrysostome, Ambroise, Augustin, Jérôme, etc. ne sont pas d'accord sur le moment, et ne peuvent être cités que comme exégètes, non comme témoins de la tradition.

21-30. ANNONCE DE LA TRAHISON. JUDAS SORT POUR LA CONSOMMER (Mt. XXVI, 21-25; Mc. XIV, 18-21; Lc. XXII, 21-23). Jo. se rencontre ici avec les synoptiques, mais il donne beaucoup plus de détails, et, pour la première fois, il en insinue la raison en mettant en scène le disciple que Jésus aimait.

21) Sur ce trouble, cf. XI, 33; XII, 27. Au second de ces cas, Jésus change son discours. Il n'y a donc pas à se préoccuper du lien logique avec ce qui précède, Au moment où il allait instruire ses disciples de leurs privilèges, Jésus, qui a déjà poussé si loin la mansuétude envers le traître, est envahi par la tristesse, et, s'il s'agissait de nous, nous dirions par une répugnance intolérable. Le trouble en l'esprit et le trouble de l'âme (XII, 27) ne sont probablement que des manières différentes d'exprimer un mouvement intérieur. Le datif est instrumental, mais cet instrument est ici la partie de l'âme par laquelle et dans laquelle le sujet est affecté. — La désignation du traître comme dans Mt., en doublant ἀμήν selon l'usage de Jo. — μαρτυρέω renforce l'affirmation : c'est comme la déposition d'un témoin contre un accusé.

πνεύματι καὶ ἐμαρτύρησεν καὶ εἶπεν Ἀμὴν ἀμὴν λέγω ὑμῖν ὅτι εἷς ἐξ ὑμῶν παραδώσει με. [22] ἔβλεπον εἰς ἀλλήλους οἱ μαθηταὶ ἀπορούμενοι περὶ τίνος λέγει. [23] ἦν ἀνακείμενος εἷς ἐκ τῶν μαθητῶν αὐτοῦ ἐν τῷ κόλπῳ τοῦ Ἰησοῦ, ὃν ἠγάπα ὁ Ἰησοῦς· [24] νεύει οὖν τούτῳ Σίμων Πέτρος καὶ λέγει αὐτῷ Εἰπὲ τίς ἐστιν περὶ οὗ λέγει. [25] ἀναπεσὼν ἐκεῖνος οὕτως ἐπὶ τὸ

22. *om.* ουν p. εβλεπον (TH) plutôt que *add.* (SV).
23. *om.* δε *p.* ην (TH) plutôt que *add.* (SV).
25. αναπεσων (HV) plutôt que επιπεσων (TS); *om.* ουν (H) ou *add.* (TV) mais non *add.* δε (S).

---

22) Même ignorance des apôtres que dans les synoptiques. Judas avait donc bien su cacher son jeu! La pénétration de Jésus n'en est que plus extraordinaire : elle est surnaturelle dans la pensée des évangélistes; il arrive même assez souvent que les disciples se connaissent mieux entre eux qu'ils ne sont connus de leur maître. Dans l'expression de leur étonnement il y a des nuances assez sensibles entre les synoptiques. D'après Mt. et Mc. chacun prétend obtenir une justification, implorée timidement, comme s'ils n'étaient pas assez sûrs de leur conscience; dans Lc. ils commencent une enquête; dans Jo. ils s'interrogent du regard.

23 s.) Jo. avait déjà indiqué (xii, 2; xiii, 12) que Jésus prenait ces derniers repas couché à la manière gréco-romaine. Mais plusieurs commentateurs (*West. Schanz,* etc.) ont sans doute exagéré en concluant de ce verset et du suivant que Pierre était à gauche de Jésus, c'est-à-dire à la place d'honneur, et que pour cette raison il n'avait pu lui parler. Le protocole romain n'était guère de saison dans sa rigidité officielle après le lavement des pieds, et il ne pouvait même pas s'appliquer. Le dîner romain n'admettait que neuf convives et les apôtres étaient plus nombreux. Si l'usage des lits avait pénétré en Orient parmi les classes élevées, il est très probable que les disciples ont mangé simplement sur des tapis ou tout au plus des matelas étendus par terre. Élagabale qui a introduit cette pratique à Rome (*Lampride,* 25) l'a sûrement apportée d'Orient. Les convives étant couchés appuyés sur le bras gauche, le bras droit demeurait libre pour manger; si l'on considère séparément un groupe de deux, la tête du second devait arriver tout au plus au niveau de la poitrine du premier, pour lui laisser les bras libres. Le second convive était donc légèrement en avant du premier vers les plats déposés à terre, et lui tournait le dos, mais il lui était facile de s'entretenir avec lui à voix basse, en retournant un peu la tête. C'était la place du disciple que Jésus aimait (cf. *Introduction,* p. xiv). La divine pureté avec laquelle cela est dit n'a rien à souffrir des citations où l'on voit que c'était une place réservée à un ami particulier ou à quelqu'un qu'on voulait honorer (Platon, *Conv.* 175. 213). — Où se trouvait Pierre? S'il avait été à la gauche du Sauveur, il aurait eu à son tour Jésus « dans son sein », et il lui eût été plus facile de lui parler que de faire signe à Jean placé plus loin de lui.

rendit témoignage et dit : « En vérité, en vérité, je vous [le] dis : un d'entre vous me livrera. » [22]Les disciples se regardaient les uns les autres, incertains de qui il parlait. [23]Un des disciples de Jésus, celui que Jésus aimait, était couché sur son sein. [24]Simon Pierre lui fait donc signe et lui dit : « Dis quel est celui dont il parle. » [25]Celui-ci, étant placé à table de la sorte sur la poitrine de Jésus, lui

Puisqu'il parle en secret à Jean comme celui-ci parle à Jésus, c'est donc qu'il est placé à la suite, et en somme dans le sein de Jean, s'il n'y avait pas entre eux un peu plus d'intervalle, ce qu'il faudrait supposer si les disciples étaient couchés sur des lits, où, pour l'ordinaire, il n'y avait que deux convives. On ne saurait rien conclure contre la dignité de Pierre si par hasard il n'occupait pas une position officielle, la seconde en dignité. On n'imagine pas que les disciples, mangeant souvent à terre au hasard des voyages, se soient habitués à un ordre protocolaire. — Du v. 23 on rapproche Pline (IV, 22) : *cenabat Nerva cum paucis; Veiento proximus atque etiam in sinu recumbebat.*

24) D'après le texte des critiques (au lieu de νεύει οὖν τούτῳ Σ. Π. πυθέσθαι τίς ἂν εἴη περὶ οὗ λέγει, correction élégante de A D *Syrr. sah.*), Pierre fait signe et il parle cependant, c'est-à-dire qu'il appelle d'abord l'attention de Jean sur ce qu'il va dire, sans doute à voix basse. Présumant que Jean est au courant ou jugeant qu'il lui est facile de s'informer, il s'adresse à lui plutôt qu'au Maître dont il ne pourrait être entendu en particulier. D'après Lc. XXII, 23, cette curiosité fut générale; peut-être Jo. a-t-il voulu donner un caractère précis à une formule un peu vague. Pierre, le plus ardent de tous, ne pouvait supporter une incertitude aussi angoissante.

25) On peut hésiter entre ἀναπεσών (Orig. B C) et ἐπιπεσών (א A D etc.). Le premier peut être entendu de deux façons : *a*) dans son sens ordinaire de se mettre à table (cf. v. 12), comme dans la locution tout à fait semblable de XXI, 20. Alors οὕτως signifie : « de la façon qu'on vient de dire », expliquant ἐν τῷ κόλπῳ (23) par ἐπὶ τὸ στῆθος. Il n'y a rien à objecter à cette interprétation, sinon une certaine redondance de style qui n'est pas étrangère à Jo. *b*) Mais Origène a pensé que Jean s'était alors rapproché du Sauveur; il monte d'un degré dans son intimité, et en effet il était assez naturel de supposer que Jo. a voulu indiquer un changement de situation. Alors οὕτως signifiera « dans cette nouvelle position », « comme cela » (cf. IV, 6).

Mais, à supposer que ἀναπίπτω ait jamais été employé dans le sens de « s'incliner sur, s'appuyer contre », ce qui me paraît plus que douteux, il était étrange de rencontrer ce nouveau sens aussitôt après celui du v. 12. On a donc corrigé en ἐπιπεσών, qui donnait la nuance souhaitée d'un changement de position, que les mss. secondaires (A et Antioche) ont renforcée par δέ au lieu de οὖν (א D etc.). Cet οὖν est omis par B C Orig. mais peut-être parce qu'il figure aux vv. 24 et 26. Il est ici assez en situation.

Le disciple s'associe à la sollicitude affectueuse de Pierre; mais il n'est pas dit comment il lui a communiqué ce qu'il avait appris. Peut-être a-t-il suffi d'un signe.

στῆθος τοῦ Ἰησοῦ λέγει αὐτῷ Κύριε, τίς ἐστιν; [26] ἀποκρίνεται οὖν ὁ Ἰησοῦς Ἐκεῖνός ἐστιν ᾧ ἐγὼ βάψω τὸ ψωμίον καὶ δώσω αὐτῷ· βάψας οὖν τὸ ψωμίον λαμβάνει καὶ δίδωσιν Ἰούδᾳ Σίμωνος Ἰσκαριώτου. [27] καὶ μετὰ τὸ ψωμίον τότε εἰσῆλθεν εἰς ἐκεῖνον ὁ Σατανᾶς. λέγει οὖν αὐτῷ Ἰησοῦς Ὃ ποιεῖς ποίησον τάχειον. [28] τοῦτο δὲ οὐδεὶς ἔγνω τῶν ἀνακειμένων πρὸς

26. δωσω (TH) plutôt que επιδωσω (SV).

---

26) Cette expression rappelle celle de Mc. XIV, 20 et Mt. XXVI, 23; mais tandis que dans les deux synoptiques la désignation du traître demeurait vague, on comprend très bien d'après Jo. comment elle a pris une entière valeur, tout en étant réservée à une personne. Assurément un écrivain très habile pourrait obtenir cet effet par la seule transformation d'un texte, mais il arrive aussi que le récit plus exact d'un ami intime résolve une situation demeurée obscure. Tout devient limpide grâce au témoignage de celui qui avait reçu la réponse en confidence. Si la clarté ne vient pas ici de la réalité des faits, il faudrait attribuer à Jo. un artifice extraordinairement subtil. — Le ψωμίον est une bouchée de pain ou de viande. Si le latin, le syriaque, le sahidique ont entendu « le pain », c'est peut-être parce qu'ils pensaient à l'Eucharistie. Le pain étant à la disposition de chacun, on offre plutôt un morceau de viande. Mais rien ne suggère que c'était un morceau de l'agneau pascal trempé dans le *Kharoseth* (cf. Mc. XIV, 20); l'usage existe encore aujourd'hui pour les repas ordinaires des Bédouins. L'article devant ψωμίον ne peut vraiment pas prouver à lui seul que ce soit une bouchée rituelle : c'est celle dont il va être question, que probablement le Sauveur a déjà dans les mains. — ᾧ ἐγώ, « en vue duquel », dans l'intention de lui donner une marque d'amitié.

27) Dans l'antiquité, plusieurs ont regardé cette bouchée comme l'Eucharistie. On peut citer Éphrem (LAMY, *Ephraemi hymni et sermones. Sermo IV in hebd. sanct.* 1, 423) : *Sicut verum et certum est, Dominum, cum discipulis suis panem daret, mysterium corporis sui eis dedisse, ita quoque credendum est, a Domino panem suo occisori datum in mysterium occisionis corporis sui traditum esse. Et intinxit eum, ut sic participationem indicaret caedis suae*, etc.

Mais ceux mêmes qui tiennent pour certain que Judas a reçu l'Eucharistie, Aug. Thomas et quelques catholiques, récemment *Bernhard, S. J.* (dans la *Zeitschr. für kath. Theol.* 1911, p. 30 ss.), estiment que ce fût avant ce moment.

Cependant quelques modernes (*Bauer, Loisy*, etc.) l'entendent de l'Eucharistie que Judas aurait reçue pour sa condamnation (I Cor. XI, 29), Jésus l'ayant ainsi livré à Satan (I Cor. V, 5; I Tim. I, 20). Ce serait une explication très naturelle de 27[a], si la bouchée pouvait être l'Eucharistie. Mais, à supposer qu'elle ait été un morceau de pain, le fait de le tremper, ce qui ne peut être que dans le plat (Mt. Mc.), exclut le rite du pain et du vin, distribués séparément par Jésus dans l'Eucharistie. D'ailleurs Jo. qui a célébré l'effet vital du Sacrement (VI) n'a indiqué nulle part ses conséquences fatales pour les indignes.

dit : « Seigneur, qui est-ce ? » [26] Jésus donc lui répond : « C'est celui pour lequel je tremperai la bouchée et à qui je [la] donnerai. » Ayant donc trempé la bouchée, il la prend et la donne à Judas, fils de Simon Iscariote. [27] Et après la bouchée, à ce moment, Satan entra en lui. Jésus donc lui dit : « Ce que tu fais, fais-le au plus vite. » [28] Or aucun des convives ne comprit pourquoi il lui avait

Comment donc expliquer cette prise de possession par Satan à ce moment? — Ce qu'il y a d'exact dans le système de Loisy, c'est qu'à ce moment Jésus abandonne Judas (*Chrys.*). En le désignant comme traître, même à un seul disciple, il l'exclut de sa compagnie : le démon est donc libre de s'emparer de lui. Ammonius (*Cat. Cramer*, p. 541) : καὶ ἕως μὲν ἦ τοῦ χριστοῦ, οὐκ ἐτόλμα ὁ Σατανᾶς ἐπιπηδῆσαι, ἀλλ' ἔξωθεν προσέβαλλεν· ἐπειδὰν δὲ δῆλον αὐτὸν ἐποίησε καὶ ἀφώρισεν, ἐνεπήδησε λοιπὸν μετὰ ἀδείας. A prendre les choses selon la rigueur philosophique, Thomas a expliqué que le démon n'entre pas dans l'âme : *sed tunc intrat in ore quando homo totaliter dat se ad sequendum eius instinctum.* Nous pouvons donc interpréter que Judas se sent découvert et, au lieu d'implorer son pardon, se décide à agir. Il est assez étrange que Jo. ait insisté sur le moment précis, τότε (om. par ℵ D L *a b c d ff² l r, Vg.-Clém.*); ce ne doit pas être pour rectifier Lc. XXII, 3 qui place l'entrée de Satan dans Judas avant sa trahison, ni pour préciser que ce fut après et non pas en même temps que la bouchée, mais plutôt pour marquer l'importance de ce moment.

Judas n'appartenant plus au groupe des disciples, Jésus ne l'invite pas à faire son œuvre à lui; mais, puisqu'il a pris son parti, à agir sans tarder. — τάχειον soit dans le sens du comparatif, « plus vite » : assez de tergiversations, délivre-nous de ta présence; soit plutôt dans le sens du superlatif : « au plus tôt », ce qui peut être dit avec une ironie mélancolique : « tu n'as pas de temps à perdre, si tu veux réussir », ou parce que Jésus est empressé de consommer son sacrifice : *ille agebat negotium suae venditionis, iste nostrae redemptionis* (*Aug.*). Des deux façons ce n'est pas une invitation au mal, mais plutôt le dernier mot d'un ami découragé : si tu le veux absolument, fais-le donc bien vite... puisqu'il n'y a plus rien à attendre de toi. Bauer compare très bien Épictète, IV, 9, 18 : Si tu ne comprends pas l'avantage de la vertu, εἴ τινα ἄλλα τούτων μείζονα ζητεῖς, ποίει ἃ ποιεῖς· οὐδὲ θεῶν σέ τις ἔτι σῶσαι δύναται, tu es irrévocablement perdu, fais ce que tu voudras. Cela est dit « à quelqu'un qui a tourné à l'impudence ».

Peut-être aussi l'intention de Jo. était-elle de montrer que Jésus prenait lui-même l'initiative dans le premier acte de sa Passion, qui ne se serait pas accompli sans sa volonté : *Nisi ergo se traderet Christus, nemo traderet Christum* (*Aug.*). Bauer et Loisy insistent sur ce sens : « Judas... n'aurait pas bougé si le Christ n'avait pas voulu qu'il marchât » (*Loisy*, p. 398).

28) L'obscurité des paroles, que l'on peut prendre sous divers aspects, explique l'inintelligence des disciples, y compris Jean et Pierre, qui désormais connaissent le traître. Ne pénétrant pas les desseins de Dieu auxquels Jésus se conforme, il ne leur vint pas à la pensée que leur Maître invitât Judas à une action si noire, de quelque manière que cette invitation fût dite et conçue.

τί εἶπεν αὐτῷ· [29]τινὲς γὰρ ἐδόκουν, ἐπεὶ τὸ γλωσσόκομον εἶχεν Ἰούδας, ὅτι λέγει αὐτῷ Ἰησοῦς Ἀγόρασον ὧν χρείαν ἔχομεν εἰς τὴν ἑορτήν, ἢ τοῖς πτωχοῖς ἵνα τι δῷ. [30]λαβὼν οὖν τὸ ψωμίον ἐκεῖνος ἐξῆλθεν εὐθύς· ἦν δὲ νύξ.

[31]Ὅτε οὖν ἐξῆλθεν λέγει Ἰησοῦς Νῦν ἐδοξάσθη ὁ υἱὸς τοῦ ἀνθρώπου,

29) Il n'est pas dit cependant que Jean et Pierre soient parmi les τίνες qui firent une conjecture supposant que Judas avait encore la confiance de son Maître; il avait la cassette (xii, 6).

— εἰς τὴν ἑορτὴν est un des textes qui soulèvent le conflit apparent entre Jo. et les synoptiques sur le repas pascal. *a*) Il en est qui veulent les concilier sur le jour où la trahison de Judas a été annoncée, qui serait le 14 nisan pour Jo. comme pour les synoptiques. Mais le lendemain 15 (commençant le 14 à la nuit) étant chômé, comment Jésus a-t-il pu dire à Judas d'acheter quelque chose? — On pourrait imaginer deux solutions : 1) en prenant « au plus vite » très strictement, Jésus aurait dit à Judas : hâte-toi de faire les acquisitions nécessaires pour la fête avant la nuit : puis le v. 30 indiquerait que c'était déjà trop tard. Cette solution supposerait que le festin pascal va avoir lieu après un autre, ce qui est impossible, car il était interdit de faire un repas le 14 nisan après midi (*Michna Pesakhim,* x, 1). D'ailleurs, au lieu de concilier Jo. avec les synoptiques, on les mettrait ainsi en contradiction, puisque d'après eux Judas était présent au repas pascal. Et si l'on admet que le festin pascal a déjà eu lieu d'après Jo. lui-même, ce n'était pas le moment de courir les boutiques, nécessairement fermées auparavant. C'était une nuit de recueillement, non de négoce. 2) On prend « au plus vite » largement. Jésus, voyant que Judas se retire, lui recommande de ne pas oublier ce qu'il faut dès le lendemain, pour la fête, c'est-à-dire pour quelque dépense supplémentaire, mais non pas pour le repas pascal, déjà achevé (*Zahn, Kn., Tillm.*, etc.). On fait observer que le premier jour de la fête le repos était moins strict que le jour du sabbat (Ex. xii, 16, comparé à Ex. xvi, 23), ce que prouvent les synoptiques (Mc. xv, 46; Lc. xxiii, 56). — Il est certain en effet que εἰς τὴν ἑορτήν ne désigne pas en soi le repas pascal. Les disciples auraient pu penser à quelque réjouissance à l'occasion de la fête, pour eux et pour les pauvres. Mais alors pourquoi se presser?

b) Ceux qui reconnaissent que Jo. place la Pâque légale le lendemain (xviii, 28) n'ont aucune difficulté sur son texte. Il n'y avait pas à se préoccuper du chômage qui ne commençait tout au plus que dans la soirée du lendemain. Les synoptiques ne le contredisent point expressément sur la date, comme il ne nie pas que Jésus ait fait la Pâque avec ses disciples; mais il n'y fait pas allusion, pas plus qu'à l'Eucharistie. — Pour les pauvres, les aumônes de Jésus étaient sans doute fréquentes, mais elles s'imposaient pour la Pâque (cf. Surenhusius, *Michna* sur la Pâque, commentaire de Bartenora sur x, 1).

30) En recevant la bouchée, Judas contractait une fois de plus l'alliance si sacrée pour les Orientaux entre ceux qui mangent ensemble. Cependant il la prend pour ne pas éveiller l'attention des disciples; et, pour éviter qu'ils lui

parlé de la sorte. [29]Quelques-uns pensaient, comme Judas avait la cassette, que Jésus voulait lui dire : Achète ce dont nous avons besoin pour la fête, ou de donner quelque chose aux pauvres. [30]Celui-ci donc, ayant pris la bouchée, sortit aussitôt : c'était la nuit.

[31]Lors donc qu'il fut sorti, Jésus dit : « Maintenant le Fils de

fassent un mauvais parti, il sort aussitôt. C'était la nuit. Cette circonstance coïncide derechef, comme δεῖπνον (2), avec l'indication des synoptiques qui font de la dernière cène un repas du soir. Ces trois monosyllabes ἦν δὲ νύξ font une impression profonde. C'est l'heure des ténèbres, que les Juifs préfèrent à la lumière (III, 19), l'heure de la puissance des ténèbres (Lc. XXII, 53) qui vient de s'emparer de l'âme trouble de Judas. C'est aussi l'heure des entretiens intimes (III, 2) : jamais on n'avait pu dire aussi justement que la lumière a lui dans les ténèbres (I, 5).

31-35. PRÉLUDE DES ADIEUX. Il y a ici trois idées qui s'enchaînent. La sortie du traître inaugure la Passion, dans laquelle Jésus voit déjà la gloire de Dieu et la sienne; mais ce n'en est pas moins une séparation, et Jésus grave son souvenir dans le cœur de ses disciples par un commandement nouveau, celui de la charité dont il leur a donné l'exemple.

31) En répétant que Judas était sorti, Jo. indique clairement qu'il y a quelque chose de changé. Non seulement le traître a débarrassé l'assemblée de sa présence; il a mis en branle l'œuvre du salut. Désormais Jésus parlera en confidence à ses petits enfants (33), et son premier mot est pour envisager ce qui va s'accomplir comme une gloire pour le Fils de l'homme qu'il est, et pour le Père qu'il a mission de glorifier. L'action commencée est censée accomplie : *Juda autem exeunte ad ducendum milites, videtur negotium passionis Christi, per quam glorificandus erat, inchoatum esse* (*Thom.*). Le Christ n'ignore rien de ce qui va se passer, il sait que tout tournera à sa propre gloire, non pas précisément comme Fils de Dieu, mais comme cet enfant des hommes qu'il est devenu. Encore ne faut-il pas trop insister sur la distinction, car la gloire de Jésus consiste précisément à manifester sa nature divine. Cela résultera de la Passion et de la Résurrection. Il ne faut pas non plus voir dans ce νῦν le commencement d'un ordre entièrement nouveau. Jésus a été glorifié dès son premier miracle (II, 11) en se manifestant comme l'objet de la foi de ses disciples, il a été glorifié comme Fils de Dieu à la résurrection de Lazare (XI, 4). Dès lors sa gloire était ordonnée à la gloire de Dieu (XI, 4. 40). On peut donc parler d'une gloire suprême (XII, 23), mais dans la même ligne que toute l'œuvre du Fils de Dieu incarné pour faire connaître son Père (VIII, 38), ce qui est lui rendre gloire (VII, 18), mais dans la voie de l'humilité.

32) εἰ ὁ θεὸς ἐδοξάσθη ἐν αὐτῷ est omis par ℵBCDLW, etc., *a b c d ff² l aur.* Tert. (*Prax.* 23) Ambr. *bis* et quelques mss. de la *Vg.* et de *boh.*, enfin par *syrsin.* Ces autorités seraient plus que suffisantes pour rejeter nettement ce groupe, s'il n'avait eu bien des chances d'être omis par *homoioteleuton.* On ne voit vraiment pas d'où serait venue l'idée d'ajouter des mots qui ont plutôt paru

καὶ ὁ θεὸς ἐδοξάσθη ἐν αὐτῷ· [32]εἰ ὁ θεὸς ἐδοξάσθη ἐν αὐτῷ, καὶ ὁ θεὸς δοξάσει αὐτὸν ἐν αὐτῷ, καὶ εὐθὺς δοξάσει αὐτόν. [33]Τεκνία, ἔτι μικρὸν μεθ' ὑμῶν εἰμί· ζητήσετέ με, καὶ καθὼς εἶπον τοῖς Ἰουδαίοις ὅτι Ὅπου ἐγὼ ὑπάγω ὑμεῖς οὐ δύνασθε ἐλθεῖν, καὶ ὑμῖν λέγω ἄρτι. [34]ἐντολὴν καινὴν

32. ει ο θεος εδοξασθη εν αυτω (TSV) plutôt que *om.* (H); — αὐτω 2° (T) plutôt que αὑτω (H) ou εαυτω (SV).

---

redondants, ce qui n'est pas une objection dans le style de Jo. Dans sa pensée il fallait insister sur ἐν αὐτῷ qui sera repris dans un sens différent. Il est clair d'ailleurs que εἰ n'est pas une condition hypothétique, mais table sur le fait.

Après donc l'affirmation que le Fils est déjà glorifié, vient un futur : Dieu le glorifiera. On pourrait croire que ce futur se rapporte à la même glorification, entrevue d'abord dans les décrets divins, et réalisée ensuite. Mais cela ne peut guère se dire, surtout si le groupe conditionnel est authentique, puisque l'acte où le Fils de l'homme est glorifié et par lequel il glorifie Dieu, est une condition de sa glorification future. Il faut donc distinguer un acte qui manifeste la puissance de Dieu comme le salut des hommes par la mort du Christ, dont la gloire n'est pas encore totale (cf. VII, 39; XII, 16), et la glorification du Fils de l'homme dans un éclat souverain et définitif. L'humanité qui a souffert sera associée à cette gloire, puisqu'elle sera l'apanage du Fils de l'homme. Tout le monde est d'accord sur ce point, mais il y a une nuance très appréciable de théologie johannine selon qu'on entend εν αυτω (2° après αὐτόν) de Dieu ou du Fils. Supposons qu'on lise ἐν αὑτῷ ou ἐν ἑαυτῷ. Dans ce cas ces mots doivent s'entendre du sujet θεός. C'est le sens qu'on donne communément (*Loisy, Schanz, Tillm., Durand, Holtz.*, etc.) : Dieu donnera au Fils « la gloire qui lui est due en l'accueillant « auprès de lui » (*Durand*, p. 122). Ἐν ἑαυτῷ serait presque synonyme de παρ' ἑαυτῷ : le Fils de l'homme serait exalté « sur le trône même de Dieu » (*Durand*, p. 123). — Nous n'avons rien à objecter contre la doctrine de cette interprétation, qui marquerait l'exaltation future de l'humanité de Jésus auprès de Dieu, à la droite de Dieu. Mais Jo. n'a pas coutume d'isoler l'humanité de Jésus, et d'autre part ἐν indique une unité plus intime que παρά, nuance qui ne doit pas être sacrifiée.

Nous lisons donc ἐν αὐτῷ, et il semble que Jo. nous présente ici une première esquisse de XVII, 1-5, esquisse encore énigmatique, mais beaucoup plus impressionnante que la pensée un peu trop simple qu'on lui prête. ἐν αὐτῷ après αὐτόν se rapporte à cet αὐτόν (*Zahn*), et non au sujet θεός. Par une réciprocité complète, Dieu glorifiera le Fils de l'homme dans la propre personne qu'il est, qui n'est pas connue, et qui sera alors connue. Maintenant l'humanité la voile, mais, une fois associée à sa gloire, elle laissera transparaître cette gloire que le Fils avait avant la création et que le Père lui avait donnée. Cela paraît être la pensée de Cyrille, qui ne parle pas de la glorification de l'humanité, mais de la gloire du Fils, reconnu, même avec sa chair, pour être ce qu'il était avant de prendre la chair.

l'homme a été glorifié, et Dieu a été glorifié en lui. [32]Si Dieu a été glorifié en lui, Dieu aussi le glorifiera en lui, et il le glorifiera bientôt. [33]Petits enfants, c'est pour peu de temps que je suis encore avec vous. Vous me chercherez, et, comme j'ai dit aux Juifs : Où je vais, vous ne pouvez venir, je vous le dis aussi maintenant. [34]Je vous donne un commandement nouveau : c'est que vous vous aimiez les

Il va d'ailleurs sans dire que si on lit ἐν αὐτῷ cela ne peut s'entendre que du Christ. Or si on lit αυτω (avec ℵB Orig. (*a : in ipso*) et non ἑαυτῷ, rien n'indique qu'il faille l'accentuer autrement que le ἐν αὐτῷ qui précède, à tout le moins une fois.

Cette glorification est très prochaine, à la résurrection.

33) La glorification devait suivre la mort. Après s'être élevé à son Père, Jésus redescend auprès de ses disciples qu'il va quitter. Sa voix se fait très tendre. On n'en est que plus surpris qu'il leur rappelle ce qu'il a dit aux Juifs hostiles (vii, 34; viii, 21), et qu'il l'applique à ses amis, sans même tempérer l'amertume de cette séparation, qui ici n'a pas de terme, tandis que plus tard (xiv, 2-4) il fera entrevoir la réunion. L'auteur a dû avoir conscience de ce qu'il y avait là d'angoissant pour les disciples. Aussi cette comparaison avec les Juifs devait précisément faire bouillir le sang de Pierre, qui paraît n'écouter plus, dans son impatience d'intervenir. Mais le lecteur peut s'abandonner à ces épanchements; il sait que Jésus n'avait pas pour ses disciples les mêmes sentiments que pour les Juifs. Une phrase commencée par τεκνία ne pouvait être offensante, et « je le dis à vous aussi », « même à vous », a dû être prononcé avec une nuance. — ἄρτι « maintenant », car je ne puis attendre plus longtemps de vous percer le cœur. — τεκνία douteux dans Gal. iv, 19 ne se trouve peut-être qu'ici et six fois dans I Jo. plus τεκνία μου (I Jo. ii, 1). On peut toujours dire (*Durand*) que cette expression de Jésus aura frappé Jean qui l'aura faite sienne; mais Jésus a-t-il parlé grec? et combien il est plus vraisemblable qu'ayant compris la charité de Jésus il l'ait rendue dans sa bouche par une expression qui lui était devenue familière! Jésus a probablement parlé alors en araméen qui ne saurait distinguer τέκνα et τεκνία.

34) Au moment de mourir, plus d'un grand homme a tenu à laisser aux siens une dernière pensée, la plus intime, par laquelle il vivra encore en eux. C'est ce que Jésus fait aussi, mais comme il fonde une communauté qui devra être animée de son esprit, il fait de cette pensée une loi : la loi de ses disciples sur la charité fraternelle, non pas telle que les hommes la peuvent concevoir, mais telle que lui-même l'a éprouvée. C'est sur ce dernier point qu'est l'accent, et c'est pour cela que καθὼς ἠγάπησα ὑμᾶς est comme encadré dans le précepte, répété après que sa portée a été une fois indiquée. — καθώς est « de la même manière que ». Les manifestations extérieures de cet amour devront être les mêmes, c'est-à-dire jusqu'à la mort, mais seulement si les circonstances l'exigent; ce qui importe, c'est que le principe de la charité soit aussi dominant.

Jésus est le Fils de Dieu incarné pour sauver les hommes; il le fait pour obéir à son Père, par amour pour son Père : c'est ainsi que les disciples devront

δίδωμι ὑμῖν ἵνα ἀγαπᾶτε ἀλλήλους καθὼς ἠγάπησα ὑμᾶς, ἵνα καὶ ὑμεῖς ἀγαπᾶτε ἀλλήλους. [35] ἐν τούτῳ γνώσονται πάντες ὅτι ἐμοὶ μαθηταί ἐστε, ἐὰν ἀγάπην ἔχητε ἐν ἀλλήλοις. [36] Λέγει αὐτῷ Σίμων Πέτρος Κύριε, ποῦ ὑπάγεις; ἀπεκρίθη Ἰησοῦς Ὅπου ὑπάγω οὐ δύνασαί μοι νῦν

36. *om.* αυτω *p.* απεκριθη (TH) et non *add.* (SV); — *om.* εγω *p.* οπου (HV) et non *add.* (TS).

---

s'aimer entre eux. Jésus n'a pas en vue ici directement l'amour que tous les hommes doivent avoir pour leur prochain, mais celui qui doit être la loi des siens. Seulement cette loi n'exclura personne. L'Incarnation fait connaître l'amour de Dieu pour le monde (III, 16 ss.); c'est l'amour même dont est animé le Fils de Dieu; son intensité est infinie, son étendue ne connaît pas de bornes. Et c'est en cela que le commandement est nouveau. Le précepte d'aimer le prochain est ancien (cf. sur Lc. x, 27); Jésus l'avait étendu même aux ennemis (Mt. v, 43-47). Il avait aussi enseigné que l'amour du prochain est le même devoir que l'amour envers Dieu (Mc. XII, 28-34; Mt. XXII, 34-40). Mais en ce moment il ne s'agit pas de textes, ni d'un perfectionnement à apporter à l'ancienne Loi. Il est trop évident que les sociétés d'alors, même religieuses, n'étaient pas fondées sur l'amour mutuel en Dieu, mais sur l'intérêt ou la passion. Si l'on compare la haine des Juifs pour les Gentils aux sentiments qu'ils ont les uns pour les autres, ils paraîtront s'aimer : *et quia apud ipsos fides obstinata misericordia in promptu, sed adversus omnes alios hostile odium* (TAC. *Hist.* v, 5); mais on ne tardera pas à voir dans la guerre d'indépendance que c'est la haine des ennemis qui les empêche seule de se déchirer entre eux. Jésus, lui, veut que la société religieuse qu'il fonde ait pour ciment l'amour, tel que les hommes doivent le comprendre dans la lumière de son Incarnation et les sentiments de son Cœur. En cela le commandement est vraiment nouveau.

35) Il n'a pas toujours été obéi, hélas! mais quand, dans son Église, des fidèles ont témoigné à leurs frères une charité constante et même héroïque, ce fut bien à l'instar de l'amour de Jésus, et cette charité s'est toujours manifestée dans l'Église. Et de fait, c'est par ses œuvres de charité que l'Église séduit encore les âmes, qui y reconnaissent un fruit de la charité même du Christ. On voit clairement dans ce verset que le commandement nouveau est donné aux disciples tout d'abord pour qu'ils s'aiment entre eux (cf. I Jo. II, 7-11; III, 13-16, etc.). Ceux du dehors ne disent pas : Voyez comme ils nous aiment, mais : Voyez comme ils s'aiment de cette charité surnaturelle que leur Maître leur a enseignée. D'ailleurs ils ne tardent pas à comprendre que l'exemple et le précepte du Maître s'étendent à tous les hommes, et de même aussi la charité de ceux qui sont vraiment siens.

On peut dire avec Loisy : « Dans le temps où écrit l'auteur, l'expérience est acquise, et il s'en glorifie, comme feront bientôt les apologistes du christianisme » (p. 402). Mais qu'il soit bien entendu qu'il s'en glorifie dans son épître en se référant au précepte déjà ancien (II Jo. 5), donné dès le commencement

uns les autres comme je vous ai aimés, que vous aussi vous vous aimiez les uns les autres. [35]C'est à cela que tous reconnaîtront que vous êtes mes disciples, si vous avez de l'amour les uns pour les autres. »

[36]Simon-Pierre lui dit : « Seigneur, où vas-tu? » Jésus répondit : « Où je vais tu ne peux me suivre maintenant, mais tu me suivras

(I, Jo. II, 7 ss. ; III, 11), c'est-à-dire qui est l'héritage sacré du Maître. — Il a plu à Jamblique (*vita Pythag.* c. 33) de dire quelque chose de semblable des Pythagoriciens : οὕτω θαυμαστὴν φιλίαν παρέδωκε τοῖς χρωμένοις, ὥστε ἔστι καὶ νῦν τοὺς πολλοὺς λέγειν ἐπὶ τῶν σφοδρότερον εὐνοούντων ἑαυτοῖς, ὅτι τῶν Πυθαγορείων εἰσί: attachement au sein d'une des sectes les plus fermées de l'antiquité grecque, non pas charité dilatée d'une société qui se sentait appelée à continuer l'œuvre de son fondateur pour le salut des hommes.

— ἐν τούτῳ pourrait passer pour sémitique, mais se trouve dans le grec hellénistique pour ἐκ τούτου (*Bauer*).

36-38. Prédiction du reniement de Pierre (Mc. xiv, 27-31; Mt. xxvi, 31-35; Lc. xxii, 31-34).

La prédiction du reniement de Pierre est en substance la même dans les quatre évangiles. Marc seul parle du second chant du coq. Mc. et Mt. rattachent très naturellement la protestation de Pierre à la prédiction de Jésus sur l'abandon des disciples, dont ne parlent ici ni Lc. ni Jo. De plus Jo. est d'accord avec Lc. contre les deux autres qui placent cette prédiction sur le chemin de Gethsémani. Il semble que Lc. et Jo. n'aient pas voulu interrompre les discours; cependant leur accord nous paraît somme toute décisif. Le P. Durand trouve « très vraisemblable » que Jésus ait répété plusieurs fois la prédiction du reniement de saint Pierre. Ce retour à une harmonie mécanique ne saurait être regardé comme un progrès de l'exégèse. Nous reconnaissons plutôt un procédé littéraire (cf. sur Lc. xxii, 33) parfaitement admis par Durand, qui ne met pas chaque parole de Jésus dans un ordre chronologique, comme la dispersion des disciples ne viendra que dans xvi, 32.

36) L'intervention de Pierre se rattache au v. 33. On en a conclu (*Loisy, Bauer,* etc.) que les vv. 34 et 35 ont été ajoutés plus tard. Admirable rigidité critique à laquelle nous devons de mieux apprécier le laisser aller sans artifice du discours. Pierre n'a sans doute écouté que d'une oreille distraite, attendant l'occasion de glisser son mot, qui lui tient à cœur.

On nous dit encore (les mêmes) que le v. 33 n'avait pas d'autre but que d'amener la prophétie du reniement en permettant la question de Pierre. Comme si la pensée du départ ne planait pas sur toute la scène! La question de Pierre suppose, il est vrai, qu'il n'a pas compris le départ dans le sens de la mort. Mais c'est qu'en effet les paroles de Jésus semblaient indiquer un simple éloignement furtif, suivi d'une recherche de la part des siens, ce qui n'est pas le cas normal après la mort. Ce qui est clair pour nous, l'était beaucoup moins pour les disciples : il faut le dire, puisqu'on affecte de parler d'une méprise grandement invraisemblable (*Loisy* p. 402). La réponse de Jésus maintient à

ἀκολουθῆσαι, ἀκολουθήσεις δὲ ὕστερον. [37] λέγει αὐτῷ ὁ Πέτρος Κύριε, διὰ τί οὐ δύναμαί σοι ἀκολουθῆσαι ἄρτι; τὴν ψυχήν μου ὑπὲρ σοῦ θήσω. [38] ἀποκρίνεται Ἰησοῦς Τὴν ψυχήν σου ὑπὲρ ἐμοῦ θήσεις; ἀμὴν ἀμὴν λέγω σοι, οὐ μὴ ἀλέκτωρ φωνήσῃ ἕως οὗ ἀρνήσῃ με τρίς.

37. ακολουθησαι (TSV) et non ακολουθειν (H).

---

l'égard de Pierre ce qu'il a dit des disciples, οὐ δύνασθε (33). Pierre l'entendra d'un défaut de courage, mais peut-être s'est-il trompé. Il semble que οὐ δύνασαι doive s'entendre des desseins de Dieu (*Schanz*) : Pierre, comme les autres, et comme chef des autres, aura une tâche à remplir après le départ de son Maître (XXI, 15 ss.; Mt. XVI, 18). Cependant pour ne pas faire à une protestation où il sent beaucoup d'amour une réponse purement négative, Jésus promet à Pierre qu'il le suivra plus tard, atténuation bien précieuse du v. 33, et en même temps prophétie, encore très voilée, du martyre de Pierre.

37) Dans cette atmosphère d'excitation au dehors, de trahison au dedans, Pierre a du moins compris que Jésus va jouer la grande partie. Il a senti οὐ δύνασαι comme un reproche, comme si tout dépendait de son courage et de sa bonne volonté! Dès maintenant il est prêt. Ne sait-il pas qu'il faut être résolu à donner sa vie si l'on veut suivre Jésus? On dirait bien ici un écho des synoptiques (Mc. VIII, 34-38 et parall.), mais dans la langue de Jo.; sur τιθέναι τὴν ψυχήν cf. X, 11. — Le dévouement si ardent de Pierre est toujours (cf. 6 ss.) accompagné de quelque suffisance, διὰ τί « et pourquoi donc »? avec l'accent d'un homme sûr de lui, et dès maintenant

38) Jésus reprend cette parole, téméraire en cela surtout que Pierre croyait pouvoir ce qu'il faut demander à Dieu; *Aug. : Quid tantum praesumis? Quid de te sentis?* Puis l'annonce du triple reniement comme dans les synoptiques, spécialement Mt. et Lc.

LE DISCOURS APRÈS LA CÈNE ET LA PRIÈRE (XIV-XVII).

Les admirables paroles de Jésus qui sont contenues dans ces quatre chapitres, si lumineuses, si profondes, ne forment pas un discours ni même une allocution composée avec méthode, et Jo. lui-même a marqué que le tout n'a pas été prononcé d'une seule haleine. Sans parler de la prière (XVII), il y a un temps d'arrêt entre XIV et XV. Les raisons que l'on trouvera dans les analyses qui suivent nous ont amené à distinguer : un entretien ou un discours qui forme un tout complet (XIV); un discours divisé en deux parties (XV); un nouvel entretien ou discours qui complète celui du ch. XIV (XVI); enfin la prière (XVII).

PREMIER ENTRETIEN SUR LE DÉPART DE JÉSUS (XIV).

Le chapitre XIV est parfaitement délimité. Il suit la prophétie du reniement de Pierre, il se termine par l'ordre de partir. Dans son ensemble, c'est une exhortation en vue du départ du Maître, à peine interrompue par des questions posées par trois disciples, lesquelles conduisent au développement des pensées. Jésus donne d'abord à ses disciples la consolation qu'on trouve au départ d'une personne chérie dans l'espérance du revoir : cette espérance est

plus tard. » [37]Pierre lui dit : « Seigneur, pourquoi ne puis-je pas te suivre maintenant? Je donnerai ma vie pour toi ! » [38]Jésus répond : « Tu donneras ta vie pour moi? En vérité, en vérité je te [le] dis : le coq ne chantera pas avant que tu m'aies renié trois fois. »

d'autant plus certaine que Jésus lui-même est la voie, la vérité et la vie, étant uni au Père (1-11). Malgré tout, il y aura une séparation, mais qui ne sera qu'apparente. Les disciples devront reprendre l'œuvre divine de Jésus, et garder ses commandements (12-15). Ils y seront aidés par le don du Paraclet (16-17) et par la présence de Jésus lui-même avec son Père, présence très réelle quoiqu'invisible au monde (18-24). Que si cette nouvelle manifestation n'est point aussi sensible que la première, le Paraclet fera revivre les paroles prononcées par Jésus (25-26).

Enfin Jésus termine par des paroles de réconfort parallèles au début à celles du commencement. Non seulement les disciples ne doivent pas se laisser aller au trouble, ils devraient plutôt se réjouir de voir le Fils aller à son Père après avoir fait son œuvre (27-31) : Jésus part, mais ses disciples le posséderont s'ils croient en lui et s'ils l'aiment.

On trouvera ailleurs d'autres partitions. A la suite de Calmes, Durand voit trois motifs d'espérer (1-11 ; 12-17; 18-24). Après quoi « les mêmes considérations sont reprises, mais dans l'ordre inverse ». Durand intitule ce chapitre : *L'Esprit-Paraclet.* C'est ne pas tenir compte de tout ce qui est dit de Jésus lui-même : son but principal est d'inviter ses disciples à croire en lui, à lui obéir, à l'aimer. Jésus console, mais il exhorte encore davantage; les disciples auront à se fortifier dans la foi et la pratique des commandements; ils y seront aidés par la présence de Jésus, uni à son Père, et par le Paraclet envoyé par le Père à la prière de Jésus.

Tout cet entretien est en situation à la veille de la Passion.

Outre les commentateurs ordinaires on citera : Durand S. J. *Le Discours de la Cène,* dans les *Recherches de science religieuse,* 1910, 97-131; 513-539; 1911, 321-349; 521-545.

Ce théologien si autorisé a fait remarquer que, spécialement dans les discours de la Cène, il fallait tenir compte de ce que Jean, le seul survivant du collège apostolique, avait eu sous les yeux durant plus d'un demi-siècle. « Des traits comme le genre de mort de saint Pierre, xiii, 37, cf. xxi, 18.19, les prodiges que les disciples doivent accomplir au nom du Maître, xiv, 12, la charité fraternelle signe distinctif des chrétiens, xiii, 35, les persécutions pour le nom de Jésus, xv, 20-22; xvi, 1-6.20-22, laissent l'impression très nette de choses qui ont été non seulement entendues, mais encore vues et éprouvées. Et c'est surtout le cas des paroles concernant la promesse de l'Esprit-Paraclet, qui occupe une si large place dans le discours après la Cène » (1910, p. 118). La pensée du distingué critique paraît être que tout cela a été réellement prédit, mais que la forme a été nuancée par la réalisation des prophéties.

Il est cependant difficile de dire en quoi.

CHAPITRE XIV

[1] Μὴ ταρασσέσθω ὑμῶν ἡ καρδία· πιστεύετε εἰς τὸν θεόν, καὶ εἰς ἐμὲ πιστεύετε. [2] ἐν τῇ οἰκίᾳ τοῦ πατρός μου μοναὶ πολλαί εἰσιν· εἰ δὲ μή, εἶπον ἂν ὑμῖν, ὅτι πορεύομαι ἑτοιμάσαι τόπον ὑμῖν· [3] καὶ ἐὰν πορευθῶ καὶ ἑτοιμάσω τόπον ὑμῖν, πάλιν ἔρχομαι καὶ παραλήψομαι ὑμᾶς πρὸς ἐμαυ-

3. τοπον υμιν (TH) et non υμιν τοπον (SV).

1-11. On se retrouvera auprès du Père, grace a Jésus qui est un avec le Père.

1) Assurément l'annonce de la trahison de Judas et du reniement de Pierre étaient de nature à troubler les disciples. Mais Jésus n'a plus en vue que leur trouble inévitable après la séparation. Que vont-ils devenir? C'est donc un discours nouveau qui commence, comme certains mss. l'ont indiqué dans le texte : D *a c d* par και ειπεν τοις μαθηταις αυτου, *Syrsin* et *Diat.-ar.* « et alors Jésus dit ». La séparation avait déjà été indiquée (xiii, 33) et un avis donné pour ce temps (xiii, 34-35), mais il importait de revenir sur ce thème pour encourager les disciples. La présence sensible devra être remplacée par la foi. Il n'est pas impossible d'entendre les deux πιστεύετε comme deux impératifs (*Anc. latt. pes. sah. boh. Cyr. Bauer, Loisy, Calmes*, etc.). Assurément Jésus pouvait recommander même à ses disciples de mettre toute leur confiance en Dieu. Mais πιστεύειν doit s'entendre la seconde fois d'une foi intellectuelle (v. 11), et, dans ce sens, les disciples avaient déjà la foi en Dieu, comme a compris Origène (sur Jo. i, 12; *Preuschen* p. 489) : ἐπεὶ πιστεύετε εἰς τὸν θεόν, καὶ εἰς ἐμὲ πιστεύετε. (*Vg. Mald.*). C'est même le *leit-motiv* de tout ce discours : Jésus exige des disciples qu'ils aient foi en lui comme dans le Père, qu'ils croient qu'il est dans le Père et que le Père est en lui. Le même mot reviendra au v. 29 : ἵνα... πιστεύσητε. Jésus quittant ses disciples ne leur serait vraiment utile que s'ils avaient une foi inébranlable en sa divinité : c'est à cette condition qu'il devait les visiter en venant avec le Père. On a incliné vers l'idée de confiance à cause du rôle que Jésus va jouer d'abord : aller préparer les places. Mais ce n'est qu'une première idée qui prépare une pénétration plus complète. Le premier verset doit donc être un peu détaché de ce qui suit immédiatement : c'est presque un titre. Le sens de Zahn (cf. Durand) : « croyez en Dieu et vous croirez aussi en moi » (cf. (*syrsin.*) ajoute au texte.

2) La première partie est claire : μονή est un logement. Quoique ces mots soient souvent cités depuis les presbytres d'Irénée (V, xxxvi, 2) comme une preuve qu'il y a bien des logis différents auprès de Dieu, afin d'encourager ceux qui ne peuvent prétendre à la première place, il n'est nullement ques-

« [1]Que votre cœur ne se trouble point : vous croyez en Dieu, croyez aussi en moi. [2]Dans la maison de mon Père, il y a beaucoup de demeures; s'il n'en était pas ainsi, je vous l'aurais dit, car je vais vous préparer une place; [3]et quand je m'en serai allé et que je vous aurai préparé une place, je reviend rai et je vous prendrai

tion ici des degrés dans le bonheur céleste. Il y a beaucoup de places, c'est tout ce qui importe. — La deuxième partie a été comprise de bien des manières, surtout selon qu'on entend ὅτι comme récitatif, « à savoir », ou comme causal, « parce que ». Premier mode (*a*) : « S'il n'en était ainsi, vous aurais-je dit : je vais pour vous préparer une place »? (*Bauer* cf. *Calmes*); ou bien (*b*) : « sinon je vous aurais dit : Je vais vous préparer une place » (*Zahn*). Second mode : « Si cela n'était pas, je vous [l'] aurais dit, [puisque] je vais vous préparer une place » (*Durand,* etc.). Le premier mode (*a*) ne peut indiquer l'endroit de Jo. où Jésus aurait dit déjà qu'il allait préparer une place, et c'est très à tort que Bauer répond qu'en règle générale les citations de Jo. sont inexactes (cf. x, 25; xi, 40 ; xviii, 9), que d'ailleurs cela est dit équivalemment dans xii, 26. Le premier mode (*b*) n'a pas compris que c'est précisément quand il y a de la place qu'on va préparer le lieu (cf. Apoc. xii, 6), disposer les billets de logement pour chacun, avertir, etc. S'il n'y a pas de logis, il n'y a rien à faire. Dans ce dernier cas, Jésus aurait prévenu, ce qu'il n'a pas fait, précisém ent parce qu'il va préparer les places *pour eux.* Nous préférons donc le deuxi ème mode (*Mald. Schanz,* etc., opinion commune). Loisy combine les deux modes : « Sinon, je vous aurais dit que je vais vous préparer place », en partant de cette idée fausse, que « s'il y a des places, et il y en a, elles n'ont pas besoin d'être préparées », et en supposant que le v. 3 a été inséré après coup dans le morceau! Dans le système de Burney, on pourrait regarder ὅτι comme la transcription de ד, « moi qui vais », etc. (cf. *syrsin.*).

3) Ce verset fait naturellement suite au précédent, tel que nous l'avons entendu, et il est nécessaire pour compléter la pensée telle que la suggère la situation. La consolation des disciples au départ du Christ ne sera pas seulement d'être admis dans la maison de Dieu, mais d'y être avec Jésus qui achèvera sa mission de bon fourrier en venant chercher pour les conduire ceux dont il aura préparé les demeures. Il est clair que cette venue du Christ n'est pas celle des vv. 18 ss. On admet plus généralement que c'est la *manifestation* suprême, dit e de la Parousie, à laquelle fait allusion plus clairement I Jo. ii, 28, au moment de la résurrection des corps, et avant le dernier jugement. D'autres (*Kn.*, *Calmes,* etc.) l'entendent du retour *invisible* du Christ venant chercher ses disciples au moment de leur mort. En fait, Jo. n'indique expressément ici ni l'un ni l'autre de ces deux modes; il suit simplement sa comparaison. Celui qui a préparé les logis de ses amis ou de ses camarades revient sur ses pas pour les prendre à leur entrée dans la ville et les conduire chacun à sa demeure : mais ici ces demeures séparées sont réunies dans la maison du Père, c'est-à-dire chez le Fils. A quel moment viendra Jésus? cela n'est pas dit, mais en tout cas il n'est pas soufflé mot ici d'une

τόν, ἵνα ὅπου εἰμὶ ἐγὼ καὶ ὑμεῖς ἦτε. [4]καὶ ὅπου ἐγὼ ὑπάγω οἴδατε τὴν ὁδόν. [5]Λέγει αὐτῷ Θωμᾶς Κύριε, οὐκ οἴδαμεν ποῦ ὑπάγεις· πῶς οἴδαμεν τὴν ὁδόν; [6]λέγει αὐτῷ Ἰησοῦς Ἐγώ εἰμι ἡ ὁδὸς καὶ ἡ ἀλήθεια καὶ ἡ ζωή· οὐδεὶς ἔρχεται πρὸς τὸν πατέρα εἰ μὴ δι' ἐμοῦ. [7]εἰ ἐγνώκατέ με, καὶ τὸν πατέρα μου γνώσεσθε· ἀπ' ἄρτι γινώσκετε αὐτὸν καὶ

5. πως οιδαμεν την οδον (H, T *praem.* και) et non και πως δυναμεθα την οδον ειδεναι (SV). 7. εγνωκατε (T) plutôt que εγνωκειτε (HSV); — γνωσεσθε (T) plutôt que αν ηδειτε (HV) et non εγνωκειτε αν (S); — *om.* αυτον *p.* εωρακατε (H) ou *add.* (TSV).

---

manifestation glorieuse et sensationnelle. En écrivant, Jo. ne pouvait plus supposer que les apôtres mourraient tous ensemble.

Aurait-il pensé qu'ils ne rejoindraient le Christ qu'après la résurrection générale? Rien ne l'indique. Il faudrait donc supposer qu'il parle ici à la communauté des derniers temps, ce qui n'est pas indiqué non plus. Le principe c'est que le fidèle serviteur n'est pas séparé de son maître (xii, 26); Paul l'avait déjà écrit plus nettement (II Cor. v, 8). Tous ensemble ou chacun séparément ils n'ont qu'à se tenir tranquilles, Jésus viendra les chercher au moment voulu pour les prendre avec lui. — ἐάν dans le sens positif de « si donc », équivalent presque à ὅταν, cf. xii, 32. — Le présent pour le futur est classique avec les verbes de mouvement comme ἔρχομαι (K.-*G.* I, p. 130 s.), et parfois suivi du futur, parce que l'action est déjà censée commencée, ce qui exclut la solennité d'un événement futur; c'est comme s'il y avait : je viendrai chaque fois que l'occasion se présentera.

4) Zahn préfère la leçon du texte reçu, de la *Vg.*, des *syrr.* καὶ ὅπου ἐγὼ ὑπάγω οἴδατε, καὶ τὴν ὁδὸν οἴδατε, qui semble avoir été rédigée pour mieux préparer le double aspect envisagé par Thomas au v. 5. — La leçon courte n'insiste pas sur le terme du voyage. S'il était encore obscur pour Pierre (xiii, 36) peu auparavant, il ne pouvait plus l'être après les explications données sur le retour de Jésus auprès de son Père pour préparer des places aux disciples. Seulement si le divin fourrier devait revenir pour les introduire, il fallait du moins qu'ils eussent pris la bonne route. Cette route, c'était avant tout le commandement de la charité (xiii, 34) : tout Israélite savait qu'on allait à Dieu en observant ses commandements, et Jésus avait dit quel était le premier de tous. Ils connaissaient donc la route qui mène à Dieu.

5) Thomas savait bien qu'il y allait en ce moment de la vie du Christ, et il était prêt à mourir avec lui (xi, 16). Il ne pouvait ignorer non plus qu'après la mort le fidèle Israélite, — sans parler de Jésus (vi, 32-62; viii, 23) — va auprès de Dieu. Mais quel chemin Jésus avait-il en vue, quand il parlait de s'en aller? Il avait refusé de répondre nettement à Pierre qui avait interrogé nettement. Thomas, qui aimait les preuves topiques (xx, 24 ss.), s'étonne que Jésus prétende qu'ils doivent savoir la voie quand il n'a pas daigné s'expliquer sur le but. Ce n'est peut-être pas très respectueux, mais ce n'est pas d'une inintelligence qui dépasse toute mesure (*Loisy*); ὑπάγω n'avait pas éét

auprès de moi, afin que là où je suis vous soyez vous aussi. [4]Et [pour aller] où je vais vous savez la voie. » [5]Thomas lui dit : « Seigneur, nous ne savons où tu vas; comment connaîtrions-nous la voie? » [6]Jésus lui dit : « Je suis la voie, et la vérité et la vie; personne ne vient au Père si ce n'est par moi. [7]Si vous m'avez connu, vous connaîtrez aussi mon Père; dès à présent vous le

prononcé à propos de la vie future, et Thomas l'entendait, comme Pierre précédemment, et comme jadis les Juifs (VII, 35), d'un voyage qui pouvait, il est vrai, aboutir à la mort. Le ton bourru de la réflexion de Thomas est bien conservé dans le texte préféré par H et T. Celui de S et V est une correction assez plate qui détruit le pittoresque et met au net le raisonnement.

6) Thomas n'a même pas compris « la voie » dans le sens moral et religieux qu'elle avait chez les Juifs (Is. XXX, 11, etc.); il s'en tient au chemin qu'on pourra prendre pour aller dans il ne sait quelle direction. Sans s'attarder à relever sa méprise, et révélant d'un seul coup toute l'économie du N. T., Jésus ne retient que le mot de voie pour point de départ, en transposant complètement la comparaison commencée. Il n'est plus le fourrier, il est la voie. Déjà le mot du début : vous qui croyez en Dieu, croyez aussi en moi, avait amorcé une révélation importante; elle est contenue en trois mots. Avec un zèle louable de pénétrer le contexte, Maldonat s'est donné beaucoup de mal pour entendre la vérité et la vie dans un rapport étroit avec la voie. Il suffit que cette vérité et cette vie soient celles du Médiateur qui les possède absolument comme son Père. Le premier terme seul est expliqué ici authentiquement : il est la voie parce que nul ne parvient auprès de son Père que par lui, ce qui doit s'entendre de la foi (III, 15) qu'on a en Lui, en lequel on connaît le Père (7). Les deux autres termes s'entendent avec le secours de passages du même ordre. Il est la vérité, parce que pour voir le Père comme il le voit (I, 18; VI, 46), et pour rendre ainsi un témoignage véritable, il faut être dans son sein et participer à sa nature qui est vérité, et lumière (I Jo. I, 5). Il est la vie (I Jo. I, 2) car, avant le temps, la vie était en lui (I, 4); et devenu homme il est vie et source de vie (XI, 25), étant le pain vivant (VI, 51) qui donne la vie éternelle. La doctrine de la voie est d'ailleurs la même que celle de la porte (X, 7-9), mais exprimée d'une façon plus sublime, au contact de ces termes non métaphoriques de vérité et de vie. On peut dire avec Loisy : « Grande simplification de la mystique du temps, préoccupée de connaître la voie d'immortalité, l'itinéraire à suivre dans l'autre monde, à travers les sphères célestes... Qui croit en Jésus n'a pas besoin d'autre gnose; il est sûr d'atteindre le but et il y touche dès maintenant » (p. 406).

7) Déjà les termes de vérité et de vie, étant absolus, suggéraient que Jésus n'était pas seulement la voie qui conduit à Dieu, mais Dieu lui-même. C'est ce qu'il va dire plus clairement : qui le voit, voit aussi son Père. Le v. 7 est lu de deux facons : *a*) εἰ ἐγνώκατέ με (ou ἐμέ), καὶ τὸν πατέρα μου γνώσεσθε, ou bien *b*) εἰ ἐγνώκειτέ με, καὶ τὸν πατέρα μου ἂν ᾔδειτε (ou ἐγνώκειτε ἄν). Il semble que ἄν ᾔδειτε (BC etc.) est une correction de ἐγνώκειτε ἄν pour éviter la répétition : la leçon γνώσεσθε est soutenue par ℵ DW *boh*. Ir. Nonnus.— ἐγνώκατε qui est parallèle a pour

ἑωράκατε. [8] Λέγει αὐτῷ Φίλιππος Κύριε, δεῖξον ἡμῖν τὸν πατέρα, καὶ ἀρκεῖ ἡμῖν. [9] λέγει αὐτῷ ὁ Ἰησοῦς Τοσοῦτον χρόνον μεθ' ὑμῶν εἰμι καὶ οὐκ ἔγνωκάς με, Φίλιππε; ὁ ἑωρακὼς ἐμὲ ἑώρακεν τὸν πατέρα· πῶς σὺ λέγεις Δεῖξον ἡμῖν τὸν πατέρα; [10] οὐ πιστεύεις ὅτι ἐγὼ ἐν τῷ πατρὶ καὶ ὁ πατὴρ ἐν ἐμοί ἐστιν; τὰ ῥήματα ἃ ἐγὼ λέγω ὑμῖν ἀπ'

9. *om.* και *a.* πως (TH) et non *add.* (SV).
10. αυτου *p.* εργα (TH) et non αυτος (S); encore moins αυτος ποιει τα εργα (V).

---

lui ℵ D *a b c d e ff² m q* Ir. Novat. Hil. Vict. Aug. Des deux façons c'est le principe de XII, 45. Mais tandis que le mode *b* est dans l'ordre absolu, et se pose comme un théorème, le mode *a* est une pensée concrète parfaitement en situation après la précédente (*Aug.*) : au lieu d'un reproche, c'est une consolation, celle précisément que Jésus inspirait alors, car εἰ ἐγνώκατε ne suppose pas un doute positif : si, comme c'est un fait, vous m'avez connu, vous connaîtrez aussi le Père (*Zahn, Bauer;* contre *Schanz., Weiss., Loisy, Calmes, Till.*). — La leçon que nous préférons a pu paraître ne pas accentuer assez l'unité du Père et du Fils, puisque la connaissance du Père était seulement promise, et c'est peut-être pour cela qu'elle a été changée. Mais on aurait pu se rassurer par le correctif que Jésus ajoute ici (7ᵇ) : « ou plutôt » (sous-entendu), dès maintenant vous le connaissez, puisque vous avez la foi de la révélation ancienne, et même vous l'avez vu, puisque vous m'avez vu (cf. XII, 45). — ἀπ' ἄρτι au même sens que XIII, 19; Apoc. XIV, 13.

8) Voir le Père dans le Fils, c'était croire que le Fils avait la nature divine, ce n'était pas jouir directement de la vue du Père. Cette vue, tout Israélite savait qu'elle avait été accordée, dans une certaine mesure, du moins à Moïse (Ex. XXXIII, 18 ss.) et à Isaïe (VI, 1). Si Jésus accordait la même faveur à ses disciples, il ne leur resterait rien à désirer. C'eût été, pensait Philippe, la confirmation de leur foi, la satisfaction de leurs espérances, la consolation pour le temps qui suivrait la séparation. Philippe donc sait bien qu'il a vu Jésus et il croit le connaître. Mais il n'a pas compris qu'en voyant Jésus il voyait Dieu par la foi, ou du moins il ne se contente pas de cette vue et voudrait une vue directe de Dieu. Il parle au nom des disciples. Aussi Jésus répondra d'abord à lui, puis étendra sa réponse à tous.

9) La réponse de Jésus ne dit pas expressément que Philippe l'a vu des yeux du corps; cela allait de soi, depuis le temps que le Maître était avec ses disciples; mais il ne l'a pas connu, c'est-à-dire n'a pas bien compris que Dieu était en lui à ce point que le voir c'était voir Dieu même. Il n'est nullement question d'une connaissance distincte du Fils et du Père au sein de la Trinité, mais de la vraie notion de l'individualité manifestée en Jésus. Ces mots ajouteraient très peu au v. 7ᵃ si on l'entend : « Si vous m'aviez connu, vous auriez aussi connu (ou vous connaîtriez aussi) le Père », et c'est une raison de l'entendre comme nous l'avons fait. Ils complètent ce que le second ἑωράκατε avait encore de vague : vous l'avez vu... Je demande plutôt à le voir, dit Philippe... Oui, vous l'avez vu en moi... ta

connaissez et vous [l']avez vu. » [8]Philippe lui dit : « Seigneur, montre-nous le Père et cela nous suffit. » [9]Jésus lui dit : « Depuis si longtemps je suis avec vous, et tu ne m'as pas connu, Philippe? Celui qui m'a vu a vu le Père; comment peux-tu dire : Montre-nous le Père? [10]Ne crois-tu pas que je suis en le Père et que le Père est en moi? Les paroles que je vous dis, je ne les profère pas de

question est donc déplacée. Philippe ne se contentait pas de la foi : il faut même dire que sa foi était quelque peu inconsciente, puisque Jésus la réveille, et lui fait comprendre en même temps qu'il doit s'en contenter.

10[a]) Que Philippe se rappelle l'enseignement de Jésus (v, 36; x, 37 s.) auquel il a certainement adhéré, qu'il réfléchisse, et il confessera que Jésus est vraiment en Dieu, et Dieu en lui. Le premier enseignement de ce passage par rapport aux Apôtres, c'est que celui qui leur parle possède la divinité. Si l'on pouvait dire que Dieu était dans les prophètes par son Esprit, on ne pouvait dire qu'ils étaient en Dieu. Cependant, outre leur sens premier dans la situation de la Cène, les paroles de Jésus inaugurent une révélation sur la vie intime de Dieu. Au moment où il affirme le plus énergiquement qu'il est Dieu, il se distingue du Père, donc comme Fils et non seulement comme homme.. C'était introduire dans l'unité une distinction que la théologie avait à déterminer par des termes appropriés. Aussi les Pères ont-ils compris que ces mots, si forts contre les Ariens, ne favorisaient pas Sabellius, bien au contraire. Car ce qui importait le plus au Cénacle, c'était de montrer en Jésus l'action d'une personnalité dans l'unité divine.

10[b]) La seconde partie est une nouvelle affirmation, un éclaircissement de ce qui précède, non une raison de croire. L'unité du principe d'action en Jésus, et d'un principe divin, de ce que nous nommons une personne, se manifeste de deux façons. Lorsque Jésus parle, il ne parle pas de lui-même, c'est-à-dire comme homme : tout son enseignement est puisé dans la connaissance directe qu'il a de Dieu et de ses volontés; cela est indiqué ici très brièvement, parce que cela avait déjà été dit (vii, 16; viii, 28; xii, 49). De plus, lorsqu'il agit, c'est en réalité le Père, c'est-à-dire Dieu qui est en lui, qui fait son œuvre propre. L'appel à la crédibilité des œuvres ne commence qu'au v. suivant. Il ne faut donc pas voir ici un argument tiré de la sublimité de l'enseignement de Jésus, et du caractère miraculeux de ses œuvres. C'est un témoignage que Jésus se rend, étant conscient de sa personne et de sa nature divine; il nous enseigne ce que seul il pouvait révéler, sur le principe divin de ses paroles et de ses œuvres. Après la controverse arienne, les Pères ont vu dans ce passage une allusion à la différence d'activité entre le Père et le Fils, venant de ce que le Fils a reçu du Père sa nature divine; Aug. *Verum quia sic aequalis alter alteri, ut tamen alter ex altero, ideo non loquitur a semetipso, quia non est a seipso; et ideo Pater in illo manens facit opera, ipse, quia per quem et cum quo facit, non est nisi ab ipso.* Selon Knabenbauer, Jésus a tenu beaucoup à imprimer dans l'esprit de ses disciples cette περιχώρησις ou *circumincessio.* Mais Philippe aurait-il compris? Nous l'entendons avec Mald. : *verba quae loquor et opera quae facio, non humana sed*

ἐμαυτοῦ οὐ λαλῶ· ὁ δὲ πατὴρ ἐν ἐμοὶ μένων ποιεῖ τὰ ἔργα αὐτοῦ. [11] πιστεύετέ μοι ὅτι ἐγὼ ἐν τῷ πατρὶ καὶ ὁ πατὴρ ἐν ἐμοί· εἰ δὲ μή, διὰ τὰ ἔργα αὐτὰ πιστεύετε. [12] Ἀμὴν ἀμὴν λέγω ὑμῖν, ὁ πιστεύων εἰς ἐμὲ τὰ ἔργα ἃ ἐγὼ ποιῶ κἀκεῖνος ποιήσει, καὶ μείζονα τούτων ποιήσει, ὅτι ἐγὼ πρὸς τὸν πατέρα πορεύομαι· [13] καὶ ὅ τι ἂν αἰτήσητε ἐν τῷ ὀνόματί μου τοῦτο

divina sunt. Et c'est bien le sens de Cyrille qui a dégagé de tout le verset la même doctrine : ἐν ἐμοὶ γὰρ μένων, διὰ τὸ ἀπαράλλακτον ἐν οὐσίᾳ, ποιεῖ τὰ ἔργα αὐτός. Nous avons déjà noté l'extrême concision de la phrase. Après : « je ne parle pas de moi-même », on attendrait : c'est mon Père qui parle en moi. Et ensuite : « quand j'agis », c'est mon Père, etc. Le Fils parle et le Père agit. Aussi Aug. et Chrys. ont identifié les paroles et les œuvres, parce que les paroles sont des œuvres. Cette confusion a peut-être conduit à lire αὐτός (L X 35 Cyr.) au lieu de αὐτοῦ (ℵBD *sak. boh.*); mais on sentait si bien que αὐτός était impossible en fin de phrase qu'on a enfin corrigé en αὐτὸς ποιεῖ τὰ ἔργα (texte reçu), leçon beaucoup plus coulante, et qui n'aurait jamais été changée si elle eût été originale. — L'œuvre de Dieu en Jésus est l'œuvre messianique.

11) On voit bien ici que le v. 10 était une affirmation personnelle de Jésus en qui les apôtres sont invités à croire. N'avaient-ils pas dans son commerce, dans le contact avec son âme, avec sa Personne, durant une intimité si douce et si prolongée, une raison décisive de croire en sa parole? Sinon, s'ils voulaient juger de lui comme pouvait le faire le public, ils devaient du moins tirer la conclusion imposée par les miracles, tels que Jésus les faisait, pour prouver qu'il était l'envoyé du Père (xi, 42), et même que Dieu était en lui, et lui en Dieu (x, 36-38; cf. iii, 2; v, 17-36; viii, 19.26-29; xii, 49). D'ailleurs les deux arguments se corroboraient l'un l'autre, car les miracles qu'il faisait autorisaient ses affirmations. Dieu aurait-il autorisé des mensonges et même des blasphèmes par des miracles? — Cette fois Jésus s'adresse à tous les Apôtres, plus ou moins anxieux du résultat de l'intervention de Thomas et de Philippe. C'est bien la conclusion des paroles à Philippe, mais en même temps l'occasion d'exhorter et de consoler tous les autres.

— Après πιστεύετε (2°), il ne faut pas sous-entendre μοι (*Durand*), sous peine de supprimer l'opposition avec le premier πιστεύετε (cf. iv, 21); il faudrait plutôt sous-entendre εἰς ἐμέ. Si vous ne me croyez pas, c'est-à-dire à cause de mon témoignage, croyez cependant en moi à cause de mes œuvres. C'est une *inclusio* par rapport au v. 1.

12-26. Secours accordés aux disciples pour leur œuvre durant la séparation. La première partie ne touchait en rien à l'œuvre des disciples. La séparation ne doit point les troubler, puisque Jésus les conduira au Père : l'ayant vu, ils ont déjà vu le Père : ils n'ont qu'à croire en lui, en qui ils ont possédé Dieu et qui leur rendra Dieu. Cependant, dans l'intervalle, il leur faudra agir. Jésus leur promet successivement l'accomplissement d'œuvres divines (12-14), le Paraclet (15-17), sa propre présence invisible et celle de son Père (18-24), l'enseignement du Paraclet (25-26).

12-14. *Le fidèle disciple, associé à l'œuvre du Fils, qui l'accomplira en lui.*

moi-même; le Père, demeurant en moi, accomplit ses œuvres. [11]Croyez-m'en : je suis en le Père et le Père est en moi; ou du moins, croyez-le à cause des œuvres mêmes. [12]En vérité, en vérité je vous [le] dis : celui qui croit en moi fera lui aussi les œuvres que je fais et il en fera de plus grandes, car je m'en vais vers le Père; [13]et quoi que vous demandiez en mon nom, je le ferai, afin que

12) Il y a un développement nouveau, inauguré par ἀμήν κ. τ. λ. La liaison avec ce qui précède se fait pour la pensée par la foi en Jésus; elle se fait aussi d'un mot à un mot (mode sémitique) par les œuvres. Ces œuvres au v. 11 étaient surtout les miracles : ici c'est l'œuvre messianique dans toute son étendue, l'établissement du règne de Dieu. Aussi la foi n'est pas au terme, mais au point de départ. Quels que soient les miracles des disciples de Jésus, ils ne prouveront pas en vue de leur propre personne; mais ils témoigneront de leur foi en lui, et par conséquent tourneront à sa gloire. Aussi bien toute l'efficacité plus grande de cette activité nouvelle est-elle due à Jésus, puisqu'elle découle de son retour auprès de son Père. C'est ce que Loisy a fort bien dit : « La naissance, le développement, la vie entière de l'Église sont présentés comme faisant suite à l'Évangile et comme le dépassant. Ce sera toujours le Christ qui agira; tant qu'il vit avec ses disciples, son activité est limitée par les conditions de l'existence terrestre et les nécessités providentielles de son rôle auprès des Juifs; ces limitations n'existeront plus quand il sera entré dans sa gloire, et c'est pourquoi l'œuvre des disciples sera plus merveilleuse que son œuvre personnelle » (p. 408). Voilà ce dont Jésus avait conscience (x, 16-18; xi, 52), et ce que les disciples n'auraient pas osé entreprendre s'ils n'avaient eu la promesse de son assistance.

13) Les disciples étaient habitués à s'adresser à Dieu pour obtenir son secours. Dans l'œuvre de Jésus qu'ils auront à faire, ils devront prier en son nom et il fera. — La formule ἐν τῷ ὀνόματι a été entendue de bien des manières : *a*) On pourrait songer à la manière dont les Juifs rappelaient le souvenir des Pères, dans l'espérance que Dieu se laisserait toucher par le souvenir de leurs vertus, et ferait, par amitié pour eux, ce qu'il n'eût pas fait pour celui qui prie, s'il n'était leur descendant. Ici les disciples invoqueraient leur qualité de disciples de Jésus. D'après Durand (*Recherches*... 1910, p. 528) c'est prier « en tant que disciple de Jésus » et il s'appuie sur Mc. ix, 41, ce qui prouverait que « si la formule est nouvelle, la chose ne l'est pas ». Mais précisément ce mode de prier sera nouveau dans la pensée de Jo. (xvi, 23.24). *b*) On peut entendre que les disciples qui font l'œuvre de Jésus demandent en son nom, comme chargés de ses affaires (*Bern. Weiss*), ou encore comme étant désormais unis à lui (*Till.*), la formule de Jo. ayant le même contenu que celle de Paul : « dans le Christ Jésus ». *c*) Mais il s'agit bien plutôt (*Heitmüller*) de la prière qui sera celle de l'Église, où l'on invoquera le nom de Jésus. Et il ne sera pas seulement nommé pour ses mérites, et comme un utile intercesseur, car l'intercesseur, connu des Juifs (II Macch. xv, 14), n'est pas celui qui exauce la demande. Or, ici c'est Jésus qui agira. Le fidèle qui l'invoque croit en lui, de la façon qui vient d'être dite,

ποιήσω, ἵνα δοξασθῇ ὁ πατὴρ ἐν τῷ υἱῷ· [14]ἐάν τι αἰτήσητέ με ἐν τῷ ὀνόματί μου, ἐγὼ ποιήσω. [15]Ἐὰν ἀγαπᾶτέ με, τὰς ἐντολὰς τὰς ἐμὰς τηρήσετε· [16]κἀγὼ ἐρωτήσω τὸν πατέρα καὶ ἄλλον παράκλητον δώσει

14. εγω (TSV) plutôt que τουτο (H).
15. τηρησετε (TH) ou τηρησατε (SV).

---

c'est-à-dire que Jésus agit pour le Père comme le Père agit en lui. C'est toujours le Père qu'on prie, mais le Fils lui est associé (*Bauer, Loisy, Zahn*). De fait les Apôtres ont obtenu des miracles « en le nom » (Act. III, 6,16; IV. 10; XVI, 18) comme Jésus le leur avait promis (Mc. XVI, 17). Ce rapprochement se trouve dans le fragment (*Cramer*, p. 348) attribué à Chrys. τοῦτό ἐστιν, ὅπερ οἱ Ἀπόστολοι μετὰ ταῦτα ἔλεγον.

Si Jésus agit quand on prie en son nom, c'est pour continuer l'œuvre qu'il faisait sur la terre et lui donner son achèvement, la gloire du Père dans le Fils, c'est-à-dire de Dieu en son Christ.

La Vg.-Clém. nomme ici expressément le Père : *petieritis Patrem*. Le mot est de trop, mais c'était bien la pensée.

14) Des autorités assez graves (AD etc. *a e boh. sah.* etc.) ont omis με après αἰτήσετε. Il a pu paraître peu naturel de demander à quelqu'un en son nom. Une fois με rayé, le verset risquait de passer pour une pure répétition, ou une glose (*Loisy*). Aussi a-t-il été omis par *syrsin.* et quelques mss. grecs. Mais la leçon difficile n'est pas impossible; on priait Dieu à cause de son nom (Ps. XXV, 11; XXXI, 4; LXXIX, 9 *Zahn*). Le verset indique donc plus clairement ceci, que la prière adressée au nom de Jésus atteignait en réalité Jésus lui-même et que le fidèle pouvait choisir la formule la plus directe en s'adressant au Christ glorifié. Et c'est bien lui qui agira. ἐγώ (ℵDE etc. *a e f ff² pes.*) répond à με : ce sont les deux éléments nouveaux du verset. Et cet ἐγώ réduit à sa valeur propre la promesse faite aux disciples : ils sembleront en faire plus que leur Maître : c'est lui qui fera. Qu'ils n'oublient donc pas de recourir à la prière! Mais quelle assurance pour eux de savoir que toutes les fois qu'ils invoqueront le Christ, il interviendra et fera ce qu'ils demandent! Il n'est pas question ici de l'efficacité de toute prière, mais de la prière des fidèles pour le bien de l'Église : elle est toujours exaucée.

15-17. *Promesse d'un assistant, le Paraclet.* Cette première assistance qui consistera à exaucer les prières ne sera pas la seule : Jésus promet davantage.

15) Cette fois encore Jésus entrevoit dans l'avenir l'action de ses disciples. De même que la foi était nécessaire pour que la prière soit exaucée, ainsi l'accomplissement des commandements sera la condition pour recevoir le Saint-Esprit (*Schanz*), et cet accomplissement sera la conséquence de l'amour. Nous lisons le futur τηρήσετε (B L et sept ou huit mss. grecs, *boh. sah.* Eus. Epiph. Chrys.) avec une légère préférence, et non l'aor. impér. τηρήσατε, beaucoup plus soutenu, mais qui s'accorde moins bien avec le futur ἐρωτήσω qui suit.

Jésus parle de ses commandements, parce qu'il fonde une société nouvelle

le Père soit glorifié dans le Fils; [14] si vous me demandez quelque chose en mon nom, je [le] ferai.

[15]Si vous m'aimez, vous garderez mes commandements; [16]et je prierai le Père, et il vous donnera un autre Défenseur afin qu'il

dont il est le législateur, mais on ne voit pas qu'il ait en vue un catalogue de commandements nouveaux. Ce n'est pas non plus ce qu'a compris Jo. (I Jo. II, 3-5; III, 23 s.; V, 2-4), qui insiste surtout sur l'amour et sur la foi comme comprenant tout le reste. — Aug., toujours attentif à la psychologie individuelle, s'est demandé comment on peut aimer Jésus avant d'avoir reçu l'Esprit-Saint? La réponse théologique est : *spiritum sanctum habere qui diligit, et habendo mereri ut plus habeat, et plus habendo plus diligat*. Historiquement, si les disciples, par amour pour Jésus, sont disposés à faire son œuvre en pratiquant ce qu'il leur a commandé, il leur obtiendra l'Esprit qui donnera la grande impulsion (*Schanz*).

16) Avant d'expliquer le v., il faut déterminer le sens de παράκλητος (textes dans *Westcott, Zahn, Bauer*) Ce mot ne se trouve que dans les écrits Johanniques (ici; XIV, 26; XV, 26; XVI, 7; I Jo. II, 1). Dans l'épître c'est une qualification du Christ, intercesseur auprès du Père pour ceux qui ont péché. Mais ici c'est un *autre* Paraclet, envoyé par le Père à la demande du Fils. On ne saurait donc s'appuyer trop exclusivement sur I Jo. II, 1. Quant au sens premier ou étymologique, c'est un équivalent exact du latin *advocatus*, une forme passive de παρακαλέω : il désigne, dans les rares anciens textes connus, ceux qu'on appelait à la rescousse pour prêter main forte à un accusé; cf. Démosthène, *de falsa legat*. I, p. 341; Bion dans Diogène Laërce IV, 50; Denys d'Hal. XI, 37, 1; Dion Cassius XLVI, 20, 1. Mais le mot grec ne semble pas avoir pris le sens technique du latin *advocatus*, avocat. Il pouvait naturellement arriver que celui qu'on appelait à l'aide fût quelqu'un de plus puissant, comme l'avocat est un patron qui défend son client, et l'on pouvait concevoir l'assistance en dehors du cas d'évocation devant un tribunal. De sorte que le sens passif a pu devenir actif comme dans d'autres adjectifs verbaux en — τός. Cette évolution s'est produite lorsque Aquila et Théodotion ont traduit (Job. XVI, 2) παράκλητοι ce qui dans les LXX était παρακλήτορες (Sym. παρηγοροῦντες). Dans ce cas le sens de l'hébreu est « consolateur », mais Philon a le sens de conseiller (*de mundi op*. 23; M. I, 5), de patron (*in Flac*. 13; M. II, 519), d'intercesseur (*de Josepho*, 234; M. II, 75), Joseph disant à ses frères : j'ai tout oublié, vous n'avez pas besoin d'un autre intercesseur que moi-même (μηδενὸς ἑτέρου δεῖσθε παρακλήτου). D'ailleurs Philon emploie toujours παράκλητος comme un adjectif ordinaire, et il sert de qualificatif au Monde, représenté par le vêtement du grand prêtre; le titre religieux du monde est celui de fils au deuxième rang de Dieu, non de Paraclet (*de vit. Mos*. II, 134; M. II, p. 155) : ἀναγκαῖον γὰρ ἦν τὸν ἱερωμένον τῷ τοῦ κόσμου πατρὶ παρακλήτῳ χρῆσθαι τελειοτάτῳ τὴν ἀρετὴν υἱῷ πρός τε ἀμνηστίαν ἁμαρτημάτων καὶ χορηγίαν ἀφθονωτάτων ἀγαθῶν : « il fallait en effet que celui qui est consacré au père du monde se servît de [ce] fils accompli en vertu comme d'un intercesseur pour faire oublier les péchés et procurer les biens les plus abondants ». Où il est

ὑμῖν ἵνα ᾖ μεθ' ὑμῶν εἰς τὸν αἰῶνα, [17]τὸ πνεῦμα τῆς ἀληθείας, ὃ ὁ κόσμος οὐ δύναται λαβεῖν, ὅτι οὐ θεωρεῖ αὐτὸ οὐδὲ γινώσκει· ὑμεῖς γινώσκετε αὐτό,

17. *om.* αυτο *p.* γινωκσει (H) plutôt que *add.* (TSV); — εστιν (H) ou εσται (TSV).

---

clair (même Bauer, et déjà Mangey) qu'il n'est pas question du Logos, mais du monde.

C'est Jo. le premier qui, dans l'évangile, regarde le Paraclet comme une sorte de personnalité distincte du Père et du Fils, et qu'il identifie avec l'Esprit-Saint (XIV, 26). Le mot grec était d'ailleurs bien connu des Juifs qui l'ont transcrit dans leur langue avec le sens de défenseur-avocat (*Pirqé Aboth*, IV, 11, etc.). La sémantique du mot est donc suffisamment claire. Le παράκλητος est appelé pour prêter main forte surtout dans le cas où un plaideur a besoin d'une assistance intellectuelle. D'abord le logographe, comme Lysias, compose le discours que le plaideur aura à prononcer; puis c'est l'avocat qui prend la parole. L'assistance intellectuelle peut se réduire à un conseil, de sorte que le *paraclet* sera comme un inspirateur, ce qui le dispose à devenir une épithète autonome de l'Esprit-Saint. Mais jamais son assistance ne consiste à réconforter quand le mal s'est abattu, en d'autres termes à consoler. Nous avons cependant rencontré cette déviation dans les traducteurs postérieurs de Job. XVI, 2 : elle vient de ce que ὁ παρακαλῶν peut être celui qui réconforte et celui qui console. Dans notre cas le sens de consolateur était suggéré aussi parce que l'Esprit était promis, semblait-il, pour consoler les disciples de l'absence de leur maître. Ce sens de *consolator* est exprimé dans l'ancienne latine (*r m*), dans Jérôme : *qui appellatur consolator* (*ep. ad Hed.* CXX, qu. 9), et Jérôme a même traduit *consolator* en citant les quatre endroits de Io. (*in Is.* sur XL, 1). Augustin qui tient d'abord pour l'ancienne traduction : *Paracletus enim latine dicitur advocatus*, écrit sur XVI, 4 : *consolator ergo ille vel advocatus* (*utrumque enim interpretatur quod est graece paracletus*), et ce sens se trouve aussi chez les Grecs. Ce n'est pas encore le cas dans Origène (*de Orat.* x, 2) εὐχόμενος ὑπὲρ τῶν εὐχομένων καὶ συμπαρακαλῶν τοῖς παρακαλοῦσιν, et il est probable que Rufin seul est responsable du *consolator* dans *de Princip.* II, 7.4. Mais ce sens est plus net dans Eusèbe (*Theol. eccl.* III, 5) τὸ πνεῦμα τῆς ἀληθείας τὸ παράκλητον πρὸς τὸ παρακαλεῖν αὐτοὺς καὶ παραμυθεῖσθαι..., dans Cyrille de Jér. (*Cat.* XVI, 20), dans Grégoire de Nysse (*adv. Eun.* II) et ensuite se répand largement.

Chez les Syriens, c'est peut-être le cas dans Éphrem (*Moes.* p. 225) et sûrement dans Théod. de Mops. et Ish'odad. Mais malgré le succès de cette interprétation, il y a lieu de revenir (*Durand,* etc.) au sens attesté encore depuis le N. T.

Barnabé (xx, 2) parle des misérables qui se font πλουσίων παράκλητοι, πενήτων ἄνομοι κριταί (cf. *Didachè*, v, 2). Dans la lettre des martyrs de Lyon (Eus. *HE.* V, 1, 10) Epagathos qui a pris la défense des Chrétiens est nommé leur avocat παράκλητος Χριστιανῶν χρηματίσας, ἔχων δὲ τὸν παράκλητον ἐν ἑαυτῷ. De même le ps. Clément Romain (*de Virg.* 6) : ἢ τίς ἡμῶν παράκλητος ἔσται ἐὰν μὴ εὑρεθῶμεν ἔργα ἔχοντες ὅσια καὶ δίκαια; Chez les anciens latins, la traduction *advocatus* prévaut

soit avec vous à jamais, [17]l'Esprit de vérité, que le monde ne peut recevoir parce qu'il ne le voit pas et ne [le] connaît pas; vous le

dans les mss., dans Tert. (*Prax.* 9); Cypr. (*ep.* LV, 18; *dom. orat.* 3); Novatien (auteur des *tractatus Orig.* de Batiffol, p. 212); Hilaire (*de Trinitate* VIII, 19), *advocatus venit* (mais *in ps.* 125 : *mittit nobis et alium consolatorem*).

On voit que les opinions des Pères ne constituent pas une tradition; la question doit se trancher pour l'évangile d'après les textes. Nous verrons que si le sens de consolateur, exclu par l'histoire du mot, n'est pas non plus recommandé par l'exégèse, celui que représente le latin *advocatus* doit être entendu de toute assistance intellectuelle, comportant naturellement aussi un encouragement pour la volonté. On serait tenté d'imiter la Vg. (sauf pour I Jo. II, 1), les syriens et les coptes qui se sont tirés d'affaire en transcrivant le grec; soit en français *Paraclet*. Mais ce serait une infidélité de traducteur envers l'auteur, qui a employé un mot intelligible en grec, non un mot technique ayant pris une valeur nouvelle. D'après ce que nous avons vu, on rejettera *Consolateur*. *Avocat* indique trop une profession classée. Nous avions songé à *Aide* qui rendait bien les différents offices du mot. Mais *Défenseur* (*Loisy*) est le mot qui se rapproche le plus du grec.

16) Tandis que Jésus vient de dire : priez et je ferai (14), il dit ici qu'il priera son Père d'envoyer... De même que le Père l'a envoyé, comme il l'affirme constamment, c'est aussi le Père qui doit envoyer cet autre Paraclet (*Mald.*). Il faut observer cependant que ἐρωτάω ne marque pas d'infériorité de la part de celui qui fait l'invitation, et que plus loin Jésus dira qu'il enverra ce Paraclet (XVI, 7). Le Paraclet sera donc envoyé par le Fils comme par le Père, mais, dans ce premier endroit (de même 26) où il s'agissait d'envoyer un *autre*, il était tout indiqué d'attribuer la mission au Père. « Un autre » : Jésus était donc lui-même un Paraclet; ce que Jean a dit en effet (I Jo. II, 1), et Jésus présent auprès de son Père, constituant ainsi un défenseur ou un intercesseur. L'assistance de l'autre Paraclet devra être tout intérieure dans les disciples, comme μεθ' ὑμῶν est expliqué au v. suivant. Et cette assistance durera jusqu'à la fin des temps, ce qui semble bien indiquer qu'elle sera accordée à la collectivité des disciples.

17) Il est un esprit de vérité (I Jo. V, 6), opposé à l'esprit d'égarement (I Jo. IV, 6) dans l'ordre religieux. C'est de cette manière qu'il assiste les disciples, comme la lumière chasse les ténèbres. Par opposition au groupe des disciples, le monde ne peut le recevoir, car ses yeux ne sont pas ouverts pour le connaître : *non enim habet invisibiles oculos mundana dilectio, per quos videri Spiritus sanctus, nisi invisibiliter non potest* (*Aug.*). Le monde ne désire que ce qu'il voit : or le Paraclet ne saurait être vu des yeux du corps; le monde qui n'accepte pas la doctrine de Jésus n'a donc aucun moyen de parvenir à la connaissance de l'Esprit de vérité : il n'est absolument pas dans la disposition de le recevoir, μηδεμίαν ἔχοντας ἐπιθυμίαν θείου πνεύματος (*Irén.* V, VIII, 2). Au lieu de conclure : mais vous, vous pouvez le recevoir, parce que vous le connaissez, Jésus ajoute : mais vous (si vous ne le voyez pas à l'extérieur, ce qui est impossible), vous le connaissez, parce que vous l'avez reçu. C'est dire que cette assistance de l'Esprit est accordée à ceux qui aiment Jésus et observent ses commandements, sans

ὅτι παρ' ὑμῖν μένει καὶ ἐν ὑμῖν ἐστίν. [18] Οὐκ ἀφήσω ὑμᾶς ὀρφανούς, ἔρχομαι πρὸς ὑμᾶς. [19] ἔτι μικρὸν καὶ ὁ κόσμος με οὐκέτι θεωρεῖ, ὑμεῖς δὲ θεωρεῖτέ με, ὅτι ἐγὼ ζῶ καὶ ὑμεῖς ζήσεσθε. [20] ἐν ἐκείνῃ τῇ ἡμέρᾳ ὑμεῖς

19. ζησεσθε (SV) plutôt que ζησετε (TH).
20. υμεις γνωσεσθε (H) ou γν. υμ. (TSV).

---

même qu'ils l'implorent spécialement. L'Esprit de vérité qui est en eux les éclaire sur lui-même. Tandis que le monde se débat contre l'erreur et se trouve sans défense parce qu'il n'a pas reçu l'enseignement de Jésus; ceux qui croient en Lui sont en contact, et dans un contact intellectuel, avec l'Esprit de vérité. Cet esprit n'est pas qualifié διδάσκαλος, parce qu'il n'y a qu'un maître, le Christ, et c'est sa doctrine qu'il défend en se tenant au cœur de la place. Prévoyant l'avenir et la situation qui suivra son départ, Jésus parle de l'action de l'Esprit comme présente; c'est une assistance (παρ' ὑμῖν), mais une assistance du dedans (ἐν ὑμῖν). Le présent pour le futur s'explique d'autant plus naturellement qu'il s'agit d'une opposition de principe entre le monde qui ne comprend pas (οὐ γινώσκει) et les disciples qui comprennent; après γινώσκετε, Jo. pouvait écrire μένει (et non μενεῖ) et ἔστιν (et non ἔσται); εστιν avec BDW, 1 22 69 251 254 565 *anc. latt.*, *pes syrcu.* Tat.-ar. Lucifer. La leçon ἔσται est assez fortement attestée; si elle était acceptée, elle entraînerait μενεῖ, mais nous croyons plutôt que c'est une correction et que Jo. a mis les trois verbes au présent, en prévoyance de la mission future. D'autre part, avec les verbes au présent, on peut dire que la présence de l'Esprit dans les disciples est actuelle, et déjà un gage du don de l'Esprit dans une manifestation plus considérable.

Le passage du Testament de Juda (xx), indiqué par Bauer, est peut-être un emprunt à la doctrine de Jo. : Γνῶτε οὖν, τέκνα μου, ὅτι δύο πνεύματα σχολάζουσι τῷ ἀνθρώπῳ, τὸ τῆς ἀληθείας καὶ τὸ τῆς πλάνης.

18-21. *Manifestation intime du Christ à ses disciples.*

Cette venue du Christ a été interprétée de bien des manières. Maldonat et Zahn l'entendent de la parousie. Tout au contraire, Cyrille d'Alexandrie y voyait une preuve de l'unité du Christ avec l'Esprit, et Bauer exagère cette opinion jusqu'à l'identité de l'Esprit avec le Christ ressuscité, en citant II Cor. iii, 17. D'autres ont pensé aux apparitions après la résurrection, tout en inclinant à partir du v. 20 vers la parousie (*Aug.*, *Schanz*). Les catholiques modernes (*Calmes*, *Till.*) tiennent pour une union mystique du Christ avec les fidèles, que le P. Durand exprime presque comme Cyrille : « C'est le Fils qui se rend présent dans l'Esprit. »

Il est clair (contre *Bauer*) que Jésus ne promet pas ici une autre forme de la venue du même Esprit, puisqu'il l'a appelé un autre Paraclet. Il ne fait pas allusion à la parousie, car tout le temps dont il parle sera le temps de la séparation, seulement atténuée par une certaine venue. Si l'on songe à la résurrection, on ne doit pas l'entendre seulement des apparitions, qui n'ont duré que peu de temps, alors que la promesse est faite à tous ceux qui aiment. Nous l'entendons de la résurrection comme point de départ d'une union plus étroite entre le

connaissez, parce qu'il demeure chez vous et est en vous. [18]Je ne vous laisserai pas orphelins; je viens à vous. [19]Encore un peu et le monde ne me voit plus, mais vous me voyez, car je vis et vous-mêmes vivrez. [20] En ce jour-là vous connaîtrez que je suis en mon

Christ ressuscité et ses disciples, et en somme d'une venue intime et mystique. Loisy objecte que cette venue fait double emploi avec celle du Paraclet, et en conclut que la promesse de l'Esprit (xiv, 16-17) a été ajoutée à une première rédaction. Mais l'Esprit est envoyé par le Père à la requête du Fils qui l'enverra lui-même, et ne fait pas plus double emploi que le Père qui sera avec le Fils (23). On peut aussi noter que le rôle du Paraclet aura plutôt l'aspect d'une assistance intellectuelle et donnée au groupe des disciples, tandis que la venue de Jésus a quelque chose de plus personnel comme serait un foyer de vie pour chacun de ceux qui l'aiment. Philon connaissait une venue du Logos divin dans les âmes : ἕως μὲν γὰρ ὁ θεῖος λόγος εἰς τὴν ψυχὴν ἡμῶν καθάπερ τινὰ ἑστίαν οὐκ ἀφῖκται, et il semble le considérer alors, en tant que symbolisé par le prêtre, ou comme ἐπίτροπος ou comme πατήρ, ou comme διδάσκαλος (*Quod Deus sit imm.* 134 ; M. I, 292); cf. *RB.* 1923, p. 349.

18) Jésus sait qu'il va mourir, et ne veut pas cependant laisser ses disciples orphelins. Comme il les a appelés ses enfants (xiii, 33), il peut bien se regarder comme leur père. D'ailleurs ὀρφανός, probablement rattaché à la même racine que *orbus* « privé de », peut s'entendre de quelqu'un qui est privé de son père ou de son frère, et Platon parle même d'une vie d'orphelin, si l'on n'a ni amis ni enfants (*De Leg.* V, p. 730). — C'est ainsi que les disciples de Socrate se regardaient comme orphelins après sa mort : ἡγούμενοι ὥσπερ πατρὸς στερηθέντες διάξειν ὀρφανοὶ τὸν ἔπειτα βίον (*Phaed.* LXV, p. 116).

— ἔρχομαι au présent, parce que ce sera sûrement et sans tarder, et de façon à ce que les disciples qui ont été un temps orphelins ne le soient plus : ἀφιέναι, laisser quelqu'un tel qu'il est; cf. ὡς ὀρφανοὺς ἀφιείς (Épic. III, 24, 14). Même après les apparitions les disciples se seraient sentis orphelins, si le Christ les avait quittés de nouveau tout à fait. Il s'agit donc d'une venue qui sera de nature à n'avoir pas de terme durant leur vie.

19) Jésus une fois mort, et ce sera bientôt, le monde ne le verra plus. Au contraire les disciples le verront. Or à la Parousie, tout le monde, du moins ceux qui vivront alors le verront. Il est donc question d'une vue réservée aux disciples, comme ce fut le cas après la résurrection (*Aug.*). Cependant Jo. ne parle pas expressément des apparitions, mais plutôt d'une vue que les disciples auront parce que Jésus, étant vivant, leur communiquera la vie, laquelle leur permettra de le voir. Les disciples n'ont pas acquis toute vie spirituelle seulement à la résurrection; celle-ci n'en est pas moins un point de départ : Jésus vit désormais d'une vie glorieuse et les disciples auront conscience de vivre de cette vie divine. — Il est arbitraire de séparer ὅτι de ce qui précède, comme Zahn qui traduit : Parce que je vis, vous aussi vous vivrez.

20) Ce verset explique en quoi consistera cette vue. Dans ce jour, c'est-à-dire à partir du jour où vivant, et vous vivants en conséquence, vous me verrez,

γνώσεσθε ὅτι ἐγὼ ἐν τῷ πατρί μου καὶ ὑμεῖς ἐν ἐμοὶ κἀγὼ εν ὑμῖν. [21] ὁ ἔχων τὰς ἐντολάς μου καὶ τηρῶν αὐτὰς ἐκεῖνός ἐστιν ὁ ἀγαπῶν με· ὁ δὲ ἀγαπῶν με ἀγαπηθήσεται ὑπὸ τοῦ πατρός μου, κἀγὼ ἀγαπήσω αὐτὸν καὶ ἐμφανίσω αὐτῷ ἐμαυτόν. [22] Λέγει αὐτῷ Ἰούδας, οὐχ ὁ Ἰσκα-

22. και *a.* τι (TSV) plutôt que *om.* (H).

---

vous connaîtrez que je suis en mon Père, c'est-à-dire cette vérité qu'ils ont en ce moment peine à comprendre (9-10). Mais alors, commençant à vivre, c'est-à-dire ayant conscience de vivre d'une vie nouvelle qui leur vient du ressuscité, ils comprennent aussi que c'est le fruit d'une union intime avec lui, eux en lui, et lui en eux.

Cette union ne saurait être aussi intime que celle du Fils avec le Père, les disciples ne pouvaient y songer; mais elle aura, par elle-même, un caractère stable. Jésus vient afin d'être uni aux siens pour toujours. D'ailleurs « en ce jour » n'est pas un moment précis, et peut s'entendre du temps écoulé depuis la résurrection jusqu'à la descente de l'Esprit-Saint : c'est un temps d'illuminations, de grâces intimes extraordinaires, qui inaugure une nouvelle période de la connaissance et du sentiment religieux. Désormais les disciples sauront d'une certitude infaillible spéculative l'unité de tous ceux qui ont la charité dans le Christ; ils sentiront aussi, d'une connaissance expérimentale très douce, que Dieu est en eux par sa grâce, et même, faveur plus rare, ils auront le sentiment que Jésus-Christ vit en eux (Eph. III, 17). Bossuet : « [Dieu] nous est plus intime que nous ne le sommes à nous-mêmes; ainsi il se cache en nous autant qu'il lui plaît, il s'y découvre à nous-mêmes autant qu'il lui plaît » (*Méditations sur les Év.*).

Si l'on entend « ce jour-là » du dernier jour (*Aug.* et même *Bauer*), la connaissance n'en sera que plus claire, mais précisément si elle est claire, il n'y a pas à la décrire de la même manière voilée et mystique que Jésus a employée pour le temps présent (9-10).

21) Jésus annonce de nouveau qu'il se manifestera, mais cette expression toute générale est bien au-dessous de ce qui vient d'être dit. Le but du v. est donc plutôt d'indiquer à quelle condition se fera cette manifestation, de même qu'au v. 15 l'observation des commandements était une condition préalable à l'envoi de l'autre Paraclet. Plus encore qu'au v. 15 on a l'impression que ce v. est adressé presque autant aux disciples de l'avenir qu'à ceux qui écoutaient alors; il n'était pas douteux que ceux-ci aimaient leur Maître, tandis qu'il indique ici à quoi l'on reconnaîtra qu'on l'aime véritablement. Il faut à tout le moins dire avec Aug. : *etiam nos tanquam cum illis discimus.*

Au v. 15 c'était : si vous m'aimez, vous en ferez la preuve; ici, c'est : ceux qui donneront cette preuve aimeront vraiment. Jésus parle comme législateur et comme la fin de ceux qui pratiquent ses commandements, c'est-à-dire le bien. La différence entre ἔχων et τηρῶν paraît être qu'il faut d'abord connaître les commandements et les embrasser par l'acte de foi chrétienne (ἔχων) et ensuite

Père et vous en moi, et moi en vous. [21]Celui qui a mes commandements et qui les garde, c'est celui-là qui m'aime; or celui qui m'aime sera aimé de mon Père, et je l'aimerai, et je me manifesterai à lui. » [22]Jude, non pas l'Iscariote, lui dit : « Seigneur, et

les mettre en pratique, sans quoi le premier acte ne serait qu'un leurre : rien de plus fort sur le rôle des œuvres, spécialement pour obtenir plus de lumière, dans le progrès de la vie chrétienne comme à son début (III, 19-21). D'ailleurs c'est la charité qui est le principal. L'amour pour le Fils provoque l'amour du Père. Ce n'est pas qu'on puisse aimer Dieu sans avoir été d'abord attiré par lui, Jo. l'a dit très clairement (VI, 44), mais nous sommes ici dans l'ordre de l'exécution des commandements, et Jésus parle des rapports entre Dieu et l'homme comme on parle de l'affection des hommes entre eux.

Celui qui aime est aimé davantage à mesure qu'il témoigne plus d'amour, même par les parents de celui qu'il aime. Combien cela est plus vrai quand le Père et le Fils sont si unis! La récompense sera plus d'amour de la part du Christ et la promesse de se faire mieux connaître.

— ἐμφανίζειν n'est pas fait pour indiquer la révélation ouverte et solennelle du dernier jour, mais plutôt une connaissance encore voilée quoique relativement plus claire; cf. Sap. I, 2 ὅτι εὑρίσκεται τοῖς μὴ πειράζουσιν αὐτόν, ἐμφανίζεται δὲ τοῖς μὴ ἀπιστοῦσιν αὐτῷ. Dieu est le sujet, mais il va être précisément question de la pénétration de la sagesse dans les âmes simples et innocentes. Le Christ est cette Sagesse, incarnée et glorieuse.

Pour la réalisation de cette promesse, il faut surtout penser aux grâces de lumière qui pénètrent dans l'âme, soit dans la prière, soit même lorsqu'elle s'y attend le moins. Mais pourquoi ne pas constater qu'en effet le Christ se manifeste dans l'Église aux croyants qui sont de vrais chrétiens, comme une source, un foyer, une force motrice, agissant par les sacrements, se donnant dans l'Eucharistie, imprimant l'impulsion par l'autorité des pasteurs? Plus on l'aime et plus on le reconnaît distinctement dans cette perpétuelle venue, toujours renouvelée. C'est la même promesse que dans Mt. XXVIII, 20 : καὶ ἰδοὺ ἐγὼ μεθ' ὑμῶν εἰμι. On ne songe pas à nier que ce soit d'une certaine manière une venue de l'Esprit, qu'on ne saurait séparer du Fils; cependant ce n'est pas sans intention que Jésus parle des deux. Il n'y a donc pas lieu de dire : « la promesse de l'Esprit est, dans la pensée du rédacteur évangélique, une autre façon de dire la même chose » (*Loisy*, p. 412).

22-24. *La même doctrine approfondie en réponse à Jude.*

L'apôtre Jude intervient, ne comprenant pas pourquoi la manifestation du Christ ne s'adressera pas au monde. Jésus avait déjà suggéré la réponse; il n'a donc qu'à remettre cette raison sous les yeux des disciples : c'est que cette révélation est réservée à ceux qui aiment.

Ce n'est point un dialogue régulier, mais un enseignement de maître à disciple, le maître se contentant, au lieu de justifier sa doctrine, de l'affirmer de nouveau avec un nouvel éclat et en la développant : car Jude apprendra ici que le Père vient avec le Fils et qu'ils font leur demeure dans l'âme. Et l'on comprend mieux

ριώτης Κύριε, καὶ τί γέγονεν ὅτι ἡμῖν μέλλεις ἐμφανίζειν σεαυτὸν καὶ οὐχὶ τῷ κόσμῳ; [23] ἀπεκρίθη Ἰησοῦς καὶ εἶπεν αὐτῷ Ἐάν τις ἀγαπᾷ με τὸν λόγον μου τηρήσει, καὶ ὁ πατήρ μου ἀγαπήσει αὐτόν, καὶ πρὸς αὐτὸν ἐλευ-

que celui qui n'observe pas les commandements du Fils se rend indigne de l'habitation commune du Père et du Fils, puisque les paroles du Fils sont celles du Père. Augustin entend ce passage de la vie éternelle; non point de la parousie du Christ dans son corps glorieux qui sera perçue de tous, mais : *est ergo quaedam Dei manifestatio interior*. Nous entendons cette présence intérieure de la vie présente, avec l'opinion commune (*Grill*, etc.).

22) Celui qui prend la parole n'est nommé qu'ici dans Jo. et ne figure pas au catalogue des apôtres dans Mt. ni dans Mc., mais bien dans Lc. vi, 16 (Ἰούδαν Ἰακώβου καὶ Ἰούδαν Ἰσκαριώθ) où nous avons compris « frère » et non « fils » de Jacques (cf. Mt. xiii, 55; Mc. vi, 3). Peut-être avait-on pris l'habitude de le nommer Thaddée (Mc. iii, 18 et Mt. x, 3 au catalogue des apôtres), afin de dissiper une fois pour toutes l'équivoque que Jo. écarte ici, car on eût pu supposer que Judas l'Iscariote était rentré sans bruit. Les Syriens le nommaient (*syrsin*) ou le surnommaient (*syrcur*) Thomas (cf. Zahn, *Forschungen*... VI, 346 ss.).

La question de Jude est assez naturelle. Ce n'est pas l'objection d'un critique comme Celse (Orig., *c. Celsum*, ii, 63 ss.; vii, 35) qui proteste contre les apparitions trop restreintes du ressuscité (encore *Bauer*), et Jo. n'ayant pas parlé de la parousie, ses lecteurs n'auraient pu deviner que Jude y fît allusion. Mais Jo. a parlé de la conception nationale du messianisme juif (vi, 15), d'ailleurs bien connue, et il était très naturel que Jude s'attendît à une grande manifestation de Jésus, lors de l'avènement du règne de Dieu et d'Israël, fût-il retardé jusqu'après sa mort (Act. i, 6). Le mot ἐμφανίζω pouvait avoir ce sens, quoique, même dans Ex. xxxiii, 13.18, il fût question d'une vision réservée à Moïse. Il demande précisément pourquoi cette vision du Christ-Roi ne serait-elle pas universelle, pour réjouir Israël et frapper de terreur ses ennemis. D'ailleurs, si sa pensée est un peu voilée, c'est qu'il emploie les termes mêmes de Jésus qu'il n'a pas bien compris. — τί γέγονεν ὅτι « qu'est-il arrivé » pour que le programme du messianisme soit ainsi changé? ὅτι pour δι' ὅ τι, simplifié par D en τι εστιν οτι, et par *syrsin* et *cur* en τί ὅτι, où τί prend le sens qu'il a si souvent de « pourquoi ». — Nous conservons καί devant τί, malgré des autorités manuscrites peut-être supérieures (A B D etc. *vg.* etc.), parce que l'omission est très naturelle; mais qui aurait imaginé cette tournure si vive, et d'ailleurs classique? Cf. *Küh.-Gerth*, II, p. 247, sur καί à la tête d'une interrogation qui reprend avec étonnement ce qui vient d'être dit : Plat. *Conv.* IV, 62 : Καὶ τί μοι σύνοισθα ὦ Σ., τοιοῦτον εἰργασμένῳ;

23) *Quaesierat enim de Christi manifestatione, et audivit de dilectione et mansione* (*Aug.*). La réponse n'est pas directe, mais c'est bien une réponse : c'est *seulement* dans le cas que j'avais dit que je me manifesterai, ce qui exclut le monde indifférent ou hostile. Mais il est dit de plus que le Père aussi viendra, ce qu'on pouvait supposer, puisque le Fils est si intimement uni au Père, et, ce qui est plus nouveau, cette venue sera une demeure. Dieu habitait dans Israël (Ex. xxv, 8, etc.); cette cohabitation, atténuée par la disparition de l'arche,

qu'est-t-il donc advenu, pour que tu doives te manifester à nous et non point au monde? » [23]Jésus répondit et lui dit : « Si quelqu'un m'aime, il gardera ma parole et mon Père l'aimera, et nous viendrons

devait se reproduire (Zach. II, 10), et s'était en fait réalisée dans l'Incarnation (I, 14). Une fois le Christ remonté vers son Père, tous deux viendront, mais seulement en chacun de ceux qui aiment le Fils et observent ses commandements. Cette demeure est intérieure, car παρ' αὐτῷ remplace ἐν αὐτῷ, c'est seulement une formule conforme à la métaphore : on habite chez quelqu'un. — Il faut bien noter que, si décisive que soit la mention des œuvres, l'observation des commandements est donnée cette fois encore comme la preuve de la charité, qui seule compte et provoque, selon la série des dons accordés, la charité du Père. La visite des deux personnes divines ne peut être conçue que comme une demeure du seul vrai Dieu. C'est une réponse de l'affection à l'affection, un véritable acte d'amitié, qui suppose les œuvres, mais qui n'est pas précisément la récompense des œuvres, si ce n'est de la charité qui en est le principe et dont elles sont le signe. Rien n'est exigé comme culture intellectuelle de l'esprit, ni comme tendance à la contemplation, ni même comme ascèse particulière, et si cette visite peut avoir en des âmes d'élite des aspects inconnus aux autres (*Cyrille*), cependant Dieu ne vient pas pour provoquer l'extase ou toute autre manifestation extérieure : il vient pour habiter dans l'âme de celui qui l'aime. Rien de plus simple comme expression que cette mystique, rien de plus profond. On en jugera mieux en la comparant avec d'autres.

La présence de Dieu dans l'âme découlait naturellement du panthéisme stoïcien. Sénèque (Ep. LXIII, 16) : *miraris hominem ad deos ire? deus ad homines venit, immo quod est propius, in homines venit; nulla sine deo mens bona est...* Mais la suite ramène ces admirables paroles à la conception moniste : *semina in corporibus humanis divina dispersa sunt...* Ce sont des germes naturellement intrinsèques à l'homme. Le Dieu présent à l'âme d'Épictète est plus distinct du monde (cf. *RB*. 1912 p. 14 ss.); encore est-il que cette présence est de l'ordre physique, un phénomène naturel, non point un don de l'amitié. Philon nous l'avons déjà vu, a parlé de la présence dans l'âme du Logos divin. Dans ces endroits (*de poster. Caini* 122; I, 249; *quod deus sit imm.* 134; I, 292; *de fuga et inv.* 117; I, 563), le θεῖος λόγος est la sagesse divine, la claire perception du bien, et presque une métaphore pour exprimer la droite raison s'exerçant pour le bien, de sorte que, tant qu'elle est présente et agissante, l'âme ne saurait commettre le mal. Mais Philon a parlé aussi de la venue de Dieu dans l'âme. Il y était amené soit par la doctrine stoïcienne, soit aussi par la révélation, à laquelle il renvoie expressément (*de Cher.* 101; I, 157) : ἀξιόχρεως μέντοι γε οἶκος ψυχὴ ἐπιτήδειος. οἶκον οὖν ἐπίγειον τὴν ἀόρατον ψυχὴν τοῦ ἀοράτου θεοῦ λέγοντες ἐνδίκως καὶ κατὰ νόμον φήσομεν. Il lui suffisait de rapporter à l'âme ce que Dieu avait dit de son habitation parmi son peuple, et en effet il emploie plusieurs fois le mot ἐμπεριπατέω emprunté à Lévitique, XXVI, 12, cité d'ailleurs expressément (*de Somniis* I, 148; I, 643). Il entend bien parler du Dieu suprême, car il distingue les secours donnés aux âmes encore en péril par les anges

σόμεθα καὶ μονὴν παρ' αὐτῷ ποιησόμεθα. [24] ὁ μὴ ἀγαπῶν με τοὺς λόγους μου οὐ τηρεῖ· καὶ ὁ λόγος ὃν ἀκούετε οὐκ ἔστιν ἐμὸς ἀλλὰ τοῦ πέμψαντός με πατρός. [25] Ταῦτα λελάληκα ὑμῖν παρ' ὑμῖν μένων· [26] ὁ δὲ παράκλητος, τὸ πνεῦμα τὸ ἅγιον ὃ πέμψει ὁ πατὴρ ἐν τῷ ὀνόματί μου, ἐκεῖνος ὑμᾶς διδάξει πάντα καὶ ὑπομνήσει ὑμᾶς πάντα ἃ εἶπον ὑμῖν.

26. *om.* εγω *p.* υμιν (TSV) plutôt que *add.* (H).

λόγοι θεῖοι ou θεοῦ, et la visite de Dieu même à l'âme complètement purifiée (*l. l.*) : ταῖς μὲν δὴ τῶν ἄκρως κεκαθαρμένων διανοίαις ἀψοφητὶ μόνος ἀοράτως ὁ τῶν ὅλων ἡγεμὼν ἐμπεριπατεῖ, avec la vive exhortation (*l. l.* 149) : σπούδαζε οὖν, ὦ ψυχή, θεοῦ οἶκος γενέσθαι, ἱερὸν ἅγιον, ἐνδιαίτημα κάλλιστον. En quoi consiste cette préparation? L'âme est comparée à un palais royal ou à un temple : les fondements seront la bonne nature et la discipline (εὐφυΐα καὶ διδασκαλία), sur lesquelles seront édifiées les vertus; la demeure sera ornée par les sciences encyclopédiques : grammaire, géométrie, rhétorique. Alors viendront les puissances divines, pour exécuter les ordres de leur père, qui cette fois ne vient pas en personne. Elles se mettront à table et sèmeront dans les âmes vertueuses le germe heureux de la joie (*De Cherub.* 98 ss.; I, 157). Ailleurs (*de Ebrietate*, 62; I, 402) c'est bien Dieu qui vient, mais la présence paraît moins intime; le philosophe reparaît et nous rappelle que si Dieu habite dans les âmes complètement purifiées, ce ne saurait être comme dans un lieu, lui qui contient tout sans être contenu par rien, mais pour signifier une providence et une diligence spéciale. Quand il s'agit de l'âme, c'est pour l'entraîner vers les hauteurs du ciel : τὸν νοῦν ἐξαίρων εἰς ὕψος ἀπὸ γῆς τοῖς οὐρανοῦ συνάψει πέρασι. De sorte que cette visite de Dieu n'est autre chose que l'extase philonienne, qui ne peut durer longtemps. Commentant *Gen.* xviii, 33, Philon s'en explique (*Quaest. in Gen.* iv, 29, traduction latine de l'arménien) assez longuement par l'infirmité humaine. L'âme ne peut être toujours au ciel; il faut qu'elle vaque à ses occupations ordinaires, trop indignes de la présence de Dieu : *non enim omnia licet agere filios in conspectu patris.* Cette splendide théorie suppose donc en somme une conception assez mesquine des rapports de Dieu avec l'âme : c'est un monarque glorieux qui daigne visiter son sujet, mais ne veut pas l'accabler de sa présence majestueuse. Le Dieu de Philon, à force d'être transcendant, est obligé d'éviter certains contacts, comme si sa transcendance ne l'en préservait pas!

Mais revenons aux paroles simples et touchantes de ce Jésus qui promet à ceux qu'il va quitter de venir en eux avec son Père pour y demeurer, d'une façon surnaturelle, mais cependant permanente, à la seule condition qu'ils veuillent bien l'aimer. « Qui nous dira quelle est cette secrète partie de notre âme dont le Père et le Fils font leur temple et leur sanctuaire? Qui nous dira combien intimement ils y habitent, comme ils la dilatent comme pour s'y promener et de ce fond intime de l'âme se répandre partout, occuper toutes les puissances, animer toutes les actions? Qui nous apprendra ce secret, pour nous y retirer sans cesse et y trouver le Père et le Fils? » (Bossuet, *Méditations sur les Év.*).

à lui, et nous ferons [notre] demeure chez lui. [24]Celui qui ne m'aime pas ne garde pas mes paroles; et la parole que vous avez entendue n'est pas la mienne, mais celle du Père qui m'a envoyé. [25]Demeurant auprès de vous, je vous ai dit ces choses; [26]mais le Défenseur, l'Esprit-Saint que mon Père enverra en mon nom, celui-là vous enseignera tout et vous remettra dans l'esprit tout ce que je vous ai dit.

24) Le revers de la médaille. Ceux qui ne m'aiment pas sont aussi ceux qui ne gardent pas mes paroles, c'est-à-dire n'observent pas mes commandements. Ils n'observent donc pas non plus ceux du Père, car la parole de Jésus est celle de celui qui l'a envoyé, comme il l'a déjà dit plus d'une fois (vii, 16; viii, 26; xii, 49). Ce sont ceux-là qui figurent ici le monde. Le Père ne saurait les aimer : comment viendrait-il amicalement chez eux avec le Fils, comment le Fils se ferait-il connaître à eux comme un ami?

25-26. *Nouvelle promesse de la mission de l'Esprit.*

Les deux versets sont comme la conclusion de l'exhortation aux disciples touchant leur situation future, précédant les dernières paroles de consolation (27-31). C'est en même temps une allusion à l'enseignement que Jésus a donné jusqu'à présent, et qui sera continué par l'action du Paraclet déjà promis.

25) La liaison avec ce qui précède se fait sur l'idée de parole. Les commandements de Jésus étant caractérisés comme ses paroles (λόγοι), ces paroles se sont fondues dans l'unité de la doctrine (λόγος). C'est cette doctrine qu'il a exprimée (λελάληκα) jusqu'à présent, pendant qu'il était sur la terre, demeurant ainsi auprès de ses disciples. Mais il va partir, et il a déjà désigné celui qui doit le remplacer.

26) C'est le Défenseur (παράκλητος) qui figure ici bien clairement dans l'office de maître de doctrine. Il sera envoyé par le Père, non plus (16) à la prière du Fils, mais, ce qui est plus en situation, pour tenir la place du Fils et parler en son nom; ἐν τῷ ὀνόματι dans ce cas ne peut s'expliquer que par l'analogie de v, 43; x, 25 : comme le Fils est venu de la part du Père et pour parler en son nom, ainsi l'Esprit-Saint parlera au nom du Fils. Le Paraclet, qualifié déjà esprit de vérité (17) est ici l'Esprit-Saint (i, 33), terme connu par la Bible. Sa fonction ne sera pas seulement de rappeler les paroles de Jésus (*Kn., Durand*), puisque le texte emploie deux verbes : il enseignera et il rappellera. D'une part il ne faut point exagérer l'opposition entre ταῦτα (25) et πάντα, comme si le Christ n'avait enseigné qu'une vérité fragmentaire, complétée par un enseignement nouveau du Paraclet, car ταῦτα est déjà un peu éloigné, et le premier πάντα du v. 26 est plutôt en relation avec le second, sans virgule après le premier, de sorte que c'est bien le même groupe de vérités que le Paraclet enseignera et rappellera. D'autre part il faut admettre un nouvel enseignement qui complètera celui de Jésus (xvi, 12 s.), non par addition de vérités autres, mais par un développement où l'on reconnaîtra de quelque manière ce que Jésus avait déjà dit. Le nom même d'Esprit indique la nature de cet enseignement,

[27] Εἰρήνην ἀφίημι ὑμῖν, εἰρήνην τὴν ἐμὴν δίδωμι ὑμῖν· οὐ καθὼς ὁ κόσμος δίδωσιν ἐγὼ δίδωμι ὑμῖν. μὴ ταρασσέσθω ὑμῶν ἡ καρδία μηδὲ δειλιάτω.

par suggestion intérieure, plutôt que par la parole. C'est sur cette assistance que s'appuie l'Église quand elle propose la règle de foi soit d'après l'Écriture, soit d'après la Tradition. Aucun privilège n'est accordé ici à la parole écrite, et l'Église ne saurait errer puisqu'elle a pour maître l'Esprit-Saint. Il est vrai que plusieurs auteurs catholiques (voir surtout Franzelin, *de divina traditione*, 2e éd. p. 268 ss.) pensent que la promesse contenue ici est strictement limitée aux Apôtres. Après le mort du dernier Apôtre, il n'y a plus eu dans l'Église de révélation officielle, destinée à toute l'Église; mais entre l'Ascension et la mort du dernier Apôtre, l'Esprit-Saint a sûrement révélé des vérités sinon entièrement nouvelles, du moins qu'on n'aurait pu sans cela dégager de la révélation faite par le Christ. Dans ce cas ou pourrait entendre διδάξει de ces vérités au lieu de le restreindre par le verbe suivant. Et en effet on allègue que ce passage, encadré entre λελάληκα et εἶπον ὑμῖν ne doit s'entendre que des Apôtres présents (saint Paul sera élu d'une façon spéciale) qui ont entendu ce que Jésus leur a dit, demeurant avec eux; cf. après xvi, 15. — Le passage du Poimandrès XIII (XIV), 2, cité par Bauer pourrait être une réminiscence de Jo : τοῦτο τὸ γένος, ὦ τέκνον, οὐ διδάσκεται, ἀλλ' ὅταν θέλῃ, ὑπὸ τοῦ θεοῦ ἀναμιμνήσκεται.

— Loisy voit ici une seconde « addition rédactionnelle, destinée à concilier l'évangile mystique avec les évangiles plus anciens » (p. 414). On y verrait tout aussi bien avec Wellhausen le fond primitif du discours, s'il y avait lieu de constater dans ce discours quelques surcharges. Il se peut d'ailleurs que Jean ait eu conscience que ces paroles autorisaient son témoignage, plus tardif que les autres, et son évangile où l'on a vu (*Clém. d'Al.*) l'évangile spirituel. Thomas note ici : *Quomodo enim evangelista Joannes post quadraginta annos potuisset omnium verborum Christi quae in evangelio scripsit habere memoriam, nisi ei Spiritus sanctus suggessisset?* En faisant appel moins à la mémoire personnelle de Jean qu'à la suggestion par l'Esprit-Saint, saint Thomas s'en réfère sans doute à l'action de l'Esprit-Saint telle qu'on peut la déduire de ce passage, et qui consistait moins à rappeler les mots un à un qu'à faire pénétrer le sens profond de l'enseignement de Jésus.

27-31. Les adieux et les dernières paroles d'encouragement.

C'est la conclusion du discours qui a commencé avec le chapitre; elle est parallèle au début par l'invitation à ne pas se troubler (μὴ ταρασσέσθω ὑ. ἡ κ. 1 et 27), par l'annonce du départ et la promesse du retour, surtout par l'appel à la foi. Il y a ici en plus le don de la paix, et même une invitation à la joie, par un contraste saisissant avec la pensée du sacrifice plus imminent.

27) Le lien avec ce qui précède serait clair, si l'on pouvait (avec *Cyrille*) identifier la paix du Christ avec son Esprit. Mais le don de l'Esprit était à venir; la paix est déjà non seulement léguée (ἀφίημι) mais donnée (δίδωμι). Elle sera plus profonde plus tard, mais la forme du don (au présent) empêche de voir ici une suite très exacte de ce qui précède. C'est donc une idée nouvelle qui se présente pour terminer.

On n'a pas manqué de rappeler que depuis l'antiquité les Hébreux se quit-

[27] Je vous laisse la paix, je vous donne ma paix; je ne vous [la] donne pas comme le monde [la] donne. Que votre cœur ne se

taient en se souhaitant la paix. Ce serait le cas ici : *Pacis nomine hebraica phrasi salutationem, apprecationemque omnium prosperarum rerum significari arbitror... Christum igitur paterno more... vale filiis suis dicere et ut vulgo loquimur, suam illis benedictionem relinquere* (*Mald.*, *Zahn*, *Bauer*; cf. *Durand*) cf. I Sam. I, 17; XX, 42; XXIX, 7; Mc. V, 34; Lc. VII, 50; VIII, 48 etc. Mais Jésus n'emploie pas ici une formule courante; en effet cette formule eût été « je vous *donne* (heb. נתן; aram. יהב) la paix ». Jo. l'évite au début, où elle eût été un simple adieu, et ne l'emploie que lorsqu'il insiste sur la nature de cette paix. Ce qu'il laisse à ses disciples comme un legs spirituel, c'est une chose précieuse, non pas une paix quelconque, mais sa paix. C'est bien un adieu, mais non selon la forme banale ordinaire. Les Pères ont interprété la paix de différentes manières. Thomas approuve et commente la définition d'Augustin (lib. *de Verbis Domini*) : *Pax est serenitas mentis, tranquillitas animae, simplicitas cordis, amoris vinculum, consortium caritatis.* Dans la situation présente, les disciples risquaient de se troubler en perdant leur Maître; avec lui ils étaient en paix avec Dieu, qu'il leur apprenait à aimer, en paix entre eux, parce que sa voix calmait leurs disputes; ils ne craignaient pas leurs ennemis, étant confiants dans sa protection. C'est cette paix, la sienne, qu'il leur laisse, comme s'il était présent, par l'assistance qu'il leur a promise : θεία δέ τις ἐν ὑμῖν ἀνατελεῖ δύναμις, σχολάζοντι νῷ, καὶ γαληνιώσῃ καρδίᾳ, ξεναγοῦσα πρὸς ἀποκάλυψιν τῶν ὑπὲρ ἀνθρώπινον νοῦν (*Cyr.*). C'est donc grâce à cette paix dont Jésus est la source qu'ils pourront reconnaître sa présence en eux. — οὐ καθώς... δίδωσιν n'a pas de régime : il faut évidemment sous-entendre la paix, mais il semble bien que l'accent de la phrase est sur le *mode* différent de donner plutôt que sur l'*objet* différent de la paix que propose le monde par la satisfaction des désirs sensuels, de l'ambition, de l'avarice. Ces pensées sur la fausse paix du pécheur sont justes et pieuses, mais les disciples n'en étaient pas là; Jésus parle surtout de l'opposition entre la paix extérieure, la seule que le monde puisse donner quelquefois, et celle qui se maintient au dedans de l'âme, quoi qu'il en soit des périls et de la guerre qu'il faudra affronter, la paix de celui qui va être meurtri par le monde pour obéir à son Père. — ἀφίημι semble indiquer un legs, dont par conséquent les disciples jouiront plus tard; mais sa mort est imminente, et, si l'on peut dire, sa succession déjà ouverte. Aussi δίδωμι est un don actuel. On conçoit qu'en promettant l'assistance on donne dès à présent l'assurance de la paix et la paix elle-même, disposition spirituelle qui se communique sans formalités. Et en effet les disciples ont besoin de cette paix dès à présent. Ce qui prouve que Jésus ne parle pas spécialement de la paix avec Dieu, par opposition au péché, mais d'une paix fondée sur le secours de Dieu, et qui affronte la guerre, c'est qu'il reprend la recommandation du v. 1, d'éviter le trouble dans le désarroi de la séparation. Il ajoute même cette fois, μηδὲ δειλιάτω, *hapax* dans le N. T., mais terme employé par l'A. T. en cas de guerre (Dt. I, 21; II Macch. XV, 8).

— Dans un sens plus général, la paix était un des thèmes favoris de l'A. T. Sans parler de la paix du pays au sens temporel, elle était regardée comme

[28] ἠκούσατε ὅτι ἐγὼ εἶπον ὑμῖν Ὑπάγω καὶ ἔρχομαι πρὸς ὑμᾶς. εἰ ἠγαπᾶτέ με ἐχάρητε ἄν, ὅτι πορεύομαι πρὸς τὸν πατέρα, ὅτι ὁ πατὴρ μείζων μού ἐστιν. [29] καὶ νῦν εἴρηκα ὑμῖν πρὶν γενέσθαι, ἵνα ὅταν γένηται πιστεύ-

appartenant en propre à l'homme religieux et vertueux (Is. LIV, 13; LVII, 19), tandis que l'impie est dans le trouble. Cette paix était donnée par Iahvé; on la demandait, en parallélisme avec sa faveur, dans la bénédiction sacerdotale (Num. VI, 26).

Elle devait être un don messianique (Ez. XXXVII, 26), la paix de Dieu avec son peuple. Ce thème devait frapper Philon d'autant plus qu'on interprétait alors Jérusalem « vision de paix », et que, d'autre part, l'absence de trouble (*ataraxie*), la paix de l'âme, toutes passions étant domptées, était le but suprême de la morale stoïcienne. Aussi en a-t-il parlé en des termes assez voisins de ceux de ceux de Jo.

A propos de Phinéès (*de Vita Mos.* I, 304; II, 129) : δωρησάμενος ὁ θεὸς Φινεεῖ τὸ μέγιστον ἀγαθόν, εἰρήνην, ὃ μηδεὶς ἱκανὸς ἀνθρώπων παρασχεῖν, « qu'aucun homme n'est capable de fournir » n'est pas très éloigné de οὐ καθὼς ὁ κόσμος δίδωσιν. Philon a traduit « paix » ce qui est chez les Septante « alliance de paix » (Num. XXV, 12). A propos de Jérusalem la ville de Dieu (*de Somniis* II, 250-254; I, 692), l'âme qui est en paix est la meilleure habitation de Dieu qui est la paix. Enfin, à propos de Melchisédek, roi de Salem, ou roi de paix, Philon oppose l'intelligence-tyran, qui pousse l'âme aux mauvaises actions, au roi de paix qui la gouverne pour son bien : ce roi de paix n'est autre que la droite raison : οὗτος δέ ἐστιν ὁ ὀρθὸς λόγος, καλείσθω οὖν ὁ μὲν τύραννος ἄρχων πολέμου, ὁ δὲ βασιλεὺς ἡγεμὼν εἰρήνης (*Leg. alleg.* III 80 s.; I, 103). On trouve ici le prince de la paix, qui est un *logos*, il est vrai la droite raison et non le Logos divin, en opposition avec un ἄρχων, ici le prince de la guerre, dans Jo. le prince de ce monde (XIV, 30). Est-ce une simple rencontre? De toute façon on notera dans Jo. le caractère concret des paroles et des sentiments dans une situation donnée, tandis que Philon est toujours dans le domaine de la spéculation philosophique : ce serait les rapprocher plus que de raison que d'interpréter Jo. d'une manière trop métaphysique; il ne faudrait pas non plus tomber dans un sens trop banal (*Zahn*) : je ne vous dis pas adieu comme on fait d'ordinaire, comme les gens se disent adieu, mais d'une façon qui doit retentir dans vos cœurs.

28) Jésus renvoie à ce qu'il a déjà dit au v. 3, en termes équivalents. Le parallélisme continue donc avec le début du discours. Mais alors la prédiction du retour devait encourager les disciples dans leur propre intérêt, puisqu'il allait leur préparer des places. Maintenant abordant un motif encore plus noble, il leur dit que si seulement ils avaient eu jusqu'à présent de l'affection pour lui, ils devraient se réjouir parce qu'il va vers son Père. Le reproche est de ceux que l'on fait aimablement pour amener la protestation : mais oui, je vous aime. Que Jésus vienne vers son Père, c'était assurément un sujet de joie pour lui et ce devrait en être un pour ses disciples. Mais il ajoute un trait spécial, une raison de la joie de ce retour : c'est que son Père est plus grand que lui.

Parmi les Pères, il existe deux explications.

trouble pas et ne s'effraye pas. [28]Vous avez entendu que je vous ai dit : Je m'en vais et je viens à vous. Si vous m'aimiez vous vous réjouiriez parce que je vais au Père, car le Père est plus grand que moi. [29]Et maintenant je vous ai avertis, avant que cela n'arrive, afin

a) Les uns pensent qu'il a parlé précisément comme Fils distinct du Père, c'est-à-dire comme la seconde Personne de la Très Sainte Trinité. Origène (*c. Cels.* VIII, 14.15; in *Jo.* VI, 23; VIII, 25) et Tertullien (*c. Prax.* 9) semblent en avoir conclu à une réelle infériorité du Fils. Les Pères orthodoxes du IVe s., Athanase (*Orat. c. Arian.* I, 58), Grégoire de Nazianze (*Orat.* 30, § 7) ont nié une véritable infériorité, puisque le Fils reçoit de son Père une nature égale à la sienne : si le Père reçoit l'épithète de plus grand, c'est uniquement parce que c'est lui qui donne cette nature au Fils. Cyrille d'Alexandrie a admis cette vue à un moment (*Thes.* XI).

b) Mais dans son commentaire Cyrille a donné contre cette exégèse un argument décisif. Ce ne serait pas précisément un sujet de joie pour les disciples dans la circonstance présente d'être informés — s'ils étaient à même de pénétrer le sens voilé de ces paroles — sur cet aspect particulier du mystère de la Trinité. Manifestement il s'agit des destinées de l'humanité de Jésus (*Chrys.*, *Aug.*, etc.). Cyrille est celui qui a le mieux compris que le Christ de Jo. ne parle jamais simplement comme homme, mais comme étant le Fils de Dieu incarné. En acceptant l'Incarnation, le Fils a accepté une situation inférieure à celle du Père, lequel est grand parce qu'il est resté dans sa gloire. On ne saurait donc lui objecter qu'il serait absurde de comparer l'homme à Dieu et de déclarer, ce qui est trop évident, que l'homme est inférieur. C'est bien un Dieu qui est comparé à un Dieu, quoique non point par rapport à la nature qui est la même, mais parce qu'il est homme en même temps. Il est vrai qu'il ne cessera pas de l'être, et que, même glorifiée, son humanité fera qu'il sera de ce chef toujours inférieur à Dieu. Mais du moins elle ne sera plus un voile aussi épais; elle ne l'exposera plus aux humiliations, aux outrages.

Loin que ce texte soit contraire à la divinité de Jésus, « il est sous-entendu que le Christ, par son origine céleste, est de nature divine, puisqu'il se compare au Père » (*Loisy*, 415). Il est sous-entendu aussi dans cet endroit, mais il avait été dit déjà (XII, 28, etc.) que le Père glorifierait le Fils. En un mot, ce n'est pas l'homme qui parle (*Zahn*), c'est le Dieu incarné, et à cause de sa nature humaine, non point, comme dans l'autre système, à cause de ses rapports personnels avec son Père.

29) Les deux autres endroits semblables (XIII, 19; XVI, 4) sont relatifs à des épreuves douloureuses pour la foi; le fait qu'elles ont été annoncées par Jésus est une raison de ne pas s'en scandaliser. Il doit en être de même ici. Ce qui risque de troubler les disciples, c'est le départ de Jésus : et dans quelles circonstances! Mais ils se souviendront que leur Maître avait dit que c'était sa mission. Tel est le sens normal (*Zahn*, *Loisy*). Quelques-uns (*Aug.*, *Schanz*) incluent dans la prédiction le retour auprès du Père; mais ce n'est

σητε. [30] οὐκέτι πολλὰ λαλήσω μεθ' ὑμῶν, ἔρχεται γὰρ ὁ τοῦ κόσμου ἄρχων· καὶ ἐν ἐμοὶ οὐκ ἔχει οὐδέν, [31] ἀλλ' ἵνα γνῷ ὁ κόσμος ὅτι ἀγαπῶ τὸν πατέρα, καὶ καθὼς ἐντολὴν ἔδωκέν μοι ὁ πατὴρ οὕτως ποιῶ. Ἐγείρεσθε, ἄγωμεν ἐντεῦθεν.

31. εντολην εδωκεν (H) ou ενετειλατο (TSV).

---

pas précisément ce retour que les disciples ont constaté dans la Résurrection, qui d'ailleurs était pour leur foi une lumière plus éclatante que la simple réalisation d'une prophétie. Durand va plus loin (cf. *Mald.*); il ajoute à la résurrection le don du Paraclet et les œuvres puissantes, dont la réalisation prouverait bien que Jésus les a connues d'avance : nouveau motif de croire en lui. Il conclut : « Vers la fin du premier siècle, la conscience chrétienne devait trouver un réconfort à constater, au jour le jour, que tout se passait bien comme Jésus l'avait prédit, puisque le quatrième évangéliste en fait plus d'une fois l'observation en termes exprès » (XIII, 19; XIV, 29; XVI, 4). Mais ce n'est pas l'évangéliste, c'est Jésus qui prononce ces paroles : avec des intentions moins pures on soupçonnera que c'est l'évangéliste qui fait les constatations et les prédictions pour le réconfort de la conscience chrétienne. En réalité Jésus ne parle que de sa passion et de l'impression qu'elle pourrait faire sur les Apôtres : les mêmes tentations atteindront les générations suivantes qui pourront faire leur profit de ces prédictions (cf. XVI, 4).

30) C'était bien une perspective funeste que Jésus signalait; s'il ne l'a pas développée, c'est que le temps presse. Il lui suffit de dire que le prince du monde vient pour faire son œuvre, sans doute par ses suppôts, car c'est lui qui se sert de Judas comme d'un instrument (XIII, 2.27; VI, 70). Il n'est pas douteux en effet que ce prince ne soit le diable ou Satan. Il a autorité sur le monde. Dans cette heure de tristesse, Jésus ne dit pas une fois de plus (XII, 31) qu'il sera chassé, mais seulement qu'il n'a pas de pouvoir sur lui, ni même rien en lui. Il n'y a rien en Jésus qui lui donne le droit d'élever une prétention quelconque : ce qui revient à dire que Jésus a toujours été sans péché : *quia neque cum peccato Deus venerat, nec eius carnem de peccati propagine Virgo pepererat* (*Aug.*). — καί est séparé de ce qui précède, plutôt dans le sens de « or » que de « mais ».

31) Le début du verset se joint étroitement à ce qui précède, et non point aux trois derniers mots. Il est sous-entendu : mais on le laisse agir... Ce n'est pas pour l'éclairer lui-même, mais bien le monde. Car, celui-ci est soumis désormais; il n'est pas incurable, et la première condition de son salut sera de comprendre que Jésus est mort dans l'obéissance à son Père, et pour l'amour de Lui. Cela aussi est une prophétie, du moins implicite; mais les disciples, eux, devaient déjà savoir quels étaient les sentiments de leur Maître. Il va engager la lutte non point comme un capitaine qui lutterait à forces égales contre un autre : non, son adversaire est prince du monde. Il paraîtra donc succomber : mais son obéissance sera récompensée et son

que lorsque cela sera arrivé, vous croyiez. [30]Je ne m'entretiendrai plus guère avec vous, car le prince du monde vient; et il n'a rien en moi, [31]mais il faut que le monde reconnaisse que j'aime le Père et que j'agis conformément à l'ordre que m'a donné le Père. Levez-vous, partons d'ici. »

amour portera ses fruits. C'est le seul cas où Jésus parle de son amour pour son Père, ayant plutôt parlé avec reconnaissance de l'amour de ce Père pour lui (x, 17; xv, 9; xvii, 23.24.26; cf. iii, 35). Pour la pensée et l'ordre des mots, cf. Gen. vi, 22 καὶ ἐποίησε Νῶε πάντα ὅσα ἐνετείλατο αὐτῷ K. ὁ θεός, οὕτως ἐποίησεν. La leçon ἐντολὴν ἔδωκεν n'est guère moins appuyée que ἐνετείλατο. — Les trois derniers mots n'indiquent pas seulement que Jésus se lève et continue debout, tout prêt au départ (*Schanz*, etc.). On ne comprend guère non plus qu'on soit allé dans une autre salle à la manière où l'on passe de la salle à manger au salon. Il semble bien que Jésus donne vraiment le signal du départ (cf. Mt. xxvi, 46; Mc. xiv, 42), quoique ce ne soit pas pour aller au devant du traître, comme dans Mc. et Mt. Sur la difficulté de situer les trois chapitres qui suivent, voir ci-après. M. Torrey (cf. *Intr.* p. cii) a essayé de la trancher en lisant « ... : et que je fais ce que le Père m'a ordonné, je vais me lever et sortir d'ici », c'est-à-dire de ce monde, sens qui serait celui de l'araméen אֵקוּם וְאֵזֵל מִכָּה, que le traducteur aurait lu : קוּמוּ נֵזֵל מִכָּה. C'est très ingénieux, mais combien moins naturel que le texte grec!

DEUXIÈME DISCOURS APRÈS LA CÈNE (XV-XVI).

On a remarqué depuis longtemps la difficulté de situer ce discours entre le v. xiv, 31, qui indique un départ, et le v. xviii, 1 qui indique une sortie, ou du Cénacle ou du moins de la ville. Quelques-uns ont pensé que Jésus s'est levé de table sans sortir du Cénacle (*Mald.*, *Zahn*, *Kn.*, *Calmes*), mais on ne voit pas pourquoi il a donné le signal du départ : ἄγωμεν est bien clair dans ce sens. Dire que ce verset est une addition de copiste d'après Mt. xxvi, 46 et Mc. xiv, 42, c'est méconnaître l'accent des dernières paroles qui semblent bien un adieu définitif, ou tout au moins une conclusion.

D'autres (*Godet*, *West.*, *Fillion*, etc.) ont cru que Jésus avait continué de discourir le long du chemin. Ce n'eût pas été impossible dans la campagne, mais pouvait-on s'entretenir de la sorte dans les rues de la ville? Or on ne sortit qu'au début du ch. xviii.

A cette première difficulté s'en joint une autre. Le second discours contient plusieurs passages parallèles au premier. Bauer compare xiii, 34.35 à xv, 12.17; xiv, 10 11. 20 à xv, 1-10; xiv, 13 à xv, 7; xiv, 15.21 à xv, 10; xiv, 16.17.26 à xvi, 13; xiv, 19 à xvi,16; xiv, 27 à xvi, 33. On pourrait être tenté de supposer que le second discours a été prononcé avant le premier, car xvi, 16 fait difficulté pour les assistants, tandis que le même mot passe sans difficulté dans xiv, 19; xvi, 5 paraît antérieur à xiii, 33.36 et xiv, 5; mais d'autre part dans xv, 26 et xvi, 7 le Paraclet est censé connu tel qu'il est annoncé dans xiv, 16.17.

Entre les deux morceaux, il y a aussi cette différence que dans le premier c'est tel ou tel des disciples qui prend la parole, tandis que dans le second c'est le groupe des disciples.

Comment expliquer ces faits? Dans son premier commentaire, M. Loisy pensait que l'auteur du premier discours aura eu « l'idée d'en écrire un autre sur le même objet, parce que le premier lui semblait, après coup, insuffisant, et il n'a pas pris la peine de rectifier son cadre » (p. 760). Ayant adhéré depuis à la théorie d'un arrangement de la première écriture par un rédacteur, Loisy ne juge plus sa première hypothèse aussi vraisemblable : ou bien le rédacteur aura complété le premier discours par un commentaire de sa façon, ou bien, dans un remaniement du livre, on aura utilisé des morceaux plus anciens.

M. Lepin (*La valeur hist...* II, p. 101, n. 3) a fait remarquer très justement que l'aspect des discours prouve bien que l'auteur ne les a pas créés, car ils auraient coulé d'un seul jet. Loin de là, « les chapitres en surcharge ne se comprennent bien que comme un supplément d'information que l'écrivain puise dans l'histoire et qu'il fournit ingénument par mode d'appendice. Le cas est exactement le même que celui du chapitre XXI ». En d'autres termes, l'évangéliste « repassant et approfondissant ses souvenirs, il en aura tiré une relation nouvelle, prolongée, qu'il se contente de juxtaposer à la suite de la première » (*l. l.* p. 101). Après quelque hésitation (*Recherches...* 1910, p. 107 n. 2), c'est bien cette solution que propose le R. P. Durand (*l. l.* 1911 p. 322), encore qu'assez timidement. Il suppose même un certain intervalle entre les deux compositions : « Si saint Jean avait écrit sur l'heure les développements qui suivent, pourquoi aurait-il maintenu à XIV, 31 le signal du départ?... Au reste, on aurait tort de croire que ces deux chapitres sont un pur développement de ce qui précède... Même dans les développements, notamment en ce qui concerne l'Esprit-Paraclet, la pensée chemine; encore que ce soit de la façon propre à Jean. »

Il y a même des choses nouvelles, comme la persécution réservée aux disciples (XV, 18-XVI, 6), et comme ce thème se rapproche de celui des synoptiques où il est placé à un autre moment, on peut se demander s'il a été repris par Jésus après la Cène? La question de principe a été résolue d'avance en très bons termes par le R. P. Durand (*l. l.* 1910, p. 116) : « On n'a pas, au nom de la théologie, à réclamer pour le discours après la Cène une unité historique plus grande que pour le Sermon sur la montagne (Matth. V-VII), l'instruction aux apôtres (*ibid.* X, 6-42), le discours eschatologique (*ibid.* XXIV). On pourrait même, dans cette direction, permettre davantage à saint Jean, à cause de sa personnalité si nettement accusée, comme aussi à raison du but et du caractère de son œuvre. »

Nous n'avons point été tenté de chercher dans le premier discours des passages étrangers par leur nature à la situation, car tout y est adapté aux circonstances. Il y a lieu de faire cet examen pour le second discours.

Voici ce que nous voudrions proposer, avec les réserves qui sont de droit dans un cas si difficile à résoudre. Le second discours — qu'on peut nommer tel d'après le contexte même de Jo. — se compose de trois thèmes : celui de l'union des disciples à Jésus, comparée à l'union du cep avec les branches et qui se réalise dans la charité (1-17). Le second thème est celui de la haine du monde (restreint en fait au judaïsme), soit contre Jésus, soit contre les disciples (18-XVI, 4a). Le point de départ est très net; au contraire il est malaisé de discerner la fin, car le v. 4ᵇ forme précisément une transition. Le troisième thème seul est le même que celui du ch. XIV, c'est celui du départ immédiat, avec la promesse du Paraclet, la promesse du retour de Jésus, et l'éveil de la foi dans le cœur des disciples (XVI, 4ᵇ-33).

Cette partition nous paraît incontestable, même si tout ce second discours avait été réellement prononcé après la Cène. Mais nous avons à nous demander si ce n'est pas un discours composé de plusieurs autres? La dernière partie, nous venons de le dire, porte tous les caractères de la même situation que le ch. XIV, après la Cène. C'est donc de cette partie que nous disons que c'est un complément des premiers souvenirs. Mais la seconde correspond par bien des traits — qui seront indiqués — à une partie du discours eschatologique des trois synoptiques, même en ce qui regarde le rôle du Paraclet (XV, 26), quoique ce trait ait été nuancé par l'ambiance générale. Quant à la première partie, on la placerait très naturellement après le choix des disciples-apôtres et avant leur première mission (Mt. X et parall.); on dirait seulement que la même ambiance, la proximité de la mort de Jésus, lui donne un accent plus pénétrant et presque mélancolique. En fait on n'y rencontre aucune allusion au départ de Jésus. Dans la seconde partie ce départ n'est pas plus imminent que dans le discours eschatologique des synoptiques.

Le thème théologique n'est pas non plus aussi explicite dans la première et la seconde partie que dans le ch. XIV et dans XVI, 25 à 33. Après la révélation du ch. XIV sur l'unité de Jésus avec son Père, il n'y a plus rien d'une pareille évidence jusqu'au ch. XVII. Et surtout dans la première partie (XV, 1-17), si l'unité de Jésus avec Dieu, c'est-à-dire sa divinité est supposée, cependant le Père est seulement présenté comme distinct du Fils, c'est-à-dire sans l'affirmation explicite de leur unité. De même dans la seconde partie, il est celui qui a envoyé le Fils, sans allusion à l'identité de nature. Nous sommes donc là dans un stage moins avancé de la révélation, même pour le groupe privilégié des disciples. Dans la troisième partie, la lumière n'est pas non plus aussi complète, de sorte qu'on pourrait soutenir que ces paroles de Jésus tout en appartenant à l'entretien qui a suivi la Cène, ne sont pas les dernières. Après le ch. XIV, il n'y a plus de place que pour la prière du ch. XVII. Notre conclusion sur la troisième partie du second discours coïncide avec celles de M. Lepin et du P. Durand; elle sera sans doute admise assez aisément. Ce que nous avançons des deux premières autres est contenu dans le principe posé par le P. Durand, qui n'est à vrai dire que l'application à Jo. de ce que tout le monde fait pour Mt. et Lc. Cette opinion aura d'ailleurs cet avantage de prouver la fidélité de Jo. à conserver dans les discours de Jésus leur enseignement primitif, même lorsqu'il les déplace, ce qui malgré tout aboutit forcément (aussi pour Mt. et pour Lc.), à leur donner une nuance particulière. Mais ce qui est compatible avec la notion de l'inspiration pour les synoptiques doit l'être aussi pour le quatrième évangéliste.

Première partie du second discours (XV, 1-17).

Jésus est pour ses disciples ce que la vigne est pour les sarments. Cet enseignement a son application pour tous ceux qui ont été et qui seront les disciples de Jésus. Mais, pour la première fois, il s'adressait à un groupe restreint de disciples, sur lesquels il compte pour aller, donc comme apôtres, et faire du fruit à la suite d'une élection et d'une investiture spéciales (16). Ce peut être un discours qui aurait suivi le choix des Douze. Dans le cadre actuel, c'est bien aussi à eux qu'il s'adresse. En l'interprétant dans son contexte actuel, on peut dire qu'il développe le thème de l'union entre Jésus et ses disciples. Si le thème principal du ch. XIV était la foi agissant par la charité, c'est désormais la charité seule qui est au premier rang. Précédemment les œuvres étaient comme la condition de la venue mystique du Christ. Maintenant qu'il a annoncé sa venue et sa demeure, il développe la nécessité et les conséquences de cette heureuse union, qui seront les fruits de la charité, produits par les disciples. Ce thème en lui-même n'est pas un adieu, mais il a pu être rattaché à l'adieu comme un enseignement de la plus haute importance.

La doctrine est d'abord présentée sous la forme d'un parabole-allégorie (1-8), qui elle aussi rentre bien dans l'atmosphère de la Cène (cf. Mc. XIV, 25; Mt. XXVI, 29; Lc. XXII, 18), non seulement à cause de l'institution de l'Eucharistie avec le vin, mais aussi à cause de l'allusion de Jésus au fruit de la vigne. D'après la Didachè (IX, 2) l'action de grâce pour le calice débutait ainsi : εὐχαριστοῦμέν σοι πάτερ ἡμῶν, ὑπὲρ τῆς ἁγίας ἀμπέλου Δαβὶδ τοῦ παιδός σου, ἧς ἐγνώρισας ἡμῖν διὰ Ἰησοῦ τοῦ παιδός σου.

On remarquera dans le tissu de ce passage comme des fils qui en indiquent le dessin : καρπός huit fois, et seulement encore deux fois (IV, 36; XII, 24) dans Jo., qui paraît dès le début et deux fois au v. 16 pour clore le thème; ἀγάπη, quatre fois dans la seconde partie; la prière exaucée à la fin de l'apologue (7) et à la fin de l'explication (16); μένω dans le sens de la demeure mystique se trouve onze fois. Ce n'est point un hasard si ce sens a été inauguré par Jo. à propos de l'Eucharistie (VI, 27. 56). Jésus vient de se donner dans l'Eucharistie, il demande à ses disciples de demeurer en lui pour que lui et sa parole demeurent en eux. Nous ne voulons donc pas méconnaître la nuance discrète qu'a prise ce discours dans l'émotion du dernier entretien, quoique, par lui-même, il soit plutôt l'entrée des disciples dans l'intimité de Jésus.

CHAPITRE XV

[1] Ἐγώ εἰμι ἡ ἄμπελος ἡ ἀληθινή, καὶ ὁ πατήρ μου ὁ γεωργός ἐστιν·

« [1]Je suis la vigne véritable, et mon Père est le vigneron. [2]Tout

1-8. La parabole-allégorie de la Vigne.

Cette comparaison ressemble beaucoup à celle des brebis (x, 1-16), mais elle est mieux suivie, puisque, dans ce premier cas, Jésus est tantôt la porte, tantôt le bon pasteur. Ici il y aurait peu à faire pour reconstituer une véritable parabole : de même que les branches ne peuvent porter aucun fruit sans le suc de la vigne et que coupées elles ne sont bonnes qu'à être brûlées, ainsi vous ne pouvez faire de bonnes œuvres que si vous êtes unis à moi par la charité; séparés vous seriez destinés à la perdition. Ce n'est point là une parabole démonstrative, car on ne saurait conclure d'un fait de l'ordre naturel à une loi surnaturelle, mais une simple explication qui n'est claire que si Jésus se révèle lui-même dans la vigne, ce qui donne à la parabole l'apparence de l'allégorie. Cela ne veut pas dire que, présentée comme une pure parabole par Jésus, cette comparaison a été transformée en allégorie par Jo., car elle tournait d'elle-même à l'allégorie dans la bouche du Maître, et rien n'empêche qu'il ait pratiqué ce genre mixte de la parabole juive.

1) La vigne était une comparaison favorite pour désigner Israël (Is. v, 1 ss.; Jér. II, 21 ἄμπελος ἀληθινή, Ez. xv, 1 ss.; XVII, 6; XIX, 10 ss.; Ps. LXXX, 9 ss.) Dans l'Apoc. syr. de Baruch (XXXVI ss.) la vigne est le Messie; dans Sir. XXIV, 17, c'est une image de la Sagesse divine. — ἡ ἀληθινή : Jésus est la vigne vraiment digne de ce nom, la vigne par excellence, qui fait au plus haut degré ce qui est le propre de la vigne, donner des fruits très doux et très sains. Il ne semble pas qu'il y ait une opposition avec la mauvaise vigne d'Isaïe (*Aug.*, etc.), ni une réminiscence de Jér. II, 21 (vigne de bonne espèce). Comparé à la vigne ou à la lumière (I, 9), le Fils de Dieu est dans sa réalité ce que toute créature n'est que par emprunt. — Il y a dans la comparaison un trait relativement secondaire : même vivant du suc de la vigne, les branches se trouvent bien qu'on taille les pousses folles. Qui pouvait faire ce travail? Non pas Jésus qui est la vigne. Il introduit donc dès le début son père comme vigneron, ὁ γεωργός, littéralement le cultivateur, ce qui se conçoit très bien dans son pays où toute la culture de la vigne consiste le plus souvent à la labourer (cf. Mc. XII, 2 et parall. Mt. et Lc.); d'ailleurs γεωργός se disait aussi d'un vigneron (Élien, *N. A.* VII, 28). — Les Ariens affectaient de conclure de ce verset à une différence de nature entre le Père et le Fils. Grill a bien montré que le Fils, incarné, ayant pris notre nature, était désigné ici comme principe de la grâce;

[2] πᾶν κλῆμα ἐν ἐμοὶ μὴ φέρον καρπὸν αἴρει αὐτό, καὶ πᾶν τὸ καρπὸν φέρον καθαίρει αὐτὸ ἵνα καρπὸν πλείονα φέρῃ. [3] ἤδη ὑμεῖς καθαροί ἐστε διὰ τὸν λόγον ὃν λελάληκα ὑμῖν· [4] μείνατε ἐν ἐμοί, κἀγὼ ἐν ὑμῖν. καθὼς τὸ κλῆμα οὐ δύναται καρπὸν φέρειν ἀφ' ἑαυτοῦ ἐὰν μὴ μένῃ ἐν τῇ ἀμπέλῳ, οὕτως οὐδὲ ὑμεῖς ἐὰν μὴ ἐν ἐμοὶ μένητε. [5] ἐγώ εἰμι ἡ ἄμπελος, ὑμεῖς τὰ κλήματα. ὁ μένων ἐν ἐμοὶ κἀγὼ ἐν αὐτῷ οὗτος φέρει καρπὸν πολύν,

tandis que le Père, c'est-à-dire Dieu, comme distinct de l'homme, figurait la Providence extérieure, spécialement par sa justice. Il ne s'agit point ici des relations entre les Personnes de la Très Sainte Trinité.

2) Il est fait allusion à deux opérations bien différentes. Durant l'hiver, le vigneron coupe tous les sarments qui ne seraient pas susceptibles de porter du fruit; mieux vaut laisser la vigne pousser des branches nouvelles et vigoureuses. Puis, quand la vigne a poussé, on pince les petites branches inutiles, les gourmands, qui absorberaient la sève au détriment des bonnes branches. Dans le premier cas, c'est une branche qui est retranchée, dans le second cas elle est seulement nettoyée. La branche coupée faisait naturellement partie du tronc principal, ἐν ἐμοί. Ce travail du Père, qui est une œuvre de châtiment ou d'épreuve, ne s'exerce donc pas sur le Fils, et cela va sans dire. Il est sous-entendu qu'une branche peut être entée sur le Christ et cependant ne pas porter de fruit. L'explication pénètre dans la comparaison, d'autant qu'elle est allégorique. Il y aura donc des personnes se réclamant du Christ, et vraiment unies à lui, sans doute par la foi seule, et qui néanmoins, ne portant pas de fruit, c'est-à-dire n'ayant pas la charité (9), sont exposées à être retranchées, c'est-à-dire complètement séparées du Christ. Ce n'est pas que le Père leur enlève la charité; constatant qu'elles ne l'ont pas, il consomme la séparation : à quel moment? cela n'est pas dit. Ce sera peut-être seulement au moment de la mort, peut-être avant, en cas d'excommunication ou d'apostasie (vi, 66) : mais ces précisions ne sont pas dans l'enseignement direct de Jésus. Ceux qui ont la charité n'ont besoin que d'un nettoyage par retranchement que la Providence du Père saura opérer par l'épreuve. — κλῆμα signifie généralement une pousse, mais spécialement un sarment de vigne. αἴρει et καθαίρει forment une assonnance, mais καθαίρει seul ne peut guère signifier émonder; dans Philon qu'on allègue (*de agricult.* 10; i, p. 301), il y a ὑποτεμνόμενα καθαίρεται, et Jo. va s'appuyer sur le sens de purifier.

3) Ici la parabole est interrompue et Jésus s'adresse directement à ses disciples. Étaient-ils exposés à ce nettoyage de la part du Père, douloureux sans doute et inquiétant? Non, ils sont déjà purs, comme il leur a été dit (xiii, 10). Si cela n'exclut pas tout progrès, il se fera désormais en union avec le cep. Pour les disciples d'ailleurs, ce n'est pas le Père qui a opéré directement ce bon effet; c'est la parole prononcée par le Fils, dont nous savons par ailleurs que le Père la lui avait confiée (xiv, 10) : « C'est un trait caractéristique du quatrième évangile que cette vertu rédemptrice de la parole de Dieu » (*Durand*, p. 327). Cependant Paul aussi a dit que l'évangile est une énergie divine pour le salut (Rom. i, 16), et Pierre que c'est un germe de régénération (I Pet. i, 23).

sarment en moi qui ne porte pas de fruit, il l'ôte, et tout [sarment] qui porte du fruit il le nettoie, afin qu'il porte du fruit davantage. [3] Déjà vous êtes purs, à cause de la parole que je vous ai adressée; [4] demeurez en moi, et moi en vous. Comme le sarment ne peut de lui-même porter du fruit, s'il ne demeure dans la vigne, ainsi vous [ne le pouvez pas] non plus si vous ne demeurez en moi. [5] Je suis la vigne, vous les sarments. Celui qui demeure en moi, et moi en lui

La parole de Jésus a éclairé les âmes des disciples; elle a aussi pénétré en eux par la foi, dissipant l'erreur, chassant le péché par leur adhésion de charité au Christ (Act. XV, 9) : cela dans l'ordre de l'exécution. Mais le premier principe de ce changement fut la parole elle-même, parole qui est esprit et vie (VI, 63), tout comme la vie est une lumière (I, 4). Ce serait trop spécialiser que de dire « en vertu de l'initiation » (Loisy, p. 418), ou « par les paroles du baptême » (*Aug.*).

4) Jésus ne parle plus de venir vers ses disciples pour demeurer en eux (XIV, 23). Cette union est ici supposée acquise : il faut seulement la conserver. Bossuet : « Notre union avec Jésus-Christ présuppose, premièrement, une même nature entre lui et nous, comme les branches de la vigne sont de la même nature que la tige... (Ces paroles) présupposent, secondement, une intime union entre lui et nous, jusqu'à faire un même corps avec lui, comme le sarment et les branches de la vigne font un même corps avec la tige. Elles présupposent, en troisième lieu, une influence intérieure de Jésus-Christ sur nous, telle qu'est celle de la tige sur les branches, qui en tirent tout le suc dont elles sont nourries » (*Méditations*...). On sait que la même doctrine a été présentée par Paul plusieurs fois sous les images d'un corps dont Jésus est la tête (Col. I, 18, etc.), ou d'un édifice dont il est le fondement (Eph. II, 20-22). Mais qui ne voit que la manière de Jo., moitié parabole et moitié allégorie, est celle qui nous paraît la plus naturelle sur les lèvres de Jésus? Le ton est pénétrant et l'accent persuasif. Après l'invitation, l'explication qui en montre le bien fondé d'après les termes de la parabole-allégorie. — L'action du libre arbitre est très marquée : Jésus restera (μενῶ sous-entendu) si les disciples restent. Et cependant ils ne peuvent faire aucun fruit, c'est-à-dire une œuvre bonne dans l'ordre du salut, sans la sève qu'ils lui empruntent. Mystère insondable, dont les termes sont posés avec la simplicité familière et imagée des synoptiques, plutôt que comme faisant partie d'un raisonnement paulinien.

5) Jésus a déjà dit qu'il était la vigne, et on avait dû deviner que les disciples étaient les branches. Ce n'est donc point ici le début de l'explication d'une parabole, d'autant que l'objet symbolisé a déjà paru et que le symbole reparaîtra encore; c'est plutôt une formule concise et frappante, placée au centre de la parabole, qu'il suffira d'évoquer pour qu'aussitôt tout cet enseignement se présente à l'esprit. — Celui qui demeure en moi qui suis le cep, et lorsque je suis en lui par ma sève,... l'idée du v. 4 est reprise avec une expression

ὅτι χωρὶς ἐμοῦ οὐ δύνασθε ποιεῖν οὐδέν. [6] ἐὰν μή τις μένῃ ἐν ἐμοί, ἐβλήθη ἔξω ὡς τὸ κλῆμα καὶ ἐξηράνθη, καὶ συνάγουσιν αὐτὰ καὶ εἰς τὸ πῦρ βάλλουσιν καὶ καίεται. [7] Ἐὰν μείνητε ἐν ἐμοὶ καὶ τὰ ῥήματά μου ἐν ὑμῖν μείνῃ, ὃ ἐὰν θέλητε αἰτήσασθε καὶ γενήσεται ὑμῖν. [8] ἐν τούτῳ ἐδοξάσθη ὁ πατήρ μου ἵνα καρπὸν πολὺν φέρητε καὶ γενήσεσθε ἐμοὶ μαθηταί.

6. αυτα (HV) plutôt que αυτο (TS).
8. γενησεσθε (TSV) plutôt que γενησθε (H).

---

positive et affirmative, fortifiée par la forme négative à laquelle se rattache la conclusion; χωρὶς ἐμοῦ, cf. χωρὶς Χριστοῦ, Eph. II, 12. — Bauer rapproche Aristide, *Oratio in Minerv.* ed. Keil. *Orat.* XXXVII, 10 Ἀθηνᾶς ἡγουμένης οὐδὲν πώποτε ἀνθρώποις ἡμαρτήθη οὐδ' αὖ πράξουσί ποτε χρηστὸν οὐδὲν ἄνευ τῆς Ἀθηνᾶς. La déesse Athéna symbolise la raison, à ce titre elle doit servir de guide, sans quoi on ne ferait rien de bon. Dans Jo. c'est un secours intérieur qui est nécessaire, et il suppose l'union. Aristide parle de l'ordre rationnel, tandis que Jésus a en vue la vie éternelle. Celui qui peut donner aux âmes un tel secours s'attribue une puissance divine; cf. II Cor. III, 5.

6) Mélange singulier du symbole et de l'objet symbolisé. — ἐξηράνθη a encore pour sujet celui qui ne demeure pas; c'est une comparaison : mais ce sont les sarments qui sont ramassés et jetés au feu; où l'on comprend bien que les personnes sont menacées d'un sort semblable; cf. Mt. XIII, 30. 40. C'est le même enseignement que dans la parabole de l'ivraie (Mt. XIII, 24-30; 36-43). — Les aor. ἐβλήθη et ἐξηράνθη marquent une conséquence immédiate et infaillible (*Schanz*, etc.) et en même temps, par opposition aux présents qui suivent, un temps intermédiaire (cf. HERMAS, *Vis.* III, XII, 2) entre le moment où les sarments sont desséchés et celui où on les ramasse, sans doute dans la vue du dernier jugement. Augustin a rappelé que le sarment n'est bon qu'à brûler d'après Ézéchiel (XV, 1-5) : *aut vitis, aut ignis; si in vite non est, in igne erit : ut ergo in igne non sit, in vite sit.* — Il est donc enseigné ici clairement que l'on peut, par une décision libre, se séparer de Jésus et se perdre. La comparaison employée ne permet pas de prévoir explicitement le repentir, car un sarment coupé ne peut être de nouveau mis en contact avec le suc du cep : tout ne peut être exprimé par une seule image. — Nous lisons αὐτά (BA vg. de WW, etc.), vraiment exigé par συνάγουσιν, tandis que αὐτό (ℵD etc. Vg. Clém.) se rattache mécaniquement à κλῆμα. En latin *palmes* étant masc., *eos* ou *eum* peut désigner *les* ou *le* disciple (*Loisy*), mais le grec est au neutre, et s'entend *du* ou *des* sarments.

7) Il m'est impossible de déterminer le contexte. Le v. 8 suit tout naturellement le v. 6. Ce v. 7 est donc une sorte de parenthèse, qui rappelle Mc. XI, 24, plutôt que Jo. XIV, 13 et 14, dont les caractéristiques : « au nom de Jésus », et la demande exaucée par Jésus, font ici défaut. On est réduit à supposer qu'ayant ouvert aux yeux des disciples effrayés la perspective de la perte éternelle, Jésus leur suggère la solution pratique du mystère du salut : le recours à la prière.

celui-là porte beaucoup de fruit, parce que hors de moi vous ne pouvez rien faire. [6] Si quelqu'un ne demeure pas en moi, le voilà jeté dehors comme le sarment et desséché ; puis on les ramasse et on les jette au feu, et ils brûlent. [7] Si vous demeurez en moi et [si] mes paroles demeurent en vous, demandez ce que vous voudrez, et il vous adviendra. [8] Ce qui glorifie mon Père, c'est que vous portiez beaucoup de fruit, et [ainsi] vous serez mes disciples.

Ils n'ont qu'à demander, et cela arrivera. La promesse est très générale : dans le contexte actuel, on suppose que le disciple ne demandera que le salut : *Manendo quippe in Christo, quid velle possunt nisi quod convenit Christo* (*Aug.*)? — Noter la vive formule de l'impératif aoriste, et le second ἐάν pour ἄν. — Si au lieu de dire κἀγὼ ἐν ὑμῖν (4) Jésus dit : καὶ τὰ ῥήματα κ. τ. λ, ce n'est pas que la seconde formule soit l'explication de la première (*Bauer, Loisy*), car il y a ici une nouvelle condition, au lieu d'une simple réciprocité. Il est vrai que celui qui demeure en Jésus tout à fait garde aussi ses paroles, mais dès le v. 2 on voit une manière d'être en lui sans porter de fruits. On ne saurait dire (*Cyr.*) que le sens soit ici garder les commandements, puisque le texte dit les paroles; mais du moins elles sont reçues dans l'âme, c'est-à-dire par la foi pleine (cf. Mc.).

8) La ressemblance avec XIV, 13 n'est que dans une rencontre de mots. Dans cet endroit, le Fils exauçait pour que le Père soit glorifié. Ici ἐν τούτῳ ne se rapporte pas à ce qui précède, mais à ce qui suit, car ἵνα n'a pas plus ici le sens final que dans I Jo. IV, 17; V, 3; Jo. VI, 29.40 (*Schanz, Bauer,* etc.). Jo. ne pouvait écrire ὅτι comme dans I Jo. III, 16 ἐν τούτῳ ἐγνώκαμεν τὴν ἀγάπην, ὅτι... ἔθηκεν, car les faits sont encore dans l'avenir. Si ἐδοξάσθη est à l'aor., c'est comme résultat certain d'une action future (cf. Gal. V, 4; I Cor. VII, 28); la gloire rendue à Dieu résultera de ce qui va suivre; d'abord les fidèles porteront de bons fruits, ἵνα φέρητε (au subjonctif), et par là même ils seront vraiment (γενήσεσθε au futur) les disciples de Jésus (cf. Mt. V, 16 : les bonnes actions des disciples porteront les hommes à rendre gloire au Père). Sur l'ordre de Jo. cf. *Deb.* § 394, ἵνα φέρητε = ἐν τῷ φέρειν. La construction si particulière de la phrase s'explique le mieux si Jésus voulait appeler l'attention sur l'avenir; ceux auxquels il parle doivent vraiment devenir ses disciples, sans préjudice du lien avec la parabole précédente (porter du fruit). On dirait d'un discours prononcé peu après l'élection des apôtres, car ce n'est pas seulement après sa mort qu'ils deviendront ses disciples. Nous avons lu γενήσεσθε (ℵA etc.) car γένησθε (BD et quelques autres) nous paraît une correction plus coulante.

9-17. Les disciples sont désormais des amis qui agiront dans la charité.

L'image de la vigne ne reparaîtra plus que dans la métaphore du fruit (16), mais l'union étroite qu'elle suppose entre le cep et les branches est exposée comme une charité qui doit unir les disciples au Christ. Son affection pour eux est une amitié : tous doivent s'aimer les uns les autres comme des amis, et faire au dehors le fruit de la charité.

[9] καθὼς ἠγάπησέν με ὁ πατήρ, κἀγὼ ὑμᾶς ἠγάπησα· μείνατε ἐν τῇ ἀγάπῃ τῇ ἐμῇ. [10] ἐὰν τὰς ἐντολάς μου τηρήσητε, μενεῖτε ἐν τῇ ἀγάπῃ μου, καθὼς ἐγὼ τοῦ πατρός μου τὰς ἐντολὰς τετήρηκα καὶ μένω αὐτοῦ ἐν τῇ ἀγάπῃ. [11] Ταῦτα λελάληκα ὑμῖν ἵνα ἡ χαρὰ ἡ ἐμὴ ἐν ὑμῖν ᾖ καὶ ἡ χαρὰ ὑμῶν πληρωθῇ. [12] αὕτη ἐστὶν ἡ ἐντολὴ ἡ ἐμὴ ἵνα ἀγαπᾶτε ἀλλήλους καθὼς ἠγάπησα ὑμᾶς· [13] μείζονα ταύτης ἀγάπην οὐδεὶς ἔχει, ἵνα τις τὴν ψυχὴν αὐτοῦ θῇ ὑπὲρ τῶν φίλων αὐτοῦ. [14] ὑμεῖς φίλοι μού ἐστε ἐὰν ποιῆτε ὃ ἐγὼ ἐντέλλομαι ὑμῖν. [15] οὐκέτι λέγω ὑμᾶς δούλους, ὅτι ὁ δοῦλος οὐκ

10. μου *p.* πατρος (TSV) plutôt que *om.* (H).
14. ο (H) ou α (TSV).

---

9) Qu'était-ce que demeurer en Jésus? C'était demeurer dans son amour, dans l'amour dont il aime ses disciples comme le Père l'a aimé. Cet amour du Père pour son Fils a toujours été exprimé jusqu'ici par le présent (III, 35; v, 20; x, 17); il le sera par l'aoriste (XVII, 24.26). Dans notre verset il ne s'entend pas de l'amour du Père pour le Fils quand il l'engendre dans l'éternité, puisqu'il va être question de l'obéissance du Fils, mais de l'amour du Père : *ad hoc scilicet ut simul esset Deus et homo* (*Thom.* 2°). D'une semblable manière Jésus a aimé ses disciples avant de les choisir. Ils n'ont qu'à demeurer dans cette charité qui est la sienne et non la leur, comme on le verra mieux au v. suivant. D'ailleurs « demeurer » se comprend mieux de la charité qui a été la première (I Jo. IV, 10 ss.).

10) L'amour de Jésus se modèle en quelque sorte sur celui du Père : la fidélité des disciples à demeurer sous cet influx divin devra se modeler sur le Fils : comme il a observé les commandements de son Père, ils devront observer les siens. On voit bien ici que la charité est celle du Père pour le Fils; celle du Fils est donc celle qu'il a pour ses disciples. On voit aussi que le Fils obéit en tant qu'homme. Cyrille, toujours préoccupé de maintenir dans le Christ l'unité du sujet agissant fait commencer sa docilité avant même l'Incarnation, dans le désir d'accomplir les desseins de son Père, qu'il regarde comme des commandements : οὐκοῦν ἔχεις ἐν μὲν τῇ κατὰ θέλησιν ὑπακοῇ τῶν τοῦ Πατρὸς βουλευμάτων τὴν πλήρωσιν· ἃ καὶ ἐν τάξει ἐντολῶν φησι γενέσθαι πρὸς αὐτὸν ὁ Υἱός. Il va sans dire que cette obéissance est continuelle (τετήρηκα; cf. VIII, 29) et provoque comme un nouvel amour du Père (x, 17).

11) Le Christ aime comme il est aimé; ses disciples obéiront comme il obéit; à cette condition ils demeureront dans l'amour comme lui. Pourquoi cette confidence? Pour les faire aussi participer à sa joie. C'est pour cela qu'il a dit ces choses des vv. 9 et 10, car rien ne cause autant de joie que d'être aimé, et ils savent désormais qu'ils sont aimés. L'analogie arrive ici à son terme, et l'intimité aussi, car c'est la propre joie du Christ, heureux de l'amour de son Père, qui sera dans ses disciples, de sorte que la joie dont ils sont capables sera à son comble. La joie dilate; le cœur éprouve un sentiment de plénitude dans le

[9]Comme le Père m'a aimé, moi aussi je vous ai aimés; demeurez en mon amour. [10]Si vous observez mes commandements, vous demeurerez en mon amour, de même que moi j'ai observé les commandements de mon Père et je demeure en son amour. [11]Je vous ai dit cela afin que ma joie soit en vous, et que votre joie soit entière. [12]Mon commandement c'est que vous vous aimiez les uns les autres comme je vous ai aimés : [13]personne n'a plus d'amour que celui qui offre sa vie pour ses amis. [14]Vous êtes mes amis si vous faites ce que je vous commande. [15]Je ne vous appelle plus des serviteurs, parce que le serviteur ne sait pas ce que fait son

bonheur; (III, 29; XVI, 24; I Jo. I, 4; II Jo, 12; cf. Act. XIII, 52; Rom. XV, 13).

12) Cf. XIII. 34. Le contexte est beaucoup plus naturel ici, surtout selon le mode sémitique où un mot appelle un mot. Ayant parlé des commandements, Jésus cite celui qui les résume tous (cf. Mc. XII, 31), d'autant que son accomplissement continue la douce série de la charité. Venue du Père au Christ, du Christ aux disciples, elle se répand parmi eux, et d'après son exemple. — Pour la tournure, cf. VI, 40; I Jo. III, 11.

13) Si Jésus avait conclu : « Or, je vous aime tant que je vais mourir pour vous », il y aurait quelque prétexte à opposer cette charité restreinte à celle dont parle Paul (Rom. V, 6.8.10) Χριστός... ὑπὲρ ἀσεβῶν ἀπέθανε (objection de *Bauer*). Mais la phrase est tournée autrement, de façon que l'affection du Christ soit comparée seulement à la plus forte qui existe parmi les hommes, qui savent mourir pour leurs amis (Rom. V, 7). Jo. n'ignorait pas que la mort de Jésus aurait des conséquences en faveur d'un cercle plus étendu (X, 16), mais ce n'était pas la question. Son discours est adressé à des disciples, qui doivent être prêts à mourir les uns pour les autres, comme il est prêt à mourir pour eux. D'ailleurs Jésus évite de se mettre en avant : l'allusion à sa mort est certaine, mais discrète. D'après la situation de l'ensemble des discours, elle devait être prochaine, mais cela ne résulte pas du contexte immédiat. Cette manière en quelque sorte proverbiale est bien dans la manière du Christ : la rédaction après l'événement se trouve dans I Jo. III, 11. — Pour la construction, cf. 8 et 12.

14) Le mot « amis » amène le mot « amis ». D'ailleurs la suite n'est pas seulement dans l'accrochement des mots : le rapport entre ceux qui s'aiment est celui de l'amitié. Mais cette amitié ne supprime pas la distinction des rangs. Au moment même où Jésus appelle ses disciples ses amis, il rappelle son droit de leur commander, et c'est même parce qu'ils obéissent qu'ils sont ses amis, puisque c'est à cette condition qu'ils demeurent dans son amour. Henri IV écrivait à Sully : « Mon ami, continuez à me bien servir ». Cette citation qui pourrait paraître incongrue est justifiée comme une réponse à la contradiction qu'on voit entre ce verset et XIII, 16 ou XV, 20. Depuis longtemps déjà Jésus nommait ses disciples des amis d'après Lc. XII, 4.

15) Les disciples ne cessent pas d'être des serviteurs, et Paul tiendra à

οἶδεν τί ποιεῖ αὐτοῦ ὁ κύριος· ὑμᾶς δὲ εἴρηκα φίλους, ὅτι πάντα ἃ ἤκουσα παρὰ τοῦ πατρός μου ἐγνώρισα ὑμῖν. [16]οὐχ ὑμεῖς με ἐξελέξασθε, ἀλλ' ἐγὼ ἐξελεξάμην ὑμᾶς, καὶ ἔθηκα ὑμᾶς ἵνα ὑμεῖς ὑπάγητε καὶ καρπὸν φέρητε καὶ ὁ καρπὸς ὑμῶν μένῃ, ἵνα ὅ τι ἂν αἰτήσητε τὸν πατέρα ἐν τῷ ὀνόματί μου δῷ ὑμῖν. [17]Ταῦτα ἐντέλλομαι ὑμῖν ἵνα ἀγαπᾶτε ἀλλήλους. [18]Εἰ ὁ κόσμος ὑμᾶς μισεῖ, γινώσκετε ὅτι ἐμὲ πρῶτον ὑμῶν

honneur de prendre ce titre, mais Jésus ne leur donne plus ce nom, parce que certains serviteurs, dépositaires de la pensée de leur maître, sont devenus ses amis : c'est le cas, puisque Jésus a fait connaître aux siens tout ce qu'il a entendu de son Père, c'est-à-dire ce qui concernait sa mission (cf. VIII, 26) Cette fois il y a πάντα, qui marque une confidence complète, et qui étonne, comparé à XVI, 12. On peut toujours dire que la confiance la plus entière demeure subordonnée aux circonstances, à la volonté du Père, de sorte qu'il n'y a pas contradiction réelle, mais on le comprend mieux si ces deux passages n'ont pas fait partie dès l'origine du même discours. — Abraham avait été aimé de Dieu (Is. XLI, 8), il était l'ami de Dieu (II Chron. XX, 7; cf. Jac. II, 23). C'est, d'après Sap. VII, 27, la sagesse qui fait les amis de Dieu en se rendant chez les âmes saintes. Philon (*de sobrietate*, 55; I, 401) a fait la même distinction entre le serviteur et l'ami : φίλον γὰρ τὸ σοφὸν θεῷ μᾶλλον ἢ δοῦλον... la confiance suit l'amitié comme le prouve l'exemple d'Abraham dans Gen. XVIII, 17, où Philon lit Ἀβραὰμ τοῦ φίλου μου (et non τοῦ παιδός μου). Ici l'amour de Jésus a précédé; mais c'est seulement après la confidence que les disciples prennent le rang d'ami : ὅτι « parce que », et non pas « ensuite » ou « en signe de quoi ».

16) C'est Jésus qui a choisi ses disciples, mais non pas seulement comme amis, car ἐκλέγομαι est le mot propre pour le choix des disciples qui sont les Douze, ceux que nous nommons par excellence les Apôtres (Jo. VI, 70; XIII, 18; Lc. VI, 13; Act. I, 2). Il les a choisis, non pas de toute éternité par la prédestination à la gloire, mais pour leur donner une vocation spéciale. Ils ont pu penser qu'ils l'avaient choisi pour Maître; c'est lui qui les a choisis pour disciples. Ce sens résulte aussi de ce qui suit. Jésus les a constitués en dignité (ἔθηκα; cf. Rom. IV, 17) ou du moins investis d'une mission (cf. Jer. I, 10 καθέστακα) dont le contenu est marqué par le premier ἵνα avec ὑπάγητε. Le sens de ce mot est clair : c'est aller, aller à ses affaires, suivre son chemin (Mt. IX, 6; XIX, 21). Il est très bien choisi pour indiquer le rôle des Apôtres, mais ne saurait se ramener à la parabole de la vigne sans une violente subtilité, comme si par exemple les branches s'étendaient, s'allongeaient. Il faut donc reconnaître que Jésus parle ici en clair, et que l'image de la vigne est tout au plus rappelée par καρπόν : encore comprend-on aussitôt que les fruits sont des œuvres solides et durables; puisqu'ils se produisent durant les courses des disciples, ce sont plutôt des fruits d'apostolat que des œuvres personnelles. Nous avons donc dans ce passage la clef de tout ce discours. A quelque moment qu'il ait été prononcé, c'est un programme de l'apostolat : le principe en est l'union à Jésus, mais les apôtres auront une œuvre à remplir. Le second ἵνα n'est pas subordonné au

maître ; mais je vous ai appelés amis, parce que je vous ai fait connaître tout ce j'ai entendu de mon Père. [16]Ce n'est pas vous qui m'avez choisi, mais c'est moi qui vous ai choisis, et je vous ai établis pour que vous alliez et que vous portiez du fruit, et que votre fruit demeure, pour que le Père vous donne ce que vous lui demanderez en mon nom. [17]Ce que je vous commande, c'est de vous aimer les uns les autres.

[18]Si le monde vous hait, sachez qu'il m'a haï avant vous. [19]Si vous

premier, mais coordonné comme une circonstance qui contribuera au but déjà marqué. C'est la même suite dans les idées que dans XIV, 12 et 13 : le programme des œuvres étant tracé, — et il a de quoi effrayer l'humaine faiblesse — la prière est le moyen de le réaliser. Mais cette fois le Père demeure distinct, comme dans tout ce discours, dont l'enseignement est beaucoup moins précis qu'au ch. XIV sur l'union du Père et du Fils. Ce n'est pas le Fils qui accorde, c'est le Père.

17) On peut traduire : « Voilà ce que je vous commande, afin que vous vous aimiez les uns les autres » (*Loisy*; cf. *Bauer*, *Schanz*, etc.). Mais qu'a donc commandé le Christ en vue d'obtenir la charité fraternelle? Il faudrait entendre ἐντέλλομαι de ce qui vient d'être « proposé », mais ce serait atténuer la force du terme grec. Il vaut donc mieux reconnaître ici la construction du v. 12. Le pluriel ταῦτα étonne pour un seul commandement; mais l'expression n'en est que plus piquante : voilà donc tout ce que je vous commande : cela se réduit au précepte de la charité fraternelle. C'est la conclusion sur les rapports des disciples avec le Christ et entre eux.

Deuxième partie du second discours (XV, 18-XVI, 4).

Unis avec leur Maître et ami, unis entre eux pour lui obéir, et d'un amour semblable au sien, les disciples auront encore le sort du Christ par rapport au monde. La haine que le monde a pour lui rejaillira sur eux, une haine sans raison. Il faut reconnaître que dans certains endroits de ce discours, plus que dans aucun autre, on dirait du Christ glorifié, ayant achevé sa course, et s'adressant à ses disciples. Plusieurs critiques en concluent que c'est Jo. qui parle à ses contemporains sous l'apparence d'une prophétie. Mais après la Cène Jésus savait sa mission d'apôtre terminée, et il savait aussi qu'elle serait continuée par ses disciples en affrontant la même hostilité. Ne devait-il pas les prévenir pour les prémunir? C'est bien ce qu'il a fait d'après les synoptiques. Nous indiquerons les passages, et aussi les tournures qui ont peut-être été influencées par la situation personnelle de l'évangéliste.

18-25. La haine du monde contre le Christ et ses disciples.

18) εἰ μισεῖ présente la haine du monde comme actuelle, mais non pas plus certaine que dans la prédiction des synoptiques, ἔσεσθε μισούμενοι dans le discours de mission (Mt. x, 22) et dans le discours eschatologique (Mt. XXIV, 9; Mc. XIII, 13; Lc. XXI, 17). La manière est celle de Jo. (I Jo. III, 13) : μὴ θαυμάζετε, ἀδελφοί, εἰ μισεῖ ὑμᾶς ὁ κόσμος. Dans notre contexte c'est : s'il arrive, comme il arrivera

μεμίσηκεν. [19] εἰ ἐκ τοῦ κόσμου ἦτε, ὁ κόσμος ἂν τὸ ἴδιον ἐφίλει· ὅτι δὲ ἐκ τοῦ κόσμου οὐκ ἐστέ, ἀλλ' ἐγὼ ἐξελεξάμην ὑμᾶς ἐκ τοῦ κόσμου, διὰ τοῦτο μισεῖ ὑμᾶς ὁ κόσμος. [20] μνημονεύετε τοῦ λόγου οὗ ἐγὼ εἶπον ὑμῖν Οὐκ ἔστιν δοῦλος μείζων τοῦ κυρίου αὐτοῦ· εἰ ἐμὲ ἐδίωξαν, καὶ ὑμᾶς διώξουσιν· εἰ τὸν λόγον μου ἐτήρησαν, καὶ τὸν ὑμέτερον τηρήσουσιν. [21] ἀλλὰ ταῦτα πάντα ποιήσουσιν εἰς ὑμᾶς διὰ τὸ ὄνομά μου, ὅτι οὐκ οἴδασιν τὸν πέμψαντά με. [22] Εἰ μὴ ἦλθον καὶ ἐλάλησα αὐτοῖς, ἁμαρτίαν οὐκ εἴχοσαν

certainement, que le monde vous haïsse : alors comprenez, rendez-vous compte de la portée de ce fait, qu'il m'a haï avant vous. — πρῶτον avec un gén. comme dans I, 15. Cette tournure a paru difficile à ℵ D qui ont omis ὑμῶν. Sur la haine envers Jésus, cf. VII, 7.

19) Jo. explique ici ce qui était resté obscur dans VII, 7 : le monde ne déteste pas ceux qui lui appartiennent ou lui ressemblent, qui tirent de lui leurs sentiments et leurs pensées. L'élection des apôtres (ἐξελεξάμην comme au v. 16) les a sortis du monde, pour entrer dans la sphère divine avec Jésus. Le monde est donc le monde hostile du Judaïsme d'abord, puis celui qui sera disposé de la même façon. — Ce qui prouve que cette formule très simple, avec une antithèse contradictoire peu recherchée, est bien la forme authentique de Jésus, c'est que Jo. lui-même l'a commentée comme un passage de la mort à la vie (I Jo. III, 14), une opposition entre ce qui vient du monde et ce qui vient de Dieu (I Jo. IV, 6). — ἂν ἐφίλει indicatif irréel dans une période conditionnelle; ἄν n'est pas toujours écrit dans le N. T.

20a) Ces mots semblent un renvoi à XIII, 16, où l'application est différente, renvoi qui étonne, car le souvenir de paroles si récentes ne devait pas être effacé. Durand (*l.l.* 1911, p. 322) : « Au contraire, vue dans le contexte psychologique des souvenirs de l'évangéliste, revenant sur un texte écrit depuis longtemps, la parole du Seigneur apparaît dans une *perspective lointaine.* » Il nous semble plutôt qu'en insérant ici un discours qui avait été prononcé dans une autre circonstance et déjà écrit, l'auteur a voulu éviter l'apparence d'une répétition involontaire. Quand nous nous apercevons nous-même de répétitions que nous jugeons nécessaires, nous ajoutons : « comme je l'ai déjà dit. » Il faut rappeler en effet que la même idée est dans le premier discours de mission (Mt. x, 24). L'allusion est donc moins à un texte voisin qu'à une recommandation bien connue du Christ (cf. Lc. VI, 40). — L'opposition avec le v. 15 s'explique parce qu'ici ce sont les disciples qui doivent songer à leur position et ils savent qu'ils sont des serviteurs.

20b) On a supposé deux catégories de personnes : les unes mal disposées, les autres bien disposées envers le Christ. Chaque groupe fera le même accueil aux disciples (*Durand*). Mais ce sont toujours les mêmes personnes. Pour leur attribuer la même attitude, on a donné à τηρεῖν le sens d'épier, ce qui n'est pas possible, étant donné l'usage constant dans le sens de garder, observer. Il faut donc voir ici une concession bienveillante qui conduit à faire théoriquement les deux hypothèses : en fait les disciples savent déjà à quoi

étiez du monde, le monde aimerait son bien; mais comme vous n'êtes pas du monde, et que je vous ai fait sortir du monde par mon choix, c'est pour cela que le monde vous hait. [20] Souvenez-vous de la parole que je vous ai dite : le serviteur n'est pas plus grand que son maître; s'ils m'ont persécuté, ils vous persécuteront vous aussi; s'ils ont gardé ma parole, ils garderont aussi la vôtre. [21] Mais ils feront tout cela contre vous à cause de mon nom, car ils ne connaissent pas celui qui m'a envoyé. [22] Si je n'étais venu et si je ne leur avais pas parlé, ils n'auraient pas de péché; mais maintenant

s'en tenir (*Aug., Cyr., Schanz, Loisy,* surtout dans la 2e éd.). Ils doivent donc s'attendre sinon à la persécution, du moins à l'indifférence et à la négligence de ceux qu'ils auront à instruire. — On voit par ταῦτα πάντα au v. suivant et qui ne s'entend en fait que des persécutions, que l'observance des discours du Christ n'était qu'une hypothèse démentie par la triste réalité.

21) Pourquoi les disciples souffriront-ils tout cela : haine, persécutions, indifférence de la même façon que Jésus? C'est qu'ils se présenteront en son nom : ils recevront donc le même accueil. C'est très expressément ce qu'avaient dit Mt. x, 22; Mc. xiii, 13 : ἔσεσθε μισούμενοι,.. διὰ τὸ ὄνομά μου cf. Mt. v, 11. Mais enfin pourquoi cette haine du Christ? La réponse de xvi, 3 mettra le Fils sur le même rang que le Père. Ici la cause de la haine est l'ignorance du Père ou plutôt l'ignorance de ce fait que le Père a vraiment envoyé Jésus : οἴδασι résume la situation de v, 36-38 : méconnaître la mission du Fils, c'est en quelque façon ne pas connaître le Père. Cette doctrine est la même que celle du ch. xiv, mais moins approfondie dans le sens de l'unité du Père et du Fils.

22) Quel est ce péché? D'après Schanz, l'ignorance de Dieu, et non la haine du Christ, car s'il n'était pas venu, l'hypothèse de cette haine ne se posait même pas. Mais εἰ μὴ ἦλθον ne doit pas être pris séparément, pour cette raison précisément qu'en dehors de cette hypothèse aucune conséquence n'est possible. C'est la base de l'argumentation. Le sens est donc : si, étant venu, je ne leur avais pas parlé, c'est-à-dire assez clairement, et par des paroles appuyées par des œuvres... C'est la tournure araméenne où καί indique la relation (cf. *Comm. Mt.* p. xc s. : « si je meurs et si je ne t'ai pas rendu », pap. Éléphantine). Si donc je n'avais fait la preuve que j'ai le témoignage du Père (v, 36 s.), ils ne seraient pas en faute. Mais vraiment ils n'ont pas d'excuse pour leur péché, qui est de me haïr, comme l'indique la suite. Nous semblons prêter au texte, mais Jo. suppose toujours qu'on l'a lu attentivement : d'ailleurs l'argument sera complété au v. 24. Les paroles de Jésus en elles-mêmes avaient leur évidence. — εἰ μή condition irréelle. εἴχοσαν hellénistique, peut-être pour éviter l'équivoque de εἶχον (1re et 3e pers.); à la vérité il restait d'écrire εἶχαν (D). — πρόφασις est un prétexte légitime qu'on peut soutenir en discutant. Quand nous traduisons excuse, le mot est un peu fort, et semble mettre Jo. en contradiction avec Lc. xxiii, 34 (cf. Act. iii, 17; xiii, 27; I Cor. ii, 8) où Jésus prie pour ses bourreaux οὐ γὰρ οἴδασιν τί ποιοῦσιν. L'ignorance, même coupable et qu'on ne peut excuser

νῦν δὲ πρόφασιν οὐκ ἔχουσιν περὶ τῆς ἁμαρτίας αὐτῶν. [23]ὁ ἐμὲ μισῶν καὶ τὸν πατέρα μου μισεῖ. [24]εἰ τὰ ἔργα μὴ ἐποίησα ἐν αὐτοῖς ἃ οὐδεὶς ἄλλος ἐποίησεν, ἁμαρτίαν οὐκ εἴχοσαν· νῦν δὲ καὶ ἑωράκασιν καὶ μεμισήκασιν καὶ ἐμὲ καὶ τὸν πατέρα μου. [25]ἀλλ' ἵνα πληρωθῇ ὁ λόγος ὁ ἐν τῷ νόμῳ αὐτῶν γεγραμμένος ὅτι Ἐμίσησάν με δωρεάν. [26]Ὅταν ἔλθῃ ὁ παράκλητος ὃν ἐγὼ πέμψω ὑμῖν παρὰ τοῦ πατρός, τὸ πνεῦμα τῆς ἀληθείας ὃ παρὰ τοῦ πατρὸς ἐκπορεύεται, ἐκεῖνος μαρτυρήσει περὶ ἐμοῦ· [27]καὶ ὑμεῖς δὲ μαρτυρεῖτε, ὅτι ἀπ' ἀρχῆς μετ' ἐμοῦ ἐστέ.

26. *om.* δε *p.* οταν (TH) plutôt que *add.* (SV).

---

pas de bonnes raisons, n'en est pas moins une circonstance qui a paru atténuante à la charité de Jésus. Ici il a marqué la faute énorme de l'aveuglement volontaire.

23) La raison profonde, c'est que le Fils est Dieu comme son Père; mais dans le contexte, on doit entendre : celui qui me hait, hait aussi mon Père qui m'a envoyé (cf. v, 23; Lc. x, 16; I Jo. II, 23).

24) Jésus ne s'est pas manifesté seulement par des paroles : il y a joint les actes; tandis que dans XIV, 11, les faits prouvent l'unité du Père et du Fils, ici ils prouvent plutôt la mission. Ce n'est pas le Père qu'ils haïssent dans le Fils : ils haïssent le Fils *et* le Père. Cette copule doit théologiquement s'entendre des personnes et ne fait pas obstacle à l'unité de nature; mais les termes sont dans la ligne de v, 36 s. — Ils ont vu, non pas Jésus ni son Père, mais les œuvres, et malgré ces œuvres, ils ont haï... Jésus n'avait fait aucun miracle qui n'ait été attribué à quelque prophète, mais l'ensemble de son œuvre défiait la comparaison, surtout parce que les miracles étaient des signes de sa Personnalité. Jo. n'en a mentionné que quelques-uns, mais significatifs, surtout la résurrection de Lazare, dont les circonstances dépassaient d'ailleurs tout ce qu'on avait entendu dire. Si cependant Jo. n'emploie pas σημεῖα, mais ἔργα, c'est sans doute qu'il ne fait pas allusion spécialement aux miracles comme signes, mais à tout ce qu'il a fait, dont la perfection morale était une lumière.

25) Cette haine du Messie était cependant annoncée dans ces mêmes oracles qui le concernaient. Le juste persécuté et haï sans raison était une figure du Christ. Les paroles sont tirées des Ps. XXXIV, 19; LXVIII, 5. C'est la loi au sens large, *leur* loi, et d'autant plus convaincante pour eux. — δωρεάν signifie en grec « gratuitement »; une haine gratuite est une haine sans raison; cf. SÉNÈQUE, Ep. CV, 3 *odium aut est ex offensa... aut gratuitum*. C'est bien le sens du psaume.

26-27. LE TÉMOIGNAGE DU PARACLET ET DES APÔTRES.

26) La difficulté d'indiquer le contexte a frappé Maldonat. Il est sûr que XVI, 1 suivrait ici très exactement. D'autre part le rôle de l'Esprit défenseur des disciples devant les tribunaux était bien connu (Mt. x, 20; Mc. XIII, 11; Lc. XII, 12), non qu'il dût alors rendre témoignage aux disciples à la façon d'un avocat; il devait plutôt les instruire (Lc.) ou même parler en eux à leur place, donc pour

ils n'ont pas d'excuse à alléguer pour leur péché. [23]Celui qui me hait, hait aussi mon Père. [24]Si je n'avais fait parmi eux les œuvres que personne autre n'a faites, ils n'auraient pas de péché; mais maintenant, même après avoir vu, ils ont haï et moi et mon Père. [25]Mais c'est afin que soit accomplie la parole écrite dans leur loi : *Ils m'ont haï sans raison.*

[26]Lorsqu'il sera venu, le Défenseur que je vous enverrai d'auprès du Père, l'Esprit de la vérité, qui procède du Père, il rendra témoignage à mon endroit; [27]et vous-mêmes vous êtes des témoins, puisque vous êtes avec moi dès l'origine. »

rendre témoignage au Christ. C'est cet enseignement que Jo. a placé ici, peut-être en modifiant légèrement les termes pour l'adapter à la situation, et à ce qui a été déjà dit (XIV, 17 et 26), et à ce qui sera dit encore (XVI, 13 ss.). D'où l'apparence d'une addition au contexte. Dans cette rédaction le témoignage de l'Esprit est rendu plus directement au Christ que dans les synoptiques, ce qui lie mieux avec ce qui précède. Le témoignage que Jésus a rendu à sa mission et celui que le Père lui a rendu par les œuvres — d'après le renvoi tacite à v, 36-38 — n'a pas désarmé la haine. Jésus aura un autre témoin, et il est sous-entendu dans la pénombre de l'avenir qu'il aura plus de succès, sinon auprès des Juifs (20). L'Esprit est en ce moment auprès du Père, et c'est de là qu'il viendra, envoyé par le Fils quand celui-ci aura rejoint le Père. Schanz pense que ἐκπορεύεται ne signifie pas autre chose que : être envoyé par le Père (XIV, 26). Dans ce contexte ce mot n'indiquerait donc pas la *spiratio* éternelle de l'Esprit-Saint, mais sa mission temporelle; il est vrai qu'elle est déjà indiquée par πέμψω, mais le Fils ne voudrait pas se l'attribuer à lui seul; il tient à dire que l'Esprit vient aussi de la part du Père. Même de cette façon, il résulterait (*Durand*) de l'axiome *missio sequitur et manifestat processionem,* que le texte contient aussi une allusion à la procession éternelle, et si la mission émane du même principe que la *spiratio,* ce principe unique comprend le Fils comme le Père, quoique prétendent les Grecs modernes. — Sans condamner cette opinion de Schanz, il nous semble (avec l'immense majorité des catholiques) que le présent ἐκπορεύεται opposé à πέμψω indique une émanation, ou selon le terme reçu et plus textuel, une procession éternelle de l'Esprit par rapport au Père. Cette procession va de soi pour le Fils, comme le nom même l'indique; il fallait l'indiquer pour l'Esprit, pour marquer son autorité suprême. Jésus peut dire en Fils ce qu'il a vu auprès du Père. C'est tout ce qu'il importait d'affirmer dans la circonstance sur l'origine de l'Esprit. D'ailleurs si le Fils l'envoie, ce doit bien être aussi son Esprit à lui; (cf. XVI, 14) mais c'est plutôt en tant qu'Esprit du Père que son témoignage sera requis (*Mald.*). Tous les textes doivent se compléter l'un par l'autre; il serait peu critique de les opposer; le v. XIV, 26 parle de l'envoi par le Père, mais au nom du Fils : « la variante est dans les formules plus que dans l'idée » (*Loisy*, p. 427).

27) Comme il a été dit que le Paraclet instruirait les disciples (xiv, 26), on pouvait bien penser que leur témoignage ne fait qu'un avec le sien. Toutefois ce n'est pas ce que le texte indique ici. Il marque plutôt l'expérience propre des apôtres, l'affirmation de ce qu'ils ont vu. Aussi ce témoignage est-il déjà actuel (les latins ont le futur), et déjà recevable, comme celui de gens qui ont tout vu dès le commencement. La perspective ouverte sur l'avenir se restreint au thème d'un discours sur un apostolat déjà inauguré. μαρτυρεῖτε n'est donc pas un présent pour un futur, mais plutôt un présent *de conatu* : vous êtes en état de témoigner.

CHAPITRE XVI

[1] Ταῦτα λελάληκα ὑμῖν ἵνα μὴ σκανδαλισθῆτε. [2] ἀποσυναγώγους ποιήσουσιν ὑμᾶς· ἀλλ' ἔρχεται ὥρα ἵνα πᾶς ὁ ἀποκτείνας ὑμᾶς δόξῃ λατρείαν προσφέρειν

« [1] Je vous ai dit cela afin que vous ne soyez pas scandalisés. [2] Ils vous jetteront hors des synagogues; bien plus, l'heure vient où

1-4. Annonce des persécutions de la part des Juifs.

C'est la conclusion du discours sur la haine contre les disciples, avec le sceau de la prophétie comme à xiv, 29. Alors la prophétie regardait Jésus; maintenant elle concerne les persécutions que les disciples auront à essuyer.

1) Rien n'est propre à ébranler la confiance d'un envoyé en son maître, comme le mépris qu'il rencontre. Dans l'ordre religieux, c'est le péril du scandale. Jésus était-il bien l'envoyé de Dieu à Israël, s'il n'avait rencontré que sa haine, attachée ensuite à ses représentants? Mais Jésus avait montré (18-25) que cette haine contre sa personne était dans le plan divin; il avait annoncé que ses disciples en hériteraient. Il avait donc agi dans la lumière de Dieu. — σκανδαλίζω est expliqué par la situation dans Jo. vi, 61; ce sont les deux seuls cas dans les écrits de Jean; cf. sur Mc. iv, 17. — Mc. (xiv, 27) et Mt. (xxvi, 31) avaient annoncé que tous les disciples seraient scandalisés dans la nuit après la Cène, et Jo. annoncera le même fait en d'autres termes (xvi, 32). Il n'a donc pas l'intention de corriger les synoptiques; il ne fait pas allusion aux événements de la Passion, mais à la mission ultérieure des apôtres; la perspective est bien différente.

2) Sur l'exclusion de la synagogue, cf. ix, 22; xii, 42. Cela dut paraître aux disciples non seulement dur, mais étrange : le Messianisme expulsé d'Israël! — ἀλλά, « bien plus », cf. II Cor. vii, 11; Phil. i, 18; I Cor. iii, 2, au même sens que ἀλλὰ καί Lc. xii, 7, etc. — ἔρχεται ὥρα, le moment voulu par le Père (ii, 4) tantôt avec ὅτε (iv, 23; v, 25) et le futur, tantôt avec ἵνα (xii, 23; xiii, 1; xvi, 32) et le subjonctif, sans la finalité qu'on trouve par exemple dans Mc. iv, 21. — λατρείαν προσφέρειν ne signifie pas offrir un sacrifice, d'autant qu'aucun Juif ne pouvait regarder une victime humaine comme un sacrifice agréable à Dieu; c'est rendre un culte, faire un acte religieux légitime. Tels furent bien les sentiments zélés des Juifs persécuteurs, comme Paul l'atteste de lui-même (Act. xxvi, 9; Gal. i, 13 s.), et il faillit en être la victime (Act. xxiii, 12 ss.). On lit dans *Midrach Bamidbar rabba* xxi, sur Num. xxv, 13 : « Celui qui répand le sang des criminels est à considérer comme s'il avait offert un sacrifice » (*Wünsche*, p. 509, éd. de 1885). Bengel, cité par Schanz, croit pouvoir affirmer : *hodiedum Judaei, ut Heinsius annotat, caedem Christiani appellant* קרבן *munus, in quo nulla expiatione opus sit*. Étienne fut le premier, Jacques suivit, et c'est pour

τῷ θεῷ. [3] καὶ ταῦτα ποιήσουσιν ὅτι οὐκ ἔγνωσαν τὸν πατέρα οὐδὲ ἐμέ. [4] ἀλλὰ ταῦτα λελάληκα ὑμῖν ἵνα ὅταν ἔλθῃ ἡ ὥρα αὐτῶν μνημονεύητε αὐτῶν ὅτι ἐγὼ εἶπον ὑμῖν· ταῦτα δὲ ὑμῖν ἐξ ἀρχῆς οὐκ εἶπον, ὅτι μεθ' ὑμῶν ἤμην. [5] νῦν δὲ ὑπάγω πρὸς τὸν πέμψαντά με καὶ οὐδεὶς ἐξ ὑμῶν ἐρωτᾷ με Ποῦ

3. *om.* υμιν *p.* ποιησουσιν (THV) **plutôt que** *add.* (S).

---

plaire aux Juifs qu'Hérode Agrippa voulait faire périr Pierre (Act. vii, 59; xii, 2 s.). Justin qui était palestinien a témoigné pour son temps de cette haine (*Dial.* xcv; cx; cxxxi; cxxxiii). — Les persécuteurs prétendaient rendre hommage à Dieu : c'étaient donc des Juifs, non des païens, c'est-à-dire que Jo. n'a pas écrit *ex eventu*, autrement il aurait envisagé les persécutions impériales, comme dans l'Apocalypse. D'ailleurs Jo. était ici en contact avec la tradition synoptique. Dans Mt. la persécution est annoncée trois fois (v, 11, x, 17; xxiv, 9), avec l'allusion aux synagogues et à la mort : l'horizon y est même plus étendu, puisqu'il parle des rois (cf. des passages parallèles dans Mc. et de plus Lc. xii, 11 ; xxi, 12 Mc. xiii, 9 ss.). — C'est une idée toute gratuite de voir dans Jo. le souvenir des exécutions de chrétiens ordonnées par Bar Cochébas (*sic*, *Schwartz*, 1908, p. 147).

3) Presque comme xv, 21, mais le Fils est plus nettement placé sur le rang du Père, tandis qu'auparavant la méconnaissance atteignait celui qui l'avait envoyé.

4) ἀλλά répond à l'idée du v. 1. Vous serez exposés au scandale, *mais* je vous ai prévenus. Le premier αὐτῶν ne doit pas s'entendre des Juifs (*Schanz*), mais du mot le plus rapproché, ταῦτα. Le second paraît inutile (retranché par DL *syrsin.*), mais il a pour but d'établir l'identité des choses prédites et des choses arrivées; les choses prédites sont glosées pour plus d'insistance encore par ὅτι κ. τ. λ. — Le but de la prédiction n'est pas autrement indiqué. Il y a donc une nuance par rapport à xiii, 19 et xiv, 29, où le but est très nettement la foi. Ici le résultat est bien le même au fond, mais sous une forme négative : éviter la surprise qui dégénérerait facilement en scandale. Jésus peut donc ajouter très naturellement que ce scandale n'était point à craindre tant qu'il était avec ses disciples, parce qu'il pouvait les prévenir à temps et les assister : ταῦτα δέ ne peut être que le ταῦτα de 4ª. Mais Jo. ne tient-il aucun compte des monitions de Jésus dans les synoptiques (Mt. v, 11; x, 16-19; xxiii, 34; xxiv, 9; Lc. vi, 22; xii, 4; xxi, 12-19; Mc. xiii, 9-13) sur les tribulations qui attendaient les disciples? On pourrait même demander aussi bien si Jo. a oublié ce qu'il a dit dans xii, 24. 25, et des risques que courait celui qui voulait suivre Jésus? — On ne saurait insister sur ἐξ' ἀρχῆς comme si Jo., prévenant l'objection, faisait dire à Jésus qu'il s'était tu seulement au début, mais avait parlé depuis; en effet le sens est clairement qu'il n'a parlé qu'au moment où sa mort prochaine l'engageait à les prémunir. — On pourrait répondre que les conditions posées aux disciples, soit dans le discours sur la montagne, soit plus tard, dans les synoptiques et dans Jo., n'avaient pas ce

quiconque vous tuera s'imaginera qu'il rend un culte à Dieu. [3] Et ils agiront de la sorte parce qu'ils n'ont connu ni le Père, ni moi. [4] Mais je vous ai dit ces choses, afin que l'heure en étant venue, vous vous en souveniez comme de choses que je vous ai dites; cependant je ne vous les ai pas dites dès le début, parce que j'étais avec vous.

[5] Or maintenant je vais vers celui qui m'a envoyé, et aucun d'entre

caractère précis. Mais elles coïncident pour la substance et l'on ne peut opposer les paroles de Jo. ici, comme regardant seulement les Juifs (*Chrys.*, *Thom.* 2° *loco*, *Schanz*), au discours eschatologique qui vise aussi les Juifs tout en y ajoutant les païens. Il reste donc à dire que c'est la même prédiction et le même discours, dont Mt. (x, 16-19) a anticipé quelques termes, et que Jo. a rapproché quelque peu de la passion. Ce rapprochement est tellement sensible que Jésus se regarde déjà comme n'étant plus avec les siens de façon à pouvoir les soutenir, sa passion étant plutôt pour eux un péril de scandale.

Ces derniers mots forment une excellente transition avec ce qui suit.

Troisième partie du second discours (xvi, 5-33). Avec l'idée de l'absence (xvi, 4) nous revenons à celle du départ, qui domine tout le reste du chapitre. Par là il est sur le même thème que le ch. xiv. Il y est aussi par les deux idées principales, venue de l'Esprit et retour de Jésus, deux motifs de consolation, les mêmes qu'au ch. xiv quoique dans l'ordre inverse, et accompagnés aussi de l'idée de prière (xiv, 12-14 et xvi, 23-24). De même que le premier discours se termine sur la vision du triomphe momentané du prince du monde, le second discours envisage la dispersion des disciples, qui n'empêchera pas la victoire de Jésus. A ces ressemblances de fond, il faut joindre cette analogie dans la forme, que le discours a l'aspect d'un entretien, comme au ch. xiv, aspect qu'il n'avait pas dans xv-xvi, 4. Seulement, comme on l'a déjà noté, cette fois les disciples interviennent collectivement, au lieu de Thomas, Philippe, Jude. On doit donc considérer cette partie, mais cette partie seule, comme un complément et un développement du discours après la cène (xiv).

5-15. Le rôle du Paraclet : ses rapports avec le Fils.

5) A propos de : où vas-tu?, il est très facile d'objecter « La demande a été bel et bien faite, et la réponse donnée dans le précédent discours » (xiii, 36; xiv, 5. 28), comme dit Loisy (p. 429). Les uns en concluent que ce morceau n'est pas du même auteur (*Wellh.*); les autres que Jo. ne se soucie pas beaucoup de la forme (*Bauer*). Il y a du vrai dans ce dernier mot. Lorsqu'un manque d'harmonie et de suite dans les mots est tellement évident et facile à relever, il ne faut pas le pousser au noir pour conclure à un rédacteur qui l'aurait évité, mais chercher à comprendre la pensée de l'auteur exprimée sans précaution ni artifice. Le texte de Loisy nous fournit la vraie solution : la réponse ayant été donnée, on comprend que la question ne se pose plus. Le premier discours (xiv) était surtout dirigé contre le trouble; celui-ci est une consolation dans la tristesse. C'est une nouvelle situation, exprimée par νῦν δέ qui ne contraste ni avec ἐξ ἀρχῆς (*Bauer*), ni avec μεθ' ὑμῶν ἤμην (*Schanz*), mais inaugure une période (xvii, 13), et qui pour le sens gouverne tout ce qui suit,

ὑπάγεις; [6]ἀλλ' ὅτι ταῦτα λελάληκα ὑμῖν ἡ λύπη πεπλήρωκεν ὑμῶν τὴν καρδίαν. [7]ἀλλ' ἐγὼ τὴν ἀλήθειαν λέγω ὑμῖν, συμφέρει ὑμῖν ἵνα ἐγὼ ἀπέλθω. ἐὰν γὰρ μὴ ἀπέλθω, ὁ παράκλητος οὐκ ἐλεύσεται πρὸς ὑμᾶς· ἐὰν δὲ πορευθῶ, πέμψω αὐτὸν πρὸς ὑμᾶς. [8]Καὶ ἐλθὼν ἐκεῖνος ἐλέγξει τὸν κόσμον περὶ ἁμαρτίας καὶ περὶ δικαιοσύνης καὶ περὶ κρίσεως· [9]περὶ ἁμαρτίας μέν, ὅτι οὐ πιστεύουσιν εἰς ἐμέ· [10]περὶ δικαιοσύνης δέ, ὅτι πρὸς

7. ουκ ελευσεται (TSV) plutôt que ου μη ελθη (H).
10. *om*, μου *p.* πατερα (THV) et non *add.* (S).

---

jusqu'à l'apodose ἀλλά. « *Maintenant* vous ne me demandez pas » équivaut à : « vous ne me demandez plus... » Sur ce point ils sont fixés; le trouble intellectuel est du moins en partie dissipé, mais il reste la tristesse.

6) Il est donc acquis que je vais vers mon Père : vous en (ταῦτα) êtes attristés, c'est à tort. Le reste suit naturellement. Les disciples ne comprennent pas que c'est dans leur intérêt que Jésus remonte vers son Père. C'est le sentiment perpétuel de ceux qui assistent à la mort des saints. Saint Dominique lui aussi répondit aux siens qu'il leur serait plus utile auprès de Dieu.

7) Il faut que Jésus parte pour envoyer le Paraclet, qui se trouve là où il va, auprès du Père : c'est ce qu'il a déjà annoncé (xiv, 16 s.; 26; xv, 26). Dans les deux premiers endroits, c'était le Père qui l'envoyait, conformément au but de ce discours, qui était d'insister sur l'unité du Père et du Fils. Mais pourquoi le Fils glorifié n'eût-il pas pu demeurer sur la terre et donner cependant son Esprit? — C'est le secret de Dieu. On entrevoit seulement une certaine antinomie entre la présence sensible, localisée de sa nature, et la présence spirituelle universelle. De plus, de cette autre manière il semble bien qu'il eût fallu changer complètement le plan du salut, qui est dans l'exercice de la foi. Jésus incarné lui laissait libre carrière, glorifié il l'eût remplacée par une évidence. Il devait donc disparaître; mais l'Esprit continuerait son œuvre, invisible, secours pour la foi, et lui-même objet de foi. Son rôle sera double, comme il va être indiqué : par rapport au monde (8-11) et par rapport aux disciples (12-15), quoique dans les deux façons ce soit dans l'intérêt des disciples.

8) Ces paroles, en dépit de l'explication qui en est donnée aussitôt, ont toujours paru très obscures. Aujourd'hui cependant tout le monde est d'accord, du moins sur les grandes lignes (*Schanz, Loisy, Bauer, Durand,* etc.). Tout d'abord le principe est posé. On dirait, non pas d'un tribunal d'appel, mais de l'appréciation qu'il faudra porter sur l'événement capital qui va se passer, c'est-à-dire le jugement du Christ, renié par sa nation, et sa mort voulue par Satan qui avait suggestionné le traître. On se demande donc qui a eu tort ou qui a péché, — et qui a raison, qui avait pour soi la justice, — que penser en somme du jugement déjà rendu? Il y a eu un accusateur, qui croit avoir déjà gagné sa cause, c'est le monde, qui doit être comme précédemment le monde

vous ne me demande : Où vas-tu? [6]Mais parce que je vous ai parlé ainsi, la tristesse a rempli votre cœur. [7] Cependant je vous dis la vérité : il vous est bon que je m'en aille. Car si je ne m'en vais pas, le Défenseur ne viendra pas à vous; mais si je pars, je vous l'enverrai. [8] Et quand il sera venu, il mettra le monde dans son tort à propos de péché, et à propos de justice, et à propos de jugement : [9] à propos de péché, parce qu'ils n'ont pas cru en moi; [10] à propos de justice, parce que je vais vers le Père, et vous ne me voyez plus;

juif, le seul qui soit vraiment responsable de la condamnation de Jésus. Rien n'empêche d'appliquer le même raisonnement à tous les hommes qui imiteront l'attitude des Juifs, mais ils ne sont pas directement visés. Quelqu'un vient, et c'est le Paraclet, ici spécialement dans le rôle qui convient le mieux à l'étymologie, celui de défenseur, mais de défenseur qui prend l'offensive. Il convaincra (ἐλέγξει) le monde, ce qui ne veut pas dire qu'il le persuadera, mais il fera la preuve qu'il a eu tort; non seulement devant le Juge suprême, mais au regard de ceux qui sont de bonne foi et de bonne volonté : en fait ceux-là sont ou devraient devenir des croyants, — sauf à faire la part de l'illogisme. — Il n'y a dans Sap., I, 5 qu'un vague pressentiment du rôle de l'Esprit-Saint comme préservateur de raisonnements insensés. Dans *Testament de Juda,* cité par *Bauer* (xx, 5) τὸ πνεῦμα τῆς ἀληθείας κατηγορεῖ πάντων (ou μαρτυρεῖ πάντα καὶ κατηγορεῖ) est une allusion au témoignage de la conscience.

9) Le péché des Juifs est de n'avoir pas cru (cf. III, 19 s.; VIII, 46 s.; IX, 41; XV, 22) en celui qui venait de la part de Dieu et qui était la Lumière. Cette incrédulité sera encore plus tard leur péché, et leur tort apparaîtra clairement lorsque l'Esprit-Saint communiquera ses dons aux croyants de la gentilité (cf. Gal. III, 2).

10) Qui donc avait la justice, qui était le juste par excellence, si ce n'est Jésus, comme le prouve son retour à son Père? Mais comment ce retour est-il lui-même prouvé dans son caractère surnaturel spécial, si ce n'est parce qu'il a envoyé l'Esprit? L'Esprit l'affirmera par ses organes, comme Étienne : ὑπάρχων δὲ πλήρης πνεύματος ἁγίου ...εἶδεν δόξαν θεοῦ καὶ Ἰησοῦν ἑστῶτα ἐκ δεξιῶν τοῦ θεοῦ (Act. VII, 55). Aussi bien les Apôtres aimaient-ils à rendre hommage au Juste (Act. III, 14; XXII, 14; I Pet. III, 18). Le fait même que le baptême était donné dans l'Esprit-Saint, et les manifestations de l'Esprit accompagnant la foi, rendaient témoignage à Jésus (Act. XI, 17). — Ce qu'on ne voit pas clairement, c'est pourquoi Jo. ajoute καὶ οὐκέτι θεωρεῖτέ με. Le présent ne prouve pas (contre *Loisy*) que l'auteur soit assez simple pour avouer qu'il pense aux chrétiens de son temps; Jésus a pu dire « vous ne me voyez plus » pour marquer l'imminence de son départ. Mais qu'importe à sa justice que les disciples ne le voient plus? Il faut donc prendre ces mots comme un simple complément qui caractérise la situation créée par le départ du Christ : peut-être y a-t-il cette nuance : la privation qui vous paraît douloureuse fait partie des conditions exigées pour l'action de l'Esprit.

τὸν πατέρα ὑπάγω καὶ οὐκέτι θεωρεῖτέ με· [11]περὶ δὲ κρίσεως, ὅτι ὁ ἄρχων τοῦ κόσμου τούτου κέκριται. [12]Ἔτι πολλὰ ἔχω ὑμῖν λέγειν, ἀλλ' οὐ δύνασθε βαστάζειν ἄρτι· [13]ὅταν δὲ ἔλθῃ ἐκεῖνος, τὸ πνεῦμα τῆς ἀληθείας, ὁδηγήσει ὑμᾶς εἰς τὴν ἀλήθειαν πᾶσαν, οὐ γὰρ λαλήσει ἀφ' ἑαυτοῦ, ἀλλ'

13. εις την αληθειαν πασαν (H) ou ε. π. τ. α. (V) plutôt que εν τη αληθεια παση (TS); — ακουσει (SV) plutôt que ακουει (HT).

---

11) Au sujet du jugement, les Juifs croient l'avoir définitivement rendu contre le Maître et en accabler ses disciples, mais l'Esprit montrera qu'en réalité c'est le prince de ce monde (cf. XIV, 30) qui a été condamné. On aura encore à lutter contre ses suppôts (Eph. VI, 12), mais il a perdu la partie (cf. XII, 31), et précisément parce qu'en traînant Jésus à la mort il a contribué au salut du monde (Eph. II, 2-10). Ce n'est pas que Satan soit le chef du monde ancien y compris la législation mosaïque. Jo. est bien persuadé qu'elle est d'origine divine; mais Satan a voulu interrompre l'œuvre qui conduisait au Christ; les Juifs se sont laissés persuader par lui, ils sont devenus ses fils (VIII, 44), si bien que dans sa condamnation ils sont eux-mêmes frappés, et que l'Esprit pourra, même en cela, les convaincre de leur tort.

12-15. *Le second rôle du Paraclet.* C'était déjà pour les disciples une grande cause de joie, eux chargés de continuer l'œuvre du Christ, de savoir qu'ils y seraient aidés par l'Esprit-Paraclet. Et comme cet Esprit devait demeurer en eux (XIV, 16), ne devaient-ils pas comprendre que le Paraclet se servirait d'eux pour convaincre le monde? Il serait donc leur Maître dans la vérité : c'est ce que Jésus va dire d'une manière plus claire et positive, revenant ainsi sur la doctrine de XIV, 26.

12) Quelques auteurs (*Schanz*, *Kn.*) semblent croire que Jésus fait allusion à des vérités nouvelles, qu'il n'a pas encore révélées, et ils en tirent un argument en faveur de la tradition, seconde source de la doctrine enseignée par l'Église. Augustin jugeait téméraire de chercher quelles étaient ces choses que les disciples ne pouvaient pas d'abord porter. Celles qu'on a cru pouvoir indiquer, et certes,sans témérité, à la lumière des événements (*Tolet*), peuvent plus ou moins se rattacher à une vérité enseignée par le Seigneur; cela dépend de l'extension plus ou moins grande qu'on donne au terme implicite, pour désigner une vérité qui en contient d'autres en germe.

D'autres entendent πολλά d'une explication plus complète des mêmes vérités. La vérité, même religieuse, est toujours en marche, ce qui ne veut pas dire qu'elle cesse d'être ce qu'elle a été : elle se développe. Jésus voulait mettre ses disciples en garde contre une rigidité dans leur enseignement qui eût été en opposition avec tout le mouvement normal de l'humanité. On objecte ce qu'il vient de dire dans XV, 15; mais dans la pensée de l'auteur, sa première formule doit être entendue avec la restriction de la seconde; toutefois cette réponse est beaucoup plus solide si la première partie du second discours visait originairement une situation différente; celle où Jésus a révélé tout à ses disciples, c'est-à-dire tout ce qu'on dit à ses amis, par opposition aux autres.

[11] à propos de jugement, parce que le prince de ce monde est jugé. [12] J'ai encore beaucoup de choses à vous dire, que vous n'êtes pas en état maintenant de porter; [13] mais quand il sera venu, lui, l'Esprit de vérité, il vous guidera vers la vérité tout entière, car il

— πολλὰ ἔχειν, cf. II Jo. 12; III Jo. 13; Denys d'Hal. IX, 30, 4 ἔχων ἔτι πλείω λέγειν, παύσομαι. — βαστάζειν supporter comme un joug, dans Act. XV, 10; supporter avec les forces que l'on a, dans Épict. III, 15, 9 ἄνθρωπε, σκέψαι πρῶτον τί ἔστι τὸ πρᾶγμα, εἶτα καὶ τὴν σαυτοῦ φύσιν, τί δύνασαι βαστάσαι. C'est le sens ici. Si les disciples ne peuvent recevoir utilement plus de vérité, la faute n'en est pas à la douleur, mais au point de capacité intellectuelle et morale où ils en sont.

13) La critique textuelle n'est pas sans importance pour le sens. Il est clair qu'il ne faut pas lire avec la Vg. *docebit vos omnem veritatem*, car *docebit* rend mal ὁδηγήσει. Mais faut-il lire ἐν τῇ ἀληθείᾳ πάσῃ ou εἰς τὴν ἀλήθειαν πᾶσαν (ou εἰς πᾶσαν τὴν ἀλήθειαν)? Le datif s'appuie sur ℵ (sans πάσῃ) D L W Θ cinq ou six cursifs, *b e ff*[2] *l arm*. Nonn. Aug.). L'accusatif avec εἰς τ. α. π. sur A B Y, Orig. Didyme, Eus. Cyr. de Jér. — avec ε. π. τ. α. la masse des mss. Bas. Epiph. Chrys. *a f g m q* Tert. Novat. Hil. La tradition mss. et patristique est donc pour l'accusatif, qui est aussi recommandé par le sens : on ne conduit pas dans le cercle de la vérité, mais vers une vérité toujours plus complète. Le fait que ὁδηγεῖν est souvent employé avec ἐν (Neh. IX, 19; Ps. V, 9; XXVI, 11; CXVIII, 35; CXLII, 10; Sap. IX, 11; X, 10. 17) ne prouve pas que Jo. ait écrit de la même manière, mais expliquerait la propension des copistes; d'ailleurs on dit aussi (Ps. XXIV, 5) ὁδήγησόν με ἐπὶ τὴν ἀλήθειάν σου, tandis qu'on ne trouve pas ἐν τῇ ἀληθείᾳ. Si la vérité se présente dans cette image comme un terme, ce n'est pas qu'elle ne se trouve d'une autre façon au point de départ. Le datif pourrait être une correction quelque peu pédante destinée à bien établir que la vérité où conduira l'Esprit est déjà celle du Christ : précaution inutile étant donné ce qui suit.

Lors donc que le Paraclet sera venu, et il est ici qualifié Esprit de vérité, ce qui coïncide exactement avec son rôle, il servira de guide pour la conquête de la vérité. D'après le second système, c'est la vérité toujours mieux connue, s'offrant tout entière à l'investigation sous l'action de l'Esprit, quoiqu'elle ne soit jamais enregistrée et promulguée tout entière comme un résultat acquis (εἰς avec l'acc.). Ce sera bien le cas des apôtres, mais la perspective est indéfinie (*Calmes, Tillm., Durand*).

Si, au contraire, on pense avec la première opinion que le discours ne s'adresse qu'aux Apôtres, πᾶσαν indiquera que désormais la révélation est à son terme. Avec le dernier Apôtre le Saint-Esprit aura dit *tout* ce que Dieu voulait révéler. Il n'y aura plus de révélation officielle nouvelle. C'est d'ailleurs ce que les deux opinions admettent comme clairement enseigné par le Concile du Vatican (*Const. Pastor aeternus, Denz.*[10] n° 1836) : *Neque enim Petri successoribus Spiritus sanctus promissus est, ut eo revelante novam doctrinam patefacerent, sed ut, eo assistente, etc.* cf. dans le décret *Lamentabili* la proposition 21 condamnée (*Denz.*

ὅσα ἀκούσει λαλήσει, καὶ τὰ ἐρχόμενα ἀναγγελεῖ ὑμῖν. [14] ἐκεῖνος ἐμὲ δοξάσει, ὅτι ἐκ τοῦ ἐμοῦ λήψεται καὶ ἀναγγελεῖ ὑμῖν. πάντα ὅσα ἔχει ὁ πατὴρ ἐμά ἐστιν· [15] διὰ τοῦτο εἶπον ὅτι ἐκ τοῦ ἐμοῦ λαμβάνει καὶ ἀναγγελεῖ

2021) : *Revelatio, obiectum Fidei catholicae constituens, non fuit cum Apostolis completa.*

Ce n'est point ici le lieu de montrer comment l'A. T. avait préludé à cette doctrine sur l'Esprit-Saint : Dieu l'avait placé parmi son peuple : ὁ θεὶς ἐν αὐτοῖς τὸ πνεῦμα τὸ ἅγιον (Is. LXIII, 11) ; spécialement il était descendu pour les conduire : κατέβη πνεῦμα παρὰ Κυρίου καὶ ὡδήγησεν αὐτούς (Is. LXIII, 14), et plus spécialement encore, pour enseigner au Psalmiste à faire sa volonté (Ps. CXLII, 10). Cet enseignement avait été naturellement reproduit par Philon (*de vita Mos.* II, 265; II, 176) : ὁ γὰρ νοῦς οὐκ ἂν οὕτως εὐσκόπως εὐθυβόλησεν, εἰ μὴ καὶ θεῖον ἦν πνεῦμα τὸ ποδηγετοῦν πρὸς αὐτὴν τὴν ἀλήθειαν (cf. *de gigant.* 55; I, 270). — Au lieu de reconnaître que Jésus assigne le même office à l'Esprit, et d'une façon bien supérieure, dans l'effusion qui devait être un des caractères des temps messianiques, M. Loisy voit ici encore une adroite précaution de l'auteur du IVe évangile, inspiré par un sentiment qu'on n'attribue ordinairement qu'à des aigrefins : « L'auteur se rend suffisamment compte de la différence qui existe entre la théologie johannique et l'enseignement attribué à Jésus par la tradition apostolique. Ce qu'il dit de l'Esprit doit expliquer cette différence : la théologie johannique est une interprétation de l'Évangile qui a été suggérée par l'Esprit » (p. 432). Ce qui est vrai c'est que des hérétiques se sont appuyés sur ce passage pour justifier leurs innovations; mais ils ont parlé clairement (*Aug.* XCVI, 5).

Jean lui-même aurait-il eu l'idée d'interpréter la doctrine de Jésus dans l'Esprit, si Jésus n'avait fait cette promesse qui accomplissait si bien les anciennes prophéties? D'ailleurs si le sentiment des convenances et du devoir interdisait à l'évangéliste de prêter au Sauveur en les présentant comme de l'histoire des paroles qui ne fussent rien autre chose que sa propre interprétation, il avait certainement reçu le don de cette pénétration spirituelle qui est le caractère de son évangile.

13b) C'est ici seulement qu'on peut mesurer la portée de ὁδηγήσει qui, en soi, peut signifier aussi bien une révélation nouvelle qu'une pénétration plus approfondie d'une vérité déjà révélée. L'Esprit ne parlera pas de lui-même, c'est-à-dire qu'il n'apportera pas une doctrine qui lui fût propre : la doctrine ne sera pas nouvelle en cela du moins qu'elle ne sera pas étrangère à la Révélation déjà faite par le Fils. Lui non plus ne parlait pas de lui-même (VII, 17; VIII, 26. 40; XII, 49 s.), mais disait ce qu'il entendait dire au Père (spécialement VIII, 26. 40). Il semble que c'est aussi le cas du Paraclet qui est venu ou qui procède du Père (XV, 26). Cependant peut-être Jo. a-t-il à dessein laissé le verbe ἀκούσει sans régime d'origine, avant de s'être expliqué sur les rapports du Fils avec l'Esprit. Nous lisons ἀκούσει, mieux soutenu par les mss., et qui est bien dans la situation puisqu'il s'agit d'une mission temporelle future. Les Pères raisonnant sur la procession éternelle en ont été plus ou moins choqués, et c'est sans doute la raison de la variante ἀκούει.

Parmi les choses qu'enseignera l'Esprit, il faut compter celles de l'avenir. C'est

ne parlera pas de lui-même, mais il redira tout ce qu'il entendra, et il vous fera connaître les choses futures. [14] Lui me glorifiera, car il prendra du mien, et il vous [le] fera connaître. Tout ce qu'a le Père est à moi; [15] voilà pourquoi j'ai dit qu'il prend du mien et qu'il vous [le] fera connaître.

une promesse faite aux Apôtres d'abord; c'est aux Apôtres qu'il parlera, et il leur révélera aussi l'avenir, ce qui les range parmi les prophètes. Le prophète qui a vu les choses à venir est tout d'abord l'auteur de l'Apocalypse.

14) L'identité essentielle de l'enseignement de l'Esprit et de l'enseignement de Jésus serait déjà garantie s'ils ont la même source, c'est-à-dire le Père. Mais il y a plus : l'Esprit est aussi en relation avec le Fils. Le Fils incarné qui est Jésus glorifie le Père en faisant son œuvre (xii, 28), de même l'Esprit glorifiera le Fils en annonçant les vérités reçues de Lui. Ce sont donc bien essentiellement des vérités qui ne peuvent être en désaccord avec la doctrine du Fils. Il faut pourtant admettre que le rôle de l'Esprit ne sera pas inutile. En somme il est possible qu'il enseigne aux Apôtres des vérités nouvelles, venues du Fils, mais qui n'auraient pas encore été révélées par lui. C'est ce que semble indiquer le mot « annoncer », ce qu'admettent de nombreux théologiens, et ce qu'ils croient enseigné par le Concile de Trente et plus clairement par le concile du Vatican : *Haec porro supernaturalis revelatio... continetur in libris scriptis et sine scripto traditionibus, quae ipsius Christi ore ab Apostolis acceptae, aut (ab) Apostolis Spiritu sancto dictante quasi per manus traditae*, etc. (Denzinger [10], n° 1787) ; cf. *Bainvel*, dans le *Dict. de Théol.*, Art. *Apôtres*, p. 1657.

15) Mais telle est l'unité du Père et du Fils qu'il faut maintenant le reconnaître : tout ce que l'Esprit a reçu du Père, il l'a aussi reçu du Fils, car le Fils a tout ce qu'a le Père. Ces mots sont ce que le N. T. contient de plus expressif sur l'unité de nature et la distinction des Personnes dans la Trinité, et spécialement sur la procession de l'Esprit-Saint. Cependant ce qui est marqué directement n'est pas la communication de l'essence divine à l'Esprit-Saint, mais la communication des vérités à révéler, qui sont d'abord, d'après le dessein de Dieu, confiées au Verbe Incarné (*Till.*) Cette harmonie dans l'action des trois Personnes divines est fondée en dernière analyse sur leurs relations mystérieuses au sein de la divinité (*Till.*), ou comme dit le R. P. Durand (1911, p. 344). « Bien qu'ici encore, il soit directement question de la mission temporelle confiée à l'Esprit-Saint auprès des Apôtres... c'est avec raison que la théologie chrétienne a fondé sur ces deux versets la doctrine de la procession qui unit l'Esprit au Père et au Fils. » Il est clair que si la mission est une indication sur la relation des Personnes, l'Esprit-Saint procède du Père et du Fils, et non du Père seul.

— Tout se termine par la répétition une troisième fois de ἀναγγελεῖ qui semble bien marquer la révélation d'une chose inconnue, comme sont dans le premier cas les choses à venir.

— λαμβάνει au présent parce que la perspective est immuable, tandis que λήψεται était ordonné à la mission.

ὑμῖν. [16] Μικρὸν καὶ οὐκέτι θεωρεῖτέ με, καὶ πάλιν μικρὸν καὶ

Conclusion sur les passages relatifs au Paraclet. Ils se trouvent xiv, 16, 17. 26.; xv, 26; xvi, 7-15. On se demande si la promesse de Jésus s'adresse aux Apôtres et à leurs successeurs ou même à tous les fidèles, ou aux apôtres seuls exclusivement. Il faut d'abord mettre à part xiv, 16. 17, promesse d'habitation de l'Esprit-Saint dans toute âme ayant la charité, et qui se prolonge à jamais. xv, 26 est une promesse spéciale d'assistance dans les persécutions, qui semble bien devoir s'étendre à tous ceux qui rendront témoignage au Christ. Il reste xiv, 26 et xvi, 7-15, spécialement 12-15, relatifs à l'enseignement. On voit déjà par cette variété d'objets que ces textes ne doivent pas être commentés trop strictement l'un par l'autre, d'autant que dans les deux derniers Jésus s'adresse très spécialement à ses Apôtres, puisque l'enseignement portera sur ce que Jésus leur a dit (xiv, 26), et sur des choses qu'ils ne peuvent entendre dès ce moment, mais qui leur seront indiquées plus tard (xvi, 12 ss.).

Il est donc parfaitement clair que Jo. avait en vue des lumières nouvelles qui seront accordées aux Apôtres. L'enseignement personnel de Jésus sera complété ou du moins interprété en une large mesure par celui de l'Esprit-Saint, dans la personne des Apôtres. Mais ce don est-il exclusivement limité aux Apôtres? Jo. ne le dit pas, comme Mt. ne parle pas non plus des successeurs de Pierre, et cependant l'Église enseigne qu'ils participent chacun à son tour aux prérogatives qui lui ont été concédées (Mt. xvi, 17 s.). Plusieurs exégètes et théologiens procèdent ici de la même manière, et citent les deux textes pour prouver l'infaillibilité de l'Église, grâce à l'assistance de l'Esprit-Saint. D'autre part, on lit, par exemple dans le manuel du R. P. Simón (*Prael. bibl.*, N. T. I, 2e éd., p. 538) : *Haec verba... afferunt generatim Dogmatici ad demonstrandum revelationis depositum tempore Apostolorum impletum clausumque esse.* Nous ne voyons pas comment les mêmes textes pourraient prouver à la fois que le dépôt de la révélation est clos, et que l'Église est assistée du Saint-Esprit pour le conserver intact. Les deux points se complètent admirablement, mais le premier suppose que Jésus s'adresse exclusivement aux Apôtres, le second qu'il envisage leurs successeurs.

Autant que nous voyons, Jo. a insisté très fortement sur le privilège personnel des Apôtres, jusqu'à permettre de conclure qu'ils ont appris de l'Esprit-Saint des vérités nouvelles, mais sans s'exprimer clairement sur ce point, et sans exclure l'extension de cet enseignement par tradition à ceux qui suivront.

L'Église a défini que le dépôt de la révélation a été clos avec le dernier des Apôtres, mais sans dire sur quels arguments elle s'appuyait : d'autres ne faisaient pas défaut. De plus, en mettant sur le même rang, semble-t-il, les vérités sorties de la bouche du Christ et celles qui ont été dictées par l'Esprit-Saint aux Apôtres, elle nous autorise pleinement à voir dans les textes de Jo. une révélation vraiment nouvelle, mais elle n'affirme pas que ce soit leur sens.

Ce qui résulte avec évidence des textes scripturaires et conciliaires, c'est que tout ce qu'ont enseigné les Apôtres fait foi, sans qu'il soit le moins du monde nécessaire que leur enseignement ait été fixé par écrit.

En somme, il nous paraît plus probable que les textes de Jo. doivent être enten-

[16] Encore un peu, et vous ne me voyez plus, et derechef encore

dus dans le sens d'une assistance perpétuelle de l'Esprit-Saint à l'Église dans l'ordre de la vérité.

C'est du moins ce qu'ont enseigné Augustin et Cyrille qui renvoient tous deux à Eph. III, 17 ss., ce que supposent Chrysostome et Thomas.

Quant au caractère des vérités enseignées aux Apôtres, Jo. a voulu insister surtout sur leur identité substantielle avec l'enseignement de Jésus. On nous excusera de ne pas entrer davantage dans une question extrêmement difficile. On est convenu d'appeler nouveau ce qui n'est pas contenu *implicitement* dans une vérité déjà connue. Mais on sait que saint Thomas a regardé les vérités du N. T. comme contenues implicitement dans l'A. T. Et les théologiens qui n'admettent depuis les Apôtres aucune révélation nouvelle officielle se demandent si l'Église ne pourrait pas définir comme dogme de foi *conclusionem theologicam solum virtualiter-connexive revelatam* (cf. GARRIGOU-LAGRANGE, *De revelatione,* I, p. 189). Ce n'est pas dans les textes de Jo. qu'on trouvera la réponse à cette question.

16-24. BIENTÔT LA JOIE DU RETOUR REMPLACERA LA TRISTESSE. — Le retour a été traité dans XIV, 3.18.19; la joie indiquée dans XIV, 28, mais sans allusion au retour. Ici le thème de la joie des Apôtres au retour prochain de leur Maître est nettement traité, au moyen d'une comparaison parabolique. La ressemblance avec le ch. XIV, 18 ss., est surtout très marquée au début, où la promesse du retour suit la promesse du Saint-Esprit, avec le mot μικρόν pour le départ (XIV, 19 et XVI, 16). Mais de plus il semble bien que le thème de la venue est le même. Dans XIV, 18-20, nous avons reconnu l'annonce des apparitions du ressuscité aux Apôtres; cela est encore plus net dans XVI, 22 s., avec la réplique ἐν ἐκείνῃ τῇ ἡμέρᾳ (XIV, 20 et XVI, 23). Il est vrai que dans XIV le caractère mystique de la venue chez tous ceux qui aiment est très nettement marqué (XIV, 21-23) pour le temps qui s'écoulera ensuite sur la terre, tandis que XVI, 23 semble insinuer une plénitude de lumière qui indiquerait la vie éternelle, puisque, après la Résurrection, les Apôtres ont posé des questions, d'après Jo. lui-même (XXI, 21). Mais ce petit scrupule doit céder au principe si clair de la lumière donnée par l'Esprit-Saint. Tout le temps qui suivra la venue de Jésus sera un temps de pleine lumière et de joie comparé à la tristesse actuelle. La gloire éternelle n'est pas dans la perspective, puisque ce passage se termine par la recommandation de la prière, comme dans XIV, 11-13. — Il reste néanmoins cette différence avec le ch. XIV que si la perspective est indéfinie quant à son terme, elle est plutôt restreinte aux disciples alors présents.

16) L'exégèse de ce v. a été quelque peu brouillée par la présence de l'addition à la fin de οτι υπαγω προς τον πατερα. *quia vado ad Patrem,* qu'il faudrait rayer de la Vg. avec ℵBDL (ajoutez W) et *a b d ff² r sah. boh.* Sans ces mots l'allusion à la résurrection est devenue pour nous très claire; la séparation aura lieu par la mort de Jésus, mais, après un court intervalle de temps qui va de la mort de Jésus aux apparitions, les disciples le verront de nouveau. C'est le sentiment des Pères grecs (contre *Mald.* : de l'Ascension à la fin du monde !).

ὄψεσθέ με. [17]Εἶπαν οὖν ἐκ τῶν μαθητῶν αὐτοῦ πρὸς ἀλλήλους Τί ἐστιν τοῦτο ὃ λέγει ἡμῖν Μικρὸν καὶ οὐ θεωρεῖτέ με, καὶ πάλιν μικρὸν καὶ ὄψεσθέ με; καί Ὅτι ὑπάγω πρὸς τὸν πατέρα; [18]ἔλεγον οὖν Τί ἐστιν τοῦτο ὃ λέγει μικρόν; οὐκ οἴδαμεν τί λαλεῖ. [19]ἔγνω Ἰησοῦς ὅτι ἤθελον αὐτὸν ἐρωτᾶν, καὶ εἶπεν αὐτοῖς Περὶ τούτου ζητεῖτε μετ' ἀλλήλων ὅτι εἶπον Μικρὸν καὶ οὐ θεωρεῖτέ με, καὶ πάλιν μικρὸν καὶ ὄψεσθέ με; [20]ἀμὴν ἀμὴν λέγω ὑμῖν ὅτι κλαύσετε καὶ θρηνήσετε ὑμεῖς, ὁ δὲ κόσμος χαρήσεται· ὑμεῖς λυπηθήσεσθε, ἀλλ' ἡ λύπη ὑμῶν εἰς χαρὰν γενήσεται. [21]ἡ γυνὴ ὅταν τίκτῃ λύπην ἔχει, ὅτι ἦλθεν ἡ ὥρα αὐτῆς· ὅταν δὲ γεννήσῃ τὸ παιδίον, οὐκέτι μνημονεύει τῆς θλίψεως διὰ τὴν χαρὰν ὅτι ἐγεννήθη ἄνθρωπος εἰς τὸν κόσμον. [22]καὶ ὑμεῖς οὖν νῦν μὲν λύπην ἔχετε· πάλιν

18. τι εστι τουτο ο λεγει μικρον (H) et non τουτο τι εστι το μικρον (S) ou τουτο τι εστιν ο λεγει το μικρον (TV).
20. *om.* δε *p.* υμεις 2° (TH) et non *add.* (SV).
22. εχετε (THV) et non εξετε (S); — αιρει (TSV) ou αρει (H).

---

17) Ce n'était pas clair pour les disciples. Ce qui achève de les embarrasser, c'est qu'ils rapprochent une autre parole : « Je vais à mon Père », qui semblait faire allusion à une séparation définitive. Il n'est pas nécessaire que ces derniers mots aient été sur le moment même prononcés par Jésus (ce qu'a sans doute estimé la masse des copistes), puisqu'ils avaient été dits équivalemment (5 et 10).

18) Peut-être en somme se sont-ils souvenus que Jésus avait promis de revenir les chercher (xiv, 2.3) : mais quand? Le temps qui suivrait son départ serait-il si court? C'est cela surtout qui les étonne. C'est aussi ce qui est le mieux exprimé par la leçon de H soutenue par BLV 121 *al. pauci*, Or. Cependant l'autorité des mss. semblerait exiger l'addition de l'article : τὸ (μικρόν), ce qui ne changerait guère le sens, non plus que la suppression de ὃ λέγει (ℵ D Ox. 1781).

19) Selon son habitude, Jésus ne répond pas à la difficulté des disciples sous la dernière forme précise qu'elle a dans leur esprit. Il les exhorte plutôt à s'abandonner aux desseins de Dieu, leur promettant fermement que leur tristesse sera changée en joie, car la tristesse du départ est effacée par la joie du retour.

20) Que les disciples ne se fassent pas illusion : ce qui s'annonce, ce sont des heures de tristesse pour eux, et par opposition de joie pour le monde, c'est-à-dire encore une fois pour les Juifs qui croiront s'être débarrassés de lui. Mais leur tristesse sera changée en joie, non pas seulement en espérance, parce que l'affliction est le gage d'un sort meilleur (Mt. v, 4; Lc. vi, 23), mais par une réelle transformation. Tel fut bien le cas après la résurrection (xx, 20).

21) Cette comparaison est très naturelle. On cite de nombreux textes de l'A. T. qui parlent des douleurs de l'enfantement par manière de comparaison

un peu et vous me verrez. » [17] Quelques-uns de ses disciples se dirent donc les uns aux autres : Que signifie ce qu'il nous dit : Encore un peu et vous ne me voyez plus, et derechef encore un peu, et vous me verrez? Et : Parce que je vais à [mon] Père? [18] Ils disaient donc : Qu'entend-il par encore un peu? Nous ne savons ce qu'il veut dire. [19] Jésus connut qu'ils voulaient l'interroger, et il leur dit : « Vous vous enquérez les uns auprès des autres parce que j'ai dit : Encore un peu et vous ne me voyez plus, et derechef encore un peu et vous me verrez? [20] En vérité, en vérité je vous [le] dis, vous pleurerez et vous vous lamenterez, mais le monde se réjouira; vous serez accablés de tristesse, mais votre tristesse se changera en joie. [21] La femme, au moment d'enfanter, éprouve de la tristesse, parce que son heure est venue; mais lorsqu'elle a donné le jour à l'enfant, elle ne se souvient plus de l'oppression, dans la joie de ce qu'un homme est venu au monde. [22] Et vous donc, vous avez main-

(Is. XIII, 8; XXI, 3; XXVI, 17 s.; LXVI, 7; Jér. XIII, 21; XXII, 23; Os. XIII, 13; Mich. IV, 9 s.; cf. IV Esdr. XVI, 39 s.), et cependant aucun n'offre précisément ce contraste de la douleur et de la joie, si ce n'est peut-être Is. XXVI, 18 ἐν γαστρὶ ἐλάβομεν καὶ ὠδινήσαμεν καὶ ἐτέκομεν· πνεῦμα σωτηρίας σου ἐποιήσαμεν, mais seulement d'après le texte grec, car l'hébreu porte : « nous n'avons pas donné le salut », évidemment exigé par le contexte. D'ailleurs tout est tiré de l'ordre naturel : ἡ γυνή « la » femme qui est dans ce cas, une femme quelconque; il n'y a là aucune allusion aux douleurs de l'enfantement (ὠδῖνες) qui précèdent les dernières persécutions d'après Mc. (XIII, 8; cf. Mt. XXIV, 8) et qui sont, d'après la tradition juive, la douleur du Messie (cf. *Le Messianisme*... p. 186). — La comparaison étant tirée de la nature, le κόσμος est ici le milieu dans lequel vit une famille, sans allusion spéciale au judaïsme. La femme ne se réjouit pas d'avoir un enfant, mais d'avoir donné un homme à la société : c'est sa contribution au bien général.

22) L'application se fait d'elle-même. Les disciples sont déjà dans la tristesse (ἔχετε, mieux soutenu que ἕξετε) : c'est la première période qui durera, en empirant, jusqu'au πάλιν du v. 17. Mais tandis que Jésus disait alors : vous me verrez, il dit : je vous verrai, car c'est bien lui qui viendra vers ses disciples. La joie inamissible a fait penser Mald. à l'éternité. Jésus dit seulement que personne au monde n'a le pouvoir de l'arracher à un cœur qui aime Dieu. — La leçon αἴρει au présent est un peu mieux soutenue que le futur ἀρεῖ. Elle est aussi mieux en harmonie avec le caractère absolu de la proposition. Le caractère eschatologique du passage paraîtrait mieux s'il était une réminiscence d'Is. LXVI, 14 καὶ ὄψεσθε, καὶ χαρήσεται ἡ καρδία ὑμῶν, cependant la perspective n'en serait pas mieux déterminée pour cela, ces termes devant être appréciés dans Jo. d'après leur contexte.

δὲ ὄψομαι ὑμᾶς, καὶ χαρήσεται ὑμῶν ἡ καρδία, καὶ τὴν χαρὰν ὑμῶν οὐδεὶς αἴρει ἀφ' ὑμῶν. [23]καὶ ἐν ἐκείνῃ τῇ ἡμέρᾳ ἐμὲ οὐκ ἐρωτήσετε οὐδέν· ἀμὴν ἀμὴν λέγω ὑμῖν, ἄν τι αἰτήσητε τὸν πατέρα δώσει ὑμῖν ἐν τῷ ὀνόματί μου. [24]ἕως ἄρτι οὐκ ᾐτήσατε οὐδὲν ἐν τῷ ὀνόματί μου· αἰτεῖτε καὶ λήψεσθε, ἵνα ἡ χαρὰ ὑμῶν ᾖ πεπληρωμένη. [25]Ταῦτα ἐν παροιμίαις λελάληκα ὑμῖν· ἔρχεται ὥρα ὅτε οὐκέτι ἐν παροιμίαις λαλήσω ὑμῖν ἀλλὰ

23ᵃ) Dans ce jour-là, comme xiv, 20, c'est-à-dire au jour de la Résurrection. Mais il s'étend indéfiniment, et comprend sûrement, outre le retour du Christ, le don de l'Esprit-Saint. On a voulu entendre ce jour de l'éternité (*Mald.*) d'autant qu'après la résurrection les disciples ont posé des questions (Act. I, 6; Jo. XXI, 21). Pour éviter cette difficulté on a pris ἐρωτᾶν dans le sens de prier, en liant les deux parties du verset; Chrys. : « vous n'aurez plus besoin d'un médiateur ». Mais si le verbe peut incontestablement avoir ce sens (comme en latin *rogare*), et s'il l'a dans Jo. (IV, 31.40.47; XIV, 16; XVI, 26; XVII, 9. 15. 20; XIX, 31.38) il a aussi le sens de questionner, aussi dans Jo. (I, 19.21.25; V, 12; IX, 2.19.21; XVI, 5.19.30; XVIII, 19.21). Ce dernier sens est manifestement celui du contexte, car les disciples n'ont rien demandé, mais ils ont interrogé, ou voulu interroger plusieurs fois (XIV, 5.8.22; XVI, 17.18). Et en effet, les disciples étant instruits par l'Esprit-Saint, n'auront qu'à s'en remettre à lui pour recevoir l'enseignement convenable. Probablement Jo. n'a pas fait ressortir à cet ordre des grandes vérités la petite question de Pierre (XXI, 21), ni même celle des Actes (I, 6), toutes deux considérées comme inopportunes, et d'ailleurs antérieures à la grande effusion de l'Esprit-Saint. Le détail de la perspective n'est pas ici son fait : il oppose les obscurités où se débattent les disciples au grand jour qui suivra la résurrection.

23ᵇ) Au contraire ce temps — qui n'est donc pas l'éternité — n'exclura pas la prière (*Chrys. Thom.*) comme l'indiquait déjà XIV, 12-13. C'est l'idée en partie nouvelle qui se présente selon la coutume avec la formule : en vérité, etc., idée nouvelle, mais qui ne revient pas sur un temps antérieur à 23ᵃ, comme l'admet Thom. pour défendre Aug. Les termes ne sont pas tout à fait ceux de XIV, 13, où l'unité du Père et du Fils était mieux marquée; ἐν ὀνόματι n'a pas non plus tout à fait la même nuance; ici le Père accordera par égard pour le nom de son Fils, qui est censé devoir être invoqué.

24) Jusqu'à ce moment, Jésus étant présent, les disciples ne l'ont pas nommé dans leur prière; lorsqu'il sera auprès de son Père, il sera nommé comme médiateur, mais aussi comme objet de leur culte. A ce moment s'applique l'impératif αἰτεῖτε et le résultat, tellement consolant, que la joie des disciples sera à son comble, comme dans XV, 11, mais dans une autre perspective. D'où vient ici la joie? Ce n'est pas précisément la satisfaction d'être exaucé mais cependant la joie d'avoir reçu ce qu'on a demandé, le bien spirituel (cf. Lc. XI, 13) qui apaise tous les désirs : *et hoc bonum est solum Deus, qui replet in bonis desiderium nostrum* (*Thom.*). C'est peut-être interpréter trop strictement d'après XIV, 12-14 que de dire (*Loisy*, 437) : « La joie des disciples sera complète, parce que, leurs prières étant exaucées, leur activité sera féconde,

tenant de la tristesse, mais je vous verrai de nouveau, et votre cœur se réjouira, et personne n'est en mesure de vous enlever cette joie. [23] Et dans ce jour-là vous ne m'interrogerez sur rien; en vérité, en vérité je vous [le] dis, quoi que vous demandiez au Père, il vous l'accordera en mon nom. [24] Jusqu'à présent vous n'avez rien demandé en mon nom : demandez et vous recevrez, afin que votre joie soit entière.

[25] Je vous ai dit ces choses en paraboles; l'heure vient où je ne vous parlerai plus en paraboles, mais [où] je vous entretiendrai

et Dieu glorifié dans le Christ. » Ici l'apostolat n'est pas envisagé, mais le rapport des disciples avec le Père par la médiation de Jésus.

25-33. La foi en l'origine divine de Jésus, encore insuffisante, mais qui vaincra le monde.

Ce sont les dernières paroles de Jésus aux disciples. Elles reviennent au thème de la foi traité au ch. xiv, et qui l'encadre en quelque sorte (1 et 29). Dans le ch. xiv le thème était surtout que Jésus est dans son Père et que son Père est en lui (10). Ici c'est l'origine divine de Jésus. Dans les deux cas, l'adieu se fait par la paix (xiv, 27; xvi, 33). A la fin de xiv, on voit clairement que le triomphe momentané du prince de ce monde ne sera qu'apparent; mais à la fin de xvi la victoire sur le monde est déjà remportée. Toutes ces paroles sont très spécialement adressées aux disciples présents, dont on entrevoit encore les illusions qu'une prophétie de Jésus réduit à leur valeur.

25) Dans le contexte actuel (de xiv-xvi), il y a au moins deux paraboles-allégories, celle de la vigne (xv, 1-7) et celle de la femme qui enfante (xvi, 21). D'ailleurs il y avait encore un certain voile sur les paroles de Jésus : sa Résurrection et son Ascension n'avaient pas été annoncées selon leurs modalités historiques, ni même sa passion et sa mort; encore moins claire était la notion qu'il avait esquissée du mystère de la très sainte Trinité! Le moment viendra d'une révélation plus ouverte. — Nous lisons dans Loisy (p. 437) : « D'ailleurs, tout l'enseignement du Christ johannique est censé avoir été donné en paraboles, c'est-à-dire en allégories, puisque notre évangile entend ainsi la parabole », puis aussitôt après (p. 438) : « Il imagine que sa doctrine spirituelle, dégagée des comparaisons et des allégories, représente la révélation définitive. » — Ces deux textes sont-ils bien du même auteur? Il semble plutôt que Jo. a considéré toute sa doctrine spirituelle — celle de Jésus — comme contenue dans l'évangile, y compris le sien, d'une façon voilée, sans affectation de rhétoricien à distinguer l'allégorie de la parabole. La lumière se fera plus tard. Mais lorsqu'il parlera des apparitions du ressuscité, aura-t-il changé de manière, comme il semble qu'il eût dû le faire pour parler ouvertement? Zahn tranche la difficulté en voyant ici une allusion à la Parousie et à la contemplation bienheureuse qui l'a suivie. Mais cette explication ne convient pas plus ici que dans xiv, 18 ss., puisque cet état est encore celui de la prière (26 s.). Il faut donc concéder que les chapitres xx et xxi de Jo. ne renferment pas un

παρρησίᾳ περὶ τοῦ πατρὸς ἀπαγγελῶ ὑμῖν. [26] ἐν ἐκείνῃ τῇ ἡμέρᾳ ἐν τῷ ὀνόματί μου αἰτήσεσθε, καὶ οὐ λέγω ὑμῖν ὅτι ἐγὼ ἐρωτήσω τὸν πατέρα περὶ ὑμῶν· [27] αὐτὸς γὰρ ὁ πατὴρ φιλεῖ ὑμᾶς, ὅτι ὑμεῖς ἐμὲ πεφιλήκατε καὶ πεπιστεύκατε ὅτι ἐγὼ παρὰ τοῦ θεοῦ ἐξῆλθον. [28] ἐξῆλθον ἐκ τοῦ πατρὸς καὶ ἐλήλυθα εἰς τὸν κόσμον· πάλιν ἀφίημι τὸν κόσμον καὶ πορεύομαι πρὸς τὸν πατέρα. [29] Λέγουσιν οἱ μαθηταὶ αὐτοῦ Ἴδε νῦν ἐν παρρησίᾳ λαλεῖς,

27. θεου (TSV) ou πατρος (H).

---

autre mode dans le langage. Il en résulte cependant que les disciples ont été transportés dans une atmosphère de lumière, où la foi était fortifiée par une évidence de gloire touchant la personne de Jésus. Les Apôtres ont dû recevoir des lumières intérieures correspondantes, qui les qualifiaient pour leur mission. D'ailleurs ce qui est dit ici de l'action personnelle de Jésus devait se compléter par le don de l'Esprit qui est le sien. Si son Père fait ses œuvres en lui (xiv, 10), l'assistance de l'Esprit est aussi la sienne (Mt. xxviii, 20). — ἀπαγγέλλω seulement ici dans Jo.; le sens est « rapporter » une chose ou une doctrine. Si ἀναγγέλλω « annoncer » se trouve trois fois à propos de l'Esprit-Saint, c'est que le premier cas visait l'avenir (xvi, 13.14.15).

26) En ce jour (cf. 23) est ici synonyme de l'heure v. 25 : si l'heure était un jour, le jour peut être une époque. Alors on priera encore (on n'est donc pas encore au ciel), mais d'une manière plus parfaite, au nom de Jésus, mieux connu, et par conséquent invoqué avec le Père (cf. sur xiv, 13). Pour ce qui suit les interprétations sont nombreuses. La difficulté c'est que le Christ glorifié continuera à intercéder pour les siens, d'après Jean lui-même (I Jo. ii, 1; cf. Rom. viii, 34; Heb. vii, 25). D'après Aug. *Ad hoc quippe intuendum quomodo non rogat Patrem Filius, sed simul exaudiunt rogantes Pater et Filius, nonnisi spiritualis oculus mentis ascendit.* — Cette solution convient pour xiv, 20, mais non ici où Jésus se distingue du Père. — Schanz : La médiation demeure; elle ne consiste pas dans l'intercession, mais dans les mérites du Christ. — Pourquoi pas les deux? — Durand : « Quand même, par impossible, je n'intercéderais pas en votre faveur » (1911, p. 348). — C'est une échappatoire. Il faut de toute façon constater que Jésus n'est pas absent de cette prière, ni de l'exaudition, puisqu'elle est faite en son nom. Qu'y aura-t-il donc de particulier dans le nouvel état plus parfait? Chrys. l'a dit d'un mot : « L'amour que vous avez pour moi suffit à vous protéger. » Les disciples sont accrédités auprès de Dieu par leur foi et par leur amour pour Jésus : ils n'ont plus besoin que quelqu'un les présente et sollicite pour eux. — ἐρωτάω semble avoir dans Lc. iv, 38 le sens d'appeler l'attention sur une personne (περί) plutôt que sur l'objet de sa demande. Les disciples n'ont pas besoin d'un introducteur autre que leur amour pour Jésus et son nom sur les lèvres. Ce n'est point là une théorie niant l'intercession de Jésus, qui demeure nécessaire à tous, même lorsqu'il sera au ciel; c'est une manière de caractériser la position privilégiée des apôtres arrivés à la perfection. — Peut-être les mystiques pour-

ouvertement du Père. [26] En ce jour-là, vous prierez en mon nom, et je ne vous dis pas que je solliciterai pour vous le Père, [27] car le Père lui [aussi] vous aime, parce que vous m'avez aimé, et que vous avez cru que je suis sorti de Dieu. [28] Je suis sorti du Père, et je suis venu dans le monde ; je quitte le monde à son tour et je vais vers le Père. » [29] Ses disciples [lui] disent : « Voici maintenant que tu parles ouver-

ront-ils s'appuyer sur ce texte pour expliquer certains états d'oraison où l'âme est unie à Dieu sans aucun sentiment particulier de l'humanité du Sauveur, ce qui ne veut pas dire que ces contemplatifs n'en aient plus besoin. Ils doivent toujours se tenir dans les sentiments de I Jo. II, 1. Jo. ne veut pas dire que le rôle du Sauveur est alors dépassé; il exclut plutôt une action distincte, inutile, puisque l'action de Jésus est déjà inclue dans celle de ses disciples. Loisy a dit très bien (p. 438) : « Jésus n'a pas besoin d'intervenir, puisque l'évocation de son nom suffit pour que le Père exauce, aussi parce qu'il prie lui-même dans les siens... L'on touche ici à l'extrême pointe du mysticisme chrétien ». Il est bien différent de celui de Philon qui ne croit le Logos utile qu'aux imparfaits, et qui le met seulement au rang de ceux qui sont parfaits : ἕως μὲν γὰρ οὐ τετελείωται, ἡγεμόνι τῆς ὁδοῦ χρῆται λόγῳ θείῳ... (citation de Ex. XXIII, 20.21) ἐπειδὰν δὲ πρὸς ἄκραν ἐπιστήμην ἀφίκηται, συντόνως ἐπιδραμὼν ἰσοταχήσει τῷ πρόσθεν ἡγουμένῳ τῆς ὁδοῦ· ἀμφότεροι γὰρ οὕτως ὀπαδοὶ γενήσονται τοῦ πανηγεμόνος θεοῦ (*de migrat. Abrah.* 174 s.; I, 463; cf. *RB.* 1923, p. 352).

27) Tandis que Philon place la perfection dans la science la plus élevée, la raison pour laquelle le Père aime les disciples, c'est leur amour pour Jésus et leur foi dans le mystère essentiel de son origine divine. Ces sentiments sont ceux des disciples dans le jour attendu : l'amour passe avant la foi dont il fallait expliquer la nature. Il est bien difficile de se prononcer entre les leçons πατρός (BCDLX *sah. boh.*, etc.) et θεοῦ (ℵ A. Ox. 1781 *latt. vg.*). La première est beaucoup plus naturelle; ne serait-ce pas une correction pour établir une harmonie plus parfaite dans tout ce passage? Voir *RB.* 1926, p. 90.

28) Ce sont les deux termes de la mission de Jésus. Il savait ce qu'il en était (XIII, 3), il l'avait à la pensée dès le début de son discours : il le dit à la fin de cet enseignement déjà si lumineux, qui en fait pressentir un autre. — ἐξῆλθον avec ἐκ ne doit pas signifier autre chose que παρά (Ox. 1781 ℵ A). Cyrille (*Schanz, Till.*, etc.) a donc raison de ne point voir ici une allusion à la génération éternelle du Fils, qui n'aurait aucun trait parallèle dans le retour. Le parallélisme est ἐλήλυθα εἰς τὸν κόσμον : ἀφίημι τὸν κόσμον, et aux deux extrémités du mouvement : ἐξῆλθον et πορεύομαι : or ce dernier est sûrement le mouvement de Jésus allant vers son Père, parallèle à sa sortie par l'Incarnation. — πάλιν indique bien ce mouvement en sens inverse; cf. I Jo. II, 8; II Macch. V, 20, etc.

29) Les disciples prennent enfin la parole, c'est-à-dire sans doute quelqu'un au nom de tous et non pas seulement comme représentant de ceux qui avaient raisonné en eux mêmes (17 s.). Les dernières paroles les ont frappés : ἴδε semble renforcer la nouveauté de νῦν : c'est une impression toute récente.

καὶ παροιμίαν οὐδεμίαν λέγεις. [30] νῦν οἴδαμεν ὅτι οἶδας πάντα καὶ οὐ χρείαν ἔχεις ἵνα τίς σε ἐρωτᾷ· ἐν τούτῳ πιστεύομεν ὅτι ἀπὸ θεοῦ ἐξῆλθες. [31] ἀπεκρίθη αὐτοῖς Ἰησοῦς Ἄρτι πιστεύετε; [32] ἰδοὺ ἔρχεται ὥρα καὶ ἐλήλυθεν ἵνα σκορπισθῆτε ἕκαστος εἰς τὰ ἴδια κἀμὲ μόνον ἀφῆτε· καὶ οὐκ εἰμὶ μόνος, ὅτι ὁ πατὴρ μετ' ἐμοῦ ἐστίν. [33] ταῦτα λελάληκα ὑμῖν ἵνα ἐν ἐμοὶ εἰρήνην ἔχητε· ἐν τῷ κόσμῳ θλῖψιν ἔχετε, ἀλλὰ θαρσεῖτε, ἐγὼ νενίκηκα τὸν κόσμον.

La netteté des paroles de Jésus au v. 28 est telle qu'ils croient bien comprendre. C'est ce qui arrive souvent lorsque certaines démonstrations sont conduites avec une telle clarté qu'on s'imagine les suivre. Si bien que les Apôtres ne s'aperçoivent pas que la pleine clarté n'était promise que pour plus tard. On ne peut (contre *Mald.*) expliquer leur état psychologique autrement qu'Augustin; *nisi illa quae scit ipse non intelligentibus esse proverbia, illi usque adeo non intelligunt, ut nec saltem non se intelligere intelligunt?* — Il était impossible de marquer plus fortement le contraste entre l'état des Apôtres avant et après la résurrection. Ils croient que Jésus leur donne cette lumière surabondante qu'il leur a seulement promise.

30) Cependant leur confusion existait seulement sur ce point qu'ils se croient plus éclairés qu'ils ne sont. Les paroles du Christ portaient en elles un enseignement vrai et sa formule était parfaitement appropriée. On dirait cependant qu'en la reproduisant les disciples l'affaiblissent un peu, car ἀπὸ θεοῦ ἐξῆλθες est moins fort que ἐξῆλθον ἐκ τοῦ πατρός pour indiquer l'origine divine de Jésus comme Fils sortant du sein du Père par l'incarnation (comme nous avons interprété le v. 28). Cependant Jésus paraît se contenter de cette foi : si seulement elle devait les prémunir contre la fuite! Peut-être aussi n'exige-t-il rien de plus en ce moment que la reconnaissance de sa mission divine : l'Esprit-Saint fera le reste. — νῦν οἴδαμεν répond à οὐκ οἴδαμεν (18), plutôt pour la forme que pour le fond. Car les disciples ne savaient pas ce que signifiait « encore un peu » et « aller au Père », et maintenant ils savent que Jésus sait tout, puisque (καί causal) il répond si bien à un doute intérieur, ce qui est à tout le moins un don divin (I, 48.49; IV, 19.29). — ἐν τούτῳ non pas seulement : parce que tu sais tout, tu es d'origine divine; mais encore : puisque tu sais tout et que tu affirmes, etc. nous le croyons. C'est désormais la conviction de tout le collège apostolique. Peut-être auparavant tous n'avaient pas la foi aussi éclairée que Pierre (Mt. XVI, 16) ou que Pierre, Jacques et Jean, témoins de la Transfiguration (Mc. IX, 7 et parall.). De cette façon les mots comprennent toute la formule que vient de prononcer Jésus, et il y a dans l'accent des disciples, à la veille du départ, quelque chose de ferme et de définitif.

31) Peut-être y avait-il aussi un peu de présomption : *Denique de ipsa eorum aetate adhuc secundum interiorem hominem parva et infirma eos admonens* (*Aug.*). Cependant l'interrogation après πιστεύετε ne met pas en doute la foi des disciples. Le sens est : ce n'est pas trop tôt! Mais si la foi est désormais inébranlable...

tement, et tu ne dis aucune parabole. [30] Maintenant nous savons que tu sais tout, et que tu n'as pas besoin que quelqu'un t'interroge; c'est pourquoi nous croyons que tu es sorti de Dieu. » [31] Jésus leur répondit : « Vous croyez à présent? [32] Voici venir l'heure, et elle est venue, où vous serez dispersés chacun chez soi, et vous me laisserez seul; mais je ne suis pas seul, parce que le Père est avec moi. [33] Je vous ai dit ces choses, afin que vous ayez la paix en moi; dans le monde vous avez à endurer, mais ayez confiance, j'ai vaincu le monde. »

32) Jésus annonce ici la dispersion. Le même fait, en termes différents, dans Mt. xxvi, 31; Mc. xiv, 27 avant l'annonce du reniement de Pierre, sur le chemin de Gethsémani. On n'a pas le droit de doubler la prédiction, et il faut reconnaître qu'elle est située plus naturellement avant celle du reniement de Pierre dont elle amène les protestations. Si Jo. l'a placée ici, ce n'est pas sans doute dans le but de corriger les synoptiques, mais pour préparer la grande image finale du Christ abandonné, qui cependant n'est pas seul et qui vaincra. La dispersion εἰς τὰ ἴδια (cf. xix, 27) est incontestablement synonyme de « dans la maison » (Esther. v, 10; vi, 12; cf. III Macch. v, 21 et vi, 27). Mais ici Jo. a voulu dire plus largement : « chacun de son côté », car les disciples ne sont pas tout d'abord rentrés en Galilée (xx), et il ne semble pas qu'ils aient été hospitalisés à Jérusalem dans des maisons particulières. Nous verrons Pierre suivre Jésus de loin, et le disciple que Jésus aimait demeurer au pied de la Croix. C'est un exemple entre tant d'autres du peu de soin que prend Jo. de se mettre à l'abri des chicanes littéraires. — Jésus est trop intimement uni à son Père pour être jamais seul. Durand : « En écrivant ces derniers mots, l'évangéliste a sans doute pensé qu'ils compléteraient heureusement ceux qui se lisaient dans Marc et Matthieu : « Mon Dieu, mon Dieu, pourquoi m'avez-vous abandonné? » (1911, p. 349). — Mais on les trouve déjà à peu près dans viii, 29. Jo. suit donc sa propre voie, sans quoi il serait plus juste de dire « rectifier » que « compléter ».

33) Cet encouragement se rapporte manifestement à l'annonce des persécutions. On le comprendrait très bien comme la conclusion du troisième discours (xv, 18-xvi, 3) au lieu de xvi, 4, qui a été écrit pour faire la transition avec xvi, 5-32. Dans le contexte actuel, ταῦτα se rapporte à tout ce qu'il y a d'encourageant dans ce qui précède. Malgré tout, les disciples doivent se proposer d'avoir et ils auront en effet la paix de l'âme dans le Christ, parce qu'ils souffrent pour lui, et qu'il peut leur donner sa paix (xiv, 27). — ἔχετε a été changé en ἕξετε par D et les latins; correction trop facile. Déjà l'oppression a commencé, et les disciples vont lâcher pied. Mais Jésus, lui, a vaincu le monde (xii, 31; xiii, 31). Le monde n'est plus seulement le monde juif. Avec ces derniers mots, l'horizon s'est élargi dans l'espace et dans le temps. Jésus embrasse tout l'avenir et tout ce qui lui est hostile, qui ne cessera pas de l'être, mais qu'il a vaincu. C'est pour lui seul que la victoire est définitive; ses dis-

ciples ne doivent pas se poser en triomphateurs, mais avoir confiance. Quand Jésus a annoncé sa victoire comme un fait accompli, il n'y paraissait guère. Elle est toujours enveloppée d'un certain mystère, quoique si apparente à certains moments; mais il y a toujours des disciples qui ont confiance.

CARACTÈRE LITTÉRAIRE DE L'ENSEMBLE DES DISCOURS A LA CÈNE.

Nous y avons distingué un prélude (XIII, 31-35) : Le Fils de l'homme va être glorifié; ses disciples ne peuvent pas le suivre; il leur laisse le commandement de la charité fraternelle. On peut regarder ce passage comme le début du grand discours, interrompu par l'épisode de Pierre (XIII, 35-38), mais il n'aborde pas le thème principal qui est double : promesse du retour et assistance perpétuelle. Ce thème n'est traité cependant que dans XIV et XVI, 5-33. Dans XV, 1-XVI, 4 nous avons deux discours assez distincts : l'un sur l'union de Jésus avec ses disciples choisis et leur union entre eux (XV, 1-17), l'autre sur la haine et les persécutions qui les attendent (XV, 18-XVI, 4). Rien dans ces deux discours ne rappelle nécessairement la situation après la Cène, quoique tout ait été placé dans cette perspective. Entre les deux discours parallèles de XIV et XVI, 5-33 il y a cette différence que dans le premier trois disciples interrogent en leur nom propre, tandis que dans le second ils n'osent interroger et parlent ensuite collectivement. Mais le thème du retour de Jésus et de l'assistance du Paraclet y sont traités de la même manière, tandis que dans XV, 26 le Paraclet qui avait sa place dans le discours analogue des synoptiques, tient seulement du contexte une nuance. Cependant on ne saurait regarder XVI, 5-33 comme une doctrine plus profonde : le ch. XIV marque en traits beaucoup plus pénétrants l'union du Père et du Fils, poussée à ce point que le Père viendra avec le Fils (XIV, 23). Le quatrième discours est donc, ainsi qu'on l'a déjà pensé, une sorte de complément du premier, une réminiscence de points qui n'avaient pas été d'abord touchés, non pas une révélation plus claire. Il va sans dire que la doctrine est la même.

Nous proposons donc, avec la réserve qu'exige un pareil sujet, de considérer le discours après la Cène comme un véritable discours d'adieu, prononcé par Jésus dans la circonstance, mais auquel ont été joints des enseignements et avis donnés précédemment par Jésus à ses disciples. Jo. aura fait pour le discours d'adieu ce que Mt. a fait pour le discours-programme. Il a réservé pour ce moment l'enseignement spécial donné par Jésus à ses disciples. Cet enseignement spécial commence plus tôt dans Mc. (IX, 31), et l'on peut dire qu'il n'a jamais été interrompu : Jo. lui a réservé une place de choix, le moment de l'intimité des adieux et des dernières paroles.

Et c'est peut-être la raison pour laquelle il n'a pas raconté l'institution de l'Eucharistie. Elle l'avait été suffisamment par les trois synoptiques et même par saint Paul. Mais le discours d'adieu en était comme le reflet et le commentaire. Nul plus que M. Loisy n'a insisté sur le caractère eucharistique du discours, où revient si souvent le mot d'*agapè* qui désignait pour les premiers chrétiens l'Eucharistie. Il y a quelque exagération à voir à chaque instant dans les termes une allusion précise. Mais tout est bien dans la note de l'unité. C'est par l'unité de sève et la charité que s'exprime le mieux le rapport de Jésus avec ses disciples. S'il les quitte pour retourner à son Père, il leur sera cependant uni d'une façon mystique. Sans voir là une allusion à l'Eucharistie, on peut penser que c'est bien l'effet que lui attribuaient les premiers chrétiens. Comme elle est destinée à tous les fidèles, le discours de Jésus sur ce mystère a été adressé à tous les disciples (vi, 51-65). La vraie difficulté n'est pas : Pourquoi Jo. n'a-t-il pas raconté l'institution de l'Eucharistie? — Il a omis tant de faits suffisamment connus par les synoptiques! Mais : Pourquoi n'a-t-il pas placé à la Cène le discours qui en était au ch. vi comme le commentaire anticipé? — On peut dire qu'ainsi l'exigeait la suite historique des faits. Mais elle ne s'imposait pas absolument à sa liberté de composition. C'est donc peut-être parce que l'Eucharistie, proposée à tous les chrétiens, est précisément ce qui fait le discernement des fidèles et des incroyants. Les instructions aux disciples choisis supposent qu'eux-mêmes ont pris parti. Ce n'est pas sans raison qu'il y a un parallélisme entre vi, 70 et xiii, 18.

C'est bien aux disciples choisis que Jésus parle dans ces dernières effusions, et cet aspect particulier contribue à leur vraisemblance historique. Assurément la leçon porte plus loin, et chacun peut en faire son profit. Quelquefois même cet auditoire plus vague est désigné assez clairement (xiv, 12. 21. 23). Fncore est-il que ces termes plus généraux doivent s'entendre d'abord des Apôtres, et, lorsqu'on ne les rencontre pas, on est encore moins autorisé à dire que Jo. a prêté au Seigneur un discours pour les fidèles de son temps et de tous les temps (cf. sur xvi, 12 ss.).

Chapitre XVII. La prière de Jésus pour l'unité.

1. *Idée générale.* — On nomme ordinairement cette prière « la prière sacerdotale » du Christ, d'après *Chytraeus* (Kochhafe, † 1600), un des derniers « Pères » du luthéranisme : *precatio summi sacerdotis*. Et il est de fait que Jésus y parle comme Pontife, ainsi que l'ont vu Cyrille d'Alexandrie et Rupert : *Haec pontifex summus propitiator ipse et propitiatorium, sacerdos et sacrificium, pro nobis oravit* (*ap. Schanz*). Mais si Jésus y parle en prêtre, c'est qu'il y prie pour nous, et il nous paraît excessif de dire avec Durand : « Avant de monter sur l'autel de la Croix, il fait à son Père la suprême offrande de soi pour le salut du monde », ou avec Tillmann : « C'est la langue du cœur du grand prêtre qui manifeste la disposition et la volonté dans lesquelles il entend consommer son sacrifice. » Le sacrifice ne figure qu'au v. 19, et d'une manière voilée, comme le moyen d'arriver au but de la prière. Si l'on envisage ce but, il ressort très clairement : Jésus expose à son Père qu'il a terminé son œuvre propre, et il lui demande de la continuer par ceux qu'il lui a donnés et qu'il a formés pour cela, dans l'unité de la doctrine qu'il leur a enseignée, et dans l'amour que le Père a pour lui. Au fond il n'y a qu'une œuvre, celle du Père et la sienne qui sera l'œuvre de ceux qui participeront à leur unité. Bossuet : « Et il me semble que cette intention secrète de Jésus-Christ est celle de former toute son Église, et de s'offrir lui-même, intérieurement et extérieurement, en sacrifice pour cela. »

Les paroles du Christ ont évidemment pour but d'instruire ses disciples (Thomas : *sed oratio Christi est magis ad instructionem*), mais elles sont néanmoins une vraie prière. Au moment de mourir, Jésus a prié afin que ses disciples pussent fonder une Église, car c'est bien le sens, et qui fût une, par la doctrine, et par la charité, doctrine du Père et du Fils, charité du Père et du Fils; et il nous importait infiniment de le savoir! On remarquera d'ailleurs que si l'unité de l'Église est le thème principal, cette église doit être apostolique (20) sainte (19) et catholique, puisqu'elle embrasse tous les croyants (20).

2. *Division.* — Cette idée principale et même dominante comporte plusieurs vues particulières. Tout le monde convient (déjà Thomas, très nettement) que Jésus prie d'abord pour lui (1-5), puis pour ses disciples présents qui vont être, qui sont déjà ses apôtres (6-19), enfin pour ceux qui croiront en acceptant la même doctrine (20-23). Le tout se termine par une complaisance du Fils dans l'œuvre du Père qui est aussi la sienne dans l'unité de l'amour, et qui embrasse le présent et l'avenir (24-26); on a pu d'ailleurs (*Thom. Westc.*, etc.) rattacher cette dernière section à la précédente.

La première partie (1-5) est une effusion du Fils avec le Père. Elle contient une demande, mais sans le caractère d'une intervention pour d'autres (ἐρωτῶ v. 9). Le Père a assigné au Fils une mission, lui conférant tout pouvoir, et spécialement celui de donner la vie éternelle qui est la connaissance du Père et de celui qu'il a envoyé. Cette mission accomplie à la gloire du Père, celui-ci donnera au Fils la gloire, et en sera encore glorifié.

Dans la deuxième partie, Jésus présente ses disciples au Père : il leur a révélé ce Père, et ils ont accepté pleinement son enseignement par la foi. Ils sont donc aptes à continuer son œuvre, et, puisque Lui s'en va, il les confie à son Père, afin qu'il les préserve du mal et les sanctifie, les destine à leur ministère en les pénétrant de vérité. C'est ici seulement qu'apparaît l'idée du sacrifice : Jésus ne peut se consacrer à la vérité, mais il peut se consacrer comme prêtre et comme victime, afin qu'ils soient eux-mêmes consacrés et sanctifiés. Jusqu'à présent l'unité, objet de la prière du Christ (11), est l'unité dans la doctrine, dans la vérité reçue par la foi.

Troisième partie. Mais la foi s'étend par l'action des Apôtres. L'unité ne doit pas être moins étroite. Jésus explique comment elle se fait en sa personne, et comment l'amour que le Père a pour lui doit en être le modèle et réellement le lien. On verra mieux par l'analyse du détail comment l'unité est vraiment ce que Jésus veut obtenir du Père. Il n'a directement en vue que ceux que le Père lui a donnés pour l'écouter, croire en lui, observer sa parole. C'est pour eux seulement qu'il prie et il demande qu'ils soient un, non seulement à l'imitation du Père et du Fils, mais par une participation réelle à cette unité par la foi et par l'amour. Il prie donc en ce moment solennel pour l'unité de son Église, selon la manière de parler que nous ont imposée les faits. Est-ce à dire qu'il ne soit pas venu pour sauver tous les hommes? Même lorsqu'il prie uniquement pour son Église, il les a en vue. Seulement il y a un ordre dans le salut. Il faut croire, il faut faire partie de l'unité. Mais la grâce demandée pour l'Église, obtenue pour elle, doit tourner au profit de l'humanité tout entière : ce sera la meilleure raison de croire que Jésus est l'envoyé du Père, c'est-à-dire qu'on ne va au Père que par lui. Croire, s'insérer dans l'unité de l'Église, c'est s'unir au Fils et au Père. Jésus désire évidemment que tous en viennent là : c'est pour cela qu'il envoie ses apôtres. En priant pour l'unité de l'Église il rend service à tous ceux qui voudront ouvrir les yeux à cette lumière (21.23).

Faire partie de l'Église, ou, selon le terme plus fort du texte, être uni au Fils et au Père, c'est déjà commencer la vie éternelle : aussi est-elle en vue dans sa consommation, au début (3) et à la fin (24) de la prière. C'est pourquoi la gloire, qui appartient proprement à l'éternité (5.24) est déjà donnée aux disciples (22).

3. *Situation.* — D'ailleurs toute cette prière est écrite *sub specie aeternitatis*. Il y a bien des passés et des futurs avec leur sens propre, mais il y a aussi des passés qui doivent s'entendre d'une prédestination décidant de l'avenir (10.12.14.18.24). On en a conclu que Jo. s'était inspiré des circonstances de son temps, et qu'il a laissé entrevoir son intention, de façon qu'en prêtant à Jésus un discours de son cru il n'a trompé personne. — Mais il est impossible de trouver dans le discours un indice (sauf ce qui est dit au v. 3) caractéristique des environs de l'an 100. La prière fait bien plutôt abstraction des circonstances postérieures : celui qui prie sait qu'il est exaucé, il sait que ce qu'il décide s'exécutera. S'il dit qu'il n'est plus dans le monde (11), c'est qu'il se voit déjà de retour auprès de son Père. C'est précisément la situation dans laquelle a été prononcée la prière. Rien n'y détonne, aucune expression n'indique l'état ultérieur de l'Église avec sa hiérarchie : même le mot d'apôtre n'est pas employé. On peut même dire que rien n'étonne dans ces adieux d'un maître à ses disciples que l'affirmation réitérée par Jésus de son unité avec son Père, c'est-à-dire de sa divinité. Mais cette affirmation était plus que jamais nécessaire à ce moment, où les disciples devaient recevoir le dépôt de la vérité, destiné à être communiqué à d'autres, la révélation de Dieu, l'essence de la religion avec la charité qu'elle attestait et qui en découlait. C'est en fait ce qu'ont cru les chrétiens et ce qui les a distingués. C'était bien au moment de mourir que Jésus, confiant dans sa mission, à laquelle il associe ses fidèles, devait leur révéler son secret. La seule difficulté, et elle est sérieuse, est de concilier cette prière avec celle de Gethsémani. Pour dire toute notre pensée, c'est la prière de Gethsémani qui est la plus étonnante, alors même qu'on ne raisonnerait pas d'après la foi en la divinité de Jésus. Et en effet, parmi les chefs que l'humanité a reconnus, il en est beaucoup qui ont su mourir avec sérénité, et si d'autres ont cédé à la faiblesse humaine, ce n'étaient pas leurs partisans qui se complaisaient à les montrer sous ce jour. Il a plu à Dieu, par un dessein d'une très grande condescendance, de mettre à nu dans son infirmité native notre nature humaine, même dans un saint, même unie à un Dieu. Mais pourquoi Jésus-Christ n'aurait-il pas connu aussi et manifesté sa confiance et l'assurance de son triomphe? C'est ce que nous avons déjà dit à propos de XII, 27. L'objection se fait ici plus instante à cause du peu de temps qui sépare les deux prières. Mais le temps en somme importe peu. Puisque nous raisonnons sur la nature humaine, qui était certainement en Jésus, on peut rappeler les cas où l'exaltation est suivie d'une dépression plus profonde. Et plus la nature est parfaite et plus susceptible d'émotions, plus la succession peut être rapide. La constance guindée (*ataraxie*) du stoïcien ajoute à la nature.

Ici Jésus, au milieu de ses disciples, auxquels il faut donner du cœur, prie le Père de réaliser l'œuvre qu'il a commencée et compte sur le triomphe après le combat, indiquant seulement par un trait qu'il en sera d'abord victime. A Gethsémani, Jésus, seul et abandonné de ses plus chers disciples qui dorment au lieu de prier avec lui, s'approche de nouveau de son Père, mais dans l'angoisse des souffrances et de la mort, affreuse dans sa réalité. Même alors cependant il accepte. Il est toujours le Fils.

Rien ne s'oppose donc à ce que cette prière soit bien celle de Jésus. Elle a sans doute quelques analogies avec la prière eucharistique de la *Didachè* (x), mais quelles différences dans le développement des institutions présente la *Didachè!* Quant à supposer avec Loisy que ce peut être « l'eucharistie particulière d'un prophète », c'est se moquer. On trouve ce ton trop sublime pour Jésus : quel prophète chrétien aurait osé le prendre?

CHAPITRE XVII

[1] Ταῦτα ἐλάλησεν Ἰησοῦς, καὶ ἐπάρας τοὺς ὀφθαλμοὺς αὐτοῦ εἰς τὸν οὐρανὸν εἶπεν Πάτερ, ἐλήλυθεν ἡ ὥρα· δόξασόν σου τὸν υἱόν, ἵνα ὁ υἱὸς

1. *om.* σου *p.* υιος (TH) plutôt *add.* (SV).

---

[1] Ainsi parla Jésus, et levant les yeux au ciel, il dit : « Père, l'heure est venue : glorifie ton Fils, afin que [ton] Fils te glorifie, [2] puisque tu lui as donné autorité sur toute chair, afin que, tout ce

1-5. *Le Fils prie son Père de le glorifier.* Cette petite section se distingue des autres par le contenu, car le Fils ne prie d'abord que pour lui-même; et aussi par le rythme puisque le δόξασον du v. 1 revient au v. 5 comme une *inclusio.* Donc le Fils prie pour lui, mais la gloire qu'il demande au Père, il la lui a donnée, et sa propre gloire doit se résoudre en celle du Père; c'est celle qu'il avait déjà et dans laquelle il ne fera que rentrer.

1) La prière succède aux discours. Ceux-ci terminés par l'ordre de sortir (xiv, 31), on pourrait encore concevoir la prière avant le départ; ce qui fait l'effet d'avoir été ajouté, c'est donc plutôt xv-xvi que ce chap. xvii. Cependant la prière les yeux tournés vers le ciel semble bien indiquer qu'on est à l'air libre (*Zahn*); cf. III Regn. viii, 22; II Par. vi, 13; c'est le plus naturel (Mc. vi, 41; vii, 34) quoique cela puisse se concevoir dans une salle (Act. vii, 55). Il faudrait supposer que Jésus s'est arrêté sur la route, pour une pause solennelle. Dans xi, 41 même attitude les yeux en haut. Le Fils se transporte dans la sphère céleste : ce n'est pas l'homme qui tombe à genoux ou sur sa face (Lc. xxii, 41; Mt. xxvi, 39; Mc. xiv, 35), comme fit Jésus à Gethsémani. Cependant l'invocation est la même, πάτερ, en araméen *abba.* — L'heure n'est pas envisagée comme celle de la souffrance : c'est celle de la glorification (xiii, 31; xii, 23), en harmonie avec l'encouragement que Jésus donne à ses disciples et avec la prophétie qu'il leur a laissée (xvi, 33). Jésus a posé les bases de la glorification du Père (ix, 3; xi, 4; xii, 27 s.); mais pour que cette gloire s'étende et s'affermisse, il faut que le Fils soit glorifié, car c'est pour sa victoire et par elle que l'on rendra gloire au Père. — σου après υἱός a été ajouté pour la clarté par le gros des mss. et des versions.

2) Que le Fils doive, lui glorifié, glorifier le Père, cela est en harmonie (καθώς) avec le pouvoir que le Père lui a donné, pouvoir comportant une mission. Le pouvoir s'étend sur toute chair (*hapax* dans Jo.), c'est-à-dire sur tous les

δοξάσῃ σέ, [2]καθὼς ἔδωκας αὐτῷ ἐξουσίαν πάσης σαρκός, ἵνα πᾶν ὃ δέδωκας αὐτῷ δώσει αὐτοῖς ζωὴν αἰώνιον. [3]αὕτη δέ ἐστιν ἡ αἰώνιος ζωὴ ἵνα γινώσκωσι σὲ τὸν μόνον ἀληθινὸν θεὸν καὶ ὃν ἀπέστειλας, Ἰησοῦν Χριστόν. [4]ἐγώ σε ἐδόξασα ἐπὶ τῆς γῆς, τὸ ἔργον τελειώσας ὃ δέδωκάς μοι ἵνα ποιήσω· [5]καὶ νῦν δόξασόν με σύ, πάτερ, παρὰ σεαυτῷ τῇ δόξῃ ᾗ εἶχον πρὸ τοῦ τὸν κόσμον εἶναι παρὰ σοί. [6]Ἐφανέρωσά σου τὸ ὄνομα τοῖς ἀνθρώποις οὓς

6. εδωκας 1° (TH) ou δεδωκας (SV); — τετηρηκαν (TH) plutôt que τετηρηκασι (SV).

---

hommes, manifestement dans le dessein de les sauver tous, puisqu'ils sont de son domaine. Il en est cependant qui lui sont spécialement donnés par le Père, et à ceux-là il confère la vie éternelle. ce qui est à la gloire de Dieu. — ἵνα ne dépend pas de δόξασον, mais de ἔδωκας. — πᾶν quoique neutre s'entend des hommes, étant expliqué par αὐτοῖς. — C'est la même doctrine que dans III, 35 s. Le Père donne tout au Fils, mais il faut que chacun croie pour avoir la vie éternelle. Ici la foi n'est pas exprimée, mais contenue dans le don spécial du Père (VI, 37.39.44.65) qui les amène à suivre Jésus.

3) Que le don de la vie éternelle conduise à la glorification du Père, cela va de soi, puisqu'elle est la connaissance du Père, ou la diffusion de son éclat parmi les créatures; et que cette glorification se fasse par le Fils, cela résulte de ce qui a été dit (XIV, 6) sur la voie qui conduit au Père; mais le Fils qu'il a envoyé, Jésus-Christ, est aussi au terme. Ce verset semble moins une affirmation de ce qu'est essentiellement la vie éternelle dans sa perfection suprême qu'une explication de la manière dont le Fils glorifie le Père en la conférant. Or il la confère à ceux que le Père lui a amenés pour recevoir son enseignement (cf. VI, 37. 39. 44. 65). C'est donc la vie éternelle commencée (*Zahn, Schanz, Durand,* en général les modernes) par la connaissance de Dieu telle qu'on la reçoit de celui que l'on confesse comme son Messie, car les deux connaissances sont inséparables. Assurément le seul vrai Dieu est distinct de son envoyé, mais tous deux sont l'objet de la connaissance qui est déjà la vie éternelle, non point une connaissance spéculative, mais un don de l'âme par la foi et la charité. Si Dieu est le seul vrai Dieu, ce n'est pas par opposition avec son Fils, mais avec les prétendus dieux du paganisme, et s'il est le seul véritablement digne de ce nom, c'est en tant que son Fils le fait connaître, par opposition aux préjugés des Juifs (cf. VII, 28). — On serait tenté de croire que toute cette explication théologique, qui a l'aspect d'une confession de foi, est une glose de l'évangéliste; mais on remarquera une différence de forme entre l'affirmation directe de Jésus (VI, 29; XV, 12) et l'affirmation transmise par son apôtre (I Jo. I, 5). Toutefois « Jésus-Christ », *hapax* dans l'évangile sauf I, 17 et fréquent dans I et II Jo. est plus vraisemblable comme émanant de Jo. ou d'un copiste que de Jésus; si on admet qu'il a parlé de lui-même de cette façon il faut regarder χριστόν comme un attribut, c'est-à-dire que l'on connaîtra Jésus comme le Messie (*Zahn*); car il serait bien étrange que Jésus lui-même se soit désigné par le double nom qui n'en fera plus qu'un par l'habitude des fidèles

que tu lui as donné, il leur donne la vie éternelle. [3] Or la vie éternelle, c'est qu'ils te connaissent, toi le seul vrai Dieu, et celui que tu as envoyé, Jésus-Christ. [4] Pour moi, je t'ai glorifié sur la terre, ayant achevé l'œuvre que tu m'as donnée à faire; [5] et maintenant, ô Père, glorifie-moi auprès de toi de la gloire que j'avais auprès de toi avant que le monde fût.

[6] J'ai manifesté ton nom aux hommes que tu as tirés du monde

4 s.). Nouvelle demande de glorification, qui n'est plus appuyée sur le désir de glorifier le Père, mais sur l'œuvre déjà accomplie. C'est un principe posé par Dieu dans l'A. T. (I Regn. II, 30) τοὺς δοξάζοντάς με δοξάσω. Cette réciprocité est l'inverse de la loi du talion et fondée en raison. Bauer l'a signalée dans un papyrus magique du IIIe s. où l'on ne peut guère voir une dépendance de la Bible, malgré son aspect syncrétiste : Ισις Νεμεσις Αδραστεια πολυωνυμε πολυμορφε δοξασον μοι ως εδοξασα το ονομα του υιους (*sic*) σου Ωρος (*Pap. Lond.* CXXI, l. 503 s.).

Jésus parle ici de son œuvre humaine. On ne saurait donc isoler ce qui regarde l'humanité de Jésus (1-3) et sa divinité (4-5). C'est toujours le Fils de Dieu incarné qui parle. Il a rempli sur la terre la tâche que son Père lui avait confiée, la Passion étant d'avance comprise (*Chrys.* etc.) comme l'œuvre principale, et qui devait voiler plus que toute autre la gloire du Fils de Dieu. Il demande maintenant à reprendre la gloire qu'il avait auprès du Père, et comme c'est bien le Fils incarné qui va retourner auprès de lui, la gloire qu'il possédait devra rejaillir sur son humanité. Nulle part Jésus n'a rien dit qui puisse aussi clairement servir de base à la doctrine du Prologue (I, 1), et à l'enseignement de saint Paul (II Cor. VIII, 9; Phil. II, 5 s.). Il ne semble pas qu'il soit ici question de la gloire que les Personnes divines pourraient se rendre mutuellement comme telles. Mais si le Fils incarné a pu glorifier le Père en lui procurant les hommages des hommes, le Père peut glorifier le Fils incarné pour le remercier de cet office.

La préexistence divine de Jésus et la conscience qu'il en a sont clairement enseignées. — Aug., pour éviter l'absorption de la nature humaine dans la divinité a entendu la gloire première de la prédestination de la nature humaine : *sicut tunc praedestinatione, ita et nunc perfectione.* Mais Thomas indiquait 2° *loco* l'opinion de saint Hilaire, la seule admissible comme explication du texte, qu'il résume ainsi : *ut scilicet sicut ab aeterno apud Patrem immortalis et ad dexteram consedens fuit, ita et secundum quod homo immortalis efficiatur, et ad Dei dexteram exaltetur.* — νῦν ne s'oppose pas à l'éternité, mais aux faits antérieurs : maintenant que la Passion va achever l'œuvre; cf. νῦν XIII, 31. — τελειοῦν de l'œuvre du Christ, cf. IV, 34; V, 36; du Christ lui-même Lc. XIII, 32; Heb. II, 10; V, 9; VII, 28.

6-19. *Le Fils prie pour ses disciples.*

Schanz ne fait commencer la seconde partie de la prière qu'au v. 9, parce que 6-8 se rattachent à l'œuvre entreprise au v. 4. Cette raison indique seulement le lien des idées. Mais c'est ici que l'on voit apparaître les disciples. Sans cesser

ἔδωκάς μοι ἐκ τοῦ κόσμου. σοὶ ἦσαν κἀμοὶ αὐτοὺς ἔδωκας, καὶ τὸν λόγον σου τετήρηκαν. [7] νῦν ἔγνωκαν ὅτι πάντα ὅσα ἔδωκάς μοι παρὰ σοῦ εἰσίν· [8] ὅτι τὰ ῥήματα ἃ ἔδωκάς μοι δέδωκα αὐτοῖς, καὶ αὐτοὶ ἔλαβον καὶ ἔγνωσαν

7. εδωκας (H) ou δεδωκας (TSV).
8. *idem* (TH) ou δεδωκας (SV).

---

de converser avec son Père, Jésus introduit d'abord les siens avant de prier pour eux.

6) Si on liait trop étroitement avec ce qui précède, on aurait ici l'explication de toute l'œuvre accomplie au v. 4, qui par conséquent ne comprendrait pas la Passion. Cette conséquence n'est pas nécessaire si Jésus reprend ici un point particulier de son œuvre : manifester le nom de Dieu, ce qui était bien lui rendre gloire. Cette manifestation n'est pas celle du Dieu créateur, que les Juifs connaissaient, ni vaguement « sa vraie nature, sa paternité, ses desseins d'amour sur le monde » (*Durand*), car cela aussi était enseigné par l'A. T. dans une certaine mesure, mais c'est spécialement ce fait que Dieu est vraiment Père et qu'il a un Fils. En se montrant, le Fils a révélé le Père. Cyrille admirablement : Πεφανέρωται τοίνυν ὁ Μονογενής, οὐσιωδῶς ὑπάρχων σοφία, καὶ ζωή... θανάτου κρείττων καὶ φθορᾶς, ὅσιος, ἄκακος, οἰκτίρμων, ἅγιος, ἀγαθός. Ἐγνώσθη ταῦτα ὑπάρχων καὶ ὁ γεννήσας αὐτόν... *Et hoc modo nulli erat notus; sed innotuit per Filium quando Apostoli crediderunt eum esse Filium Dei* (*Thom.*). C'est le thème de l'évangile. — τὸ ὄνομα est donc le nom de Père au sens propre (l'invocation au Père domine toute la prière), non au sens métaphorique d'après lequel Dieu est le Père d'Israël (Is. LXIII, 16; LXIV, 8). — τοῖς ἀνθρώποις, pour marquer que les disciples faisaient partie de l'humanité, et auraient pu être compris dans le monde hostile au Christ, si Dieu ne les en avait tirés pour les lui donner. Rien n'oblige à entendre ce don spécialement d'une prédestination éternelle, car le don, comme précédemment (VI, 37.44.65), s'entend ici de ceux que Dieu attire en fait vers Jésus pour qu'ils soient dociles à sa parole. Thomas : *dedisti mihi, scilicet homini, ut me audirent, et mihi obedirent.* Cela posé, il n'y a aucune raison d'entendre σοὶ ἦσαν de la prédestination à la gloire; c'est plutôt la Providence de Dieu qui les avait amenés au point voulu. C'étaient de bons Israélites, désireux de plaire à Dieu et souhaitant l'avènement de son règne. Les Pères (*Aug.*, *Cyr.*, etc.) précisent qu'ils étaient aussi au Fils comme Dieu; et il ne faudrait pas dire que Dieu les a donnés précisément au Christ homme. Dans la vue de Jo., c'est le Père qui donne à son Fils incarné des hommes à instruire afin de les sauver. C'est bien ce qui s'est passé jusqu'à présent. La parole du Fils était celle du Père, et ces hommes l'ont mise en pratique, l'ont embrassée de toute leur âme. — Ce sont avant tout les disciples présents, les futurs apôtres; mais Jo. n'exclut pas d'autres disciples qui ne faisaient pas partie du groupe des Douze. Eux aussi avaient été donnés, et il faudrait raisonner d'eux par analogie. Les autres n'ont pas cru, et cela parce que leurs œuvres étaient mauvaises (III, 19-21); mais ils sont désormais et depuis XII, 36 ss. en dehors de la perspective. — Nous lisons ἔδωκας deux fois avec les meilleurs mss.; il serait étrange que

pour me les donner. Ils étaient à toi et tu me les as donnés, et ils ont gardé ta parole. [7]Ils savent à présent que tout ce que tu m'as donné vient de toi; [8]car les paroles que tu m'as données, je les leur ai données, et ils [les] ont reçues, et ils ont compris vraiment que je suis

l'auteur eût voulu exprimer une nuance en passant de l'aoriste au parfait. — La forme τετήρηκαν (BDLW) est née sous l'influence de l'aoriste en — αν (*Deb.* § 80); de même au v. 7. ἔγνωκαν. Sextus Empiricus (*adv. Gramm.* § 213) regarde cette forme comme alexandrine, ce que les grammairiens modernes ne concèdent pas; en tout cas c'est une forme très vulgaire (*Moulton, Prol.*, p. 52) pour τετηρήκασι (texte reçu).

7) La formule a une apparence de tautologie qui ne peut être dans l'intention de l'auteur. Le sens n'est pas : ce que tu m'as donné me vient de toi, mais : ce que tu m'as donné ne vient que de toi, c'est-à-dire que tout est divin en Jésus. On peut l'entendre de la nature divine : *id est, cognoverunt quia abs te sum* (*Aug.*). Mais il y a aussi dans Jésus la nature humaine et sa mission de Fils incarné : d'après le v. suivant, c'est surtout sur cette mission que porte la foi des Apôtres en ce moment. — ἔγνωκαν, au parfait, parce que désormais la connaissance de foi est ferme dans les Apôtres. Si c'est bien la mission qui est surtout en vue, ἔδωκας (ℵBA 1) est plus expressif que δέδωκας (la masse).

8) Comment les disciples sont-ils arrivés à cette connaissance définitive? C'est par une succession d'actes (à l'aoriste), ensuite de l'enseignement de Jésus, qui a consisté à transmettre constamment (δέδωκα) les paroles du Père, qu'il avait reçues une fois (ἔδωκας). Cet enseignement, nous le savons, était accompagné de miracles qui confirmaient la parole : ici il n'y est pas fait allusion : on peut supposer que cela va de soi ou attribuer toute l'efficacité, du moins dans la vocation des disciples, à la parole elle-même. Quoi qu'il en soit, c'est bien la parole que les disciples ont reçue. Elle a eu un double effet : ils ont connu vraiment que le Fils venait d'auprès du Père (xvi, 30), c'est-à-dire était d'origine divine, et ils ont cru qu'il était l'envoyé du Père. — Il est certain que le premier point était un objet de foi, comme il est dit expressément plus haut (xvi, 30) et même plus relevé que le second. D'autre part dans vi, 69 la foi précède la connaissance. Il est donc peu probable que Jo. ait attaché de l'importance à cet ordre et à cette partition. L'essentiel est une conviction intellectuelle de foi sur le principal objet de la révélation faite par Jésus : il est l'envoyé du Père, mais un envoyé sorti de son sein, son Fils qui était auprès de lui avant la création du monde. C'est ce qu'a bien (contre *Schanz*) vu Aug. : *quod enim dixit* cognoverunt vere, *exponere voluit adiungendo,* et crediderunt. *Hoc itaque* crediderunt vere, *quod* cognoverunt vere; *id enim est* a te exivi, *quod est,* tu me misisti, cependant avec la nuance d'origine divine pour le premier point, qui donne son plein sens au second et non pas réciproquement. Ce qui n'est pas dit explicitement, c'est que la procession est éternelle et la mission dans le temps. — ἀληθῶς marque la réalité objective de cette conviction. Nous avons lu ἔδωκας avec BCDW, etc., qui donne une nuance intéressante. — καὶ ἔγνωσαν est omis par ℵ ADW *a e q go :* serait-ce pour ne pas contredire vi, 69?

ἀληθῶς ὅτι παρὰ σοῦ ἐξῆλθον, καὶ ἐπίστευσαν ὅτι σύ με ἀπέστειλας. [9] Ἐγὼ περὶ αὐτῶν ἐρωτῶ· οὐ περὶ τοῦ κόσμου ἐρωτῶ ἀλλὰ περὶ ὧν δέδωκάς μοι, ὅτι σοί εἰσιν, [10] καὶ τὰ ἐμὰ πάντα σά ἐστιν καὶ τὰ σὰ ἐμά, καὶ δεδόξασμαι ἐν αὐτοῖς. [11] καὶ οὐκέτι εἰμὶ ἐν τῷ κόσμῳ, καὶ αὐτοὶ ἐν τῷ κόσμῳ εἰσίν, κἀγὼ πρὸς σὲ ἔρχομαι. πάτερ ἅγιε, τήρησον αὐτοὺς ἐν τῷ ὀνόματί σου ᾧ δέδωκάς μοι, ἵνα ὦσιν ἓν καθὼς ἡμεῖς. [12] Ὅτε ἤμην μετ' αὐτῶν ἐγὼ ἐτήρουν αὐτοὺς ἐν τῷ ὀνόματί σου ᾧ δέδωκάς μοι, καὶ ἐφύλαξα, καὶ οὐδεὶς ἐξ αὐτῶν

11. αυτοι (TH) plutôt que ουτοι (SV).
12. ᾧ (THV) et non οὓς (S).

---

9) Après avoir ainsi présenté à son Père les disciples qu'il a reçus de lui, Jésus va prier pour eux, mais seulement après avoir indiqué pourquoi il prie spécialement pour eux. Car ils sont bien, et seuls en ce moment, l'objet de sa prière. Tout le reste est exclu sous le nom de monde, ce monde d'où ils ont été tirés. Ce n'est donc pas précisément le monde considéré comme mauvais et déjà condamné, indigne que Jésus prie pour lui. C'est simplement l'ensemble des créatures humaines que certes il est venu sauver (III, 16), mais qui n'est pas l'objet — il ne saurait l'être — d'une prière spéciale en faveur de ses amis. Il faut s'en tenir à la situation telle qu'elle est dessinée : on peut raisonner par analogie, dire que Jésus a associé en pensée ses autres disciples à ceux qui étaient présents, noter que la prière efficace de Jésus n'embrasse que les prédestinés, etc. : en fait, il prie pour les disciples qui l'entourent, et pour trois raisons : *a*) parce qu'ils sont à Dieu. On pourrait croire que ὅτι se rattache à δέδωκας, à l'analogie du v. 6 et dans un ordre inverse, mais ici le droit de propriété du Père est plutôt mentionné en vue de ce qui suit, pour aboutir à cette idée que, ceux qui sont au Père étant au Fils, il doit donc prier pour eux (ἐρωτῶ au présent), comme ayant une raison spéciale d'intervenir (cf. XVI, 23).

10) Mieux vaudrait donc commencer le v. 10 à ὅτι du v. précédent, puisqu'il n'y a qu'une phrase très liée. Avant de dire que ceux qui sont au Père sont à lui, comme tout le reste, le Fils commence par déclarer que tout ce qui est à lui est au Père, ce qui lui assure la réciprocité (XVI, 15).

b) La deuxième raison pour laquelle Jésus va prier, c'est qu'il est glorifié par ses disciples. On peut bien dire que les disciples qui entouraient Socrate dans sa prison, lui rendaient gloire parmi la haine et l'indifférence des autres. De même pour les disciples de Jésus, groupés fidèlement autour de lui. Souvent déjà ils avaient été sa parure, quand les autres le condamnaient ou l'abandonnaient (VI, 69). Mais le sens profond doit être que la gloire du Fils rayonne désormais *dans* ses disciples, puisqu'ils la saisissent par la foi. De cette manière le second motif est comme une conséquence du premier : étant au Père et au Fils, et connaissant le rapport du Fils avec son Père, lequel met tout en commun entre eux, ils rendent gloire au Fils incarné. Ce point est acquis, et peu importe qu'il leur arrive de fléchir un instant. Jésus qui prévoit leur faiblesse prévoit aussi leur glorieux apostolat.

sorti d'auprès de toi et ils ont cru que tu m'as envoyé. [9] C'est pour eux que je prie; je ne prie pas pour le monde, mais pour ceux que tu m'as donnés, car ils sont à toi; [10] et tout ce qui est à moi est à toi, et tout ce qui est à toi est à moi, et j'ai été glorifié en eux. [11] Désormais je ne suis plus dans le monde, et eux sont dans le monde, tandis que je vais à toi. Père saint, garde-les en ton nom, que tu m'as donné, afin qu'ils soient un comme nous. [12] Pendant que j'étais avec eux, je les gardais en ton nom que tu m'as donné, et je [les]

11[a]) *c*) Troisième raison de prier : les disciples vont se trouver seuls. Rien n'empêche de dire que ce troisième motif prépare la prière qui va suivre : *Commendat ergo eos Patri, quos corporali absentia relicturus est* (*Aug.*), mais on ne saurait distinguer une prière générale au v. 9 et ici une prière spéciale. Le v. 9 annonçait en termes généraux la prière qui va commencer.

Le v. précédent contenait déjà beaucoup de καί, qui ont probablement amené les trois de ce v. représentant des nuances : « désormais, mais... tandis que. » Le *waw* adversatif est fréquent en hébreu et en araméen (cf. *Intr.* p. cvi). Il a ce sens devant αὐτοί (א B cinq cursifs *d f*); peut-être est-ce pour accentuer plus clairement l'opposition que la masse des mss. a écrit οὗτοι.

11[b]) La prière commence ici, comme le prouve l'invocation : Père saint. La sainteté est conçue d'abord comme une séparation du profane; étant un attribut de Dieu elle ne peut être qu'un attribut positif, indiquant la pureté dans sa plus haute perfection. Si Jésus invoque son Père comme saint, c'est qu'il va le prier de sanctifier les siens (xvii, 17). On n'est donc pas étonné que Jésus ajoute ἐν ὀνόματι κ. τ. λ. Les disciples étant installés dans une foi solide, il faut maintenant qu'ils y persévèrent : cette foi c'est la connaissance de ce qu'est Jésus, exprimée ici sous cette forme : « dans le nom », c'est-à-dire dans l'adhésion au nom que tu m'as donné. Ce n'est donc pas : « au nom des droits particuliers que tu as sur eux » (*Durand*), mais dans un nom qui unit le culte du Père et celui du Fils. Ce nom est donc le lien qui unira les disciples; ἵνα se rapporte à τήρησον, mais en y comprenant tout ce qui suit ce mot : c'est parce qu'il les gardera dans l'unité de ce nom que les disciples pourront être entre eux une seule chose, une communauté d'esprit et d'âme, à l'instar de ce que le Père et le Fils sont un à leur manière.

Il faut lire ᾧ (même Soden) devant δέδωκας et non οὓς (Vg. *quos*), qui n'est qu'une correction maladroite : ᾧ se lie à ὀνόματι par l'attraction du relatif au cas qui précède.

12) Jésus parle à la façon des hommes qui prient un ami de remplir leur charge auprès de ceux qu'ils sont contraints de laisser seuls. Aug. a craint qu'on ne l'entende d'une façon trop matérielle, comme si un garde en remplaçait un autre. Il va sans dire (après le ch. xiv) que le Fils fera avec son Père ce qu'il a fait sur la terre spécialement comme Fils incarné. Cette fois encore il faut lire ᾧ, dans une formule tout à fait semblable, quoique la leçon οὓς soit ici beaucoup plus soutenue : elle était en plus suggérée par καὶ ἐφύλαξα,

ἀπώλετο εἰ μὴ ὁ υἱὸς τῆς ἀπωλείας, ἵνα ἡ γραφὴ πληρωθῇ. [13]νῦν δὲ πρὸς σὲ ἔρχομαι, καὶ ταῦτα λαλῶ ἐν τῷ κόσμῳ ἵνα ἔχωσιν τὴν χαρὰν τὴν ἐμὴν πεπληρωμένην ἐν ἑαυτοῖς. [14]Ἐγὼ δέδωκα αὐτοῖς τὸν λόγον σου, καὶ ὁ κόσμος ἐμίσησεν αὐτούς, ὅτι οὐκ εἰσὶν ἐκ τοῦ κόσμου καθὼς ἐγὼ οὐκ εἰμὶ ἐκ τοῦ κόσμου. [15]οὐκ ἐρωτῶ ἵνα ἄρῃς αὐτοὺς ἐκ τοῦ κόσμου ἀλλ' ἵνα τηρήσῃς αὐτοὺς ἐκ τοῦ πονηροῦ. [16]ἐκ τοῦ κόσμου οὐκ εἰσὶν καθὼς ἐγὼ οὐκ εἰμὶ ἐκ τοῦ κόσμου. [17]ἁγίασον αὐτοὺς ἐν τῇ ἀληθείᾳ· ὁ λόγος ὁ σὸς

13. εαυτοις (THV) plutôt que αὐτοις (S).
16. ουκ ειμι εκ του κοσμου (TH) ou εκ τ. κ. ουκ ειμι (SV).
17. *om.* σου *p.* αληθεια (THV) et non *add.* (S).

---

mais ce mot indique seulement la vigilance extrême du Fils et le résultat obtenu, la fidélité des disciples, qui les rendra aptes à leur mission. Sauf pour le fils de la perdition (cf. II Thess., II, 3), expression sémitisante, comme les fils de la géhenne (Mt. XXIII, 15), etc. C'est Judas, déjà indiqué sans être nommé dans XIII, 18, avec l'indication d'un passage scripturaire (Ps. XLI, 10). D'ailleurs le personnage du traître figure ailleurs dans les Psaumes (cf. LV. 13 ss.). — D'après toute la doctrine juive et chrétienne, on n'est fils du royaume ou fils de la géhenne que par choix et non pas par nature. Il doit donc en être de même du fils de perdition. Aussi Jo. se garde bien de faire dire à Jésus qu'il ne l'a pas gardé, mais seulement qu'il s'est perdu. On ne doit pas se scandaliser de cet échec apparent parce qu'il entrait dans le plan divin, et que Dieu, loin d'en être surpris, l'avait annoncé. C'est donc, selon la nature des choses, la trahison de Judas prévue qui a été cause de l'Écriture, mais cette prévision, notée dans l'Écriture, ne pouvait être frustrée.

13) La prière n'a pas seulement pour but d'élever l'âme à Dieu, d'obtenir des grâces, etc. Celle surtout qui se fait en commun et qu'on sait puissante sur le cœur de Dieu a aussi pour objet de consoler les fidèles, qui se voient déjà exaucés. Combien plus la prière du Christ, et quelle consolation pour les disciples de penser que dans cette tendre protection qu'il avait exercée, Jésus serait remplacé par le Père! Ainsi la tristesse qui était la leur serait remplacée par la joie qui est la sienne au moment de retourner vers son Père (XV, 11).

14) La pensée est claire. Jésus n'appartient pas au monde, il vient d'en haut : donc le monde le hait, parce qu'il ne lui appartient pas, et qu'il a rendu témoignage contre ses œuvres (VII, 7) De la même façon le monde a pris en haine ses disciples parce qu'ils ont reçu la parole qu'il leur a donnée, c'est-à-dire parce qu'ils se sont rangés à sa doctrine opposée à celle du monde, et que de la sorte ils ne sont pas du monde. Au v. 6 Jésus disait dans les mêmes termes qu'ils en étaient sortis : ἔδωκάς μοι ἐκ τοῦ κόσμου. Il faut donc reconnaître que le « monde » doit être pris dans deux sens un peu différents. Tantôt c'est toute l'humanité, comme lorsque Jésus vient dans le monde (III, 17), tantôt c'est l'humanité hostile ou tout au moins qui ne com-

ai conservés, et nul d'entre eux n'a péri que le fils de la perdition, afin que l'Écriture soit accomplie. [13] Mais à présent je vais à toi, et je parle ainsi dans le monde afin qu'ils aient en eux-mêmes la plénitude de ma joie. [14] Je leur ai donné ta parole, et le monde les a haïs, parce qu'ils ne sont pas du monde, comme je ne suis pas du monde. [15] Je ne prie pas pour que tu les enlèves du monde, mais pour que tu les gardes du mal. [16] Ils ne sont pas du monde, comme je ne suis pas du monde. [17] Sanctifie-les dans la vérité : ta parole est vérité.

prend pas les choses d'en haut. De cette façon on peut être dans le monde sans en être, c'est-à-dire sans en avoir l'esprit.

15 s.) Jésus, continuant à parler à son Père, s'explique en faveur de ses disciples (cf. XI, 42). S'ils sortaient avec lui (XIII, 1) du monde d'une façon définitive, ils ne pourraient remplir leur mission : il suffit que le Père les préserve des mauvais éléments qui sont dans le monde et qui lui donnent son esprit propre, opposé à celui de Jésus. — Si nous n'avions pour le mot πονηρός d'autres textes que ceux de l'évangile de Jo., on peut estimer que personne ne préférerait le masculin au neutre. En effet les hommes n'ont pas reçu Jésus parce que leurs œuvres étaient mauvaises (III, 19) et Jésus reproche au monde ses œuvres mauvaises (VII, 7). Il serait donc très naturel qu'il priât le Père de préserver ses disciples de ce mal qui est dans le monde. Que le monde les haïsse et les persécute, cela ne les empêchera pas d'accomplir leur mission : l'unique nécessaire est de les préserver de la contagion du mal moral (*Zahn*). Aug. ni Chrys. ne parlent ici du diable, et Cyrille peut être entendu dans leur sens : τῆς τοῦ πονηροῦ δυστροπίας ἔξω μένοντας ἀεί, καὶ τῶν πειρασμῶν τὴν ἔφοδον ὑπεκνεύοντας, allusion à Mt. VI, 13 où nous ne voyons nullement la personne du Malin. Il serait étrange que dans une prière si solennelle Jésus ait regardé les disciples comme une sorte d'enjeu entre son Père et le diable, comme si les disciples n'avaient à se préoccuper que des tentations diaboliques. Il faut reconnaître cependant que la plupart des modernes (*Bauer, Loisy, Schanz, Tillm., West.*, etc.) traduisent « le Malin », à cause des textes de I Jo. II, 13 s.; III, 12; V, 18 s., où πονηρός est visiblement au masculin (cf. II Thess. III, 3). Mais aucun de ces textes n'est l'explication authentique du nôtre. On peut les considérer comme le résultat d'une méditation spéciale qui a montré à Jean l'influence du démon sur le monde, méditation qu'il ne faut point perdre de vue, mais qui ne change pas le sens d'un texte antérieur, d'une parole de Jésus; je traduirais donc avec Thomas : serves a malo, *scilicet mundi : grave enim est ut homo inter malos existens a malo immunis existat, praecipue cum totus mundus in maligno positus sit.*

17) La répétition au v. 16 de l'affirmation que ni Jésus ni ses disciples ne sont du monde prépare la prière des vv. 17-19. Pour agir sur le monde, sans en être, c'est-à-dire en étant à l'abri de sa contagion, il faut que les disciples reçoivent une consécration qui achève leur séparation du monde en les rapprochant de Dieu. Chrys. a indiqué les deux étapes de cette consécration : ἀφόρισον

ἀλήθειά ἐστιν. [18]καθὼς ἐμὲ ἀπέστειλας εἰς τὸν κόσμον, κἀγὼ ἀπέστειλα αὐτοὺς εἰς τὸν κόσμον· [19]καὶ ὑπὲρ αὐτῶν ἐγὼ ἁγιάζω ἐμαυτόν, ἵνα ὦσιν καὶ αὐτοὶ ἡγιασμένοι ἐν ἀληθείᾳ. [20]Οὐ περὶ τούτων δὲ ἐρωτῶ μόνον, ἀλλὰ καὶ περὶ τῶν πιστευόντων διὰ τοῦ λόγου αὐτῶν εἰς ἐμέ, [21]ἵνα πάντες ἓν ὦσιν, καθὼς σύ, πατήρ, ἐν ἐμοὶ κἀγὼ ἐν σοί, ἵνα καὶ αὐτοὶ ἐν

21. *om.* ἓν *a.* ωσι 2° *p.* ημιν (TH) et non *add.* (SV); — πιστευη (TH) plutôt que πιστευση (SV).

αὐτοὺς τῷ λόγῳ καὶ τῷ κηρύγματι, et plus positivement : ἁγίους ποίησον διὰ τῆς τοῦ Πνεύματος δόσεως καὶ τῶν ὀρθῶν δογμάτων. Déjà les disciples ayant reçu la parole ne sont plus du monde, mais ce n'est que l'aspect négatif : Jésus demande à Dieu de les faire participer en vertu de cette même parole à la perfection transcendante qui est l'aspect positif de sa sainteté. Et en même temps le caractère de la parole du Père se révèle : c'est la vérité; de même dans le Ps. CXVIII, 142 ὁ λόγος σου ἀλήθεια. Mais tandis que le psalmiste distinguait la vérité et la justice, Jésus propose une sainteté qui est dans la vérité acceptée toute entière, et agissant dans les âmes. Le mot de consécration (*Schanz, Durand,* etc.) n'exprime pas assez le caractère intime du fait : les disciples ne sont pas seulement « consacrés » au service de la vérité (*Durand*), ils en sont pénétrés et transformés intérieurement. Dans Sir. XLV, 4 les qualités personnelles de Moïse entrent en jeu : ἐν πίστει καὶ πραΰτητι αὐτοῦ ἡγίασεν, ἐξελέξατο αὐτὸν ἐκ πάσης σαρκός. — ἐν τῇ ἀληθείᾳ n'est pas ἀληθῶς, « véritablement » (cf. v. 19 et II Jo. 1; III Jo. 1 sans l'article), puisque la vérité est quelque chose de distinct, à savoir la parole de Dieu.

18) On voit ici que cette sanctification préparait la mission des apôtres, mission analogue à celle du Fils : la liaison est tout à fait claire si l'on a présent à la pensée ce qui a été dit (x, 36) : ὃν ὁ πατὴρ ἡγίασεν καὶ ἀπέστειλεν εἰς τὸν κόσμον. Jo. n'a pas oublié que la mission définitive sera donnée plus tard (xx, 21), mais la mission était déjà au passé dans IV, 38.

19) Bossuet : « Il était donc saint, et consacré à Dieu, non seulement en qualité de pontife, mais encore en qualité de victime... C'est pour cela qu'il se sanctifie, qu'il s'offre, qu'il se consacre, comme une chose dédiée et sainte au Seigneur. Mais il ajoute : « Je me sanctifie pour eux », en parlant de ses apôtres, afin que participant par leur ministère à la grâce de son sacerdoce, ils entrent aussi en même temps dans son état de victime, et que n'ayant point par eux-mêmes la sainteté qu'il fallait pour être les envoyés et les ministres de Jésus-Christ, ils la trouvassent en lui. » — Il n'y a qu'à gloser par des textes cette synthèse incomparable. Sanctification du pontife (Ex. XXVIII, 37) καὶ ἁγιάσεις αὐτούς; de la victime (Ex. XIII, 2; Dt. XV, 19). Ici Jésus se sanctifie en ce moment même, donc plutôt comme victime, puisqu'il va mourir, et que c est pour d'autres, ὑπέρ (cf. XI, 50-52; XV, 13). Mais le résultat n'est pas seulement un sacrifice en faveur des disciples, c'est un sacrifice qui les mettra dans ce même état (proportion gardée) de sanctification qui doit répondre à la sancti-

[18] Comme tu m'as envoyé dans le monde, moi aussi je les ai envoyés dans le monde ; [19] et je me consacre moi-même pour eux, afin qu'ils soient eux aussi sanctifiés en vérité.

[20] Or je ne prie pas seulement pour ceux-ci ; mais aussi pour ceux qui croiront en moi à cause de leur parole, [21] afin que tous soient un, comme toi-même, ô Père, tu es en moi et moi en toi, afin qu'eux

fication de Jésus. En lui, ἁγιάζω signifie surtout la consécration, parce qu'il possède déjà la sainteté divine; mais les disciples devront y participer. Ils ne sont pas seulement désignés, choisis, consacrés pour le ministère de la parole : même dans xx, 21 Jo. ne mettra pas en relief la prédication de l'Évangile. Elle est comprise assurément, mais la sanctification que Jésus leur obtient les substitue dans tout son rôle comme prêtres et victimes, dispensateurs de la grâce, et spécialement dans ce contexte, liens de l'unité. Durand dit : « le premier « ministère » de l'apôtre est la prédication de l'Évangile. L'Ancien Testament était avant tout un culte, le Nouveau sera, d'abord, un enseignement »; — cela est vrai dans l'ordre d'exécution, mais trop influencé par la vocation spéciale de Paul (I Cor. I, 17), tandis que celle des apôtres comprend le baptême (Mt. XXVIII, 18 s.). La différence essentielle avec l'A. T., c'est que le culte qui était en figure est maintenant en réalité.

— ἐν ἀληθείᾳ non plus « dans la vérité », mais, sans l'article, « véritablement », en toute vérité (cf. II Jo. 1; III Jo. 1), et non plus par une consécration extérieure, comme dans l'ancienne Loi (*Chrys.*). — ἵνα ὦσι peut s'entendre du moment présent, comme en général dans ce discours où les choses sont vues comme acquises. C'est donc bien une consécration liturgique (*Durand*) par le Pontife suprême (Heb. IX, 11-14; X, 10).

20-23. *Le Fils prie pour ceux qui croiront en lui.* On dit généralement et avec raison que Jésus prie ici pour son Église. Mais il faut noter que rien dans les expressions n'indique une époque postérieure et n'est comme le reflet d'institutions établies. Ce que Jésus demande pour les siens, c'est l'unité.

20) La parole des Apôtres sera cette fonction de leur ministère qui amènera au Christ des croyants (Rom. X, 17). L'Église ancienne a beaucoup insisté sur le témoignage public des apôtres, conservé dans les Églises, par opposition aux traditions secrètes (*Irénée, Tert.*). La parole des apôtres se perpétue donc, et c'est pour tous ces croyants que Jésus a prié. Aug. *Quotquot enim postea crediderunt in eum, per verbum Apostolorum sine dubio crediderunt, et donec veniat, credituri sunt... et per hos Evangelium ministratum est, et antequam scriberetur,... et ita verbum eorum, ut etiam nos crederemus, ad nos usque pervenit, ubicumque est eius Ecclesia.* — πιστευόντων au présent, parce que la prière se perpétue.

21) Le but de l'apostolat ne sera pas de répandre des doctrines, dont chacun prendra ce qu'il voudra, ni d'obtenir des hommes l'adhésion aux mêmes vérités, sans rien de plus. *Tous* ces croyants doivent être unis, comme les disciples présents doivent l'être, d'une union semblable à celle qui unit le Fils au Père; bien plus ils doivent être unis au Père et au Fils. La foi est le point

ἡμῖν ὦσιν, ἵνα ὁ κόσμος πιστεύῃ ὅτι σύ με ἀπέστειλας. [22]κἀγὼ τὴν δόξαν ἣν δέδωκάς μοι δέδωκα αὐτοῖς, ἵνα ὦσιν ἓν καθὼς ἡμεῖς ἕν, [23]ἐγὼ ἐν αὐτοῖς καὶ σὺ ἐν ἐμοί, ἵνα ὦσιν τετελειωμένοι εἰς ἕν, ἵνα γινώσκῃ ὁ κόσμος ὅτι σύ με ἀπέστειλας καὶ ἠγάπησας αὐτοὺς καθὼς ἐμὲ ἠγάπησας. [24]Πατήρ, ὃ δέδωκάς μοι, θέλω ἵνα ὅπου εἰμὶ ἐγὼ κἀκεῖνοι ὦσιν μετ' ἐμοῦ, ἵνα θεωρῶσιν

où l'on s'unit, mais d'une union mystique de toute l'âme. Que si l'on prend dans son ensemble la doctrine de Jo., on dira volontiers avec Bauer : « Pour Jo. le chemin qui permet d'arriver à Dieu et de s'unir à lui, ce n'est pas l'extase comme pour Philon et les Néoplatoniciens, mais la foi, la garde de la parole divine et des commandements du Christ, l'usage des moyens accordés à la communauté pour dispenser la grâce, l'abandon à l'Esprit divin qui agit dans l'Église. » — Des trois ἵνα, le premier marque un premier but, l'union *ad instar*, comme au v. 11, le second marque un but plus élevé, l'union avec les personnes divines, la pénétration par l'union (I Jo. i, 3). Le troisième ἵνα ne nous paraît pas indiquer un troisième but plus élevé — il ne saurait y en avoir — mais ou bien un autre but coordonné, Jésus priant pour la conversion du monde, ou bien un résultat, de façon que ce soit pour le monde un motif de crédibilité. Des deux manières Jésus considère cette unité comme un motif de crédibilité, et des deux manières il désire ce résultat. Ce n'est donc qu'une nuance. Le κόσμος est tout le monde; personne n'est exclu. Jésus n'a pas d'abord voulu prier pour le monde, qu'il envisageait comme hostile (9. 14) ou du moins hors de son but actuel, mais ici il figure comme cette masse flottante d'où sortiront des croyants, bien plus il est invité à se transformer par la foi. Rien ne peut l'attirer davantage que l'unité des esprits et des cœurs en Dieu. Une pareille unité demande une cause divine : si c'est le fait de l'Église de Jésus-Christ, il est donc l'envoyé de Dieu. Déjà la charité des chrétiens entre eux touche l'infidèle (xiii, 35); celui qui réfléchit se rend compte que Dieu seul peut en être le principe. — C'est restreindre arbitrairement l'invitation de Jésus que d'entendre par le monde : ceux du monde que le Père a donnés à son Fils (*Aug.*, *Durand*). — Nous supprimons ἕν (2° après ἡμῖν) avec BCD *a b c e sah.*, d'autant que ce mot alourdit sans rien ajouter d'essentiel. — πιστεύῃ avec ℵBCW, qu'il croie habituellement, plutôt que par un acte de foi dans une circonstance donnée, πιστεύσῃ.

22 s.) Les deux versets ne forment qu'une même phrase, conçue exactement sur le plan de 20. 21, avec deux ἵνα de finalité dont le second complète le premier, et avec un troisième ἵνα qui marque plutôt une conséquence ou un but secondaire. Il y a seulement cette différence que la première phrase était une simple prière, tandis qu'ici Jésus a déjà posé le fait qui garantit qu'elle sera exaucée; l'on voit désormais qu'il est le chaînon entre le Père et les siens, ce qui rendra plus manifestes les sentiments du Père pour lui et pour eux.

22) La δόξα est pour quelques-uns la puissance que Jésus a manifestée, spécialement par des miracles (*Chrys.* encore *Zahn*), don qu'il a transmis à ses Apôtres et à d'autres après eux, car αὐτοῖς se rapporte aux πάντες du v. 21 ; il s'agit toujours de tous ceux qui croiront en Jésus : on cite pour ce sens :

aussi soient en nous, de façon que le monde croie que tu m'as envoyé. [22]Pour moi, je leur ai donné la gloire que tu m'as donnée, afin qu'ils soient un, comme nous sommes un, [23]moi en eux et toi en moi, afin qu'ils soient consommés dans l'unité, de façon que le monde sache que tu m'as envoyé et que tu les as aimés comme tu m'as aimé. [24]Père, ce que tu m'as donné, je veux qu'où je suis, ceux-là aussi soient avec moi, afin qu'ils voient ma gloire que tu

I, 14; II, 11; V, 23; XI, 4; XII, 28; XIII, 31. — Mais si dans ces cas la puissance est manifestée sur la terre, ce qui est bien en effet le sens de la gloire, on peut aussi entendre la gloire johannique d'une vertu divine qui en réalité serait voilée aux hommes : si celle de Jésus était manifestée dans certaines circonstances, elle n'existait pas moins pour n'être pas perçue par le public (5). C'est donc plutôt quelque chose de la nature divine, que Jésus possède tout entière et qui, beaucoup mieux qu'un pouvoir gratuit, est par elle-même un principe d'unité : elle est nommée « gloire » parce que la nature divine est conçue par nous comme une lumière. Il semble que c'est préciser trop que de nommer l'adoption des enfants de Dieu, car les textes d'Eph. I, 6. 12. 14 ne sont pas une explication de la même pensée : l'adoption y est plutôt à la louange de la gloire du Christ (contre *Schanz, Durand, Till.*). Autre précision exagérée « par cette communion de vie divine qui a son symbole et son aliment dans l'eucharistie » (*Loisy*, p. 449). — La fin poursuivie par ce don, l'unité à l'instar du Fils et du Père, comme au v. 21, mais avec une formule plus courte.

23) Au v. 21 l'union *ad instar* est complétée par l'union ἐν ἡμῖν. Le mode de cette union est indiqué ici : le Fils est dans les fidèles, il est dans le Père : c'est donc par lui que les fidèles sont unis au Père; non qu'ils passent de l'un à l'autre, mais parce qu'ils trouvent le Père dans le Fils; le second ἵνα ne vient qu'à ce moment, ce qui joint à sa finalité un caractère explicatif : une pareille union, terme de la prière, peut bien s'appeler une union consommée, et ceux qui y participent sont arrivés à l'unité parfaite. — L'effet produit sur le monde comme au v. 21, mais puisque cette fois le Fils sert de lien, le monde devra comprendre que l'amour du Père pour les fidèles est à l'instar de celui qu'il a eu pour le Fils : l'envoi du Fils était un acte d'amour pour les hommes puisqu'il venait pour les sauver (III, 16).

24-26. *La prière suprême.* Ce passage n'est pas simplement la suite du précédent, mais la conclusion de toute la prière, avec deux invocations au Père, comme au début (1.5), et δίκαιε (25) au lieu de ἅγιε (11) au centre de la prière. L'horizon s'étend toujours à tous les fidèles, mais le terme est cette fois la vie éternelle.

24) Merveilleuse expression de la déférence du Verbe Incarné, qui cependant parle au Père avec assurance! Ceux dont il va parler lui ont été donnés par son Père. ὅ est probablement plus vague que οὕς (6) à dessein, pour embrasser tous les fidèles de l'avenir. C'est un don fait au Fils, mais enfin, puisqu'ils lui appartiennent désormais, il veut qu'ils soient avec lui. θέλω n'est pas simple-

τὴν δόξαν τὴν ἐμὴν ἣν δέδωκάς μοι, ὅτι ἠγάπησάς με πρὸ καταβολῆς κόσμου. [25] Πατὴρ δίκαιε, καὶ ὁ κόσμος σε οὐκ ἔγνω, ἐγὼ δέ σε ἔγνων, καὶ οὗτοι ἔγνωσαν ὅτι σύ με ἀπέστειλας, [26] καὶ ἐγνώρισα αὐτοῖς τὸ ὄνομά σου καὶ γνωρίσω, ἵνα ἡ ἀγάπη ἣν ἠγάπησάς με ἐν αὐτοῖς ᾖ κἀγὼ ἐν αὐτοῖς.

ment l'expression d'un désir, c'est une volonté. Ceux que le Père lui a donnés, c'est-à-dire ceux qui ont cru en lui, qui lui appartiennent, il veut qu'ils soient avec lui là où il sera bientôt, lorsque le moment sera venu. On dirait que lui-même y trouvera un contentement, et ce sera leur bonheur de voir sa gloire. Cette gloire n'est pas distinctement celle du Fils de Dieu incréé, car Dieu le Père ne l'a pas engendré parce qu'il l'aimait (raison théologique), et aussi parce que jamais dans le N. T. la gloire qui appartient au Fils par nature n'est représentée comme donnée par le Père (*Schanz*, citant Phil. II, 6; Col. I, 15; II Cor. VIII, 9). Ce n'est pas non plus la gloire de l'humanité envisagée distinctement. C'est la gloire du Fils de Dieu incarné, qui rejaillit sur sa nature humaine, gloire que le Père a eue en vue et a résolu de lui donner quand il a décrété l'incarnation avant la création du monde. — Il peut paraître étrange que les disciples qui ont déjà reçu la gloire du Fils (22) soient appelés ensuite à la voir comme une récompense suprême En réalité ces inégalités de style rendent très bien des réalités profondes. La gloire du Fils est communiquée par la grâce : elle rayonne dans l'éternité aux yeux de ceux qui l'ont conservée. Nous sentons bien avec Augustin que nous sommes réduits à des métaphores dont nous éprouvons douloureusement l'insuffisance : *quae cum penetrare mens invalida, et minus quam illa sunt, pura, nequiverit; non sine amoris gemitu et desiderii lacrymis inde pellatur; et patienter ferat quamdiu fide mundatur, atque ut illic habitare valeat, sanctis moribus praeparatur.*

25) Jésus redescend pour ainsi dire sur la terre, et envisage la situation présente.

Ceci n'est plus proprement une demande, c'est plutôt une complaisance dans la contemplation de la justice de Dieu. Aussi est-il nommé : Père juste. Il se montrera juste envers le monde qui ne l'a pas connu, et envers les disciples présents qui ont reconnu qu'il avait envoyé son Fils. Il faut donc entendre les deux καί comme se répondant, et ἐγὼ δέ σε ἔγνων comme une parenthèse qui va de soi. Le monde, en refusant de reconnaître Jésus comme envoyé de Dieu a méconnu Dieu lui-même. Il est donc condamné; le Sauveur attristé (*Chrys.*) ne s'arrête pas à cette pensée pénible; il ne l'énonce même pas. Il oppose aussitôt la connaissance qu'il a eue lui-même, et l'hommage que les disciples ont rendu au Père en croyant au Fils : δείκνυσιν ἐνταῦθα μηδένα εἰδότα Θεὸν ἀλλ' ἢ μόνον τοὺς τὸν Υἱὸν ἐπεγνωκότας (*Chrys.*).

26) De nouveau Jésus résume son œuvre (6) et en entrevoit le prolongement. Le premier καί est presque explicatif; le second a son sens ordinaire. γνωρίσω, après la Résurrection pour ce qui regarde les disciples présents, mais le Christ ne cessera plus de manifester son Père auprès des siens. — Connaissant le Père et son amour pour le Fils, les disciples auront pour le Fils le même amour (*Schanz*), ou bien : la connaissance que les disciples ont du Père, c'est-à-dire

m'as donnée, parce que tu m'as aimé avant la création du monde. [25]Père juste, si le monde ne t'a pas connu, moi je t'ai connu, et ceux-ci ont connu que tu m'as envoyé; [26]et je leur ai fait connaître ton nom, et je le ferai connaître, afin que l'amour dont tu m'as aimé soit en eux, et moi en eux. »

leur foi, permet en quelque sorte au Père d'étendre à eux l'amour qu'il a eu (et qu'il a) pour son Fils. *Quomodo autem dilectio qua dilexit Pater Filium, est et in nobis, nisi quia membra eius sumus, et in illo diligimur, cum ipse diligitur totus, id est caput et corpus* (*Aug.*)? De même Cyrille. Et en effet, c'est bien du Père que l'amour descend, mais il s'arrête dans les disciples, il y est, comme une chose à eux, et il se porte vers le Fils comme celui du Père. C'est donc ce que voulait le Fils : que les siens soient aimés de son Père. Par là même il est aimé d'eux et en eux. Ce dernier mot nous apprend donc que notre unité avec le Fils et avec le Père est une union de charité. — Durand entend γνωρίσω de l'action du Fils par l'Esprit-Saint, qui serait désigné comme l'Amour substantiel qui unit le Fils à son Père. Pieuse exégèse qui ajoute beaucoup au texte. L'amour du Père est son amour pour le Fils incarné; c'est cet amour qui s'étend aux hommes comme un résultat de l'Incarnation, et c'est Jésus qui vit en eux de la sorte. Il semble que cela s'entende mieux de la vie de l'Église que de la gloire éternelle.

Chapitres XVIII-XIX. La Passion. C'est dans le récit de la Passion de Jésus que Jo. se rapproche le plus des synoptiques; il est moins complet, et cependant il ajoute certains traits. Ce n'est pas qu'il ait eu pour but de leur fournir des suppléments, mais « parce qu'il a tracé un tableau des principaux aspects spirituels des faits, illustré d'après la plénitude d'une connaissance immédiate ». Westcott, auquel nous empruntons ces mots, a désigné parmi les traits que Jo. a surtout mis en relief : 1) le caractère volontaire des souffrances du Christ (xviii, 4.8.11.36; xix, 28. 30; 2) l'accomplissement d'un plan divin (xviii, 4.9. 11; xix, 11.24.28); 3) la majesté du Christ dans ses souffrances (xviii, 6.20 ss. 37; xix, 11.26 s. 36 s.).

Les points qui sont particuliers à Jo. seront signalés à l'occasion.

La Passion se divise assez naturellement ainsi : 1° L'arrestation (xviii, 1-11); 2° La comparution chez Anne et chez Caïphe (xviii, 12-27); 3° Le jugement de Pilate (xviii, 28-xix, 16[a]); 4° Le supplice (xix, 16[b]-xix, 42).

CHAPITRE XVIII

[1] Ταῦτα εἰπὼν Ἰησοῦς ἐξῆλθεν σὺν τοῖς μαθηταῖς αὐτοῦ πέραν τοῦ χειμάρρου τοῦ Κεδρὼν ὅπου ἦν κῆπος, εἰς ὃν εἰσῆλθεν αὐτὸς καὶ οἱ μαθηταὶ αὐτοῦ. [2] ᾔδει δὲ καὶ Ἰούδας ὁ παραδιδοὺς αὐτὸν τὸν τόπον, ὅτι πολλάκις συνήχθη Ἰησοῦς ἐκεῖ μετὰ τῶν μαθητῶν αὐτοῦ. [3] ὁ οὖν Ἰούδας λαβὼν

1. του Κεδρων (S) plutôt que του Κεδρου (T) ou των Κεδρων (HV).

1-11. L'arrestation de Jésus (Mc. xiv, 43-52; Mt. xxvi, 47-56; Lc. xxii, 47-53). Dans le texte de Jo. on ne saurait faire une péricope distincte du v. 1 qui correspond à l'arrivée de Jésus à Gethsémani (Mc. et Mt.). La prière de Jésus en ce lieu, que Lc. ne nomme pas, est passée sous silence, mais, loin de chercher à la faire oublier, Jo. en rappelle au v. 11 la conclusion, à savoir la résolution prise par Jésus de boire le calice que lui offre son Père. Le récit de l'arrestation est assez semblable à celui des synoptiques; cependant l'attitude de Jésus y est un peu différente. Non seulement il accepte les faits et va à la mort librement, ce que Mt. aussi avait indiqué (xxvi, 53); on peut même dire qu'il domine la situation, et il fait la preuve qu'il ne tiendrait qu'à lui qu'elle prît un autre cours.

1) Comme on ne peut supposer que la prière de Jésus ait été prononcée dans les rues de la ville, ἐξῆλθεν ne peut s'entendre que de la maison où a été pris le repas. Il a donc sous-entendu « et il se rendit », précisément comme Mc. xiv, 26; Mt. xxvi, 30 dans cette circonstance; Lc. seul a développé ἐξελθὼν ἐπορεύθη. Si Jo. ne nomme pas Gethsémani, ce n'est pas pour l' « effacer » (*Loisy*), car Lc. ne le nomme pas non plus, et le passage du Cédron y conduisait tout naturellement; on notera l'indication plus précise d'un jardin. Jo. a sans doute préféré une désignation scripturaire, peut-être parce que David avait franchi cette vallée après la trahison d'Achitopel, parmi les larmes du peuple (II Regn. xv, 23). Sûrement, dès cette époque, il n'y avait d'eau dans ce torrent qu'au moment de la pluie, et c'est bien le sens de χείμαρρος, en arabe *ouadi*. Il n'y a aucun doute non plus sur le nom de *Qidron*, le torrent noir. Mais on ne sait s'il faut lire τῶν Κέδρων (BCLΘ etc.) ou τοῦ Κέδρου (ℵDW *a b d r*) ou τοῦ Κεδρών (ASΔ *c e f g q Vg., syrsin* d'après Tatien). Cette dernière leçon est la seule correcte comme traduction de l'hébreu, et le nom s'était conservé au temps de Josèphe (*Bell.* V, ii, 3) : le mont des Oliviers est séparé de la ville par une vallée profonde, ἣ Κεδρὼν ὠνόμασται. Il lui est arrivé de décliner ce mot à la grecque, Κεδρῶνος (*Bell.* V, vii, 3), Κεδρῶνα (*Ant.* VIII, i, 5), mais il ne l'a jamais confondu avec le grec κέδρος « cèdre » au génitif pluriel. Il était naturel que cette erreur se produisît. Dans notre cas, le τοῦ est attesté par deux branches de la tradition,

[1] Ayant ainsi parlé, Jésus sortit avec ses disciples [et se rendit] au delà du torrent de Cédron, où il y avait un jardin, dans lequel il entra, lui et ses disciples.

[2] Or Judas, qui le trahissait, connaissait aussi l'endroit, parce que Jésus s'y était souvent trouvé en compagnie de ses disciples. [3] Judas donc, ayant pris la cohorte et des satellites des grands prêtres et des

et comme Κέδρου est une correction évidente, on doit en dire autant de τῶν dans τῶν Κέδρων (*Zahn, Bauer, Blass*). On ne saurait prétendre que Jo. s'est appuyé sur la fausse traduction des LXX τῶν Κέδρων (III Regn. xv, 13; II Regn. xv, 23), car la véritable traduction ancienne est attestée par B (III Regn. ii, 37; IV Regn. xxiii, 6. 12; en concurrence avec l'autre dans III Regn. xv, 13) et non seulement par A qui peut représenter une correction hexaplaire. L'erreur de copiste des LXX prouve seulement comment une pareille erreur a pu se produire dans Jo.

2) Bauer voit ici l'intention de montrer la volonté de Jésus de s'offrir à la mort. Jo. aurait ainsi répondu d'avance aux reproches du Juif d'Origène (*contra Cels.* ii, 9) : « Comment serions-nous obligés de regarder comme un dieu... celui qui a été pris de la manière la plus honteuse, au moment où il se cachait et fuyait. » Jésus serait donc venu dans ce lieu, sachant bien que Judas ne manquerait pas de l'y venir chercher. Mais Jo. dit simplement que Judas y est venu parce qu'il pensait y trouver son maître, dont la résolution se manifeste seulement en ceci qu'il n'a pas daigné changer ses habitudes, connues de Judas. Il faut probablement en conclure que Jésus passait là les nuits depuis quelques jours. Le soir de son arrivée, il était revenu à Béthanie (Mt. xxi, 17; cf. Mc. xi, 12), mais il n'est pas dit qu'il y fût retourné; Mc. dit seulement que le lendemain soir il sortit de la ville (xi, 19) et Lc. parle d'une installation de fortune au mont des Oliviers (Lc. xxi, 37), où il revenait selon sa coutume (Lc. xxii, 39); le soir de l'arrestation, il parle seulement du mont des Oliviers et de « l'endroit », probablement celui où l'on se rassemblait (*Zahn*). Ce n'est pas une raison pour parler d'une maison qui aurait été la villa du jardin (*Zahn*); à Jérusalem on pouvait dès le printemps se contenter d'arranger quelques abris; c'était déjà bien beau d'avoir un chez soi lors de la Pâque.

3) Jo. se distingue des synoptiques en ajoutant une cohorte, c'est-à-dire de soldats appartenant à l'armée romaine, avec un tribun (χιλίαρχος v. 12). C'est là, a-t-on dit (*Loisy*, *Bauer*, etc.), une addition tout à fait invraisemblable, qu'elle émane d'une source différente ou d'un rédacteur symbolisant qui aura présenté Judas en prince de ce monde. En effet, dit-on, si l'autorité romaine avait pris l'initiative de l'arrestation, on aurait conduit immédiatement Jésus dans la tour Antonia (ou toute autre prison romaine) en attendant sa comparution devant Pilate. Toute la physionomie de l'arrestation en serait changée, et personne ne donnera la préférence à Jo. sur l'accord des trois synoptiques. — L'objection serait décisive si vraiment l'autorité romaine avait pris l'initiative de l'arrestation ou si seulement elle s'en était chargée. Mais ce sont bien les valets du grand prêtre qui ont voulu prendre Jésus (xviii, 10), et il est juste d'appliquer au récit de Jo. une exégèse tirée de faits analogues. La présence d'une troupe

τὴν σπεῖραν καὶ ἐκ τῶν ἀρχιερέων καὶ ἐκ τῶν Φαρισαίων ὑπηρέτας ἔρχεται ἐκεῖ μετὰ φανῶν καὶ λαμπάδων καὶ ὅπλων. [4] Ἰησοῦς οὖν εἰδὼς πάντα τὰ ἐρχόμενα ἐπ' αὐτὸν ἐξῆλθεν, καὶ λέγει αὐτοῖς Τίνα ζητεῖτε; [5] ἀπεκρίθησαν αὐτῷ Ἰησοῦν τὸν Ναζωραῖον. λέγει αὐτοῖς Ἐγώ εἰμι. εἱστήκει δὲ καὶ Ἰούδας ὁ παραδιδοὺς αὐτὸν μετ' αὐτῶν. [6] ὡς οὖν εἶπεν αὐτοῖς Ἐγώ εἰμι, ἀπῆλθον εἰς τὰ ὀπίσω καὶ ἔπεσαν χαμαί. [7] πάλιν οὖν ἐπηρώτησεν αὐτούς Τίνα ζητεῖτε; οἱ δὲ εἶπαν Ἰησοῦν τὸν Ναζωραῖον.

5. *om.* ο Ιησους *a.* εγω (TH) plutôt que *add.* (SV).
7. επηρωτησεν αυτους (H) ou α. ε. (TSV).

---

régulière dans une opération de police suppose qu'on craint une résistance sérieuse, et elle est destinée à assurer l'ordre, à prêter main forte, non à se substituer à la police : exemple : les inventaires des églises en France, les expulsions des religieux, les grèves, etc. A plus forte raison dans un pays où la force armée représente un pouvoir étranger au pays, qui laisse une certaine initiative aux autorités locales. On comprend très bien que les autorités du Temple aient expliqué au tribun ce qu'elles allaient tenter, les risques d'une résistance, etc. Le tribun, soit qu'il ait pris les ordres de Pilate, soit qu'il ait pris la chose sur lui (Act. xxi, 31), se rend sur les lieux, et, quand l'opération est finie il rentre chez lui avec sa troupe.

Une troupe régulière étant mise en jeu, elle sortait avec son attirail ordinaire, flambeaux, lanternes (*Denys Hal.* XI, 40, 2) et armes. Ceux qui objectent la pleine lune ne savent pas sans doute ce qu'est une consigne militaire; et des soldats romains auraient-ils laissé leurs armes sous prétexte que la police plus ou moins improvisée avait des bâtons et des couteaux? Tout le récit est parfaitement cohérent et la présence des soldats vraisemblable. La seule difficulté est le silence des synoptiques : il s'explique cependant assez bien si, en réalité, les soldats n'ont pas pris part directement à l'arrestation. Il est vrai que Jo. leur y donne un rôle (12), mais ils sont simplement en tête de la phrase à la place d'honneur, comme au v. 3, et ils ne paraissent plus. Il est plus critique de reconnaître ici une manière de raconter peu précise que de peser sur les termes et de les forcer pour conclure à une invraisemblance. Il est bien évident par exemple que ce n'est pas Judas mais le tribun qui avait le commandement de la cohorte; Judas marche en tête comme fait un guide en pareil cas : le style est plutôt pittoresque que protocolaire. De même pour la σπεῖρα. Officiellement c'était un manipule, c'est-à-dire un tiers de cohorte (*Polybe,* xi, 23, 1), donc 200 hommes et non pas 600 (*Loisy*). Mais Jo. ne prétend pas employer un mot technique, puisque ce n'est pas même le cas de Josèphe qui met un τάγμα dans l'Antonia (*Bell.* V, v, 8); il est même probable qu'il n'entend pas toute la troupe qui gardait le Temple. Un écrivain plus soucieux des choses de l'administration eût écrit : ἀνέβη φάσις τῷ χιλιάρχῳ τῆς σπείρης... ὃς ἐξαυτῆς παραλαβὼν στρατιώτας κ. τ. λ. (Act. xxi, 31 s.). — Aussi bien Jo. n'omet pas les ὑπηρέτας, ou serviteurs-

Pharisiens y vient avec des lanternes, des torches et des armes. [4]Jésus donc, sachant tout ce qui allait lui arriver, sortit et leur dit : « Qui cherchez-vous? » [5]Ils lui répondirent : « Jésus de Nazareth. » Il leur dit : « C'est moi. » Or Judas, qui le trahissait se tenait aussi avec eux. [6]Lors donc que [Jésus] leur eut dit : C'est moi, ils reculèrent et tombèrent par terre. [7]Il leur demanda donc de nouveau : « Qui cherchez-vous? » Ils dirent : « Jésus de Nazareth ».

fonctionnaires envoyés par les grands prêtres, c'est-à-dire la police du Temple que les synoptiques ont caractérisée plus vaguement comme une foule. Les Pharisiens sont nommés aussi (cf. VII, 32. 45) comme ennemis de Jésus, et comme représentant les scribes (Mc. XIV, 43) dans le Sanhédrin : les πρεσβύτεροι ne sont jamais nommés dans Jo.

4) Jésus prend ici l'initiative : il sait ce qui doit arriver, mais il est résolu à faire la volonté de son Père (XIV, 30 s.). Il sortit donc du jardin, et prit la parole. D'ailleurs, dans les synoptiques, au moment de l'action, Jésus ne se montre pas moins ferme : ἄγωμεν (Mc. Mt.).

5) Ceux qui répondent sont naturellement les quelques officiers de police qui ont la responsabilité de l'exécution. Même s'ils connaissaient Jésus et le reconnaissaient ils pouvaient répondre en lançant son nom. La réponse signifierait : c'est bien moi! Mais peut-être, soupçonnant qu'il se cachait, ne l'ont-ils pas reconnu dans celui qui venait si hardiment à leur rencontre. Sur la forme Ναζωραῖος, cf. *Comm.* Mt. p. 37 ss. C'est la seule forme dans Jo. XVIII 7; XIX, 19. — La présence de Judas avait été certes assez indiquée au v. 3. Et s'il paraît ici comme pour la première fois avec son épithète de traître au présent, c'est comme pour rappeler sans le dire qu'il a livré son Maître par un baiser. Il a fait son geste odieux avant que Jésus ait dit ἐγώ εἰμι.

6) Jo. a voulu relater un miracle, cela est reconnu de tous. Mais il n'y a pas lieu de l'exagérer. Ceux qui ont pris la parole ne pouvaient être très nombreux, et ce sont les mêmes, ceux qui ont entendu la réponse, qui sont tombés par terre. Ce n'est pas une raison pour voir dans ἐγώ εἰμι un autre sens que : « C'est moi ». Mais en disant ces mots Jésus a mis dans son accent et dans son regard quelque chose de la puissance divine qui résidait en lui. C'est un indice assuré, le seul, que tout ce qu'il souffrira il le supportera volontairement, sans être vaincu par le prince de ce monde (XIV, 30 s.). Pour cette conscience de son pouvoir, cf. Mt. XXVI, 53. — On a cité Marius (*Velleius Paterc.* II, 19,3) et Marc Antoine (*Valère Max.* VIII, 9,2), dont l'aspect effraya les meurtriers envoyés contre eux; l'indication a son importance pour VII, 43 ss. où l'on doit reconnaître une influence morale; ici le prestige n'est pas raisonné et plus saisissant. — χαμαί (IX, 6).

7) Jo. ne semble pas attacher une très grande importance à cette chute, comme si les premiers rangs, un instant renversés, s'étaient aussitôt relevés sans le moindre mal. Jésus réitère sa question et les mêmes, sans doute tout ébahis, lui font la même réponse.

[8] ἀπεκρίθη Ἰησοῦς Εἶπον ὑμῖν ὅτι ἐγώ εἰμι· εἰ οὖν ἐμὲ ζητεῖτε, ἄφετε τούτους ὑπάγειν. [9] ἵνα πληρωθῇ ὁ λόγος ὃν εἶπεν ὅτι Οὓς δέδωκάς μοι οὐκ ἀπώλεσα ἐξ αὐτῶν οὐδένα. [10] Σίμων οὖν Πέτρος ἔχων μάχαιραν εἵλκυσεν αὐτὴν καὶ ἔπαισεν τὸν τοῦ ἀρχιερέως δοῦλον καὶ ἀπέκοψεν αὐτοῦ τὸ ὠτάριον τὸ δεξιόν. ἦν δὲ ὄνομα τῷ δούλῳ Μάλχος. [11] εἶπεν οὖν ὁ Ἰησοῦς τῷ Πέτρῳ Βάλε τὴν μάχαιραν εἰς τὴν θήκην· τὸ ποτήριον ὃ δέδωκέν μοι ὁ πατὴρ οὐ μὴ πίω αὐτό;

8) Jésus manifeste sa bonté et sa sollicitude pour les siens; cependant il les nomme « ceux-ci » avec une sorte d'indifférence affectée : les nommer ses disciples eût été les compromettre. Les tirer d'affaire, c'est tout ce que Jésus a à cœur, comme le prouve le v. suivant. C'est prêter trop d'esprit à Jo. que de lui attribuer l'intention de justifier les apôtres (*Bauer*), car leur conduite n'en fut que plus fâcheuse après ce trait de générosité, et le reproche du Maître (xvi, 32) conservait sa valeur. En revanche il n'est pas assez naïf pour s'imaginer cet épisode d'après ce qui se passa plus tard, « en rapport avec certaines circonstances des persécutions contre les chrétiens » (*Loisy*, p. 456).

9) Certains critiques soulignent que cette citation de xvii, 12 ne prend pas les paroles de Jésus dans leur vrai sens : il parlait de perte morale, ici il préserve d'un danger temporel. Pour maintenir le même sens, Schanz fait remarquer que ce danger pouvait être une occasion de chute morale, comme il arriva pour Pierre. Le plus simple est de dire que Jo. applique une parole de Jésus à un cas qui n'est qu'analogue. N'aurait-il pas mieux harmonisé s'il avait inventé la première parole? Cette parole s'impose à lui : il en retrouve un reflet, même dans un cas qui paraissait différent. Cela paraît être le sens de Chrys : ἀπώλειαν δὲ ἐνταῦθα (à l'endroit cité) οὐ ταύτην φησὶ τὴν τοῦ θανάτου, ἀλλ' ἐκείνην τὴν αἰώνιον. Ὁ δὲ εὐαγγελιστὴς καὶ ἐπὶ τοῦ παρόντος (même à la circonstance présente) αὐτὸ παρέλαβε (il a repris et appliqué le même principe); *per quamdam extensionem refert ad perditionem corporis* (*Thom.*). Ce procédé jette un certain jour sur l'interprétation du mot de Caïphe (xi, 51).

10) Jo. se rapproche ici des synoptiques. L'auteur du coup d'éclat n'avait pas été nommé par eux, peut-être par prudence, car l'administration romaine goûtait peu ce recours à l'épée. Jo. écrivant plus tard nomme Simon Pierre. D'après les synoptiques il paraît tout naturel que chacun ait une épée : mais Jo. le dit expressément de Pierre. De plus il nomme le serviteur du grand prêtre, Malchus, nom plutôt nabatéen que juif, à en juger par les inscriptions et par Josèphe. Le serviteur du grand prêtre (de même syn.) était l'officier de la police du Temple spécialement chargé de l'arrestation, c'est celui qui se met en avant. L'oreille est celle de droite, déjà indiquée par Lc.; mais Jo. ne dit pas comme Lc. qu'elle ait été guérie. On a l'impression qu'il a voulu donner des précisions nouvelles, sans reprendre tous les détails.

11) Le commencement comme dans Mt., mais noter θήκη (*Ant.* VII, xi, 7), moins sémitisant que τόπος, mais qui n'est pas cependant l'expression grecque technique pour le fourreau (κολεός). — On a opposé la résolution de Jésus de

[8]Jésus répondit : « Je vous ai dit que c'est moi; si donc c'est moi que vous cherchez, laissez ceux-ci s'en aller. » [9]Afin que fût accomplie la parole qu'il avait dite : Je n'ai perdu aucun de ceux que tu m'as donnés. [10]Simon-Pierre donc qui avait une épée la tira et frappa le serviteur du grand prêtre et lui coupa l'oreille droite. Or ce serviteur se nommait Malchos. [11]Alors Jésus dit à Pierre : « Remets l'épée au fourreau : le calice que le Père m'a donné, ne le dois-je point boire? »

boire le calice à la prière d'écarter le calice dans les synoptiques, comme si Jo. avait voulu remplacer un souvenir par un autre. — Mais il faut distinguer la prière et le résultat de la prière. Après avoir prié, le Jésus des synoptiques était décidé à boire le calice : c'est cette disposition que rappelle Jo. Sans doute elle contribue mieux à son dessein, mais elle devait naturellement rappeler plutôt que faire oublier la prière.

On se demande vainement pourquoi le coup d'épée de Pierre est « un parfait contresens » en regard du tableau qui précède (*Loisy,* p. 456). Il est vrai que Jésus a voulu dégager ses disciples. Mais Pierre n'entre pas dans ses vues, pas plus qu'au lavement des pieds. Il a promis (XIII, 37) de mourir pour son maître. Il a du moins fait un geste fort compromettant. — Les paroles de Jésus ne forment qu'un tout. Il ne veut pas être défendu par la violence puisqu'il est résigné à boire le calice. D'ailleurs Jo. ne dit rien qui soit un blâme pour Pierre.

12-27. Le reniement de Pierre (cf. Mc. XIV, 53 s. et 66-72; Mt. XXVI, 57 s. et 69-75; Lc. XXII, 54-62).

Toute l'interprétation de cette péricope dépend de la question : sommes-nous chez Anne ou chez Caïphe? Et la solution de cette question dépend de la place du v. 24. S'il demeure à sa place, nous sommes chez Anne, et Jo. n'a rien dit de la séance chez Caïphe; si le v. 24 était primitivement après le v. 13, tout le reste se passe chez Caïphe.

Si cette question textuelle devait être tranchée d'après les autorités diplomatiques, il n'y aurait aucun doute : le v. 24 resterait à sa place. En effet, il n'est mis après le v. 13 que par *syrsin.* et Cyr. d'Alex. (dans son commentaire, car dans son texte il est aux deux endroits, mais il le regarde la seconde fois comme une répétition). Dans le ms. A du lectionnaire syr. il est aux deux endroits. Dans le ms. 225 de Tisch. il est au milieu de 13 après πρῶτον. C'est tout, et la question paraît tranchée, car si *syrsin.* a passé d'abord pour un excellent texte (*Mrs. Lewis, Merx*) on convient aujourd'hui qu'il a été fortement harmonisé, spécialement dans notre péricope. Comment expliquer que toute la tradition ait fait fausse route?

On pourrait cependant noter dans le v. 24 lui-même un indice de son déplacement : c'est un point important qui a passé inaperçu. Il y a au début quatre variantes : ἀπέστειλεν οὖν qui est celle des critiques avec BCLXΔΠ²ΘW, 33, 565 al. *a b f ff*

δέ l. οὖν ℵ 13 69,124 247 330 482 al. decem, *r; sah; syrsin.* et *pes.*
et, dans *c g vg aur syr-jér.*
om. A, la masse, *q*.

Or, il est clair que οὖν convient parfaitement à la place actuelle du v., outre qu'il est très fréquent dans Jo.. de sorte que personne n'aurait eu l'idée de le changer si le v. avait toujours été là. — δέ au contraire est un vestige assuré du temps où le v. était après le v. 13 (cf. *syrsin!*) Mais ce δέ ne convenait plus à la place actuelle, et c'est pourquoi il a été remplacé par οὖν, ou en latin par *et*, ou omis. La leçon δέ explique les trois autres précisément dans l'hypothèse d'un déplacement.

Notons encore que οὖν qui est certain au v. 28 ne s'explique pas si l'on n'a rien dit de la séance chez Caïphe, surtout après les vv. 25 et 27 qui se passeraient chez Anne. Ce dernier argument est assez fort.

Venons aux inconvénients intrinsèques de l'ordre actuel : *a*) par rapport aux synoptiques; *b*) quant à la cohérence de Jo.

a) Si tous les reniements de Pierre se sont passés chez Anne, Jo. s'est mis en contradiction avec Mt. qui les place chez Caïphe (Mt. xxvi, 57 ss.) et même avec Mc. (xiv, 66) qui les place après l'interrogatoire de Caïphe. Il paraît moins contraire à Lc. qui les place avant l'interrogatoire du matin par Caïphe, cependant Lc. aussi semble placer les reniements chez Caïphe, le seul grand prêtre dont il ait parlé.

Il faudrait donc, ou bien 1) admettre deux lieux différents en expliquant comme Icho'dad, la divergence : « parce que presque tous les disciples prirent la fuite quand le Seigneur fut arrêté, et ce fut la cause de la simplicité de leurs pensées, de sorte qu'ils n'employèrent pas seulement des mots différents, mais aussi des lieux différents, quoique tous aient eu en vue le même objet et le même reniement ». On se contenterait alors d'une concordance sur la substance des faits, sans poursuivre la conciliation quant aux lieux. Ou bien 2) on soutiendrait que Caïphe habitait dans la même maison qu'Anne, ce qui est possible assurément, mais plutôt contraire au v. 24. La tradition de Jérusalem n'a distingué la maison d'Anne de celle de Caïphe qu'au xiiie siècle, mais elle ne dit pas non plus auparavant qu'il n'y eût eu qu'une maison. Simplement elle ne s'occupe pas d'Anne (*Jérusalem*, par les Pères Vincent et Abel, t. II, p. 492). L'unité est soutenue du point de vue exégétique par Euthymius (xiie s.) sur Mt. xxvi, 58.

De toute façon il resterait un certain désaccord sur le temps, puisque le premier reniement aurait précédé et non suivi l'interrogatoire chez Caïphe. Il faudrait dire avec Schanz que n'ayant pas parlé de la comparution chez Anne, les synoptiques ont dû situer tous les reniements dans l'ambiance de l'interrogatoire de Caïphe.

b) Mais les critiques seraient bien peu disposés à s'écarter du texte reçu de Jo. pour éviter une contradiction avec les synoptiques, et, en tant que critique, on ne saurait en effet refuser l'hypothèse qu'un auteur aurait eu pour but d'en corriger d'autres. Nous devrions simplement avouer notre embarras à faire une conciliation stricte, d'autant qu'elle demeurerait très difficile même entre les synoptiques. Seulement on objecte encore contre l'ordre reçu qu'il aboutit à un récit incohérent.

1) Jo. ne donne pas à Anne le titre de grand prêtre, quoiqu'il le nomme deux fois. Au contraire il insiste pour bien noter que Caïphe était le grand prêtre de l'année. En contact avec Anne (24), c'est lui qui est simplement le grand prêtre. Lors donc que le grand prêtre, sans plus, figure dans le récit, ce ne peut être que Caïphe, on est dans le palais de Caïphe, et c'est Caïphe qui interroge. D'autre part, si l'on est chez Anne, on est dans son palais et c'est lui qui interroge. Il ne servirait de rien de dire que les deux appartements ont une cour commune; c'est parce que son interrogatoire n'aboutit pas qu'Anne renvoie Jésus à Caïphe. Quand on serait dans la même maison, Anne agirait en grand prêtre, ce qui ne peut pas être dans la façon de Jo.

2) Pierre renie deux fois après que Jésus a été emmené chez Caïphe. Pourquoi reste-t-il en un lieu où il devait se trouver mal à l'aise après son premier reniement? Il était venu pour suivre Jésus! De plus le provocateur au troisième reniement est un parent du serviteur du grand prêtre, qui est Caïphe évidemment. Les choses ne s'expliquent-elles pas mieux si l'on est chez Caïphe?

A cette difficulté, Tatien a essayé de répondre en ajoutant au texte que les deux reniements se sont produits au moment où Jésus sortait, et cet arrangement est admis par Icho'dad. Mais il faut encore prêter à Jo. ce qu'il ne dit pas et qui est même contraire à la suite des phrases, car après cette allusion à ce qui s'était passé chez Anne, Jo. n'eût pu conclure au v. 28 Ἄγουσιν οὖν κ. τ. λ. comme si l'on sortait de chez Caïphe.

Dans ces conditions, il peut paraître nécessaire de placer 24 après 13. Les difficultés, connues depuis longtemps, s'étaient imposées aux nombreux exégètes catholiques qui entendaient au v. 24 ἀπέστειλεν comme un plus-que-parfait; mais cette solution est impossible; elle supposerait chez Jo. une complète inaptitude à s'exprimer clairement : il resterait donc d'adopter le système de saint Cyrille (*Fillion, Calmes, Camerlynck*, etc.).

Nous serions en présence d'une modification extrêmement ancienne, voulue ou inconsciente, qui se serait ensuite imposée. Il est difficile de dire pourquoi. Peut-être a-t-on été moins sensible à la contradiction entre le lieu des reniements qu'à l'apparence si différente de l'interrogatoire de Caïphe dans Jo. et dans les synoptiques (cf. *Knabenbauer!*) On objecte qu'alors Jo. n'avait aucune raison de mentionner l'arrêt chez Anne. C'était un détail qu'il a cru devoir noter. Et c'est justement parce que rien ne s'était passé chez Anne que la tradition synoptique n'avait rien dit de cet arrêt insignifiant.

Telles sont les raisons qu'on peut faire valoir pour le déplacement du v. 24, qui réduit l'importance de la présence de Jésus chez Anne. Elles nous ont longtemps paru décisives : elles le seraient si l'auteur du récit avait pour habitude de raconter avec méthode et précision. Avec Jo. on hésite, parce qu'il a peut-être compté sur la bonne volonté de son lecteur pour démêler la confusion qui paraît naître du titre de grand prêtre lequel tantôt est le propre de Caïphe, tantôt désignerait Anne. C'est la principale difficulté : plusieurs autres peuvent être résolues par l'hypothèse du même palais, ou rentrer dans la difficulté générale de fixer en détail tous les points du reniement. Or il est incontestable que Jo. a pu donner à Anne le titre de grand prêtre sans s'écarter des usages du temps... C'était au lecteur à discerner entre Anne et Caïphe, et à ne pas mettre Caïphe en scène dans la maison d'Anne (comme

[12] Ἡ οὖν σπεῖρα καὶ ὁ χιλίαρχος καὶ οἱ ὑπηρέται τῶν Ἰουδαίων συνέλαβον τὸν Ἰησοῦν καὶ ἔδησαν αὐτὸν [13] καὶ ἤγαγον πρὸς Ἄνναν πρῶτον· ἦν γὰρ πενθερὸς τοῦ Καιάφα, ὃς ἦν ἀρχιερεὺς τοῦ ἐνιαυτοῦ ἐκείνου· ([24] ἀπέστειλεν δὲ αὐτὸν ὁ Ἄννας δεδεμένον πρὸς Καιάφαν τὸν ἀρχιερέα.) [14] ἦν δὲ Καιάφας ὁ συμβουλεύσας τοῖς Ἰουδαίοις ὅτι συμφέρει ἕνα ἄνθρωπον ἀποθανεῖν ὑπὲρ τοῦ λαοῦ. [15] Ἠκολούθει δὲ τῷ Ἰησοῦ Σίμων Πέτρος καὶ ἄλλος μαθητής. ὁ δὲ μαθητὴς ἐκεῖνος ἦν γνωστὸς τῷ ἀρχιερεῖ,

14. αποθανειν (THV) et non απολεσθαι (S).
24. δε plutôt que ουν (THSV).

---

fait *Zahn*). — Derechef, tout est si naturel avec une simple transposition, que nous penchons pour cette solution.

12) Jo. raconte avec simplicité, sans prendre aucune précaution contre ceux qui voudraient lui chercher chicane. C'est ainsi qu'il a mis Judas à la tête des soldats (3), quoiqu'il n'ignorât pas qu'ils avaient alors leur chef naturel. Le χιλίαρχος (qui commande à mille hommes) est un véritable officier, sinon un officier supérieur; ici c'est le commandant de la σπεῖρα, ce qui ne veut pas dire qu'il ait amené tout son monde. Les soldats passent les premiers avec leur chef, avant la police du Temple, qui est maintenant nommée : les agents des Juifs. Ce sont ces agents de la police qui paraîtront désormais (18. 22; XIX, 6) jusqu'au moment où les soldats de Pilate entreront en scène (XIX, 2). Il n'est point téméraire d'attribuer aux deux forces dans l'arrestation le rôle qui convient à chacune : pendant que les soldats font le service d'ordre et prêtent main forte, la police empoigne Jésus et le garotte. Ce dernier trait est propre à Jo. Le fait est très vraisemblable, et même normal.

13) Il est probable que les soldats ont servi d'escorte jusqu'au palais d'Anne. Après quoi leur rôle était terminé, et ils n'avaient plus qu'à regagner leurs cantonnements. Nous savons par Josèphe qu'Ananos, notre Anne, eut cinq fils grands prêtres, dont les noms sont connus : Éléazar, Jonathan, Théophile, Matthias, Ananos le jeune (SCHÜRER, *Gesch*... II, 271 s.). Caïphas, qui fut l'un de ses successeurs (environ 18 à 36 ap. J.-C.) n'était donc pas l'un d'eux, mais il est vraisemblable qu'il dut son élévation à l'influence de cet homme très heureux. Quoi qu'il en soit, Jo. tient à dire que si Jésus fut conduit chez Anne, ce fut parce que (γάρ) Anne était le beau-père du grand prêtre en fonctions, et non point parce qu'il était lui-même en charge. Sur l'expression « prêtre de cette année-là », cf. sur XI, 49. Qu'Anne ait conservé malgré sa déposition par Valerius Gratus (*Ant.* XVIII, II, 2) vers l'an 15 une grande influence, précisément sous Caïphe, c'est ce qui ressort de Lc. III, 2; Act. IV, 6, mais Jo. ne dépend pas de ces textes; ils eussent pu lui faire croire qu'Anne agissait comme grand prêtre : or c'est contre cette confusion possible qu'il proteste, alléguant une autre raison de l'ingérence d'Anne, l'alliance entre Caïphe et lui, raison dont il est impossible de prouver qu'elle soit fausse, et qui est très plausible. On comprend

[12]Alors la cohorte et le tribun et les satellites des Juifs se saisirent de Jésus et le lièrent. [13]Et il l'emmenèrent chez Anne d'abord ; car il était beau-père de Caïphe, qui était grand prêtre cette année-là. ([24]Mais Anne l'envoya lié chez le grand prêtre Caïphe). [14]Or c'était Caïphe qui avait donné ce conseil aux Juifs : il est de notre intérêt qu'un seul homme meure pour le peuple. [15]Cependant Simon-Pierre avait suivi Jésus avec un autre disciple. Or ce disciple était connu du grand prêtre, et il entra en même temps que Jésus

très bien que Caïphe ait tenu à donner une satisfaction d'amour-propre à son beau-père qui ne pouvait plus présider le Sanhédrin, ni par conséquent assister à la séance. Il dut s'écouler un certain temps avant l'arrivée des sanhédrites, même s'ils étaient du complot. Pendant ce temps Anne pourra satisfaire sa curiosité : rien de légal ne sortira de cette entrevue.

On peut placer ici le v. 24, en lisant : Ἀπέστειλεν δέ... *Mais* Anne, qui ne se souciait pas d'usurper l'autorité qu'il n'avait plus dans une si grave affaire, envoya Jésus à Caïphe, tout enchaîné. Le δεδεμένον après ἔδησαν (12) et quelle que soit la place du v. 24, ne peut signifier qu'il le fit enchaîner de nouveau, mais qu'il l'envoya tel qu'il était venu. Cela est plus naturel si Anne ne veut rien savoir, car, pour un interrogatoire, il eût convenu de délier l'accusé.

14) Nouvelle insistance de Jo., non pour insinuer qu'Anne avait jadis eu la première idée que s'attribua Caïphe (*Belser*), mais au contraire pour laisser à Caïphe toute la responsabilité avec l'initiative du crime. — cf. XI, 50. Cette remarque a bien l'air de marquer l'entrée en scène de Caïphe, auquel il faudrait attribuer ce qui va suivre. Si Caïphe n'avait rien fait en ce moment, il eût fallu placer cette réflexion après le v. 24; c'est bien ce qui a eu lieu, mais quand 24 était avant 14. — Nous lisons ἀποθανεῖν avec ℵBCDWΘ.

15) Ce v. et les suivants (16-17) ont pour but d'expliquer comment Pierre, que son coup d'éclat avait dû mettre en évidence, a pu cependant pénétrer dans le palais du grand prêtre. Il suivait depuis le lieu de l'arrestation comme ont dit les synoptiques : Mc. ἠκολούθησεν, Mt. et Lc. ἠκολούθει. Avec Pierre un autre disciple, et non pas l'autre disciple (texte reçu) ce qui ne serait d'ailleurs pas plus clair. Les Pères, pour l'ordinaire, nomment Jean lui-même. L'évangéliste s'est ainsi désigné mystérieusement comme un témoin particulièrement bien informé de cette scène, et autorisé à la mettre au point. S'il n'a pas dit « le disciple que Jésus aimait », c'est que ce titre n'aurait rien changé à la situation, tandis qu'à la Cène il expliquait sa place auprès du Maître; d'ailleurs il ne soulève que par degrés le voile qui couvre sa personnalité comme écrivain. Mais elle est suffisamment suggérée par son rapport plus étroit avec Pierre (cf. *Introd.* p. XVI). L'auteur de l'évangile avait donc des relations avec le sacerdoce de Jérusalem, ce qui suppose une certaine culture. On voit l'importance de ce point dans la question d'authenticité.

Si le disciple n'était pas Jean, il serait inutile de chercher ailleurs (*Zahn* nomme Jacques, fils de Zébédée, après *Épiph.*); Aug. : *Quisnam iste sit discipulus,*

καὶ συνεισῆλθεν τῷ Ἰησοῦ εἰς τὴν αὐλὴν τοῦ ἀρχιερέως, [16] ὁ δὲ Πέτρος εἱστήκει πρὸς τῇ θύρᾳ ἔξω. ἐξῆλθεν οὖν ὁ μαθητὴς ὁ ἄλλος ὁ γνωστὸς τοῦ ἀρχιερέως καὶ εἶπεν τῇ θυρωρῷ καὶ εἰσήγαγεν τὸν Πέτρον. [17] λέγει οὖν τῷ Πέτρῳ ἡ παιδίσκη ἡ θυρωρός Μὴ καὶ σὺ ἐκ τῶν μαθητῶν εἶ τοῦ ἀνθρώπου τούτου; λέγει ἐκεῖνος Οὐκ εἰμί. [18] εἱστήκεισαν δὲ οἱ δοῦλοι καὶ οἱ ὑπηρέται ἀνθρακιὰν πεποιηκότες, ὅτι ψῦχος ἦν, καὶ ἐθερμαίνοντο· ἦν δὲ καὶ ὁ Πέτρος μετ' αὐτῶν ἑστὼς καὶ θερμαινόμενος. [19] Ὁ οὖν ἀρχιερεὺς ἠρώτησεν τὸν Ἰησοῦν περὶ τῶν μαθητῶν αὐτοῦ καὶ περὶ τῆς

non temere affirmandum est, quia tacetur. Il était connu du grand prêtre (ce qui ne veut pas dire son parent), et sans doute aussi de ses gens, comme familier de la maison; il entra donc sans exciter de défiance. Mais quel grand prêtre? Si l'on tient compte du contexte général, c'est Caïphe, le seul des deux que Jo. a nommé grand prêtre, et très expressément le grand prêtre de l'année. Si l'on refuse d'avancer le v. 24, on peut à la rigueur songer à Anne. Jo. parle couramment des grands prêtres au pluriel; plusieurs avaient donc droit à ce titre. Parmi eux, Anne au premier rang, comme ayant été en charge, de même que nous disons le Président un tel en parlant d'un ancien président de la République. Il est d'ailleurs demeuré connu sous ce nom : on disait plus tard « le tombeau du grand prêtre Anne » (Jos. *Bell.* V, xii, 2).

D'après l'ordre reçu, on était chez Anne; c'est donc lui le grand prêtre. Mais combien tout est plus limpide si ce grand prêtre est Caïphe, et si l'on est chez lui!

16) L'autre disciple (cette fois naturellement avec l'article) pouvait bien passer, mais il n'a pas osé introduire Pierre sans prendre langue à l'intérieur, peut-être avec le Pontife lui-même, puisqu'on répète qu'il le connaissait. Cela a dû prendre un peu de temps, de sorte que *syrsin.* s'est cru autorisé à placer l'interrogatoire avant l'entrée de Pierre. Cet arrangement est des plus ingénieux, car il explique comment on était hanté par le zèle de dépister les disciples de Jésus. Mais il serait étonnant que Jo. ait ainsi coupé son récit, et la tradition des mss. est contraire. L'autre disciple revient à la porte, muni d'une permission au moins verbale : d'après tous les témoins (sauf un) il s'adresse à la portière. Il est assez étrange qu'une femme ait été chargée officiellement de garder la porte du palais, et ce soir-là. C'est sans doute ce qui a conduit le même *syrsin.* à écrire : « la servante du portier » (Texte *Lewis*). C'est encore très ingénieux et sûrement plus normal (Mc. xiii, 34, Jo. x. 3). Mais Jo. dit « la servante portière » parce que c'est elle qui a provoqué Pierre. Elle se tenait à la porte et le portier en chef a pu lui confier le soin d'ouvrir. — Aussi bien on trouve une femme portière dans II Regn. iv, 6 = Jos. *Ant.* VII, ii, 1, il est vrai, dans une civilisation moins avancée, mais on sait avec quelle *maestria* les femmes des concierges de Paris gardent leurs immeubles. Rien n'empêchait de mettre des sentinelles à la porte ce soir-là, la portière gardant son poste. — Le sujet de εἰσήγαγεν doit être le même que celui de εἶπεν, l'autre disciple.

17) L'intervention de la portière (une servante dans les synoptiques) se com-

dans la cour du grand prêtre, [16]tandis que Pierre se tenait à la porte au dehors. L'autre disciple qui était connu du grand prêtre sortit donc, et parla à la portière, et fit entrer Pierre. [17]La servante qui gardait la porte dit à Pierre : « Serais-tu, toi aussi, des disciples de cet homme-là? » Il dit : « Je n'en suis pas! » [18]Les serviteurs et les satellites se tenaient debout, ayant fait un feu de braise, parce qu'il faisait froid, et ils se chauffaient. Pierre aussi se tenait avec eux et se chauffait. [19]Le grand prêtre interrogea donc Jésus sur

prend mieux dans Jo.; quoiqu'elle n'eût plus la responsabilité de l'entrée de Pierre, elle ne put retenir une expression de méfiance : « au moins tu n'es pas (μή) de ses disciples »? καί σu n'est pas dit en comparaison avec l'autre disciple, personnellement connu du grand prêtre, quoique non pas comme disciple (contre *Schanz*), mais par allusion à d'autres qui peut-être rôdaient aux environs. La même tournure est dans les synoptiques; on se demande avec inquiétude où sont les disciples, puisqu'aucun n'a été arrêté : on pose la question à toute personne suspecte ou même inconnue. Il faut reconnaître que la servante des synoptiques emploie un langage plus familier et plus naturel. Pierre était-il « avec Jésus », ou « l'un d'entre eux », c'est-à-dire « de cette bande ». Dans Jo. c'est toujours la même expression, ici, dans la bouche du grand prêtre (19) et plus tard (25). C'est la formule officielle de l'interrogatoire qui donne d'avance le ton. Cela est plus naturel dans l'ordre de syrsin. qui place l'interrogatoire avant les reniements. D'après le récit de Jo. la culpabilité de Pierre est plutôt diminuée qu'augmentée, et pour ce cas du moins se réduit presque à un petit mensonge nécessaire pour entrer. D'après les trois synoptiques, Pierre était déjà auprès du feu, et assis quand une servante l'interrogea.

18) Le plus-que-parfait εἱστήκεισαν et le parfait πεποιηκότες indiquent qu'un certain temps s'était écoulé depuis l'arrivée; car les serviteurs et les agents sont ceux qui avaient pris part à l'arrestation. — ἀνθρακιά (Sir. xi, 32; IV Macch. ix, 20) ne paraît pas signifier un feu de charbon (en tout cas pas de charbon de terre), mais un feu de braise, du moins d'après les usages actuels fondés sur la nature des choses : on allume un grand feu de bois, et on continue à se chauffer quand le bois est devenu braise. Les nuits sont parfois très fraîches au commencement d'avril, surtout s'il a plu; alors on ne peut s'asseoir : on se tient debout, ce que tout le monde fit, et aussi Pierre. On ne peut vraiment pas voir une contradiction historique entre Jo. et Mt. (avec Lc.) disant que Pierre était assis, autre façon d'envisager la situation dans la circonstance. Jo. dit lui aussi que Pierre se chauffait; il n'a donc pas voulu l'épargner, mais dire les faits : ils sont vraisemblables. On peut dire aussi que Pierre crut devoir faire exactement comme tout le monde, pour ne pas éveiller l'attention.

19) Le grand prêtre, ici encore, si c'est entre 13 et 24, ne peut être qu'Anne; mais comment serait-il nommé ainsi sans aucune préparation?

La question posée est double, et les deux préoccupations sont très naturelles. Si l'on voulait reprocher à Jésus un complot contre l'autorité romaine, il fallait

ses disciples et sur sa doctrine. [20] Jésus lui répondit : « J'ai parlé ouvertement au monde; j'ai toujours enseigné en synagogue et dans le Temple où se réunissent tous les Juifs, et je n'ai rien dit en secret. [21] Pourquoi m'interroges-tu? Interroge ceux qui ont entendu ce que je leur ai dit car ils savent ce que j'ai dit. » [22] Quand il eut dit cela, un des satellites posté tout près donna un soufflet à Jésus, en disant : « Est-ce ainsi que tu réponds au grand prêtre? » [23] Jésus lui répondit : « Si j'ai mal parlé, montre ce qu'il y a de mal; mais si j'ai bien parlé, pourquoi me frappes-tu? »

[[ ]] [25] Or Simon-Pierre était là debout et se chauffait. Alors ils lui dirent : « Serais-tu aussi de ses disciples? » Il le nia et dit : « Je n'en suis pas. » [26] Un des serviteurs du grand prêtre, parent de celui

non-coupable et à demander une procédure selon les formes. L'homme crut sans doute faire ainsi sa cour : *fortis percussor et mollis adorator* (*Rupert* cité par *Schanz*). — Sur ῥάπισμα, cf. Mc. XIV, 65. — L'intervention d'un simple appariteur a suggéré à Schanz un interrogatoire libre plutôt qu'un procès régulier (mais cf. Act. XXIII, 2 ss.). L'agent parle du grand prêtre comme s'il était le seul (cf. Ex. XXII, 28).

23) D'après Bauer (suivi par *Loisy*), κακῶς λαλεῖν signifierait parler d'une façon injurieuse (cf. Ex. XXII, 28; I Macch. VII, 42); mais, en opposition avec καλῶς, κακῶς doit avoir un sens plus général. Manifestement le valet était incapable de justifier sa brutalité. La réponse de Jésus doit servir de garantie aux accusés : on doit leur laisser le droit de se défendre et de répondre librement.

25) Le second reniement de Pierre a eu lieu à la place où il était d'abord. Or il n'était chez le grand prêtre que pour suivre Jésus : il devait s'y sentir mal à l'aise, et il serait parti si Jésus avait été emmené dans une autre maison. Il est vrai que Tatien a placé les deux derniers reniements au moment où Jésus sortait, mais il a dû pour cela ajouter au texte : « et lorsque Jésus sortit »; cf. Ichoʿdad : « Et nous devons savoir que Jean dit que ce fut dans la maison d'Anne que Pierre renia quand Notre-Seigneur sortit pour aller dans la maison de Caïaphas enchaîné; et il regarda, comme il est dit, Siméon », etc. Le regard est d'après Lc. — Or Jo. ne dit rien de semblable. Ἦν δέ ne marque pas que Pierre se tenait là quand Jésus sortit, mais rappelle simplement la situation de Pierre, déjà indiquée (18), sans doute parce qu'elle s'était prolongée. Les gens qui se trouvaient là forment un sujet sous-entendu très naturel pour εἶπον (cf. XII, 2 etc.). La question est en harmonie avec celle de la portière (17), mais on dit αὐτοῦ au lieu de τοῦ ἀνθρώπου τούτου, ce qui marque encore mieux qu'en ce moment Jésus était le sujet de l'attention générale et de toutes les conversations. Dans la réponse de Pierre, au lieu de λέγει il y a ἠρνήσατο, qui est plus fort.

26) C'est, semble-t-il, au même moment qu'intervient un serviteur du grand prêtre, c'est-à-dire de Caïphe, même si le v. 24 n'est pas changé, puisque

ἀρχιερέως, συγγενὴς ὢν οὗ ἀπέκοψεν Πέτρος τὸ ὠτίον Οὐκ ἐγώ σε εἶδον ἐν τῷ κήπῳ μετ' αὐτοῦ; [27]πάλιν οὖν ἠρνήσατο Πέτρος· καὶ εὐθέως ἀλέκτωρ ἐφώνησεν.

[28]Ἄγουσιν οὖν τὸν Ἰησοῦν ἀπὸ τοῦ Καιάφα εἰς τὸ πραιτώριον· ἦν δὲ πρωΐ· καὶ αὐτοὶ οὐκ εἰσῆλθον εἰς τὸ πραιτώριον, ἵνα μὴ μιανθῶσιν ἀλλὰ

27. *om*. ο *a*. πετρος (THV) et non *add*. (S).

Caïphe vient d'y être nommé le grand prêtre, étant ainsi domestique de la même personne que son parent, domestique du grand prêtre (10), c'est-à-dire de Caïphe. Celui-là est plus sûr de son affaire; il parle toujours de Jésus comme d'une personne qu'il n'est pas nécessaire de nommer (μετ' αὐτοῦ), et comme pour appuyer l'insinuation des autres.

27) Comme Mt. XXVI, 74[b].

Les trois reniements de Pierre. Même si la scène racontée par Jo. s'est passée chez Caïphe, il reste certaines divergences entre les évangélistes sur les circonstances des trois reniements. D'après Mc. et Mt. c'est le second reniement qui eut lieu près de la porte : on reconnaîtra que le récit de Jo. est plus naturel, surtout parce qu'on ne sait où placer le troisième reniement dans Mc. et Mt. Lc. ne parle pas du vestibule, mais il suppose environ une heure entre le second et le troisième reniement. Cela ne cadre guère avec les termes de Jo., mais n'est pas tout à fait incompatible. On doit reconnaître que le parti pris de raconter à la suite les trois faits a dû influer sur la physionomie des circonstances chez les synoptiques. Il semble que Jo. ait voulu mettre les choses au point en montrant comment Pierre a pu entrer, et comment les reniements ont coïncidé avec le début de l'instruction. Lui-même a pu, pour en finir, rapprocher le troisième sans tenir compte du temps précis marqué par Lc. Ceux qui n'admettent dans les récits évangéliques que la précision la plus rigoureuse peuvent à leur gré admettre sept reniements. Nous nous contentons de l'accord substantiel des évangélistes sur trois. Car ce ne serait pas améliorer beaucoup la sûreté de la tradition que de dire avec Cajetan, Zahn, Simón, qu'on a compté de diverses manières parmi des reniements plus nombreux pour obtenir les trois reniements prophétisés.

En effet les paroles de Jésus sont formelles : il a prédit trois reniements et c'est bien ce qu'ont compris les évangélistes puisqu'ils ont tous le nombre de trois. Il faudra donc — puisqu'on n'oserait mettre en doute la prophétie du Sauveur — que les évangélistes l'aient mal comprise. Je préfère admettre qu'ils ont raconté l'histoire avec l'approximation qu'elle comporte lorsqu'il s'agit de détails minutieux, sans cesser pour cela d'être exacte. L'opinion des conservateurs ultra a été sévèrement jugée par Maldonat : *quidam in eum errorem* (*sic enim audacter appello*) *inducti sunt, ut Petrum saepius quam ter Christum negasse dicerent, et nonnulli quidem septies. Satius erat ignorantiam confiteri suam, quam et Petro et quatuor evangelistis, et Christo etiam ipsi facere iniuriam* (sur Mt. XXVI, 71). Je ne sais si l'on peut citer un seul auteur ancien pour cette étrange opinion. D'ailleurs si Jo. place les trois reniements dans le palais de

dont Pierre avait coupé l'oreille lui dit : Ne t'ai-je pas vu avec lui dans le jardin? » [27]Pierre nia donc de nouveau; et aussitôt un coq chanta.

[28]Ils amenèrent donc Jésus de chez Caïphe au prétoire; il était de très bonne heure; et eux n'entrèrent pas dans le prétoire, afin

Caïphe, comme nous le pensons, les divergences ne sont plus guère que des variations dans l'ordre des faits comme les exégètes les plus conservateurs les admettent couramment.

28-40. Jésus au tribunal de Pilate (première partie); (cf. Mc. xv, 1-14; Mt. xxvii, 1.2.11-22; Lc. xxiii, 1-4; 13-23).

Tandis que Jo. s'est borné à quelques mots sur la comparution de Jésus devant les Juifs sans même mentionner sa condamnation, il a repris pour son compte le procès devant Pilate. Ce n'est pas pour innocenter les Juifs qui ne se montrent pas moins ardents que dans les synoptiques à poursuivre la mort de leur compatriote devant un tribunal étranger. Les faits sont les mêmes : interrogatoire par Pilate, hésitations du gouverneur, la préférence donnée à Barabbas, la flagellation et le couronnement d'épines. Mais si Jo. n'a épargné au Christ aucun affront, ni aucune douleur, il a su donner à cette douleur humaine une incomparable majesté divine, sans s'écarter un seul instant des vraisemblances du sujet. Tout ce récit se tient, de xviii, 28 à xix, 16ª : nous ne le divisons que pour nous conformer à la division par chapitres.

28) Le sujet de ἄγουσιν c'est proprement l'escorte désignée par le sanhédrin, les agents de sa police, mais aussi les chefs eux-mêmes qui viennent poursuivre devant Pilate l'exécution de la condamnation qu'ils ont prononcée, comme on le comprendra à xix, 7. — οὖν pourrait à la rigueur ne rien signifier de précis, mais se comprend beaucoup mieux si ce qui précède a eu lieu dans la maison de Caïphe. Si ἀπὸ τοῦ Καιάφα était un renvoi au v. 24, les vv. 25-27 s'étant passés chez Anne, il y aurait eu lieu de reprendre le fil du récit et non de le continuer par un « donc ». — Le prétoire était la résidence du gouverneur quand il venait à Jérusalem, que les Pères Vincent et Abel inclinent à placer au palais d'Hérode (*Jérusalem,* t. II, p. 562 ss.); cf. *Comm.* Mc., p. 390 s.

πρωί probablement au lever du jour, vers 6 heures du matin; il eût été inconvenant de déranger le gouverneur plus tôt, mais les tribunaux romains ouvraient de bonne heure (*prima luce,* Sen. *de ira,* ii, 7; cf. Hor. *ep.* II, 1, 103).

Les Juifs ne veulent pas entrer pour ne pas se souiller. Et en effet, entrer dans la maison d'un païen c'était, non d'après la Loi, mais d'après la tradition consignée dans la Michna (*Ohal.* viii, 7), contracter une impureté de sept jours, comme si l'on avait touché un cadavre. Or, on devait manger la Pâque ce même soir.

Ces derniers mots du v. soulèvent la question si disputée du jour de la mort de Jésus. Le sens de Jo. est clair : les Juifs n'entrent pas afin de manger la Pâque, ce qu'ils n'auraient pu faire s'ils avaient contracté une impureté. Manger la Pâque, c'est manger l'agneau pascal : on était donc au matin du 14 nisan. Sur cette expression, cf. Mc. xiv, 12.14; Mt. xxvi, 17; Lc. xxii, 8.11.15; II Par.

xxx, 18; II Esdras vi, 21. C'est ainsi que l'entendait Tatien, du moins d'après le commentaire ou la citation libre d'Éphrem (*Moes.* 238) : *ne contaminarentur, ut prius ederent agnum in sanctitate.* De même Clém. d'Al. (*De pasch.* éd. Stählin, iii, 217, 5). L'intention de Jo. d'indiquer ce jour est confirmée par xiii, 1. 29; xix, 14.

Quelques-uns cependant, dans le dessein de concilier Jo. avec les synoptiques où Jésus a déjà mangé la Pâque avec ses disciples, soutiennent que l'expression de Jo. peut s'entendre de manger les azymes, comme on faisait le 15 nisan et les jours suivants (encore *Zahn, Till.*). Ils peuvent alléguer : *a*) le texte de *syrsin.* qui est « manger les azymes ».

— Mais ce ms. a toujours traduit πάσχα de la sorte dans Jo. lorsqu'il n'est pas lacuneux (xviii, 39; xix, 14) et dans xi, 55 où rien ne représente le mot pâque. Il est donc assuré qu'ici encore il lisait πάσχα, et sa traduction ne vaut que pour l'opinion du traducteur, qui n'a pas grande portée. La seule question est de savoir s'il a toujours mis *azymes* parce que la fête avait un double nom, ou si, voulant concilier Jo. avec les synoptiques, il a dès le début et consciemment choisi ce terme dans ce but : dans Mc. xiv, 1 et Mt. xxvi, 2, il a « la Pâque ».

b) On lit dans II Chr. xxx, 22 : « ils mangèrent la fête durant sept jours », donc à plus forte raison la Pâque. — Mais c'est là une absurdité du texte massorétique (ויאכלו pour ויכלו, grec : συνετέλεσαν) absurdité telle que la pes. et la vg. tout en conservant « ils mangèrent » ont omis la fête. On ne peut donc arguer ni du texte, ni des versions, comme témoins d'une pareille façon de parler (contre l'instance de Zahn).

c) On employait le mot pâque pour signifier les sept jours des azymes, comme le prouve la Michna (*Pesakhim,* ix, 5), qui distingue la Pâque des Égyptiens, c'est-à-dire le premier jour, et les autres jours, qu'on nommait la Pâque des générations. — Il est vrai, mais le texte ne dit pas qu'on mangeât la seconde! « La Pâque des Égyptiens fut... mangée en hâte en une nuit, et la Pâque des générations fut pratiquée (*noheg*) durant sept jours. » On a évité l'alliance des mots « manger la Pâque », aussitôt qu'ils ne pouvaient plus s'entendre de la manducation de l'agneau.

D'ailleurs si les Juifs avaient seulement voulu manger les azymes, ils n'auraient pas tellement craint de se souiller, car on ne voit pas qu'il ait été interdit de manger les azymes en pareil cas (Dalman, *Jesus-Jeschua,* p. 81). Le sens de Jo. n'est donc absolument pas douteux. Mais parmi ceux qui l'entendent comme nous, il en est beaucoup (*Dalman, Bauer,* récemment après tant d'autres) qui ne lui reconnaissent aucune valeur historique. Jo. aurait déplacé le jour marqué par les synoptiques pour obtenir un symbolisme déjà proposé par saint Paul : ὁ πάσχα ἡμῶν ἐτύθη Χριστός (I Cor. v, 7), et que Jo. avait sûrement en vue dans xix, 36. — Mais si Paul a pensé que la ressemblance était fondée sur la mort du Christ le 14 nisan, il est donc pour Jo. un appui décisif; s'il s'est contenté d'une approximation, pourquoi Jo. aurait-il été plus exigeant? Il ne dit nulle part que Jésus est mort ce jour-là pour accomplir une Écriture, mais simplement en passant il fait allusion à une circonstance qui compliqua la discussion entre Pilate et les Juifs. En fait le procès n'eût même pu avoir lieu un jour férié, comme était le premier jour des Azymes. Si bien que plusieurs critiques très indépendants (*Wellhausen, Heitmüller,* etc.) admettent la parfaite véracité de Jo. On a même relevé chez les synoptiques des indices que le jour de la Passion n'était pas férié : le port des armes, Simon le Cyrénéen venant des champs, les achats faits en vue de la sépulture. — M. Dalman (*Jesus-Jeschua,* p. 86 ss.) a réponse à tout, et relève çà et là dans la littérature rabbinique des dérogations analogues; de toute façon, ajoute-t-il, nous devons aussi reconnaître des illégalités dans le procès; tout s'excusait par la raison d'état, que les Rabbins nomment « ce qu'exige l'heure ».

Il faut cependant distinguer entre des illégalités connues des Juifs seuls, et qu'ils ne se seraient pas reprochées entre eux, puisque le très grand nombre marchait d'accord, — et une illégalité flagrante, un renversement de toute coutume, comme un procès capital tenu le jour de Pâque. Ainsi la Michna défend (*Sanh.* IV, 1) de faire un procès capital « la veille du sabbat ou d'une fête », sans doute parce qu'on risquait de ne finir que le sabbat étant déjà commencé; à la rigueur on eût pu éviter ce risque en prenant ses précautions, mais on voulait couper court. Car c'est un principe presque de droit naturel que les tribunaux restent fermés les jours fériés. Les Juifs qui n'avaient pas de procès le jour du sabbat (PHILON, *De migr. Abrah.* 91; M. I, 450), et avaient obtenu des Séleucides qu'on ne les poursuivît pas les jours de fête et les sabbats (I Macch. x, 34 ss.), avaient encore obtenu d'Auguste de n'être point obligés à comparaître en justice le jour du sabbat, même pour donner caution (Jos. *Ant.* XVI, VI, 8). La fête de Pâque était certainement chômée (Ex. XII, 16). Conçoit-on que les chefs de la nation aient étalé devant Pilate, qui les serrait de près, un pareil mépris de leur loi et de leurs privilèges? Et si l'on laisse les textes de côté, il faut peser l'effet produit parmi le peuple, accouru de toutes les parties du monde, on peut dire, mais surtout de la terre sainte, pour célébrer en paix et en joie la fête de la délivrance. Non, une pareille exécution devait être renvoyée après Pâques (Act. XII, 4) ou rapidement enlevée avant (Mt. XXVI, 5). Aucune argutie tirée des textes ne peut tenir contre une pareille impossibilité morale. Bauer allègue la part prise par les Juifs au martyre de saint Polycarpe, un jour de grand sabbat le 23 février 155. Mais on voit seulement (XIII, 1) qu'ils se joignirent avec ardeur à la démonstration hostile de la foule, sans qu'on puisse dire d'ailleurs ce que signifiait « le grand sabbat » de ce jour.

Nous tenons donc les allusions de Jo. comme un indice très certain de sa valeur historique. La principale difficulté de Bauer et des autres, c'est la divergence des synoptiques : comment la tradition du repas pascal de Jésus serait-elle née si elle n'était véridique? Mais Jo. ne l'a pas non plus combattue. Nous admettons la réalité du caractère pascal du repas des synoptiques; seulement il ne nous paraît pas impossible qu'un groupe donné ait célébré la Pâque la veille du jour officiel. Pour les chefs de la nation, spécialement pour les Pharisiens, il importait beaucoup que tout se fasse strictement selon la Loi, quand leurs personnes étaient en jeu. Mais ne pouvaient-ils tolérer un autre usage en faveur des Galiléens? Naturellement ils ne l'auraient jamais approuvé comme légal, et c'est pourquoi il n'y en a pas de traces dans la jurisprudence, mais le grand nombre des assistants a pu le rendre nécessaire; cf. *Comm Mc.*, p. 330 ss.

φάγωσιν τὸ πάσχα. [29] ἐξῆλθεν οὖν ὁ Πιλᾶτος ἔξω πρὸς αὐτοὺς καί φησιν Τίνα κατηγορίαν φέρετε τοῦ ἀνθρώπου τούτου; [30] ἀπεκρίθησαν καὶ εἶπαν αὐτῷ Εἰ μὴ ἦν οὗτος κακὸν ποιῶν, οὐκ ἄν σοι παρεδώκαμεν αὐτόν. [31] εἶπεν οὖν αὐτοῖς ὁ Πιλᾶτος Λάβετε αὐτὸν ὑμεῖς, καὶ κατὰ τὸν νόμον ὑμῶν κρίνατε αὐτόν. εἶπον οὖν αὐτῷ οἱ Ἰουδαῖοι Ἡμῖν οὐκ ἔξεστιν ἀποκτεῖναι οὐδένα·

29. *om.* κατα *p.* φερετε (TH) plutôt que *add.* (SV).
31. ο *a.* πιλατος (TSV) plutôt que *om.* (H); — ουν *p.* ειπον (TSV) plutôt que *om.* (H).

---

29) Le lecteur est censé savoir que le prétoire est le siège du gouvernement et que le gouverneur se nomme Pilate. Qui l'ignorait parmi les chrétiens, surtout parmi les lecteurs des synoptiques? Pilate, à cette heure, devait être au courant de la part prise à l'arrestation par des soldats romains, et sans doute de la procédure qu'on avait déjà suivie. Il a dû s'informer, ne fût-ce qu'en apprenant l'arrivée des Juifs, au moment où ils l'ont envoyé prier de ne pas les obliger à entrer dans le prétoire. Il ne veut pas les y contraindre. Quoiqu'il ait eu personnellement la main assez dure dans certains cas, l'esprit du gouvernement de Rome était de ne pas froisser les sentiments religieux des populations. Mais il n'était pas pour cela obligé d'obéir à toutes les fantaisies des Juifs. Il devait d'abord poser la question juridique indispensable sur l'objet de la poursuite, question officielle qui ne décèle rien de ce qu'il savait ou croyait savoir.

30) On interprète assez souvent (*Bauer*, *Loisy*) la réponse comme une insolence. Si nous l'amenons, c'est qu'il est coupable! Mais Pilate n'avait pas dit qu'il en doutât, et une impolitesse eût tout gâté, car les Juifs essaient d'abord de l'amener à leurs fins. D'autres (*Knab.*) voient là une quasi sommation à Pilate de faire exécuter leur condamnation : mais Jo. n'en a pas parlé, et il n'est pas de la bonne méthode de faire violence à son texte pour le mettre d'accord explicitement avec les synoptiques. Nous pensons que les Juifs, désireux de faire marcher Pilate, mais sans l'offenser, affectent plutôt un air patelin. Noter le παρεδώκαμεν. Ce n'était guère l'usage que les Juifs fissent condamner un des leurs : il fallait qu'il fût bien coupable! Ils avaient dû dompter leurs répugnances. Mais enfin c'était leur devoir.

31) On comprend ainsi très bien la riposte de Pilate, peut-être un peu goguenard à son tour. En somme on ne l'a pas avisé que ce fût une cause capitale. Si ce n'est pas le cas, ils n'ont qu'à procéder eux-mêmes. « Très touché de votre scrupule; mais je ne veux pas abuser de votre bonne volonté »! Si c'est la mort qu'ils veulent, et si Pilate a appris la condamnation déjà portée, sa réserve n'en a que plus de saveur ironique. Le procurateur ne veut pas qu'on l'accuse d'attirer à son tribunal toutes les affaires surtout celle-ci dont il doit flairer le côté religieux.

— Les Juifs — enfin nommés — c'est-à-dire les chefs de la nation, grands prêtres et Pharisiens, sont débusqués. Ils ne veulent pas avouer qu'ils ont déjà fait le procès et à tout le moins instruit la cause, mais ils le laissent entendre

de ne se point souiller, mais de manger la Pâque. [29]Pilate sortit donc vers eux au dehors et dit : « Quelle accusation portez-vous contre cet homme? » [30]Ils répondirent et lui dirent : « Si ce n'était un malfaiteur, nous ne te l'aurions pas livré. » [31]Pilate leur dit : « Prenez-le vous-mêmes, et jugez-le selon votre loi. » Les Juifs donc lui dirent : « Il ne nous est pas permis de mettre à mort

sans trop se compromettre, car ils savaient du moins que le crime, s'il était prouvé, entraînait la peine capitale. Ils confessent donc qu'ils ont perdu le droit de vie et de mort. Jo. est le seul à le dire aussi clairement, mais les synoptiques le supposent, et le Talmud l'avoue (*jer. Sanhedrin,* I, 1 et VII, 2). On ne voit pas comment ils l'auraient conservé, puisqu'il appartenait au procurateur (Jos. *Bell.* II, VIII, 1; *Ant.* XX, IX, 1). A tout le moins ne pouvaient-ils exécuter une sentence de mort sans son assentiment. Mommsen regarde ce point comme acquis (*Röm. Strafrecht,* p. 240 et *ZnT. W,* 1902, p. 199), comme aussi *Schürer* (II, p. 261). Il faudrait donc savoir gré à Jo. d'avoir fourni sur cette question la formule la plus nette. Cependant Loisy lui impute une confusion : « Cette parole ne signifie pas, comme on l'admet volontiers, que le sanhédrin n'a pas le droit de faire exécuter de sentences capitales sans la ratification du procurateur, mais qu'il n'a pas le droit d'en porter » (p. 467). C'est bien vite dit, car le texte parle de « mettre à mort ». Mais au fond la nécessité de la ratification excluait le droit de porter une sentence définitive, car le gouverneur n'était pas une machine à signer, donnant un simple visa sur le vu d'une sentence légale : « Il va de soi qu'il n'exerçait pas ce droit sans s'être mis au courant par lui-même de la question de culpabilité » (*Mommsen* l. l.). De sorte qu'en réalité le droit ou le prétendu droit de porter une condamnation était rendu d'avance inopérant. Il est simplement faux de dire que Jo. « parle conformément à l'état légal des temps postérieurs à la ruine de Jérusalem où les Juifs... n'ont pas de tribunaux civils dont les jugements aient une valeur quelconque » (*Loisy,* p. 467). Jo. sait très bien que les Juifs peuvent juger dans une certaine mesure, puisque Pilate leur offre de le faire; mais ils s'adressent au gouverneur parce qu'ils veulent un arrêt de mort exécutable que seul il peut rendre.

M. Juster n'ose rejeter tout à fait la nécessité d'une confirmation, mais il pose le dilemme (*Les Juifs dans l'empire romain,* t. II, p. 137) : ou le crime était religieux, le Sanhédrin seul compétent, l'exécution selon les formalités juives de la lapidation : ou bien le crime était politique, crime de sédition dont seul le procurateur devait connaître. — Cette intransigeance juvénile oppose deux droits absolus sans tenir compte des faits concrets. Les Juifs ne pouvaient intenter qu'un procès religieux, et c'est ce qu'ils ont fait. Pilate qui s'en doute les prie de s'en tirer seuls. Mais ils ne peuvent faire l'exécution sans sa permission, et lui, cela va de soi, comme dit Mommsen, doit s'assurer que Jésus est coupable. Alors, très adroitement, et cela était nécessaire, les Juifs transforment leurs propres griefs en une accusation qui obligera le Procurateur à condamner. C'est sur quoi sont d'accord les quatre évangélistes. Loisy dit encore : « Inutile

[32] ἵνα ὁ λόγος τοῦ Ἰησοῦ πληρωθῇ ὃν εἶπεν σημαίνων ποίῳ θανάτῳ ἤμελλεν ἀποθνήσκειν. [33] Εἰσῆλθεν οὖν πάλιν εἰς τὸ πραιτώριον ὁ Πιλᾶτος καὶ ἐφώνησεν τὸν Ἰησοῦν καὶ εἶπεν αὐτῷ Σὺ εἶ ὁ βασιλεὺς τῶν Ἰουδαίων; [34] ἀπεκρίθη Ἰησοῦς Ἀπὸ σεαυτοῦ σὺ τοῦτο λέγεις ἢ ἄλλοι εἶπόν σοι περὶ ἐμοῦ; [35] ἀπεκρίθη ὁ Πιλᾶτος Μήτι ἐγὼ Ἰουδαῖός εἰμι; τὸ ἔθνος τὸ σὸν καὶ οἱ ἀρχιερεῖς παρέδωκάν σε ἐμοί· τί ἐποίησας; [36] ἀπεκρίθη Ἰησοῦς Ἡ βασιλεία ἡ ἐμὴ οὐκ ἔστιν ἐκ τοῦ κόσμου τούτου· εἰ ἐκ τοῦ κόσμου τούτου ἦν ἡ βασιλεία ἡ ἐμή, οἱ ὑπηρέται οἱ ἐμοὶ ἠγωνίζοντο ἄν,

34. ειπον σοι (H) ou σοι ειπον (TSV).
36. η βασιλεια η εμη 2° (THV) plutôt que η εμη βασιλεια (S).

---

de noter que, pour un cas réel, ni les autorités juives ni Pilate n'auraient eu besoin de se rappeler mutuellement l'objet de leur compétence » (p. 467). Sans doute, mais la compétence dépendait d'un fait, la gravité de l'accusation, et c'est sur quoi Pilate ne pouvait être fixé que par les Juifs. Et enfin n'arrive-t-il pas souvent qu'on plaide devant un tribunal sur sa compétence?

32) Les Romains, en privant la Palestine de son autonomie, avaient dû lui enlever ce qu'on nomma depuis le *jus gladii*. Même quand elle était autonome, Auguste n'avait pas permis à Hérode de mettre à mort ses enfants, et cela après des procédures en apparence régulières (Jos. *Bell.* I, xxvii, 1; *Ant.* XVI, xi, 1; XVII, v, 8; XVII, vii, 1, *Mom.*). Sans doute le droit ne pouvait empêcher des explosions de fureur populaire, et Jo. le savait aussi, puisqu'il a montré les Juifs se disposant à lapider Jésus (x, 31 ss.). Mais jamais jusqu'à présent Dieu n'avait permis qu'ils exécutassent leurs mauvais desseins. Le parti qu'ils prirent de suivre les voies légales leur réussit; il devait aboutir à la crucifixion. Mais en cela, ils ne faisaient qu'accomplir une prophétie de Jésus. Mourant de leur main, il eût été lapidé comme Étienne (Act. vii, 58). Pilate le condamnant comme séditieux devait le crucifier. Or c'est bien ce que Jésus avait annoncé quoique en termes voilés, lorsqu'il parlait de son élévation (iii, 14; xii, 31 s). — Dans ἵνα le sens final est très atténué.

33) On trouve étrange (*Bauer, Loisy*) que Pilate, en bon juge, n'ait pas fait une confrontation entre l'accusé et ses accusateurs. Il le leur présentera (xix, 4) en effet, mais il lui est bien permis d'interroger Jésus seul, afin qu'il parle plus librement. Quoique les Juifs n'aient pas montré beaucoup d'entrain à répondre à sa première question sur leur grief, nous n'avons pas interprété cette réponse comme un refus, mais plutôt comme un gémissement hypocrite qui ne les empêchait pas de revenir à la charge. La question de Pilate à Jésus suppose qu'en effet les Juifs ont donné au procès le motif qui devait exciter un Romain à sévir, la prétention énoncée par l'accusé de rétablir à son profit la royauté juive. Jo. se trouve ici en parfait accord avec les synoptiques, et suppose en particulier Lc. xxiii, 2. — εἰσῆλθεν avec πάλιν ne veut pas dire que Pilate entre de nouveau, mais qu'il rentre. Cette particule, très usitée par Mc. et par

personne. » [32]Afin que fût accomplie la parole que Jésus avait dite en indiquant de quel genre de mort il devait mourir. [33]Pilate rentra donc dans le prétoire et appela Jésus et lui dit : « Tu es le roi des Juifs? » [34]Jésus répondit : « Dis-tu cela de toi-même, ou si d'autres te l'ont dit de moi? » [35]Pilate répondit : « Est-ce que je je suis juif, moi? Ta nation et les grands prêtres t'ont livré à moi ; qu'as-tu fait? » [36]Jésus répondit : « Le royaume qui est le mien n'est pas de ce monde ; si mon royaume était de ce monde,

Jo. n'a pas toujours dans ce dernier un sens très précis; cf. xiv, 3; xvi, 28.

34) D'après les synoptiques, Jésus répond à la même question affirmativement; puis il se tait. Ce silence est d'une grande beauté, et on le trouve aussi dans Jo. xix, 9. Il faut avouer cependant que la question, posée par un Romain, était ambiguë, que la réponse affirmative pouvait être mal interprétée, et l'on peut estimer que, sans discuter avec le gouverneur sur l'origine de son droit, Jésus se devait à lui-même de ne pas se laisser regarder de son aveu comme un agitateur révolutionnaire. Pour cela, il fallait distinguer le roi des Juifs au sens romain, que Jésus n'était pas, et le roi-Messie envoyé par Dieu avec une mission spirituelle. Le premier pas vers cette distinction était de savoir de qui venait l'accusation et la question. C'est donc ce que Jésus demande à Pilate. Il ne se pose pas en « juge de son juge », mais il parle « comme un accusé qui voudrait s'instruire des faits concernant sa cause ». Les deux expressions sont de Loisy (p. 468) : la seconde corrige la première et atteint le sens de Jo. Il n'a pas prêté cette question à Jésus pour rejeter le tort sur les Juifs (*Bauer*), mais simplement Jésus prélude aux explications qu'il aura à donner.

35) Pilate ne trouve pas la question de son goût, car Jésus devait bien se douter que le grief venait des Juifs. Lui-même, les oreilles encore rebattues de ce qu'ils lui ont dit, leur en renvoie la responsabilité. Jésus se disait Roi-Messie. Pilate aurait-il de lui-même inventé ce grief? Est-il Juif pour être au courant? Oui, ce sont les grands prêtres et même toute la nation qui a livré Jésus. Le voilà instruit de ce qu'il voulait savoir. Peu importe la source de l'accusation : au fait!

36) Loisy : « Le Christ... va, conformément aux habitudes des dialogues johanniques, s'étendre en considérations profondes sur sa royauté » (p. 469). Profondes, les pensées le sont, c'était dans la nature des choses; mais la défense a ses droits et même ses devoirs. Ce que dit Jésus devait détruire aux yeux de Pilate l'idée d'une royauté révolutionnaire : sa royauté à lui n'est pas de ce monde. On ne dira pas que Jo. insère ici une de ses idées favorites : le mot de βασιλεία ne se trouve dans l'évangile qu'ici et iii, 3. 5; il n'est pas dans les épîtres. Jésus ne dit pas que sa royauté ne doit pas s'exercer sur ce monde, mais qu'elle n'en vient pas; elle vient de plus haut : d'en haut. Il ne s'en vante pas à Pilate, car il ne fait pas des « considérations » sur sa royauté; il se contente de se défendre. Aussi se borne-t-il à une constatation bien simple. S'il avait des prétentions à régner, il aurait des partisans qui auraient combattu pour lui. Le

ἵνα μὴ παραδοθῶ τοῖς Ἰουδαίοις· νῦν δὲ ἡ βασιλεία ἡ ἐμὴ οὐκ ἔστιν ἐντεῦθεν. [37]εἶπεν οὖν αὐτῷ ὁ Πιλᾶτος Οὐκοῦν βασιλεὺς εἶ σύ; ἀπεκρίθη ὁ Ἰησοῦς Σὺ λέγεις ὅτι βασιλεύς εἰμι. ἐγὼ εἰς τοῦτο γεγέννημαι καὶ εἰς τοῦτο ἐλήλυθα εἰς τὸν κόσμον ἵνα μαρτυρήσω τῇ ἀληθείᾳ· πᾶς ὁ ὢν ἐκ τῆς ἀληθείας ἀκούει μου τῆς φωνῆς. [38]λέγει αὐτῷ ὁ Πιλᾶτος Τί ἐστιν ἀλήθεια; Καὶ τοῦτο εἰπὼν πάλιν ἐξῆλθεν πρὸς τοὺς Ἰουδαίους, καὶ λέγει αὐτοῖς Ἐγὼ οὐδεμίαν εὑρίσκω ἐν αὐτῷ αἰτίαν. [39]ἔστιν δὲ συνήθεια ὑμῖν ἵνα ἕνα ἀπολύσω ὑμῖν ἐν τῷ πάσχα· βούλεσθε οὖν ἀπολύσω ὑμῖν τὸν βασιλέα τῶν Ἰουδαίων; [40]ἐκραύγασαν οὖν πάλιν λέγοντες Μὴ τοῦτον ἀλλὰ τὸν Βαραββᾶν. ἦν δὲ ὁ Βαραββᾶς λῃστής.

39. απολυσω υμιν (THV) plutôt que υ. α. (S).

---

geste de Pierre pouvait paraître négligeable, d'autant que Jésus l'avait désavoué. Il est cependant étonnant qu'il nomme « les Juifs » comme ses adversaires, puisqu'il est accusé de s'être dit le roi des Juifs. Mais cela même montre l'inanité de l'accusation : un roi des Juifs, celui qui n'a pas même de partisans résolus à empêcher qu'on ne le livre aux Juifs, ses ennemis! — ὑπηρέται, nous l'avons vu (vii, 32. 45; xviii, 3. 10) n'est pas synonyme de δοῦλος « domestique », et désigne des agents, ordinairement d'un ordre inférieur, mais cependant aussi les aides de camp d'un général (Xén. *Cyr.* II, iv, 4). Il y a là une simple comparaison avec l'ordre humain; Jésus ne fait pas allusion à des serviteurs célestes comme seraient les anges de Mt. xxvi, 53. — νῦν δέ sous-entendu : qu'ils n'ont pas combattu.

37a) Pilate : « Enfin, tu es tout de même roi? » Le juge d'instruction s'aperçoit déjà que l'accusé est un rêveur peu redoutable. Pourquoi tient-il à son idée, qui pourrait lui causer du désagrément? Ironique, avec un peu de pitié et une plus forte dose de mépris, Pilate n'est pas fâché de montrer à l'accusé que sa question à lui n'était pas si mal posée, et qu'une distinction chimérique n'empêcherait pas les suites d'un aveu déplorable : il serait temps pour le prévenu d'y réfléchir. — οὐκοῦν avec l'interrogation dans une argumentation suivie (Épict. I, 7, 6, etc.) : « Est-ce qu'il n'en résulte pas? » Et non pas, sans interrogation : « tu n'es donc pas roi », car Jésus a plutôt concédé que nié, et il va avouer.

37b) Cette fois Jésus reconnaît qu'il est roi, et même en termes plus exprès que dans les synoptiques. Mais puisque Pilate n'a pas compris le sens de cette royauté, et en effet Jésus n'en avait donné qu'une notion négative, il dit en quoi elle consiste : dans la mission qu'il a reçue de révéler la vérité. Il n'y avait rien là qui n'eût une amorce dans les prétentions des sages du temps. Les stoïciens avaient posé en principe que les sages étaient rois et même les seuls rois (d'Arnim, *Stoic. vet. fragm.*, III, p. 158 ss.), et Philon n'avait pas manqué de retenir ces termes (*de nom. mut.* § 152; *de migr. Abrah.* § 197.) Jésus était aussi venu pour donner la vie (x, 10); s'il met surtout ici en relief la vérité, c'est

mes satellites auraient combattu, afin que je ne fusse pas livré aux Juifs; mais maintenant mon royaume n'est pas d'ici. » [37] Pilate donc lui dit : « Alors tu es roi tout de même? » Jésus répondit : « Tu le dis; je suis roi. Je suis né pour ceci, et je suis venu dans le monde pour ceci : rendre témoignage à la vérité; quiconque procède de la vérité écoute ma voix. » [38] Pilate lui dit : « Qu'est-ce que la vérité ? » Et sur ces mots il sortit de nouveau vers les Juifs, et il leur dit : « Pour moi je ne trouve en lui aucun motif [de condamnation]. » [39] Mais c'est une de vos coutumes que je vous délivre quelqu'un à l'occasion de la Pâque : voulez-vous donc que je vous délivre le roi des Juifs? » [40] Alors ils crièrent de nouveau, disant : « Non pas lui, mais Barabbas. » Or Barrabas était un brigand.

peut-être que cette idée, moins mystique, était plus accessible à un Romain. — Les termes sont johanniques, cela va sans dire. — « Je suis né », dans ce contexte, ne peut s'entendre que de la naissance humaine, de sorte que « je suis venu dans le monde » n'imposait pas la croyance à une origine divine, mais indique plutôt le ministère public. « Rendre témoignage à la vérité » comme v, 33, cf. III, 32. — Révéler la vérité était encore une manière de se faire des partisans et de créer un royaume, composé des amis de la vérité. Jo. dit : « qui sont de la vérité » à cause de l'influence divine qui agit sur eux : s'ils vont à la vérité, c'est qu'ils en viennent (I Jo. III, 19). Il y avait là moins une allusion à ses disciples, devenus ainsi ses sujets, qu'une invitation discrète à écouter des paroles de vérité.

38) C'est bien ce que comprend Pilate; ce n'est pas la première fois qu'il rencontre un de ces sages qui ont seuls le secret de la vérité. Il n'a pas eu confiance dans leurs recettes. Et il serait plaisant que ce Juif fût mieux informé qu'eux tous. Le scepticisme spéculatif du Romain qui n'est qu'administrateur a-t-il jamais trouvé une expression plus naturelle? Il n'en a pas moins des devoirs de magistrat. Dans ce cas ils étaient clairs. Jésus était peut-être une sorte de philosophe, un juif semblable aux cyniques ambulants qui prêchaient la bonne doctrine; il était peut-être un illuminé : dans les deux cas il ne relevait pas de son tribunal. Pour ce qui me concerne, dit-il, je ne trouve rien.

39-XIX, 6. On a regardé comme une addition rédactionnelle XVIII, 39-XIX, 6 (*Schwartz, Wellh.*, *Loisy*), parce qu'au v. 6 de XIX nous sommes au même point : le rédacteur aurait voulu se rapprocher de la tradition synoptique. — Réponse : il aurait donc mis les faits dans le même ordre, et il serait trop commode pour un greffier de retrancher d'un procès les incidents qui ramènent le magistrat à son point de départ : c'est un cas désagréable, mais très fréquent. Aussi bien les distingués critiques ont-ils méconnu la péripétie suprême du drame, le point vers lequel tout converge.

39) Le raisonnement de Pilate n'est pas très juridique. Si le prévenu ne lui paraît pas coupable, il n'a qu'à le relâcher. Mais il prend au sérieux, ou il feint

de prendre au sérieux, le zèle des Juifs qui croient Jésus coupable, et se sont crus obligés de le lui livrer (30). Alors, pour qu'il ne soit plus question de rien, il suggère une solution qui arrangera tout. Sur cette coutume et son caractère juridique, cf. *Comm. Mc.* xv, 6. D'après Mc. c'est la foule qui a pris les devants. Cela est très vraisemblable, et Pilate n'avait pas à faire connaître aux Juifs une coutume sans doute très populaire; mais Jo. lui a laissé la parole pour résumer plus rapidement un épisode sur lequel avaient insisté les synoptiques. Il a peut-être emprunté à Mc. « le roi des Juifs ». Ce titre n'était pas pour plaire à la hiérarchie, appliqué à un homme qu'elle avait dénoncé, mais enfin c'était le grief allégué; comme la foule était arrivée, Pilate a peut-être pensé lui faire plaisir à elle. Jo. de même que Mc. et Lc. se garde bien de faire proposer par Pilate le choix entre Jésus et Barabbas (Mt.).

40) Ce sont les grands prêtres d'après Mc. qui détournent le coup en proposant Barabbas. Jo. va au plus court. Le πάλιν se rapporte difficilement au v. 30. Il suppose que la foule a déjà crié, comme dans Mc. xv, 13. Barabbas est désigné d'un mot, en harmonie avec Lc. xxiii, 18, où il est qualifié de meurtrier.

CHAPITRE XIX

[1] Τότε οὖν ἔλαβεν ὁ Πιλᾶτος τὸν Ἰησοῦν καὶ ἐμαστίγωσεν. [2] καὶ οἱ

1. ελαβεν ο Πιλατος et και *p.* Ιησουν (THV) et non ο Πιλατος λαβων *om.* και (S).

---

[1] Alors donc Pilate prit Jésus et le fit flageller. [2] Et les soldats

1-16ᵃ Jésus au tribunal de Pilate (deuxième partie); (cf. Mc. xv, 15.16-20ᵃ; Mt. xxvii, 26.27-31ᵃ; Lc. xxiii, 4-5; 13-16; 20-23).

Tout ce passage est fort maltraité par certains critiques : « Qu'un tel procédé soit peu conforme aux habitudes de la justice romaine, au caractère de Pilate, aux vraisemblances du cas, il est à peine besoin de le remarquer » (*Loisy*, p. 473). « Tableau sans aucune vraisemblance » (p. 474). « La fiction ne tient pas debout » (475). — Nous aurions préféré quelques preuves tirées des usages antiques à cet appel au bon sens du lecteur, appuyé seulement sur les prétendus thèmes johanniques : « on ne se moque pas du Christ johannique » (p. 468) etc.

La vraie et la seule difficulté pour l'exégète catholique, c'est que dans Mc. et Mt. l'ordre des faits n'est pas le même. On doit nécessairement opter. Nous dirons les raisons qui rendent l'ordre de Jo. vraisemblable dans ce cas particulier. C'est l'avis d'Augustin (*De cons.* III, ix) : *unde isti* (Mc. et Mt.) *quod praeterierant recoluerunt*. En revanche on verra que Jo. se rapproche de Lc.

1) Jo. emploie μαστιγόω au lieu du latinisant φραγελλόω de Mc. xv, 15; Mt. xxvii, 26, mais évidemment dans le même sens; c'était d'ailleurs le terme des synoptiques dans la prédiction sur la flagellation qui devait précéder la crucifixion de Jésus (Mc. x, 34; Lc. xviii, 33; Mt. xx, 19). Dans Mc. et Mt. la flagellation suit la condamnation, et tel était en effet l'ordre accoutumé. On pourrait donc croire que Jo. a anticipé ce fait, pour le raconter (comme ont fait Mc. et Mt.) avant le couronnement d'épines, si nous ne trouvions dans Lc. xxiii, 16 un indice des intentions de Pilate de châtier Jésus sans le mettre à mort, pour donner une satisfaction à ses accusateurs sans violer trop sa propre conscience. Évidemment ce n'eût pas été selon les principes de la « justice romaine », mais parfaitement conforme à l'arbitraire dont usaient les magistrats romains envers les sujets de Rome. Pilate lui-même avait machiné une violence autrement grave, dont il ne se désista que devant l'énergie des Juifs qui l'auraient conduit à une véritable boucherie (*Bell.* II, ix, 3); il ne fut même pas toujours si modéré (*Ant.* XVIII, iv, 1). Dans le cas présent il se disait, d'après Jo. comme d'après Lc., qu'il sévissait contre Jésus dans son intérêt. S'il y a là quelque

στρατιῶται πλέξαντες στέφανον ἐξ ἀκανθῶν ἐπέθηκαν αὐτοῦ τῇ κεφαλῇ, καὶ ἱμάτιον πορφυροῦν περιέβαλον αὐτόν, [3]καὶ ἤρχοντο πρὸς αὐτὸν καὶ ἔλεγον Χαῖρε, ὁ βασιλεὺς τῶν Ἰουδαίων· καὶ ἐδίδοσαν αὐτῷ ῥαπίσματα. [4]Ἐξῆλθεν πάλιν ἔξω ὁ Πιλᾶτος καὶ λέγει αὐτοῖς Ἴδε ἄγω ὑμῖν αὐτὸν ἔξω, ἵνα γνῶτε ὅτι οὐδεμίαν αἰτίαν εὑρίσκω ἐν αὐτῷ. [5]ἐξῆλθεν οὖν ὁ Ἰησοῦς ἔξω, φορῶν τὸν ἀκάνθινον στέφανον καὶ τὸ πορφυροῦν ἱμάτιον. καὶ λέγει αὐτοῖς Ἰδοὺ ὁ ἄνθρωπος. [6]ὅτε οὖν εἶδον αὐτὸν οἱ ἀρχιερεῖς καὶ οἱ ὑπηρέται ἐκραύγασαν λέγοντες Σταύρωσον σταύρωσον. λέγει αὐτοῖς ὁ Πιλᾶ-

4. εξηλθεν (T) plutôt que και εξηλθεν (H) et non εξηλθεν ουν (SV).

---

chose de contraire au caractère de Pilate, tel que l'a dépeint Philon (*Legat. ad Caium*, M. II, p. 599), c'est qu'il se montre trop respectueux de la justice. Mais son impression sur la non-culpabilité est un trait attesté pour cette fois par les trois synoptiques, et Jo. coïncide avec Lc. sur la triple déclaration de Pilate qu'il ne voit pas de motif de punir Jésus de mort (Lc. XXIII, 4.14.16; Jo. XVIII, 38; XIX, 6.12). Pilate en effet ne paraît pas avoir été cruel par goût. Il avait la main dure quand il croyait la répression nécessaire; mais ce n'était pas le cas à propos de Jésus. Il ne voyait en lui qu'une victime de la haine des Juifs qu'il détestait et qui prétendaient lui faire porter la responsabilité d'une condamnation injuste, et surtout ridicule, comme si l'on pouvait prendre au sérieux un pauvre illuminé.

Cependant ce serait lui imputer trop de maladresse et même de la niaiserie que d'interpréter la flagellation comme un appel à la compassion des Juifs dirigeants. Il se serait étrangement trompé sur leurs sentiments, et l'on voit dans toutes ces scènes qu'il ruse avec les chefs de la nation. Leur donner une certaine satisfaction, c'était dans sa pensée imposer une limite à leurs exigences.

2) Contrairement aux synoptiques, Jo. place aussi le couronnement d'épines avant la condamnation. Mais cette fois on peut dire que la vraisemblance est de son côté. La scène n'est pas provoquée par Pilate; elle est toute spontanée : les soldats s'amusent parce qu'ils sont oisifs. Après la condamnation, il n'y avait plus qu'à exécuter la sentence, comprenant ordinairement la flagellation. La flagellation ayant été infligée comme une peine distincte, les soldats lui donnent une suite selon leur goût. Sur cette mascarade cruelle, cf. *Comm. Mc.*, p. 393 s. L'accoutrement est comme dans Mc., couronne d épines et vêtement de pourpre.

3) La salutation moqueuse comme dans Mc.; les mauvais traitements sont des soufflets; il n'est pas question du roseau, ni de génuflexions, ni de crachats. On dirait que Jo. abrège.

4) Pilate n'a pas dû s'inquiéter beaucoup de la manière dont la flagellation a été exécutée, ni du temps qu'on y a mis. S'il n'a pas ordonné la scène burlesque, il lui paraît sans doute qu'elle peut contribuer à ses desseins. On juge

ayant tressé une couronne d'épines la mirent sur sa tête, et le revêtirent d'un manteau de pourpre, [3]et ils s'approchaient de lui et disaient : « Salut roi des Juifs! » Et ils lui donnaient des soufflets. [4]Pilate sortit de nouveau dehors et il leur dit : « Voici que je vous l'amène dehors, afin que vous sachiez que je ne trouve en lui aucun motif [de condamnation]. » [5]Jésus sortit donc dehors portant la couronne d'épines et le manteau de pourpre. Et [Pilate] leur dit : « Voilà l'homme. » [6]Lors donc que les grands prêtres et les satellites le virent, ils crièrent disant : « Crucifie! Crucifie! » Pilate leur dit :

amusant de lui amener Jésus dans son costume de roi des Juifs pour rire. C'est ainsi qu'il le présentera à la foule et aux prêtres.

5) Était-ce pour exciter la pitié? Il n'y paraît guère. Quand il dit : « Voilà l'homme », en désignant un pauvre être ridiculisé, le sens est évidemment : ce n'est rien de plus : avec sa royauté, vous voyez ce que cela compte! Lui, gouverneur, rougirait de se faire un épouvantail de l'homme et de ses prétentions : qu'en pensent les chefs des Juifs, et qu'en pense le peuple? On sait combien il importait dans l'antiquité que l'accusé se montrât dans un attirail sordide, implorant la miséricorde des juges, sans quoi ils se seraient fait un devoir de le condamner. Sûrement Socrate n'aurait pas été condamné à mort, s'il ne l'avait pris de si haut. Les grands prêtres pouvaient-ils sans perdre leur prestige s'acharner contre ce fantôme de roi? S'ils avaient prétendu faire du zèle auprès des Romains, Pilate montrait qu'il n'était pas dupe. Le peuple, lui, serait peut-être touché et révolté de l'infamie qui livrait un juif à la dérision des gentils.

Les termes dont Pilate se sert sont donc parfaitement naturels. Il est certain que pour un chrétien le contraste est violent entre cet état misérable et l'homme qu'il adore comme son Dieu. Dans les desseins de Dieu, « le procurateur ne dit : « Voilà l'homme », que pour faire crier à la conscience chrétienne : « Voilà Dieu! » Car cet « homme » est « le Fils de l'homme », « l'homme des prophéties, l'homme-Dieu, Dieu fait homme » (*Loisy*, p. 474). Mais ce bel effet oratoire suppose la réalité du fait, et Jo. aurait été bien subtil — et imprudent, et peu « johannique », — s'il avait inventé ce comble d'ignominie pour provoquer cette suprême adoration.

6) Cette vue détermine chez les grands prêtres et les satellites un cri de rage. Il n'est pas question du peuple, mais de gens de parti pris ou payés. Il n'y a pas de régime à σταύρωσον, il est sous les yeux, comme si l'on criait : en croix! Les ennemis de Jésus pensent que le gouverneur se moque d'eux et le somment d'en finir. Mais Pilate se cabre contre cette exigence; noter l'opposition de ὑμεῖς et de ἐγώ. Si cette besogne vous convient, faites-la, moi je me récuse. Il est clair d'ailleurs que s'il se sert du mot « crucifier », c'est parce qu'il leur renvoie la balle. Il sait très bien qu'ils n'oseraient pas prendre sur eux d'exécuter la crucifixion sous ses yeux en s'autorisant d'un pareil verdict : ce serait le braver. Mais qu'ils aillent où ils voudront, dans le barathre

τος Λάβετε αὐτὸν ὑμεῖς καὶ σταυρώσατε, ἐγὼ γὰρ οὐχ εὑρίσκω ἐν αὐτῷ αἰτίαν. [7] ἀπεκρίθησαν αὐτῷ οἱ Ἰουδαῖοι Ἡμεῖς νόμον ἔχομεν, καὶ κατὰ τὸν νόμον ὀφείλει ἀποθανεῖν, ὅτι υἱὸν θεοῦ ἑαυτὸν ἐποίησεν. [8] Ὅτε οὖν ἤκουσεν ὁ Πιλᾶτος τοῦτον τὸν λόγον, μᾶλλον ἐφοβήθη, [9] καὶ εἰσῆλθεν εἰς τὸ πραιτώριον πάλιν καὶ λέγει τῷ Ἰησοῦ Πόθεν εἶ σύ; ὁ δὲ Ἰησοῦς ἀπόκρισιν οὐκ ἔδωκεν αὐτῷ. [10] λέγει οὖν αὐτῷ ὁ Πιλᾶτος Ἐμοὶ οὐ λαλεῖς; οὐκ οἶδας ὅτι ἐξουσίαν ἔχω ἀπολῦσαί σε καὶ ἐξουσίαν ἔχω σταυρῶσαί σε; [11] ἀπεκρίθη αὐτῷ Ἰησοῦς Οὐκ εἶχες ἐξουσίαν κατ' ἐμοῦ οὐδεμίαν εἰ

7. *om.* ημων *p.* νομον (THV) et non *add.* (S).
10. απολυσαι avant σταυρωσαι (TH) et non après (SV).

---

ou au diable! Loisy remarque (p. 474) : « Singulière condescendance, et proposition qui s'accorde mal avec ce qui **a** été dit d'abord touchant l'incapacité des Juifs en matière de sentence capitale » (xviii, 31). Comme si Pilate leur faisait une proposition sérieuse! On traduirait moins doctement mais plus justement : « Faites ce que vous voudrez, moi je m'en moque et de vous aussi. »

7) Les Juifs ont très bien compris que Pilate ne leur a rien permis du tout. Il a le pouvoir; eux ont le motif. Puisqu'il ne trouve pas de crime de son point de vue, qu'il se place au leur. Il doit respecter leur loi, et la faire respecter, puisqu'ils n'en ont plus le droit. Tout d'abord ils avaient pensé manier plus aisément le gouverneur par un grief politique : n'ayant pas réussi, ils se découvrent. Ce changement de front est indiqué, quoique moins clairement, dans Lc. xxiii, 5. Obstination et légalisme affecté : ils jouent leur rôle au naturel. On voit ici que sans le moindre artifice Jo. retrouve le motif de la condamnation à mort d'après les synoptiques (Mc. xiv, 61-64; Mt. xxvi, 63-66; Lc. xxii, 67-71). « La formule « Fils de Dieu » est prise dans le sens johannique » (*Loisy*, 475). Assurément, mais aurait-elle été un blasphème digne de mort dans un autre sens? On se rappelle avec quelle précision Lc. a distingué la prétention messianique, sur laquelle on pouvait discuter, et la qualité de Fils de Dieu, qui entraînait le dernier supplice (cf. v, 18; x, 33). On voit donc ici clairement que Jo. suppose les synoptiques et que son silence, même une façon différente de présenter les choses, ne signifient pas le dessein de les mettre dans leur tort. En fait l'argument des Juifs était excellent (Lev. xxiv, 16), et ils pouvaient raisonnablement espérer que Pilate leur ferait justice. — ἡμῶν après νόμον 2° a été ajouté pour la clarté (*om.* par ℵBCW Orig. les latt.).

8) μᾶλλον est en l'air (*Bauer*). Comment Jo. peut-il dire que Pilate craignit davantage, sans avoir parlé de crainte jusqu'à présent? Ce n'est pas très littéraire, mais enfin cela jette un jour sur les dispositions de Pilate. On était étonné qu'il fît presque l'avocat. Jo. insinue qu'il n'était pas si bon homme, et que s'il ne se prêtait pas au jeu des Juifs, c'est qu'il craignait pour lui-même. Cette crainte, puisqu'elle augmente, n'était pas encore de la terreur. C'était peut-être seulement l'appréhension de conséquences ennuyeuses plutôt

« Prenez-le vous-mêmes, et [le] crucifiez; car je ne trouve en lui aucun motif [de condamnation]. » [7]Les Juifs lui répondirent : « Nous avons une loi, et d'après la Loi il doit mourir, parce qu'il s'est fait Fils de Dieu. » [8]Lors donc que Pilate entendit cette parole, il fut encore plus effrayé, [9]et il entra de nouveau dans le prétoire et il dit à Jésus : « D'où es-tu? » Mais Jésus ne lui donna pas de réponse. [10]Pilate donc lui dit : « Tu ne me parles pas? Ne sais-tu pas que j'ai le pouvoir de te relâcher et que j'ai le pouvoir de te crucifier? » [11]Jésus répondit : « Tu n'aurais aucun pouvoir sur moi s'il ne t'avait

que redoutables : s'exposer, s'il résistait ouvertement, au fanatisme des Juifs; encourir le risque d'une dénonciation, venant peut-être d'autres Juifs, s'il cédait aux grands prêtres. En augmentant, sa crainte a peut-être changé d'objet.

9) L'exhibition de Jésus ayant si mal réussi, on avait dû le ramener dans le prétoire. C'est là que Pilate le rejoint. La question qu'il pose, si elle regardait seulement le lieu où Jésus était né, ses parents, leur profession, etc. aurait dû être posée dès le début. Il y a autre chose. Cependant les termes ne signifient pas directement : es-tu d'origine divine? Pilate eût répugné à montrer une crédulité superstitieuse. Mais on était d'accord dans le paganisme que les fils des dieux ou des déesses apparaissaient subitement, comme Bacchus à Thèbes, etc. Demander d'où était Jésus était une manière de s'informer qui ne compromettait rien et pouvait mettre sur la voie d'une origine divine. Cette question manquait de franchise en l'état du procès; elle n'était pas imposée au procurateur par son office, et il ne méritait pas d'être éclairé puisqu'il avait refusé si légèrement (xviii, 38) d'être instruit de la vérité. Jésus se taira donc, comme dans les synoptiques (Mc. xv, 5; Mt. xxvii, 14), sauf une dernière réponse.

10) Décidément Pilate trouve partout des raisons de s'impatienter. Jésus n'a donc pas encore compris qu'il voudrait lui éviter le dernier supplice? Mais il ne faudrait pas l'obliger à sévir! Il expose le droit avec une précision romaine : Digeste, L, xvii, 37 : *nemo qui condemnare potest, absolvere non potest* (*Bauer*). Le pouvoir d'absoudre était le plus précieux : il passe avant, ἀπολῦσαι avant σταυρῶσαι avec ℵBAEN *e* pes.

11) Le pouvoir qu'exerce Pilate, il le tient de Tibère, mais avant tout de Dieu. Encore ici n'est-il pas question du pouvoir de juridiction en général, mais du pouvoir qu'il est loisible à Pilate d'exercer contre Jésus. C'est précisément celui qui est donné d'en haut. Il fallait une permission, même une volonté spéciale de Dieu, pour que Pilate puisse rendre une sentence efficace au sujet du Fils de Dieu. — Pour ἄνωθεν cf. iii, 3. Ici on ne peut même pas songer à un autre sens que « d'en haut ». — εἶχες sans ἄν qui n'est plus obligatoire à cette époque; cf. xv, 24.

Mais Pilate ne se doute pas de cette disposition providentielle qui devait aboutir à la mort de Jésus et à sa mort sur la croix. Il se targue de l'autorité dont il est revêtu; cependant elle est aussi une charge qui le met dans l'obligation de se prononcer. Il sera certes coupable de décider contre sa conscience,

μὴ ἦν δεδομένον σοι ἄνωθεν· διὰ τοῦτο ὁ παραδούς μέ σοι μείζονα ἁμαρτίαν ἔχει. [12] ἐκ τούτου ὁ Πιλᾶτος ἐζήτει ἀπολῦσαι αὐτόν· οἱ δὲ Ἰουδαῖοι ἐκραύγασαν λέγοντες Ἐὰν τοῦτον ἀπολύσῃς, οὐκ εἶ φίλος τοῦ Καίσαρος· πᾶς ὁ βασιλέα ἑαυτὸν ποιῶν ἀντιλέγει τῷ Καίσαρι. [13] Ὁ οὖν Πιλᾶτος ἀκούσας τῶν λόγων τούτων ἤγαγεν ἔξω τὸν Ἰησοῦν, καὶ ἐκάθισεν ἐπὶ βήμα-

12. εκραυγασαν (HV) ou εκραυγαζον (TS).

---

mais du moins il n'aura pas cherché à perdre un innocent. Combien plus coupable celui qui l'a livré ou trahi! On a pensé (encore *Zahn*) à Caïphe qui a livré Jésus à Pilate (xviii, 30.35); mais à ce moment sa personnalité n'est pas mise en relief. Toutes les fois que Jo. emploie παραδίδωμι (vi, 64.71; xii, 4; xiii, 2.11.21; xviii, 2.5.36; xxi, 20) c'est à propos de la trahison de Judas (sauf xviii, 30.35; xix, 16). C'est donc de lui qu'il s'agit. On objecte que Pilate ne savait probablement rien de Judas, tandis que Jo. vient de dire que Jésus lui a été livré par les Juifs. Il faudrait donc que parmi les grands prêtres la pensée de Jésus se soit portée sans qu'il le dise sur Caïphe, dont la politique sans scrupule a tout machiné (xi, 50). Mais alors Pilate ne pouvait pas mieux le comprendre que si on lui avait parlé de Judas. Ces mots sont donc comme un aparté, et c'est bien Judas qui est le traître par excellence et le grand coupable, lui qui avait été choisi par Jésus et avait vécu dans son intimité. — διὰ τοῦτο est difficile : il faut sous-entendre : « Puisque tu agis comme saisi de l'affaire »; à cause de cela, un autre est relativement plus coupable. — Loisy propose : « A raison de ce pouvoir qui t'est donné, le péché de celui qui m'a livré à toi est plus grand qu'il ne serait si tu n'avais pas ce pouvoir. » Cela reviendrait à dire : il est plus coupable de livrer un accusé à quelqu'un qui a le pouvoir de le punir, qu'à celui qui ne pourrait rien lui faire, proposition trop évidente et qui ne tient pas compte du pouvoir d'en haut. — Le même Loisy affirme que derrière Judas il y a Satan, le grand coupable, etc. — Sans doute, mais tout à fait derrière; on ne le voit pas même par transparence.

12) ἐκ τοῦτου non pas « à partir de ce moment », mais « à cause de cela » (vi, 66); c'est un motif nouveau, et peut-être plus pressant. Pilate répugnait à condamner Jésus parce qu'il ne le jugeait pas coupable; maintenant il est aussi retenu par une sorte d'inquiétude superstitieuse. ἐκ τοῦτου marque ainsi le point de départ d'une intention plus nettement formulée d'acquitter Jésus. Jusqu'à présent Pilate a exposé le cas, sollicitant presque les Juifs de renoncer à le poursuivre. Maintenant il paraît résolu à lui rendre la liberté. Cela est indiqué par ἐζήτει et cela résulte aussi de la volte-face des Juifs qui, voyant leur proie leur échapper, jouent leur va-tout, au risque d'offenser le procurateur : Pilate reconnaît qu'il y a quelque chose de vrai dans les prétentions de Jésus à la royauté; quand ces prétentions seraient vaines et dérisoires, elles n'en sont pas moins un crime. Les tolérer c'est montrer peu de zèle pour les intérêts de César. Sous Tibère une pareille négligence est grave : *iudicia maiestatis atrocissime exercuit* (Suétone, *Tibère*, lviii). Le titre d'ami de César était en quelque sorte

été donné d'en haut; voilà pourquoi celui qui m'a livré à toi est plus coupable. » [12]Ensuite de cela, Pilate cherchait à le relâcher; mais les Juifs crièrent disant : « Si tu le relâches tu n'es pas ami de César : quiconque se fait roi se déclare contre César. » [13]Pilate donc ayant entendu ces paroles, amena Jésus dehors et s'assit sur

officiel; cf. *Corp. inscr. graec.* 3499,4; 3500,4. Être ou n'être pas ami de César était le grand point (*Épict.* IV, 1, 45-48); un fonctionnaire indigne de ce titre était perdu.

— ἀντιλέγειν au sens de faire opposition, de se dresser contre le pouvoir souverain. Bauer : « Jo. a vraiment bien indiqué le motif qui a déterminé la conduite de Pilate envers Jésus. » Mais pour Loisy, Jo. est vraiment hors la loi. Quand il tombe juste, c'est sans l'avoir fait exprès : « La psychologie de Pilate et les vraisemblances historiques n'ont rien à voir dans le présent récit » (p. 479).

13) Après tant de tergiversations, Pilate se décide à agir en magistrat, dans l'appareil solennel de ses fonctions. Il fait avancer dans la cour qui précédait le prétoire son βῆμα (cf. Mt. XXVII, 19), c'est-à-dire l'estrade où il devait prendre place sur sa chaise curule. Jésus est amené pour entendre prononcer sa sentence. Alors Pilate s'assied à son tribunal. — C'est ainsi qu'on l'entendait et qu'on l'entend encore généralement (même *Bauer*), et c'est évidemment le sens. καθίζω est ordinairement intransitif; la locution καθίζω ἐπὶ βήματος de l'acte du magistrat qui s'apprête à juger est presque un terme technique : cf. Act. XII, 21; XXV, 6.17; Jos. *Ant.* XX, VI, 2 καθίσας ἐπὶ βήματος (donc aussi sans article), C'est la situation de Pilate lui-même dans Jos. *Bell.* II, IX, 3 : ὁ Πιλάτος καθίσας ἐπὶ βήματος κ.τ.λ. et de Gessius Florus, probablement au même lieu où Pilate avait jugé Jésus, et avec le même cadre, *Bell.* II, XIV, 8 : Φλῶρος δὲ τότε μὲν ἐν τοῖς βασιλείοις αὐλίζεται, τῇ δ' ὑστεραίᾳ βῆμα πρὸ αὐτῶν θέμενος καθίζεται, καὶ προσελθόντες οἵ τε ἀρχιερεῖς καὶ δυνατοὶ τό τε γνωριμώτατον τῆς πόλεως παρέστησαν τῷ βήματι. Cf. Épictète, IV, 10, 21 : ἐπὶ βῆμα καθίσαι. Loisy demande « pourquoi l'auteur, qui omet la condamnation, aurait égard à ce détail de procédure » (p. 480). — Il a parlé comme tout le monde pour signifier des assises solennelles : la régularité de la condamnation en dépendait; il n'est pas rare qu'un historien omette le principal, qui va de soi, et la condamnation est bien supposée et même contenue dans le v. 16.

Toutefois il faut concéder que καθίζω peut avoir le sens transitif (Act. II, 30; I Cor. VI, 4; Éph. I, 20) et quoiqu'il n'ait pas de régime dans notre verset, on pourrait sans offenser la grammaire absolument suppléer Jésus, qui vient d'être nommé. Loisy traduit donc que Pilate fit asseoir Jésus au tribunal. Si l'on entendait par là qu'il le fit asseoir quelque part sur l'estrade au lieu de le laisser debout, cela ne serait pas totalement invraisemblable, mais c'est bien ce détail qui eût été à la fois inutile et mal exprimé, car ἐπὶ βήματος, en parlant de Jésus comme du procurateur, doit signifier la place d'honneur, et c'est bien à cela qu'en vient Loisy : La présentation du roi s'accomplit « avec toute la solennité que comportent les circonstances » (p. 480); Pilate affecte de traiter

τος εἰς τόπον λεγόμενον Λιθόστρωτον, Ἑβραϊστὶ δὲ Γαββαθά. [14]ἦν δὲ παρασκευὴ τοῦ πάσχα, ὥρα ἦν ὡς ἕκτη. καὶ λέγει τοῖς Ἰουδαίοις Ἴδε ὁ βασιλεὺς ὑμῶν. [15]ἐκραύγασαν οὖν ἐκεῖνοι Ἆρον ἆρον, σταύρωσον αὐτόν. λέγει αὐτοῖς ὁ Πιλᾶτος Τὸν βασιλέα ὑμῶν σταυρώσω; ἀπεκρίθησαν οἱ

Jésus en roi avant de l'appeler roi. — C'est-à-dire en français qu'il joue la comédie. Il est vrai qu'on trouve quelque chose de semblable dans Justin (Apol. I, 35); καὶ γάρ, ὡς εἶπεν ὁ προφήτης, διασύροντες αὐτὸν ἐκάθισαν ἐπὶ βήματος, καὶ εἶπον Κρῖνον ἡμῖν et dans l'évangile de Pierre (III) : καὶ ἐκάθισαν αὐτὸν ἐπὶ καθέδραν κρίσεως, λέγοντες Δικαίως κρῖνε, βασιλεῦ τοῦ Ἰσραήλ. Justin avait en vue Is. LVIII, 2 qu'il venait de citer, mais il semble bien dépendre du pseudo-Pierre, en retenant peut-être de Jo. le βῆμα. De toute façon l'outrage à Jésus fait partie de la mascarade de la soldatesque. S'il est invraisemblable qu'elle ait pu disposer du tribunal pour ce jeu (ce qu'a peut-être senti le pseudo-Pierre), du moins elle pouvait ajouter cette moquerie aux autres. Mais Pilate, magistrat romain, vilipender à plaisir la majesté d'un tribunal romain devant des Juifs... c'eût été se compromettre beaucoup plus vis-à-vis de l'empereur qu'en acquittant un illuminé. Ce sens conduit donc à une absurdité. Il est vrai que pour Loisy c'est tout bénéfice : « Dans notre livre la vraisemblance historique est moins à considérer que le symbolisme des récits et la logique de son développement » (p. 480). Mais que Jésus ait été renié publiquement par Israël dont il était le roi, ce n'est point du symbolisme, et cela n'est pas moins réel si les choses se sont passées d'une façon normale, en interprétant Jo. selon l'usage normal des mots. Quand Jo. emploie des termes d'une précision juridique, il n'y a qu'à lui en donner acte.

Jo. est le seul à nommer l'endroit où s'installe Pilate Λιθόστρωτον. Le mot est ordinairement un adjectif commun, pour qualifier un endroit dallé ou une mosaïque. Josèphe l'emploie deux fois (*Bell.* VI, I, 8 et VI, III, 2) à propos des cours du Temple, où il y avait non pas des mosaïques, mais de grandes dalles; cf. *Jérusalem*, II, p. 570. La lettre d'Aristée dit précisément que tout le sol du Temple extérieur était λιθόστρωτος (*Aristée*, LXXXVIII; cf. Jos. *Bell.* V, v, 2) τὸ δὲ ὕπαιθρον ἅπαν πεποίκιλτο παντοδαπῶν λίθων κατεστρωμένον. A Ostie on devrait traduire mosaïque, à Jérusalem, grandes dalles. Les textes de Josèphe ont porté à croire que c'est au Temple qu'un endroit spécial avait reçu le nom de Lithostrotos. Mais pourquoi plus précisément celui qui était au-dessous de la tour Antonia? L'emplacement du prétoire ne peut donc être tranché par ce détail. Si le Prétoire était au palais, la cour pavée était ainsi nommée par les Juifs hellénistes. Les gens du pays la nommaient Gabbatha. Le seul mot araméen semblable est גבתא dans le lectionnaire syriaque palestinien pour rendre τρύβλιον (Mt. XXVI, 23), « un plat ». L'araméen ne serait donc nullement la traduction du grec ou réciproquement, mais aussi Jo. ne le dit pas, car le mot araméen doit s'entendre de l'endroit, non du vocable λιθόστρωτος. On ne sait comment expliquer ce terme. Y aurait-il eu une étymologie populaire se rattachant à גבה, être grand, élevé, pour désigner une partie haute de la ville, quelque chose comme notre double sens de « plateau »? A Toulouse une rue se

le tribunal, au lieu appelé Lithostrotos, en hébreu Gabbatha. [14] C'était la préparation de la Pâque, il était environ six heures. Et il dit aux Juifs : « Voilà votre roi. » [15] Ceux-ci crièrent donc : « Enlève-[le] ! Enlève-[le] ! Crucifie-le ! » Pilate leur dit : « Crucifierai-je votre roi? » Les grands prêtres répondirent : « Nous

nomme « la côte pavée » ; à Lyon il y a la « rue du Plat »... Peut-être était-ce La Plate-forme (nom d'une commune de France)? On peut rappeler comme une coïncidence curieuse que le même mot arabe (*ṣaḥn*) signifie *plat* et *place*.

14) On a remarqué la précision de Jo. sur le lieu de la condamnation. Il tient aussi à marquer le jour et l'heure. Le jour était celui de la préparation de la Pâque, selon le sens naturel des mots (*Schanz*, *Bauer*, etc.). Ceux qui prétendent que Jo. a voulu parler du 15 nisan, au lendemain du repas pascal, traduisent : le vendredi de la semaine de Pâque (*Zahn*, *Till.*). D'ailleurs il est constant que c'était bien un vendredi (Mt. xxvii, 62 ; Lc. xxiii, 54; Mc. xv, 42). Mais l'addition τοῦ πάσχα fait rentrer παρασκεύη dans son sens normal; Mc. est même obligé d'expliquer le sens juif de parascève, jour avant le sabbat.

Jo. dit la sixième heure, avec ὡς, environ, parce qu'il s'agit d'une scène qui n'est pas déterminée par un temps précis, comme fut l'accord sur l'armistice (11 heures, 11 nov. 1918). Mais cette sixième heure paraît peu en harmonie avec la troisième de Mc. (xv, 25). Il semble que Jo. a voulu préciser. Il a attaché une grande importance à ce moment, parce que c'est celui qui marque la fin du judaïsme, lequel s'est condamné en faisant condamner Jésus. Dans tout ce passage la recherche de la précision historique est trop évidente pour qu'on s'arrête à une date symbolique, comme midi pour dire le milieu de l'histoire. La divergence avec Mc. ne doit pas s'étendre à l'heure de la mort du Christ, la neuvième heure d'après Mc., et qui n'est pas indiquée dans Jo. Sur les raisons du comput de Mc., cf. *Comm.* p. 400.

Les paroles de Pilate ne sont plus une tentative pour obtenir une condamnation plus douce (*Zahn*). Au point où il en est, il a pris son parti. Les menaces des Juifs l'ont blessé; il leur répond par l'ironie : c'est bien votre roi que je vais condamner? Le voici; c'est pour ce grief qu'il est à mon tribunal.

15) Ce sarcasme exaspère les Juifs, mais Pilate se donne le malin plaisir d'insister, comme si vraiment, par égard pour eux, il se faisait scrupule de crucifier *leur* roi. — ἆρον « enlève-le », comme dans le papyrus de l'écolier Théon qui fait dire à sa mère ἀναστατοῖ με· ἆρρον αὐτόν : « il m'ennuie, enlève-le » (*Oxyrh.* 119, IIe-IIIe siècle ap. J.-C.).

Ce sont les grands prêtres seuls qui répondent et prennent sur eux l'infamie; ils ont livré un compatriote aux Romains pour ne pas s'exposer à des tracasseries de leur part : c'est donc qu'ils acceptent le joug servilement.

16a) Pilate prononce donc la sentence; il avait seul qualité pour cela. Mais Jo. exprime le sens de cette condamnation extorquée. C'est aux grands prêtres que Jésus est livré : ils l'ont condamné et ont poursuivi avec acharnement l'exécution. Ils en ont la responsabilité et presque la direction, quoique les soldats romains en soient les agents naturels.

ἀρχιερεῖς Οὐκ ἔχομεν βασιλέα εἰ μὴ Καίσαρα. [16]τότε οὖν παρέδωκεν αὐτὸν αὐτοῖς ἵνα σταυρωθῇ.

Παρέλαβον οὖν τὸν Ἰησοῦν· [17]καὶ βαστάζων αὐτῷ τὸν σταυρὸν ἐξῆλθεν εἰς τὸν λεγόμενον Κρανίου Τόπον, ὃ λέγεται Ἑβραιστὶ Γολγοθά, [18]ὅπου αὐτὸν ἐσταύρωσαν, καὶ μετ' αὐτοῦ ἄλλους δύο ἐντεῦθεν καὶ ἐντεῦθεν, μέσον δὲ τὸν Ἰησοῦν. [19]ἔγραψεν δὲ καὶ τίτλον ὁ Πιλᾶτος καὶ ἔθηκεν ἐπὶ τοῦ σταυροῦ· ἦν δὲ γεγραμμένον ΙΗΣΟΥΣ Ο ΝΑΖΩΡΑΙΟΣ Ο ΒΑΣΙΛΕΥΣ

17. αυτω (H) ou εαυτω (TSV); — ο (TH) et non ος (SV).

Sur le caractère historique de la procédure chez Pilate. Bauer croit que le caractère de la comparution est fortement influencé par les intentions apologétiques de l'auteur. Celui-ci voulait non seulement consoler les chrétiens, mais les défendre aux yeux des autorités romaines. Leur royaume, comme l'avait déclaré Jésus, n'est pas de ce monde; ils ne sont pas plus coupables que leur Maître, en qui Pilate n'a trouvé aucun motif de condamnation, etc. — S'il en était ainsi, comment se fait-il que Justin, dont l'apologie traite ce thème, et qui a fait allusion au IVe évangile (cf. *Introd.*, p. XLVIII), n'ait pas tiré parti de cette apologie? — C'est peut-être qu'il a très bien compris que ce procès n'avait rien de flatteur pour l'autorité romaine. En gros, Pilate se montre tel qu'il est dans les synoptiques; les détails ajoutés par Jo. ne le montrent pas plus convaincu de l'innocence de Jésus, mais plus lâche à le défendre. Sa psychologie n'est certes pas traitée pour elle-même, mais elle se détache avec une complète logique dans sa versatilité. Quant aux invraisemblances historiques, lorsque Bauer en est réduit à citer XVIII, 30.33; XIX, 1.6 comme les plus signalées, il rend service à Jo., car ces passages sont irréprochables.

16^b-37. LA CRUCIFIXION; JÉSUS EN CROIX; MORT DE JÉSUS (Mc. XV, 20^b-41; Mt. XXVII, 33-56; Lc. XXIII, 33-49).

Jo. coïncide avec les synoptiques, avec des omissions et des additions que nous aurons à signaler, ainsi que sa manière un peu différente sur certains points.

16^b) Il n'est guère permis de supprimer ce demi-verset (*Blass, Zahn*) sous prétexte que ℵW et *anc. latt.* ont οἱ δὲ παραλαβόντες, suivis de καὶ ἀπήγαγον, variante certainement fausse. Elle confie l'exécution aux Juifs, ce qui ne peut avoir été le cas. On voit plus loin que ce sont les soldats romains qui ont crucifié Jésus (23 s., 32 ss.) et Pilate lui-même a rédigé le titre : παρέλαβον ne dit pas le contraire. On ne prétend pas non plus que le sujet soit précisément la force romaine; c'est vaguement ceux que cela regardait. Ce n'est pas la suite, mais plutôt la contre-partie de παρέδωκεν, après une pause notable. Pilate livre Jésus aux Juifs. Ils tiennent leur proie : mais ils devront se contenter du spectacle, très agréable à leur haine; d'autres seront chargés de l'exécution.

17) Dans βαστάζων ἑαυτῷ on a vu (*Bauer, Loisy*) un indice manifeste du parti pris de corriger les synoptiques, lesquels font porter la croix par Simon le Cyrénéen. Jo. l'aurait écarté « pour marquer la libre et souveraine initiative du Christ... et le Christ johannique n'a pas besoin qu'un autre porte sa croix ».

n'avons d'autre roi que César. » [16]Alors donc il le leur livra pour être crucifié.

Ils prirent donc Jésus, [17]et portant sa croix il sortit vers l'endroit dit « du Crâne », qu'on nomme en hébreu Golgotha, [18]où ils le crucifièrent, et avec lui deux autres, un de chaque côté et Jésus au milieu. [19]Pilate écrivit aussi un écriteau, et il le plaça sur la croix; il y était écrit : **Jésus de Nazareth, le roi des Juifs.** [20]Plusieurs Juifs

(*Loisy*, p. 483). Ce serait bien plutôt parce que Jésus a invité ceux qui voulaient le suivre à porter leur croix eux-mêmes (Mc. VIII, 34; Mt. XVI, 24). Mais si Jo avait tant de déférence pour cette parole des synoptiques, aurait-il voulu les contredire? On ajoute que Jo. a peut-être voulu contredire les docètes qui avaient abusé du Cyrénéen, d'après Irénée (I, XXIV, 4) *Quapropter neque passum eum, sed Simonem quendam Cyrenaeum angariatum portasse crucem eius pro eo; et hunc secundum ignorantiam et errorem crucifixum, transfiguratum ab eo, uti putaretur ipse esse Iesus; et ipsum autem Iesum Simonis accepisse formam et stantem irrisisse eos.* — Jo. aurait donc supprimé d'avance tout prétexte à une exagération des prérogatives du Christ johannique par Basilide? Il est certain en effet que le condamné devait porter lui-même sa croix (cf. *Comm. Mc.* XV, 21), mais d'après Mc. et Mt. c'est en dehors de la ville seulement que les Romains ont réquisitionné Simon. Si les soldats l'ont fait, c'est sûrement après avoir suivi d'abord la coutume ordinaire, et constaté que Jésus succombait sous le fardeau. Jo. n'a indiqué que le fait inouï de Jésus portant sa croix, bien plus propre à humilier le Christ johannique qu'à rehausser sa vigueur. Il n'entre pas dans le détail, non plus que pour les deux autres crucifiés.

— Le lieu comme dans Mc. et Mt., mais le nom grec le premier, comme dans le v. 13.

18) Le sujet de ἐσταύρωσαν ne peut être les Juifs; Jo. suppose que nous le savons (XVIII, 31); ce sont ceux qui sont d'ordinaire chargés de ce soin, les soldats romains. — Les deux crucifiés à gauche et à droite, comme dans les synoptiques. Loisy : « L'auteur s'abstient de dire que ces deux compagnons de supplice étaient des voleurs, et il supprime ainsi le côté infâmant du trait » (p. 483). — Auraient-ils donc été crucifiés sans motif? — Bien plus : « ils font pour ainsi dire cortège au Christ, dont la croix devient un trône » (p. 483). Et c'est Jo. qui a qualifié de brigand Barrabbas qu'on avait préféré à Jésus! — Disons simplement qu'il ne s'étend pas sur un point auquel Lc. avait donné tous les développements désirables; il n'est point si naïf que de faire une escorte d'honneur avec des crucifiés qui ne pouvaient être que des malfaiteurs et que la tradition connaissait comme tels.

19) Pour le *titulus*, cf. Mc. XV, 26. Jo. est le seul à employer le mot latin τίτλος. Il attribue tout à Pilate, qui évidemment n'a pas fait le charpentier, le graveur sur bois, etc. Les trois synoptiques ont : « Roi des Juifs »; Mt. ajoute « Jésus »; Jo. de plus encore l'origine, ναζωραῖος, ce qui devait être pénible aux Juifs. Mais Pilate avait dû s'informer des origines de Jésus, et Jo. se montre ici

ΤΩΝ ΙΟΥΔΑΙΩΝ. [20]τοῦτον οὖν τὸν τίτλον πολλοὶ ἀνέγνωσαν τῶν Ἰουδαίων, ὅτι ἐγγὺς ἦν ὁ τόπος τῆς πόλεως ὅπου ἐσταυρώθη ὁ Ἰησοῦς· καὶ ἦν γεγραμμένον Ἑβραϊστί, Ῥωμαϊστί, Ἑλληνιστί. [21]ἔλεγον οὖν τῷ Πιλάτῳ οἱ ἀρχιερεῖς τῶν Ἰουδαίων Μὴ γράφε Ὁ βασιλεὺς τῶν Ἰουδαίων, ἀλλ' ὅτι ἐκεῖνος εἶπεν Βασιλεὺς τῶν Ἰουδαίων εἰμί. [22]ἀπεκρίθη ὁ Πιλᾶτος Ὃ γέγραφα γέγραφα.

[23]Οἱ οὖν στρατιῶται ὅτε ἐσταύρωσαν τὸν Ἰησοῦν ἔλαβον τὰ ἱμάτια αὐτοῦ

21. των I. ειμι (H) plutôt que ε. τ. I. (TSV).

---

d'accord avec Lc. xxiii, 6 quant à la connaissance des origines galiléennes de l'accusé.

20) Jo. est seul à dire, et comme en rejet, que l'écriteau était en trois langues : le latin était la langue de l'administration, le grec celle de la population cultivée, l'hébreu ou plutôt l'araméen, l'idiome des gens du peuple. Aujourd'hui encore la Palestine a trois langues officielles : l'anglais, l'arabe et l'hébreu. Bauer cite Jul. Capitolinus (*Script. hist. Aug.*, XX, 34) à propos de Gordien III : *Gordiano sepulchrum milites apud Circesium castrum fecerunt in finibus Persidis, titulum huiusmodi addentes et graecis et latinis et persicis et iudaicis et aegyptiacis litteris, ut ab omnibus legeretur.* Josèphe (*Bell.* V, v, 2) parle des stèles les unes en grec, les autres en latin (αἱ μὲν Ἑλληνικοῖς αἱ δὲ Ῥωμαικοῖς γράμμασιν) qui interdisaient l'entrée du hiéron intérieur. Une d'elles, en grec, est à Constantinople. On a découvert plusieurs ossuaires ou pierres tumulaires portant des inscriptions grecques et araméennes (voir par exemple *RB.* 1913, p. 266 ss.; 1903, p. 490). La proximité de la ville est le plus précieux des détails topographiques (Heb. xiii, 12), et parfaitement conforme à l'usage romain (Plaute, *Miles*, 359; Cic. *in Verrem*, v, 66, cf. *Comm. Mc.* p. 396.399). — Il va sans dire que cette vue provoqua maint quolibet des grands prêtres eux-mêmes (Mc. xv, 32; Mt. xxvii, 42; cf. Lc. xxiii, 35). Jo. ne les a pas reproduits. Mais si la hiérarchie raillait ainsi les prétentions de Jésus, d'autres sans doute, des Romains ou des Grecs, tournèrent en dérision les Juifs dont le roi était crucifié.

21) C'est ce qui explique la démarche des grands prêtres auprès de Pilate, qu'il n'y a vraiment aucune raison de supposer présent.

22) Pilate en a assez. Il n'a pas rédigé l'écriteau pour leur déplaire, car il ne contient que le motif de la condamnation, tel qu'eux-mêmes l'ont allégué; il ne changera rien pour leur plaire. — *Imperatoria brevitas;* encore est-il qu'un Romain eût pu se contenter de dire : γέγραφα. Bauer cite Épict. II, 15, 5 κέκρικα, j'ai jugé, une fois pour toutes, et Pline met ce mot en grec (*Epist.* I, xii) : Dixerat sane medico admoventi cibum, κέκρικα. Pour la nuance : ce que j'ai écrit une fois est écrit pour toujours, le grec eût préféré ὃ ἔγραψα, γέγραφα. Il semble donc que la tournure a une nuance sémitique. Sans parler de Gen. xliii, 14, Schlatter (p. 429) a proposé plusieurs exemples tirés des Rabbins : « ce qu'il a fait est fait », « qui a entendu a entendu », etc.

lurent donc cet écriteau, parce que l'endroit où fut crucifié Jésus était proche de la ville, et on avait écrit en hébreu, en latin et en grec. [21]Les grands prêtres des Juifs dirent donc à Pilate : « N'écris pas : le roi des Juifs, mais qu'il a dit : je suis roi des Juifs. » [22]Pilate répondit : « Ce que j'ai écrit, je [l']ai écrit. »

[23]Les soldats donc, lorsqu'ils eurent crucifié Jésus, prirent ses vêtements et en firent quatre parts, une part pour chaque soldat, et

23 s.) Les synoptiques disent que les soldats partagèrent les vêtements et les tirèrent au sort, sans renvoyer à l'Écriture (Ps. XXI, 19). Jo. admet qu'il y avait quatre soldats, ce qui est très vraisemblable, à savoir un τετράδιον (cf. Act. XII, 4). De plus il distingue les autres habits dont on fit quatre parts, et la tunique, ou vêtement de dessous qui fut tirée au sort, car elle eût perdu toute sa valeur si on l'avait déchirée : elle ne pouvait même pas être décousue, étant tissée par en haut. Sur quoi on conteste le caractère historique de cette addition (*Bauer*, *Loisy*, etc.) : l'auteur s'étant reporté au psaume que rappelait le texte des synoptiques, y aurait vu (à tort) deux opérations distinctes portant sur deux objets distincts, tandis que dans l'hébreu et même les Septante le vêtement est simplement synonyme des habits. — Cette conjecture serait assez séduisante, si Jo. prenait son appui sur le psaume; dans ce cas il l'aurait cependant modifié en changeant ἱματισμός en χιτών. Mais en fait il s'appuie sur la réalité, et il donne une raison très plausible des deux procédés différents. Les critiques le sentent si bien qu'ils nient le caractère réel de la tunique qui ne serait qu'un symbole. Et en effet les Pères, depuis saint Cyprien, y ont vu le symbole de l'Église qui doit demeurer une. Mais ce symbole qui a sa valeur comme leçon à tirer d'un fait, ne ressort pas assez clairement pour justifier une addition de la part de Jo. On dirait plutôt qu'il a voulu comparer Jésus au grand prêtre dont Josèphe a décrit la tunique (*Ant.* III, VII, 2) : « elle ne se composait pas de deux pièces qui eussent été cousues sur les épaules et le long des flancs, mais c'était un seul morceau très long tissé et fendu non pas de côté dans le sens du fil, mais échancré sur la longueur jusqu'à la poitrine et au milieu du dos; une lisière y était cousue pour ne pas laisser voir une coupure peu convenable ». Mais Jo. ne manifeste nulle part l'intention d'assimiler Jésus au grand prêtre, et le trait « tissé par en haut » manque à Josèphe qui n'évite pas de parti pris toute coupure. Plus piquant serait le rapprochement avec Philon, qui compare cette tunique du grand prêtre aux quatre éléments soutenus par le Logos (*de fuga*, 110-112; M. I, 562 à propos de Lev. XXI, 10) : ἐνδύεται δ' ὁ μὲν πρεσβύτατος τοῦ ὄντος λόγος ὡς ἐσθῆτα τὸν κόσμον (γῆν γὰρ καὶ ὕδωρ καὶ ἀέρα καὶ πῦρ καὶ τὰ ἐκ τούτων ἐπαμπίσχεται)... « οὐδ' αὖ τὰ ἱμάτια διαρρήξει ». ὅ τε γὰρ τοῦ ὄντος λόγος δεσμὸς ὢν τῶν ἁπάντων, ὡς εἴρηται, καὶ συνέχει τὰ μέρη πάντα καὶ σφίγγει κωλύων αὐτὰ διαλύεσθαι καὶ διαρτᾶσθαι. Mais si Jo. regarde le monde dans ses quatre *éléments* comme la tunique du Logos, parce qu'il en maintient la cohésion, le Logos pouvait-il quitter sa tunique sans que le monde soit dissous? Et alors comment les quatre parts des vêtements pouvaient-elles figurer les quatre *parties* du monde (*Loisy*)? Il faudrait composer le symbolisme de Jo. de

καὶ ἐποίησαν τέσσαρα μέρη, ἑκάστῳ στρατιώτῃ μέρος, καὶ τὸν χιτῶνα. ἦν δὲ ὁ χιτὼν ἄραφος, ἐκ τῶν ἄνωθεν ὑφαντὸς δι' ὅλου· [24] εἶπαν οὖν πρὸς ἀλλήλους Μὴ σχίσωμεν αὐτόν, ἀλλὰ λάχωμεν περὶ αὐτοῦ τίνος ἔσται· ἵνα ἡ γραφὴ πληρωθῇ

Διεμερίσαντο τὰ ἱμάτιά μου ἑαυτοῖς
καὶ ἐπὶ τὸν ἱματισμόν μου ἔβαλον κλῆρον.

Οἱ μὲν οὖν στρατιῶται ταῦτα ἐποίησαν· [25] εἱστήκεισαν δὲ παρὰ τῷ σταυρῷ τοῦ Ἰησοῦ ἡ μήτηρ αὐτοῦ καὶ ἡ ἀδελφὴ τῆς μητρὸς αὐτοῦ, Μαρία ἡ τοῦ Κλωπᾶ καὶ Μαρία ἡ Μαγδαληνή. [26] Ἰησοῦς οὖν ἰδὼν τὴν μητέρα καὶ τὸν

24. *om.* η λεγουσα *p.* πληρωθη (TH) plutôt que *add.* (SV).
26. ιδε (THV) et non ιδου (S).

---

données aussi incohérentes que quintessenciées, bien étrangères à la manière simple dont il raconte un fait. S'il a entrevu dans ce fait un symbolisme divin, la tunique tissue par en haut et sans couture serait plutôt l'humanité que Jésus est venu prendre d'en haut et dont il n'avait pas eu besoin de réunir les facultés divisées chez les autres par le péché. Le corps, vêtement de l'âme, est une métaphore courante (cf. Philon, au même endroit : ἡ δ' ἐπὶ μέρους ψυχὴ τὸ σῶμα, sc. ἐνδύεται). Mais on ne verrait pas pourquoi cette humanité, dont le Logos ne devait pas être séparé, serait tirée au sort, etc.

— λαγχάνω signifie « obtenir par le sort » et non pas « tirer au sort », quoique Bailly cite Isocrate 144 *b,* qui n'est pas décisif.

25-27. *La dernière volonté de Jésus sur sa mère et le disciple qu'il aimait.*

25) Si Jo. a repris au v. 24 : « ainsi donc agirent les soldats », c'est pour montrer l'Écriture accomplie et ménager un contraste entre ces soldats indifférents au supplice qu'ils ont exécuté, ne songeant qu'à en tirer profit, et le groupe de ceux qui ont le plus aimé Jésus et l'ont suivi au pied de la croix. Le moment suit la crucifixion et précède la mort d'un temps notable. C'est un autre tableau que celui des femmes regardant de loin après la mort de Jésus dans les synoptiques (Mc. xv, 40.41 ; Mt. xxvii, 55.56; Lc. xxiii, 49). Lc. ne les nomme pas. Dans Mc. et dans Mt. ce sont les mêmes, car Salomé de Mc. doit être la même que dans Mt. la mère des fils de Zébédée. Et nous verrons que Jo. semble bien parler aussi des mêmes personnes. Il y a donc harmonie, si ce n'est que Jo. ajoute la Mère de Jésus et le disciple que Jésus aimait, et que leur place n'est pas la même. Mais il est fort possible que les femmes aient été ou se soient écartées du pied de la Croix avant le dernier soupir de Jésus, et que sa Mère ait été dès lors emmenée par le disciple.

Et peut-être pourrait-on dire aussi que seuls la Mère et le disciple se sont approchés si près de la Croix, ce qui n'avait pas été constaté par ceux qui se tenaient loin, et que Jo. n'a fait qu'un groupe des femmes. De toute façon la présentation des synoptiques ne peut être un argument pour nier la réalité d'une scène où l'auteur figure sans aucun doute comme le disciple que Jésus

[ils prirent] aussi la tunique. Mais la tunique était sans couture, d'un seul tissu depuis le haut. [24] Ils dirent donc les uns aux autres : « Ne la déchirons pas, mais tirons au sort à qui elle sera »; afin que l'Écriture fût accomplie : « *Ils se sont partagé mes vêtements, et ils ont tiré au sort ma robe.* » C'est donc ce que firent les soldats. [25] Or près de la croix de Jésus se tenait sa Mère et la sœur de sa Mère, Marie de Clopas et Marie la Magdeleine. [26] Jésus donc, voyant

aimait (cf. v. 35). D'après les Actes (I, 14) Marie se trouvait à Jérusalem avec les apôtres dans le Cénacle. Quelle mère n'aurait suivi son fils au supplice, et que dire de cette Mère!

Les soldats n'avaient certainement pas pour consigne d'écarter les parents : la loi romaine accordait des adoucissements à ceux qui allaient mourir.

Les femmes étaient-elles trois (*Calmes*, *Schanz*, *Till.*, etc.) ou quatre (*Zahn*, *Loisy*, *Bauer*, etc.)? Après avoir hésité longtemps (cf. *Comm.* Mc., p. 80), nous nous décidons très nettement pour quatre. Si Marie de Clopas était la sœur de la Mère de Jésus, on avait donc donné le même nom à deux sœurs, ce qui n'est pas normal. De plus, pourquoi une titulature si complète pour cette femme, dont d'ailleurs le nom propre aurait dû précéder la qualification de sœur de...? D'autant que les noms vont souvent par couples, par exemple dans le catalogue des Apôtres de Mt. (X, 3 s.). Nous avons donc deux femmes innomées et deux autres, nommées Marie, distinguées l'une par le nom de Clopas, probablement son mari, l'autre par son lieu d'origine, Marie la Magdaléenne, dont Jo. allait parler (XX, 1) et qui était bien connue (Lc. VIII, 2; XXIV, 10; Mt. XXVII, 56.61; XXVIII, 1; Mc. XV, 40.47; XVI, 1.9). Jo. n'a pas indiqué le nom de la Mère de Jésus, non plus qu'à Cana (II, 1), et il ne nomme pas non plus sa sœur. Si l'on tient compte (*Zahn*) de son soin de voiler sous l'anonyme non seulement sa personne, mais encore son père Zébédée et son frère Jacques, on admettra aisément que cette personne est sa propre mère, que l'on nommera Salomé, si tel est le nom de la mère des fils de Zébédée, comme on peut le déduire du rapprochement entre Mc. XV, 40; et Mt. XXVII, 56. En tout cela nous suivons Zahn, mais on ne conçoit pas pourquoi il rejette l'identité de Marie de Clopas avec Marie, mère de Jacques le petit et de José (Mc. XV, 40 et XVI, 1; Mt. XXVII, 56 et XXVIII, 1, l'autre Marie), la fidèle compagne de Marie Magdeleine près de la Croix et dans les offices de la sépulture. Clopas, d'après Hégésippe (*Eus. H. E.* III, 11,2) était frère de Joseph, père putatif de Jésus. Probablement figure-t-il ici comme mari, plutôt que comme père, car l'origine d'une femme importe moins que le nom de son mari; elle aurait donc été la belle-sœur de Marie, Mère de Jésus, et ses fils les cousins du côté paternel putatif, ou les « frères » du Seigneur. — Le disciple que Jésus aimait était là, lui aussi, mais il n'est pas présenté avec les femmes; il n'apparaîtra qu'au moment où cela sera nécessaire. Ajoutons que le chiffre de quatre femmes est celui de la *peschittâ*.

26 s.) Il se passa alors la chose la plus simple et la plus touchante. Le Christ johannique, qui savait qu'il entrait dans la gloire, qu'il pourrait

μαθητὴν παρεστῶτα ὃν ἠγάπα λέγει τῇ μητρί Γύναι, ἴδε ὁ υἱός σου. [27] εἶτα λέγει τῷ μαθητῇ Ἴδε ἡ μήτηρ σου. καὶ ἀπ' ἐκείνης τῆς ὥρας ἔλαβεν ὁ μαθητὴς αὐτὴν εἰς τὰ ἴδια.

[28] Μετὰ τοῦτο εἰδὼς ὁ Ἰησοῦς ὅτι ἤδη πάντα τετέλεσται ἵνα τελειωθῇ ἡ

exaucer ses disciples et viendrait les visiter, étant Dieu comme son Père, ce Christ est cependant un fils aimant, cloué à une croix, sensible à l'abandon où va se trouver sa mère, et qui la confie à celui qu'il aime : *nunc autem humana iam patiens, ex qua fuerat factus homo, affectu commendabat humano* (*Aug.*). Beaucoup de mourants avaient agi ainsi, d'autres ont suivi et suivront. Mais Jésus sachant que sa Mère pourra faire plus pour le disciple, que lui pour elle, la lui donne aussi pour Mère. Ordinairement c'est une charge : ἀπολείπω Ἀρεταίῳ τὴν μητέρα μου τρέφειν καὶ γηροκομεῖν (Lucien, *Toxaris*, xxii); ici c'est un privilège : la Mère de Jésus sera pour le disciple une mère. — γύναι cf. ii, 4; τὰ ἴδια cf. i, 11. Ce serait exagérer la pauvreté des Apôtres que de ne pas leur laisser un gîte; Jean, car c'est bien lui, prit donc Marie avec lui, peut-être tout d'abord auprès de sa propre mère. Mais ce n'était pas à titre de sœur qu'elle se trouvait chez Salomé, c'était comme la mère adoptive de Jean. D'après la pieuse opinion si douce aux chrétiens, Jean représentait ici tous les fidèles auxquels Marie a été dès lors donnée comme mère. Selon Knabenbauer c'est Rupert qui le premier l'a exprimée en ces termes : *quia in passione unigeniti omnium nostrum salutem beata Virgo peperit, plane omnium nostrum mater est. Igitur quod de hoc discipulo dictum est ab eo, recte et de alio quolibet discipulo, si praesens adesset dici potuisset, nisi quia licet omnium, ut dictum est, mater sit, pulchrius tamen huic ut virgo virgini commendari debuit.* Mais si on lit attentivement Rupert, on voit que lui-même ne fait pas dériver l'opinion de la maternité spirituelle de Marie du texte de Jo., mais que, cette maternité étant admise, le texte *eût pu dire* de tout autre disciple ce qu'il dit de Jean. Il n'y a donc pas lieu de changer l'exégèse admise par les catholiques les plus conservateurs (*Schanz, Corluy, Knab., Fillion, Murillo, Tillmann,* etc., cités par Simón), sans pour cela porter atteinte à la pieuse croyance des fidèles sur la maternité spirituelle de Marie, établie théologiquement moins en vertu des paroles de Jésus sur la Croix qu'ensuite de la qualité des chrétiens, frères adoptifs de Jésus, devenant même mystiquement d'autres Jésus, comme a dit Origène des parfaits : καὶ γὰρ πᾶς ὁ τετελειωμένος « ζῇ οὐκέτι » ἀλλ' ἐν αὐτῷ « ζῇ χριστός », καὶ ἐπεὶ « ζῇ » ἐν αὐτῷ « χριστός », λέγεται περὶ αὐτοῦ τῇ Μαρίᾳ· « Ἴδε ὁ υἱός σου » ὁ χριστός (*Comm.* I, iv, 23). Cela était dit bien avant Rupert. Chaque chrétien, se sachant fils de Marie, éprouve une consolation à penser qu'il est dans la même situation que Jean au pied de la Croix.

Notre piété envers Marie voit aussi dans l'attitude de celle qui se tenait debout au pied de la Croix un indice de la place qu'elle occupe dans notre rédemption. Elle compatissait aux souffrances de son Fils, mais aussi comme son Fils elle compatissait à nos maux; elle souffrait avec lui, s'offrait avec lui, sans rien ajouter à ses mérites infinis, mais en y joignant les siens, en s'associant intimement à l'œuvre de celui qu'elle avait donné au monde pour

sa Mère et tout près le disciple qu'il aimait, dit à sa Mère : « Femme, voilà ton fils. » [27] Ensuite il dit au disciple : « Voilà ta mère. » Et depuis ce moment le disciple la prit chez lui.

[28] Après cela, Jésus, sachant que désormais tout était consommé,

le sauver, non moins participante de son œuvre à sa mort qu'à sa naissance. Il faut seulement prévenir ceux qui parlent trop facilement des Pères comme s'ils étaient unanimes, que les plus grands se sont ici lamentablement égarés : on peut lire Cyrille, qui est cependant le docteur de la Maternité divine.

Il était réservé à la critique moderne de nier la réalité des adieux de Jésus à sa mère. La mère de Jésus n'est plus qu'un symbole : La mère est « la femme typique, l'Israël véritable, la communauté judéo-chrétienne, le judaïsme en tant qu'il a produit le Christ et l'église apostolique ; et à cette femme Jésus désigne comme devant être son protecteur, guide et gardien de sa vieillesse, le disciple bien-aimé, type du croyant parfait, du chrétien johannique, de l'Église helléno-chrétienne » (*Loisy*, p. 488, de même *Bauer*). Cette image symbolique est équivoque ou incohérente. Parle-t-on du judaïsme? Jésus en est sorti en quelque manière, mais comment le judaïsme, dont la haine l'a mis en croix, peut-il être représenté par sa mère affectueusement placée devant la Croix? Aussi l'on dit : l'Église judéo-chrétienne. Mais à supposer qu'un « paulinien » comme Jo. admette l'existence d'une église distincte dans le christianisme où il n'y a plus ni juif ni gentil, comment cette église, née de la foi en Jésus, peut-elle être la mère de Jésus? Il serait moins illogique de parler des rapports entre les deux écritures de l'A. et du N. Testament. Mais nos critiques admettront-ils l'existence au temps de Jo. d'un N. Testament qui servirait de refuge à l'Ancien? De toute façon on n'a pas le droit de substituer l'intention d'un symbolisme sur lequel il ne s'est pas fait d'accord à l'intention très claire de rapporter un fait dont le disciple bien-aimé était justement fier. On ne peut même pas dans ce cas s'appuyer sur le goût des Pères pour l'allégorie. Sans compter que pour le symbolisme les autres femmes sont de trop, si bien que Loisy attribue leur insertion à un rédacteur !

28 s.) *Jésus est abreuvé de vinaigre* (Mc. xv, 36 ; Mt. xxvii, 48 ; Lc. xxiii, 36). L'accord est parfait avec les synoptiques (Lc. se contente d'un mot) sur le fait que Jésus fut abreuvé de vinaigre, et que sa mort suivit aussitôt.

28) Dans Mc. et Mt. l'initiative vient d'un assistant qui s'imagine que Jésus a appelé Élie. Dans Jo. c'est une plainte de Jésus, disant qu'il a soif, à laquelle on donne satisfaction. On avouera que cela est plus naturel. Et cependant c'est l'occasion pour Bauer de déclarer qu' « il est certain seulement que dans Jo. s'est évanouie toute trace de tourment et de souffrance ». Loisy : « On doit supposer que Jésus a soif, mais il n'a soif que par sa volonté, par la conscience d'une prophétie à réaliser » (p. 489). Ce demi-docétisme serait fort apparenté à la doctrine que Jo. aurait voulu combattre en supprimant le Cyrénéen (voir sur 17). Le sens est simplement que Jésus, dévoré par la soif, trop naturelle en pareil cas, a exprimé sa souffrance pour réaliser une pro-

γραφὴ λέγει Διψῶ. [29] σκεῦος ἔκειτο ὄξους μεστόν. σπόγγον οὖν μεστὸν τοῦ ὄξους ὑσσῷ περιθέντες προσήνεγκαν αὐτοῦ τῷ στόματι. [30] ὅτε οὖν ἔλαβεν τὸ ὄξος ὁ Ἰησοῦς εἶπεν Τετέλεσται, καὶ κλίνας τὴν κεφαλὴν παρέδωκεν τὸ πνεῦμα. [31] Οἱ οὖν Ἰουδαῖοι, ἐπεὶ παρασκευὴ ἦν, ἵνα μὴ μείνῃ ἐπὶ τοῦ σταυροῦ τὰ σώματα ἐν τῷ σαββάτῳ, ἦν γὰρ μεγάλη

29. *om.* ουν *p.* σκευος (THV) et non *add.* (S). — υσσω *scripsi*, υσσωπω (THSV).

---

phétie, tout le reste de ce qui lui avait été imposé par son Père étant désormais consommé. D'ordinaire, pour l'accomplissement d'une prophétie, Jo. emploie πληρόω (xii, 38; xiii, 18; xv, 11. 25; xvii, 12; xviii, 9. 32) et τελειόω pour l'accomplissement de l'œuvre du Père (iv, 34; v, 36; xvii, 4). C'est la pensée qui domine ici, et qui influe sur le choix du mot par rapport à l'Écriture : d'autant qu'à ce coup toutes les prophéties trouvent leur accomplissement définitif : Jésus va mourir. Le texte n'est pas cité; ce doit être : καὶ εἰς τὴν δίψαν μου ἐπότισάν με ὄξος (Ps. lxviii, 22). Dans le ps. c'est un mauvais traitement (cf. Lc.); dans Mc. et dans Mt. l'intention ne paraît pas mauvaise, encore moins dans Jo. Le point de comparaison est donc plutôt dans celui qui souffre : en être réduit à boire du vinaigre, dans une soif dévorante!

29) Jo. met au pluriel ce qui ne doit s'entendre que d'un seul (Mc. Mt.). Pour la présence de cette boisson, cf. *Comm. Mc.* — Mt. et Mc. parlent d'un roseau, et Jo. a manifestement en vue quelque chose de semblable, sur quoi est fixée l'éponge : le même verbe περιτίθημι pour les trois. Or il est certain que l'hysope ne peut remplir ce but, n'ayant pas de tiges assez fermes pour cela. Il eût fallu dire : mettant un petit balai d'hysope au bout d'un roseau. Le sens de ὕσσωπος étant certain, on n'a pas le droit de chercher une autre plante que l'hysope. Une correction très simple s'impose, proposée par Camerarius († 1574), très soutenue par Field, etc. L'auteur avait écrit υσσωπεριθεντες. Un copiste très ancien, ne connaissant pas le mot ὑσσός, javelot, le *pilum* des Romains, mais connaissant bien l'hysope, a pensé que le manuscrit qu'il copiait péchait par la faute si fréquente de l'haplographie, et qu'on avait mis ωπ une seule fois au lieu de ωπωπ; la restitution amenait l'hysope, plante biblique. — Bauer et Loisy (p. 489) refusent une correction si heureuse en critique textuelle, parce que l'hysope figurait dans l'ancien rituel pascal, « qui prescrivait de marquer les portes des maisons avec un balai d'hysope trempé dans le sang de l'agneau » (Ex. xii, 22).

Mais cet usage même montre que l'hysope aurait pu remplacer (très mal) l'éponge, mais non le roseau. Au lieu de dire une chose absurde, Jo. a désigné très exactement de quelle sorte de roseau on s'était servi.. A vrai dire la hampe du *pilum* était en bois, mais elle était renforcée en haut pour recevoir la soie du fer, ce qui donnait au *pilum* tout à fait l'apparence d'un roseau avec sa fleur (cf. les illustrations de l'art. *Pilum* dans *Saglio*). On dirait chez Jo. et les synoptiques d'un même objet vu de près et de loin.

30) *La mort de Jésus* (Mc. xv, 37 ; Mt. xxvii, 50 ; Lc. xxiii, 46).

afin que l'Écriture fût consommée, il dit : « J'ai soif. » [29] Il y avait là un vase rempli de vinaigre. Ils fixèrent donc une éponge remplie de vinaigre à un javelot et l'approchèrent de sa bouche. [30] Lors donc que Jésus eut pris le vinaigre, il dit : « C'est consommé », et ayant incliné la tête, il rendit l'esprit.

[31] Les Juifs donc, comme c'était la préparation, afin que les corps ne demeurassent pas sur la croix durant le sabbat, car c'était

---

Jésus boit donc le vinaigre et peut dire, aussitôt après, « c'est fini », en accord avec le v. 28. Il a accompli sa mission, sa carrière terrestre est terminée. Après quoi il incline la tête, comme pour dormir (Mt. VIII, 20; Lc. IX, 58), et remet son esprit, sans doute à son Père. C'est le sentiment exprimé par la parole de Lc. : « Père je remets mon esprit entre vos mains », que Jésus prononça alors. — Selon leur coutume, Loisy et Bauer exagèrent à plaisir la divergence entre Jo. et les synoptiques. Le cri des synoptiques est un cri de douleur, la dernière parole de Jésus est triomphale (*Bauer*). Mais le cri, le grand cri ne peut-il être regardé comme l'indice d'une force surhumaine? Sans aller jusqu'au cri de triomphe, on peut estimer que Jésus a exprimé dans un cri la satisfaction du Fils qui a accompli l'œuvre que lui avait confiée son Père. Les synoptiques n'ont pas insisté plus que Jo. sur les souffrances physiques de Jésus; c'est encore Jo. qui seul a mis sur ses lèvres le mot « j'ai soif ». La description, si sobre soit-elle, d'une crucifixion suffit à appeler la compassion sur les plus extrêmes douleurs. Jo. il est vrai n'a pas parlé des injures des Juifs, ni dans la nuit du procès, ni au pied de la Croix ; mais il a aussi omis la confession messianique de Jésus devant Caïphe. Il faut toujours reconnaître qu'il n'écrit pas une biographie complète, et qu'il n'entend pas supplanter les synoptiques. Loisy estime que l'émission du souffle figure le don de l'Esprit-Saint parce qu'en baissant la tête il dirige son esprit vers le groupe aimé. — C'est aller un peu vite : il faut attendre la résurrection (XX, 22).

31-37. *Le coup de lance.* Jo. seul, mais il omet ce que les synoptiques disent du centurion et des femmes, aussi bien que la rupture du rideau du temple (Mc. et Mt.) et le tremblement de terre avec les résurrections et apparitions (Mt seul). C'est certes un cas où Jo. ne se préoccupe pas de faire une auréole miraculeuse au Verbe incarné.

31) D'après Dt. XXI, 23, le corps d'un pendu devait être enseveli le jour même et Josèphe atteste que telle était la coutume de son temps pour les crucifiés : καίτοι τοσαύτην Ἰουδαίων περὶ τὰς ταφὰς πρόνοιαν ποιουμένων, ὥστε καὶ τοὺς ἐκ καταδίκης ἀνεσταυρωμένους πρὸ δύντος ἡλίου καθελεῖν τε καὶ θάπτειν (*Bell.* IV, v, 2).

Peut-être les Juifs auraient-ils cependant laissé aux Romains la responsabilité d'une dérogation à cette loi, si le lendemain n'eût été un sabbat, et même un grand jour, c'est-à-dire une grande fête. Cette fête spécialement chômée ne peut être que le 15 nisan. On voit que Jo. est parfaitement d'accord avec lui-même. Dans ce cas, παρασκευή doit comme au v. 14 s'entendre d'une préparation, quoiqu'il n'ait pas de régime. On ne peut alléguer que c'est la paras-

ἡ ἡμέρα ἐκείνου τοῦ σαββάτου, ἠρώτησαν τὸν Πιλᾶτον ἵνα κατεαγῶσιν αὐτῶν τὰ σκέλη καὶ ἀρθῶσιν. [32] ἦλθον οὖν οἱ στρατιῶται, καὶ τοῦ μὲν πρώτου κατέαξαν τὰ σκέλη καὶ τοῦ ἄλλου τοῦ συνσταυρωθέντος αὐτῷ· [33] ἐπὶ δὲ τὸν Ἰησοῦν ἐλθόντες, ὡς εἶδον ἤδη αὐτὸν τεθνηκότα, οὐ κατέαξαν αὐτοῦ τὰ σκέλη, [34] ἀλλ' εἷς τῶν στρατιωτῶν λόγχῃ αὐτοῦ τὴν πλευρὰν ἔνυξεν, καὶ

33. ηδη αυτον (TH) et non α. η. (SV).

---

cève par excellence (Mc. xv, 42), c'est-à-dire « le vendredi » comme précédant le sabbat, car le génitif du v. 14 est remplacé équivalemment non seulement par ἐν τῷ σαββάτῳ, mais aussi par l'indication de la fête. — Les Juifs vont donc trouver Pilate, comme cela va sans dire, car il n'y a aucune raison de supposer Pilate au pied de la Croix; Jo. ne le dit pas, et cela serait invraisemblable : le premier magistrat aurait dérogé en assistant à une simple exécution. Comme on ne pouvait ensevelir les suppliciés vivants, il fallait en finir : le moyen indiqué est de leur rompre les jambes. Le *crurifragium* était, il est vrai, un supplice particulier, pour les esclaves et les déserteurs (nombreux exemples dans le *Thesaurus* v° *crus*). Mais si l'on disait par manière de proverbe : *perire eum non posse, nisi ei crura fracta essent* (Cic. 13e Philippique 27), c'était donc un moyen assez employé d'achever ceux qui ne périssaient pas assez vite. — μείνῃ est au singulier parce qu'il se rapporte au neutre σώματα, les cadavres; tandis que ceux dont on brisera les jambes sont encore des personnes; ἀρθῶσιν suivra naturellement aussi au pluriel, tandis que Apoc. i, 19 ne peut être excusé de solécisme. — κατεάγωσιν, régulier, aor. 2 passif de κατάγνυμι.

32) Les soldats qui viennent sont plus probablement envoyés par Pilate, les premiers ne devant pas quitter leur poste. Ils arrivent munis des instruments nécessaires qui ne faisaient pas défaut, ou ils les font porter. Ils commencent par celui des suppliciés qui se trouvait le plus proche; on ne voit pas pourquoi ils ont d'abord passé Jésus qui se trouvait entre deux : peut-être Jo. a-t-il choisi la manière la plus courte de raconter, ou bien telle disposition locale que ne savons pas a pu les influencer.

33) Venus auprès de Jésus. — ἐλθόντες est peut-être dans un sens un peu différent de ἦλθαν (32); sûrement Mt. aurait mis προσελθόντες, mais Jo. n'a employé ce verbe qu'une fois (xii, 21). — Jésus étant mort, il n'y avait pas à lui donner le coup de grâce; c'eût été prendre une peine inutile, sans parler d'un certain respect de la mort; et enfin ce n'était pas la consigne. L'exécution est terminée, et on le constate officiellement.

34) Cependant l'acte du soldat ne peut s'expliquer que par son désir de constater, à tout hasard, si vraiment Jésus est mort, sauf à l'achever s'il ne l'était pas. Mais c'est là un acte individuel, on dirait presque une fantaisie, un instinct auquel cède le soldat, et par là cet acte a déjà quelque chose d'inattendu et de mystérieux; il n'a pas en lui-même sa raison d'être. — νύσσω signifie piquer, d'où frapper ou percer. Ce verbe pourrait s'entendre d'une

un grand jour que ce sabbat, demandèrent à Pilate qu'on leur rompît les jambes et qu'on les enlevât. [32] Les soldats vinrent donc, et ils rompirent les jambes du premier puis de l'autre qui avait été crucifié avec lui; [33] mais venant à Jésus, comme ils virent qu'il était déjà mort, ils ne lui rompirent pas les jambes, [34] mais un des soldats lui piqua le côté de sa lance, et aussitôt il sortit du sang et de l'eau.

piqûre légère, comme dans la touchante histoire de Cléomène et de Pantée, où Pantée pique le talon de son chef, pour voir s'il était mort, mais sans avoir le courage de l'achever (Plut. *Vita Cleom.* xxxvii, cité par *Field*). Mais ici la délicatesse du sentiment est exclue, et le résultat prouve que le coup a été fortement porté. Il n'est pas dit si c'est le flanc droit ou le flanc gauche, mais l'action n'avait tout son sens que si le soldat visait le cœur, où la blessure est plus sûrement mortelle. λόγχη étant ici distinguée de ὑσσός (29) doit être une véritable lance, et non un javelot. De l'instrument est venu le nom de Longin, ce qui prouve bien qu'on ne savait pas le vrai nom du soldat, mais non pas que lui-même n'ait pas existé.

L'eau et le sang. Celse s'en moquait, et demandait si l'on attribuait par là à Jésus ce liquide divin qui sert de sang aux dieux d'après Homère (*Il.* V, 340). Origène (*c. Cels.* II, 36) répondait qu'il savait bien que des cadavres il ne sort ni sang, ni eau, mais que le fait de Jésus était miraculeux. Jo. le savait aussi, et c'est pourquoi il a tant insisté sur un témoignage oculaire. Nous n'essaierons donc pas de fournir une explication physiologique plus ou moins approchée. Mais précisément parce qu'il regarde le fait comme miraculeux et qu'il en atteste la réalité, on n'a pas le droit de dire qu'il n'a qu'une valeur symbolique. C'est la réalité qui importe avant tout, comme base du symbole, quoique le symbole, s'il y en a un, confère une singulière valeur. Il n'est d'ailleurs pas aisé de définir ce symbole, et les Pères ont proposé de nombreuses explications. Il semble que, d'après Jo. lui-même, le sang du Christ est un instrument de propitiation (I Jo. i, 7; Apoc. vii, 14) : lorsque le sang coule, la rédemption est consommée. Mais de plus, Jésus est celui qui vient par l'eau et par le sang (I Jo. v, 6), l'eau a donc aussi un sens profond : ce doit être l'eau du baptême, dans lequel est appliquée la rédemption. Aug. *ut illic quodammodo vitae ostium panderetur, unde Sacramenta Ecclesiae manarunt... Ille sanguis in remissionem fusus est peccatorum : aqua illa salutare temperat poculum; haec et lavacrum praestat, et potum.* L'eau et le sang sont donc unis comme deux agents de purification, ainsi que le disait Apollinaire d'Hiérapolis ὁ ἐκχέας ἐκ τῆς πλευρᾶς αὐτοῦ τὰ δύο πάλιν καθάρσια, ὕδωρ καὶ αἷμα, λόγον καὶ πνεῦμα (cité par *Holtz.*, etc.). Mais le sang pouvait signifier aussi l'Eucharistie (*Chrys. Icho'dad,* etc.). Des sacrements de l'Église, Aug. passe à l'Église elle-même, sortie du flanc de celui qui a incliné la tête comme pour dormir, ainsi qu'Ève est sortie du flanc d'Adam endormi (Gen. ii, 21). Ce symbole indiqué aussi par Cyrille de Jérusalem, Chrysostome, etc., a été enregistré par le concile de Vienne, lorsqu'il définit contre Pierre Jean Oliva que le coup de lance fut donné après la mort (*Denz.* 480). La dévotion au Sacré Cœur de Jésus n'est

ἐξῆλθεν εὐθὺς αἷμα καὶ ὕδωρ. [35] καὶ ὁ ἑωρακὼς μεμαρτύρηκεν, καὶ ἀληθινὴ αὐτοῦ ἐστιν ἡ μαρτυρία, καὶ ἐκεῖνος οἶδεν ὅτι ἀληθῆ λέγει, ἵνα καὶ ὑμεῖς πιστεύητε. [36] ἐγένετο γὰρ ταῦτα ἵνα ἡ γραφὴ πληρωθῇ Ὀστοῦν οὐ συντριβήσεται αὐτοῦ. [37] καὶ πάλιν ἑτέρα γραφὴ λέγει Ὄψονται εἰς ὃν ἐξεκέντησαν.

jamais plus touchante que lorsqu'elle évoque cette blessure du Cœur qui nous a tant aimés : *quid vulnere isto salubrius* (*Aug.*) ?

— On ne saurait passer sous silence l'opinion de M. Tillmann. Supposant que le coup de lance porté de droite à gauche a traversé le cœur, il ne regarde pas comme invraisemblable qu'il en soit sorti un mélange d'eau et de sang. Jo. ne dit pas qu'ils soient sortis séparés, et ne prétend pas alléguer un miracle. Il n'a pas non plus en vue un symbole, son but étant de combattre le docétisme par cette preuve évidente de la mort de Jésus.

35) Un premier point généralement reconnu, et qui ne souffre aucune difficulté, c'est que le témoin oculaire est le disciple aimé du v. 26. Il était le seul disciple auprès de la Croix, le seul qui ait pu rendre témoignage pour ses frères, de sorte que l'intention de l'auteur n'est pas douteuse. Mais entendait-il se désigner lui-même? On l'a toujours cru, et cela est incontestablement appuyé sur le présent λέγει. Il n'a pas cessé de rendre témoignage, μεμαρτύρηκεν, et maintenant il dit. On objecte que ἐκεῖνος, sujet de λέγει, ne peut être l'auteur, qui ne parlerait pas de lui à la troisième personne. Mais il était courant qu'un auteur parlât à la troisième personne; chez les Juifs on admettait sans hésiter que c'était le cas de Moïse, ce fut le cas de Josèphe; et l'on trouve cette tournure avec ἐκεῖνος dans Jo. (ix, 37). — On fait une autre objection. Le témoin étant le même que l'auteur, il se rendrait témoignage à lui-même; or, dans ce cas le témoignage n'a pas de valeur (v, 31; viii, 13); Jo. ne pouvait l'avoir oublié. Aussi nous pensons qu'il a recours au témoignage de Celui que tous ses frères reconnaissent comme leur Seigneur. Il ne faut que lire I Jo. ii, 6; iii, 3.5.7.16; iv, 17 pour reconnaître qu'ici ἐκεῖνος s'entend de Jésus (*Zahn, Till., Bauer*). Je ne sais si on a rapproché de ce fait l'usage des disciples de Pythagore qui ne lui donnaient pas son nom mais le désignaient durant sa vie comme θεῖος, après sa mort sous le nom d'ἐκεῖνος (Jamblique, *vit. Pyth.* 255, cité par Delatte, *La vie de Pythagore*, etc., p. 252). Le témoin est donc l'écrivain, qui prend Jésus à témoin que son témoignage est véridique, ἀληθινή.

— Loisy prétend entendre ce mot au sens « johannique », ou mystique, de façon que le témoignage porterait à la fois sur le fait et sur son symbole. Il y a là une confusion. ἀληθινός en effet dans Jo. ne signifie pas vrai, ou véritable au sens matériel, mais vraiment digne de ce nom, dans toute la force du terme, ce qui peut aboutir à un sens mystique, comme : « Je suis la vraie vigne. » Mais un témoignage vraiment digne de ce nom est un témoignage véridique. Ici le sens « véridique » est exigé *ratione materiae*. A supposer que Jo. attache une grande importance au symbole, il n'en faut pas moins que le fait soit vrai : on ne rend pas témoignage à un symbole, mais au fait dont il sera dégagé. Ici le fait est l'émission d'eau et de sang prouvant la mort. Jo. ne paraît pas s'adresser

[35] Et celui qui a vu a rendu témoignage — et son témoignage est véridique, et Celui-là sait qu'il dit la vérité — afin que vous croyiez. [36] Car ces choses sont arrivées afin que cette parole de l'Écriture soit accomplie : « *Aucun de ses os ne sera brisé.* » [37] Et une autre écriture encore dit : « *Ils verront celui qu'ils ont transpercé.* »

à des infidèles, mais à des personnes qui font partie de son groupe (ὑμεῖς). On pourrait donc estimer que le témoignage a pour but de les amener à croire ce point particulier, qui n'avait pas été raconté par les synoptiques, ou de défendre leur foi menacée sur un point particulier. Mais comme πιστεύητε n'a pas de régime, il faut l'entendre de la foi en général, c'est-à-dire d'une foi plus parfaite; d'autant que Jo. va montrer que le fait lui-même n'était que la réalisation de deux prophéties; Jésus était donc le véritable agneau pascal, l'envoyé de Dieu, celui vers qui convergeait l'Écriture, celui en qui il faut croire.

Inutile d'insister sur les scrupules critiques (*Wellh.*, *Loisy*) de ceux qui attribuent les versets 34, 35 et 37 à un rédacteur. La prétendue incohérence, le prétendu embarras des phrases ne sont point des arguments, quand la marque johannique est si évidente (même *Bauer*). Et alors il faut voir ici un argument décisif prouvant que l'auteur de l'évangile se donne comme le disciple bien-aimé, argument qui tient, quel que soit le sens donné à ἐκεῖνος. Ceux qui, comme Bauer disent que ἐκεῖνος est le Christ n'ont même aucun prétexte pour le nier.

36) Chacun des deux faits signalés : la préservation des os et le coup de lance étaient prédits. — γάρ indique que ces prédictions étaient un motif de croire, donc d'une foi générale, et non pas à un fait particulier, car l'ordre naturel est de l'admettre comme réel avant de le mettre en relation avec une prophétie. — Il était aussi dans l'ordre de raconter d'abord les faits, parfaitement enchaînés, avant de passer aux prophéties qui ne l'étaient pas entre elles. — La première est relative à l'agneau pascal. Dans les deux textes du Pentateuque (Ex. xii, 46; Num. ix, 12) le verbe est à l'actif (συντρίψετε, συντρίψουσιν). Il était impossible de conserver la seconde personne, et la troisième qui ne se serait plus appliquée ici aux Israélites était avantageusement remplacée par le passif lequel n'appelait pas l'attention sur les acteurs. Il est donc inutile de supposer une influence du ps. xxxiii, 21 pour expliquer συντριβήσεται, d'autant qu'il ne parle pas de l'agneau pascal mais des justes. — Jo. ne pouvait regarder la législation mosaïque comme une prophétie directement messianique : l'accomplissement se fait donc au sens spirituel, parce que Jésus était le véritable agneau immolé (Apoc. v, 6.12, etc.) pour le salut de son peuple (cf. I Cor. v, 7). Mais l'énergie avec laquelle il a produit son témoignage sur le fait ne permet pas de croire qu'il ait déplacé le jour pour obtenir un symbolisme plus parfait. — Schanz développe ce symbolisme dans ce sens que l'Église, corps du Christ, ne doit pas non plus être divisée; mais il concède que les Pères n'en ont rien dit.

37) L'expression ἑτέρα γραφὴ λέγει, tout à fait comme וכתוב אחר אומר dans *Mek.* sur xiv, 3.26[a] (*Schlatter*). Le texte est Zach. xii, 10. L'hébreu massorétique

[38] Μετὰ δὲ ταῦτα ἠρώτησεν τὸν Πιλᾶτον Ἰωσὴφ ἀπὸ Ἀριμαθαίας, ὢν μαθητὴς τοῦ Ἰησοῦ κεκρυμμένος δὲ διὰ τὸν φόβον τῶν Ἰουδαίων, ἵνα ἄρῃ τὸ σῶμα τοῦ Ἰησοῦ· καὶ ἐπέτρεψεν ὁ Πιλᾶτος. ἦλθεν οὖν καὶ ἦρεν τὸ σῶμα αὐτοῦ. [39] ἦλθεν δὲ καὶ Νικόδημος, ὁ ἐλθὼν πρὸς αὐτὸν νυκτὸς τὸ πρῶτον, φέρων μῖγμα σμύρνης καὶ ἀλόης ὡς λίτρας ἑκατόν. [40] ἔλαβον

38. *om.* ο *p.* Ιωσηφ (H) ou *add.* (TSV).
39. αυτον (THV) et non τον Ιησουν (S); — μιγμα (TSV) et non ελιγμα (H).

---

est : « ils regarderont vers moi qu'ils ont percé ou transpercé », mais il est très probable que l'hébreu primitif n'avait pas « vers moi » mais « vers celui que », c'est-à-dire le texte traduit ici par Jo. Il n'a pas tenu compte des LXX : καὶ ἐπιβλέψονται πρὸς μὲ ἄνθ' ὧν κατωρχήσαντο (רקדו « danser » pour דקרו « percer »). Donc Jo. a eu recours à l'original, ce que prouve aussi son allusion de Apoc. I, 7 καὶ ὄψεται αὐτὸν πᾶς ὀφθαλμὸς καὶ οἵτινες αὐτὸν ἐξεκέντησαν. Supposer que Jo. table ici sur une autre traduction grecque de l'hébreu que les Septante, c'est préférer l'inconnu à la source très connue de l'Apocalypse, peut-être pour ne pas admettre l'unité d'auteur. Et cette conjecture gratuite ne peut même pas s'appuyer sur une source commune à Jo. et aux traducteurs postérieurs, puisque Théodotion a καὶ ἐπιβλέψονται πρὸς μὲ εἰς ὃν ἐξεκέντησαν, Aquila ... σὺν ᾧ ἐξεκέντησαν, Symmaque ... ἔμπροσθεν ἐπεξεκέντησαν. — ἐκκεντεῖν est la traduction de דקר dans les LXX (Jud. IX, 54, etc.).

— Le texte de Zacharie est très mystérieux. D'après Van Hoonacker (*Comm.*, p. 683) les vv. 10-14 commencent l'exposé des conditions spirituelles du règne messianique. Un grand crime a été commis; la nation en deuil reconnaîtra sa faute, et se lamentera sur celui qu'ils ont transpercé comme on se lamente sur un fils unique. L'évocation de cette prophétie, au futur dans Zacharie, est d'autant plus saisissante que Jésus a été vraiment transpercé, lui le vrai Fils unique de Dieu. Si le coup de lance est le fait d'un étranger, c'est bien la nation qui est responsable du crime. Jo. appelle seulement l'attention sur ce fait que les Juifs auront pu constater leur œuvre et y reconnaître une de leurs prophéties. Quels ont été leurs sentiments? Il ne le dit pas. Plus tard, à la parousie, ils se frapperont la poitrine (Apoc. I, 7).

38-42. LA SÉPULTURE DE JÉSUS (Mc. XV, 42-46; Mt. XXVII, 57-60; Lc. XXIII, 50-54). Ici Jo. rejoint les synoptiques. Il ajoute la présence de Nicodème, les épices, deux détails sur le lieu; mais il ne dit pas comme Mt. et Mc. que le tombeau, creusé dans le roc, était fermé par une grosse pierre, ni comme Mc. que Pilate eût été étonné de la rapidité de la mort : nous signalerons d'autres menues variations.

38) Joseph est d'Arimathie (Mc., Mt., Lc.), mais il n'est pas nommé sénateur (Mc., Lc.) ni riche (Mt.), et s'il est disciple comme les trois l'indiquent en d'autres termes, c'est un disciple caché, parce qu'il craignait les Juifs (propre à Jo.). Ce trait le diminue un peu, mais explique comment il a pu se présenter chez Pilate sans se compromettre, alléguant un motif d'humanité ou de soli-

[38] Après cela, Joseph d'Arimathie, qui était disciple de Jésus, mais en secret par crainte des Juifs, demanda à Pilate d'enlever le corps de Jésus. Et Pilate [le] permit. Il vint donc et enleva son corps. [39] Nicodème vint aussi, celui qui tout d'abord était venu auprès de lui pendant la nuit, apportant un mélange de myrrhe et d'aloès pesant environ cent livres. [40] Ils prirent donc le corps de Jésus et

darité nationale. Le but dernier de sa demande est bien d'ensevelir Jésus, mais Jo. emploie αἶρεῖν, comme au v. 31. Loisy objecte donc que Pilate n'avait pas *à permettre* qu'on enlevât, puisqu'il l'avait déjà *ordonné*. — On conçoit cependant très bien que Pilate ait consenti que les corps fussent enlevés, sauf à permettre à telles personnes de le faire, au lieu des soldats. Cette permission ne se refusait pas (cf. *Comm. Mc.* p. 411). — καθέλων de Mc. et Lc. est un terme plus précis pour « descendre un corps de la croix » (cf. outre *Comm. Mc.* Jos. VIII, 29); mais l'idée est la même dans Jo., car αἰρεῖν ne peut signifier autre chose qu'au v. 31.

39) Il semble que Nicodème ne vint qu'après. Il était d'accord avec Joseph, mais le temps pressait; on se partagea les pieux offices. Le rôle de Nicodème fut d'acheter les épices. Jo. rappelle qu'il a déjà parlé de Nicodème, venu de nuit, comme pour expliquer son intervention un peu tardive. Il ne tenait pas à se montrer, mais enfin il aimait Jésus et voulait à sa manière plus que discrète protester contre le crime du Sanhédrin. — La myrrhe (cf. sur Mt. II, 11) est une résine odoriférante, l'aloès (Cant. IV, 15) est un bois de senteur (*Aloexylon Agallochon*). On s'est étonné de cette quantité énorme de cent livres; on a répondu qu'aux funérailles de Gamaliel l'ancien on avait brûlé pour 80 livres d'épices (*Aboda zara* XI, 1) et qu'aux funérailles d'Hérode le Grand cinq cents esclaves portaient des aromates (Jos. *Ant.* XVII, VIII, 3). On pourrait aussi citer les 20 livres et les 50 livres d'encens dépensées dans des funérailles à Ostie (*CIL*, XIV, 321 et 413). Mais précisément ce sont de gros chiffres, dans des circonstances exceptionnelles. Comme Jo., toujours modéré, ne peut avoir égalé une inhumation expéditive et presque furtive à de splendides funérailles, on serait tenté de croire à une erreur de copiste et de remplacer « cent » par un chiffre beaucoup plus modeste que 32 kil. 700 grammes. D'ailleurs on ne saurait comparer la livre d'huile parfumée très précieuse (XII, 3) à ces aromates du commerce, probablement très mélangés, où les essences de senteur donnaient seulement le bouquet. On sait combien était suspecte l'industrie des pharmacopoles. Ces résines ne servaient pas à oindre le corps sous forme d'huile; on les pilait plutôt en poudre, si elles ne conservaient pas, comme pour l'aloès, la forme de petites bûchettes, et on les répandait tout d'abord largement sur la banquette sépulcrale et tout autour, plutôt pour combattre la mauvaise odeur que pour un embaumement véritable. — μῖγμα « mélange » est beaucoup plus simple que ἕλιγμα (ℵ B W) « objets enroulés », leçon difficile à laquelle on donnerait la préférence, s'il était possible d'en tirer quelque chose.

40) Le corps de Jésus étant déposé de la Croix, Joseph et Nicodème en prennent définitivement possession (cf. Mt. λαβών) et le lient avec des bandelettes

οὖν τὸ σῶμα τοῦ Ἰησοῦ καὶ ἔδησαν αὐτὸ ὀθονίοις μετὰ τῶν ἀρωμάτων, καθὼς ἔθος ἐστὶν τοῖς Ἰουδαίοις ἐνταφιάζειν. [41] ἦν δὲ ἐν τῷ τόπῳ ὅπου ἐσταυρώθη κῆπος, καὶ ἐν τῷ κήπῳ μνημεῖον καινόν, ἐν ᾧ οὐδέπω οὐδεὶς ἦν τεθειμένος· [42] ἐκεῖ οὖν διὰ τὴν παρασκευὴν τῶν Ἰουδαίων, ὅτι ἐγγὺς ἦν τὸ μνημεῖον, ἔθηκαν τὸν Ἰησοῦν.

et des aromates, les aromates en poudre étant disposés le long des bandes qui les serraient ensuite sur le corps. — ὀθόνιον au pluriel comme dans Lc. xxiv, 12, pour indiquer un tissu découpé en bandes, ou des bandes fabriquées tout exprès.

Rien ne prouve que d'après Jo. Jésus soit mort après la neuvième heure, moment indiqué par Mc. (xv, 34). Les soins funéraires ont donc pu aisément être rendus avant le coucher du soleil. Ce n'était point un embaumement tel que d'autres le pratiquaient peut-être, — car il n'y a aucune comparaison explicite, — mais une sépulture telle que les Juifs l'avaient en usage. On ne peut donc pas dire que c'était une disposition provisoire, que les femmes auraient compté reprendre d'une façon plus parfaite, et dès lors il semble qu'il y a une antinomie entre les synoptiques, réservant les aromates aux femmes qui interviendront plus tard, et Jo. qui regarde la cérémonie comme terminée. Cependant les deux manières peuvent très bien se combiner en fait. Ou les femmes n'ont rien su des aromates, ce qui se concilie avec Mc., car elles regardent seulement où l'on a mis le corps; ou bien, si elles ont vu comment les choses se sont passées (Mt. et surtout Lc.), elles ont voulu apporter leur petite contribution. Il y avait certes assez d'aromates, mais ce n'étaient pas les leurs.

41) Jo. ne dit pas comme Mt. que le tombeau était celui de Joseph, mais comme Mt. qu'il était nouveau, et comme Lc. que personne n'y avait été déposé. Il ajoute ce renseignement précieux que c'était dans un jardin, au lieu même de la crucifixion. Ce jardin ne doit pas faire rêver d'un parc anglais : il y avait là seulement quelques arbres à la manière orientale. Déjà Jo. avait précisé que le lieu de l'arrestation était un jardin. C'est pure fantaisie que de dire avec Loisy ce jardin inventé pour figurer l'Éden spirituel, le véritable jardin de Dieu, où l'Église est née figurativement du côté du nouvel Adam, etc. — Il n'est pas si clair dans le texte de Jo. que l'Église soit sortie du côté du Christ; et il ne dit pas que la Croix ait été plantée dans un jardin, mais que, dans ce lieu du crucifiement, peut-être assez étendu, il y avait un jardin.

42) La proximité du lieu offrait un grand avantage, puisqu'on était très pressé à cause de la préparation des Juifs en vue de ce grand jour du sabbat (xix, 31), qui était en même temps la préparation de la Pâque (xix, 14). On était donc au 14 nisan selon notre manière de compter; le 15 nisan allait commencer avec le coucher du soleil.

Chapitre XX. La Résurrection. Jésus est entré dans la gloire de sa résurrection. Il ne se manifeste pas au monde (xiv, 22), mais à ceux qui l'ont aimé, et dont il veut faire ses envoyés auprès du monde. Jo. distingue deux consta-

ils le lièrent de bandelettes avec les aromates, selon la manière d'ensevelir en usage chez les Juifs. [41] Or il y avait un jardin au lieu où il avait été crucifié, et dans le jardin un tombeau neuf, où personne n'avait encore été mis. [42] C'est donc là, à cause de la préparation des Juifs, le tombeau étant proche, qu'ils mirent Jésus.

tations : le tombeau est trouvé vide par Pierre et Jean sur l'indication donnée par Marie-Magdeleine (1-10); puis Jésus se montre à Magdeleine (11-18) et ensuite aux disciples (19-23), auxquels il apparaît de nouveau spécialement en faveur de Thomas (24-29). Enfin vient une première conclusion de l'évangile (30-31) que nous croyons avoir été déplacée.

Dans la première édition de son commentaire, M. Loisy n'avait vu dans ces récits aucune raison de distinguer deux auteurs. A la suite de Wellhausen, il distingue maintenant le premier auteur, qui n'admettait qu'une immortalité spirituelle, et un rédacteur qui enseigne la résurrection matérielle de la chair. Les indices de ce découpage sont trop ténus et insuffisants pour qu'il y ait intérêt à les discuter tous : nous noterons les principaux; ils ne semblent pas avoir impressionné Bauer, sauf peut-être en ce qui regarde le lieu des deux premiers épisodes.

Nous aurons à noter le contact avec les synoptiques.

CHAPITRE XX

[1] Τῇ δὲ μιᾷ τῶν σαββάτων Μαρία ἡ Μαγδαληνὴ ἔρχεται πρωὶ σκοτίας ἔτι οὔσης εἰς τὸ μνημεῖον, καὶ βλέπει τὸν λίθον ἠρμένον ἐκ τοῦ μνημείου. [2] τρέχει οὖν καὶ ἔρχεται πρὸς Σίμωνα Πέτρον καὶ πρὸς τὸν ἄλλον μαθητὴν ὃν ἐφίλει ὁ Ἰησοῦς, καὶ λέγει αὐτοῖς Ἦραν τὸν κύριον ἐκ τοῦ μνημείου, καὶ οὐκ οἴδαμεν ποῦ ἔθηκαν αὐτόν. [3] Ἐξῆλθεν οὖν ὁ Πέτρος καὶ ὁ ἄλλος μαθητής, καὶ ἤρχοντο εἰς τὸ μνημεῖον. [4] ἔτρεχον δὲ οἱ δύο ὁμοῦ· καὶ ὁ ἄλλος μαθητὴς προέδραμεν τάχιον τοῦ Πέτρου καὶ ἦλθεν πρῶτος εἰς τὸ μνημεῖον, [5] καὶ παρακύψας βλέπει κείμενα τὰ ὀθόνια, οὐ

5. *om.* γε *p.* μεντοι (THV) et non *add.* (S).

1-2. Premier signe : la pierre enlevée et le tombeau vide (Mc. xvi, 1-8; Mt. xxviii, 1-10; Lc. xxiv, 1-10). Magdeleine voit que la pierre a été enlevée. Elle ne pense pas pour cela à la résurrection : mais sa sensibilité s'inquiète; elle va en référer à Pierre. Ce premier épisode est raconté d'une façon plus que succincte, supposant la connaissance des synoptiques, tandis que de 3 à 10 Jo. racontera en témoin oculaire.

1) Mc. nomme trois femmes, Mt. deux, Lc. trois, mais tous trois nomment parmi elles Marie la Magdaléène. Jo. ne retient que cette dernière, à cause de l'apparition qu'il aura à raconter. Les autres ne sont pas exclues de la réalité, il les suppose même au v. 2, mais enfin elles ne figurent pas au récit, dont l'économie pouvait se contenter d'une seule figure. Le jour est le même que dans les synoptiques, avec la même formule juive que dans Lc. xxiv, 1. Quant à l'heure, Jo. est d'accord avec Lc. ὄρθρου βαθέως, mais il est difficile de le concilier avec Mc. qui fait arriver les femmes au moment où le soleil venait de se lever. Il est clair que dans Mc. les femmes sont retardées par l'achat des aromates. On peut donc supposer que Magdeleine laissant ce soin aux autres est venue seule et de beaucoup la première auprès du sépulcre. Peut-être avait-elle préparé des aromates dès le vendredi soir, ce que Lc. a pu généraliser, tandis que Mc. généralisait l'achat des aromates le dimanche matin. — Magdeleine s'aperçoit que la pierre est enlevée : mais Jo. n'avait pas parlé de cette pierre; il suppose donc bien connu le récit des premiers évangélistes. Il est vrai qu'il n'emploie pas ἀποκυλίω comme les trois synoptiques, mais αἴρω, conformément à ce qu'il a dit du tombeau de Lazare (xi, 39); mais il est peu vraisemblable qu'il ait voulu indiquer une autre disposition par ce terme vague, qu'il va employer aussi de l'enlèvement du corps (2). On ne saurait en conclure que xi, 39 doit s'entendre de « rouler ».

[1] Le premier jour de la semaine, Marie Magdeleine vient de bonne heure quand il faisait encore nuit vers le tombeau, et voit la pierre enlevée du tombeau. [2] Elle se met donc à courir et vient auprès de Simon-Pierre et auprès de l'autre disciple que Jésus aimait et leur dit : « On a enlevé le Seigneur du tombeau, et nous ne savons où on l'a mis. »

[3] Pierre sortit donc et aussi l'autre disciple, et ils venaient au tombeau. [4] Or tous deux couraient ensemble, et l'autre disciple courut plus vite que Pierre, et il vint le premier au tombeau, [5] et

2) Dans la perspective de Mc., les femmes voient le jeune homme qui annonce la résurrection sans avoir eu le temps de constater que le tombeau est vide; mais Lc. a eu soin de mentionner deux temps. C'est aussi ce que suppose Jo. Marie-Magdeleine est-elle entrée aussitôt, ou a-t-elle attendu les autres femmes? On ne saurait le dire; mais du moins elles ont constaté ensemble que le corps n'était plus là. Jo. qui n'a pas d'abord signalé leur présence la suppose maintenant, sans se demander si le lecteur ne le chicanera pas sur cette extrême concision.

Aussitôt, sans rien attendre, Magdeleine prend sa course et son imagination ne lui suggère aucune solution que la plus naturelle : on a enlevé le Seigneur; et nous ne savons pas, c'est-à-dire sans doute nous autres femmes, où on l'a mis. Elle tint ce discours rapide à Pierre et à l'autre disciple que Jésus aimait. Et l'on ne sait pas encore si elle les trouva réunis ou si elle les chercha séparément, car λέγει αὐτοῖς pourrait s'entendre de deux paroles successives. Pierre, malgré son reniement, que peut-être aussi Marie ne connaissait pas, n'était pas moins demeuré pour tous le chef des disciples, et l'autre disciple était naguère auprès de la Croix avec elle. — On voit ici que Jo. suppose d'autres femmes, et le tombeau trouvé vide, comme dans les synoptiques, mais non pas les apparitions angéliques. Il faut nécessairement supposer que l'ange de Mt. est demeuré invisible après avoir roulé la pierre, jusqu'au moment où il apparut aux femmes après le départ de Magdeleine.

3-10. Pierre et l'autre disciple trouvent le tombeau vide (cf. Lc. xxiv, 12).

Le verset de Lc. n'est omis que par D et quelques latins. Nous le croyons authentique et relatif au même fait, quoiqu'il ne nomme que Pierre. Jo. qui n'est autre que le disciple bien-aimé y a repris sa place, sous son voile accoutumé, et a donné les détails conservés dans sa mémoire.

3) Les deux disciples montreront un tel empressement qu'on dirait bien qu'ils ne se seraient pas attendus si Marie ne les avait trouvés ensemble.

4) Si Jean arrive le premier, c'est sans doute qu'à la course les plus jeunes ont l'avantage. Il n'aurait pas voulu insinuer de la sorte que Pierre y mit peu de diligence : c'est ce dernier qui est « sorti » le premier comme le plus digne.

5) παρακύπτω, employé par Lc. qui suppose la pierre roulée ne prouve pas que Jean se soit penché sur un caveau en forme de puits; dans ce cas Pierre n'aurait pu « entrer ». Il se penche parce que la porte est toujours beaucoup

μέντοι εἰσῆλθεν. [6]ἔρχεται οὖν καὶ Σίμων Πέτρος ἀκολουθῶν αὐτῷ, καὶ εἰσῆλθεν εἰς τὸ μνημεῖον· καὶ θεωρεῖ τὰ ὀθόνια κείμενα, [7]καὶ τὸ σουδάριον, ὃ ἦν ἐπὶ τῆς κεφαλῆς αὐτοῦ, οὐ μετὰ τῶν ὀθονίων κείμενον ἀλλὰ χωρὶς ἐντετυλιγμένον εἰς ἕνα τόπον. [8]τότε οὖν εἰσῆλθεν καὶ ὁ ἄλλος μαθητὴς ὁ ἐλθὼν πρῶτος εἰς τὸ μνημεῖον, καὶ εἶδεν καὶ ἐπίστευσεν· [9]οὐδέπω γὰρ ᾔδεισαν τὴν γραφὴν ὅτι δεῖ αὐτὸν ἐκ νεκρῶν ἀναστῆναι. [10]ἀπῆλθον οὖν πάλιν πρὸς αὐτοὺς οἱ μαθηταί. [11]Μαρία δὲ εἱστήκει πρὸς τῷ μνημείῳ ἔξω κλαίουσα. ὡς οὖν ἔκλαιεν παρέκυψεν εἰς τὸ μνημεῖον, [12]καὶ θεωρεῖ δύο ἀγγέλους ἐν λευκοῖς καθεζομένους, ἕνα πρὸς τῇ κεφαλῇ καὶ ἕνα

plus basse que la chambre funéraire, et qu'il faut s'incliner pour passer la tête à travers cette porte. Cela suffisait pour jeter un coup d'œil rapide (βλέπει) mais sûr.

Sa légitime curiosité satisfaite, Jean laisse à Pierre le soin de décider ce qu'il faut faire; peut-être s'efface-t-il pour le laisser entrer le premier; peut-être se demande-t-il s'il faut entrer.

6 s.) Pierre qui suivait de près entre résolument, et voit plus à loisir (θεωρεῖ) d'une part les bandelettes demeurées comme elles étaient, vides du corps, mais non point enroulées, d'autre part le mouchoir placé sur la tête (en latin *sudarium* ou *ricinium*) plié séparément; ἐντυλίσσω dans un papyrus magique de Londres (121, l. 826, IIIe s. ap. J.-C.); ἐντυλίσσειν τὰ φύλ(λα) ἐν σουδαρίῳ κενῷ (καινῷ), signifie comme d'ordinaire et dans Lc. XXIII, 52; Mt. XXVII, 59 : « envelopper dans ». Dans Jo. il ne peut signifier que « enroulé ». — La présence des linges était révélatrice, aussi Lc. l'a mentionnée; elle prouvait qu'on n'avait pas enlevé le corps, qu'on eût pris tel qu'il était. Quant à la distinction du suaire et des bandelettes, elle prouve seulement avec quel soin Pierre examina toute chose, et, par contre-coup la précision du témoignage de Jean.

8) L'autre disciple entra à son tour, il vit cette disposition qui excluait un enlèvement, et il crut, non pas à ce qu'avait dit Magdeleine (*Aug.*) puisqu'il vient de le constater, mais à la résurrection. Il ne parle pas de Pierre, et le texte de Lc. semble bien exclure une foi complète (*Till.*). Le disciple parle pour lui, il sait ce qui s'est passé dans son cœur; il ne dit pas ce qui pouvait être voilé par l'attitude de Pierre, admirative et réfléchie. Il était très grave pour Pierre de se prononcer, et peut-être Jean garda-t-il aussi pour lui son impression.

9) Wellhausen (p. 92) voit ici un remaniement, le γάρ étant inexplicable : on ne peut dire de quelqu'un qu'il n'a pas cru parce qu'il ne savait pas... Mais Loisy explique très bien un texte d'ailleurs trop concis. Si les deux disciples avaient compris les Écritures, Jean aurait cru sans avoir besoin de constater, tandis qu'il vient de nous dire que sa foi est née ensuite de sa constatation. Ce ne sont donc pas les anciens textes qui ont fait naître la foi en la résurrection, mais les faits. Jo. l'avoue sans artifice, et comme une ignorance regrettable : ensuite, une fois éclairés, ils citeront l'Ancien Tes-

en se penchant il voit les bandelettes gisantes; cependant il n'entra pas. [6] Simon-Pierre arrive donc aussi à sa suite, et il entra dans le tombeau; et il aperçoit les bandelettes gisantes, [7] et le suaire qui était sur sa tête, non pas gisant avec les bandelettes, mais roulé séparément dans un endroit. [8] Alors donc l'autre disciple entra aussi, lui qui était venu le premier au tombeau, et il vit et il crut; [9] car ils ne comprenaient pas encore par l'Écriture qu'il devait ressusciter des morts. [10] Les disciples retournèrent donc chez eux.

[11] Or Marie se tenait près du tombeau, au dehors, pleurant. Tout en pleurant elle se pencha dans le tombeau, [12] et elle aperçoit deux anges assis, vêtus de blanc, l'un vers la tête et l'autre vers les pieds,

tament : alors il ne fut pour rien dans leur conviction. Les allusions du Sauveur lui-même à sa résurrection (II, 22; XVI, 16 s.) n'avaient pas créé en eux une espérance ferme : *Et ideo quando id ab ipso Domino audiebant, quamvis apertissime diceretur, consuetudine audiendi ab illo parabolas, non intelligebant, et aliquid aliud eum significare credebant* (*Aug.*).

10) On ne voit pas s'ils rentrent au même logis : cf. Jos. *Ant.* VIII, IV, 6 πρὸς αὑτούς... ἀπῄεσαν : chacun s'en fut chez soi. De toute façon le champ est libre pour Marie-Magdeleine. Les disciples avaient leurs raisons, et sûrement leur cœur demeurait profondément impressionné, mais enfin, comme dit s. Grégoire (*Hom.* 25), *etiam discipulis recedentibus, non recedebat*, et c'est pourquoi, encore que moins éclairée qu'eux, elle a vu Jésus la première.

11-18. APPARITION A MARIE-MAGDELEINE (Mc. XVI, 9; cf. Mt. XXVIII, 9 s.).

Nous avons rapproché du récit de Jo. l'apparition de Jésus aux saintes femmes dans Mt. (cf. *Comm.*). La tradition sur l'apparition de Jésus d'abord à Magdeleine est consignée dans la finale de Mc. (XVI, 9) que quelques-uns disent dépendre de Jo.

11) La présence de Magdeleine n'est pas rattachée à l'épisode précédent, et on pourrait naturellement la souder au v. 1. Mais ce n'est vraiment pas une raison pour regarder 1^b-10 comme ajouté par un rédacteur (*Wellh.*). Loisy (p. 501) : « Le lecteur est obligé de supposer qu'elle est revenue après les disciples et qu'elle reste auprès du tombeau quand ils se sont retirés ». — Sans doute, et il n'y a aucun inconvénient; cela est même suggéré par le plus-que-parfait εἱστήκει. Elle pleurait, parce qu'elle se figurait qu'on avait enlevé son maître, et parce qu'elle l'aimait, et qu'elle était femme : περιπαθὲς πῶς τὸ γυναικεῖον γένος (*Chrys.*). Les disciples partis sans rien lui dire, ou seulement des paroles vagues, tout en pleurant elle se penche à son tour pour regarder dans le tombeau.

12) Deux anges sont aussi mentionnés dans Lc. (XXIV, 4) comme deux hommes vêtus d'une manière à éblouir. Dans Jo. leur place est indiquée. On avait dû noter la place de la tête de Jésus : d'ailleurs s'il reposait sur un lit de pierre, la place de la tête était peut-être marquée par un appui ménagé en relief

πρὸς τοῖς ποσίν, ὅπου ἔκειτο τὸ σῶμα τοῦ Ἰησοῦ. [13]καὶ λέγουσιν αὐτῇ ἐκεῖνοι· Γύναι, τί κλαίεις; λέγει αὐτοῖς Ὅτι ἦραν τὸν κύριόν μου, καὶ οὐκ οἶδα ποῦ ἔθηκαν αὐτόν. [14]ταῦτα εἰποῦσα ἐστράφη εἰς τὰ ὀπίσω, καὶ θεωρεῖ τὸν Ἰησοῦν ἑστῶτα, καὶ οὐκ ᾔδει ὅτι Ἰησοῦς ἐστίν. [15]λέγει αὐτῇ Ἰησοῦς Γύναι, τί κλαίεις; τίνα ζητεῖς; ἐκείνη δοκοῦσα ὅτι ὁ κηπουρός ἐστιν λέγει αὐτῷ Κύριε, εἰ σὺ ἐβάστασας αὐτόν, εἰπέ μοι ποῦ ἔθηκας αὐτόν, κἀγὼ αὐτὸν ἀρῶ. [16]λέγει αὐτῇ Ἰησοῦς Μαριάμ. στραφεῖσα ἐκείνη λέγει αὐτῷ Ἑβραϊστί Ῥαββουνί ὃ λέγεται Διδάσκαλε. [17]λέγει αὐτῇ Ἰησοῦς Μή μου ἅπτου, οὔπω γὰρ ἀναβέβηκα πρὸς τὸν πατέρα· πορεύου δὲ πρὸς τοὺς

16. μαριαμ (TH) et non μαρια (SV).

---

dans le roc, comme on le voit par exemple dans les tombeaux près de l'église de Saint-Étienne.

13) Les anges sont beaux dans leur tunique blanche, leur parole est compatissante et douce : Marie, toute à sa douleur, ne les regarde même pas; elle n'a qu'une pensée et redit la même parole. Que sont ces hommes auprès de son Seigneur, qu'elle a perdu deux fois! — οἶδα au lieu de οἴδαμεν (2), parce qu'elle est interrogée personnellement.

14) Ayant constaté à son tour que le tombeau était vide, ne reconnaissant pas dans ceux qui lui parlent des messagers célestes, Marie ne songe plus qu'à chercher ailleurs et naturellement se retourne; c'est alors qu'elle voit Jésus sans le reconnaître. Le ressuscité est soustrait aux conditions ordinaires de la vie; il se fait reconnaître quand il veut; cf. Lc. xxiv, 16; Mc. xvi, 12; Jo. xxi. Chrysostome a eu cette pensée délicate que Jésus n'avait pas voulu lui causer un saisissement trop violent.

15) Jésus dit comme les anges : « Pourquoi pleures-tu? » Mais, comme s'il voulait doucement la préparer, il ajoute : « Qui cherches-tu? »

Rien n'indique que Jésus ait pris l'attirail d'un jardinier : mais, dans un jardin, c'est le gardien de ce jardin qu'on s'attend tout d'abord à rencontrer. D'ailleurs c'est à peine si elle le regarde; sa pensée est ailleurs, tellement avec Jésus qu'elle ne le nomme même pas : pouvait-elle songer à un autre? Et parce que l'amour ne calcule pas l'effort, elle offre de l'emporter. Qu'on le lui rende seulement!

— Pour βαστάζω d'un corps qu'on emporte, cf. Jos. Ant. VII, xi, 7; βαστάσας δ' ἐκεῖθεν ὁ φύλαξ καὶ κομίσας εἴς τι χωρίον ἀπωτάτω τῆς ὁδοῦ κ.τ.λ. Marie n'incrimine pas la conduite du gardien du jardin : si ce corps le gênait, soit, elle le portera ailleurs, encore plus loin, il ne lui échappera plus.

16) Il suffit à Jésus de dire « Marie » d'une certaine manière pour se faire reconnaître. C'est ainsi qu'il parle au cœur. — Marie se retourne pour la seconde fois, ce qui est étonnant. Il faut donc supposer que ses regards se sont portés de nouveau vers le sépulcre... Ou peut-être Jo. a-t-il voulu faire entendre que, peu attentive jusqu'alors à la personne du jardinier, elle se

où avait été déposé le corps de Jésus. [13] Et ceux-ci lui disent : « Femme, pourquoi pleures-tu? » Elle leur dit : « Parce qu'on a pris mon Seigneur, et je ne sais où on l'a mis. » [14] Ayant dit ces mots, elle se tourna de l'autre côté, et elle aperçoit Jésus qui se tenait là, et elle ne savait pas que c'était Jésus. [15] Jésus lui dit : « Femme, pourquoi pleures-tu? Qui cherches-tu? » Elle, pensant que c'était le gardien du jardin, lui dit : « Seigneur, si tu l'as emporté, dis-moi où tu l'as mis, et j'irai le prendre. » [16] Jésus lui dit : « Mariam! » Elle s'étant tournée lui dit en hébreu : « Rabbouni! » ce qui signifie Maître. [17] Jésus lui dit : « Ne me touche pas, car je ne suis pas

tourne vers lui de tout son être : *nisi quia tunc conversa corpore, quod non erat, putavit, nunc corde conversa, quod erat agnovit* (*Aug.*)? Mariam est la forme hébraïque, qu'il n'était pas nécessaire de signaler. Quoique Jo. ait rendu *Rabbouni* par διδάσκαλε comme Rabbi (I, 39), puisqu'il a employé Rabbi huit fois et Rabbouni cette fois seulement (cf. Mc. x, 51), il a sûrement eu le sentiment d'une nuance importante; *Ribboni*, plus solennel, est très souvent usité quand on s'adresse à Dieu, ce qui est très rare pour *Rabbi* (*Schlatter*).

L'appel de Jésus est familier; Marie n'y répond aussi que par un mot, mais qui marque un grand respect en même temps que son attachement à son bon Maître. — Nous lisons Μαριάμ avec ℵBLGH (ajoutez W), 1.33 *sah. boh.*, ce qui n'empêche pas de lire Μαρία quand c'est Jo. qui parle. Le nom hébreu, qui est celui qu'employait Jésus, a par là même une saveur très douce.

17) La difficulté de ce v. est célèbre. Nous regardons comme hors de doute que l'impér. présent μὴ ἅπτου signifie que Marie a déjà touché Jésus (cf. sur III, 6); le mouvement le plus naturel en disant « bon Maître » était de se jeter à ses pieds ou à ses genoux, de s'emparer de ses pieds pour les baiser; cf. ἅπτεσθαι γούνων dans Homère (*Od.* I, 512 etc.). Il n'y a donc aucune difficulté à reconnaître ici la scène de Mt. XXVIII, 9 s., sauf le pluriel de Mt. qui n'a pas distingué avec le même soin que Jo. le rôle particulier de Marie-Magdeleine. Mais ce point acquis, comment entendre Jo.? S'il n'y avait que la première partie du v. on dirait : ou bien 1) tu as le temps, puisque je ne suis pas encore remonté vers mon Père; ou bien 2) c'est seulement après ce retour que tu pourras auprès du Père me rendre ainsi tes hommages. Mais comment concilier cette première partie avec ce qui suit? Si « monter » est une allusion à l'Ascension qui doit avoir lieu d'après les Actes (I, 3) quarante jours plus tard, et quand bien même elle devrait avoir lieu le lendemain, pourquoi Marie est-elle chargée d'annoncer cette Ascension aux frères que Jésus doit visiter le soir même? Ce qu'elle doit annoncer, comme dans Lc. XXIV, 7 c'est qu'il est ressuscité, ou comme dans Mc. et Mt. qu'il les attend à tel endroit. Comme aucun endroit n'est indiqué, il faut donc que « monter » s'entende de la résurrection, mais alors comment Jésus dit-il qu'il n'est pas encore monté? — Au premier abord la solution de Bauer paraît très littérale et moulée sur le texte :

ἀδελφούς μου καὶ εἰπὲ αὐτοῖς Ἀναβαίνω πρὸς τὸν πατέρα μου καὶ πατέρα ὑμῶν καὶ θεόν μου καὶ θεὸν ὑμῶν. [18] ἔρχεται Μαρία ἡ Μαγδαληνὴ ἀγγέλλουσα τοῖς μαθηταῖς ὅτι Ἑώρακα τὸν κύριον, καὶ ταῦτα εἶπεν αὐτῇ.

[19] Οὔσης οὖν ὀψίας τῇ ἡμέρᾳ ἐκείνῃ τῇ μιᾷ σαββάτων, καὶ τῶν θυρῶν κεκλεισμένων ὅπου ἦσαν οἱ μαθηταὶ διὰ τὸν φόβον τῶν Ἰουδαίων, ἦλθεν ὁ

18. μαρια (SV) plutôt que μαριαμ (TH); — εωρακα (TH) et non εωρακεν (SV).

Jésus n'est pas encore monté, mais il va monter, et redescendra pour donner aux Apôtres l'Esprit-Saint qu'il va aller chercher auprès du Père. Mais est-ce une raison pour que Marie ne le touche pas? Craint-il de n'avoir pas le temps de faire le voyage? Et surtout Jo. a-t-il pu concevoir que le retour de Jésus le soir même serait définitif? Ce serait une manière singulière de nier l'Ascension et le second avènement du Sauveur. Les chrétiens avaient le sentiment, et même l'évidence, que le Christ n'était plus corporellement parmi eux. Monter vers le Père ne peut signifier monter, et descendre d'auprès du Père pour revoir les disciples. — Schanz, Zahn, Tillm. West. ont très bien conçu le sens général. Désormais le temps n'est plus au commerce familier d'autrefois : Jésus est entré dans une vie spirituelle qui n'est plus la reprise des anciens rapports, mais plutôt une préparation à la séparation définitive. Cette vie nouvelle n'empêche pas qu'on touche le ressuscité, mais ne permet pas qu'on s'y attarde. Marie ne l'a pas compris, et il importe que les disciples en soient informés même avant de le voir. Seulement comment faire sortir cette idée du texte? Les auteurs cités coupent le v. en deux, comme si la première partie avait un sens complet. Westcott en conclut même à une sorte d'ascension progressive, qui n'a aucun appui dans le texte. Avec cette coupure nous ne pouvons sortir du dilemme posé au début. Nous admettons donc qu'il n'y a qu'une phrase, avec une opposition (indiquée par les temps) entre ἀναβέβηκα et ἀναβαίνω : on remarquera en effet que Jésus parle dans les deux cas à la première personne. Le message donné à Magdeleine n'est qu'une parenthèse, et la force du δέ doit s'appliquer à ἀναβαίνω : n'insiste pas pour me toucher, car, si je ne suis pas encore monté vers mon Père, cependant je ne tarderai pas beaucoup à y remonter... ce que tu diras à mes frères, afin qu'ils soient préparés mieux que tu ne l'as été à comprendre de quelle nature est ma présence. Marie n'a sûrement pas touché Jésus pour s'assurer qu'il est ressuscité : ce sang-froid n'est pas compatible avec l'ardeur de son amour qui l'a mise comme hors d'elle-même. Voyant son Maître, elle a cru l'avoir recouvré tel qu'il était durant sa vie : c'est vrai, il n'est pas encore monté vers son Père, mais il y va, il n'est plus le même, il est glorifié· ἀναβαίνω doit donc bien s'entendre de l'Ascension, en attirant l'attention moins sur le fait et le moment où il aura lieu que sur la situation déjà créée par cette perspective future (ἀναβαίνω, *futurum instans*). Pour les disciples l'annonce de l'ascension sera avant tout la nouvelle de la résurrection.

L'explication que nous avons donnée est précisément celle de Chrysostome : il insiste sur ce que οὔπω ἀναβέβηκα signifie qu'il va bientôt monter, et ἀναβαίνω

encore remonté vers le Père, mais va vers mes frères et dis-leur : je monte vers mon Père et votre Père, et mon Dieu et votre Dieu. » [18]Marie Magdeleine vient annoncer aux disciples : « J'ai vu le Seigneur », et ce qu'il lui avait dit.

[19]Comme il était tard ce même jour, le premier de la semaine, et les portes étant fermées par crainte des Juifs là où étaient les disciples, Jésus vint et se tint au milieu, et leur dit : « Paix à vous! »

est dit aussi pour Magdeleine : ἀναστῆσαι βουλόμενος αὐτῆς τὴν διάνοιαν, καὶ πεῖσαι, ὅτι εἰς τοὺς οὐρανοὺς ἀπέρχεται : il n'y a donc dans le v. qu'une seule phrase, dont la seconde partie complète le sens de la première, même pour Magdeleine. — Le sens d'Augustin : « je ne suis pas monté », etc. dans ta pensée, n'est pas littéral, non plus que celui de Cyrille : « je n'ai pas encore donné l'Esprit-Saint ».

Torrey (cf. *Intr.* p. CII) lit, d'après l'araméen qu'il conjecture : « ne me touche pas; (mais) avant que je monte... va vers mes frères », etc. Ce qui serait une redondance sans signification.

On notera dans la formule de la fin que Dieu n'est pas de la même manière le Dieu de Jésus et de ceux qu'il nomme cependant ses frères : il n'est pas non plus leur Père de la même façon.

18) La hâte de Marie à exécuter son message se retrouve sous la plume de l'auteur qui la fait parler en style direct, sauf à achever la phrase pour son compte. Cet effet n'est sans doute pas voulu, mais n'en est pas moins expressif. — Cette fois nous lisons Μαρία, car Μαριάμ est moins attesté (ℵBL I, 33 *sah*) et pourrait venir du v. 17; d'autant que le mot hébreu n'a plus de raison d'être. — ἑώρακα qui met en scène Marie d'une façon si vive, quoique en contradiction grammaticale avec αὐτῇ nous paraît certain avec BℵXW *a ff*² *g vg sah boh.* — Soden et Vogels préfèrent la correction ἑώρακεν! Pourquoi alors ne pas ajouter avec D καὶ ἃ εἶπεν αὐτῇ ἐμήνυσεν αὐτοῖς?

19-23. Apparition de Jésus aux disciples (cf. Lc. XXIV, 36-49; Mc. XVI, 14; I Cor. XV, 5).

Cette apparition est la même que celle dont parle Lc. et qu'il fixe au dimanche soir. Pour Mc. XVI, 14, cf. *Comm.*

19) Le jour et le moment sont marqués. ὀψία peut être une heure très tardive, ce qui laisse aux disciples d'Emmaüs le temps de revenir à Jérusalem, même s'ils sont partis de l'Emmaüs qui devint Nicopolis, à 160 stades. Les portes étaient fermées, non que les Juifs n'eussent pu les forcer, mais pour éviter des importuns qui pouvaient être des espions. Ce détail est mentionné pour montrer que Jésus entra d'une façon surnaturelle. Il n'en usait point ainsi de son vivant : c'est donc que son corps ressuscité a acquis des propriétés surnaturelles, qui lui sont pour ainsi dire naturelles C'est ce que Lc. exprime lui aussi d'une manière indirecte, par les faits, non par un enseignement théorique, cf. Lc. XXIV, 31 ἄφαντος ἐγένετο, 36, ἔστη ἐν μέσῳ soudainement. Dans Jo. ἦλθεν précède ἔστη, parce que Jésus avait promis de venir (XIV, 18). Malgré la tour-

Ἰησοῦς καὶ ἔστη εἰς τὸ μέσον, καὶ λέγει αὐτοῖς Εἰρήνη ὑμῖν. [20]καὶ τοῦτο εἰπὼν ἔδειξεν τὰς χεῖρας καὶ τὴν πλευρὰν αὐτοῖς. ἐχάρησαν οὖν οἱ μαθηταὶ ἰδόντες τὸν κύριον. [21]εἶπεν οὖν αὐτοῖς πάλιν Εἰρήνη ὑμῖν· καθὼς ἀπέσταλκέν με ὁ πατήρ, κἀγὼ πέμπω ὑμᾶς. [22]καὶ τοῦτο εἰπὼν ἐνεφύσησεν καὶ λέγει αὐτοῖς Λάβετε πνεῦμα ἅγιον· [23]ἄν τινων ἀφῆτε τὰς ἁμαρτίας ἀφέωνται αὐτοῖς· ἄν τινων κρατῆτε κεκράτηνται.

20. *om.* και *p.* εδειξεν (TSV) et non *add.* (H).
21. *om.* ο Ιησους *p.* αυτοις (TS) et non *add.* (HV).

---

nure préférée par Lc., on ne peut pas dire que εἰς après ἔστη soit pour ἐν; cf. XÉN. *Cyrop.* IV, 1,1 στὰς εἰς τὸ μέσον et Jo. XXI, 4 (*Deb.* § 205).
— « La paix à vous » est bien cette fois la formule de salutation des Juifs (cf. sur XIV, 27), mais non cependant sans une certaine solennité; de même 21.26 : en souhaitant la paix, Jésus la donne, comme il l'avait déjà donnée.

20) Jésus avait donc conservé sur son corps ressuscité la trace de ses blessures, comme de glorieuses cicatrices : non qu'il ne puisse apparaître autrement; mais il les montre pour être reconnu comme le crucifié, et, sans se faire un mérite de ses souffrances auprès de ses disciples, il les rappelle néanmoins, soit pour exciter leur foi et leur amour, soit pour que la joie soit plus complète, tant de douleurs n'étant plus qu'un souvenir. Le ressuscité en use selon les dispositions de ceux auxquels il apparaît. Il avait dû modérer l'ardeur aimante de Magdeleine; il semble avoir eu besoin de convaincre ses disciples, d'un sens plus rassis, comme l'indiquent Lc. et Mc., et aussi Mt. XXVIII, 17. — Jo. va au plus court : il remplace les pieds (dans Lc.) par le côté (cf. XIX, 34), et ne parle pas comme Lc. des aliments pris par le Seigneur. — La joie, certes bien naturelle (Lc. XXIV, 41), avait été annoncée par Jésus (XVI, 22).

21) Jésus répète sa salutation, comme prélude d'un dernier acte avant de prendre congé, et parce que la paix est une disposition favorable à l'action divine.

Parlant à son Père (XVII, 18), il avait déjà regardé la mission des Disciples comme accomplie dans sa pensée. Il la leur intime maintenant dans les mêmes termes : comme il a été l'envoyé de son Père, ils seront ses envoyés : la résurrection dont ils sont les témoins sera sans doute la première bonne nouvelle qu'ils auront à annoncer au monde.

22 s.) On doit se garder de deux excès. Lc. dans le récit de cette apparition contient seulement une promesse d'envoyer l'Esprit-Saint, ce qu'il nomme la promesse du Père (Lc. XXIV, 49). Cela s'entend très bien, car il racontera dans les Actes l'exécution de cette promesse au jour de la Pentecôte (Act. II, 1 ss.). En voulant harmoniser trop littéralement Jo. avec Lc. on a vu dans le texte de Jo. une simple préparation à l'envoi de l'Esprit-Saint, ce qui est contre les termes qui sont clairs, car Jésus n'a pas donné l'Esprit en apparence seulement (σχήματι μόνον ἐνεφύσησε), et cela a été défini au Ve concile contre Théodore de

[20]Et cela dit, il leur montra ses mains et son côté. Les disciples se réjouirent donc en voyant le Seigneur. [21]Il leur dit donc de nouveau : « Paix à vous! Comme le Père m'a envoyé, moi aussi je vous envoie. » [22]Et cela dit, il souffla sur eux et leur dit : « Recevez l'Esprit-Saint; [23]ceux à qui vous remettrez les péchés, ils leur seront remis; et ceux à qui vous les retiendrez, ils seront retenus. »

Mopsueste (*Denz.* 10e éd. 224). — Aujourd'hui des critiques modernes tendent plutôt à mettre Jo. en contradiction avec les Actes, en remplaçant la mission de l'Esprit-Saint à la Pentecôte par l'insufflation du jour de Pâque. Mais ils doivent avouer que l'acte décrit ici par Jo. ne remplit pas les conditions indiquées par Jo. lui-même (xiv, 16.26; xvi, 7.13) pour la mission de l'Esprit qui doit être envoyé par le Père (ou par le Fils), mais après le retour du Fils auprès du Père, et pour suppléer à l'absence du Fils. Jo. n'avait pas à parler du moment où cette mission a eu lieu, puisqu'elle était en dehors du cadre de l'évangile. Mais il a retenu un trait important de l'action du Christ ressuscité, le don d'un pouvoir spirituel spécial. Il est clair d'abord qu'il ne donne pas naissance à l'Esprit-Saint, dont l'A. T. connaissait l'existence et décrivait les attributs. Tout au plus peut-on dire que cette insufflation est un *signe* qu'il participe à la spiration éternelle de l'Esprit-Saint; Thomas : *Non est intelligendum quod huiusmodi flatus Christi fuerit Spiritus sanctus, sed signum eius. Unde Augustinus dicit* IV de Trinitate : *Flatus ille corporeus substantia Spiritus sancti non fuit, sed demonstratio per congruam significationem non tantum a Patre, sed etiam a Filio procedere Spiritum sanctum.*

Ce que Jésus donne à ses apôtres est donc quelque chose de surnaturel que l'on doit rattacher à l'action de l'Esprit-Saint, représenté dans l'A. T. surtout comme vivifiant, et que Jésus lui-même a désigné comme un Aide dans l'ordre de la vérité. Après la mission imposée au v. précédent, il semble bien que ce doive être un pouvoir, plutôt qu'une disposition de l'esprit ou du cœur, mais on ne saurait que conclure, si des paroles jointes au geste ne donnaient l'explication. Ce pouvoir, en effet, est exprimé clairement (v. 23); c'est celui de remettre les péchés, et c'est aussi celui de les retenir. C'est le pouvoir déjà donné à Pierre et aux apôtres (Mt. xvi, 19; xviii, 18), qui est ici renouvelé expressément, avec l'insufflation de l'Esprit, laquelle le confère définitivement. L'allusion à l'Esprit s'entend assez : remettre les péchés, c'est donner la vie spirituelle; et cela ne doit pas se faire sans discernement, puisque dans certains cas les péchés sont retenus. Or cela ne saurait être par caprice, mais par suite d'un jugement porté sur les dispositions des hommes. Ceux qui prétendent que la théologie johannique ne comporte pas cette distinction (*Bauer*) prétendent sans doute la comprendre mieux que Jean lui-même. N'a-t-il pas d'ailleurs insisté sur la nécessité, pour ceux qui acceptent la doctrine, de pratiquer les commandements (xiv, 21)? Quelques-uns pouvaient donc y manquer, d'où l'importance suprême de ce qu'on nommera le sacrement de pénitence avec l'Église (*Conc. Trid. Sessio* xiv, Can. 3; *Denz.* 913). L'erreur condamnée : *detorserit autem, contra institutionem huius sacramenti, ad auctoritatem prae-*

[24]Θωμᾶς δὲ εἷς ἐκ τῶν δώδεκα, ὁ λεγόμενος Δίδυμος, οὐκ ἦν μετ' αὐτῶν ὅτε ἦλθεν Ἰησοῦς. [25]ἔλεγον οὖν αὐτῷ οἱ ἄλλοι μαθηταί Ἑωράκαμεν τὸν κύριον. ὁ δὲ εἶπεν αὐτοῖς Ἐὰν μὴ ἴδω ἐν ταῖς χερσὶν αὐτοῦ τὸν τύπον τῶν ἥλων καὶ βάλω τὸν δάκτυλόν μου εἰς τὸν τόπον τῶν ἥλων καὶ βάλω μου τὴν χεῖρα εἰς τὴν πλευρὰν αὐτοῦ, οὐ μὴ πιστεύσω. [26]Καὶ μεθ' ἡμέρας ὀκτὼ πάλιν ἦσαν ἔσω οἱ μαθηταὶ αὐτοῦ καὶ Θωμᾶς μετ' αὐτῶν. ἔρχεται ὁ Ἰησοῦς τῶν θυρῶν κεκλεισμένων, καὶ ἔστη εἰς τὸ μέσον καὶ εἶπεν Εἰρήνη ὑμῖν. [27]εἶτα λέγει τῷ Θωμᾷ Φέρε τὸν δάκτυλόν σου ὧδε καὶ ἴδε

25. τοπον (T) et non τυπον (HSV).

---

dicandi Evangelium est encore celle des Luthériens et en particulier de Zahn : les Apôtres prêcheront; ceux qui les croiront auront leurs péchés pardonnés, les autres, non. Mais que devient dans ce sens flou l'action des Apôtres pour délier ou pour retenir? Nous ne pensons pas que les exégètes qui se targuent de critique s'arrêtent un instant à l'échappatoire luthérienne. Loisy : « C'est l'institution de l'Église en tant que maîtresse de son organisation, de son recrutement et de sa police ou discipline de pénitence » (p. 508); cf. Holtz., Wellh., Bauer, etc.

— Les termes sont clairs : ἐμφυσάω, comme Gen. II, 7, quand Dieu insuffle à l'homme une haleine de vie, ou dans Sap. XV, 11, ou dans Ez. XXXVII, 9, pour faire revivre les ossements desséchés. — ἄν avec le subj. dans le sens de « si » au lieu de ἐάν — ἀφεώνται (pour ἀφιένται) qualifié de forme dor. ion. arcadienne (*Deb.* § 97, 3).

24-29. THOMAS. LA FOI AU RESSUSCITÉ.

Plusieurs Apôtres avaient douté (Mt. XXVIII, 17; Mc. XVI, 11.13.14; Lc. XXIV, 11.25.38.41), surtout du témoignage de la Magdeleine ou des femmes. La première tradition écrite n'avait désigné personne. Jo. ne vit pas d'inconvénient à nommer Thomas, qui fut sans doute le plus récalcitrant, et il appliqua sa méthode de retenir un cas unique mais de le mettre dans tout son jour, pour en tirer une grave leçon sur les conditions de la foi. Malgré les arguments de Zahn, qui transporte la scène en Galilée, il semble bien que Jo. a en vue le local du v. 18. Ordinairement les disciples retournaient en Galilée aussitôt la fête de Pâque terminée, et c'est ce qu'atteste l'évangile dit de Pierre (XII) : ἦν δὲ τελευταία ἡμέρα τῶν ἀζύμων, καὶ πολλοί τινες ἐξήρχοντο, ὑποστρέφοντες εἰς τοὺς οἴκους αὐτῶν τῆς ἑορτῆς παυσαμένης. ἡμεῖς δὲ οἱ δώδεκα... καὶ ἕκαστος λυπούμενος διὰ τὸ συμβὰν ἀπηλλάγη εἰς τὸν οἶκον αὐτοῦ. Mais comment les Onze se seraient-ils réunis de nouveau en Galilée sans un rendez-vous spécial (Mt. XXVIII, 16) dont Jo. ne parle pas? En somme ils ne seraient restés à Jérusalem qu'un jour de plus après l'octave de la fête, ce qui n'a rien d'étonnant. Peut-être espéraient-ils une seconde apparition avant leur dispersion.

24) Thomas est encore nommé Didyme (cf. XI, 16; XXI, 2), et l'on a voulu (*Orig., Zahn, Bauer*, etc.) voir dans ce nom un symbole de son caractère; il

[24] Thomas, l'un des Douze, celui qu'on appelle Didyme, n'était pas avec eux lorsque vint Jésus. [25] Les autres disciples lui dirent donc : « Nous avons vu le Seigneur. » Mais il leur dit : « Si je ne vois dans ses mains l'empreinte des clous, et si je ne mets mon doigt à la place des clous, et si je ne mets ma main dans son côté, je ne croirai pas. » [26] Et après huit jours, ses disciples étaient de nouveau à l'intérieur, et Thomas avec eux. Jésus vient les portes étant fermées et se tint au milieu et dit : « Paix à vous ! » [27] Ensuite il dit à Thomas :

serait celui qui est partagé en deux, qui ne croit pas facilement. Mais δίδυμος ne signifie pas une personne divisée d'avec elle-même; c'est une personne qui fait la paire avec une autre, et d'ailleurs on ne voit pas d'incrédulité dans les autres passages cités. Thomas a paru jusqu'à présent comme un homme assez entier, jugeant des choses à sa façon et qui n'entre pas aisément dans la pensée même de son Maître (xiv, 5), d'ailleurs impressionnable et généreux (xi, 16).

Il serait superflu de chercher pourquoi Thomas était absent, si toute sa conduite ne paraissait affectée par son scepticisme. Magdeleine avait prévenu les Onze, directement ou les uns par les autres. C'est probablement pour cela qu'ils s'étaient rassemblés et conféraient de l'événement : quelques uns doutaient, mais restèrent quand même dans une vague espérance de voir le Seigneur. Mais déjà il était tard, et Thomas, décidément incrédule, rentra chez lui, si même il n'avait pas refusé de venir.

25) Thomas se refuse même à croire au témoignage de ses frères et répond mot pour mot à leur récit enthousiaste par une froide dénégation. Il ne s'en rapportera qu'au témoignage de ses sens. L'excuser serait sans doute contraire au dessein de Jo. — τύπος dans son sens primitif de marque laissée par un coup; cf. τύποι ὀδόντων (*Anthol.* vi, 57). La leçon τύπον après ἴδω est absolument certaine, mais la seconde fois il semble qu'on doive lire τόπον avec A Θ *latt. vg.* Orig. Ce n'est pas un jeu de mots puéril : l'exigence de Thomas va en croissant : il veut voir la marque et toucher l'endroit, s'exprimant avec une précision presque brutale, le doigt pour le petit trou des clous, la main pour la large plaie du côté.

26) Après huit jours : comme nous disons « d'aujourd'hui en huit », pour désigner le jour octaval, le dimanche suivant, ce que Syrsin. a dit explicitement. Les disciples étaient tous réunis, peut-être pour organiser leur caravane de départ; πάλιν suggère qu'on ne se réunissait pas tous les jours. Les portes fermées, comme au v. 19, et sûrement dans le même local. — ἔσω, ici adverbe, sans qu'il soit nécessaire d'ajouter ἐν τῷ οἴκῳ comme dans Ez. ix, 6; cf. ἔσω καθῆσθαι (Eschyle, *Ch.* 919). La salutation est la même que la première fois (19) et pour tous.

27) C'est tout d'abord à Thomas que Jésus s'adresse : indiquant d'une main son autre main percée, il invite Thomas à y mettre le doigt (ὧδε); et comme celui-ci demeure immobile, il ouvre ses deux mains et lui montre la trace des clous, il l'invite même à mettre sa main dans son côté. Ainsi daigne-t-il con-

τὰς χεῖράς μου, καὶ φέρε τὴν χεῖρά σου καὶ βάλε εἰς τὴν πλευράν μου, καὶ μὴ γίνου ἄπιστος ἀλλὰ πιστός. [28] ἀπεκρίθη Θωμᾶς καὶ εἶπεν αὐτῷ Ὁ κύριός μου καὶ ὁ θεός μου. [29] λέγει αὐτῷ ὁ Ἰησοῦς Ὅτι ἑώρακάς με πεπίστευκας; μακάριοι οἱ μὴ ἰδόντες καὶ πιστεύσαντες.

[30] Πολλὰ μὲν οὖν καὶ ἄλλα σημεῖα ἐποίησεν ὁ Ἰησοῦς ἐνώπιον τῶν μαθητῶν, ἃ οὐκ ἔστιν γεγραμμένα ἐν τῷ βιβλίῳ τούτῳ· [31] ταῦτα δὲ γέγραπται ἵνα πιστεύητε ὅτι Ἰησοῦς ἐστιν ὁ χριστὸς ὁ υἱὸς τοῦ θεοῦ, καὶ ἵνα πιστεύοντες ζωὴν ἔχητε ἐν τῷ ὀνόματι αὐτοῦ.

28. *om.* ο *a.* θωμας (THV) et non *add.* (S).
31. πιστευητε (TH) plutôt que πιστευσητε (SV).

---

sentir à l'épreuve du toucher à laquelle Thomas attachait tant de prix, comme la seule qui permît de distinguer un fantôme qu'on peut voir, d'un corps vivant. Cependant à cette condescendance il joint un avertissement bien mérité : μὴ γίνου ne peut signifier : « ne deviens pas incrédule », car Thomas ne l'avait que trop été (contre *Schanz*), mais comme nous disons : « ne fais pas » l'incrédule (D a bien interprété μὴ ἴσθι). Il ne te convient pas d'être incrédule, mais fidèle.

28) Il n'y a aucun indice que Thomas ait usé de la permission. C'eût été trop fort. Son mouvement n'est pas de faire ce qu'on lui offre, mais de reconnaître la divinité de Jésus, car c'est bien à lui qu'il parle. Si l'interjection était un pur vocatif, on pourrait concéder à Bauer que l'article devant θεός n'indique pas explicitement le Dieu par excellence (*Allah*) et unique : Jésus n'en serait pas moins participant de la divinité. Mais au vocatif on attendrait κύριε, cf. Apoc. XI, 17; XV, 3, κύριε ὁ θεός (*Zahn*); et Épict. II, 16,13 εἶτα λέγομεν· κύριε ὁ θεός, πῶς μὴ ἀγωνιῶ; de sorte que c'est plutôt une profession de foi complète qu'un vocatif qui devrait être suivi d'une phrase.

Jésus avait fait connaître sa nature divine, mais personne encore dans l'évangile ne lui avait donné ce titre, qu'il avait revendiqué mais non pas sous ce terme exprès. Il jaillit de l'évidence de la résurrection, et sur les lèvres de l'incrédule Thomas tout le premier.

29) La première partie de la phrase peut être purement affirmative (*Tisch.*, *Schanz*, *Bauer*); ou bien interrogative (*H. S. V.*, *Till.*, *Loisy*). Le sens est à peu près le même, mais l'interrogation est beaucoup plus expressive; ce n'est pas un doute, c'est un sourire qui répond à la stupeur de Thomas : Ainsi tu as bien cru maintenant? « Parce que tu m'as vu » exclurait plutôt le toucher. En fait les autres Apôtres aussi avaient cru après avoir vu, mais ils n'avaient pas refusé, comme Thomas, de croire au témoignage d'autres disciples. La Résurrection devait d'abord être constatée, non par tous, mais par des témoins choisis (Act. II, 32; X, 40, etc.). Encore faut-il dire de tous ce que Thomas d'Aquin (après saint Grégoire) dit de l'Apôtre : *aliud vidit, et aliud credidit. Vidit hominem et cicatrices, et ex hoc credidit divinitatem resurgentis.* Mais après les

« Donne ton doigt ici et vois mes mains, et donne ta main et mets-[la] dans mon côté, et ne sois pas incrédule, mais croyant. » [28] Thomas répondit et lui dit : « Mon Seigneur et mon Dieu ! » [29] Jésus lui dit : « Parce que tu m'as vu tu as cru? heureux ceux qui n'ont pas vu et qui ont cru. »

[30] Jésus donc fit beaucoup d'autres miracles en présence de ses disciples, qui ne sont pas écrits dans ce livre; [31] et ceux-ci ont été écrits afin que vous croyiez que Jésus est le Christ, le Fils de Dieu, et afin qu'en croyant vous ayez la vie en son nom.

disciples, d'autres devaient venir, auxquels il ne serait même pas donné de voir l'humanité glorieuse du Christ. C'est à eux que Jésus s'adresse d'avance : heureux ceux qui n'ont pas vu, et qui cependant ont fait l'acte de foi. L'aoriste indique cet acte de foi; les participes empêchent que cette félicitation soit appliquée aux seuls contemporains, elle est de tous les temps. Ceux qui viendront après compenseront par l'ardeur de leur foi ce qui leur manquera de présence sensible : *Beati*. Ce qui ne veut pas dire : plus heureux que les Apôtres.

30-31. Épilogue.

Hic ponitur epilogus (*Thom.*). Il est impossible de considérer ces deux versets comme s'appliquant uniquement aux faits qui ont suivi la résurrection, car Jo. y indique le but de son livre, c'est-à-dire de tout son livre. Ce but, ce n'était pas de raconter tous les signes qu'a faits Jésus; les σημεῖα ne sont pas des miracles qui simplement étonnent, ou consolent, ou soulagent, mais ils sont en même temps un enseignement : ils ont été opérés devant tout le peuple, et le Christ en a publiquement exposé la leçon. Si donc Jo. dit ici qu'ils ont été faits devant les disciples, c'est qu'eux seuls ont compris cette leçon et sont chargés de la transmettre à d'autres. Jo. n'a donc pas tout dit; il n'a pas voulu écrire une biographie complète du Sauveur, ou ajouter sa contribution aux synoptiques pour faire avec eux un tout. Non, il a fait un choix, s'arrêtant à ce qui était le plus propre à engendrer et à nourrir la foi. Le présent πιστεύητε (ℵBΘ) est beaucoup plus propre que l'aoriste πιστεύσητε à indiquer la progression plutôt que la genèse de la foi. Jo. s'adresse à ceux qui croient déjà, mais qui doivent croire davantage, comme cela a été si souvent indiqué même à l'aoriste pour ceux qui étaient déjà disciples (cf. I, 50; II, 11. 22; IV, 50 et 53; XIII, 19; XIV, 29). L'objet de la foi c'est de croire que Jésus est le Christ, c'est-à-dire le Messie promis par les Écritures, et qu'il est en même temps le Fils de Dieu, au sens propre que l'évangéliste a toujours affirmé, c'est-à-dire vraiment Dieu, comme Thomas vient de le confesser. Une pareille foi c'est déjà la vie spirituelle, que l'on possède précisément en confessant le nom de Jésus, mais l'intention de l'auteur n'est évidemment pas de donner une instruction supérieure, réservée à quelques-uns. Il a en vue la foi, non la Gnose. — Irénée (III, XVI, 5) lisait seulement : *Iesus est Filius Dei*. Dans W syrsin pa *b f* : *Jesus Christus est filius Dei* (cf. *Iesum Christum filium Dei* Tert.); mais cette attestation est insuffisante, d'autant qu'Irénée et Tertullien, les deux principaux témoins, n'ont peut-être pas cité littéralement, se contentant de ce qui était en effet le principal dans l'esprit de Jo.

Le caractère d'épilogue de ces deux versets étant clair, quel est leur rapport avec ce qui suit? La quasi-totalité des critiques (même *Schanz, Calmes, Lepin*) a conclu de leur place actuelle que le chap. xxi est donc un appendice. On se divisait seulement sur la question de savoir si cet appendice est du même auteur que le livre. On pourrait théoriquement admettre en effet que Jo. a ajouté un supplément, comme nous avons cru qu'il l'a fait pour les chapitres xv et xvi. Nous verrons que tout dans ce chapitre indique la même main que précédemment, sauf à discuter des retouches dans 1.14 (*Calmes*) ou dans 2.10 (*Till.*) ou dans 2.20.21-23 (*Zahn*), sans parler de 24.25. Et, à la différence de la finale de Mc., il n'y a aucun indice dans la tradition manuscrite que l'évangile ait jamais été publié sans cet appendice. Il faudrait donc à tout le moins conserver l'unité (*Schanz, Kn., Till., Calmes, Lepin*) et rejeter absolument l'opinion de ceux qui attribuent le ch. xxi à un autre auteur ou à un groupe d'auteurs (les critiques libéraux) (1).

Mais cette hypothèse d'un appendice, même émané du même auteur, ne nous paraît ni plausible, ni nécessaire. Elle n'est pas suggérée par la nature du ch. xxi qui ne revient pas sur ce qui précède, comme le ch. xvi par rapport au ch. xiv, et qui, beaucoup plus que le ch. xv, marque la suite de ce qui précède (xxi, 1 μετὰ ταῦτα). Elle n'est pas nécessaire, car il est une autre hypothèse beaucoup plus simple et qui enlève tout prétexte de regarder xxi comme un appendice, c'est de supposer que l'épilogue (xx, 30 s.) n'est pas à sa place. Les critiques les plus récents, qui supposent partout des additions et des remaniements auraient mauvaise grâce à contester la possibilité d'un déplacement, rendu tout à fait vraisemblable quand on a constaté la cohésion parfaite de xxi, 1-23 avec ce qui précède.

Mais où était d'abord cet épilogue? M. Faure (2) a replacé ce morceau après xii, 37. Alors il faudrait supposer qu'il a été fortement retouché, et l'on ne voit pas pourquoi l'auteur aurait parlé des disciples; enfin c'est bien une conclusion dernière que cet épilogue et l'on ne s'attend pas à le voir suivi d'une seconde partie (3). L'épilogue était donc bien d'abord à la fin du livre, après xxi, 23. Mais lorsque les disciples de Jean eurent ajouté xxi, 24 s., comme nous le verrons, il était nécessaire de remplacer la première finale par la nouvelle. On l'a remontée le plus près possible de la fin, avant le dernier épisode.

Chapitre XXI. La dernière apparition. — Le ch. xxi comprend le récit de la dernière apparition du Christ ressuscité; on peut cependant y distinguer trois parties (1-14; 15-17; 18-23) plus un nouvel épilogue (24.25). Des raisons décisives, presque sur chaque verset, prouvent que ce chapitre (sauf 24.25) est du même auteur que tout l'évangile. M. Flowers (*Journal of biblical literature,*

(1) *Renan* (p. 534) hésite : « Le ch. xxi est une addition mais une addition presque contemporaine, ou de l'auteur lui-même, ou de ses disciples. »

(2) *Zeitschrift f. die neutestamentliche Wiss.* 1922, p. 90-121

(3) Et en effet M. Faure attribue i-xii et xiii-xx à deux auteurs différents, ce qui est une gageure.

1921 p. 147) reconnaît que si l'auteur n'est pas le même, celui qui a écrit xxi « s'était saturé de la pensée et de la langue de l'autre ». De même Heitmüller (*ZnW*, 1914, p. 206) dit que le chapitre est « johanneisch » überarbeitet und durchaus in johanneischem Geist ausgestaltet. La seule explication naturelle de ce fait, c'est qu'il n'y a qu'un auteur, et les petites difficultés de M. Flowers sont parfaitement insuffisantes à prouver le contraire : par exemple Jo. aurait dû écrire πλέον ἢ οὗτοι et non πλέον τούτων, d'après iv, 1 (dont la construction est toute différente); ἐπενδύτης est un *hapax* dans le N. T., ἰσχύω n'est pas ailleurs dans Jo., etc. — On nous dit encore que le ch. xxi est un « *anti-climax* ». Il culmine au contraire par la fondation de l'Église et l'investiture de son chef. Mais n'est-ce pas précisément ce qui gêne le protestantisme?

Schwartz (*ZnW*, 1914, p. 216) beaucoup plus décidé que Flowers à mettre en pièces le quatrième évangile reconnaît comme « une belle et ancienne conception celle qui fait dériver la fondation de la communauté primitive des apparitions du ressuscité en Galilée ». Si l'on veut ne rien exagérer, il faut seulement reconnaître que Jo., qui tient avec Lc. pour des apparitions à Jérusalem, fait ici la part des apparitions en Galilée.

Sur l'auteur de 24.25, voir plus bas.

CHAPITRE XXI

[1]Μετὰ ταῦτα ἐφανέρωσεν ἑαυτὸν πάλιν Ἰησοῦς τοῖς μαθηταῖς ἐπὶ τῆς θαλάσσης τῆς Τιβεριάδος· ἐφανέρωσεν δὲ οὕτως. [2]Ἦσαν ὁμοῦ Σίμων Πέτρος καὶ Θωμᾶς ὁ λεγόμενος Δίδυμος καὶ Ναθαναὴλ ὁ ἀπὸ Κανὰ τῆς Γαλιλαίας (καὶ οἱ τοῦ Ζεβεδαίου) καὶ ἄλλοι ἐκ τῶν μαθητῶν αὐτοῦ δύο. [3]λέγει αὐτοῖς Σίμων Πέτρος Ὑπάγω ἁλιεύειν· λέγουσιν αὐτῷ Ἐρχόμεθα καὶ ἡμεῖς σὺν σοί. ἐξῆλθον καὶ ἐνέβησαν εἰς τὸ πλοῖον, καὶ ἐν ἐκείνῃ τῇ νυκτὶ ἐπίασαν οὐδέν. [4]πρωίας δὲ ἤδη γινομένης ἔστη Ἰησοῦς εἰς τὸν

3. *om.* ουν *p.* εξηλθον **(TH) plutôt que** *add.* **(SV).**
4. **εις** *a.* **τον (HV) plutôt que επι (TS).**

1-14. La troisième apparition de Jésus a ses disciples. — Cet épisode suit les deux premières apparitions qui ont eu lieu à Jérusalem. La scène est changée : nous sommes au lac de Tibériade. Chacun des disciples est retourné à ses occupations; aussi ne sont-ils pas réunis tous les Onze. Sur le rapport prétendu de cette pêche miraculeuse avec celle de Lc. v, 1-11; cf. *Comm. Lc.* p. 162.

1) μετὰ ταῦτα est une transition familière à Jo. (v, 1; vi, 1; vii, 1). La suite avec xx, 29 serait très naturelle, si une conclusion de l'évangile n'avait été interposée (xx, 30 s.).

— φανερόω n'a pas encore été employé pour les apparitions après la résurrection, mais Jo. employait le mot volontiers et Jésus va bien manifester son caractère surnaturel, comme dans ii, 11. C'est le terme de Mc. xvi, 12-14, pour les apparitions du ressuscité.

La première fois que Jo. a nommé le lac, il a dit : « la mer de Galilée de Tibériade » (vi, 1); maintenant il suffit de dire : la mer de Tibériade. — ἐπί, non pas que les disciples fussent sur la mer, mais « au bord de », cf. μένειν ἐπὶ τοῦ ποταμοῦ (Xén. *Anab.* IV, iii, 28).

2) Il y avait là sept disciples, dont il n'est pas dit qu'ils fussent des Onze, mais c'est cependant le plus vraisemblable, surtout si l'on admet que Nathanaël est Barthélemy (cf. *Comm. Mc.* p. 59 s.). Simon-Pierre est l'appellation courante dans Jo. Thomas paraît avec son surnom de Didyme (comme dans xi, 16; xx, 24, mais non xiv, 5), et Nathanaël est dit originaire de Cana de Galilée, renseignement nouveau, mais qui concorde bien avec i, 45-51 et ii, 1 s. En revanche il est très étonnant de rencontrer les fils de Zébédée, que Jo. n'a jamais nommés ni sous ce titre, ni par leur nom de Jacques et de Jean,

[1] Après cela, Jésus se manifesta encore à ses disciples à la mer de Tibériade; or il se manifesta ainsi. [2] Se trouvaient ensemble Simon-Pierre et Thomas, appelé Didyme, et Nathanaël, de Cana de Galilée, (et les fils de Zébédée) et deux autres de ses disciples. [3] Simon-Pierre leur dit : « Je vais pêcher. » Ils lui disent : « Nous allons nous aussi avec toi. » Ils sortirent et montèrent dans la barque, et cette nuit là ils ne prirent rien. [4] Or le matin déjà venu, Jésus se trouva vers

précisément parce qu'il était l'un d'eux. Ou ce passage a été retouché, ou une glose de copiste très ancienne a pénétré dans le texte : comme Jo. avait laissé sans les nommer, selon sa coutume, deux autres disciples, qui étaient bien en fait les fils de Zébédée, une glose marginale qui révélait leur nom aura pénétré dans le texte et augmenté de deux le nombre des disciples présents. On s'expliquerait ainsi le raccourci de la formule, au lieu de οἱ υἱοὶ Ζ. (cf. Mt. xx, 20; xxvi, 37; xxvii, 56; Mc. x, 35; Lc. v, 10), formule courante. Si cependant ce retranchement ne paraît pas suffisamment autorisé, il faudra dire que Jo., sans découvrir tout à fait sa personnalité, se relâche de son parti pris de ne nommer aucun des siens, et suggère de chercher sa personne dans un cercle plus restreint que celui des Douze. — On se demande comment Nathanaël, qui était de Cana, se trouvait parmi ces pêcheurs; mais en somme il ne fit que suivre Pierre. D'ailleurs nous ne connaissons pas sa profession, pas plus que celle de Thomas, et leur présence ici étonne moins que celle de Lévi dans le pseudo-év. de Pierre (xii).

3) On trouve étrange (*Bauer*) que les disciples retournent à leurs anciennes occupations après que Jésus leur a dit : je vous envoie (xx, 21)-c'est-à-dire pour prêcher. Mais il les avait envoyés (au passé!) déjà antérieurement (xvii, 18). Ces missions confèrent un pouvoir qui sera exercé au moment voulu. Jésus n'étant pas encore remonté vers son Père n'avait pas à être remplacé. Les disciples sont revenus en Galilée en attendant, et même en l'attendant, car Jo. unit et confirme par son témoignage la tradition des apparitions à Jérusalem (Lc.) et celle des apparitions en Galilée (Mc. et Mt.). Parmi les disciples, c'est Pierre qui exerce le plus nettement la profession de pêcheur; cf. Mc. i, 16; Mt. iv, 18; Lc. v, 3. Jo. ne l'a pas encore dit, mais il rejoint ici la tradition synoptique; cf. Pseudo-Pierre : ἐγὼ δὲ Σίμων Πέτρος καὶ Ἀνδρέας ὁ ἀδελφός μου λαβόντες ἡμῶν τὰ λίνα ἀπήλθαμεν εἰς τὴν θάλασσαν· καὶ ἦν σὺν ἡμῖν Λευεὶς ὁ τοῦ Ἀλφαίου, ὃν Κύριος... (le reste manque). Pierre prend l'initiative; il semble bien que la barque est à lui, comme dans Lc. v, 3. On pêche de nuit, comme dans Lc. v, 5. — ἐξῆλθον, parce qu'ils étaient probablement réunis dans la même maison, peut-être celle de Capharnaüm où Jésus avait séjourné si souvent (cf. *Comment. Mt.* lxxvi s.). — πιάζω, inconnu des syn., mais déjà six fois dans Jo. Employé pour prendre des renards (Cant. ii, 15), des poissons (P.-Lond. II, p. 328, 76 cité par *Bauer*).

4) Tout à fait dans le style de Jo. L'apparition, ἔστη avec εἰς (!) comme dans xx, 19.26; ensuite exactement comme pour Marie M. dans xx, 14 καὶ οὐκ ᾔδει

αἰγιαλόν· οὐ μέντοι ᾔδεισαν οἱ μαθηταὶ ὅτι Ἰησοῦς ἐστίν. [5] λέγει οὖν αὐτοῖς Ἰησοῦς Παιδία, μή τι προσφάγιον ἔχετε; ἀπεκρίθησαν αὐτῷ Οὔ. [6] ὁ δὲ εἶπεν αὐτοῖς Βάλετε εἰς τὰ δεξιὰ μέρη τοῦ πλοίου τὸ δίκτυον, καὶ εὑρήσετε. ἔβαλον οὖν, καὶ οὐκέτι αὐτὸ ἑλκύσαι ἴσχυον ἀπὸ τοῦ πλήθους τῶν ἰχθύων. [7] λέγει οὖν ὁ μαθητὴς ἐκεῖνος ὃν ἠγάπα ὁ Ἰησοῦς τῷ Πέτρῳ Ὁ κύριός ἐστιν. Σίμων οὖν Πέτρος, ἀκούσας ὅτι ὁ κύριός ἐστιν, τὸν ἐπενδύτην διεζώσατο, ἦν γὰρ γυμνός, καὶ ἔβαλεν ἑαυτὸν εἰς τὴν θάλασσαν· [8] οἱ δὲ ἄλλοι μαθηταὶ τῷ πλοιαρίῳ ἦλθον, οὐ γὰρ ἦσαν μακρὰν ἀπὸ τῆς γῆς ἀλλὰ ὡς ἀπὸ πηχῶν διακοσίων, σύροντες τὸ δίκτυον τῶν ἰχθύων· [9] Ὡς οὖν ἀπέβησαν εἰς τὴν γῆν βλέπουσιν ἀνθρακιὰν κειμένην καὶ ὀψάριον ἐπικείμενον

ὅτι Ἰ. ἐστιν. Lc. aussi suppose que le Ressuscité n'est pas connu, mais il s'exprime autrement (xxiv, 16).

5) Jésus ne voulant pas encore se faire connaître ne pouvait dire τεκνία (xiii, 33), et, dans la bouche d'un étranger παιδία ne signifie pas « mes enfants » (I Jo. ii, 14.18), mais plutôt « jeunes serviteurs », ou comme nous dirions : « Jeunes gens ». L'inconnu ne se donne pas spécialement pour un marchand. Sa question avec μή ou μήτι s'attend à une réponse négative. Il y a là quelque peu d'ironie : Jésus sait très bien que les disciples n'ont rien pris, et qui eût suivi leur manœuvre s'en serait douté, mais non quelqu'un qui arrive soudainement. Seulement il veut le leur faire dire, et parle comme s'il avait envie de manger du poisson. Car il ne peut être question d'autre chose. προσφάγιον est ce qui s'ajoute au pain, mais, d'après Mœris est synonyme de ὄψον attique. Or ὄψον à l'occasion signifie spécialement du poisson (avec *Bauer*). — La réponse est un aveu qui coûte, et qu'on exprime sèchement, sans formules de politesse qui auraient pu être payées d'un sourire moqueur.

6) Peut-être les disciples allaient-ils tenter un dernier coup de filet, peut-être sont-ils éperonnés par le désagrément de leur insuccès devant cet étranger, peut-être leur inspire-t-il confiance par son ton décidé. L'expérience avait dû leur apprendre que le côté droit ne porte pas toujours bonheur. Mais qui sait? Ils tentent le coup et le résultat est prestigieux, moins inouï cependant que dans le cas de Lc. (v, 6) où les filets se rompirent. Mais c'est à peine si l'on pouvait retirer le filet par un effort continu (impf. ἴσχυον). — οὐκέτι indique que tout d'abord on relevait aisément le filet, mais que cela devenait plus difficile, les poissons se réfugiant tous dans le dernier cul-de-sac (cf. *Comm. Lc.* p. 157). — ἑλκύω « relever en tirant », se dit de hisser des voiles.

7) Les rapports entre le disciple que Jésus aimait (xiii, 23; xix, 26 et xx, 2 avec ἐφίλει) et Pierre sont bien les mêmes que précédemment. Le disciple a une intuition plus rapide; la pêche miraculeuse lui ouvre les yeux, peut-être au souvenir de l'autre pêche (Lc. v, 1-11); mais Pierre comprend aussitôt, et il se lance dans l'action, selon son caractère non moins prime-sautier qu'énergique (Mt. xiv, 28; Jo. xviii, 10).

le rivage : cependant les disciples ne savaient pas que c'était Jésus. [5]Jésus donc leur dit : « Jeunes gens, auriez-vous du poisson à manger? » Ils lui répondirent : « Non. » [6]Lui leur dit : « Jetez le filet du côté droit de la barque, et vous trouverez. » Ils jetèrent donc, et ils ne pouvaient plus le relever à cause de la grande quantité des poissons. [7]Ce disciple que Jésus aimait dit donc à Pierre : « C'est le Seigneur! » Simon-Pierre, donc, l'entendant dire que c'était le Seigneur, se ceignit le sarrau, car il était nu, et se jeta dans la mer. [8]Les autres disciples vinrent sur la barque, car ils n'étaient pas loin de la terre, mais à environ deux cents coudées, en tirant le filet des poissons. [9]Lorsqu'ils furent descendus à terre, ils aperçoivent un feu de braise, sur lequel était du poisson, et du pain.

L'action de Pierre est difficile à comprendre. D'ordinaire on entend que, vêtu d'un accoutrement très sommaire, ce que le texte exprime par le mot nu, il aurait, par bienséance, passé une seconde tunique. Il est certain en effet que, d'après l'étymologie et d'après l'usage, ἐπενδύτης signifie un vêtement extérieur. Dans les LXX c'est le מעיל ou robe, plutôt d'apparat, qui se passe par-dessus la tunique. Mais était-ce une tenue pour se jeter à l'eau? Et Pierre arrivant avec cette robe ruisselante, la bienséance n'eût-elle pas cédé la place au comique, sans parler de la difficulté de nager ainsi? Ce qui est plus grave encore, c'est que si l'on traduit : il passa une seconde tunique, car il était nu, on ne rend pas littéralement il se ceignit; et s'il mit seulement une ceinture à cette tunique de dessus, on ne peut vraiment pas dire qu'il était nu. — διεζώσατο au moyen avec l'accusatif ne peut signifier qu'une chose : il serra son vêtement à la ceinture; cf. Lucien, *somn.* (sa vie) 6 : διεζωσμένη τὴν ἐσθῆτα. Il faut donc que dans ce cas Jo. ait entendu ἐπενδύτης d'une sorte de sarrau tel que les gens du peuple en portent pour préserver leurs habits, mais que Pierre avait mis *cette fois* sur la peau pour travailler, car il était nu, n'avait pas autre chose. Avant de se lancer à la nage, il le noue solidement à sa ceinture. Il arrivera bien trempé, mais du moins il n'aura pas pris la précaution de s'y exposer avec deux tuniques au lieu d'une : Pierre ne songe pas à la cérémonie; il fait vite : un tour de ceinture, et il est à l'eau.

8) Les autres disciples amènent la barque vers le rivage, les uns ramant, les autres tirant (σύροντες) dans l'eau le filet qu'on n'avait pu enlever sur la barque. Deux cents coudées sont à peu près 90 mètres.

A cette distance du bord on ne pouvait avoir pied, les rives s'abaissant assez rapidement vers le lac. L'indication de la distance serait plus naturelle à la fin du v. 7; c'est ce qu'a fait le syrsin. en abrégeant : « car ils n'étaient pas éloignés de la [terre] sèche ».

9) Le feu de braise est bien une expression de Jo. seul dans le N. T. (cf. XVIII, 18), mais on ne saurait y discerner l'intention de rappeler à Pierre qu'il avait renié son Maître près d'un pareil foyer (*Till.*). L'ironie aurait quelque chose de

καὶ ἄρτον. [10] λέγει αὐτοῖς ὁ Ἰησοῦς Ἐνέγκατε ἀπὸ τῶν ὀψαρίων ὧν ἐπιάσατε νῦν. [11] ἀνέβη οὖν Σίμων Πέτρος καὶ εἵλκυσεν τὸ δίκτυον εἰς τὴν γῆν μεστὸν ἰχθύων μεγάλων ἑκατὸν πεντήκοντα τριῶν· καὶ τοσούτων ὄντων οὐκ ἐσχίσθη τὸ δίκτυον. [12] λέγει αὐτοῖς ὁ Ἰησοῦς Δεῦτε ἀριστήσατε. οὐδεὶς δὲ ἐτόλμα τῶν μαθητῶν ἐξετάσαι αὐτόν Σὺ τίς εἶ; εἰδότες ὅτι ὁ κύριός ἐστιν. [13] ἔρχεται Ἰησοῦς καὶ λαμβάνει τὸν ἄρτον καὶ δίδωσιν αὐτοῖς, καὶ τὸ ὀψάριον ὁμοίως. [14] Τοῦτο ἤδη τρίτον ἐφανερώθη Ἰησοῦς τοῖς μαθηταῖς ἐγερθεὶς ἐκ νεκρῶν.

12. δε (TSV) plutôt que *om.* (H).

---

lourd et d'amer, tandis que celle de Jésus, que nous admettons parfaitement, est légère et presque caressante, comme celle des parents qui instruisent ainsi leurs enfants à se défier d'eux-mêmes et à solliciter un secours qui ne leur fera pas défaut. Jésus avait demandé à ses disciples quelque nourriture de leur pêche, et c'est lui-même qui leur avait préparé un petit repas de pêcheurs, comme on en prend encore au bord du lac. Le feu est là pour rôtir le poisson, en continuant à cuire le pain. Comment Jésus a-t-il disposé tout cela sans que les disciples s'en fussent aperçus? Ou ils étaient trop absorbés, ou leur Maître n'agissait point alors à la manière ordinaire, et il faut reconnaître un miracle.

— ὀψάριον du poisson, peut-être un seul, mais qui devait suffire comme les deux de la multiplication des pains (VI, 9), d'autant qu'il n'y avait cette fois que quelques personnes.

10) On dirait bien que Jésus prie les disciples d'ajouter à ses propres préparatifs quelque chose de leur pêche. Cependant il ne s'en servira pas (12). C'est donc qu'il veut seulement les amener à terminer leur ouvrage et à constater la grandeur du résultat obtenu par son intervention et son assistance miraculeuse. Mais il entend suffire seul à leurs besoins.

11) La manœuvre ne pouvait se terminer sans Pierre : c'est à lui qu'il appartient de lever le filet hors de l'eau. Zahn imagine qu'il arrive seulement alors et qu'il monte sur le rivage. Il aurait donc échoué dans son dessein d'arriver le premier, et aborderait enfin assez piteusement. Ce n'est pas dans l'intention de Jo. Pierre qui attendait monte alors *dans le bateau,* parce que le filet y était encore attaché, et de là il l'enlève sans le rompre, ce qui n'alla pas sans peine, comme on le fait remarquer. Le chiffre de 153 est encore diversement interprété selon la mystique des nombres, quoique Jérôme ait depuis longtemps résolu l'énigme (*P. L.* XXV, c. 474) : *Aiunt autem qui de animantium scripsere naturis et proprietate, qui* ἁλιευτικά *tam latino, quam graeco didicere sermone, de quibus Oppianus Cilix est, poeta doctissimus, centum quinquaginta tria esse genera piscium.* Oppien de Cilicie, vers 180 ap. J.-C., ne propose pas un chiffre ferme, et dit seulement (I, 89) qu'il ne croit pas les espèces de poissons dans la mer moins nombreuses que les animaux sur la terre, mais Jérôme ne

[10] Jésus leur dit : « Apportez quelques poissons de ceux que vous avez pris maintenant. » [11] Simon-Pierre monta donc et releva le filet vers la terre, plein de cent cinquante-trois gros poissons; et malgré ce grand nombre, le filet ne fut pas rompu. [12] Jésus leur dit : « Venez, déjeunez. » Aucun des disciples n'osait lui demander : « Qui es-tu? sachant que c'était le Seigneur. [13] Jésus s'approche et prend le pain et le leur donne, et de même le poisson. [14] Ainsi fut manifesté Jésus à ses disciples pour la troisième fois, depuis qu'il était ressuscité des morts.

le cite qu'en passant, en lettré, et s'appuie sur une opinion, courante parmi les spécialistes, qu'il y avait cent cinquante-trois espèces de poissons; si cette opinion était vraiment répandue, elle expliquerait notre cas : chaque poisson représente une espèce et symbolise une nation ou catégorie humaine.

Il est en effet impossible de méconnaître ici le symbole de la prédication qui a déjà été confiée aux disciples, d'autant que ce symbole est clairement indiqué dans Lc. v, 10, et à propos de Pierre. On est donc conduit à penser que le filet où l'on prend les poissons et qui ne se rompt pas symbolise l'Église qui doit demeurer une, si nombreux que soient les fidèles. L'épithète « grands » pour les poissons marque l'importance de la capture.

12) A l'invitation de Jésus, les disciples se rendent avec un empressement dominé par le respect. Ce trait rappelle tout à fait la réserve des disciples au puits de Jacob (iv, 27), mais elle est encore plus timide : ils savent que c'est le Seigneur, et ils comprennent maintenant ce que cela signifie pour Jésus.

13) Jésus ne les reprend pas de cette réserve; il ne leur témoigne que plus de bonté. Il sera toujours avec eux d'une manière invisible; il leur en donne une preuve sensible. Ils ont travaillé en suivant ses avis; ils se sont empressés de le rejoindre : il leur sert lui-même la réfection qu'il leur a préparée. Si les poissons qu'ils ont pris eux-mêmes figuraient ici, leur symbolisme en serait altéré d'une façon pénible : aussi n'en est-il plus question.

14) En parfaite harmonie avec xx, 19.26. Jésus n'était pas lié à une seule manière de se manifester; il n'était pas non plus obligé de dire toujours : Paix à vous! Précédemment il leur a donné mission et pouvoir : cette fois il esquisse par les faits ce que sera leur action, dirigée par lui, récompensée déjà par lui, tandis qu'il demeurera dans la gloire du Père. Dans cette troisième apparition les paroles ont moins d'importance, parce que les faits, étant symboliques, comportent un enseignement. Mais cela même suppose leur réalité, que Jo. a inculquée de la façon la plus expresse et la plus expressive.

Bauer estime que ce récit manque d'unité, et que deux récits (1-8, 9-13) pourraient bien avoir existé avec une portée différente avant d'être cousus ensemble. Les raisons alléguées n'ont vraiment aucune valeur. Que signifie, dit-on, l'acte tumultueux de Pierre, qui n'a pas de suite, l'impuissance des Apôtres, etc. Mais c'est précisément Pierre qui fait l'unité de ce morceau, et c'est son rôle qui prépare le suivant. Pierre agit spontanément, selon sa nature;

[15] Ὅτε οὖν ἠρίστησαν λέγει τῷ Σίμωνι Πέτρῳ ὁ Ἰησοῦς Σίμων Ἰωάννου, ἀγαπᾷς με πλέον τούτων; λέγει αὐτῷ Ναί, κύριε, σὺ οἶδας ὅτι φιλῶ σε. λέγει αὐτῷ Βόσκε τὰ ἀρνία μου. [16] λέγει αὐτῷ πάλιν δεύτερον Σίμων Ἰωάννου, ἀγαπᾷς με; λέγει αὐτῷ Ναί, κύριε, σὺ οἶδας ὅτι φιλῶ σε.

16. προβατα (SV) plutôt que προβατια (TH).

---

mais quand il a quitté la barque, ses collaborateurs mêmes doivent attendre son retour : lui seul peut diriger et mener à bien l'œuvre commencée. Enfin nous croyons avoir montré que tous les détails convergent vers cette leçon : Pierre, assisté des disciples, bien plus encore assisté de Jésus, conduira la pêche qui doit amener dans l'Église des hommes que leur grand nombre et leur diversité n'empêchent pas de demeurer une. Jésus s'occupe des siens, et quand bien même ils ne pourraient échanger avec lui aucune parole, ils savent qu'ils sont à la table du Seigneur. Toute la direction appartient donc à Pierre, mais Jean a eu le pressentiment plus rapide : n'est-ce pas ce qui se passe encore, lorsqu'une voyante très aimée, une sainte Marguerite-Marie par exemple, reçoit des lumières de choix? Elle doit cependant les communiquer à Pierre, lequel a seul qualité pour agir au nom de tous. Il y a dans tout ce passage on ne sait quelle transparence de lumière divine.

15-23. La primauté et le martyre de Pierre. Le disciple bien-aimé.

Ce qui était suggéré par la scène précédente est maintenant exprimé clairement en ce qui regarde Pierre; ce n'est pas un autre épisode, ayant un objet différent, c'est la parole authentique du Seigneur qui dégage une loi. De même que le disciple bien-aimé a eu sa note au début de l'apparition, il figurera ici encore à côté de Pierre.

15-17. *La primauté de Pierre.* Tout le monde reconnaît dans la triple question de Jésus et dans la triple réponse de Pierre une compensation éclatante du reniement. Pierre n'avait pas perdu la foi en son Maître, mais l'amour dont il s'était vanté (xiii, 37) n'avait pas été jusqu'à la mort, tant s'en faut! Sans rappeler la faute, Jésus montre aux disciples présents, par les paroles qu'il fait dire à Pierre, comment la présomption a été remplacée par un amour à la fois plus profond et plus modeste. Au lieu de mettre en doute la prescience de son Maître, Pierre fait appel maintenant à sa science, et ne veut plus d'autre juge de son affection. Alors qu'il se mettait au-dessus des autres (Mt. xxvi, 33), il évite modestement de s'attribuer à lui-même la supériorité dans l'amour, alors même que le Christ semble l'y inviter. Et cependant elle existe aux yeux de Jésus, et c'est une convenance parfaite avec l'attribut de pasteur suprême que Pierre va recevoir. Car, pour paître les brebis, il faut beaucoup les aimer (x, 11), et si les brebis ne sauraient cesser d'être au Christ, il faut donc que le pasteur délégué aime beaucoup le pasteur véritable : *Sit amoris officium, pascere Dominicum gregem; si fuit timoris indicium, negare pastorem* (*Aug.*). Pierre sera donc désormais le pasteur du troupeau, à la place du Christ qui ne sera plus visible, devant remonter vers son Père. Les apôtres ont reçu leur

[15]Lors donc qu'ils eurent déjeuné, Jésus dit à Simon-Pierre : « Simon, fils de Jean, m'aimes-tu plus que ceux-ci? » Il lui dit : « Oui, Seigneur, tu sais que je t'aime. » Il lui dit : « Pais mes agneaux. » [16]Il lui dit une seconde fois : « Simon, fils de Jean, m'aimes-tu? » Il lui dit : « Oui, Seigneur, tu sais que je t'aime. » Il

mission, et le droit de remettre les péchés ou de les retenir (xx, 22 s.); on pourra donc aussi les nommer des pasteurs par rapport aux autres. Mais, comparés à l'unique Pasteur, ils rentrent dans le troupeau, ils ne seront même pas nommés à part comme occupant un rang intermédiaire, car les « agneaux » et les « brebis » sont synonymes, comme φιλεῖν et ἀγαπᾶν, employés tout à fait dans le même sens par Xén. *Memorabilia,* II, 7,9 et 12, comme βόσκειν et ποιμαίνειν; encore que ces mots représentent souvent des nuances, ils ont ici la même valeur.

15) Au lieu du vague μετὰ ταῦτα, l'indication précise de la fin du déjeûner. Loisy : « Transition tout artificielle et rédactionnelle : on dirait que le Christ n'attendait que la fin du repas pour engager avec Simon-Pierre la conversation qu'on va lire » (p. 522).

— Pourquoi pas? Les disciples se taisent, laissant au Seigneur l'initiative; celui-ci remet à la fin du repas un entretien d'une importance capitale. Le début est assez solennel; Simon est nommé fils de Jean, comme lors de sa vocation (I, 42). Jésus demande à Pierre si son amour pour lui est plus grand que celui des autres. Point important, puisqu'il allait lui conférer une charge plus haute. Il n'est pas requis ni acquis que l'amour du chef dépasse toujours celui d'un simple fidèle, mais c'était une convenance à l'origine, et peut-être Jésus veut-il rappeler doucement à Pierre sa présomption, lorsqu'il se vantait si imprudemment d'aimer plus que les autres (Mc. xiv, 29; Mt. xxvi. 33), Ce trait est moins accusé dans Jo. xiii, 37, cependant même dans Jo. Pierre s'est mis en avant tout seul. — Désormais il a compris et se garde bien de toute jactance. Jésus, qui le sait guéri, ne lui posera plus la question de même sorte. Que son amour ait été le plus grand, c'est d'ailleurs ce qui résulte des évangiles, et tout à l'heure du verset 7. — Jésus se sert de ἀγαπᾶν et Pierre répond par φιλεῖν. Il semble que dans le premier verbe, il y ait plus de résolution volontaire, dans le second plus d'inclination du sentiment : Mais faut-il tenir compte de cette subtilité ici, quand Jésus à la troisième question emploie φιλεῖν?

16) Cette fois Jésus réplique ποίμαινε et πρόβατα au lieu de βόσκε et ἀρνία. Nous lisons en effet πρόβατα avec toute la tradition manuscrite contre BC deux cursifs et *b* (προβάτια *oviculas*). Le changement de ἀρνία en πρόβατα a son importance pour montrer que Jésus parle de tout le troupeau; mais on ne voit pas que les brebis symbolisent les autres apôtres par opposition aux agneaux qui seraient les simples fidèles. On ne voit pas non plus que βόσκειν ait une relation spéciale avec les agneaux, ποιμαίνειν avec les brebis, le premier signifiant plutôt faire paître, le second plutôt conduire au pâturage, d'autant que le rapport sera inverse au v. suivant.

λέγει αὐτῷ Ποίμαινε τὰ πρόβατά μου. [17] λέγει αὐτῷ τὸ τρίτον Σίμων Ἰωάννου, φιλεῖς με; ἐλυπήθη ὁ Πέτρος ὅτι εἶπεν αὐτῷ τὸ τρίτον φιλεῖς με; καὶ εἶπεν αὐτῷ Κύριε, πάντα σὺ οἶδας, σὺ γινώσκεις ὅτι φιλῶ σε. λέγει αὐτῷ Ἰησοῦς Βόσκε τὰ πρόβατά μου. [18] ἀμὴν ἀμὴν λέγω σοι, ὅτε ἦς νεώτερος, ἐζώννυες σεαυτὸν καὶ περιεπάτεις ὅπου ἤθελες· ὅταν δὲ γηράσῃς, ἐκτενεῖς τὰς χεῖράς σου, καὶ ἄλλος ζώσει σε καὶ οἴσει ὅπου οὐ θέλεις. [19] τοῦτο δὲ εἶπεν σημαίνων ποίῳ θανάτῳ δοξάσει τὸν θεόν. καὶ τοῦτο εἰπὼν λέγει

17. Cf. 16.
18. αλλος ζωσει σε και οισει (THV) et non αλλα ζωσουσι σε και αποισουσιν (S).

---

17) ἐλυπήθη est la péripétie décisive. Après cela Jésus n'insistera plus. Pierre pouvait se dire que son amour était agréé, puisque récompensé par une marque de confiance. Mais peu lui importerait, si cette confiance ne venait pas d'un cœur bien convaincu, ou plutôt il ne songe qu'à l'écho de sa parole dans le cœur du Maître. Il ne se lasserait pas de dire qu'il aime, mais qu'on le lui demande trois fois! N'a-t-il pas versé assez de larmes, pour qu'on l'attriste encore? Une plainte si douce, soupirée par une nature si ardente, presque violente... qu'il est changé!

— Nous lisons encore πρόβατα. Pour προβάτια A remplace *b*. — La vg. qui avait la seconde fois *agnos meos* sans aucun appui dans le grec, a ici *oves meas*, alors que ἀρνία se trouve en grec dans trois mss.

Nous n'avons pas à rappeler les textes des Pères qui reconnaissent ici une véritable primauté accordée à Pierre, en harmonie avec Mt. XVI, 17 s. Les deux métaphores du pasteur et de la pierre fondamentale se complètent. Il n'y a aucune raison de dire avec Cyrille que nous avons ici un renouvellement du pouvoir donné déjà à Pierre, et qu'il aurait perdu par le reniement, car Pierre a fait figure de chef depuis la Passion comme avant (Jo. XX, 3 ss.; XXI, 3 ss.), et Jésus ne suppose pas un instant qu'il ait encore besoin de pardon.

La tradition a été formulée définitivement par le concile du Vatican : « *Atque uni Simoni Petro contulit Iesus post suam resurrectionem summi pastoris et rectoris iurisdictionem in totum suum ovile dicens : « Pasce agnos meos », « Pasce oves meas* » (*Denz*, 10ᵉ éd. nº 1822).

Tandis que quelques protestants étroitement confessionnels s'attardent à dire que Pierre ne figure ici que comme représentant des Apôtres, qu'il est tout au plus *primus inter pares*, des critiques plus indépendants se rangent à l'ancienne exégèse catholique, et reconnaissent que Jésus a entendu choisir Pierre seul comme dépositaire de son autorité pastorale suprême (*Harnack, Heitmüller, Bauer, Loisy*).

18-23. *La mort de Pierre et le sort du disciple.* Il n'y a pas de suture extérieure entre le passage qui précède et celui-ci, mais il y a une cohésion intime : Pierre qui s'était trop pressé en s'offrant à donner sa vie pour Jésus, maintenant que son amour est à la fois plus profond et moins présomptueux, est invité par

lui dit : « Sois le pasteur de mes brebis. » [17] Il lui dit une troisième fois : « Simon, fils de Jean, m'aimes-tu? » Pierre fut contristé de ce que Jésus lui avait dit pour la troisième fois, m'aimes-tu? Et il lui dit : « Seigneur, tu connais tout, tu sais que je t'aime. » Jésus lui dit : « Pais mes brebis. [18] En vérité, en vérité, je te [le] dis : lorsque tu étais jeune, tu te ceignais et tu allais où tu voulais. Mais lorsque tu auras vieilli, tu étendras les mains, et un autre te ceindra et te portera où tu ne voudras pas. » [19] Il dit cela pour suggérer par quelle mort [Pierre] devait glorifier Dieu. Et ayant ainsi parlé, il lui dit : « Suis-moi. »

Jésus lui-même à le suivre dans la mort, et dans une mort semblable. Aug. a exprimé ingénieusement ces degrés et le point culminant où Pierre est élevé par le Christ : « *Hunc invenit exitum ille negator, et amator : praesumendo elatus, negando prostratus, flendo purgatus, confitendo probatus, patiendo coronatus... Hoc enim oportebat, ut prius Christus pro Petri salute, deinde Petrus pro Christi praedicatione moreretur.*

18) ἀμήν (*bis*) etc. donne à la pensée une direction un peu différente de ce qui précède; la répétition est bien du style de Jo. L'opposition paraît être seulement entre la jeunesse de Pierre et sa vieillesse : en ce moment il est donc entre les deux âges, ayant toutefois conservé les allures très spontanées d'une nature franche et vigoureuse (7).

Se ceindre soi-même indique qu'on choisit librement l'objet de son activité, et le jeune homme va où il veut pour exercer cette énergie. A l'opposé, la vieillesse. Étendre les mains n'est pas le geste du vieillard qui perd la vue (*Zahn*), car rien ne l'indique dans le contexte; c'est seulement le geste qui permet à un ami complaisant de fixer la ceinture, sans être embarrassé par des bras ballants; aussi est-ce le premier indice de dépendance. Ceint par un autre, le vieillard accepte d'être conduit où l'on voudra, selon les convenances des jeunes. Le texte ne dit rien de plus au premier abord et l'on peut en conclure que Jo. a transcrit la prédiction telle quelle, sans prendre soin de la rapprocher du genre de mort de Pierre, qu'elle désignait en termes voilés. Cela est d'ailleurs en parfaite harmonie avec la manière de Jo. : II, 19; III, 3; VII, 34; VIII, 21.28.32.51; XI, 11.50; XII, 32; XIII, 27.33; XVI, 17.

19) C'est seulement après que Pierre eut été crucifié qu'apparut au disciple bien-aimé le sens très clair de ces mots mystérieux. D'après Bauer, il n'y eut rien à changer dans l'ordre des mots pour signifier l'exécution, parce que le condamné portait son gibet les mains étendues et attachées à ce gibet. Mais ce serait bizarre et presque impossible; cela ne résulte pas de Plaute (*Miles glor.* II, 4, 7) *dispessis manibus patibulum quom habebis* (ce dernier mot n'est pas certain), qui vise plutôt la mise en croix que le portement de la croix, et il est plus simple d'expliquer cet *hysteron proteron* comme suggéré par le sens apparent (cf. v. 18). Les mains étendues étaient le signe du supplice de la

αὐτῷ Ἀκολούθει μοι. [20] Ἐπιστραφεὶς ὁ Πέτρος βλέπει τὸν μαθητὴν ὃν ἠγάπα ὁ Ἰησοῦς ἀκολουθοῦντα, ὃς καὶ ἀνέπεσεν ἐν τῷ δείπνῳ ἐπὶ τὸ στῆθος αὐτοῦ καὶ εἶπεν Κύριε, τίς ἐστιν ὁ παραδιδούς σε; [21] τοῦτον οὖν ἰδὼν ὁ Πέτρος λέγει τῷ Ἰησοῦ Κύριε, οὗτος δὲ τί; [22] λέγει αὐτῷ ὁ Ἰησοῦς Ἐὰν αὐτὸν θέλω μένειν ἕως ἔρχομαι, τί πρὸς σέ; σύ μοι ἀκολούθει. [23] Ἐξῆλθεν οὖν οὗτος ὁ λόγος εἰς τοὺς ἀδελφοὺς ὅτι ὁ μαθητὴς

23. και ουκ ειπεν (TS) plutôt que ουκ ειπεν δε (HV); — τι προς σε (HV) et non *om.* (TS).

---

croix; ARTÉMIDORE, *Oneirocriton*, I, 76 κακοῦργος δὲ ὢν (si celui qui rêve est un scélérat) σταυρωθήσεται διὰ τὸ ὕψος καὶ τὴν τῶν χειρῶν ἔκτασιν, cf. *Épict.* III, 26, 22. — Être ceint par un autre signifie être attaché à la croix par des courroies; c'était encore un des caractères de la crucifixion, διὰ τὴν δέσιν (*Artém.* II, 53), comme l'a bien vu Tertullien (*Scorp.* 15) : *tunc Petrus ab altero cingitur, cum cruci adstringitur.* La marche à la croix était déjà un supplice : *ita te forabunt patibulatum per vias* (PLAUTE, *Most.* I, 1, 56), mais il était encore plus douloureux d'être élevé sur la croix, demeure fatale où l'on était exposé à toutes les tortures et aux morsures des chiens et des vautours. Jésus ne dit pas que Pierre subira ce supplice à contre-cœur; il le décrit seulement dans sa nudité, effroyable à la nature.

Mais cette mort affreuse sera à la gloire de Dieu, et Pierre l'entendit bien ainsi (I Pet. IV, 16) : rendre témoignage à la foi chrétienne, c'est glorifier Dieu.

Pierre était ainsi bien averti, et le ton du Sauveur, une lumière spéciale, lui firent sûrement entendre qu'il s'agissait de le suivre dans la mort, si le genre du supplice était encore obscur. C'est donc ce que Jésus lui propose, sans s'expliquer sur toute la portée de ce terme : suis-moi. Il l'avait déjà fait d'après Jo. XII, 24 ss., sans parler des synoptiques (Mt. x, 38, etc.). Il ne ressortait nullement des paroles de Jésus que Pierre dût être crucifié la tête en bas. Ce trait retenu par Eusèbe, Jérôme, Chrysostome, appartient donc à la tradition, et n'a pas été suggéré par l'exégèse, quoi qu'en ait pensé Théodore de Mopsueste, et après lui Icho'dad. Citons, pour noter la fantaisie des critiques extrémistes la restitution par E. Schwartz (*ZnW*, 1914, p. 217) du texte « primitif »; νῦν δὲ ζώσω σε ἐγὼ καὶ οἴσω ὅπου θέλω.

20 s.) De fait Pierre se met à la suite de Jésus, qui sans doute allait s'éloigner. Mais il se retourne, car il entend qu'un autre suit le Sauveur. Si Jo. insiste en cet endroit sur le disciple bien-aimé, c'est qu'il entre en scène, et que désormais c'est de lui qu'il faut informer le lecteur (23 ss.). Peut-être aussi est-ce une manière de rappeler les liens qui l'unissaient à Pierre : il a interrogé Jésus pour lui être agréable (XIII, 23), maintenant c'est Pierre qui va interroger. Il n'y a pas à le soupçonner de trop de curiosité, ou de jalousie à la pensée que cet autre peut-être échappera au martyre. Rien de plus naturel que sa question, quand elle ne serait pas dictée par une sympathie particulière. C'est à lui-même que Jésus a dit de le suivre. Un autre suit : alors est-il

[20] S'étant retourné, Pierre voit venir à la suite le disciple que Jésus aimait, celui qui reposa pendant le repas sur son sein et qui dit : Seigneur, quel est celui qui te trahit? [21] Pierre donc le voyant dit à Jésus : « Seigneur, et celui-ci, qu'en sera-t-il? » [22] Jésus lui dit : « Si je voulais qu'il demeure jusqu'à ce que je vienne, que t'importe? toi, suis-moi. » [23] Ce bruit se répandit donc parmi les frères, que ce disciple ne doit pas mourir. Mais Jésus ne dit pas à [Pierre]

compris dans la même destinée? — οὗτος δὲ τί; est très concis, mais s'entend très bien : τί est prédicat, en sous-entendant γίνεται; les classiques ont des tournures analogues.

22) Pierre a si bien compris (contre *Zahn, Till.*) que Jésus avait fait allusion à sa mort, et sa question portait si bien sur ce point par rapport à l'autre disciple, que c'est à cela que Jésus fait allusion dans sa réponse, tout en se refusant à donner une solution. Pierre ne doit songer qu'à ce que son Maître lui demande à lui. Il aura à paître toutes les brebis, mais c'est au Seigneur à fixer leur destinée, le moment et la manière dont les fidèles quitteront le monde. Spécialement pour le disciple bien-aimé, s'il lui plaisait qu'il demeure — au lieu de le suivre — jusqu'au moment de sa venue? Par cette venue, tout le monde entend la Parousie. Et c'est bien ce qu'ont entendu les frères du v. 23. Notons que ἐάν est beaucoup plus dubitatif que εἰ. Ce n'est point une puérilité que de préciser dans un texte que l'auteur est résolu à interpréter tel qu'il est. Jésus ne dit donc pas comme s'il y était décidé : si c'est mon intention; mais : si c'était mon intention... Quoi qu'il en soit, toi, suis-moi. Il semble que dès lors Pierre seul suivit Jésus. Comment le Christ disparut-il? Jo. ne l'indique en aucune manière, comme il ne l'avait pas dit non plus aux deux premières apparitions.

23) Qui parle ici?

Il y a deux systèmes. Les uns (*Bauer, Loisy, Calmes*, etc.) estiment que l'auteur de ce verset connaît la mort du disciple, et qu'il veut défendre la parole du Christ contre une fausse interprétation. Non, le Christ ne s'est pas trompé en prononçant cette parole; le disciple est mort, il est vrai, mais Jésus n'avait pas dit qu'il ne mourrait pas. Mais d'autres (*West., Zahn, Till., Schanz*, etc.) pensent que l'auteur de l'évangile maintient seulement la parole de Jésus telle qu'elle est, sans rien préciser, parce que le disciple est encore vivant, et qu'il faut laisser la solution au Christ. De cette façon, l'auteur peut être le disciple lui-même. Cette manière paraît la bonne. Parmi les fidèles on avait interprété sans hésiter que ce disciple ne doit pas mourir (le présent ἀποθνήσκει) : l'auteur ne conteste pas que ce serait le sens si Jésus avait dit : il demeurera jusqu'à ce que je revienne; mais le Maître a seulement dit que peut-être telle était son intention. Il n'avait pas à la manifester plus nettement, puisqu'il ne donnait pas une solution directe au disciple; il répondait à Pierre (αὐτῷ) qui n'avait pas à s'en occuper, mais seulement à suivre. Ce point est plus clairement marqué si on lit τί πρὸς σέ; omis seulement par ℵ 1

ἐκεῖνος οὐκ ἀποθνήσκει, καὶ οὐκ εἶπεν αὐτῷ ὁ Ἰησοῦς ὅτι οὐκ ἀποθνήσκει, ἀλλ' Ἐὰν αὐτὸν θέλω μένειν ἕως ἔρχομαι, τί πρὸς σέ;

[24] Οὗτός ἐστιν ὁ μαθητὴς ὁ μαρτυρῶν περὶ τούτων καὶ ὁ γράψας ταῦτα, καὶ οἴδαμεν ὅτι ἀληθὴς αὐτοῦ ἡ μαρτυρία ἐστίν.

[25] Ἔστιν δὲ καὶ ἄλλα πολλὰ ἃ ἐποίησεν ὁ Ἰησοῦς, ἅτινα ἐὰν γράφηται καθ' ἕν, οὐδ' αὐτὸν οἶμαι τὸν κόσμον χωρήσειν τὰ γραφόμενα βιβλία.

24. και ο (HV) et non ο και (S) ou *om.* ο (T); — εστι *p.* μαρτυρια (TH) plutôt que *p.* αληθης (SV); — αυτου *p.* αληθης (TH) plutôt que *p.* μαρτυρια (SV).
25. χωρησειν (H) et non χωρησαι (SV); T *om.* 25 avec ℵ seul.

---

22 deux ou trois autres cursifs *a e syrsin arm.* Chrys. — Zahn a très bien noté que si des chrétiens avaient osé douter de la parole du Seigneur, censément démentie par la mort du disciple, l'auteur ne leur aurait pas donné le nom de frères — le seul cas dans l'Évangile. Dans II Pet. III, 3-10 ceux qui interprètent mal le retard de la Parousie sont repris d'un autre ton. Jean, vieillard demeuré seul parmi les disciples, ne voulait pas qu'on affirmât qu'il ne mourrait pas et qu'on l'entourât peut-être d'avance d'un culte superstitieux, ou qu'on tranchât sans hésiter la question du temps de la Parousie, qui n'eût pu être bien lointaine : il a voulu simplement qu'on s'en tînt au sens, si vague qu'il fût, des paroles du Christ, qu'il reproduisait telles quelles. Aussi, lorsque en fait le disciple mourut, il n'y avait pas à retrancher de l'évangile une parole de Jésus que personne ne risquait plus de prendre pour une fausse prédiction (contre SCHWARTZ, *ZnW*, 1914 p. 215). Ce passage dans son entier suppose néanmoins que le disciple a survécu fort longtemps à Pierre : c'est le premier indice de cette survie que la tradition d'Irénée plaçait à Éphèse. — On sait que malgré tout l'opinion fut ancrée à Éphèse que Jean n'était pas mort : mais elle n'apparaît pas avant la fin du IIIe siècle.

24-25. TÉMOIGNAGE RENDU A L'AUTEUR ET CONCLUSION DÉFINITIVE.

Quelques-uns (*Schanz, Kn.*) admettent encore que c'est l'auteur de l'évangile qui continue de parler. Ils expliquent le pluriel οἴδαμεν par III Jo. 12. Ce serait une formule plus solennelle, comprenant le témoignage des anciens qui entouraient l'auteur. Lui-même se désignerait comme dans XIX, 35. — Mais dans ce dernier endroit, il n'y a pas de pluriel, et dans III Jo. 12 il n'y a pas d'opposition entre une personne et plusieurs. Nous croyons donc que ces mots ont été ajoutés par un groupe de personnes, — probablement les anciens d'Éphèse, — qui rendent témoignage à la véracité de l'auteur, lequel n'a pas voulu, même dans XIX, 35, se rendre témoignage à lui-même (V, 31.32; VIII, 13.14.17). Leur affirmation est claire : c'est le disciple bien-aimé qui, aujourd'hui encore, rend témoignage, précisément parce qu'il a écrit cela, à savoir tout le livre qui est le quatrième évangile. La différence du présent μαρτυρῶν et de l'aoriste ὁ γράψας avec son article propre, suggère nettement que le travail d'écrire est terminé, et que par lui l'auteur affirme encore la réalité des faits.

que [ce disciple] ne devait pas mourir, mais : « Si je voulais qu'il demeure jusqu'à ce que je vienne, que t'importe? »

[24] C'est ce disciple qui rend témoignage sur ces choses, et c'est lui qui les a écrites, et nous savons que son témoignage est véridique. [25] Jésus a fait encore beaucoup d'autres choses; si on les écrivait une par une, je ne sais si le monde lui-même pourrait contenir les livres qui en seraient écrits.

Ceux qui tiennent ici la plume affirment à leur escient que son témoignage est véridique, étant assurés que le disciple était incapable de les tromper, et sachant peut-être aussi qu'il n'avait rien dit qui n'ait été attesté par d'autres ou en harmonie avec leurs affirmations.

25) On est étonné de voir apparaître οἶμαι au singulier. On peut l'entendre comme une locution toute faite (*Zahn*), et il fallait bien que quelqu'un tînt la plume. Autant il importait qu'il parlât au nom de tout le groupe pour rendre témoignage à l'auteur, autant il lui était loisible de prendre à son compte une conjecture exprimée d'une manière hyperbolique. On préfère ne pas l'attribuer à Jo. qui a déjà conclu d'une manière plus posée (xx, 30 s.), mais on ne saurait reprocher cette emphase à l'auteur de ces quelques lignes, car on en a cité bien d'autres exemples, par exemple : οὐδὲ γὰρ τῶν δωρεῶν ἱκανὸς οὐδεὶς χωρῆσαι τὸ ἄφθονον πλῆθος, ἴσως δὲ οὐδ' ὁ κόσμος (Philon, *de ebr.* 32; M. I, 362, cité par *Bauer*). — Si l'hyperbole paraît un peu forte, elle est du moins le reflet de l'impression profonde produite sur les disciples de Jean par son enseignement oral et par les vues indéfinies qu'il leur avait ouvertes sur l'action de Jésus. Puisque le disciple bien-aimé avait cessé d'écrire, ce n'était pas à eux à faire connaître les merveilles dont il avait reçu l'intelligence en reposant près du Cœur de Jésus.

TABLES

TABLE DE L'INTRODUCTION

TABLE DES CHAPITRES ET DES THÈMES

(1) A transposer après le ch. VI.

INDEX POUR L'INTRODUCTION ET LE COMMENTAIRE [1]

(1) En marge des grands thèmes indiqués par la table de l'introduction et celle des chapitres.

INDEX DES MOTS GRECS EXPLIQUÉS

NOTANDA ET ADDENDA

I. *Travaux récents.* — *a*) En même temps que ce commentaire paraissait une seconde édition, complètement refondue, de celui de Walter Bauer (1). Je regrette vivement de n'avoir pu l'utiliser. Mais je ne pouvais songer à retoucher beaucoup un ouvrage dont on avait conservé les empreintes en vue des éditions ultérieures. Aussi bien la principale attraction du nouveau travail de Bauer c'est l'emploi de la traduction du *Ginza* mandéen par Lidzbarski, dont les bonnes feuilles (p. 1 — 368) lui ont été communiquées. D'après Bauer les premières idées directives des Mandéens sont encore reconnaissables : pensées, expressions et images nous rappellent le quatrième évangile (*Jo.*), mais sans qu'on puisse établir entre eux une dépendance mutuelle : nous sommes donc renvoyés à une gnose plus ancienne, source des deux courants. Mais selon nous la ressemblance est trop étroite pour qu'il n'y ait pas dépendance entre les évangiles et les Mandéens. Bauer, peu conséquent, semble le concéder et conclure carrément à la dépendance de Jo. Nous nous contenterons d'un exemple, à propos du rôle du Baptiste. Il écrit (p. 15) : « Cependant l'évangéliste va seulement aussi loin qu'il refuse au Baptiste les hautes qualifications (prédicats) que les disciples de Jean donnent à leur maître et les transporte sur Jésus » (auf Jesus überträgt).

Jo. a donc connaissance des doctrines mandéennes, et c'est en opposition à ces doctrines qu'il construit le type de Jésus au dépens de Jean-Baptiste, celui du Baptiste étant construit pour étaler un contraste fâcheux : il n'est pas la lumière, il n'est pas le prophète, il n'est pas le Christ, etc. — Que Jo. ait dessiné cette opposition, cela est certain, mais il n'est même pas clair qu'il ait insisté pour disqualifier une secte puissante de Baptistes, disciples du grand Jean-Baptiste. La secte existait (Act. xix, 1-7), mais rien ne prouve qu'elle ait vu dans Jean-Baptiste autre chose qu'un prédicateur de pénitence. C'est par l'évangile (Lc. iii, 15 ; Jo. i, 20) que nous savons qu'on a été tenté de voir en lui le Messie ; mais ses disciples ne semblent pas avoir dès lors relevé le gant comme ont fait les disciples de Jésus. Les Mandéens l'ont fait plus tard, et par une conséquence nécessaire ils ont rabaissé Jésus. Je dis plus tard. C'est la question, dira-t-on. Jo. a-t-il dépouillé Jean en faveur de Jésus, ou les Mandéens ont-ils rabaissé Jésus en faveur de Jean ?

Soit, mais nous estimons que cette question est résolue par ce fait que les Mandéens, quand ils rabaissent Jésus, dépendent de l'évangile, non seulement de Jo., mais encore de Matthieu. Il est donc vraisemblable que lorsqu'ils grandissent Jean des épithètes que contient l'évangile, c'est encore un emprunt qu'ils font en changeant le sujet de ces épithètes. Je m'en tiens au texte cité par Bauer (2) : « Quand Jean vit dans ce temps de Jérusalem, prend le Jourdain et accomplit le baptême, Jésus-Christ (3) vient, se présente humblement, reçoit le baptême de Jean et devient sage par la sagesse de Jean. Ensuite il corrompt la

(1) Tübingen, 1925.

(2) *Ginza*, ii, 1, 152 p. 51 Lidzbarski. Je traduis de l'allemand.

(3) Le Mandéen dit « Jésus-Christ » par la force des habitudes !

doctrine de Jean, altère le baptême dans le Jourdain, corrompt les discours de la *Kouchta* et prêche le crime et le mensonge dans le monde. »

Notez que toute cette page du Ginza est pleine d'allusions au monachisme, etc. Personne ne peut douter de son origine récente : Lidzbarski date le Ginza des temps qui ont précédé et suivi l'Islam. Comment donc prouver que dès les premiers temps les Mandéens donnaient à Jean les honneurs que Jo. réserve à Jésus? — C'est, dit Bauer, que les *Recognitiones* (I, 60) mettent en scène un disciple de Jean qui revendiquait pour lui le titre de Christ. Comme si les *Recognitiones,* sorties d'un milieu qui se croyait chrétien, ne dépendaient pas du N.T! Et si les livres mandéens nomment Jean le prophète, l'envoyé céleste, qui vient de la suprême hauteur, qui est sans défaut et parfait, comme tout cela se trouve dans Jo., il est bien impossible de nier une dépendance, au moins indirecte. Mais ordinairement on y voit le fait des auteurs de beaucoup les plus récents. C'est tout ce qu'on peut dire ici; j'espère revenir ailleurs sur ce point et montrer combien sont précaires les arguments qui concluent à l'existence d'une gnose mandéenne employée par le quatrième évangile. — Il y aura lieu de parler ailleurs d'un important article de M. R. Bultmann dans la *Zeitschrift für die neutestamentliche Wissenschaft* (1925, p. 100-146) : *Die Bedeutung der neuerschlossenen mandäischen und manichäischen Quellen für das Verständnis des Iohannesevangeliums.*

b) K. Kudsin, *Topologische Ueberlieferungsstoffe im Johannes-Evangelium,* Göttingen, 1925. — Nous avons cherché dans la connaissance que Jo. a de la Palestine une preuve manifeste de sa qualité de témoin oculaire. M. Kudsin a compris la force de cet argument et il s'efforce de le réduire à rien. Les lieux nommés par Jo. étaient bien à leur place et connus des chrétiens, habités par quelques chrétiens. Pour leur créer une tradition, Jo. aurait recueilli ou inventé des histoires. Il suffira de signaler ici cette échappatoire désespérée sur laquelle aussi nous voudrions revenir.

c) H. Windisch, *Johannes und die Synoptiker,* Leipzig, 1926. L'auteur avait dessein de prouver que Jo. a écrit pour remplacer la tradition synoptique dont il eût volontiers aboli le souvenir. Cette tentative, qui n'est pas nouvelle, séduisante par le brio de l'écrivain, a été fort bien appréciée par le R. P. Raph. Tonneau dans la *Revue Biblique,* 1927, p. 124 ss.

d) Alex. Pallis. *Notes on S. John and the Apocalypse,* Oxford (1927?). Notes détachées sur quelques passages, qui font admirer la virtuosité de l'helléniste qu'est M. Pallis, mais la plus brillante correction, si elle n'est pas nécessaire, ne vaut pas une modeste tentative d'interprétation.

e) Dans les *Recherches de science religieuse* (juin-août 1926 p. 328 ss.) le R. P. Lebreton a bien voulu parler de ce commentaire dans les termes les plus bienveillants et les plus flatteurs. Ce qui, je l'avoue, me touche encore davantage, c'est qu'il a abordé le point auquel je tenais le plus : la distinction de l'enseignement de Jésus et le développement de cette doctrine dans les parties où l'évangéliste parle en son nom. Le R. P. semble reconnaître ce qu'il y a d'essentiel dans cette méthode. Mais il ajoute (p. 329) : « Non content de distinguer la théologie développée par saint Jean de la théologie continue dans les discours du Maître, il (le P. Lagrange) a cru devoir distinguer encore, du point de vue de leur contenu doctrinal, les discussions avec les Juifs et les entretiens privés avec les disciples ; cette distinction, très justifiable en théorie, est difficile à soutenir jusqu'au bout dans la pratique. » Sur quoi le R. P. cite des textes comme v, 17; x, 30; x, 38 qui ont été, « aux mains des Pères antiariens, des arguments privilégiés; pouvons-nous nous en servir nous-mêmes comme s'en sont servis la plupart des Pères, et reconnaître dans ces sentences si profondes la révélation du mystère divin? Le R. P. Lagrange ne le pense pas... » — Mais si, il le pense, et il l'insinue assez clairement dans la propre phrase citée par le R. P. Lebreton : « Ce second point (la filiation éternelle du Fils) était bien le principal et facile à déduire... » etc. S'il est facile à déduire, pourquoi ne le déduirions-nous pas? Comme le prouve la suite de mon texte très loyalement cité, la nuance que je propose va de ce qui est implicite à ce qui deviendra explicite. Oui, Jean a compris les paroles de Jésus selon leur sens profond, et c'est d'après cette pénétration qu'il a développé sa théologie. En les redisant aux chrétiens, il espérait bien qu'ils comprendraient ce sens, en quoi les aidaient son exposition du Verbe et ses autres commentaires. Mais l'interprète historien a-t-il le droit d'isoler les textes des circonstances? Ne doit-il pas se préoccuper de déterminer ce qui était le plus clair et le plus impératif dans l'enseignement de Jésus, sans préjudice des lumières nouvelles que leur docilité assurait aux disciples? N'est-ce pas ce qu'entend le R. P. Lebreton lorsqu'il écrit : « Ses sentences (de Jésus) dont la forme est si simple, le contenu est si profond, ouvrent devant l'esprit des auditeurs des perspectives indéfinies; qu'ils s'y engagent, guidés par l'Esprit de Dieu : ils découvriront au terme cette réalité ineffable que, dès l'abord, ils ne soupçonnaient pas. » — Découvrir, et avec le secours du Saint-Esprit, au terme d'une longue perspective, c'est sans doute, selon le langage scolastique dégager explicitement ce qui n'était proposé qu'implicitement, non sans les lumières de la foi. Cependant le R. P. Lebreton hésite à distinguer l'enseignement donné à la foule de celui qui aurait été réservé aux disciples. Il objecte (p. 330) : Devrons-nous donner un sens différent à ces attestations identiques : « mes œuvres prouvent que je suis dans le Père et que le Père est en moi », parce que dans un cas Jésus les adresse à la foule (x, 38) et, dans l'autre (xiv, 11), à ses disciples? » — Il y a cependant une nuance dans le contexte. En soi, manifestement les miracles ne suffisent pas à prouver la divinité du thaumaturge: ils prouvent que Dieu est en lui, ce qui ne serait pas le cas si lui n'était en Dieu; il faut donc lui reconnaître à tout le moins une mission divine, et une union très étroite avec Dieu. A ses disciples Jésus dira qu'ils feront des miracles plus grands que les siens : ils ne seront pas revêtus pour cela de la nature divine! Mais il leur explique qu'ils feront ces miracles en son nom, et dès lors il est un thaumaturge qui a le même pouvoir que le Père... La révélation est ici plus complète et par là-même plus claire.

Toutefois il faut lire la fin du ch. x dans la lumière projetée par la déclaration de x, 30 : « mon Père et moi ne sommes qu'un », et le R. P. Lebreton aurait pu ajouter que je prétendais même que nous pouvions discerner un acheminement vers la lumière dans les discours de Jésus, adressés soit à la foule, soit à ses disciples. C'est pourquoi j'ai reconnu que le sens profond était plus facilement perceptible dans x, 30, alors que les Juifs ont mis Jésus en demeure de se prononcer.

Je soumets très simplement ces explications au R. P. Aucun suffrage, aucun concours ne me serait plus précieux que le sien pour faire prévaloir une méthode dont je suis le premier à reconnaître les difficultés dans le détail.

II. *Additions.* — P. LXXXV. A propos de la distinction entre **la tragédie et** l'histoire, on se rappellera ce que dit Polybe (II, 56, 11) : τὸ γὰρ τέλος ἱστορίας καὶ τραγῳδίας οὐ ταὐτόν, ἀλλὰ τοὐναντίον, ἐκεῖ μὲν γὰρ δεῖ διὰ τῶν πιθανωτάτων λόγων ἐκπλῆξαι καὶ ψυχαγωγῆσαι κατὰ τὸ παρὸν τοὺς ἀκούοντας, ἐνθάδε δὲ διὰ τῶν ἀληθινῶν ἔργων καὶ λόγων εἰς τὸν πάντα χρόνον διδάξαι καὶ πεῖσαι τοὺς φιλομαθοῦντας κ.τ.λ.

P. C. Sur la théorie rythmique de M. Loisy on trouve des éclaircissements dans les *Actes du Congrès International d'Histoire des Religions,* tenu à Paris en octobre 1923 (Paris, Champion, 1925), t. II, p. 329 : « *M. Goguel* :... l'intérêt de ces études serait d'établir des règles générales pour réduire le rôle de l'impression personnelle. *M. Loisy* :... la séparation des lignes et des strophes se fait d'une manière expérimentale : la déclamation à haute voix, voilà ma méthode. En principe il y a partout une cadence rythmique, mais non une strophique déterminée. Il est à noter que nos textes sont rythmés pour la lecture à haute voix. Ce sont des textes de caractère presque liturgique. » — Et en effet il en est sans doute du IVe évangile comme d'Homère, d'après la pénétrante analyse de M. Victor Bérard : les chants d'Homère se transmettaient par la déclamation, Virgile avait écrit pour être lu. Encore est-il qu'Homère a un rythme précis, et la difficulté est de prouver que saint Jean ait cherché un véritable rythme. Qu'il ait mis en relief certaines idées par des oppositions, des mots accentués, des phrases coupées sur le même thème, cela est aisé à constater mais ce n'est pas reconnaître *partout* une cadence rythmique.

P. 24. — Le mot κέκραγα, d'une affirmation énergique qui libère l'âme, a été employé d'Aristote se séparant de Platon quoi qu'il lui en puisse coûter : καὶ ἐν τοῖς διαλόγοις σαφέστατα κεκραγὼς μὴ δύνασθαι τῷ δόγματι τούτῳ συμπαθεῖν κἂν τις αὐτὸν οἴηται διὰ φιλονεικίαν ἀντιλέγειν (VAL. ROSE, *Aristotelis... fragmenta,* n° 8).

P. 25. — Sur I, 16 M. Pallis corrige : ἐλάβομεν χάριν ἀντὶ κρίματος, *la grâce au lieu de la condamnation.* — Mais il n'y a aucun intérêt à remplacer une leçon mystérieuse par un thème courant.

P. 133. — M. Devreesse me fait remarquer (communication privée) que le fragment que Preuschen attribue à Origène (533) doit être de Théodore de Mopsueste comme le prouve le texte syriaque de son commentaire. — Je croirais cependant que Théodore, fort peu curieux de topographie palestinienne, a pris ses renseignements dans Origène dont il devait reconnaître la supériorité sur ce point.

P. 463. — M. Pallis estime que dans Jo. XVIII, 15; XIX, 26 et XX, 2 le disciple mystérieusement désigné n'est pas Jean, fils de Zébédée, mais Marc. Dans XVIII, 15 et XX, 2, 8, ce disciple est nommé « l'autre » à côté de Pierre. Pallis corrige cet ἄλλος en νεός. Pourquoi le nom de Marc a-t-il été dissimulé? Sans doute à cause de l'animosité qu'il suscita par sa rupture avec Paul (*Pallis,* p. 39). — Explication qui paraîtrait presque probable si la conjecture l'était tant soit peu.

P. 511. — Sur XX, 17, M. Bruno Violet (*Zn TW* 1925, p. 78) propose de regarder μή μου ἅπτου comme une traduction défectueuse de לא תדבקין בי, « ne me suis pas », en araméen (cf. la note peu favorable de F. Perles dans la même revue, 1926, p. 287).

TABLE GÉNÉRALE DES MATIÈRES

Typographie Firmin-Didot et Cie. — Paris. — 1937.

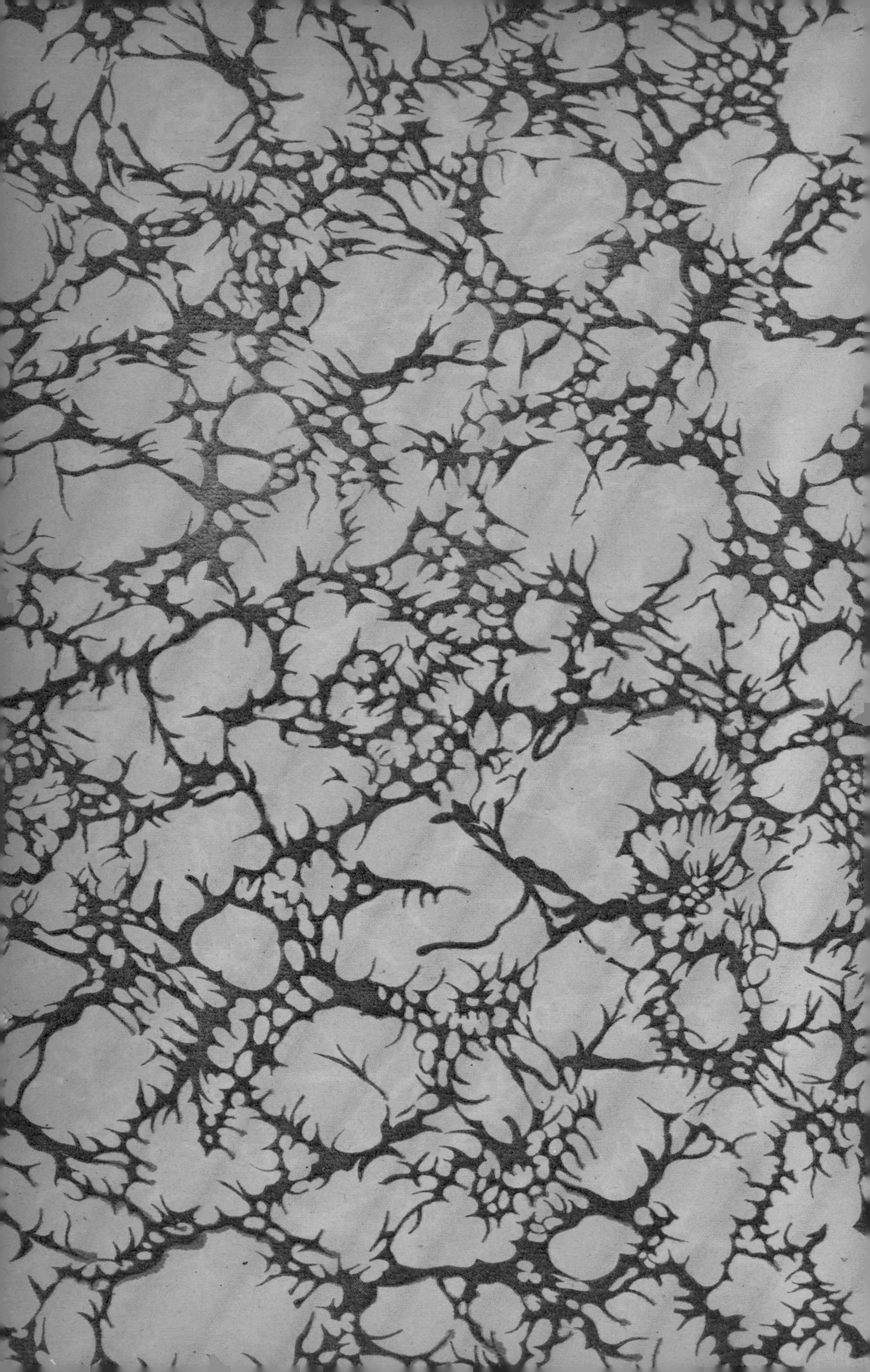